## CONSTANTES PHYSIQUES

| Nom | Symbole | Valeur approchée | Valeur précise* |
|---|---|---|---|
| Charge élémentaire | $e$ | $1{,}602 \times 10^{-19}$ C | $1{,}602\ 177\ 33(49) \times 10^{-19}$ C |
| Constante de Boltzmann | $k = R/N_A$ | $1{,}381 \times 10^{-23}$ J/K | $1{,}380\ 658(12) \times 10^{-23}$ J/K |
| Constante de gravitation | $G$ | $6{,}672 \times 10^{-11}$ N·m²/kg² | $6{,}672\ 59(85) \times 10^{-11}$ $N{\cdot}m^2/kg^2$ |
| Constante de la loi de Coulomb | $k\ (= 1/4\pi\varepsilon_0)$ | $9{,}00 \times 10^{9}$ $N{\cdot}m^2/C^2$ | $8{,}987\ 551\ 8 \times 10^{9}$ $N{\cdot}m^2/C^2$ |
| Constante de Planck | $h$ | $6{,}626 \times 10^{-34}$ J·s | $6{,}626\ 075\ 5(40) \times 10^{-34}$ J·s |
| Constante des gaz parfaits | $R$ | 8,314 J/(K·mol) | 8,314 510(70) J/(K·mol) |
| Masse de l'électron | $m_e$ | $9{,}109 \times 10^{-31}$ kg | $9{,}109\ 389\ 7(54) \times 10^{-31}$ kg |
| Masse du proton | $m_p$ | $1{,}672 \times 10^{-27}$ kg | $1{,}672\ 623\ 1(10) \times 10^{-27}$ kg |
| Nombre d'Avogadro | $N_A$ | $6{,}022 \times 10^{23}$ $mol^{-1}$ | $6{,}022\ 136\ 7(36) \times 10^{23}$ $mol^{-1}$ |
| Perméabilité du vide | $\mu_0$ | – | $4\pi \times 10^{-7}$ $N/A^2$ (exacte) |
| Permittivité du vide | $\varepsilon_0 = 1/(\mu_0 c^2)$ | $8{,}854 \times 10^{-12}$ $C^2/(N{\cdot}m^2)$ | $8{,}854\ 187\ 818 \times 10^{-12}$ $C^2/(N{\cdot}m^2)$ |
| Unité de masse atomique | u | $1{,}661 \times 10^{-27}$ kg | $1{,}660\ 540\ 2(10) \times 10^{-27}$ kg |
| Vitesse de la lumière dans le vide | $c$ | $3{,}00 \times 10^{8}$ m/s | $2{,}997\ 924\ 58 \times 10^{8}$ m/s (exacte) |

* E. Richard Cohen et B. N. Taylor, *Reviews of Modern Physics*, vol. 59, nº 4, octobre 1987, p. 1121. Les nombres entre parenthèses indiquent l'incertitude sur les deux derniers chiffres.

## ABRÉVIATIONS DES UNITÉS COURANTES

| Unité | Abréviation | Unité | Abréviation |
|---|---|---|---|
| Ampère | A | Kilocalorie | kcal (Cal) |
| Ångström | Å | Kilogramme | kg |
| Atmosphère | atm | Livre | lb |
| British thermal unit | Btu | Mètre | m |
| Coulomb | C | Minute | min |
| Degré Celsius | °C | Mole | mol |
| Degré Fahrenheit | °F | Newton | N |
| Électronvolt | eV | Ohm | Ω |
| Farad | F | Pascal | Pa |
| Gauss | G | Pied | pi |
| Gramme | g | Pouce | po |
| Henry | H | Seconde | s |
| Heure | h | Tesla | T |
| Horse-power | hp | Unité de masse atomique | u |
| Hertz | Hz | Volt | V |
| Joule | J | Watt | W |
| Kelvin | K | Weber | Wb |

## DONNÉES D'USAGE FRÉQUENT

| | |
|---|---|
| Terre | |
| Rayon moyen | $6{,}37 \times 10^6$ m |
| Masse | $5{,}98 \times 10^{24}$ kg |
| Distance moyenne au Soleil | $1{,}50 \times 10^{11}$ m |
| Lune | |
| Rayon moyen | $1{,}74 \times 10^6$ m |
| Masse | $7{,}36 \times 10^{22}$ kg |
| Distance moyenne à la Terre | $3{,}84 \times 10^8$ m |
| Soleil | |
| Rayon moyen | $6{,}96 \times 10^8$ m |
| Masse | $1{,}99 \times 10^{30}$ kg |
| Accélération gravitationnelle standard | 9,806 65 m/s$^2$ |
| Pression atmosphérique normale | $1{,}013 \times 10^5$ Pa |
| Masse volumique de l'air (à 0°C et 1 atm) | 1,293 kg/m$^3$ |
| Masse volumique de l'eau (entre 0°C et 20°C) | 1000 kg/m$^3$ |
| Chaleur spécifique de l'eau | 4186 J/(kg·K) |
| Vitesse du son dans l'air à la pression atmosphérique normale (0°C) | 331,5 m/s |
| Vitesse du son dans l'air à la pression atmosphérique normale (20°C) | 343,4 m/s |

## PRÉFIXES DES PUISSANCES DE DIX

| Puissance | Préfixe | Abréviation | Puissance | Préfixe | Abréviation |
|---|---|---|---|---|---|
| $10^{-18}$ | atto | a | $10^1$ | déca | da |
| $10^{-15}$ | femto | f | $10^2$ | hecto | h |
| $10^{-12}$ | pico | p | $10^3$ | kilo | k |
| $10^{-9}$ | nano | n | $10^6$ | méga | M |
| $10^{-6}$ | micro | µ | $10^9$ | giga | G |
| $10^{-3}$ | milli | m | $10^{12}$ | téra | T |
| $10^{-2}$ | centi | c | $10^{15}$ | péta | P |
| $10^{-1}$ | déci | d | $10^{18}$ | exa | E |

## SYMBOLES MATHÉMATIQUES

| | |
|---|---|
| $\propto$ | est proportionnel à |
| $>$ ($<$) | est plus grand (plus petit) que |
| $\geq$ ($\leq$) | est plus grand (plus petit) ou égal à |
| $\gg$ ($\ll$) | est beaucoup plus grand (plus petit) que |
| $\approx$ | est approximativement égal à |
| $\Delta x$ | la variation de $x$ |
| $\sum_{i=1}^{N} x_i$ | $x_1 + x_2 + x_3 + \ldots + x_N$ |
| $\lvert x \rvert$ | le module ou la valeur absolue de $x$ |
| $\Delta x \to 0$ | $\Delta x$ tend vers zéro |
| $n!$ | factorielle $n$ : $n(n-1)(n-2) \ldots 2 \times 1$ |

# PHYSIQUE

## Électricité et magnétisme

2e édition

# PHYSIQUE 2

## *Électricité et magnétisme*

**2e édition**


**Harris Benson**

**Marc Séguin**
**Benoît Villeneuve**
**Bernard Marcheterre**

ÉDITIONS DU RENOUVEAU PÉDAGOGIQUE INC.

5757, RUE CYPIHOT
SAINT-LAURENT (QUÉBEC) H4S 1R3
TÉL.: (514) 334-2690
TÉLÉC.: (514) 334-4720
COURRIEL: erpidlm@erpi.com

| | |
|---|---|
| **Traduction :** | Dominique Amrouni |
| **Supervision éditoriale :** | Sylvain Bournival |
| **Révision linguistique :** | Jean Roy et Sylvain Bournival |
| **Correction des épreuves :** | Anne Rivière et Nicole Labrecque |
| **Recherche photo (2e édition) :** | Bianca Lam |
| **Conception graphique et maquette de la couverture :** | Matteau Parent graphisme et communication inc. |
| **Illustrations techniques :** | Caractéra inc.<br>Bertrand Lachance |
| **Infographie et réalisation graphique :** | Caractéra inc. |

**Couverture :** Portrait de Michael Faraday (1791-1867) : peinture à l'huile (1830), par Henry William Pickersgill.
The Royal Institution, London/Bridgeman Art Library, London/New York.
Chambre à bulles : Renilke Vanden Broeck/CERN.
Las Vegas : Maria Stenzel/National Geographic Image Collection.

Cet ouvrage est une traduction de l'édition révisée de *University Physics*, de Harris Benson, publiée et vendue à travers le monde avec l'autorisation de John Wiley & Sons, Inc.

Dépôt légal : 1er trimestre 1999
Bibliothèque nationale du Québec
Bibliothèque nationale du Canada
Imprimé au Canada

ISBN 2-7613-1041-1

23456789 II 05432109
20063 ABCD LHM-9

# Préface des adaptateurs de la deuxième édition française

La première édition en langue française de l'ouvrage de Harris Benson a connu un grand succès dans le réseau collégial québécois et à travers le monde francophone en général. Ainsi, nous avons conçu cette deuxième édition avec le souci de préserver les caractéristiques qui ont fait la force de la collection, tout en améliorant certains aspects qui s'étaient avérés lacunaires à l'usage.

Au premier coup d'œil, les habitués de la collection seront frappés par la nouvelle mise en page plus aérée, qui facilite grandement la lecture. Ils noteront aussi que toutes les figures ont été refaites. De façon générale, ces nouvelles illustrations traduisent plus clairement les phénomènes étudiés grâce au réalisme de leur facture. De plus, les grandeurs physiques principales sont systématiquement associées à une couleur qui leur est propre tout au long de l'ouvrage.

Un effort particulier a été fait pour que les utilisateurs de la première édition puissent passer le plus facilement possible à la deuxième. Par exemple, nous avons gardé intacte la numérotation des questions, des exercices et des problèmes de la plupart des chapitres.

La première édition de la collection avait innové en offrant pour la première fois la couleur dans un ouvrage de physique de niveau collégial. La deuxième édition innove à son tour en ajoutant le *mouvement*... par l'entremise du complément *Physique animée*, une série de logiciels qui fonctionne avec le système Windows (versions 3.1, 95 et 98) et qui se trouve sur le CD-ROM inséré dans chacun des exemplaires. On a prévu, pour chaque tome, quatre simulations interactives qui viennent compléter certaines sections du livre. Elles peuvent être utilisées par le professeur à titre de démonstrations animées pendant son cours, mais elles sont aussi conçues pour servir de « laboratoire virtuel » aux étudiants, sur une base individuelle. Plusieurs des problèmes énoncés dans le livre peuvent être résolus à l'aide des logiciels de *Physique animée*. Le guide d'utilisation de *Physique animée* ainsi que plusieurs exercices conçus spécialement pour cet outil sont accessibles directement à partir du CD-ROM.

Des renvois aux logiciels de *Physique animée* (désignés par le sigle ci-contre) sont placés aux endroits appropriés en marge du texte dans chacun des tomes.

La deuxième édition se distingue aussi par une utilisation plus souple des sections facultatives : on distingue désormais deux pistes de lecture, le *texte de base* en caractères noirs et le *texte facultatif* en caractères bleus. Au lieu de n'occuper que la fin des chapitres, les passages facultatifs peuvent maintenant se trouver n'importe où dans le texte. Par le fait même, il nous a été possible de réintroduire dans le texte de base des sujets comme celui de la polarisation qui, autrefois, se trouvaient dans le texte facultatif. En revanche, certains passages courts de niveau plus avancé se trouvent maintenant dans le texte facultatif. Lorsque le contenu de ces passages était nécessaire à la compréhension de la suite de l'exposé, on a intercalé une explication simplifiée au sein du texte de base. *Ainsi, la matière exposée dans les passages facultatifs peut être omise sans qu'il y ait rupture dans la continuité du texte de base ; de plus, elle n'est pas un préalable à la compréhension du texte de base des chapitres suivants.* La matière couverte dans le texte facultatif n'est pas nécessairement moins importante ou plus difficile que celle qui se trouve dans le texte de base. Le découpage que nous avons fait devrait permettre à des professeurs qui veulent couvrir l'essentiel d'un chapitre d'indiquer clairement à leurs étudiants ce qui est ou non à l'étude. Les passages facultatifs n'étant pas essentiels à la compréhension de la suite de l'ouvrage, un professeur pourra décider de les sauter, sans crainte d'avoir besoin d'y revenir pour couvrir la matière dans le texte de base des chapitres suivants.

Voici, dans l'ordre où ils se présentent dans chaque chapitre, les éléments principaux qui ont été ajoutés ou modifiés dans la deuxième édition.

- Les *points essentiels* sont désormais toujours formulés sous la forme de phrases complètes.
- Certaines sections ont été remaniées, d'autres ont été enrichies de nouvelles sous-sections. Dans de rares cas, l'ordre des sections a été modifié.
- De nouveaux *exemples* de divers niveaux de difficulté ont été ajoutés.
- Les *exercices* qui se présentaient dans le corps même du chapitre (avec réponses après le résumé) ont été abolis. Certains ont été convertis en exemples tandis que d'autres ont été intégrés au texte.
- Quelques *sujets connexes* et *aperçus historiques* ont été ajoutés.
- Tous les termes en gras se retrouvent désormais dans une liste de *termes importants* placée à la fin du chapitre, immédiatement après le résumé. Un professeur peut utiliser cette liste pour choisir des termes dont la définition pourrait être demandée à l'étudiant au cours d'un contrôle.
- Une nouvelle série de points de *révision* précède la liste de questions qui existait déjà dans la première édition. L'étudiant trouvera les réponses directement dans le chapitre, sans avoir à faire de calculs ou à chercher de l'information complémentaire dans d'autres sources.
- Dans la plupart des chapitres, une série d'*exercices supplémentaires* s'ajoute à la suite des exercices. Les exercices supplémentaires, tout comme les exercices, sont regroupés sous les différents titres des sous-sections auxquelles ils se rapportent, et ils sont numérotés à la suite des exercices. De même, une série de *problèmes supplémentaires* s'ajoute à la suite des problèmes dans certains chapitres.
- Afin de faciliter le repérage des points de révision, des questions, des exercices et des problèmes, une lettre représentative (R, Q, E et P) a été ajoutée à la numérotation. Par exemple, les points de révision sont numérotés R1, R2, R3, etc. Cela devrait permettre d'éviter des méprises fréquentes, comme lorsqu'un élève remet la solution de l'*exercice 3* alors que le professeur lui avait demandé de répondre à la *question 3*.

Comme vous le constaterez sans doute à la lecture de la nouvelle édition, tous ces changements, petits et grands, sont le fruit d'un long travail. Nous tenons à remercier toutes les personnes qui ont contribué, par leurs commentaires et leurs suggestions, à améliorer cet ouvrage. En particulier, nous tenons à remercier les professeurs qui ont participé au sondage et aux groupes-discussion. Nous voudrions aussi souligner le remarquable support de l'équipe des Éditions du Renouveau Pédagogique, en particulier notre éditeur, Normand Cléroux, le directeur de la division collégiale et universitaire, Jean-Pierre Albert, et notre irremplaçable superviseur de projet, Sylvain Bournival.

La collection Physique de Harris Benson n'a pas fini d'évoluer. Comme toujours, nous vous invitons à nous transmettre vos commentaires, suggestions et trouvailles par l'entremise de notre éditeur. Vous pouvez nous rejoindre notamment par courrier électronique à l'adresse **benson@erpi.com**. Il nous fera plaisir de poursuivre ainsi avec votre collaboration ce travail d'amélioration continue qui nous tient tous à cœur.

*L'équipe des adaptateurs de la deuxième édition*:*
Marc Séguin, collège de Maisonneuve
Benoît Villeneuve, collège Édouard-Montpetit
Bernard Marcheterre, cégep régional de Lanaudière à L'Assomption

*L'équipe des concepteurs de* Physique animée *:*
Martin Riopel, collège Jean-de-Brébeuf
Marc Séguin, collège de Maisonneuve
Benoît Villeneuve, collège Édouard-Montpetit

* Nous rappelons que l'adaptation de la première édition de cet ouvrage a été réalisée, en 1993, par MM. Paul Antaki et Pierre Boucher.

# Préface de l'auteur

Ce manuel est le deuxième tome d'un ouvrage d'introduction à la physique destiné aux étudiants de sciences de la nature. Le contenu de chaque tome correspond à un cours d'un trimestre. À l'annexe B figurent les notions d'algèbre et de trigonométrie qui sont supposées connues de l'étudiant. En principe, celui-ci devrait aussi avoir fait un trimestre de calcul différentiel et intégral, mais il peut suivre ce cours parallèlement à celui de physique. Le système international (SI) est employé tout au long des trois tomes, le système britannique n'étant mentionné qu'à de rares occasions.

La suite de cette préface expose les moyens mis en œuvre pour faciliter la progression de l'étudiant et lui permettre d'assimiler le contenu du cours.

## Rigueur de la présentation

Notre premier objectif a été de donner une présentation claire et correcte des notions et des principes fondamentaux de la physique. Nous espérons ainsi avoir su éviter de donner prise aux conceptions erronées. Dans plusieurs sections facultatives, nous nous sommes efforcé de couvrir convenablement des sujets souvent négligés dans les manuels courants, par exemple le théorème de l'énergie cinétique. Une attention particulière a été accordée à des questions délicates, comme l'usage subtil des signes dans l'application de la loi de Coulomb, de la loi de Faraday ou de la loi des mailles de Kirchhoff dans les circuits c.a. Une distinction très nette a été tracée entre la f.é.m. et la différence de potentiel. Sans trop insister sur la distinction entre l'accélération gravitationnelle et le champ gravitationnel, nous leur avons attribué des symboles différents.

## Concision du style

Nous nous sommes efforcé de rédiger cet ouvrage dans un style simple, clair et concis, aussi bien sur le plan du texte que sur celui des calculs et de la notation mathématique. Les exemples proposés mettent l'accent sur des étapes importantes ou des notions plus difficiles à saisir. Tout en étant assez complet, ce manuel est nettement moins volumineux que la plupart des manuels du même type publiés ces dernières années.

## Aspect pédagogique

Cet ouvrage est axé sur des points essentiels et comporte le moins d'équations possible. Certains cas particuliers, comme la formule de la portée d'un projectile, sont étudiés dans le cadre d'un exemple et ne figurent pas dans le résumé du chapitre. Nous avons également choisi de ne pas présenter de multiples versions d'une même équation. Ainsi, dans le 3e tome, la variation de l'intensité dans la figure d'interférence créée par deux fentes parallèles est uniquement donnée en fonction du déphasage $\phi$ et non en fonction de la position angulaire ($\theta$) ni de la coordonnée verticale sur l'écran ($y$).

## Questions, exercices et problèmes

Les questions, exercices et problèmes sont nombreux et variés. Les questions traitent des aspects *conceptuels* de la matière du chapitre : l'étudiant doit en général pouvoir y répondre sans faire de calculs. Chaque exercice porte sur une section donnée du chapitre, alors que les problèmes ont une portée plus générale. Pour aider les étudiants et les professeurs dans le choix des exercices et des problèmes, nous leur avons attribué un degré de difficulté (I ou II). Les réponses aux exercices et problèmes de numéros impairs figurent à la fin de chaque tome.

## Répartition de la matière

Les trois tomes de *Physique* couvrent la plupart des sujets traditionnels de la physique classique. Les six derniers chapitres du tome 3 traitent de sujets choisis de la physique moderne. La partie principale de l'exposé est présentée en caractères noirs, alors que les sections facultatives sont en caractères bleus. Dans l'ensemble, l'agencement de la matière est assez conventionnel. Le produit scalaire et le produit vectoriel sont présentés au chapitre 2 du 1^er^ tome, mais on peut aisément reporter leur étude au moment de leur utilisation. Le chapitre 15 du 1^er^ tome, qui porte sur les oscillations, a été reproduit au début du 3^e^ tome, où il introduit logiquement l'étude des ondes menée à bien dans les deux chapitres suivants. Les aspects dynamiques et énergétiques du mouvement des satellites sont présentés aux chapitres 6 et 8 du 1^er^ tome. Leur étude peut être différée au chapitre 13 afin de traiter uniformément la gravitation, mais on peut tout aussi bien sauter l'ensemble du chapitre 13.

## Aides pédagogiques

*Points essentiels*

Placés en tête de chapitre, ils donnent un bref aperçu des notions importantes, lois, principes et phénomènes à l'étude.

*Méthodes de résolution*

On peut considérer l'acquisition de méthodes applicables à la résolution de certains types de problèmes comme l'aspect le plus important d'un cours de physique. Nous avons donné tout au long du manuel, mais surtout dans les premiers chapitres, des méthodes de résolution de problèmes suivant une approche par étapes.

Le *résumé* du chapitre reprend les équations les plus importantes et rappelle brièvement les notions et principes essentiels. Par ailleurs, des *notes marginales* mettent en évidence les points importants du texte principal.

## Exemples traités

Les étudiants reprochent souvent aux manuels de physique de ne pas donner assez d'exemples ou de présenter des exemples qui ne les préparent pas convenablement aux problèmes posés à la fin des chapitres. Pour remédier à cette lacune, ce manuel comporte de nombreux exemples dont le degré de difficulté correspond autant à celui des problèmes les plus difficiles qu'à celui des exercices. À l'occasion, l'étudiant est averti des pièges ou des difficultés qu'il risque de rencontrer (mauvais départ, racines non physiques, données sans intérêt, difficultés liées à la notation, etc.).

## Dimension historique

Cet ouvrage se distingue aussi par son contenu historique. Présente dans chacun des chapitres, l'information historique remplit un but à la fois pédagogique et culturel. Selon le contexte, elle joue les rôles suivants :

1. Montrer comment une idée, comme la conservation de l'énergie, ou une théorie, comme la relativité ou la mécanique quantique, a vu le jour et s'est développée.
2. Présenter la physique sous un jour plus réaliste en tant qu'activité humaine.
3. Faire connaître des circonstances qui présentent un intérêt particulier (dans le cadre d'anecdotes, par exemple).

Pour rendre un sujet plus vivant et aider l'étudiant à mieux comprendre certaines notions, nous avons intégré au texte de brèves indications historiques. Des exposés plus approfondis sont donnés séparément dans des *Aperçus historiques* présentés en deux colonnes dans un caractère d'imprimerie différent. Certains de ces exposés rendent compte de l'émergence de notions importantes, telles la notion d'inertie. D'autres soulignent l'élégance d'un raisonnement, par exemple celui de Huygens dans son étude des chocs, ou celui qui a permis à Einstein d'établir la formule $E = mc^2$. Aucun problème ou exercice ne porte sur ces aperçus historiques.

Il arrive souvent que les étudiants se fassent une fausse idée des réalités physiques. Dans le cas de certaines notions ou théories, même un exposé lucide ne suffit pas à effacer des idées bien ancrées dans leur perception du monde. Cependant, il est possible de rectifier certaines des idées fausses couramment répandues, par exemple sur l'inertie ou la chaleur, en analysant le cheminement historique qui a abouti à la notion en question.

Un cours d'introduction à la physique peut facilement apparaître comme une litanie de conclusions issues des travaux d'esprits savants. En plus d'être intimidante, cette approche a le tort de présenter la physique comme une science établie plutôt que comme un ensemble de connaissances en constante évolution. Les aperçus historiques peuvent remédier à ce problème et montrer aux étudiants que les choses peuvent demeurer longtemps embrouillées, même pour les plus grands esprits, avant qu'une notion claire ne se dégage. En fait, des penseurs profonds comme Aristote et Galilée ont nourri eux aussi certains préjugés erronés.

Afin de simplifier la description de contextes historiques, les contributions de nombreux chercheurs ont dû malheureusement être passées sous silence. De même, l'exposé ne fait pas mention des nombreuses tentatives infructueuses. Les exposés historiques se veulent exacts, instructifs, intéressants, mais ne sauraient être exhaustifs. Ce que nous proposons ici, c'est une *Physique* avec une touche d'histoire, et non une histoire de la physique.

## Sujets connexes

Les sections intitulées *Sujets connexes* portent sur des phénomènes remarquables qui ont un rapport immédiat avec le contenu du chapitre. Parfois, il s'agit de phénomènes familiers, comme les marées, les arcs-en-ciel, les pirouettes du chat, l'électricité atmosphérique ou le magnétisme. Ailleurs, il est fait état de sujets qui font actuellement l'objet de recherches en physique, comme l'holographie, la supraconductivité, la lévitation magnétique, le microscope à effet tunnel ou la fusion nucléaire. Le chapitre 13 du 3<sup>e</sup> tome, qui traite des particules élémentaires, est proposé à titre de sujet connexe ; il ne comporte pas d'exemples, ni d'exercices ou de problèmes de fin de chapitre.

## Fonction de la couleur

La couleur a été utilisée avec discernement pour améliorer la clarté et la qualité des graphiques et des illustrations. Elle a aussi permis de rehausser l'apparence générale de l'ouvrage par l'insertion de photographies attrayantes.

## Personnes consultées

De nombreux professeurs nous ont fait part de leurs remarques et suggestions. Leur contribution a énormément ajouté à la qualité du manuscrit. Ils ont tous fait preuve d'une grande compréhension des besoins des étudiants, et nous leur sommes infiniment reconnaissant de leur aide et de leurs conseils.

Nous avons eu la chance de pouvoir consulter Stephen G. Brush, historien des sciences de renom, et Kenneth W. Ford, physicien et lui-même auteur. Stephen G. Brush nous a fait de nombreuses suggestions concernant les questions d'histoire des sciences ; seules quelques-unes ont pu être abordées. Quant à Kenneth W. Ford, il nous a fourni des conseils précieux sur des questions de pédagogie et de physique. Nous lui sommes reconnaissant de l'intérêt qu'il a manifesté envers ce projet et de ses encouragements.


## Remerciements

Nous voulons exprimer notre gratitude envers nos collègues pour le soutien qu'ils nous ont apporté. Nous tenons à remercier Luong Nguyen, qui nous a encouragé dès le début. Avec David Stephen et Paul Antaki, il nous a fourni une abondante documentation de référence. Nous avons aussi tiré profit de nos discussions avec Michael Cowan et Jack Burnett.

Enfin, nous devons beaucoup à notre femme, Frances, et à nos enfants, Coleman et Emily. Nous n'aurions jamais pu terminer ce livre sans la patience, l'amour et la tolérance dont ils ont fait preuve pendant de nombreuses années. À l'avenir, le temps passé avec eux ne sera plus aussi mesuré.


Nous espérons que, grâce à cet ouvrage, les étudiants feront de la physique avec intérêt et plaisir. Les remarques et corrections que voudront bien nous envoyer les étudiants ou les professeurs seront les bienvenues.


HARRIS BENSON<br>
*Collège Vanier*<br>
*821, boul. Sainte-Croix*<br>
*Montréal, H4L 3X9*

# Table des matières

# CHAPITRE 1

# *L'électrostatique*

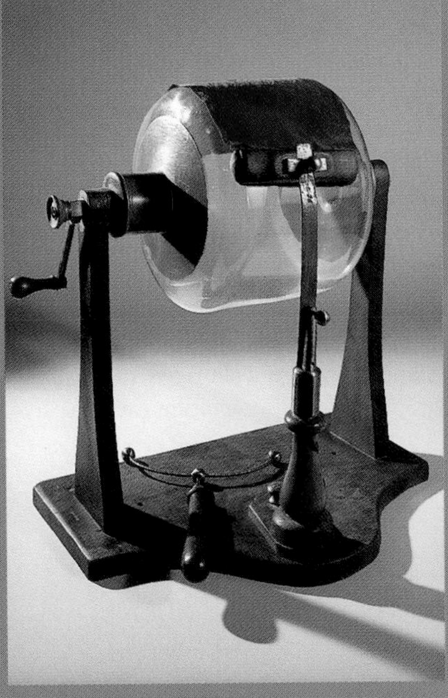

Une génératrice électrostatique du milieu du XVIIIe siècle.

## POINTS ESSENTIELS

1. On trouve dans la nature des **charges électriques** positives et négatives qui s'attirent lorsqu'elles sont de signes opposés et qui se repoussent lorsqu'elles sont de même signe.
2. La charge électrique est quantifiée : elle est toujours le multiple d'une **charge élémentaire**.
3. La charge totale d'un système isolé est une constante.
4. On divise les matériaux en **conducteurs** et en **isolants**, selon la mobilité des charges électriques.
5. La **loi de Coulomb** exprime la force électrique entre deux charges électriques *ponctuelles*.
6. D'après le **principe de superposition**, la force totale s'exerçant sur un objet mis en présence de plusieurs particules chargées est la somme des forces individuelles engendrées par chacune des particules sur l'objet.

Par temps sec, le peigne que l'on vient de se passer dans les cheveux a la faculté d'attirer de petits morceaux de papier ou de dévier le filet d'eau qui coule du robinet. On peut voir apparaître des étincelles lorsqu'on sépare un drap d'une couverture ou recevoir une décharge électrique si l'on touche une poignée de porte après avoir marché sur un tapis. Tous ces effets sont *électriques*. L'orientation de l'aiguille de la boussole et l'attraction entre un clou et un aimant sont des effets *magnétiques*.

Les premières observations de phénomènes électriques et magnétiques datent de l'Antiquité. Vers 600 av. J.-C., Thalès de Milet avait en effet remarqué qu'un morceau d'ambre minérale (résine fossilisée) attirait la paille ou des plumes après avoir été frotté contre de la laine ou de la fourrure. Aristote émit des hypothèses sur la capacité de la gymnote, ou « anguille électrique », à étourdir sa proie et observa que ses décharges électriques pouvaient être ressenties par l'homme. Au IVe siècle de notre ère, les marins italiens connaissaient bien le feu Saint-Elme, un phénomène lumineux visible au sommet des

*Figure 1.1*

La première machine électrique, réalisée par Otto von Guericke en 1663. Le globe de soufre se chargeait par frottement lorsqu'on posait la main dessus pendant qu'il tournait. Guericke montra qu'une plume chargée pouvait rester suspendue en l'air grâce à la répulsion exercée par le globe.

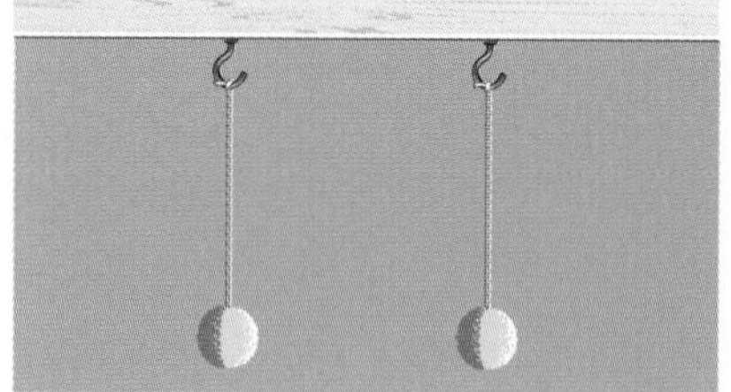

Pas de contact

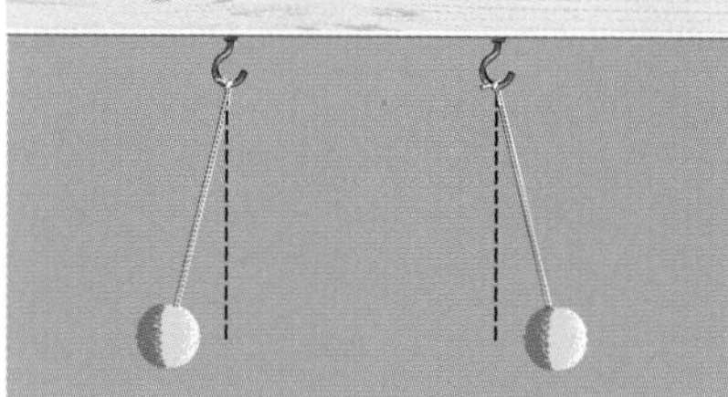

Les deux boules sont entrées en contact avec la tige (ou la soie)

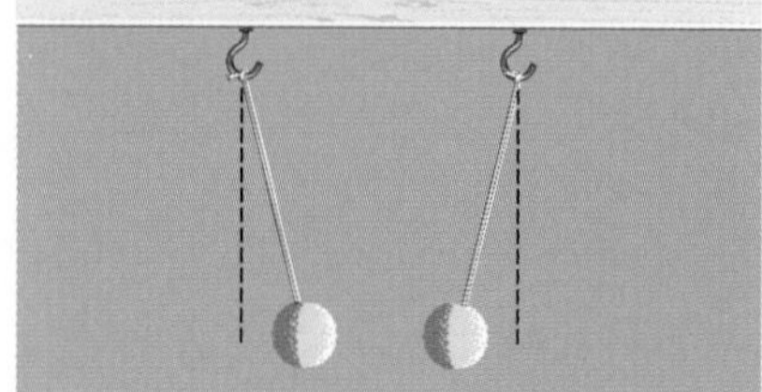

L'une des boules est entrée en contact avec la tige, l'autre avec la soie

*Figure 1.2*

Les phénomènes d'attraction et de répulsion sont facilement mis en évidence à l'aide de deux boules en mousse de polystyrène.

mâts pendant un orage. Au Ier siècle av. J.-C., le poète Lucrèce décrivait dans ses œuvres la puissance mystérieuse des pierres d'aimant que l'on trouvait dans une région d'Asie Mineure appelée Magnésie. Ces aimants naturels avaient des propriétés différentes de l'ambre, puisqu'ils n'attiraient que le fer, et ce sans devoir être frottés. Vers le XIe siècle, les marins chinois et arabes utilisaient des aimants flottants pour s'orienter.

En 1600, William Gilbert, alors médecin de la reine Elisabeth I, fut le premier à faire une nette distinction entre les phénomènes électriques et magnétiques. Il inventa le terme « électrique », dérivé du mot grec *elektron*, qui désigne l'ambre. Gilbert montra que les effets électriques n'étaient pas particuliers à l'ambre et que bien d'autres substances pouvaient s'électrifier par frottement. La première machine électrique par frottement fut réalisée en 1663 par Otto von Guericke, devenu célèbre lorsqu'il mit en évidence la pression atmosphérique (*cf.* chapitre 14, tome 1). Avec cette première machine, on électrifiait, en la faisant tourner sur un axe, une boule de soufre sur laquelle on avait déposé la main (figure 1.1). Par la suite, d'autres machines électriques capables de produire de fortes et parfois dangereuses étincelles furent utilisées comme sources de divertissement.

Presque tous les phénomènes physiques que nous observons, comme la lumière, les réactions chimiques, les propriétés de la matière ou la transmission des signaux par les fibres nerveuses, sont de nature électrique. En fait, la force gravitationnelle est, parmi les forces observées dans la vie courante, la seule qui ne soit pas de nature électrique. La conception et le fonctionnement des postes de radio ou de télévision, des moteurs, des ordinateurs ou des machines à rayons X reposent sur l'interaction entre des **charges électriques**. La charge est une propriété de la matière qui lui fait produire et subir des effets électriques et magnétiques. L'étude des effets électriques créés par des charges au repos est ce que l'on appelle l'**électrostatique**. Le mouvement des charges fait surgir des effets magnétiques combinés aux effets électriques. Les deux effets étant reliés, on parle d'*électromagnétisme* pour décrire l'ensemble des interactions. Les exemples de la vie courante cités dans ce paragraphe sont en réalité de nature électromagnétique. Pendant les deux siècles qui suivirent les premiers travaux de Gilbert, l'électricité et le magnétisme restèrent des disciplines distinctes. Nous allons maintenir cette distinction dans les prochains chapitres.

## 1.1 La charge électrique

Lorsqu'on frotte une tige de verre avec une étoffe en soie, la tige et l'étoffe se chargent. Pour étudier la charge ainsi produite, on peut utiliser des boules en mousse de polystyrène, légères et capables de garder la charge. La figure 1.2 représente deux de ces boules suspendues à faible distance l'une de l'autre. Lorsqu'on touche l'une des boules avec la tige de verre et l'autre avec l'étoffe de soie, elles s'attirent mutuellement. Mais lorsqu'on touche les deux boules avec le même objet, la tige ou l'étoffe, elles se repoussent.

Partant de cette observation, Charles Du Fay suggéra en 1733 que les charges, qu'il appelait « fluide électrique », devaient être de deux types. Il dénomma « vitreuses » les charges créées sur le verre et « résineuses » les charges apparaissant sur la soie*. L'expérience montrait clairement que *des charges de même type se repoussent et des charges de types différents s'attirent*. Du Fay supposait

* On pouvait aussi créer ces charges en frottant une tige de résine, d'où leur nom.

que le frottement permettait de séparer les deux types de fluides. Vers 1750, Benjamin Franklin émit l'hypothèse qu'un seul fluide s'écoule d'un objet vers l'autre. L'objet recevant le fluide était dit positivement chargé et l'autre, négativement chargé. (Selon ce schéma, les charges « vitreuses » étaient donc des charges positives.)

Selon notre conception actuelle, un objet neutre possède le même nombre de charges positives et négatives. La matière est composée d'atomes (de rayon $\approx 10^{-10}$ m), chaque atome étant formé d'un noyau (de rayon $\approx 10^{-15}$ m) contenant des **protons** chargés positivement et des **neutrons** électriquement neutres. Des **électrons** de charge négative forment la structure extérieure de l'atome. Un atome neutre possède un même nombre de protons et d'électrons. Un **ion** est un atome ou une molécule qui a perdu ou gagné un ou plusieurs électrons.

Le frottement fait passer des électrons ou des ions d'un corps à l'autre, ce qui fait apparaître une charge nette positive sur l'un des corps et une charge nette négative sur l'autre. Les signes des charges acquises dépendent des propriétés électriques des deux matériaux et de l'état de leur surface. En fait, le moindre contact entre les deux matériaux les charge électriquement et le frottement ne fait qu'accentuer l'effet. Dans certains cas, le simple fait de passer d'un frottement en douceur à un frottement beaucoup plus énergique peut changer les signes des charges acquises par les deux corps. Ce changement de signe imprévisible est dû à des poussières en quantités infimes qui sont très difficiles à supprimer.

L'unité SI de charge est le **coulomb** (C). Elle est définie en fonction du courant électrique, qui correspond à un débit d'écoulement des charges. On procède ainsi parce que l'intensité du courant qui circule dans un fil peut être mesurée avec précision, alors que les charges d'un corps ont tendance à s'écouler par fuite (*cf.* chapitre 9). Le coulomb correspond à une très grande quantité de charge : en général, la charge qui apparaît sur un corps lorsqu'on le frotte est de l'ordre de $10^{-8}$ C, alors que la foudre peut faire passer jusqu'à 20 C entre un nuage et la terre. Lorsqu'on charge un corps par frottement, la proportion des atomes de la surface qui perdent ou gagnent un électron n'est que d'un sur $10^5$. Même pour les objets très fortement chargés, le nombre des atomes de la surface qui possèdent une charge nette n'est que d'un sur 500 environ. Les effets électriques proviennent de déséquilibres très faibles par rapport à l'état normalement neutre de la matière.

## Quantification de la charge

Aux XVII^e^ et XVIII^e^ siècles, la charge électrique et la matière étaient considérées comme des grandeurs continues. Mais au XIX^e^ siècle, la mise en évidence des règles simples qui gouvernent les combinaisons chimiques des éléments vint fortement appuyer l'idée selon laquelle la matière est composée d'atomes. Les preuves chimiques ont également suggéré que les molécules se décomposent en ions, chaque ion étant porteur d'une charge déterminée, égale à un multiple d'une **charge élémentaire**. Des expériences ultérieures ont confirmé cette hypothèse. La charge électrique n'existe qu'en quantités discrètes ; on dit qu'elle est *quantifiée*. Le quantum de charge, mesuré pour la première fois en 1909 par R. A. Millikan (*cf.* chapitre 2), vaut à peu près :

Charge élémentaire

$$e = 1{,}602 \times 10^{-19} \text{ C}$$

Toute charge $q$ doit être égale à un multiple entier de cette quantité élémentaire, $q = 0, \pm e, \pm 2e, \pm 3e$, etc. Bien que la masse du proton soit environ 1800 fois plus grande que celle de l'électron, leur charge a la même valeur :

$$q_e = -e \qquad q_p = +e$$

Précisons ici que l'électron n'est *pas* une charge : tout comme la masse, la charge est une propriété caractéristique des particules élémentaires comme l'électron.

Des conceptions théoriques récentes postulent l'existence de particules appelées *quarks*, qui seraient les éléments fondamentaux de la plupart des douzaines de particules élémentaires connues à l'heure actuelle. D'après la théorie, ces quarks portent des fractions de la charge élémentaire : $\pm e/3$ ou $\pm 2e/3$. Mais, si l'on dispose de nombreuses preuves indirectes de leur existence, personne n'a encore réussi à isoler un quark. Il semble donc que $e$ soit pour l'instant la plus petite charge *isolée* dans la nature.

### Conservation de la charge

Partant de sa théorie du fluide unique, Franklin a réalisé une expérience avec deux personnes, A et B, se tenant debout sur des socles en cire (pour éviter la perte de charge). La personne A ayant reçu la charge d'une tige de verre frottée sur une étoffe en soie et la personne B ayant reçu la charge portée par l'étoffe en soie, on observait une étincelle lorsque A ou B approchait ses poings d'une troisième personne C. Mais si A ou B se touchaient avant que C n'approche, une étincelle se produisait entre A et B, mais pas avec C par la suite. Franklin en conclut que les charges acquises par A et B étaient égales et de signes opposés et que la quantité de fluide gagnée par la tige était égale à la quantité de fluide perdue par l'étoffe, la quantité totale de fluide restant inchangée. Cette découverte est importante : la charge n'est ni créée ni détruite, elle est *transmise* d'un corps à l'autre. Cette propriété porte le nom de **conservation de la charge** :

Conservation de la charge

> La charge totale d'un système isolé reste constante.

Le terme « isolé » signifie qu'il n'existe pas de chemin ou de passage, tel un fil ou de l'air humide, par lequel les charges pourraient entrer dans le système ou en sortir. Pour appliquer la loi de conservation de la charge, on fait la somme des charges élémentaires avant l'interaction puis après. Prenons l'exemple d'une réaction chimique simple :

$$\mathrm{Na^+ + Cl^- \rightarrow NaCl}$$
$$(+e) + (-e) = (0)$$

L'atome de sodium (Na) a perdu un électron pour devenir un ion positif $Na^+$ ; l'atome de chlore (Cl) a gagné un électron pour devenir un ion négatif $Cl^-$. Durant la réaction, les ions se combinent pour former la molécule neutre de chlorure de sodium (NaCl). Prenons maintenant l'exemple d'une désintégration radioactive :

$$\mathrm{n \rightarrow p + e^- + \bar{\nu}}$$
$$(0) = (+e) + (-e) + (0)$$

Dans ce cas, un neutron de charge nulle subit une désintégration spontanée pour donner un proton, un électron et une particule neutre appelée antineutrino. La somme des charges des produits de la désintégration est égale à la charge du neutron, c'est-à-dire à zéro.

## 1.2 Conducteurs et isolants

Au tout début de la recherche en électricité, même les amateurs pouvaient faire des découvertes importantes. Ce fut le cas en 1729 pour Stephen Gray, lorsqu'il s'aperçut que les bouchons de liège placés aux extrémités d'un tube en verre chargé devenaient chargés à leur tour. Cette observation était d'une grande importance, car elle montrait qu'un corps pouvait se charger sans qu'on le frotte. Gray réussit à faire passer la charge d'une tige en verre à une boule en ivoire qu'il avait suspendue à un fil tendu à sa fenêtre. Voulant voir jusqu'où le « fluide » pouvait aller, il fabriqua ensuite un fil long de quelques centaines de mètres suspendu parallèlement au sol par des boucles en soie, mais celles-ci se cassèrent rapidement. L'expérience échoua également, mais pour une raison différente, lorsque Gray remplaça les boucles en soie par des crochets métalliques. Il en conclut que le métal avait « entraîné » la charge. Pour démontrer que la charge pouvait traverser le corps humain, Gray suspendit un jeune garçon à des fils de soie et il lui mit les pieds en contact avec une machine produisant des charges. Les doigts du garçon, devenus chargés, attiraient de petits objets et donnaient des décharges électriques aux personnes qui l'entouraient. De telles démonstrations devinrent très populaires (figure 1.3).

**Figure 1.3**

Cette expérience amusante et intéressante montre que la charge peut circuler dans le corps humain, des pieds jusqu'au bout des doigts. Le corps humain est donc un conducteur.

**Conducteurs, isolants et semi-conducteurs**

Gray s'aperçut que l'on pouvait classer la plupart des substances dans deux groupes. Celles, comme les métaux ou les solutions ioniques, qui laissent les charges circuler librement, sont appelées **conducteurs**. Celles qui ne laissent pas circuler les charges, comme le bois, le caoutchouc, la soie ou le verre, sont des **isolants**. Un troisième groupe de matériaux, que l'on appelle **semi-conducteurs**, comprend le silicium, le germanium et le carbone. Lorsqu'ils sont très purs, les semi-conducteurs se comportent comme des isolants ; mais en leur ajoutant certaines impuretés, on arrive à modifier leur pouvoir conducteur. Le silicium et le germanium sont couramment utilisés dans les circuits électroniques.

La mobilité des charges dans une substance peut être caractérisée par un **temps de relaxation**. Lorsqu'on place une charge sur une petite région de la surface d'un objet, le temps de relaxation nous renseigne sur le rythme auquel la charge va diminuer en ce point ou, ce qui revient au même, sur le temps mis par les charges pour atteindre leur position d'équilibre. Le temps de relaxation du cuivre est de $10^{-12}$ s environ, celui du verre est de 2 s ; il vaut $4 \times 10^3$ s dans le cas de l'ambre et à peu près $10^{10}$ s dans le cas du polystyrène. On remarque donc que ces valeurs diffèrent entre elles d'un facteur de $10^{22}$, ce qui est énorme ! Le temps de relaxation du cuivre montre qu'une charge quelconque acquise par un métal se répartit très rapidement sur la surface, comme on le

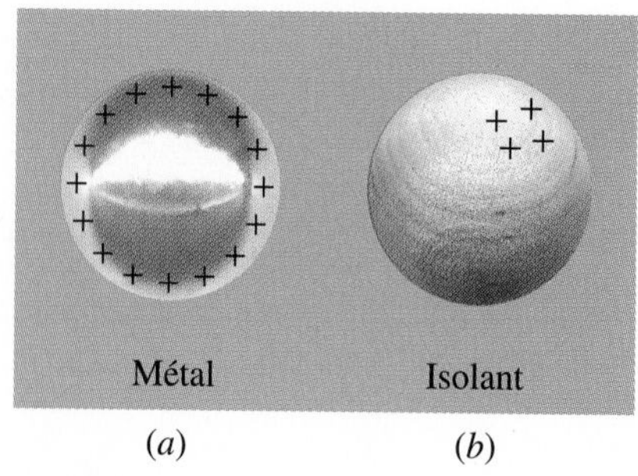


(*a*) (*b*)

***Figure 1.4***

(*a*) Une charge quelconque placée sur une sphère métallique se répartit très rapidement sur toute la surface de la sphère. (*b*) Sur un isolant, la charge se trouve en paquets localisés sur de petites régions de la surface.

voit à la figure 1.4*a*. Par contre, sur un bon isolant, on rencontre les charges en paquets localisés (figure 1.4*b*). Pour faire passer la charge d'un isolant à un autre objet, il est nécessaire d'établir un contact avec l'objet en plusieurs points de l'isolant.

À l'échelle atomique, on peut expliquer la différence entre conducteurs et isolants en observant ce que deviennent les électrons de valence les plus éloignés du noyau, c'est-à-dire les moins liés. Dans un isolant comme le chlorure de sodium (NaCl), l'électron de valence de l'atome de sodium (Na) est pris par l'atome de chlore (Cl). Les ions $Na^+$ et $Cl^-$ forment des liaisons « ioniques » dans lesquelles tous les électrons sont liés à des sites atomiques donnés. Par contre, dans un conducteur métallique, un électron par atome environ est libre de se déplacer dans l'ensemble du matériau. Un métal est essentiellement constitué d'ions positifs immobiles, disposés en général selon un arrangement à trois dimensions appelé *réseau*, et entourés d'une foule d'**électrons libres**. La conduction du métal est liée au mouvement des électrons libres, qui se comportent à peu près comme les particules d'un gaz dans un récipient fermé. Dans une solution électrolytique (où les molécules sont dissociées en ions de charges opposées), ou dans un gaz ionisé, toutes les charges, positives et négatives, sont en mouvement. Même dans une atmosphère sèche, les ions sont en nombre suffisant pour décharger un objet en quelques minutes.

## 1.3 Le phénomène de charge par induction

Stephen Gray avait démontré que la charge électrique peut être transmise à un objet par conduction. En 1753, John Canton s'aperçut qu'un objet métallique isolé peut se charger sans entrer en contact avec un corps chargé. Ce processus de charge sans contact est appelé **induction**. La figure 1.5 représente deux sphères métalliques A et B posées sur des socles isolants. À la figure 1.5*a*, elles sont en contact et forment ainsi un seul conducteur. On approche de la sphère A une tige chargée positivement, mais *sans toucher* la sphère. Les électrons libres du conducteur A + B sont attirés par la tige, et certains d'entre eux se déplacent vers le côté gauche de A. Ce déplacement crée un déséquilibre de charge et fait apparaître une charge positive sur le côté droit de B : la tige a provoqué, ou *induit*, une séparation des charges. À la figure 1.5*b*, on sépare les deux sphères, la tige étant *encore* présente. Finalement, à la figure 1.5*c*, on enlève la tige : les deux sphères ont acquis une charge par induction, sans que la tige chargée ne soit entrée en contact avec elles. Puisque la charge positive de B vient du déséquilibre créé par le mouvement des électrons vers A, les charges apparaissant sur A et B sont nécessairement de même grandeur mais de signes opposés, et ce même si les sphères sont de tailles différentes : il y a bien conservation de la charge, puisque la charge initiale nette des deux sphères était nulle. On notera que, dans cette séquence de manipulations, il est essentiel

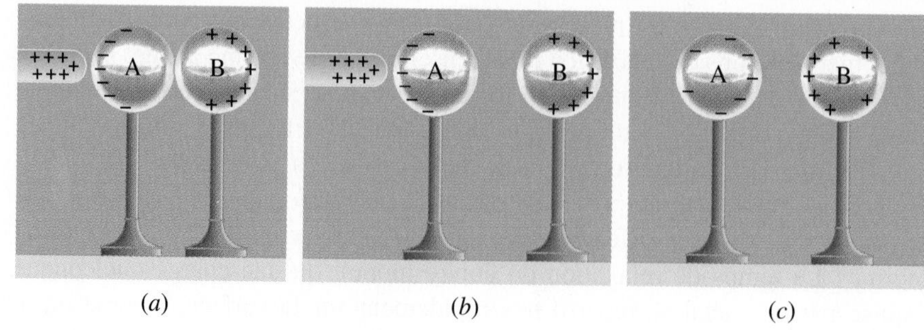


(*a*) (*b*) (*c*)

***Figure 1.5***

Des charges de même grandeur mais de signes opposés sont transmises par induction à deux sphères métalliques. Remarquez qu'en (*c*) les charges négatives de A sont attirées par les charges positives de B, ce qui produit l'asymétrie de la distribution des charges sur chaque sphère.

d'enlever la tige *après* avoir séparé les sphères ; si les sphères demeurent en contact, les charges de A et B se neutralisent dès qu'on enlève la tige, car le temps de relaxation d'un bon conducteur est extrêmement court.

Une sphère métallique unique peut également se charger par induction. Lorsqu'on approche la tige chargée positivement (figure 1.6*a*), elle provoque la séparation des charges. On relie ensuite la sphère à la terre, au moyen par exemple d'une conduite d'eau. (La terre est un assez bon conducteur et est employée comme réservoir de charge de capacité quasiment infinie.) Sur les schémas, on utilise le symbole ⊥ pour représenter la mise à la terre. Comme le montre la figure 1.6*b*, des électrons venant de la terre vont neutraliser la charge positive. À la figure 1.6*c*, la connexion avec la terre a été coupée. Après avoir éloigné la tige, on observe à la figure 1.6*d* une charge négative répartie uniformément sur la sphère.

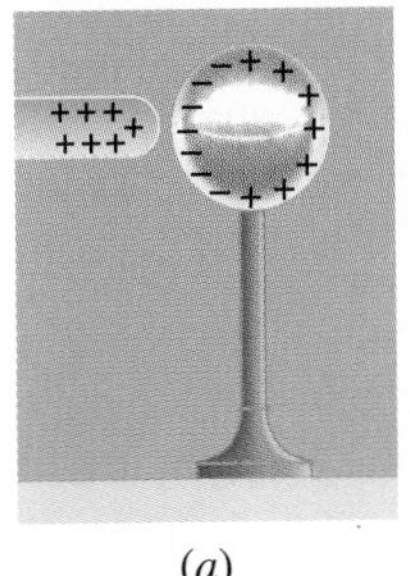

(*a*)

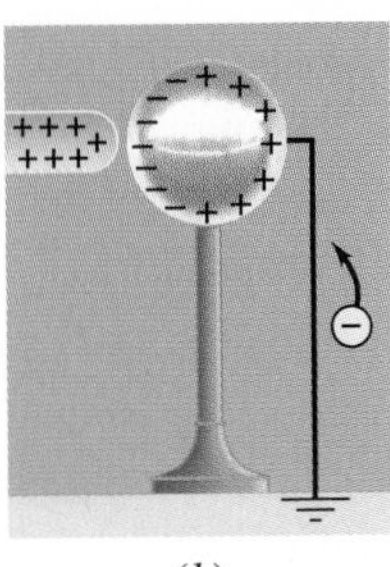

(*b*)

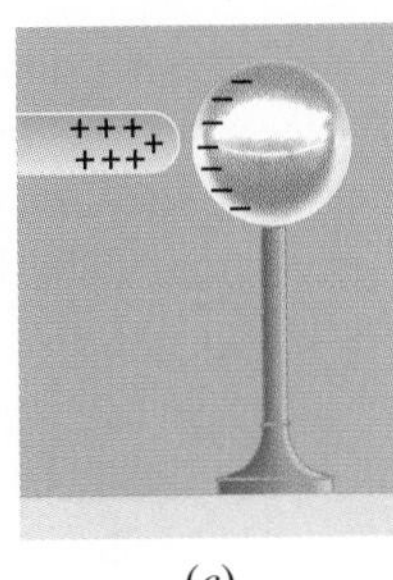

(*c*)

(*d*)

**Figure 1.6**

Une seule sphère métallique est chargée par induction.

## 1.4 L'électroscope à feuilles

Un électroscope est un appareil servant à détecter les charges électriques. Mis au point en 1786 par Abraham Bennet, l'**électroscope à feuilles** est constitué d'une ou de deux minces feuilles d'or ou d'aluminium fixées à une tige métallique (figure 1.7). La tige, placée dans un récipient transparent muni d'un bouchon isolant, porte à son extrémité extérieure un plateau ou une sphère métallique. À la figure 1.8*a*, on approche d'un électroscope non chargé une tige en verre chargée positivement. Les électrons du plateau métallique sont attirés par la tige et créent, en se déplaçant, un déséquilibre des charges ; ce déséquilibre fait apparaître une charge positive sur les feuilles, qui se repoussent mutuellement. Si on éloigne la tige, les feuilles retombent simplement à la verticale. À la figure 1.8*b*, la tige a touché le plateau et lui a transmis une charge positive. Puisque nous ne savons pas exactement quelle fraction de la charge de la tige est passée sur le plateau, l'électroscope nous permet de déceler la charge mais ne nous permet pas de la *mesurer*. L'électroscope chargé peut aussi nous renseigner sur le signe de la charge portée par un objet. Si, à partir de la situation illustrée à la figure 1.8*b*, on approche du plateau un objet chargé positivement, les feuilles ont tendance à s'éloigner davantage l'une de l'autre ;

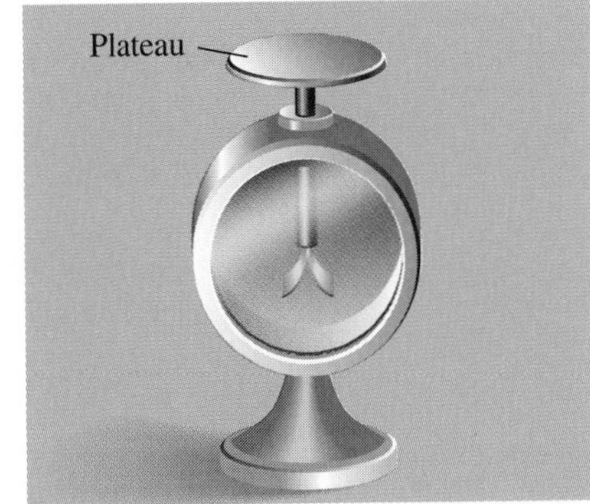


**Figure 1.7**

Un électroscope à feuilles.

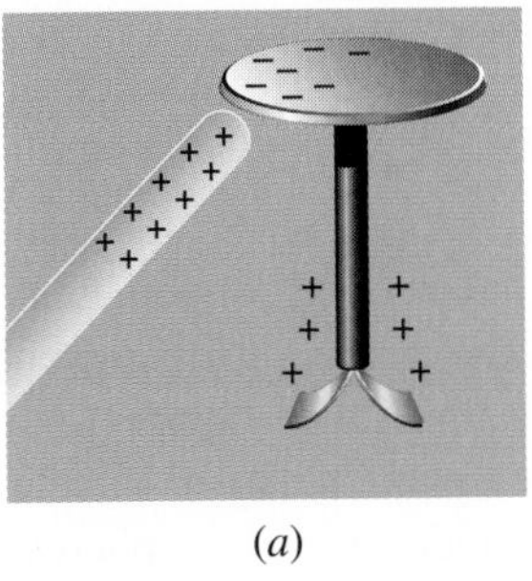

(*a*)

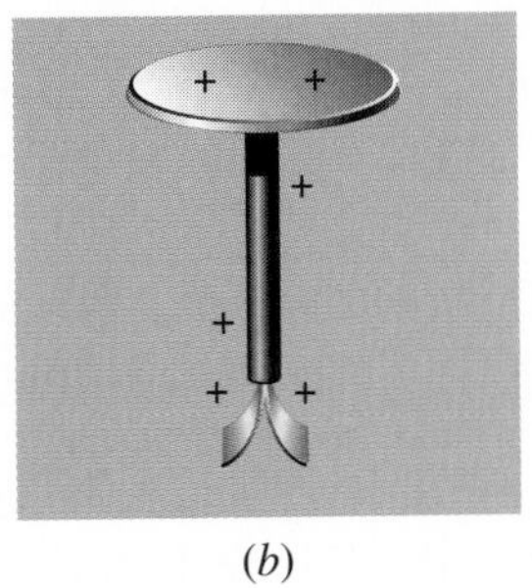

(*b*)

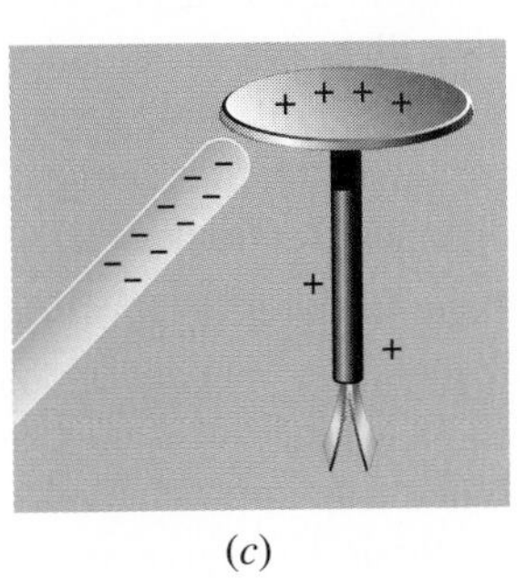

(*c*)

**Figure 1.8**

On peut utiliser un électroscope à feuilles chargé pour déterminer le signe de la charge d'un autre corps.

par contre, lorsqu'on approche un objet chargé négativement, la déviation des feuilles a tendance à diminuer (figure 1.8*c*).

L'électroscope peut servir à détecter les rayonnements ionisants, comme les rayons X ou les particules de haute énergie. Pour ce faire, on remplit le récipient d'un gaz approprié et on charge les feuilles. L'incidence d'un rayon X ou d'une particule de haute énergie arrive souvent à rompre les liaisons atomiques dans une molécule et à produire des ions de charges opposées. Les ions dont la charge est opposée à celle des feuilles se dirigent vers les feuilles et neutralisent une partie de la charge portée par celles-ci, faisant ainsi diminuer leur déviation. Vers 1900, Marie Curie utilisa un dispositif de ce type dans ses premiers travaux sur la radioactivité.

## 1.5 La loi de Coulomb

En électricité, malgré les progrès considérables réalisés sur le plan conceptuel tout au long du XVIIIe siècle, on ne disposait que d'observations qualitatives. Le fait de ne pas avoir de loi quantitative décrivant l'interaction entre les charges électriques gênait les physiciens dans leurs travaux.

Après plusieurs tentatives infructueuses, une première étape importante dans l'établissement d'une telle loi fut franchie en 1766 par le chimiste Joseph Priestley, à qui l'on doit la découverte de l'oxygène. Un peu auparavant, Franklin avait réalisé une expérience simple : sachant qu'un corps non chargé est attiré par la surface externe d'une coupe métallique chargée et se charge s'il est mis en contact avec la coupe, il suspendit une boule de liège non chargée à l'intérieur d'une coupe et constata avec surprise que la boule n'était soumise à aucune force. Mise en contact avec la surface intérieure de la coupe, puis retirée, la boule ne portait pas de charge. Priestley confirma ces résultats à la demande de Franklin. La seule loi connue à l'époque donnant l'expression d'une force était la loi de la gravitation. D'après cette loi, la force gravitationnelle entre deux masses est inversement proportionnelle au carré de la distance qui les sépare. Une des conséquences de cette dépendance en $1/r^2$ est que la force gravitationnelle résultante exercée sur une masse située à l'intérieur d'une coquille sphérique uniforme est égale à zéro (voir le chapitre 13, tome 1). Par analogie avec ce résultat, Priestley tira une conclusion importante : il supposa que la force électrique entre les charges devait aussi varier en $1/r^2$. S'il s'agissait là d'une hypothèse acceptable, elle n'était pas totalement convaincante. Par exemple, le conducteur creux n'avait pas besoin d'être de symétrie sphérique, alors que la coquille devait l'être dans le cas de la gravité.

Charles A. Coulomb (1736-1806).

C'est en 1785, c'est-à-dire presque cent ans exactement après l'énoncé de la loi de la gravitation par Newton, que Charles Augustin Coulomb établit expérimentalement la loi donnant la force exercée entre deux charges électriques. Bien qu'il ne disposait ni d'unité de charge ni d'aucun moyen fiable pour mesurer les charges, Coulomb imagina un stratagème simple pour déterminer la valeur des charges. Ayant chargé une petite boule de moelle de sureau plaquée d'or, il la mit en contact avec une boule identique mais non chargée, en supposant que, si la charge initiale était égale à $Q$, alors chaque sphère acquerrait par symétrie la charge $Q/2$. En répétant cette opération, il pouvait obtenir diverses fractions de $Q$.

Pour mesurer les forces, Coulomb se servit d'une balance de torsion dans laquelle un dispositif en forme d'haltère constitué d'une petite sphère métallique chargée et d'un contrepoids est suspendu par un fil de soie (figure 1.9). Lorsqu'on approchait de la sphère suspendue une autre sphère chargée, l'angle de torsion observé permettait de déduire la force exercée entre les sphères.

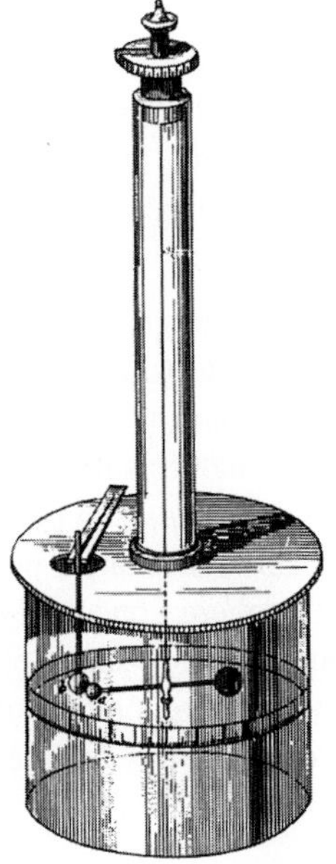

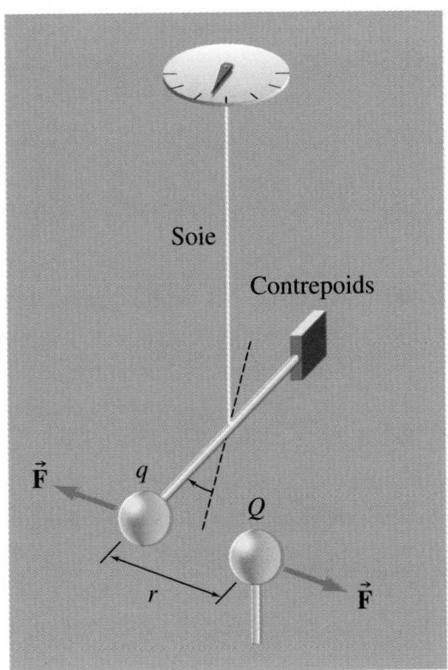


**Figure 1.9**

La balance de torsion utilisée par Coulomb. On déterminait la force électrique entre deux sphères en mesurant l'angle de torsion d'un fil de soie.

Coulomb trouva ainsi que la force qui s'exerce entre des charges immobiles $q$ et $Q$ est inversement proportionnelle au carré de la distance $r$ qui les sépare, autrement dit, $F \propto 1/r^2$. Si la distance est constante, la force est proportionnelle au produit des charges, autrement dit, $F \propto qQ$. Tenant compte de ces deux résultats, la **loi de Coulomb** exprime la force électrique s'exerçant entre deux charges ponctuelles :

$$F = \frac{k|qQ|}{r^2} \qquad (1.1)$$

où $k$ est une constante qui dépend du système d'unités utilisé ; $F$ représentant le module du vecteur force électrique, on a pris la valeur absolue du produit des charges pour avoir une grandeur toujours positive. Dans le système SI, cette constante a pour valeur approximative :

$$k \approx 9{,}0 \times 10^9 \text{ N}\cdot\text{m}^2/\text{C}^2$$

On trouve souvent cette constante $k$ sous la forme

$$k = \frac{1}{4\pi\varepsilon_0}$$

où $\varepsilon_0$, qui est la **constante de permittivité du vide**, a pour valeur

$$\varepsilon_0 = 8{,}85 \times 10^{-12} \text{ C}^2/\text{N}\cdot\text{m}^2$$

Le rapport $1/4\pi\varepsilon_0$ fait peut-être paraître la loi de Coulomb un peu plus compliquée, mais on verra qu'il simplifie l'aspect d'autres équations en électromagnétisme.

L'équation 1.1 donne le *module* du vecteur force électrique. Pour déterminer sa direction et son sens, il suffit de se rappeler que des charges de signe identique se repoussent et des charges de signes contraires s'attirent (figure 1.10). La force électrique est une force *radiale* (elle est dirigée selon la droite joignant les deux particules) et de *symétrie sphérique* (elle ne dépend que de $r$).

Sous sa forme vectorielle, la loi de Coulomb s'écrit

$$\vec{\mathbf{F}} = \frac{kqQ}{r^2}\vec{\mathbf{u}}_r \qquad (1.2)$$

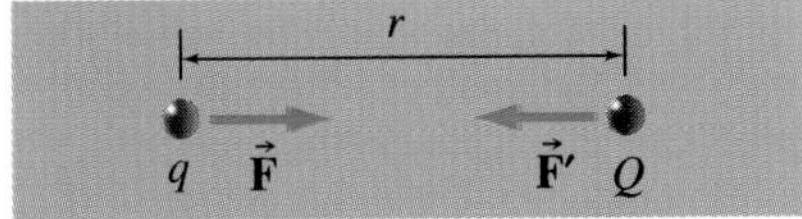


(*a*) Charges de signes opposés

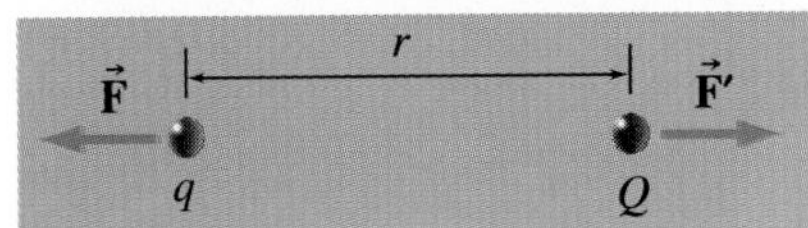


(*b*) Charges de signe identique

**Figure 1.10**

(*a*) Deux charges de signes opposés s'attirent. (*b*) Deux charges de signe identique se repoussent. D'après la loi de Coulomb, la grandeur des deux forces est $k|qQ|/r^2$. On remarque que la force $\vec{\mathbf{F}}$ exercée sur la charge $q$ par la charge $Q$ est de même grandeur mais de direction opposée à la force $\vec{\mathbf{F}}'$ exercée par la charge $Q$ sur la charge $q$, en accord avec la troisième loi de Newton (action-réaction).

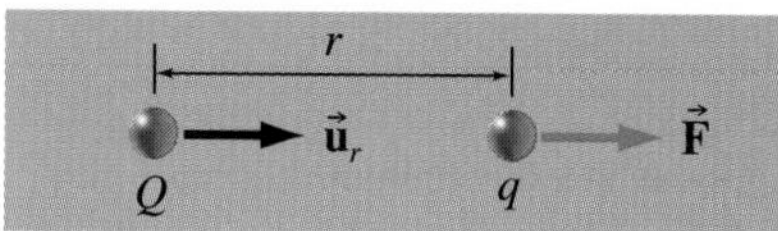


***Figure 1.11***

La loi de Coulomb s'applique à des charges *ponctuelles*. Le vecteur unitaire $\vec{\mathbf{u}}_r$ a son origine à la « source de la force ».

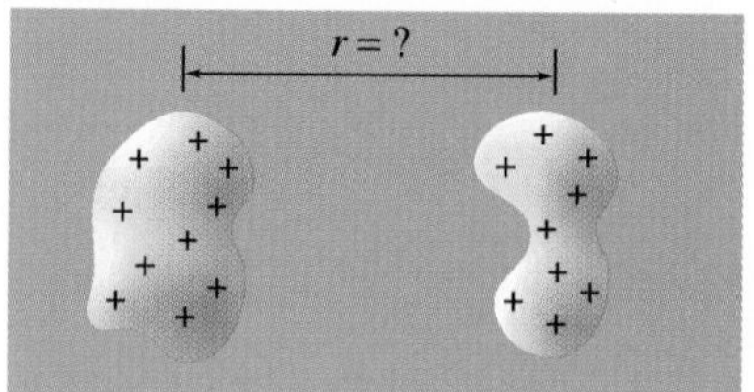


***Figure 1.12***

Dans le cas de corps chargés de forme quelconque, la distance $r$ n'a pas de valeur bien définie.

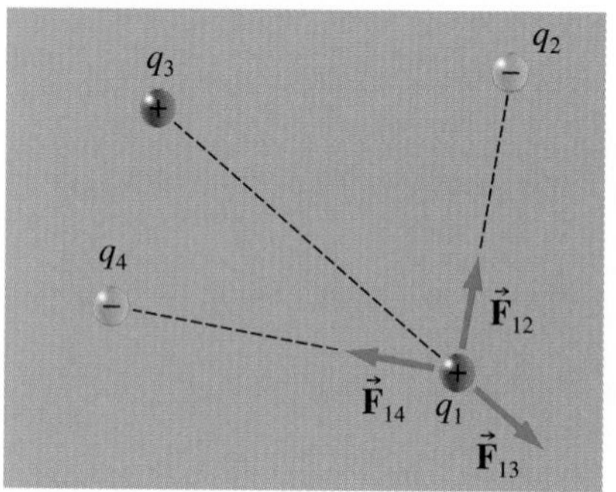


***Figure 1.13***

La force entre deux charges ne dépend pas des autres charges en présence. La force résultante sur $q_1$ est la somme vectorielle des forces exercées par les autres charges, calculées l'une après l'autre.

Le vecteur unitaire $\vec{\mathbf{u}}_r$ a pour origine la « source de la force ». Par exemple, pour trouver la force agissant sur $q$, on place l'origine du vecteur $\vec{\mathbf{u}}_r$ en $Q$, comme le montre la figure 1.11. Les signes des charges doivent figurer explicitement dans l'équation 1.2. Si la force a pour module $F$ (grandeur scalaire positive), alors $\vec{\mathbf{F}} = +F\vec{\mathbf{u}}_r$ correspond à une *répulsion*, alors que $\vec{\mathbf{F}} = -F\vec{\mathbf{u}}_r$ correspond à une *attraction*.

La loi de Coulomb ne s'applique directement qu'à des charges *ponctuelles* ou à des particules. En effet, dans le cas de corps chargés de forme quelconque, comme ceux de la figure 1.12, la distance $r$ qui les sépare n'a pas de valeur bien définie. Comme pour la force de gravitation, il y a toutefois une exception : si la charge est répartie *uniformément sur une surface sphérique*, on peut utiliser la loi de Coulomb pour calculer la force exercée sur une charge ponctuelle extérieure à la surface, en supposant la charge de la sphère concentrée en son centre. De même, si les dimensions des deux corps chargés sont petites par rapport à la distance qui sépare les deux corps, la loi de Coulomb nous donne une valeur approchée de la force qui s'exerce entre eux. Dans tous les autres cas, il faut procéder par intégration (*cf.* section 2.5).

## Le principe de superposition

La figure 1.13 représente l'interaction d'une charge $q_1$ avec d'autres charges. Les forces électriques obéissent au **principe de superposition** (*cf.* chapitre 13, tome 1). Ainsi, pour trouver la force électrique totale agissant sur $q_1$, nous calculons d'abord l'une après l'autre les forces exercées par chacune des autres charges. Si l'on désigne par $\vec{\mathbf{F}}_{AB}$ la force exercée *sur* A *par* B, la force totale $\vec{\mathbf{F}}_1$ exercée sur $q_1$ est simplement égale à la somme vectorielle :

$$\vec{\mathbf{F}}_1 = \vec{\mathbf{F}}_{12} + \vec{\mathbf{F}}_{13} + \ldots + \vec{\mathbf{F}}_{1N} \qquad (1.3)$$

On remarque que la force $\vec{\mathbf{F}}_{12}$ $(= -\vec{\mathbf{F}}_{21})$ entre $q_1$ et $q_2$ ne dépend pas des autres charges en présence, $q_3$ et $q_4$.

### Méthode de résolution : Loi de Coulomb

Voici les étapes à suivre pour trouver la force électrique totale agissant sur une charge $q_i$.

1. Déterminer si la force exercée par chacune des autres charges données est une attraction ou une répulsion. Pour chacune des autres charges, tracer le vecteur force à partir de $q_i$ en le dirigeant soit vers l'autre charge, soit dans la direction opposée.
2. Pour chacune des autres charges, calculer le module de la force à partir de l'équation 1.1 :
$$F = \frac{k|q_i Q|}{r^2}$$
où $r$ est la distance entre $q_i$ et chacune des autres charges $Q$.
3. Choisir un système d'axes et trouver $F_x$ et $F_y$. Les signes de ces composantes vont dépendre du choix des axes.
4. Sauf indication contraire, tous les vecteurs doivent être exprimés en fontion des vecteurs unitaires $(\vec{\mathbf{i}}, \vec{\mathbf{j}}, \vec{\mathbf{k}})$.

Cette séquence d'opérations est illustrée dans l'exemple qui suit.

## Exemple 1.1

Trouver la force électrique résultante exercée sur la charge $q_1$ par les autres charges de la figure 1.14. On donne $q_1 = -5$ μC, $q_2 = -8$ μC, $q_3 = 15$ μC et $q_4 = -16$ μC.

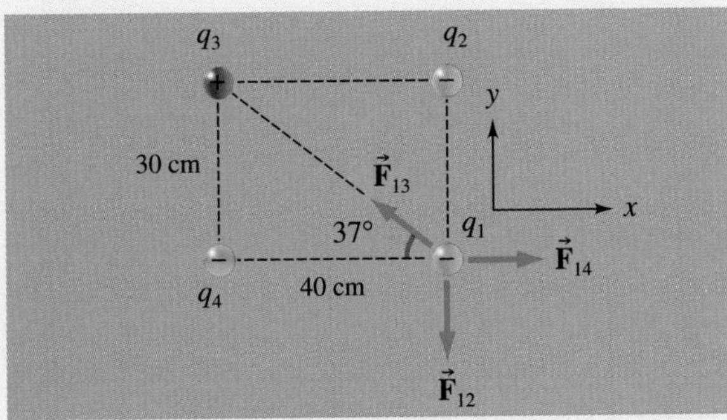


*Figure 1.14*

Pour trouver la force résultante sur $q_1$, on doit d'abord calculer séparément les différentes forces, puis prendre leurs composantes dans un système de coordonnées.

**Solution :**

La figure représente les directions des forces exercées sur $q_1$ et le système de coordonnées. Le module de la force exercée sur $q_1$ par $q_2$ est

$$\begin{aligned} F_{12} &= \frac{k|q_1 q_2|}{r^2} \\ &= \frac{(9{,}0 \times 10^9 \text{ N}\cdot\text{m}^2/\text{C}^2)(5 \times 10^{-6} \text{ C})(8 \times 10^{-6} \text{ C})}{(3 \times 10^{-1} \text{ m})^2} \\ &= 4{,}0 \text{ N} \end{aligned}$$

De même, on trouve $F_{13} = 2{,}7$ N et $F_{14} = 4{,}5$ N. (Vérifier ces résultats.) Les composantes de la force résultante sont

$$F_{1x} = 0 - F_{13} \cos 37° + F_{14} = 2{,}34 \text{ N}$$

$$F_{1y} = -F_{12} + F_{13} \sin 37° + 0 = -2{,}38 \text{ N}$$

La force résultante exercée sur $q_1$ est donc $\vec{\mathbf{F}}_1 = (2{,}34\vec{\mathbf{i}} - 2{,}38\vec{\mathbf{j}})$ N.

## Exemple 1.2

Une charge ponctuelle $q_1 = -9$ μC se trouve en $x = 0$ et $q_2 = 4$ μC se trouve en $x = 1$ m. En quel point, autre que l'infini, la force électrique résultante exercée sur une charge $q_3$ est-elle nulle ?

**Solution :**

Si $q_3$ n'est pas sur l'axe des $x$, la résultante des forces exercées par les deux autres charges ne peut pas être nulle. En tout point de l'axe entre $q_1$ et $q_2$, les forces exercées sur $q_3$ sont de même sens, donc cette région est à éliminer. Sur la partie de l'axe où $x$ est négatif, $\vec{\mathbf{F}}_{31}$ et $\vec{\mathbf{F}}_{32}$ étant de sens opposés, il y a peut-être une possibilité pour qu'elles s'annulent. Mais comme $F \propto 1/r^2$, pour que la force due à la plus petite des charges ($q_2$) arrive à compenser la force due à la plus grande charge ($q_1$), il faudrait que la charge $q_3$ soit *plus proche de la plus petite charge* $q_2$. Il reste donc la région $x > 1$ m sur l'axe des $x$.

À la figure 1.15, on a représenté les vecteurs forces dans le cas où $q_3$ est positif ; si $q_3$ est négatif, les vecteurs forces sont inversés. Dans les deux cas, la condition pour que la force résultante exercée sur $q_3$ soit nulle s'écrit

$$\vec{\mathbf{F}}_3 = \vec{\mathbf{F}}_{31} + \vec{\mathbf{F}}_{32} = 0$$

ou encore

$$\vec{\mathbf{F}}_{31} = -\vec{\mathbf{F}}_{32}$$

ce qui implique, en fonction du module des forces,

$$F_{31} = F_{32}$$

D'après la loi de Coulomb,

$$\frac{k|q_3 q_1|}{(1+d)^2} = \frac{k|q_3 q_2|}{d^2}$$

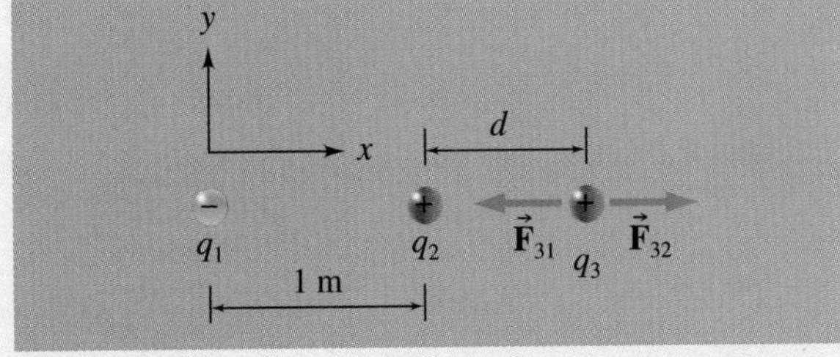


*Figure 1.15*

On peut trouver le point où la force résultante sur $q_3$ est nulle. Le point est plus proche de la charge ayant la plus petite valeur.

Après avoir simplifié par le facteur commun $k|q_3|$, on remplace $q_1$ et $q_2$ par leurs valeurs et on prend la racine carrée de chaque membre, ce qui donne $3/(1 + d) = \pm 2/d$. Les solutions de cette équation sont $d = 2$ m et $d = -0{,}4$ m. De ces deux solutions, c'est donc $d = 2$ m qui est la réponse correcte à la question posée. On constate que le signe de $q_3$ n'a pas d'importance.

## Exemple 1.3

Dans un atome d'hydrogène, l'électron et le proton sont distants de $0{,}53 \times 10^{-10}$ m l'un de l'autre. Comparer les forces gravitationnelle et électrique agissant entre eux.

**Solution :**

La force électrique a pour module

$$F_E = \frac{ke^2}{r^2} = \frac{(9{,}0 \times 10^9)(1{,}6 \times 10^{-19})^2}{(5{,}3 \times 10^{-11})^2} = 8{,}2 \times 10^{-8}\ \text{N}$$

La force gravitationnelle a pour module

$$F_g = \frac{Gm_e m_p}{r^2} = \frac{(6{,}67 \times 10^{-11})(9{,}11 \times 10^{-31})(1{,}67 \times 10^{-27})}{(5{,}3 \times 10^{-11})^2} = 3{,}6 \times 10^{-47}\ \text{N}$$

Le rapport des forces,

$$\frac{F_g}{F_E} = \frac{Gm_e m_p}{ke^2} = 4{,}4 \times 10^{-40}$$

est extrêmement petit et ne dépend pas de la distance $r$. On voit donc que la force gravitationnelle est négligeable par rapport à l'interaction électrique entre des particules élémentaires. Cela permet également d'expliquer pourquoi un peigne chargé parvient à soulever une feuille de papier, c'est-à-dire à surmonter la force gravitationnelle exercée par la Terre tout entière !

On a pu montrer que la loi de Coulomb fonctionne encore à des distances de l'ordre de $10^{-15}$ m. On a pu vérifier que l'exposant $n$ figurant au dénominateur de $1/r^n$ est égal à 2 avec une incertitude de $\pm 10^{-16}$ (*cf.* section 3.3). L'interaction de Coulomb étant l'interaction fondamentale entre des charges électriques, elle est à la base de l'électromagnétisme.

## Résumé

La charge électrique est une propriété de la matière qui lui fait produire et subir des effets électriques et magnétiques. Selon le principe de conservation de la charge, la charge totale dans un système isolé est constante. La charge est quantifiée, c'est-à-dire qu'elle n'existe que par quantités discrètes. Toute charge $q$ est donnée par $q = \pm ne$, où $n$ est un entier et $e = 1{,}6 \times 10^{-19}$ C, la charge élémentaire.

Un conducteur est un matériau dans lequel les charges peuvent circuler. Dans un métal, les charges en mouvement sont les électrons libres. Dans les gaz ionisés et les solutions électrolytiques, les ions positifs ou négatifs peuvent se déplacer. Dans un isolant, les charges sont liées à des sites déterminés et ne peuvent se déplacer. Un semi-conducteur se comporte comme un isolant lorsqu'il est très pur. On peut modifier son pouvoir conducteur en lui ajoutant certaines impuretés.

Le module de la force électrique entre deux charges *ponctuelles* $q$ et $Q$ séparées par une distance $r$ est donnée par la loi de Coulomb :

$$F = \frac{k|qQ|}{r^2}$$

Il s'agit d'une force *radiale* (elle a pour direction la droite joignant les deux charges) et de *symétrie sphérique* (elle est fonction de $r$ uniquement). Sauf dans le cas d'une distribution de charge de symétrie sphérique, la loi de Coulomb ne s'applique pas directement à une distribution de charge finie.

La force électrique obéit au principe de la superposition, qui veut que la force entre deux particules ne dépend pas des autres charges en présence. On utilise ce principe pour déterminer la force résultante exercée sur une particule par d'autres particules chargées.

## Termes importants

**charge électrique**
**charge élémentaire**
**conducteur**
**conservation de la charge**
**constante de permittivité du vide**
**coulomb**
**électromagnétisme**
**électron**
**électron libre**
**électroscope à feuilles**
**électrostatique**
**induction**
**ion**
**isolant**
**loi de Coulomb**
**neutron**
**principe de superposition**
**proton**
**semi-conducteur**
**temps de relaxation**

## Révision

**R1.** Nommez quelques phénomènes physiques facilement observables qui sont de nature électromagnétique.

**R2.** Énoncez les propriétés fondamentales de la charge électrique.

**R3.** Quel physicien a le premier utilisé les qualificatifs « positive » et « négative » pour distinguer les deux types de charge ?

**R4.** Expliquez ce qui se passe au niveau atomique lorsqu'on fait apparaître par frottement sur un objet (a) une charge positive (b) une charge négative.

**R5.** Donnez des exemples de réactions qui mettent en évidence la conservation de la charge électrique.

**R6.** Utilisez la notion de temps de relaxation pour expliquer la différence entre un conducteur et un isolant.

**R7.** Expliquez à l'aide d'un schéma comment on peut charger par induction (a) une sphère conductrice et (b) deux sphères conductrices initialement en contact. On dispose d'une tige chargée positivement et d'une mise à la terre.

**R8.** Expliquez à l'aide d'un schéma comment on peut se servir d'un électroscope à feuilles pour déterminer le signe de la charge portée par un corps donné.

**R9.** Expliquez comment on peut utiliser un électroscope pour détecter des rayons ionisants.

**R10.** Décrivez le dispositif qu'a utilisé Coulomb pour découvrir la loi qui porte son nom.

**R11.** Expliquez comment Coulomb a déterminé les valeurs des charges électriques portées par les sphères qu'il utilisait sur sa balance à torsion.

**R12.** Expliquez pourquoi on ne peut pas utiliser la loi de Coulomb telle qu'énoncée à l'équation 1.1 pour évaluer la force entre deux corps chargés de forme quelconque.

**R13.** Vrai ou faux ? La force exercée par une particule chargée A sur une particule chargée B est affectée par la présence d'une troisième particule chargée C.

## Questions

**Q1.** Dans un noyau, la distance entre les protons est très petite ($\approx 10^{-15}$ m). Pourquoi les éléments du noyau ne se séparent-ils pas, étant donné la forte répulsion coulombienne entre les protons ?

**Q2.** Puisque la force électrique est tellement plus intense que la force gravitationnelle, pourquoi ne l'observons-nous pas de façon plus directe ou plus fréquente ?

**Q3.** Peut-on charger un objet métallique en le frottant ? Expliquez pourquoi de façon détaillée.

**Q4.** La charge produite par frottement est en général de l'ordre de 1 nC. Cette charge correspond à peu près à combien de charges élémentaires ($e$) ?

**Q5.** On approche d'une aiguille suspendue une tige en verre chargée positivement. Que pouvez-vous dire de la charge apparaissant sur l'aiguille sachant qu'il y a (a) attraction, (b) répulsion ?

**Q6.** Comment feriez-vous pour déterminer le signe de la charge présente sur un corps ?

**Q7.** Une fine bandelette d'aluminium est attirée par un peigne que l'on a chargé en se le passant dans les cheveux. Qu'arrive-t-il une fois que la feuille d'aluminium a touché le peigne ? Faites l'expérience puis expliquez ce que vous observez.

**Q8.** On place une charge ponctuelle $q$ à mi-chemin entre deux charges ponctuelles d'égale valeur $Q$ (figure 1.16). La charge $q$ est-elle en équilibre ? Si oui, s'agit-il d'un équilibre stable ou instable ? On suppose que $q$ et $Q$ sont (a) de même signe et (b) de signes opposés. (*Indice* : Considérez de petits déplacements à partir du centre.)

$Q$ $q$ $Q$

***Figure 1.16***

Question 8.

**Q9.** On approche une sphère métallique non chargée d'une charge ponctuelle. L'un ou l'autre de ces objets est-il soumis à une force ?

**Q10.** On charge deux sphères métalliques identiques et on les place côte à côte sans qu'elles se touchent. Peut-on calculer la force qui s'exerce entre les sphères à l'aide de la loi de Coulomb, si $r$ est la distance entre les centres des deux sphères ? Justifiez votre réponse.

**Q11.** Un journal rapporte que l'on vient de découvrir une nouvelle particule élémentaire de charge 9,00 $\times 10^{-19}$ C. Quelle est votre réaction ?

**Q12.** En quoi la conduction thermique est-elle différente de la conduction électrique ?

**Q13.** Lorsqu'on approche un objet chargé d'une des extrémités d'une tige métallique non chargée, des électrons se déplacent d'une extrémité à l'autre de la tige. Considérant qu'il y a un afflux considérable d'électrons, pourquoi la circulation d'électrons cesse-t-elle ?

**Q14.** Pourquoi les expériences d'électrostatique ont-elles tendance à moins bien réussir lorsque l'air est humide ? Trouvez le lien entre votre réponse et le fait que l'effet revigorant d'une douche est dû en partie aux charges portées par les gouttes d'eau.

**Q15.** Pourquoi n'est-il pas conseillé d'essuyer un disque de phonographe avec un linge en laine ?

**Q16.** Vous avez sans doute déjà vu des camions ou des automobiles auxquels était accrochée une chaîne traînant sur la chaussée. Quelle est l'utilité de celle-ci ?

## Exercices

**E1.** (I) Trois charges ponctuelles sont situées sur une droite de la manière indiquée sur la figure 1.17. Trouvez la force électrique résultante, issue des deux autres charges, exercée sur (a) la charge de $-2\ \mu C$ ; (b) la charge de $5\ \mu C$.

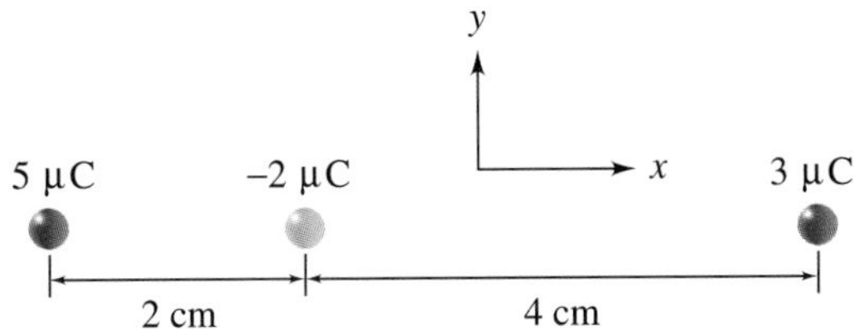


***Figure 1.17***

Exercice 1.

**E2.** (I) Soit trois charges ponctuelles dont les positions sont représentées à la figure 1.18. On donne $q = 1$ nC. Trouvez la force électrique résultante, issue des deux autres charges, exercée sur (a) la charge $4q$ ; (b) la charge $-3q$.

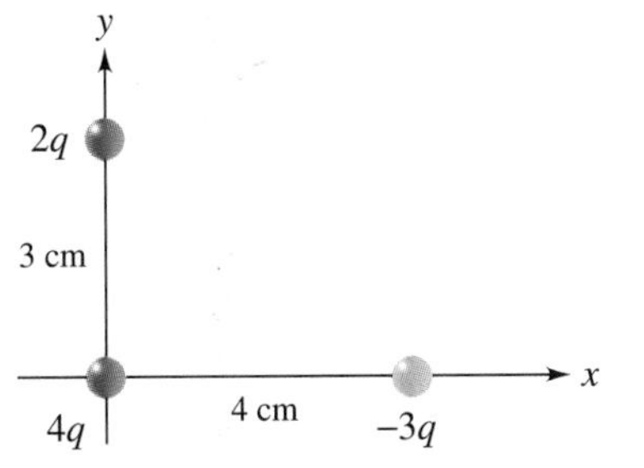


***Figure 1.18***

Exercice 2.

**E3.** (I) Soit trois charges ponctuelles situées aux sommets d'un triangle équilatéral, comme le montre la figure 1.19. On donne $Q = 2\ \mu C$ et $L = 3$ cm. Quelle est la force électrique résultante, issue des deux autres charges, exercée sur (a) la charge $3Q$ et (b) la charge $-2Q$ ?

**E4.** (I) Soit quatre charges ponctuelles situées aux sommets d'un rectangle comme le montre la figure 1.20. On donne $Q = 4$ nC. Quelle est la force électrique résultante, issue des trois autres charges, exercée sur (a) la charge $-2Q$ et (b) la charge $-3Q$ ?

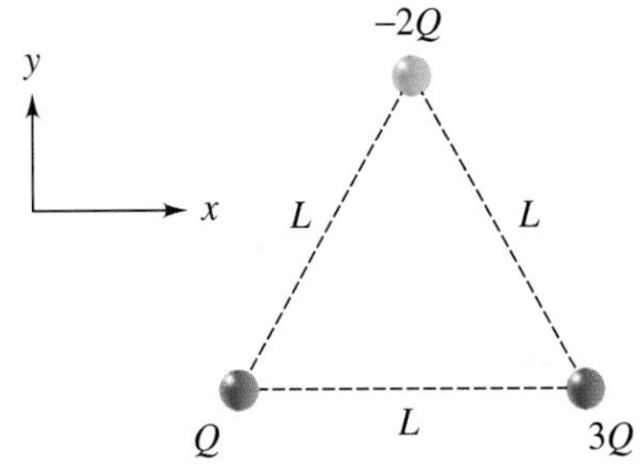


***Figure 1.19***

Exercice 3.

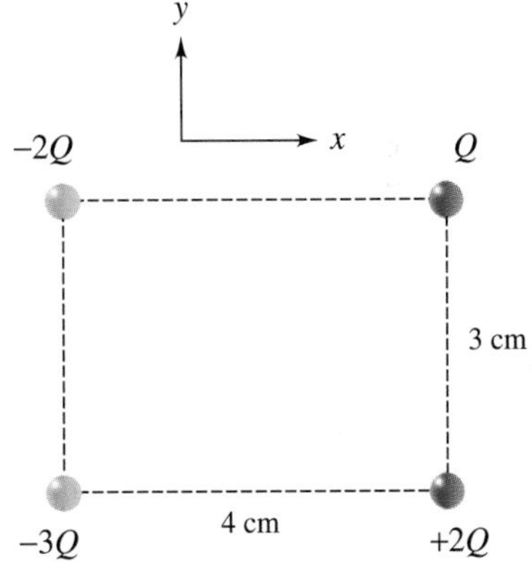


***Figure 1.20***

Exercice 4.

**E5.** (I) Soit une charge ponctuelle $q_1 = 27\ \mu C$ située en $x = 0$ et une charge $q_2 = 3\ \mu C$ en $x = 1$ m. (a) En quel point (autre que l'infini) la force électrique résultante exercée sur une troisième charge ponctuelle serait-elle nulle ? (b) Reprenez la question (a) avec $q_2 = -3\ \mu C$.

**E6.** (II) Quelle charge égale serait nécessaire sur la Terre et sur la Lune pour que la répulsion électrique compense l'attraction gravitationnelle ?

**E7.** (I) À quelle distance le module de la force électrique entre un proton et un électron serait-il égal à 1 N ?

**E8.** (I) Un noyau d'uranium radioactif a une charge de $92e$. Il peut se désintégrer spontanément en un noyau de thorium de charge $90e$ et un noyau d'hélium (particule $\alpha$) de charge $2e$. Juste après la transformation, l'hélium et le thorium sont distants de $3 \times 10^{-15}$ m l'un de l'autre. (a) Quel module de la force électrique exercent-ils l'un sur l'autre à ce moment précis ? (b) Quel est le module de l'accélération de la particule $\alpha$, de masse $6{,}7 \times 10^{-27}$ kg ?

**E9.** (I) (a) Dans la molécule de $H_2$, les deux protons sont séparés par une distance de $0{,}74 \times 10^{-10}$ m. Quel module de la force électrique exercent-ils l'un sur l'autre ? (b) Dans un cristal de NaCl, les ions $Na^+$ et $Cl^-$ sont distants de $2{,}82 \times 10^{-10}$ m. Quel module de la force électrique exercent-ils l'un sur l'autre ?

**E10.** (II) Deux charges ponctuelles, $Q$ et $-2Q$, se trouvent aux positions indiquées à la figure 1.21. (a) Quelle est la force électrique résultante exercée sur une charge $q$ positive placée à l'origine ? (*b*) Où doit-on placer une charge ponctuelle de $+2{,}5Q$ pour que la force résultante sur $q$ soit nulle ? ($Q > 0$)

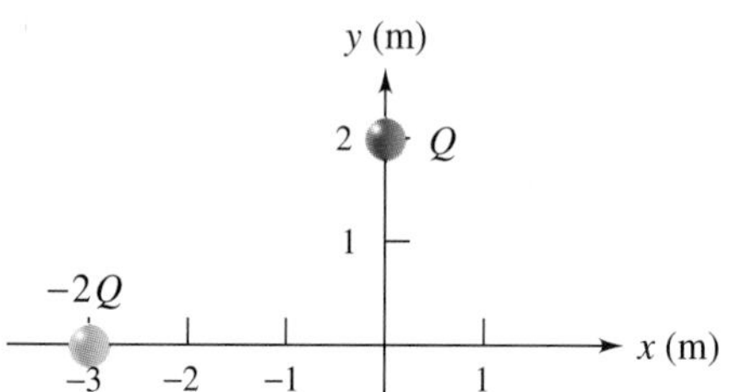


***Figure 1.21***

Exercice 10.

**E11.** (II) La figure 1.22 représente cinq charges ponctuelles placées sur une droite, à intervalles de 1 cm. Pour quelles valeurs de $q_1$ et $q_2$ la force électrique résultante exercée sur chacune des trois autres charges est-elle nulle ?

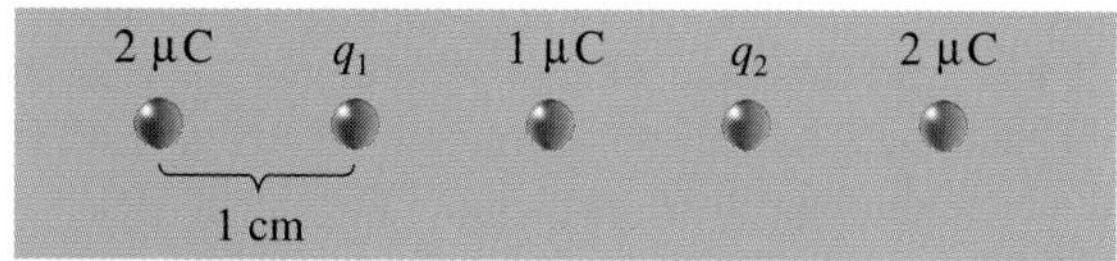


***Figure 1.22***

Exercice 11.

**E12.** (II) Soit deux boules identiques en mousse de polystyrène, de charge $Q$ et de masse $m = 2$ g. On les suspend par des fils de longueur $L = 1$ m (figure 1.23). À cause de la répulsion électrique mutuelle des deux boules, les fils font un angle de 15° par rapport à la verticale. Trouvez la valeur de $Q$.

**E13.** (II) Supposons que l'on puisse séparer les électrons et les protons contenus dans 1 g d'hydrogène et qu'on les mette respectivement sur la Terre et sur la Lune. Comparez l'attraction électrique avec la force gravitationnelle entre la Terre et la Lune. (Le nombre d'atomes dans 1 g d'hydrogène est égal au nombre d'Avogadro, $N_A$. Chaque atome d'hydrogène possède un électron et un proton.)

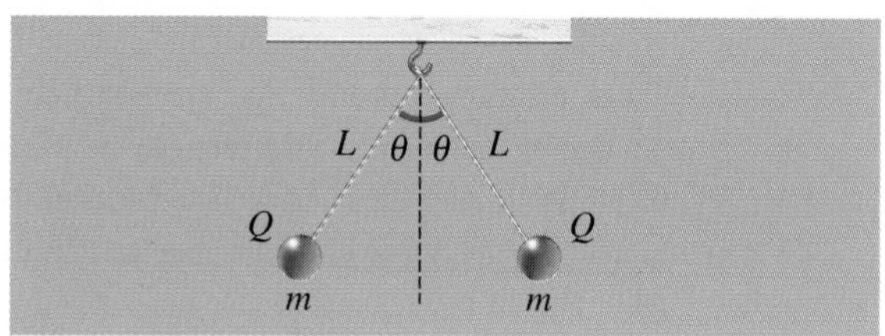


***Figure 1.23***

Exercice 12.

**E14.** (II) (a) Soit une charge ponctuelle $Q$ en $x = 0$ et une seconde charge $9Q$ en $x = 4$. Où doit-on placer une troisième charge $q$ pour que la force électrique résultante sur chacune des trois charges soit nulle ? Quelle est la valeur de $q$ ? (b) Reprenez la question (a) en remplaçant $9Q$ par $-9Q$.

**E15.** (I) Deux boules de mousse de polystyrène se trouvent à 4 cm l'une de l'autre et se repoussent avec une force électrique de 0,2 N. Trouvez les valeurs des deux charges sachant que l'une des boules a une charge qui correspond au double de l'autre.

**E16.** (II) Deux charges de même grandeur et de signes opposés (±1 nC) sont séparées par une distance $2d$, où $d = 1$ cm (figure 1.24). Déterminez la force électrique résultante qui s'exerce sur une charge 2 nC lorsqu'elle se trouve au point (a) $A$ ; (b) $B$ ; (c) $C$ et (d) $D$.

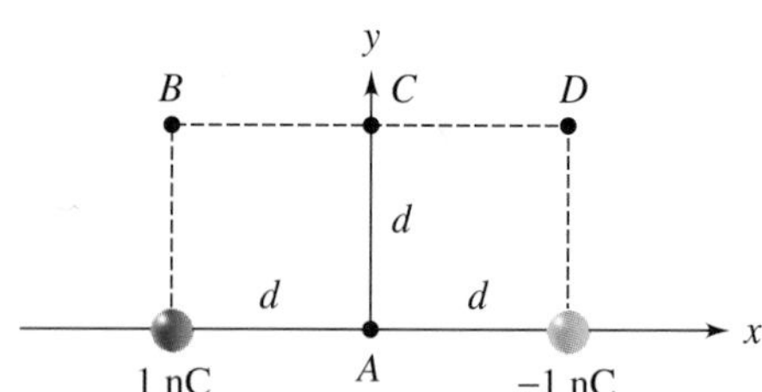


***Figure 1.24***

Exercice 16.

**E17.** Dans le modèle des particules élémentaires qui fait intervenir les quarks, un proton est constitué de deux quarks « up » ($u$) portant chacun la charge $2e/3$ et d'un quark « down » ($d$), de charge $-e/3$. En supposant que ces particules sont situées à égales distances sur un cercle de rayon $1{,}2 \times 10^{-15}$ m, comme sur la figure 1.25, trouvez le module de la force électrique agissant sur chaque quark.

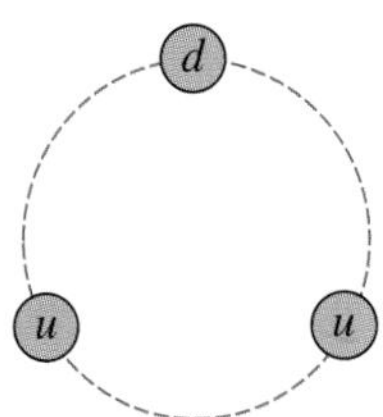


***Figure 1.25***

Exercice 17.

**E18.** (I) Soit deux charges ponctuelles $q_1 = 2$ µC situées en (2 m, 1 m) et $q_2 = -5$ µC en (−2 m, 4 m). Trouvez la force électrique exercée par $q_1$ sur $q_2$.

**E19.** (I) Dans un nuage d'orage se trouvent deux charges de même grandeur et de signes opposés (±40 C) distantes de 5 km (figure 1.26). En supposant qu'elles peuvent être considérées comme des charges ponctuelles, quel module de la force électrique s'exerce entre elles ?

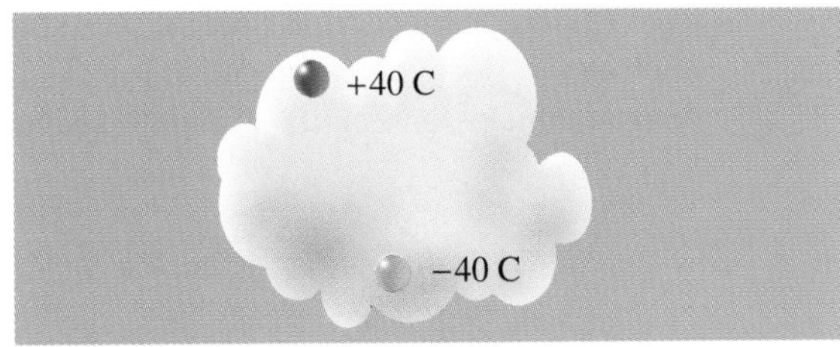


***Figure 1.26***

Exercice 19.

## Problèmes

**P1.** (I) On donne trois charges ponctuelles $q_1$, $q_2$ et $q_3$, situées aux sommets d'un triangle équilatéral de côté 10 cm. Les forces électriques qui s'exercent entre elles sont $F_{12} = 5{,}4$ N (attractive), $F_{13} = 15$ N (répulsive) et $F_{23} = 9$ N (attractive). Sachant que $q_1$ est négative, quelles sont les valeurs de $q_2$ et $q_3$ ?

**P2.** (II) Deux charges ponctuelles égales à $Q$ sont situées sur l'axe des $y$ en $y = a$ et $y = -a$. (a) Quelle est la force électrique exercée sur une charge $q$ située en $(x, 0)$ ? (b) Pour quelle valeur de $x$ la force est-elle maximale ? Faites un tracé à main levée de $F(x)$, le module de la force en fonction de $x$. (c) Lorsque $x \gg a$, quelle est la forme de $F(x)$ ? ($Q$, $q > 0$) (*Indice* : Utilisez l'approximation du binôme $(1 + z)^n \approx 1 + nz$ pour les petites valeurs de $z$.)

**P3.** (II) Soit deux charges ponctuelles $-Q$ située en $(0, -a)$ et $+Q$ en $(0, a)$. (a) Déterminez la force électrique exercée sur une charge $q$ située en $(x, 0)$. (b) En quel point la force est-elle maximale ? ($Q$, $q > 0$)

**P4.** (I) Soit deux charges ponctuelles $-Q$ située en $(0, -a)$ et $+Q$ en $(0, a)$. (a) Déterminez la force électrique exercée sur une charge $q$ située en (0, y), avec $y > a$. (b) Quelle est la forme de $F(y)$, le module de la force en fonction de $y$, pour $y \gg a$ ? ($Q$, $q > 0$) (*Indice* : Utilisez l'approximation du binôme $(1 + z)^n \approx 1 + nz$ pour les petites valeurs de $z$.)

**P5.** (I) On cherche à diviser une charge $Q$ en deux parties, $q$ et $(Q - q)$, de telle sorte que, pour une distance donnée, la force électrique entre elles soit maximale. Quelle est la valeur de $q$ ? (*Indice* : En calcul différentiel et intégral, quelle est la condition pour qu'une fonction soit maximale ?)

**P6.** (II) Deux petites sphères métalliques identiques et distantes de 3 cm s'attirent l'une l'autre avec une force électrique de 150 N. On les relie provisoirement par un fil. (a) Déterminez les charges électriques initiales si elles se repoussent maintenant avec une force de 10 N. (On suppose que la charge de chaque sphère est répartie uniformément.) (b) Reprenez toute la question en supposant que la force électrique initiale est répulsive.

**P7.** (I) Soit deux sphères en cuivre de 10 g séparées par une distance de 10 cm. (a) Combien d'électrons doit perdre chaque sphère pour que les sphères se repoussent avec une force électrique de 10 N ? (b) À quelle fraction du nombre total d'électrons de chaque sphère correspond le résultat trouvé en (a) ? (*Indice* : Le nombre d'atomes dans 63,5 g de cuivre est le nombre d'Avogadro. Il y a 29 électrons dans un atome de cuivre.)

**P8.** (II) Huit charges identiques $Q$ sont situées aux sommets d'un cube de côté $d$ (figure 1.27). Un des sommets du cube est à l'origine et trois de ces faces sont parallèles aux plans formés par le système d'axes. Déterminez la force électrique résultante agissant sur la charge située en $\vec{\mathbf{r}} = d\vec{\mathbf{i}} + d\vec{\mathbf{j}} + d\vec{\mathbf{k}}$, sachant que : (a) toutes les charges sont de même signe ; (b) la charge à l'origine est négative et les charges de deux sommets consécutifs sont de signes opposés.

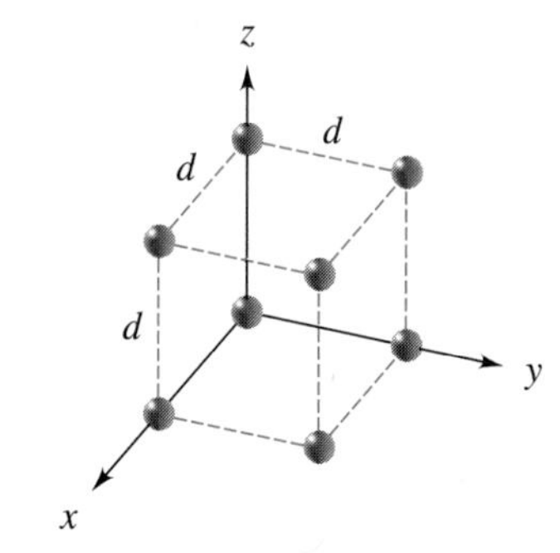


***Figure 1.27***

Problème 8.

**P9.** (II) Dans le modèle de Bohr de l'atome d'hydrogène, un électron gravite autour d'un proton stationnaire sur une orbite circulaire de rayon $r$. (a) Écrivez la deuxième loi de Newton du mouvement circulaire et trouvez l'expression de la vitesse $v$. Bohr imposa la condition que le moment cinétique $L$ de l'électron ne pouvait prendre que des valeurs discrètes données par $L = nh/2\pi$, $n$ étant un entier et $h$ une constante (la constante de Planck). Montrez que le rayon de la $n^{\text{ième}}$ orbite permise est donné par :

$$r_n = \frac{n^2h^2}{4\pi^2kme^2}$$

(c) Calculez $r_n$ pour $n = 1, 2, 3$.

**P10.** (II) La somme de deux charges ponctuelles est égale à +8 μC. Lorsqu'elles sont à 3 cm l'une de l'autre, chacune d'elles est soumise à une force électrique de 150 N. Déterminez les valeurs des charges, sachant que la force est (a) répulsive ; (b) attractive.

# CHAPITRE 2

# *Le champ électrique*

Les éclairs visibles pendant un orage sont un exemple spectaculaire d'activité électrique.

## POINTS ESSENTIELS

1. Les charges électriques interagissent entre elles par l'intermédiaire d'un **champ électrique**, que l'on peut représenter à l'aide de **lignes de champ**.
2. À l'**équilibre électrostatique**, le champ électrique à l'intérieur d'un conducteur est nul et est perpendiculaire à la surface de celui-ci.
3. On peut décrire le mouvement des charges dans un champ électrique uniforme à l'aide des équations de la cinématique à accélération constante.
4. On peut calculer le champ produit par une distribution continue de charge en divisant celle-ci en éléments infinitésimaux que l'on considère comme des charges ponctuelles.
5. Un **dipôle électrique** est constitué de deux charges de même grandeur et de signes opposés, séparées par une certaine distance.

Tout comme la loi de la gravitation de Newton, la loi de Coulomb fait intervenir la notion d'*action à distance* : elle fait état d'une interaction entre des particules, mais n'explique pas le mécanisme par lequel la force se transmet d'une particule à l'autre. Newton n'était d'ailleurs pas totalement satisfait de cet aspect de sa théorie. En 1600, William Gilbert avait déjà essayé d'expliquer comment un corps chargé peut « agir à distance » et produire un effet sur un autre corps : il supposait que, lorsqu'on frottait un corps chargé, celui-ci libérait des vapeurs, ou « effluves », et s'entourait ainsi d'une « atmosphère ». En revenant vers le corps d'origine, les effluves soulevaient des objets légers. Selon Gilbert, on pouvait ressentir ces effluves sous forme de picotements au visage lorsqu'on s'approchait d'un corps électrifié. Un mécanisme différent fut proposé vers 1650 par René Descartes, qui imagina l'espace rempli d'un milieu invisible nommé éther. Selon Descartes, un corps chargé produisait dans l'éther des tourbillons qui se dirigeaient ensuite vers d'autres corps sur lesquels ils exerçaient des forces.

Selon la théorie moderne, une particule chargée n'émet pas d'« atmosphère » et n'a pas besoin de milieu intermédiaire pour interagir avec une autre charge.

La description moderne de l'interaction entre des particules chargées s'appuie sur la notion de champ, notion que nous avons présentée brièvement au chapitre 13 du tome 1 et sur laquelle nous reviendrons au chapitre 13 du tome 3.

## 2.1 Le champ électrique

Considérons deux charges ponctuelles séparées par une certaine distance. Nous savons qu'elles agissent l'une sur l'autre, mais comment pouvons-nous décrire la façon dont chacune de ces charges détecte la présence de l'autre ? On dit qu'une charge électrique crée un **champ électrique** dans l'espace qui l'entoure. Une deuxième particule chargée ne va pas interagir directement avec la première, mais plutôt réagir au champ dans lequel elle se trouve. En ce sens, le champ joue le rôle d'intermédiaire entre les particules chargées.

Examinons le champ créé par une charge ponctuelle statique $Q$. On peut obtenir la configuration du champ en mesurant la force agissant en divers points sur une petite charge d'essai $q_{ess}$. À chaque point de l'espace correspond donc un vecteur force unique (figure 2.1). En un point donné, le vecteur champ électrique $\vec{\mathbf{E}}$ est défini comme étant la force par unité de charge placé en ce point :

$$\vec{\mathbf{E}} = \frac{\vec{\mathbf{F}}}{q_{ess}} \tag{2.1}$$

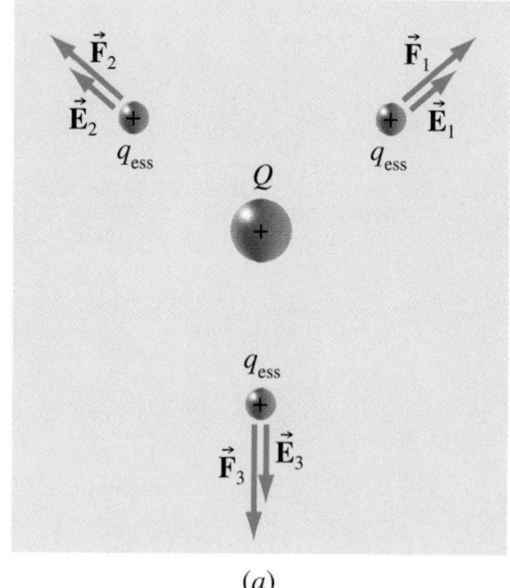


(*a*)

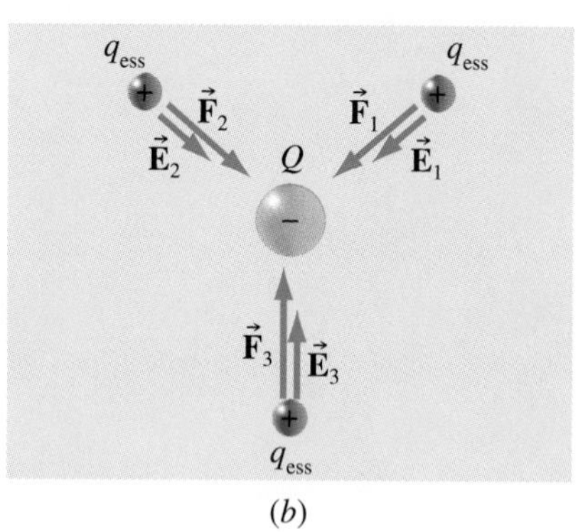


(*b*)

***Figure 2.1***

On peut déterminer la configuration du champ électrique produit par une charge $Q$ en mesurant la force $\vec{\mathbf{F}}$ exercée sur une charge d'essai positive $q_{ess}$ placée en divers points. Le champ électrique en un point quelconque est $\vec{\mathbf{E}} = \vec{\mathbf{F}}/q_{ess}$. En (*a*), $Q$ est positive et le champ en divers points est orienté de manière diamétralement opposée à $Q$. En (*b*), $Q$ est négative et le champ en divers points est orienté vers $Q$.

L'unité SI de champ électrique est le newton par coulomb (N/C). *Le champ* $\vec{\mathbf{E}}$ *est de même sens que la force agissant sur une charge d'essai positive* ; cette charge d'essai doit être assez petite pour ne pas perturber les charges qui produisent le champ électrique que l'on veut mesurer. Dans le cas particulier d'une charge ponctuelle $Q$, le module de la force électrique est donné par la loi de Coulomb

$$F = \frac{k|q_{ess}Q|}{r^2}$$

D'après l'équation 2.1, le module du champ électrique créé par une charge ponctuelle $Q$ équivaut donc à :

$$E = \frac{k|Q|}{r^2} \tag{2.2}$$

Le champ électrique dépend uniquement de la source du champ, c'est-à-dire de $Q$. Le champ est radial et son module est proportionnel à l'inverse du carré de la distance. Puisque le champ est dans le même sens que la force qui agit sur une charge d'essai positive, on en déduit le principe suivant :

> Le champ en un point donné est dirigé vers la charge $Q$ si $Q$ est négative, et il est diamétralement opposé à $Q$ si $Q$ est positive.

Il y a un champ autour de $Q$ même en l'absence de la charge d'essai qui sert à le mettre en évidence.

Lorsqu'on connaît le champ $\vec{\mathbf{E}}$ en un point $P$, on peut déterminer la force sur une charge quelconque $q$ placée au point $P$ par la relation

$$\vec{\mathbf{F}} = q\vec{\mathbf{E}} \tag{2.3a}$$

Dans cette équation, $\vec{\mathbf{E}}$ est le champ produit par toutes les charges présentes, *à l'exception de* la charge $q$ elle-même. En effet, une charge ne peut produire de champ sur elle-même : si ce n'était pas le cas, l'équation 2.2 donnerait un résultat embarrassant, car on aurait $r = 0$ et $E \to \infty$ !

En fonction des modules de la force et du champ, l'équation 2.3$a$ devient

$$F = |q|E \tag{2.3b}$$

On prend $q$ en valeur absolue, car le module d'un vecteur est toujours positif. Le signe de $q$ affecte l'orientation de $\vec{\mathbf{F}}$ par rapport à $\vec{\mathbf{E}}$ :

Si la charge $q$ est positive, la force agissant sur elle est de même sens que le vecteur champ ; si la charge $q$ est négative, la force agissant sur elle est de sens opposé au vecteur champ.

On remarquera que l'équation 2.3$a$ a la même forme que la relation $\vec{\mathbf{F}} = m\vec{\mathbf{g}}$, dans laquelle $\vec{\mathbf{g}}$ est le champ gravitationnel. En mécanique (voir le tome 1), on a exprimé le plus souvent le champ gravitationnel en mètres par seconde carrée (m/s$^2$). Toutefois, on vérifie aisément que 1 m/s$^2$ = 1 N/kg : cela permet de mieux voir l'analogie entre le champ gravitationnel et le champ électrique, qui s'exprime en newtons par coulomb (N/C).

## Exemple 2.1

Par temps clair, on observe à la surface de la Terre un champ électrique de 100 N/C environ, vertical et dirigé vers le bas. Comparer les forces électrique et gravitationnelle agissant sur un électron.

**Solution :**

La charge de l'électron vaut $q = -e = -1{,}6 \times 10^{-19}$ C. Par l'équation 2.3$b$, la force électrique qui agit sur lui est

$$\begin{aligned} F_E = eE &= (1{,}6 \times 10^{-19}\ \text{C})(100\ \text{N/C}) \\ &= 1{,}6 \times 10^{-17}\ \text{N} \end{aligned}$$

Puisque l'électron est chargé négativement, la force est dans le sens contraire du champ : elle est verticale et dirigée vers le haut (figure 2.2). La force gravitationnelle a pour module

$$\begin{aligned} F_g = mg &= (9{,}1 \times 10^{-31}\ \text{kg})(9{,}8\ \text{N/kg}) \\ &= 8{,}9 \times 10^{-30}\ \text{N} \end{aligned}$$

et elle est dirigée vers le bas. Le rapport des forces est

$$\frac{F_g}{F_E} = 5{,}6 \times 10^{-13}$$

Dans les problèmes portant sur le champ électrique, on peut donc négliger la force gravitationnelle agissant sur des particules comme l'électron et le proton.

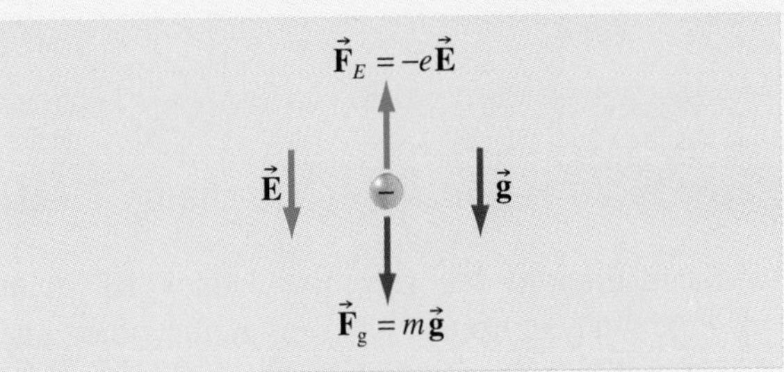


***Figure 2.2***

Une charge négative affectée par les forces électrique et gravitationnelle.

### Exemple 2.2

On place une charge ponctuelle $q = 2\ \mu C$ en un point $P$ et on observe qu'elle subit une force électrique $F = 10$ mN orientée vers la droite. Cette force est produite par d'autres charges dans son environnement immédiat. (a) Quel est le champ électrique (module et sens) au point $P$ ? (b) Quel est le champ électrique au point $P$ si on remplace la charge $q$ par une charge de 1 μC (sans modifier les autres charges) ? (c) Si on remplace la charge $q$ par une charge de $-2\ \mu C$, quelle est la force électrique qui s'exerce sur elle (module et sens) ? Quel est alors le champ électrique au point $P$ ?

**Solution :**

(a) Par l'équation 2.3*b*, le module du champ est $E = F/|q| = (10 \times 10^{-3}\ N)/(2 \times 10^{-6}\ C) = 5 \times 10^3$ N/C $= 5$ kN/C. Puisque la charge $q$ est positive, le champ est dans le même sens que la force, vers la droite. (b) Le champ sur la charge $q$ située au point $P$ ne dépend pas de la valeur de la charge $q$, car une charge ne peut produire de champ sur elle-même. Ainsi, le champ est inchangé : 5 kN/C vers la droite. (c) Par l'équation 2.3, le module de la force est $F = |q|E = 10$ mN. Puisque la charge $q$ est négative, la force est dans le sens contraire du champ, donc vers la gauche. Bien sûr, le champ au point $P$ est encore de 5 kN/C vers la droite.

Le principe de superposition qui s'applique à la loi de Coulomb s'applique également au champ électrique. Pour calculer le champ créé en un point par un système de charges, on détermine d'abord séparément les champs $\vec{\mathbf{E}}_1$ dû à $Q_1$, $\vec{\mathbf{E}}_2$ dû à $Q_2$ et ainsi de suite. Pour $N$ charges ponctuelles, le champ résultant est égal à la somme vectorielle des champs $\vec{\mathbf{E}}_i$ individuels

**Superposition**

$$\vec{\mathbf{E}} = \vec{\mathbf{E}}_1 + \vec{\mathbf{E}}_2 + \ldots + \vec{\mathbf{E}}_N = \sum \vec{\mathbf{E}}_i \tag{2.4}$$

En fonction du vecteur unitaire $\vec{\mathbf{u}}_r$ défini à la section 1.5, on peut écrire

$$\vec{\mathbf{E}}_i = \frac{kQ_i}{r_i^2} \vec{\mathbf{u}}_{r_i} \tag{2.5}$$

Puisque chaque vecteur unitaire a comme origine une charge différente, cette équation risque d'être très difficile à utiliser. Il est en général plus facile de suivre l'approche suivante.

### Méthode de résolution : Le champ électrique

1. Tracer d'abord les vecteurs champs au point donné (on peut trouver leur sens en imaginant une charge d'essai positive située en ce point).
2. Déterminer le module du champ dû à chacune des charges à l'aide de l'équation 2.2 :

$$E = \frac{k|Q|}{r^2}$$

3. Placer l'origine au point où on cherche $\vec{\mathbf{E}}$. Le choix des axes va déterminer les signes des composantes du champ $\vec{\mathbf{E}}$.

## Exemple 2.3

Soit deux charges ponctuelles, $Q_1 = 20\ \mu C$ en $(-d,0)$ et $Q_2 = -10\ \mu C$ en $(+d,0)$. Déterminer le champ résultant au point $P$ de coordonnées $(x, y)$. On donne $d = 1{,}0$ m et $x = y = 2$ m.

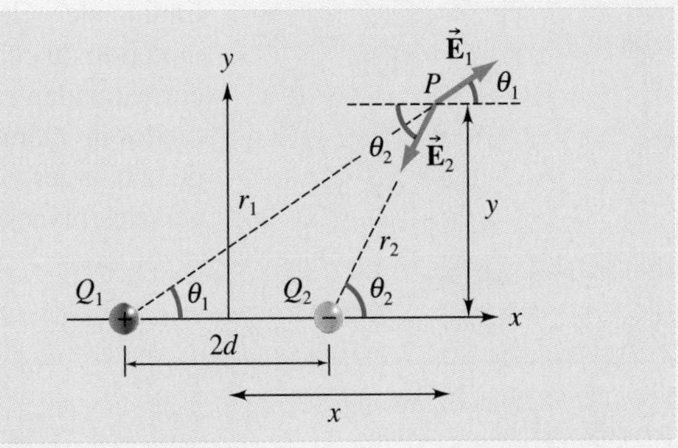


*Figure 2.3*

Détermination du champ résultant produit par les charges $Q_1$ et $Q_2$ au point $P$.

### Solution :

Les charges, les vecteurs champ et le système de coordonnées sont représentés à la figure 2.3. Les distances sont $r_1 = \sqrt{(x+d)^2 + y^2} = \sqrt{13} = 3{,}6$ m et $r_2 = \sqrt{(x-d)^2 + y^2} = \sqrt{5} = 2{,}2$ m. Les modules des champs sont

$$E_1 = \frac{k|Q_1|}{r_1^2} = \frac{(9{,}0 \times 10^9\ \mathrm{N{\cdot}m^2/C^2})(2 \times 10^{-5}\ \mathrm{C})}{13\ \mathrm{m^2}} = 1{,}4 \times 10^4\ \mathrm{N/C}$$

$$E_2 = \frac{k|Q_2|}{r_2^2} = \frac{(9{,}0 \times 10^9\ \mathrm{N{\cdot}m^2/C^2})(10^{-5}\ \mathrm{C})}{5\ \mathrm{m^2}} = 1{,}8 \times 10^4\ \mathrm{N/C}$$

Les composantes du champ résultant $\vec{E} = \vec{E}_1 + \vec{E}_2$ sont

$$E_x = E_{1x} + E_{2x} = E_1 \cos\theta_1 - E_2 \cos\theta_2$$

$$E_y = E_{1y} + E_{2y} = E_1 \sin\theta_1 - E_2 \sin\theta_2$$

D'après la figure 2.3, on voit que $\sin\theta_1 = y/r_1$, $\sin\theta_2 = y/r_2$, $\cos\theta_1 = (x+d)/r_1$, $\cos\theta_2 = (x-d)/r_2$. On obtient donc

$$E_x = (1{,}4 \times 10^4\ \mathrm{N/C})\frac{3}{3{,}6} - (1{,}8 \times 10^4\ \mathrm{N/C})\frac{1{,}0}{2{,}2} = 3{,}5 \times 10^3\ \mathrm{N/C}$$

$$E_y = (1{,}4 \times 10^4\ \mathrm{N/C})\frac{2}{3{,}6} - (1{,}8 \times 10^4\ \mathrm{N/C})\frac{2}{2{,}2} = -8{,}6 \times 10^3\ \mathrm{N/C}$$

Le résultat final s'écrit donc

$$\vec{E} = [3{,}5 \times 10^3\vec{i} - 8{,}6 \times 10^3\vec{j}]\ \mathrm{N/C}$$

## 2.2 Les lignes de champ

Considérons le champ électrique créé par une charge ponctuelle positive $Q$. Le champ en un point quelconque peut être représenté par une flèche dessinée à l'échelle et sa configuration ressemble alors au schéma de la figure 2.4. La figure 2.5 montre les flèches représentant le champ créé en quelques points par deux charges ponctuelles de même grandeur et de signes opposés. L'utilisation de flèches de longueur et d'orientation diverses risquant de porter à confusion lorsque plusieurs charges sont présentes, on représente le champ électrique par des **lignes de champ** (ou *lignes de force*) continues. Ces lignes partent d'une charge positive et se dirigent vers une charge négative (figure 2.6). Lorsqu'une personne ayant les cheveux longs touche une sphère fortement chargée, ses cheveux s'orientent suivant les lignes de champ et se dressent radialement sur sa tête, ce qui représente un effet spectaculaire du champ (figure 2.7). On peut aussi visualiser la configuration du champ en parsemant des semences de gazon

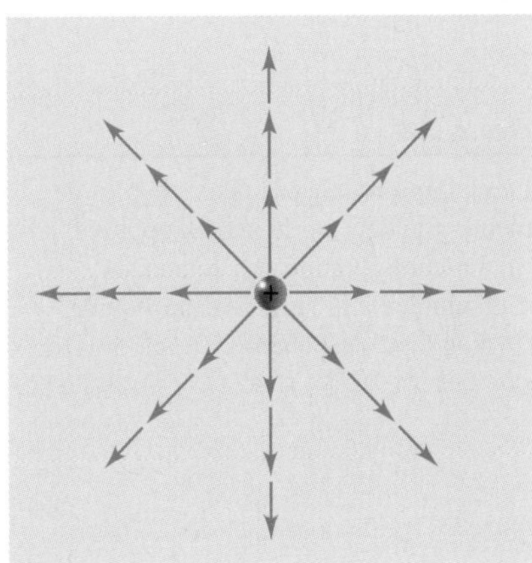

*Figure 2.4*

On peut représenter le champ électrique d'une charge ponctuelle par des flèches dessinées à l'échelle.

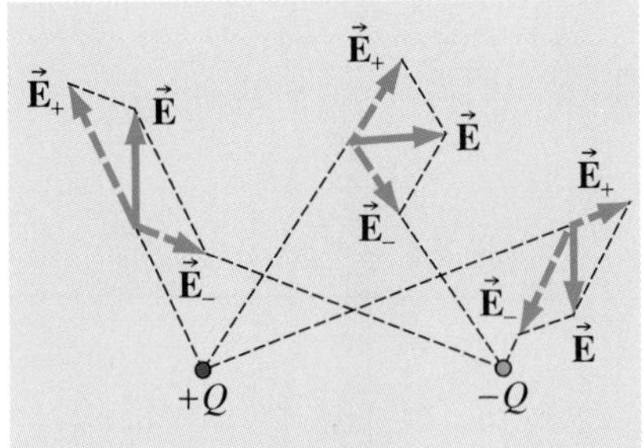


*Figure 2.5*

Les flèches représentent le champ électrique créé en quelques points par deux charges de même grandeur et de signes opposés.

à la surface d'un liquide, de l'huile par exemple. Lorsqu'on immerge dans le liquide des électrodes fortement chargées, les semences s'orientent dans la direction du champ local. La configuration des semences et des lignes de champ correspondantes est illustrée aux figures 2.8*a* et 2.8*b* pour deux charges ponctuelles de même grandeur et de signes opposés et aux figures 2.9*a* et 2.9*b* pour deux charges égales et de même signe. (Rappelons qu'il s'agit de coupes transversales planes d'un champ à trois dimensions.)

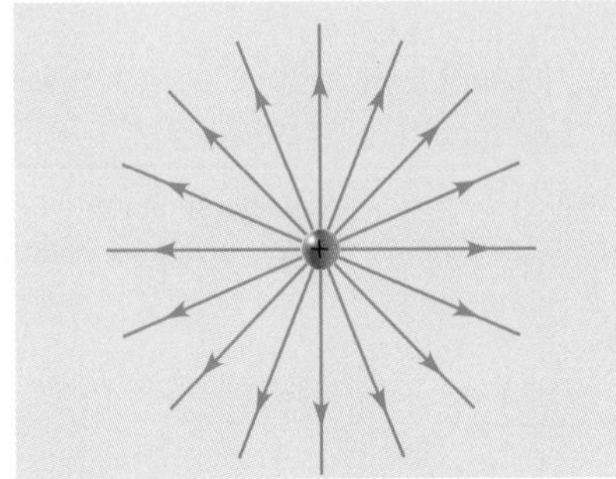

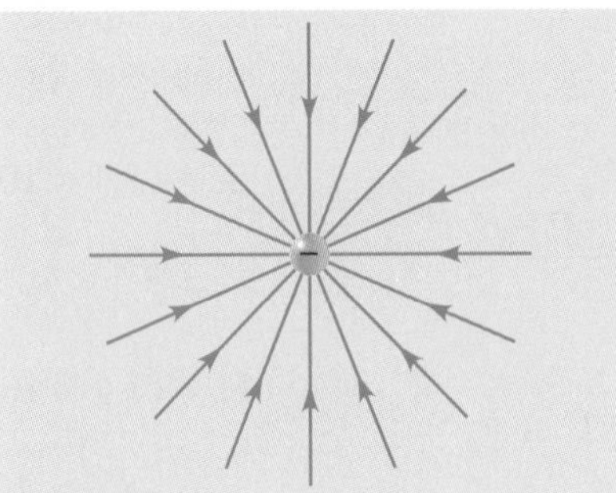

*Figure 2.6*

Le champ électrique d'une charge peut être représenté par des *lignes de champ* ou *lignes de force* continues. Ces lignes partent d'une charge positive et se dirigent vers une charge négative.

*Figure 2.7*

Lorsqu'une personne touche un objet fortement chargé, ses cheveux se dressent sur sa tête suivant les lignes du champ.

*Figure 2.8*

Le champ produit par deux charges de même grandeur et de signes opposés. (*a*) La configuration des semences saupoudrées à la surface d'un liquide. (*b*) Les lignes de champ.

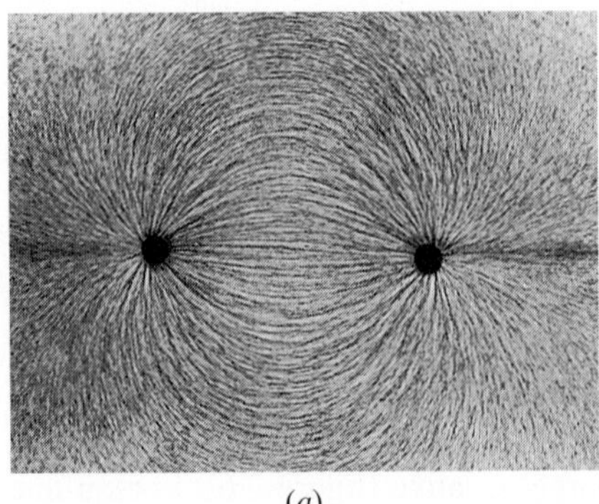

(*a*)

(*b*)

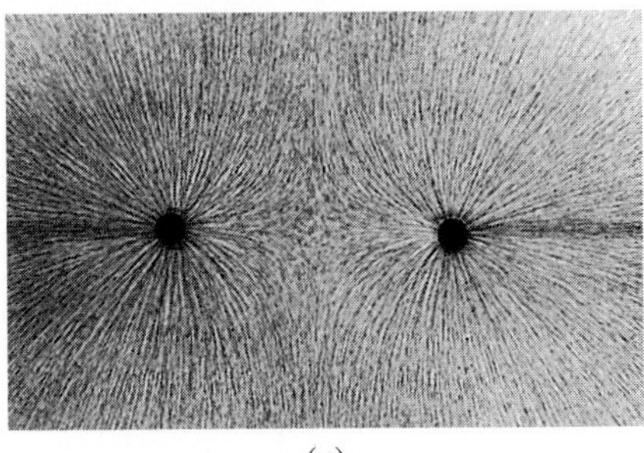

(*a*)

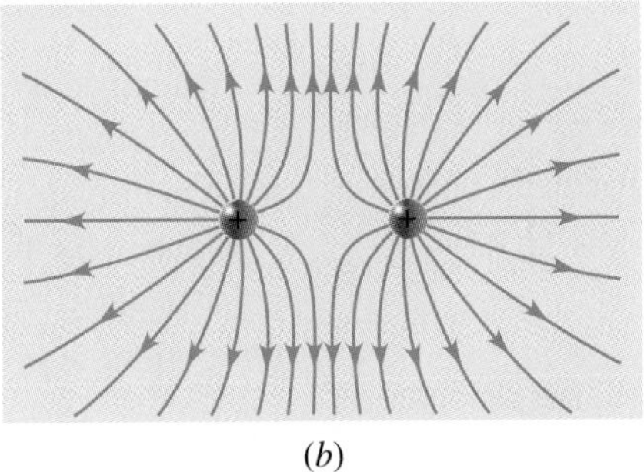

(*b*)

**Figure 2.9**

Le champ produit par deux charges égales de même signe. (*a*) La configuration des semences. (*b*) Les lignes de champ.

Les lignes de champ ont été introduites vers 1840 par Faraday, qui les considérait comme des lignes réelles et allait même jusqu'à leur attribuer des propriétés élastiques : selon lui, on pouvait « sentir » les lignes attirer les charges l'une vers l'autre ou les repousser. Selon la théorie moderne, ces lignes *ne sont pas* réelles, mais elles nous aident à mieux visualiser le champ, qui, lui, *est bien* réel.

Les lignes de champ peuvent aussi nous renseigner sur l'intensité du champ. On remarque en effet qu'elles sont plus rapprochées là où le champ est intense et qu'elles sont plus espacées là où le champ est faible. L'intensité du champ est proportionnelle à la *densité* des lignes, c'est-à-dire au nombre de lignes traversant une surface unitaire normale à la direction du champ. Supposons que $N$ lignes partent d'une charge ponctuelle isolée. À une distance $r$ de la charge, les lignes sont réparties sur une surface sphérique d'aire égale à $4\pi r^2$. La densité des lignes est donc égale à $N/4\pi r^2$ et diminue en $1/r^2$, tout comme la valeur du champ (équation 2.2). À la figure 2.10, le champ est intense en $A$ et plus faible en $B$. Comme aucune ligne de champ ne passe en $C$, on pourrait penser que le champ y est nul ; il faut toutefois se rendre compte que, pour ne pas surcharger le dessin, quelques lignes de champ seulement ont été tracées et que si l'on en traçait dix fois plus, quelques-unes passeraient certainement en $C$. Le nombre de lignes qui partent d'une charge unitaire importe peu ; ce qui importe en réalité, c'est la densité *relative* des lignes en divers points.

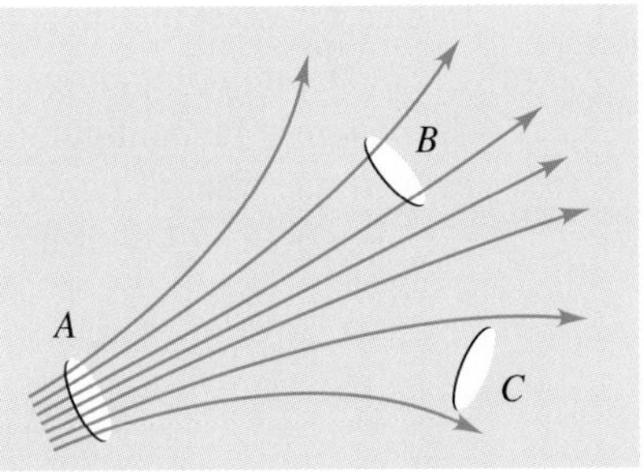


**Figure 2.10**

L'intensité du champ dépend du nombre de lignes de champ qui traversent une surface unitaire perpendiculaire au champ. Il serait inexact de dire que le champ est nul en $C$ : si toutes les lignes étaient représentées sur le dessin, on verrait des lignes passer par $C$. Seule la densité *relative* des lignes nous intéresse.

Voici un résumé des propriétés des lignes de champ.

1. Les lignes de champ électrique vont toujours des charges positives vers les charges négatives : les charges positives « émettent » des lignes de champ et les charges négatives « absorbent » des lignes de champ.
2. Le nombre de lignes qui partent d'une charge ou qui se dirigent vers elle est proportionnel à la grandeur de la charge.
3. La direction du champ en un point est *tangente* à la ligne de champ (figure 2.11).
4. L'intensité du champ est proportionnelle à la *densité* des lignes de champ, c'est-à-dire au nombre de lignes traversant une surface unitaire normale au champ.
5. Les lignes de champ ne se coupent jamais : sinon, à l'endroit où elles se couperaient, le champ aurait deux directions différentes !

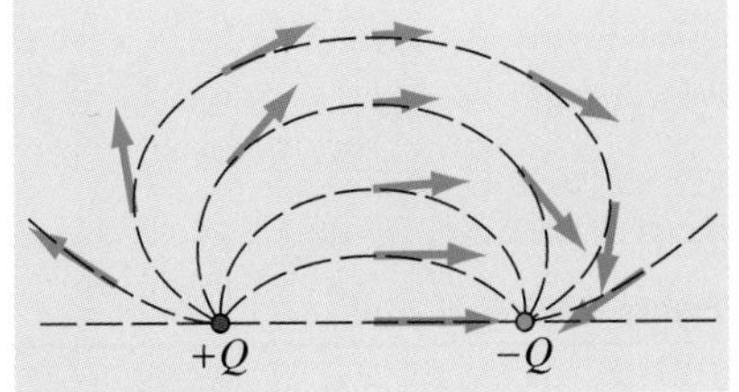


**Figure 2.11**

La direction du champ en un point est tangente à la ligne de champ.

Les techniques que nous avons mises au point jusqu'à présent ne nous permettent pas de tracer les lignes de champ avec précision. (Une autre technique sera décrite au chapitre 4.) Les questions soulevées dans l'exemple qui suit vont toutefois nous permettre de déduire les caractéristiques qualitatives de la configuration du champ produit par une ou plusieurs charges.

## Exemple 2.4

Dessiner les lignes du champ créé par deux charges ponctuelles $2Q$ et $-Q$. On suppose que $Q > 0$.

**Solution :**

On peut établir la configuration des lignes de champ en tenant compte des points suivants.

(a) *Symétrie* : À tout point situé au-dessus de la ligne joignant les deux charges correspond un point équivalent en dessous de la ligne. La configuration doit donc être symétrique par rapport à la ligne joignant les deux charges.

(b) *Champ au voisinage immédiat* : Au voisinage immédiat d'une charge, le champ qu'elle crée est prépondérant et les lignes de champ sont donc radiales et de symétrie sphérique.

(c) *Champ en un point éloigné* : Très loin du système de charges, la configuration doit ressembler à celle d'une charge ponctuelle unique de valeur $(2Q - Q) = +Q$. Autrement dit, les lignes de champ doivent être radiales et dirigées vers l'extérieur.

(d) *Nombre de lignes* : Les lignes partant de $+2Q$ sont deux fois plus nombreuses que celles qui arrivent en $-Q$.

On obtient le croquis représenté à la figure 2.12.

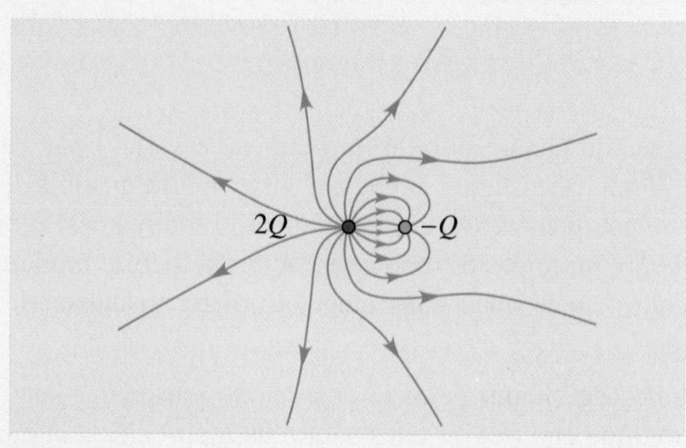


***Figure 2.12***

Les lignes de champ du système formé par les charges $2Q$ et $-Q$.

## 2.3 Le champ électrique et les conducteurs

Lorsqu'on place un conducteur dans un champ électrique extérieur $\vec{\mathbf{E}}_{ext}$, comme à la figure 2.13, les électrons libres dans le conducteur subissent une force dans le sens contraire de $\vec{\mathbf{E}}_{ext}$ (figure 2.13*a*). Les électrons libres se déplacent donc vers le côté du conducteur où pénètrent les lignes du champ extérieur ; ce côté acquiert une charge nette négative, tandis que l'autre côté acquiert une charge nette positive. Cette séparation de charge à l'intérieur du conducteur produit un champ électrique intérieur $\vec{\mathbf{E}}_{int}$ de sens opposé à $\vec{\mathbf{E}}_{ext}$ (figure 2.13*b*). La séparation des charges se poursuivra jusqu'au moment où le module du champ intérieur sera égal à celui du champ extérieur : le champ net à l'intérieur du conducteur sera alors nul (figure 2.13*c*). On dit qu'alors le conducteur est en **équilibre électrostatique**, ce qui signifie que sa distribution de charge ne change plus. Dans un bon conducteur, cet état d'équilibre électrostatique s'établit presque instantanément (voir la notion de temps de relaxation à la section 1.2).

Même si à la figure 2.13 on a représenté un champ électrique extérieur uniforme et un conducteur de forme cubique, le raisonnement que nous venons de faire s'applique à un conducteur de forme quelconque placé dans un champ électrique

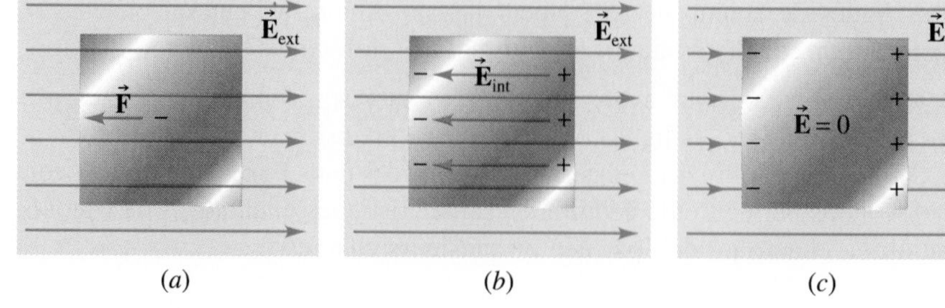


***Figure 2.13***

(*a*) Un conducteur est placé dans un champ électrique extérieur qui produit une force sur les électrons libres. (*b*) Sous l'effet du champ extérieur, il y a séparation de charge dans le conducteur, ce qui produit un champ intérieur. (*c*) Une fois l'équilibre électrostatique atteint, le champ net à l'intérieur du conducteur est nul.

extérieur quelconque. On peut donc énoncer une première propriété générale d'un conducteur à l'équilibre électrostatique :

**1.** À l'équilibre électrostatique, le champ macroscopique total à l'intérieur d'un conducteur homogène est nul.

Le terme *macroscopique* (qui signifie à grande échelle) a été ajouté ici parce qu'il existe de nombreux champs complexes entre les électrons et les noyaux mais que la somme de ces champs est pratiquement nulle à grande échelle, la valeur moyenne étant nulle sur un grand nombre d'atomes. Le terme *homogène* est également important : lorsque deux métaux (par exemple le zinc et le cuivre) sont mis en contact, il y a séparation des charges positives et négatives à l'interface. Un champ électrique règne dans l'interface bien que la charge globale sur les conducteurs soit nulle.

En fonction des lignes de champ, l'énoncé 1 signifie qu'on ne doit jamais tracer de lignes de champ à l'intérieur d'un conducteur à l'équilibre électrostatique. À la figure 2.13*c*, on remarque que les lignes de champ sont « absorbées » par les charges négatives sur la face de gauche et « émises » par les charges positives sur la face de droite.

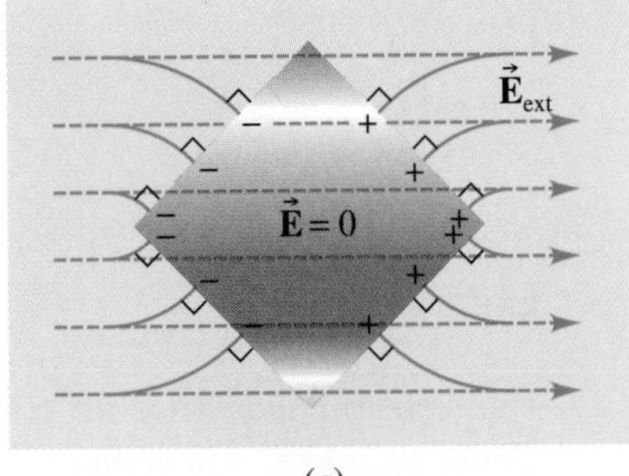


(*a*)

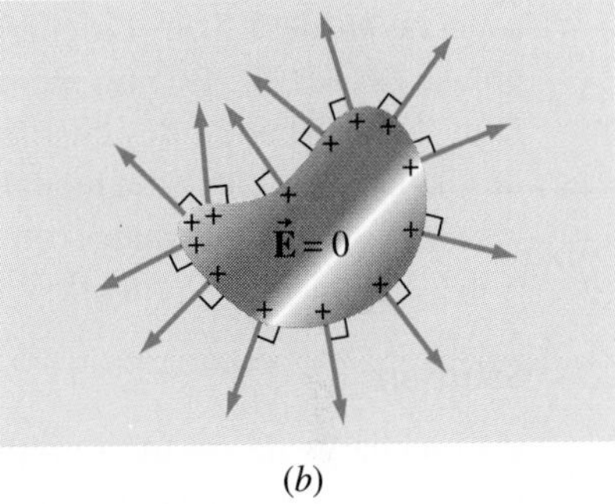


(*b*)

***Figure 2.14***

(*a*) À l'équilibre électrostatique, le champ extérieur est partout perpendiculaire à la surface du conducteur. (*b*) Le champ extérieur produit par un conducteur chargé est partout perpendiculaire à sa surface. Toute la charge se répartit sur la surface, et le champ intérieur est nul.

Supposons maintenant que les faces du conducteur ne soient pas perpendiculaires au champ extérieur initial (figure 2.14*a*). En plus de se concentrer sur le côté du conducteur où pénètrent les lignes de champ, les électrons libres réagiront à la composante du champ qui est parallèle à la surface et la ramèneront rapidement à zéro. En effet, à l'équilibre électrostatique, il ne peut rester de composante du champ extérieur qui serait parallèle à la surface : s'il y avait une telle composante, les électrons libres se déplaceraient le long de la surface sous l'effet de cette composante et il n'y aurait pas d'équilibre électrostatique. Le même effet se produit de l'autre côté du conducteur. Ainsi,

**2.** À l'équilibre électrostatique, le champ électrique extérieur à proximité du conducteur est partout perpendiculaire à la surface du conducteur.

Supposons maintenant que le conducteur ait une charge nette. Les énoncés 1 et 2 s'appliquent toujours (figure 2.14*b*). Cela signifie, entre autres, qu'il ne peut y avoir de charge nette à l'intérieur d'un conducteur. En effet, toute charge nette est associée à des lignes de champ (une charge positive « émet » des lignes et une charge négative « absorbe » des lignes) ; or, il ne peut y avoir de lignes de champ à l'intérieur d'un conducteur puisque le champ est nul. Ainsi,

**3.** À l'équilibre électrostatique, toute la charge nette d'un conducteur (homogène) se répartit sur sa surface.

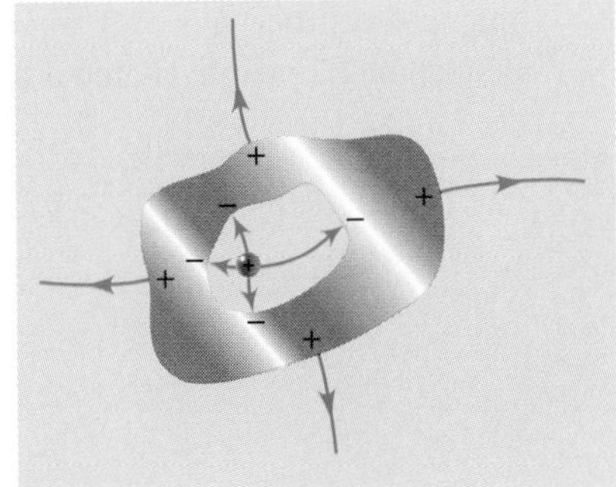

***Figure 2.15***

Si on place une charge $Q$ à l'intérieur d'une cavité dans un conducteur, une charge $-Q$ sera induite sur la surface de la cavité. Si la charge nette du conducteur est nulle, il y aura une charge $+Q$ sur la surface extérieure qui produira un champ électrique vers l'extérieur. En un point très éloigné à l'extérieur du conducteur, le champ électrique est le même que s'il n'y avait pas de conducteur.

Imaginons maintenant que l'on creuse une cavité à l'intérieur d'un conducteur. Puisque le champ est nul partout dans le conducteur, le champ demeurera nul dans la cavité (à moins que l'on place une charge nette dans la cavité). Une **cage de Faraday** fonctionne selon ce principe : il s'agit d'une boîte métallique conductrice fermée dont on se sert pour protéger un appareil ou une expérience de l'effet des champs électriques qui existent dans l'environnement externe. Bien sûr, si on place une charge nette $Q$ dans la cavité (figure 2.15), elle produira un champ à l'intérieur de la cavité. Toutefois, puisque ce champ ne peut pénétrer dans le matériau conducteur, une charge $-Q$ sera induite à la surface de la cavité pour contrebalancer les lignes de champ associées à $Q$.

### Exemple 2.5

Une sphère conductrice de rayon 50 cm porte une charge de $-4$ μC. On la place au centre d'une sphère creuse conductrice de 2,5 m de rayon, dont la cavité a un rayon de 1,5 m. La charge nette de la sphère creuse est de $+12$ μC. (a) Représenter schématiquement la distribution des charges ainsi que les lignes de champ. (b) Calculer le module du champ électrique aux distances $r$ suivantes du centre des sphères: 3 m ; 2 m ; 1 m ; 10 cm ; 0.

**Solution :**

(a) La charge de $-4$ μC se répartit sur la surface de la petite sphère : dans la cavité, les lignes de champ sont dirigées vers cette charge. Pour « émettre » ces lignes de champ à partir de la surface de la cavité, une charge de $+4$ μC est induite sur la surface de la cavité. Puisque la charge nette de la sphère creuse est de $+12$ μC, il reste une charge de $+8$ μC qui se répartit sur la surface extérieure de la sphère creuse. Elle produit des lignes de champ vers l'extérieur.

(b) À l'extérieur de la sphère creuse, le champ est le même que si une charge de $+8$ μC était placée au centre commun des sphères (examinez les lignes de champ sur la figure 2.16) : cela correspond en effet à la charge totale des deux sphères. Pour trouver le module du champ électrique à $r = 3$ m, on peut donc utiliser l'équation 2.2 pour le champ d'une charge ponctuelle :

$$E = k|Q|/r^2$$
$$= (9 \times 10^9 \text{ N}\cdot\text{m}^2/\text{C})(8 \times 10^{-6} \text{ C})/(3 \text{ m})^2$$
$$= 8 \text{ kN/C}$$

À $r = 2$ m, on est à l'intérieur d'un conducteur, donc $E = 0$. Dans la cavité, le champ est le même que si la charge de $-4$ μC était placée au centre de la petite sphère (examinez les lignes de champ). Le module du champ électrique à $r = 1$ m est donc

$$E = k|Q|/r^2$$
$$= (9 \times 10^9 \text{ N}\cdot\text{m}^2/\text{C})(4 \times 10^{-6} \text{ C})/(1 \text{ m})^2$$
$$= 36 \text{ kN/C}$$

À $r = 10$ cm et à $r = 0$, on est à l'intérieur d'un conducteur et $E = 0$.

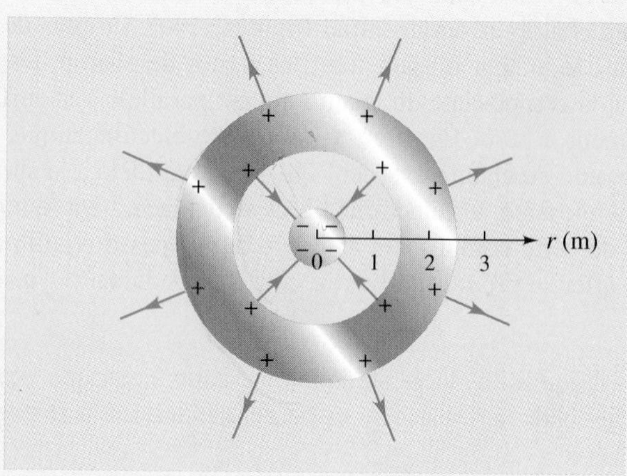


*Figure 2.16*

Distribution des charges et des lignes de champ dans le cas d'une petite sphère conductrice chargée placée à l'intérieur d'une sphère conductrice creuse chargée.

## 2.4 Les charges en mouvement dans un champ électrique uniforme

Nous allons étudier maintenant le cas de particules chargées en mouvement dans des champs électriques uniformes. Lorsqu'on étudie le mouvement de particules élémentaires comme les protons ou les électrons dans des champs électriques, on peut négliger la force gravitationnelle*. Ainsi, une particule de

* On suppose également que la vitesse des particules est très inférieure à la vitesse de la lumière. On peut alors ne pas tenir compte des facteurs de correction qui découlent de la théorie de la relativité restreinte (*cf.* chapitre 8, tome 3).

masse $m$ et de charge $q$ placée dans un champ électrique n'est soumise qu'à une force $\vec{\mathbf{F}}_E = q\vec{\mathbf{E}}$. D'après la deuxième loi de Newton, $\Sigma\vec{\mathbf{F}} = \vec{\mathbf{F}}_E = m\vec{\mathbf{a}}$, et ainsi son accélération est

$$\vec{\mathbf{a}} = \frac{q\vec{\mathbf{E}}}{m} \qquad (2.6)$$

Si le champ est uniforme, l'accélération est constante en grandeur et en orientation ; nous pouvons donc utiliser les équations de la cinématique valables pour une accélération constante (*cf.* chapitre 3, tome 1).

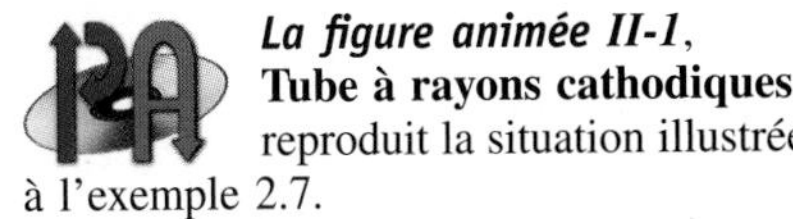

***La figure animée II-1*, Tube à rayons cathodiques,** reproduit la situation illustrée à l'exemple 2.7.

## Exemple 2.6

Un proton parcourt une distance de 4 cm parallèlement à un champ électrique uniforme $\vec{\mathbf{E}} = 10^3\vec{\mathbf{i}}$ N/C, comme le montre la figure 2.17. Trouver sa vitesse finale si sa vitesse initiale est égale à $10^5$ m/s.

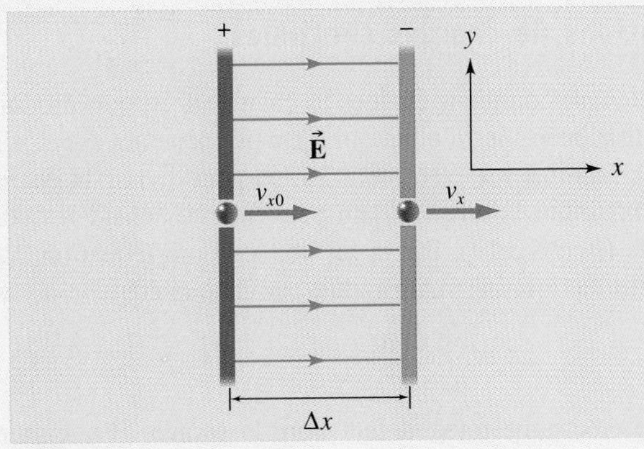


***Figure 2.17***

Un proton est accéléré dans un champ uniforme entre deux plaques chargées.

**Solution :**

L'accélération du proton a pour valeur

$$a_x = \frac{eE}{m} = \frac{(1{,}6 \times 10^{-19}\ \text{C})(10^3\ \text{N/C})}{1{,}67 \times 10^{-27}\ \text{kg}}$$

$$= 9{,}6 \times 10^{10}\ \text{m/s}^2$$

elle est donc dirigée vers la plaque négative. L'équation de la cinématique qui convient ici est

$$v_x^2 = v_{x0}^2 + 2a_x\Delta x$$

$$= (10^5\ \text{m/s})^2 + 2(9{,}6 \times 10^{10}\ \text{m/s}^2)(4 \times 10^{-2}\ \text{m})$$

$$= 1{,}77 \times 10^{10}\ \text{m}^2/\text{s}^2$$

Donc, $v_x = 1{,}3 \times 10^5$ m/s.

## Exemple 2.7

Le *tube à rayons cathodiques* (TRC) est utilisé dans les téléviseurs, les écrans d'ordinateurs et certains appareils électroniques comme l'oscilloscope. Un mince filament chauffé émet des électrons qu'on fait passer par des ouvertures percées dans deux disques (figure 2.18), de manière à obtenir un faisceau. Leur vitesse initiale est $v_0\vec{\mathbf{i}}$. Ils se déplacent entre deux plaques de longueur $\ell$ qui produisent un champ électrique uniforme $\vec{\mathbf{E}} = -E\vec{\mathbf{j}}$. Dans le champ, leur accélération est constante et leur trajectoire est donc parabolique, comme pour tout projectile près de la surface de la Terre. Après avoir quitté la région comprise entre les deux plaques, ils se dirigent en ligne droite vers un écran recouvert d'une substance fluorescente, du ZnS par exemple. Un petit éclair lumineux est produit chaque fois qu'un électron frappe l'écran. Déterminer : (a) la position verticale de l'électron à sa sortie des plaques ; (b) à quel angle il émerge des plaques ; (c) sa position verticale finale sur l'écran, qui se trouve à une distance $L$ de l'extrémité des plaques.

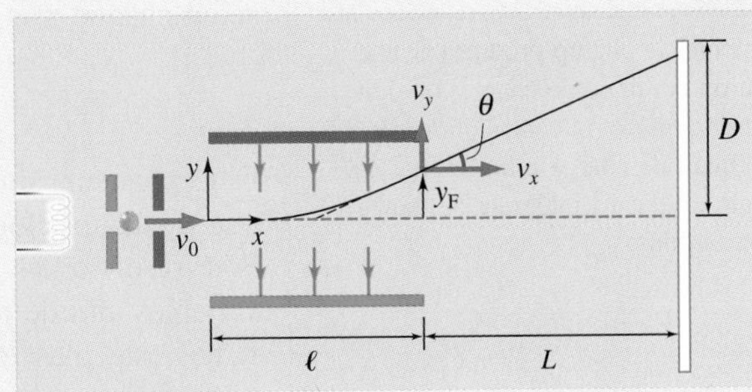


***Figure 2.18***

Dans un tube à rayons cathodiques, des électrons émis par un filament chauffé sont accélérés par un champ créé entre deux disques chargés (percés de trous) puis déviés par le champ existant entre deux plaques. Lorsque l'électron frappe l'écran, un éclair lumineux se produit.

**Solution :**

(a) Puisque $q = -e$ et $\vec{\mathbf{E}} = -E\vec{\mathbf{j}}$, l'accélération est

$$\vec{\mathbf{a}} = +\frac{eE}{m}\vec{\mathbf{j}}$$

Il n'y a pas d'accélération dans la direction des $x$. Entre les plaques, les coordonnées de la position de l'électron sont données par

$$x = v_0 t\,; \quad y = \tfrac{1}{2}a_y t^2$$

Comme l'électron met un temps $t = \ell/v_0$ pour franchir l'espace entre les plaques, sa coordonnée verticale lorsqu'il en sort est

$$y_F = \frac{1}{2}\frac{eE}{m}\left(\frac{\ell}{v_0}\right)^2 \qquad \text{(i)}$$

(b) À partir des composantes de sa vitesse finale, on peut trouver l'angle $\theta$:

$$v_x = v_0\,; \quad v_y = a_y t = \frac{eE}{m}\frac{\ell}{v_0}$$

On obtient

$$\tan\theta = \frac{v_y}{v_x} = \frac{eE\ell}{mv_0^2} \qquad \text{(ii)}$$

(c) Sur la figure 2.18, on voit que $\tan\theta = (D - y_F)/L$. On a donc

$$D = y_F + L\tan\theta \qquad \text{(iii)}$$

## 2.5 Les distributions de charges continues

Nous allons voir maintenant comment évaluer le champ électrique produit par une charge électrique distribuée sur un objet qui n'est pas ponctuel et qui n'a pas une symétrie sphérique (comme à l'exemple 2.5). On peut diviser la charge de l'objet en petits éléments infinitésimaux $dq$ qui peuvent être considérés comme des charges ponctuelles (figure 2.19). Par la loi de Coulomb (équation 2.2), le module du champ électrique infinitésimal produit par chaque élément $dq$ est

$$dE = \frac{k|dq|}{r^2} \qquad (2.7)$$

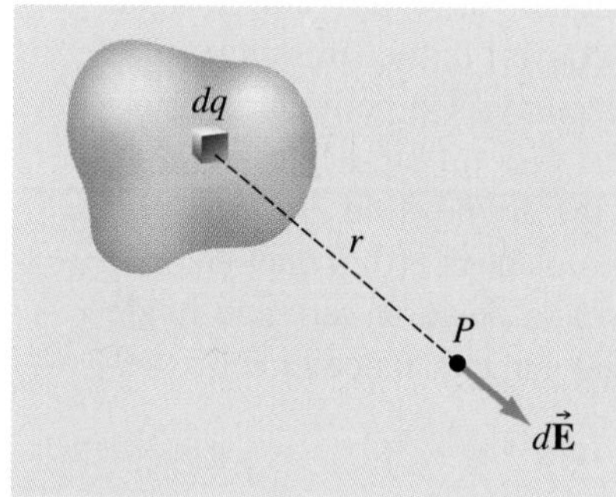


***Figure 2.19***

Pour calculer le champ produit par une distribution continue de charge, on doit d'abord déterminer la contribution $d\vec{\mathbf{E}}$ d'un élément de charge infinitésimal $dq$. Le champ total est l'intégrale de toutes les contributions.

Pour trouver le champ électrique total, il faut faire la somme (l'intégrale) de tous les éléments $dE$, *en tenant compte de la nature vectorielle du champ* :

$$\vec{\mathbf{E}} = \int d\vec{\mathbf{E}} \qquad (2.8)$$

En pratique, cela revient à décomposer $d\vec{\mathbf{E}}$ en $dE_x$, $dE_y$ et $dE_z$, puis à intégrer selon chaque axe séparément :

$$E_x = \int dE_x \quad E_y = \int dE_y \quad E_z = \int dE_z$$

Dans plusieurs situations, on peut utiliser la symétrie du problème pour déduire que le champ selon un axe est nul : cela réduit le nombre d'intégrales à résoudre. Pour résoudre les intégrales, il faut habituellement faire des transformations de variables afin de tout exprimer en fonction de la même variable d'intégration. Il ne reste plus ensuite qu'à déterminer les bornes d'intégration qui correspondent aux valeurs extrêmes de la variable d'intégration.

Pour décrire la distribution de charge sur un objet qui a la forme d'un fil, on utilise souvent la **densité linéique de charge** (symbole : $\lambda$), définie comme la charge par unité de longueur. Si une charge $q$ est uniformément distribuée sur un fil de longueur $\ell$, la densité linéique de charge $\lambda$ s'exprime par

$$\lambda = \frac{q}{\ell} \qquad (2.9)$$

La densité linéique de charge s'exprime en coulombs par mètre (C/m). Un élément infinitésimal de fil de longueur $d\ell$ aura une charge

$$dq = \lambda \, d\ell \qquad (2.10)$$

Si le fil est uniformément chargé, $\lambda$ est une constante. Toutefois, on peut aussi utiliser la densité linéique de charge pour décrire un fil qui *n'est pas* chargé uniformément. La densité linéique est alors donnée en fonction d'un paramètre qui représente la position sur le fil. Par exemple, si le fil est situé le long de l'axe des $x$, on peut spécifier une fonction $\lambda(x)$ (voir l'exemple 2.8).

Pour décrire la distribution de charge sur un objet qui a la forme d'une plaque, on utilise plutôt la **densité surfacique de charge**, définie comme la charge par unité de surface. Si une charge $q$ est uniformément distribuée sur une plaque de surface $A$, la densité surfacique de charge $\sigma$ est

$$\sigma = \frac{q}{A} \qquad (2.11)$$

La densité surfacique de charge s'exprime en coulombs par mètre carré ($C/m^2$). Un élément infinitésimal de plaque de surface $dA$ aura une charge

$$dq = \sigma \, dA \qquad (2.12)$$

Dans le cas d'une plaque uniformément chargée, $\sigma$ est une constante. Lorsque la plaque n'est pas chargée uniformément, la densité surfacique varie selon les endroits sur la plaque.

## Exemple 2.8

Un fil rectiligne de deux mètres de long est situé sur l'axe des $x$, entre $x = 3$ m et $x = 5$ m. Sa densité linéique de charge est donnée par la fonction $\lambda = 3 \times 10^{-6} x^2$, où $x$ est en mètres et $\lambda$ est en coulombs par mètre. Que vaut la charge totale du fil ?

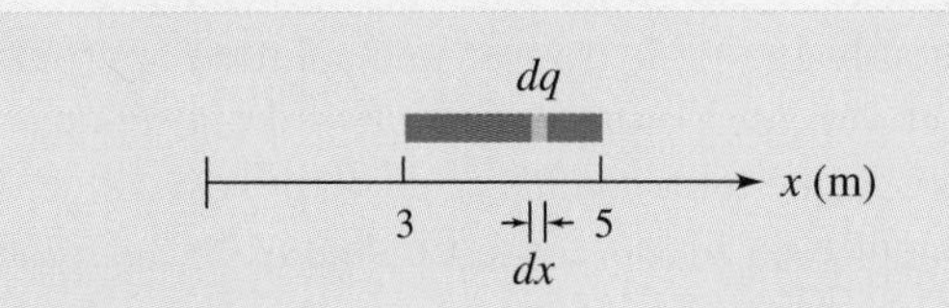


***Figure 2.20***

Un élément de fil de longueur $dx$ porte une charge $dq$.

**Solution :**

Par l'équation 2.10, la charge d'une portion infinitésimale de fil de longueur $dx$ correspond à $dq = \lambda \, dx = 3 \times 10^{-6} x^2 \, dx$. La charge totale est*

$$q = \int dq = \int 3 \times 10^{-6} x^2 \, dx$$

* Lorsqu'on insère des valeurs numériques dans une expression mathématique, on peut omettre d'écrire les unités lorsqu'il s'agit d'étapes de calcul intermédiaire, afin de ne pas surcharger le texte. Toutefois, il faut toujours indiquer les unités du résultat final de l'étape de calcul.

L'intégrale doit se faire sur toute la longueur du fil chargé : la variable d'intégration $x$ varie donc entre les valeurs extrêmes $x = 3$ et $x = 5$, qui seront donc les bornes de l'intégrale. La constante $3 \times 10^{-6}$ passe à gauche de l'intégrale et on trouve

$$q = 3 \times 10^{-6} \int_3^5 x^2 \, dx = 3 \times 10^{-6} \left( \frac{x^3}{3} \right) \Bigg|_3^5$$

$$= 3 \times 10^{-6} \left( \frac{125}{3} - \frac{27}{3} \right) = 98 \times 10^{-6} = 98 \ \mu C$$

Sans l'outil de l'intégrale, on aurait pu procéder de la manière suivante pour trouver une réponse approximative. À l'extrémité $x = 3$ m du fil, la densité de charge linéique est $\lambda = 3 \ x^2 = 27 \ \mu C/m^2$. À l'autre extrémité, $x = 5$ m et $\lambda = 75 \ \mu C/m^2$. Si on fait la moyenne de ces deux valeurs, on trouve $\lambda = 51 \ \mu C/m$. Puisque le fil a une longueur de 2 m, on peut évaluer sa charge approximative en faisant $q = \lambda \ell = (51 \ \mu C/m)(2 \ m) = 102 \ \mu C$. Cela ne donne pas exactement la bonne réponse, car la densité linéique ne varie pas de manière linéaire le long du fil : la valeur moyenne de $\lambda$ que nous avons calculée n'est pas exacte. Néanmoins, ce genre de calcul rapide et approximatif est souvent très utile pour vérifier que l'on a pas fait d'erreur importante en résolvant le problème.

## Exemple 2.9

Un fil rectiligne *uniformément chargé* de deux mètres de long est situé sur l'axe des $x$, entre $x = 3$ m et $x = 5$ m. Sa charge totale est de 40 μC. Calculer le champ électrique $\vec{\mathbf{E}}$ au point $x = 1$ m.

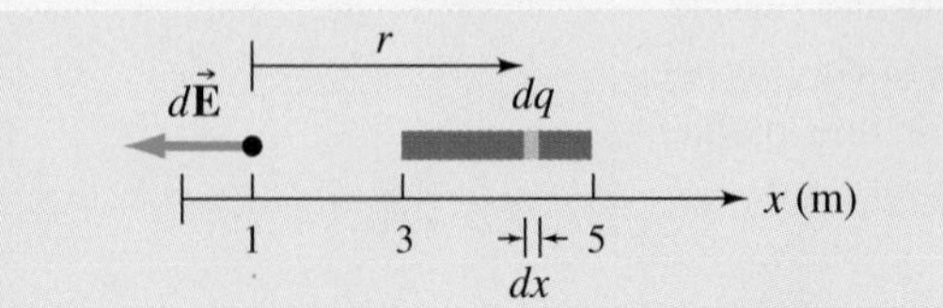


***Figure 2.21***

Un élément de fil de charge $dq$ produit un champ $d\vec{\mathbf{E}}$ au point $x = 1$ m.

**Solution :**

La densité linéique de charge du fil est

$$\lambda = \frac{q}{\ell} = 40\ \mu\text{C}/2\ \text{m} = 20\ \mu\text{C/m} = 2 \times 10^{-5}\ \text{C/m}$$

La charge d'une portion infinitésimale de fil de longueur $dx$ correspond à

$$dq = \lambda\, dx$$

Le champ produit au point $x = 1$ par cette portion de fil est dirigé vers l'axe des $x$ négatifs (voir la figure 2.21). On peut donc écrire

$$dE_x = -k\frac{dq}{r^2} = -k\lambda\frac{dx}{r^2}$$

où $r$ est la distance entre le point où on calcule le champ et la portion infinitésimale de fil $dq$ (figure 2.21).

Ici, il n'y a pas de champ en $y$. Le champ total en $x$ est donné par l'intégrale

$$E_x = \int dE_x = \int -k\lambda \frac{dx}{r^2}$$

Comme il y a deux variables dans l'intégrale ($x$ et $r$), il faut exprimer une variable en termes de l'autre. Puisque $x = 1$ correspond à $r = 0$, on peut écrire

$$x = r + 1$$

Si on garde $x$ comme variable, on remplace $r$ par $x - 1$ dans l'intégrale. En fonction de la variable d'intégration $x$, les bornes sont 3 et 5. En faisant passer les constantes $k$ et $\lambda$ à gauche de l'intégrale, on trouve

$$\begin{aligned} E_x &= -k\lambda \int_3^5 (x-1)^{-2}\, dx \\ &= -k\lambda[-(x-1)^{-1}]\Big|_3^5 \\ &= -1{,}8 \times 10^5[(-4^{-1}) - (-2^{-1})] \\ &= -4{,}5 \times 10^4\ \text{N/C} \end{aligned}$$

On aurait pu choisir de garder $r$ comme variable d'intégration. Comme $x = r + 1$, on a

$$dx = d(r+1) = dr$$

car la dérivée d'une constante donne 0. On remplace donc $dx$ par $dr$ dans l'intégrale. Toutefois, en termes de la nouvelle variable d'intégration $r$, *les bornes sont maintenant 2 et 4* (vérifiez-le sur la figure 2.21 : l'extrémité gauche du fil correspond à $r = 2$, et l'extrémité droite à $r = 4$). On trouve alors

$$\begin{aligned} E_x &= -k\lambda \int_2^4 r^{-2}\, dr = -k\lambda(-r^{-1})\Big|_2^4 \\ &= -1{,}8 \times 10^5[(-4^{-1}) - (-2^{-1})] \\ &= -4{,}5 \times 10^4\ \text{N/C} \end{aligned}$$

Évidemment, la réponse demeure la même.

Sans utiliser l'intégrale, on peut procéder de la manière suivante pour trouver une solution approximative et vérifier l'ordre de grandeur de la réponse. On suppose que toute la charge de 40 μC est concentrée au centre du fil, en $x = 4$. Le champ en $x = 1$ est alors

$$\begin{aligned} E_x &= \frac{-k|q|}{r^2} = \frac{-(9 \times 10^9)(40 \times 10^{-6})}{3^2} \\ &= -4 \times 10^4\ \text{N/C} \end{aligned}$$

(Remarquez qu'on a pris $r = 3$, la distance entre le point $x = 1$ et le centre du fil.) Cela concorde assez bien avec la réponse exacte trouvée par intégration.

## Champ électrique d'un fil infini uniformément chargé

Nous allons maintenant étudier un cas général très utile: la détermination du champ en un point situé à une distance $R$ d'un long fil rectiligne uniformément chargé. Le fil est assez long par rapport à la distance $R$ pour que l'on puisse considérer qu'il est, à toutes fins utiles, infini.

Supposons que le fil soit placé sur l'axe des $x$. Sur la figure 2.22, nous avons représenté le champ $d\vec{\mathbf{E}}$ produit par la charge $dq$ d'une portion infinitésimale $dx$ du fil. (On suppose que le fil est chargé positivement: le champ produit par $dq$ pointe donc dans la direction opposée à $dq$.)

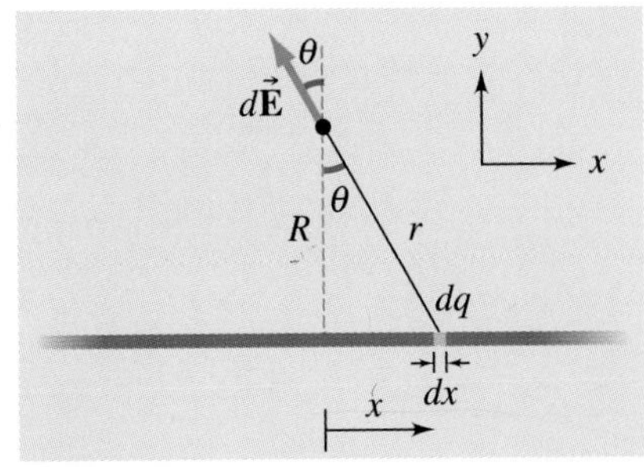


***Figure 2.22***

Le champ produit par un élément de charge $dq$ à une distance $R$ d'un long fil rectiligne uniformément chargé.

Si on considère le champ produit par tous les $dq$ simultanément, on se rend compte par symétrie que le champ total selon $x$ est nul (figure 2.23): chaque composante $dE_x$ produite par la charge $dq$ à une position $x$ donnée est annulée par la composante $dE_x$ produite par la charge $dq$ à la position $-x$. En revanche, les composantes en $y$ du champ s'additionnent, car elles pointent toutes vers les $y$ positifs.

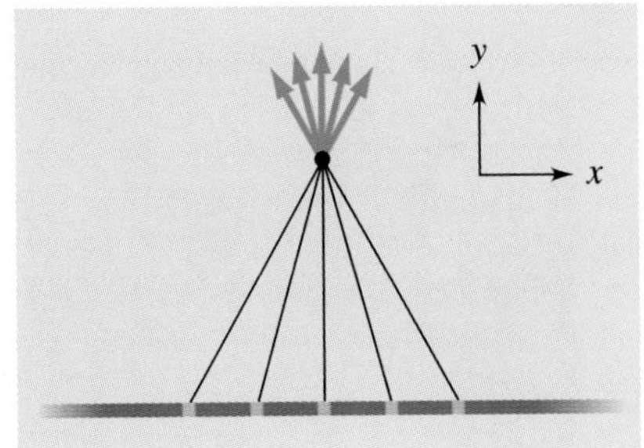


***Figure 2.23***

Le champ produit par l'ensemble des éléments $dq$ s'annule en $x$ et se renforce en $y$.

Soit $\lambda$, la densité linéique de charge du fil: puisque le fil est uniformément chargé, $\lambda$ est une constante. La charge d'une portion infinitésimale de fil de longueur $dx$ équivaut à $dq = \lambda\, dx$. La composante selon $y$ du champ produit par cette portion de fil est

$$dE_y = dE \cos\theta = k\frac{dq}{r^2}\cos\theta = \frac{k\lambda\, dx\cos\theta}{r^2}$$

avec $r$ et $\theta$ tel que définis à la figure 2.22. Le champ total en $y$ est donné par

$$E_y = \int dE_y = \int \frac{k\lambda\, dx\cos\theta}{r^2}$$

Il y a trois variables dans l'intégrale: $x$, $r$ et $\theta$. Avant de la calculer, il faut tout ramener en fonction d'une seule variable. Comme c'est souvent le cas lorsqu'il y a un angle dans l'intégrale, il est plus facile de calculer celle-ci si on ramène tout en fonction de l'angle. Nous allons donc exprimer $x$ et $r$ en fonction de $\theta$; ce faisant, nous allons introduire la distance $R$ dans l'intégrale. Cet ajout est sans conséquence, puisque $R$ est une constante: lorsqu'on déplace $dx$ le long du fil, $x$, $r$ et $\theta$ changent, mais pas $R$.

On peut écrire $\cos\theta = R/r$, d'où

$$r = \frac{R}{\cos\theta}$$

On peut aussi écrire $\tan\theta = x/R$, d'où $x = R\tan\theta$, ainsi,

$$dx = d(R\tan\theta) = R\sec^2\theta\, d\theta = \frac{R}{\cos^2\theta}d\theta$$

En remplaçant dans l'intégrale, on trouve

$$E_y = k\lambda\int\frac{(R/\cos^2\theta)\cos\theta}{(R/\cos\theta)^2}d\theta = k\lambda\int\frac{R\cos\theta\cos^2\theta}{R^2\cos^2\theta}d\theta = \frac{k\lambda}{R}\int\cos\theta\, d\theta$$

En fonction de notre variable d'intégration $\theta$, les bornes pour le fil infini vont de $\theta = -\pi/2$ rad à $\theta = +\pi/2$ rad. (Vérifiez-le en examinant la figure 2.22.) On a donc

$$E_y = \frac{k\lambda}{R}\int_{-\pi/2}^{\pi/2}\cos\theta\, d\theta = \frac{k\lambda}{R}[\sin\theta]\Big|_{-\pi/2}^{\pi/2} = \frac{k\lambda}{R}[1-(-1)] = \frac{2k\lambda}{R}$$

C'est l'expression générale que l'on cherchait : le module du champ électrique en un point situé à une distance $R$ d'un fil « infini » s'écrit

$$E = \frac{2k|\lambda|}{R} \tag{2.13}$$

On a mis $\lambda$ en valeur absolue pour éviter que le module du champ électrique soit négatif lorsque $\lambda$ est négatif.

La direction du champ électrique est radiale. Si le fil est chargé positivement (comme dans notre démonstration), le champ s'éloigne du fil. Si le fil est chargé négativement, le champ se dirige vers le fil. Globalement, les lignes de champ sont radiales dans toutes les directions. On peut se représenter le tout en considérant une brosse à éprouvette d'un laboratoire de chimie : le fil de fer au milieu de la brosse représente le fil chargé et les soies qui sont partout perpendiculaires au fil représentent les lignes de champ. On remarque que le champ d'un fil infini est inversement proportionnel à la distance, tandis que le champ d'une charge ponctuelle est inversement proportionnel *au carré* de la distance.

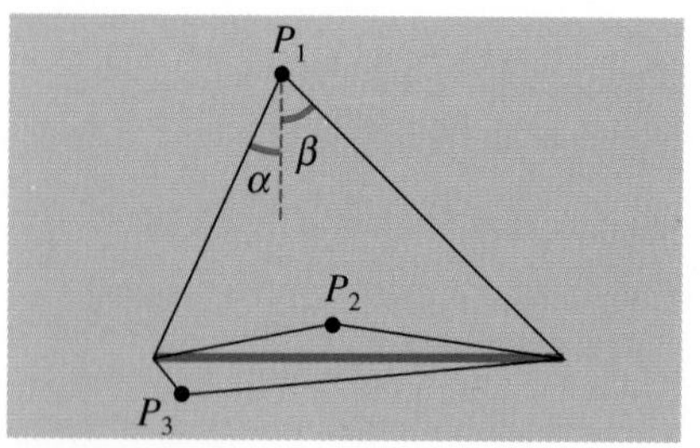


**Figure 2.24**

L'approximation du fil infini est valable au point $P_2$, mais pas aux points $P_1$ et $P_3$.

Dans la réalité, un fil infini chargé n'existe pas. Ainsi, les bornes d'intégration dans la démonstration que nous venons de faire ne valent jamais exactement $-\pi/2$ et $+\pi/2$. Par exemple, pour le point $P_1$ à la figure 2.24, les bornes valent $-\alpha$ et $\beta$. Le point $P_1$ est trop éloigné du fil par rapport aux dimensions du fil pour que l'on puisse utiliser l'équation 2.13 pour calculer le champ. Toutefois, *si on est suffisamment proche du fil et assez loin des bords*, comme en $P_2$, les bornes valent presque $-\pi/2$ et $+\pi/2$, et l'équation 2.13 donne un résultat assez précis. Si on est trop près d'une des extrémités, comme au point $P_3$, une des bornes s'éloigne trop de $\pm\pi/2$, et on ne peut pas utiliser l'équation 2.13. On doit alors refaire le problème au long et remplacer les bornes par leur valeur exacte. De plus, lorsqu'on n'est pas vis-à-vis du centre du fil, le champ ne s'annule plus en $x$. Il faut alors résoudre deux intégrales, une en $x$ et une en $y$.

## Exemple 2.10

Un fil uniformément chargé a une longueur de 6 m et une charge de 360 μC. Calculer le module du champ en un point situé vis-à-vis du centre du fil, à $R$ = 2 m de distance.

**Solution :**

Dans ce problème, $E_x$ s'annule par symétrie. En $y$, on a

$$E_y = \int dE_y = \int dE \cos\theta = \int k\frac{dq}{r^2}\cos\theta$$
$$= \int \frac{k\lambda\, dx \cos\theta}{r^2}$$

avec $\lambda = q/\ell = 360\ \mu\text{C}/6\ \text{m} = 6 \times 10^{-5}$ C/m. Pour calculer l'intégrale, on ramène tout en fonction de $\theta$, $r = R/\cos\theta$ et $x = R\tan\theta$, d'où $dx = (R/\cos^2\theta)d\theta$. Les bornes d'intégration sont $\theta_1 = -\arctan(3/2) = -0{,}983$ rad et $\theta_2 = +0{,}983$ rad, d'où

$$E_y = \frac{k\lambda}{R}\int_{-0{,}983}^{0{,}983} \cos\theta\, d\theta = \frac{k\lambda}{R}[\sin\theta]\Big|_{-0{,}983}^{0{,}983}$$
$$= 4{,}49 \times 10^5\ \text{N/C}$$

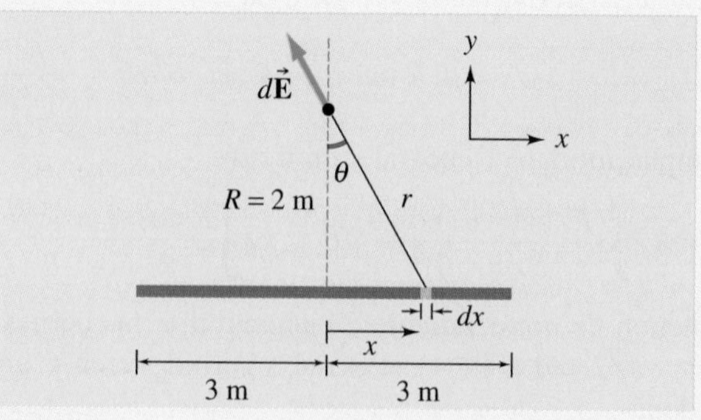


**Figure 2.25**

Calcul du champ à 2 m du centre d'un fil de 6 m de longueur.

### Champ électrique sur l'axe d'un disque uniformément chargé

Nous allons maintenant calculer le champ sur l'axe d'un disque de rayon $a$, à un point $P$ situé à une distance $y$ du centre du disque (figure 2.26). Le disque est uniformément chargé avec une densité surfacique de charge $\sigma$ (que l'on suppose positive pour les fins de la démonstration).

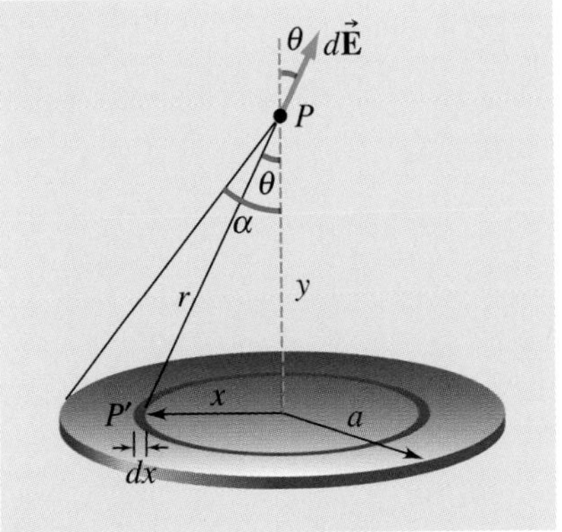


***Figure 2.26***

Pour calculer le champ sur l'axe d'un disque uniformément chargé, on peut décomposer le disque en anneaux de rayon $x$ et d'épaisseur $dx$.

Nous allons choisir un anneau de rayon $x$ et de largeur $dx$ comme élément de charge $dq$. En intégrant le champ produit par les anneaux, du centre jusqu'au bord du disque, on trouvera le champ du disque. La circonférence de l'anneau est $2\pi x$, et sa largeur est $dx$. Sa surface équivaut donc à

$$dA = 2\pi x\ dx$$

et sa charge s'écrit

$$dq = \sigma\ dA = \sigma 2\pi x\ dx$$

Considérons la charge sur toute la circonférence de l'anneau : on voit par symétrie que le champ total produit par cette charge s'annule dans le plan de l'anneau. Ainsi, $dE_x = 0$. Quant au champ en $y$, il est le même que si toute la charge de l'anneau était concentrée en un point de l'anneau (par exemple, au point $P'$ sur la figure 2.26) : en effet, tous les points sur l'anneau sont à la même distance $r$ du point $P$, où on veut calculer le champ. Ainsi, le champ $dE_y$ produit par l'anneau est

$$dE_y = dE \cos\theta = k\frac{dq}{r^2}\cos\theta$$

d'où

$$E_y = \int k\sigma 2\pi x\ dx\frac{\cos\theta}{r^2} = 2\pi k\sigma\int x\ dx\frac{\cos\theta}{r^2}$$

On ramène tous les termes dans l'intégrale en fonction de $\theta$ en utilisant la constante $y$. On a $\cos\theta = y/r$, d'où

$$r = \frac{y}{\cos\theta}$$

On peut aussi écrire $\tan\theta = x/y$, d'où

$$x = y\tan\theta$$

et

$$dx = d(y\tan\theta) = y\sec^2\theta\ d\theta = \frac{y}{\cos^2\theta}d\theta$$

Ainsi,

$$E_y = 2\pi k\sigma\int y\tan\theta\frac{y}{\cos^2\theta}d\theta\cos\theta\left(\frac{\cos\theta}{y}\right)^2 = 2\pi k\sigma\int\sin\theta\ d\theta$$

Le champ du disque est la somme des contributions de tous les anneaux, du centre jusqu'au bord. Ainsi, les bornes d'intégration correspondent à $\theta = 0$ et à $\theta = \alpha$ (figure 2.26). On trouve ainsi $E_y = 2\pi k\sigma[-\cos\theta]|_0^\alpha$, d'où

$$E = 2\pi k|\sigma|(1 - \cos\alpha) \qquad (2.14)$$

Pour obtenir une formule d'usage général, on a laissé tomber l'indice $y$, et on a mis $\sigma$ en valeur absolue pour éviter d'avoir un module de champ négatif. Le champ donné par l'équation 2.14 est orienté selon l'axe du disque : il s'éloigne du disque si $\sigma$ est positif, et il se dirige vers le disque si $\sigma$ est négatif.

On peut obtenir une formule en fonction du rayon $a$ du disque et de la distance $y$ en utilisant l'égalité $\cos \alpha = y/\sqrt{a^2 + y^2}$ (figure 2.26). On trouve ainsi :

$$E = 2\pi k|\sigma|\left(1 - \frac{y}{\sqrt{a^2 + y^2}}\right) \tag{2.15}$$

Si on est très loin du disque par rapport à son rayon ($y \gg a$ ou $\alpha \approx 0$), il nous apparaît comme une charge ponctuelle : on doit donc trouver à nouveau l'équation 2.2 pour le champ électrique d'une charge ponctuelle. Pour le vérifier, nous allons poser $y \gg a$ dans l'équation 2.15.

On utilise l'approximation du binôme $(1 + z)^n \approx 1 + nz$, valable lorsque $z$ est suffisamment petit (annexe B). Le deuxième terme à l'intérieur du crochet peut s'écrire $y(a^2 + y^2)^{-1/2} = (1 + a^2/y^2)^{-1/2}$. Pour $y \gg a$, l'approximation donne

$$\left(1 + \frac{a^2}{y^2}\right)^{-1/2} \approx 1 - \frac{1}{2}\left(\frac{a^2}{y^2}\right)$$

En substituant ce développement dans l'équation 2.15 et en utilisant $Q = \sigma\pi a^2$, on trouve $E \approx kQ/y^2$, qui est effectivement le champ produit par une charge ponctuelle.

## Champ électrique d'une plaque infinie uniformément chargée

Considérons l'expression du champ électrique du disque chargé donnée par l'équation 2.14. Si on est très près du disque par rapport à son rayon, on a $\alpha \approx \pi/2$ rad et $\cos \alpha \approx 0$, d'où

$$E = 2\pi k|\sigma| \tag{2.16}$$

Cette formule est l'équivalent pour une plaque de la formule 2.13 pour un fil infini : il s'agit en fait de la formule s'appliquant à une plaque « infinie ». *Elle est valable lorsqu'on est très près d'une plaque uniformément chargée par rapport à ses dimensions, tout en étant assez loin des bords.* Évidemment, dans l'approximation de la plaque infinie, la forme de la plaque importe peu ; on peut utiliser l'équation 2.16 même si la plaque n'est pas un disque circulaire.

L'équation 2.16 s'écrit le plus souvent en fonction de la constante $\varepsilon_0 = 1/(4\pi k)$. On a alors

$$E = \frac{|\sigma|}{2\varepsilon_0} \tag{2.17}$$

On remarque que, dans l'approximation de la plaque infinie, le champ est indépendant de la distance $y$ à la plaque. Ainsi, tant qu'on est assez près d'une plaque uniformément chargée pour ne pas « sentir ses bords », le champ est constant et orienté perpendiculairement à la plaque. Il s'agit là de l'analogue en électricité du champ gravitationnel terrestre près de la surface de la Terre ; tant qu'on est assez proche de la Terre pour ne pas « sentir » qu'elle est en fait une sphère finie, on peut considérer que le champ gravitationnel est constant et perpendiculaire à un plan horizontal.

Les lignes de champ électrique d'une plaque infinie uniformément chargée sont partout perpendiculaires à la plaque. Leur espacement est donc indépendant de la distance à la plaque, ce qui correspond effectivement à un champ constant. On peut visualiser le tout en considérant une planche cloutée pour fakirs : la planche

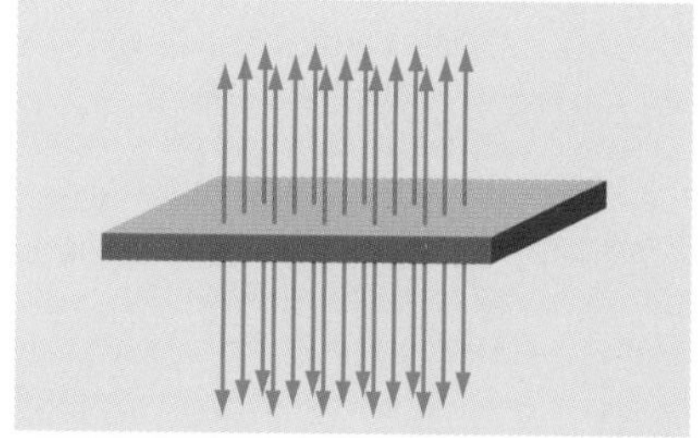

***Figure 2.27***

Les lignes de champ d'une plaque infinie uniformément chargée.

représente la plaque chargée, et les clous représentent les lignes de champ. Remarquons finalement que le champ, par symétrie, a le même module de chaque côté de la plaque. La figure 2.27 représente les lignes de champ d'une plaque chargée positivement.

Le principe de superposition s'applique à toutes les distributions de charges, et notamment aux plaques infinies. Une configuration que l'on trouve souvent en pratique est constituée de deux plaques parallèles de densités de charges de même grandeur et de signes opposés : $+\sigma$ et $-\sigma$ (figure 2.28). Si la plaque $+\sigma$ était seule, le champ serait de $\sigma/2\varepsilon_0$ vers le haut dans la zone A et de $\sigma/2\varepsilon_0$ vers le bas dans les zones B et C. Si la plaque $-\sigma$ était seule, le champ serait de $\sigma/2\varepsilon_0$ vers le bas dans les zones A et B et de $\sigma/2\varepsilon_0$ vers le haut dans la zone C. Globalement, les champs s'annulent donc dans les zones A et C et se renforcent dans la zone B. On trouve $E_A = E_C = 0$ et $E_B = \sigma/2\varepsilon_0 + \sigma/2\varepsilon_0 = \sigma/\varepsilon_0$ vers le bas entre les deux plaques. (On a dessiné les lignes de champ en conséquence sur la figure 2.28). Ainsi, le champ entre deux plaques de densités surfaciques de charges $+\sigma$ et $-\sigma$ est

$$E = \frac{|\sigma|}{\varepsilon_0} \tag{2.18}$$

et il est dirigé *de la plaque positive vers la plaque négative*. Le champ à l'extérieur des plaques est nul.

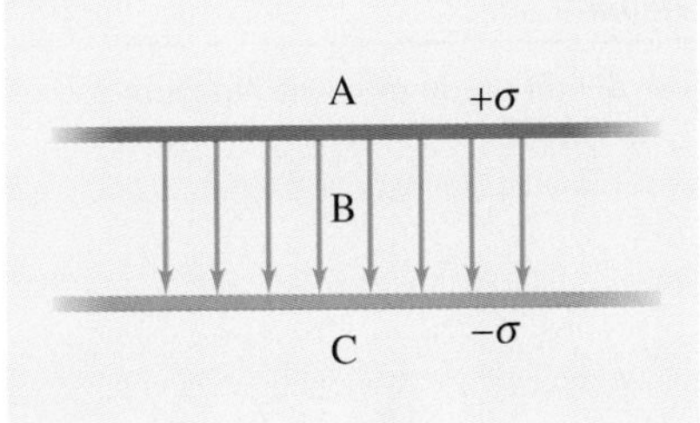


**Figure 2.28**

Les lignes de champ de deux plaques parallèles de densités de charge de même grandeur et de signes opposés.

## 2.6 Les dipôles

Un **dipôle électrique** est un ensemble constitué par deux charges de même grandeur et de signes opposés séparées par une certaine distance. Toute molécule dans laquelle les centres des charges positives et négatives ne coïncident pas peut, en première approximation, être considérée comme un dipôle. Certaines molécules (HCl, CO et $H_2O$) ont des dipôles permanents et sont appelées molécules *polaires*. Un champ électrique peut également entraîner une séparation des charges dans un atome ou une molécule non polaire. La figure 2.29*a* représente un atome formé d'une charge positive entourée par une sphère de charge négative équivalente. Dans un champ électrique externe, ces charges se déplacent en sens opposés (figure 2.29*b*) et font ainsi apparaître un dipôle *induit*. Un tel dipôle induit disparaît dès que l'on supprime le champ externe. Nous allons étudier le champ électrique créé par un dipôle et l'interaction d'un dipôle avec un champ électrique externe ou avec d'autres dipôles.

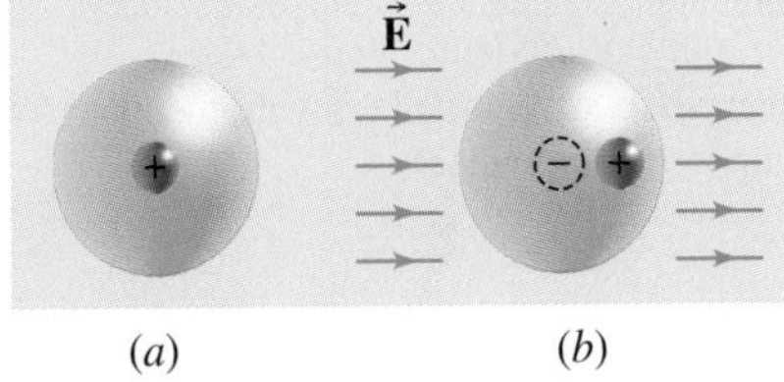


**Figure 2.29**

(*a*) Dans un atome, le noyau positif se trouve au centre de la distribution de charges négatives constituée par les électrons. (*b*) Sous l'action d'un champ externe, un dipôle induit apparaît.

### Le champ créé par un dipôle

La figure 2.30 représente un dipôle constitué par les charges $Q$ en $(0, a)$ et $-Q$ en $(0, -a)$. On suppose que $Q > 0$. Nous voulons trouver le champ électrique sur la médiatrice du dipôle, à une distance $r$ de son centre. En tout point de l'axe des $x$, les champs dus aux deux charges ont le même module :

$$E_+ = E_- = \frac{kQ}{r^2 + a^2}$$

Puisqu'elles font le même angle avec l'axe des $x$, les composantes en $x$ s'annulent. La composante en $y$ du champ est

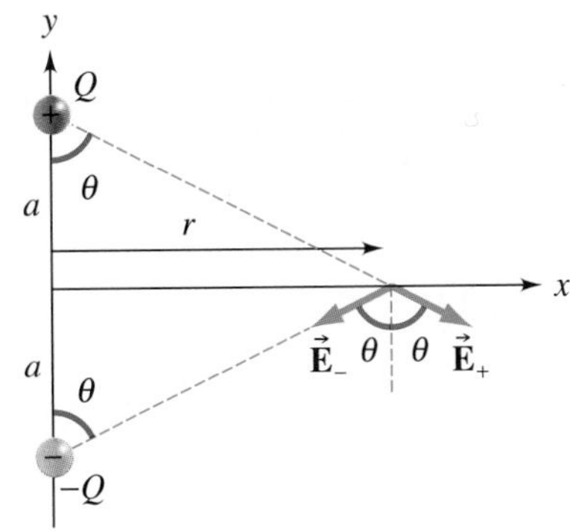


**Figure 2.30**

Le calcul du champ sur la médiatrice d'un dipôle.

$$E_y = -(E_+ + E_-)\cos\theta$$
$$= -\frac{2kQ}{(r^2 + a^2)}\frac{a}{(r^2 + a^2)^{1/2}}$$
$$= \frac{-k2aQ}{(r^2 + a^2)^{3/2}}$$

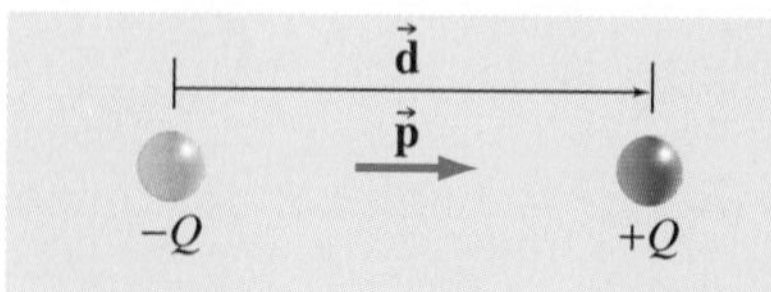


***Figure 2.31***

Par définition, le moment dipolaire est $\vec{\mathbf{p}} = Q\vec{\mathbf{d}}$.

Par définition, le **moment dipolaire électrique** $\vec{\mathbf{p}}$ est égal au produit de l'une des charges par la distance qui les sépare.

$$\vec{\mathbf{p}} = Q\vec{\mathbf{d}} \tag{2.19}$$

avec $d = 2a$. C'est un vecteur orienté de la charge négative vers la charge positive, comme on le voit à la figure 2.31. L'unité SI de moment dipolaire électrique est le coulomb-mètre (C·m). Lorsqu'il y a trois charges, comme c'est le cas dans la molécule d'eau (figure 2.32), le moment résultant est égal à la somme vectorielle des deux moments dipolaires. En un point éloigné du dipôle (c'est-à-dire lorsque $r \gg a$), on peut négliger $a$ par rapport à $r$, ce qui donne $(r^2 + a^2)^{3/2} \rightarrow r^3$. Le module du champ résultant en un point éloigné sur la médiatrice est donc égal à la composante $E_y$ :

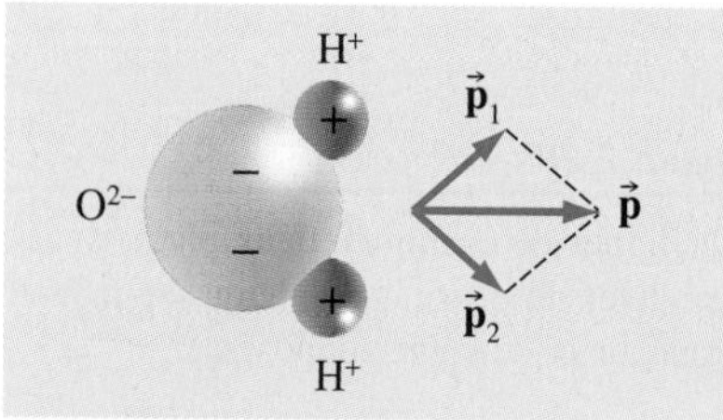


***Figure 2.32***

Lorsque plusieurs dipôles sont présents, le moment dipolaire total est égal à la somme vectorielle des moments dipolaires individuels.

(médiatrice) $$E = \frac{kp}{r^3} \qquad (r \gg a) \tag{2.20}$$

Le champ résultant est inversement proportionnel au *cube* de la distance et décroît donc plus rapidement que le champ créé par une charge unique. Ceci est dû au fait que les composantes du champ s'annulent en partie, les charges étant de signes opposés. On peut montrer que le champ en un point éloigné sur l'axe d'un dipôle est donné par

(axe) $$E = \frac{2kp}{r^3} \qquad (r \gg a) \tag{2.21}$$

Les lignes de champ d'un dipôle sont représentées à la figure 2.8*b*.

## Le moment de force exercé sur un dipôle dans un champ uniforme

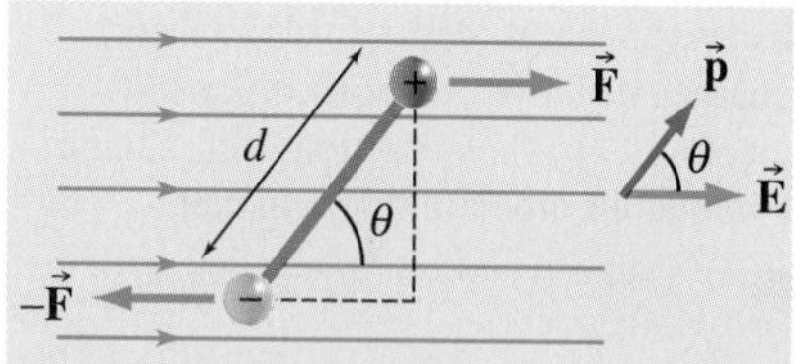


***Figure 2.33***

Dans un champ électrique, un dipôle électrique est soumis à un moment de force.

La figure 2.33 représente un dipôle formant un angle $\theta$ avec un champ électrique uniforme. Les charges étant soumises à des forces de même module mais de sens opposés dues au champ, la force totale agissant sur le dipôle est nulle. Mais le dipôle est soumis à deux moments de force. Le module du moment de chaque force par rapport au centre est $\tau_+ = \tau_- = r_\perp F$, où $r_\perp = (d/2)\sin\theta$. Ces moments étant de même sens, le moment de force résultant est donc égal à la somme

$$\tau = 2(qE)\left(\frac{d}{2}\sin\theta\right) = pE\sin\theta \tag{2.22}$$

Le moment de force dû au champ a tendance à orienter le dipôle suivant les lignes de champ. L'expression vectorielle du moment est

$$\vec{\boldsymbol{\tau}} = \vec{\mathbf{p}} \times \vec{\mathbf{E}} \tag{2.23}$$

## L'énergie potentielle

Nous avons vu qu'un dipôle placé dans un champ électrique extérieur a tendance à s'orienter suivant ce champ. Cette rotation du dipôle fait intervenir un certain travail. Le travail effectué par un couple extérieur pour faire tourner le dipôle de $\theta_1$ à $\theta_2$, sans variation d'énergie cinétique, est $W_{EXT} = \int \tau \, d\theta$ (*cf.* chapitre 11, tome 1). Utilisant l'équation 2.22, on peut écrire

$$W_{EXT} = \int_{\theta_1}^{\theta_2} pE \sin \theta \, d\theta = pE(-\cos \theta_2 + \cos \theta_1)$$

Ce travail extérieur est emmagasiné sous forme d'énergie potentielle : $W_{EXT} = \Delta U = U_2 - U_1$. Puisque seules les variations d'énergie potentielle ont une signification physique, il est commode de choisir $U_1 = 0$ en $\theta_1 = \pi/2$, de sorte que $\cos \theta_1 = 0$. L'énergie potentielle d'un dipôle dans un champ externe est donc de la forme

$$U = -pE \cos \theta = -\vec{\mathbf{p}} \cdot \vec{\mathbf{E}} \qquad (2.24)$$

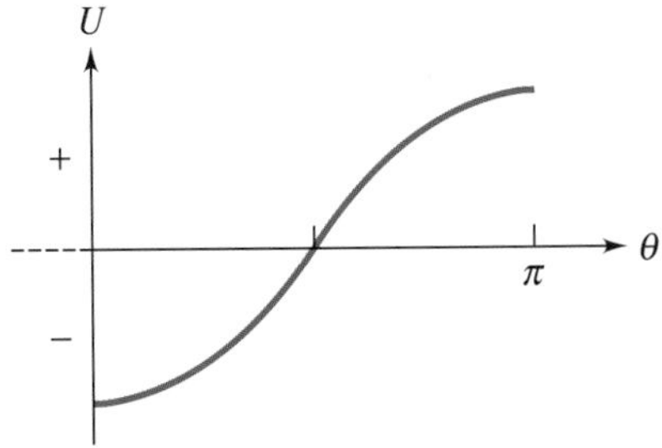


**Figure 2.34**

L'énergie potentielle d'un dipôle en fonction de son orientation.

La figure 2.34 représente graphiquement l'énergie potentielle en fonction de l'angle $\theta$. L'énergie potentielle est minimale en $\theta = 0$ et maximale pour $\theta = \pi$. Si le dipôle est libre de tourner, il oscille par rapport à la direction du champ. Si son énergie mécanique peut être dissipée par un mécanisme quelconque (collisions avec d'autres molécules ou rayonnement), le dipôle finira par atteindre son état de plus faible énergie, autrement dit il va s'orienter suivant le champ.

La molécule d'eau a un moment dipolaire élevé ($6{,}2 \times 10^{-30}$ C·m) qui en constitue une propriété importante. Par exemple, lorsqu'on met des cristaux de sel (NaCl) dans l'eau, l'attraction entre les charges de la molécule d'eau (polaire) et les ions $Na^+$ et $Cl^-$ est suffisante pour rompre les liaisons ioniques entre ces ions. C'est pourquoi le sel se dissout facilement dans l'eau (figure 2.35). La solubilité d'une substance dans l'eau dépend de la nature polaire ou non polaire de ses molécules. Si la substance est faite de molécules polaires, ses dipôles vont se combiner avec les dipôles de l'eau pour donner des configurations simples. À l'inverse, si elles sont constituées de molécules non polaires, comme les huiles, elles ne se mélangeront pas à l'eau. La cuisson au four micro-ondes dépend de la réaction des dipôles soumis à un champ électrique oscillant qui change de sens à haute fréquence ($2{,}45 \times 10^9$ Hz) ; en vibrant sous l'effet du champ, les dipôles produisent de l'énergie thermique dans le milieu où ils se trouvent. Les matériaux qui n'ont pas de dipôles, comme le papier et le verre, ne peuvent donc pas devenir chauds dans un four micro-ondes.

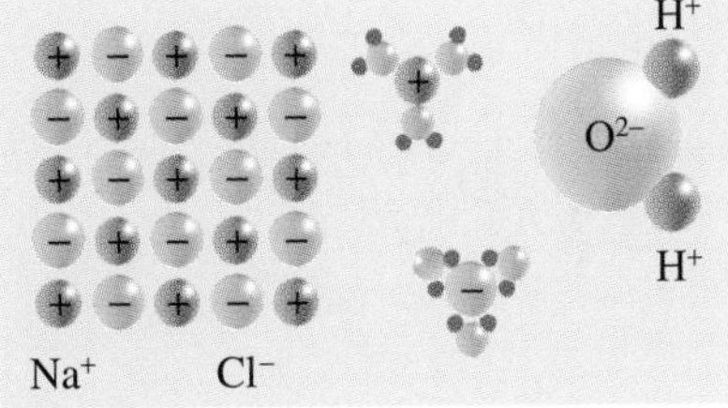


**Figure 2.35**

Lorsqu'un cristal de sel se dissout, les ions $Na^+$ et $Cl^-$ se fixent sur des molécules d'eau.

Les molécules des savons et des détergents sont particulières. Une molécule de savon est une longue chaîne d'hydrocarbures dont une extrémité est non polaire et dont l'autre extrémité possède un moment dipolaire (figure 2.36). L'extrémité non polaire se mélange facilement avec les acides gras (non polaires), alors que l'extrémité polaire est attirée par l'eau. L'eau savonneuse que l'on jette entraîne donc avec elle les huiles et les graisses.

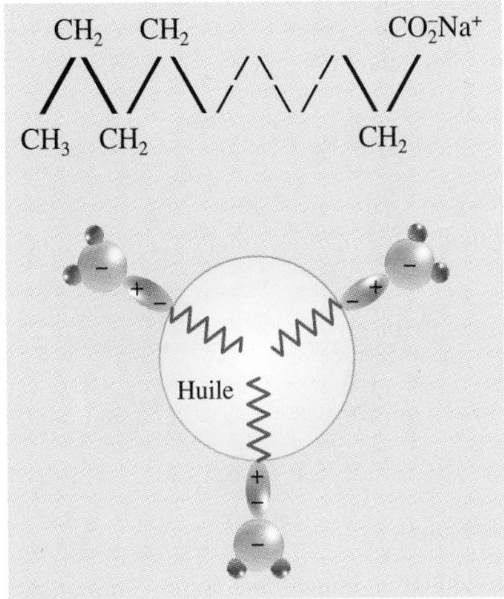


**Figure 2.36**

Une molécule de savon a une extrémité polaire et une extrémité non polaire. L'extrémité non polaire se combine avec une goutte d'huile, alors que l'extrémité polaire se combine avec une molécule d'eau.

## 2.7 Le dipôle dans un champ non uniforme

Un dipôle placé dans un champ électrique non uniforme est soumis à une force résultante non nulle. Sur le schéma de la figure 2.37, le champ est plus intense au point où se trouve la charge positive. Si $E_+$ et $E_-$ sont les valeurs respectives du champ sur la charge positive et sur la charge négative, et si $F_+$ et $F_-$ sont les forces qui en découlent, la composante horizontale de la force résultante agissant sur le dipôle est

$$F_x = F_+ - F_- = q(E_+ - E_-) = q\Delta E$$

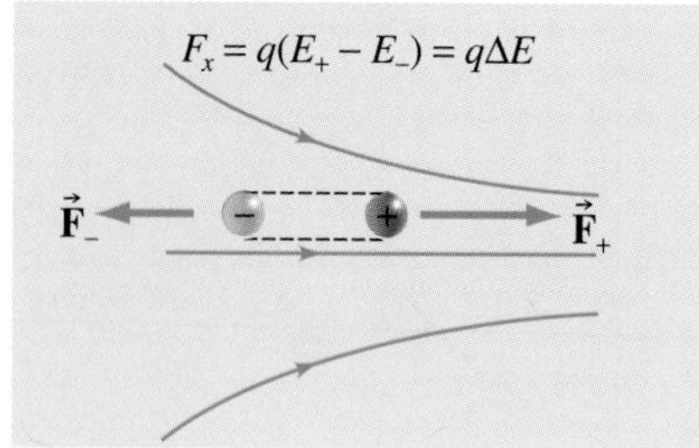


*Figure 2.37*

Un dipôle placé dans un champ non uniforme est soumis à une force totale non nulle.

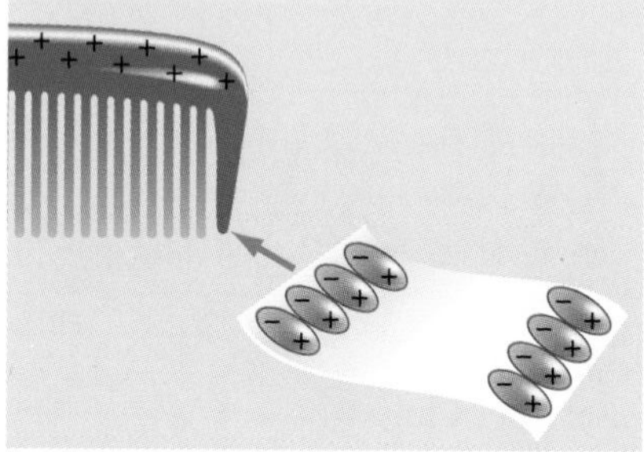

*Figure 2.38*

Un peigne chargé induit des dipôles dans un morceau de papier (un isolant). Comme le champ créé par le peigne n'est pas uniforme, le papier est soumis à une force nette non nulle qui l'attire vers le peigne.

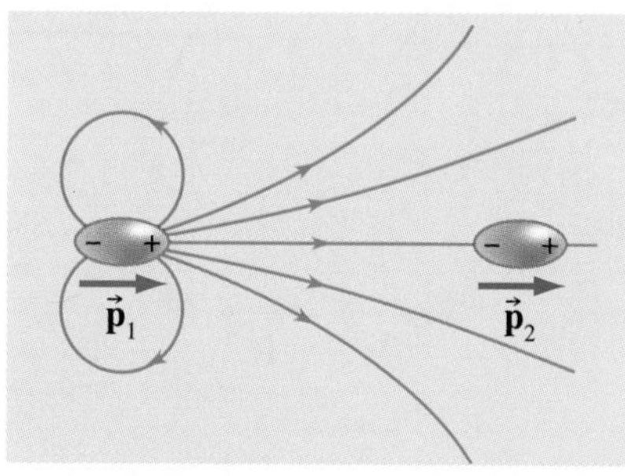


*Figure 2.39*

Le champ créé par un dipôle peut induire un dipôle dans une molécule ou un atome voisin. Il en résulte une force d'attraction entre les dipôles.

Si le dipôle est parallèle à l'axe des $x$, on peut écrire $p = q\Delta x$ ; la force peut alors s'écrire $F_x = p\Delta E/\Delta x$, ce qui donne à la limite, quand $\Delta x \to 0$*,

$$F_x = p\frac{dE}{dx} \tag{2.25}$$

Si $dE/dx$ est positif, la force est dirigée dans le sens des $x$ positifs. On voit donc qu'un corps neutre placé dans un champ électrique peut être soumis à une force résultante pourvu qu'il ait un moment dipolaire et que le champ soit non uniforme. C'est pourquoi un morceau de papier, qui est neutre, peut être attiré par un peigne chargé. Le champ produit par le peigne induit une séparation des charges dans le papier (figure 2.38). Le champ dû au peigne n'étant pas uniforme, les forces agissant sur les charges positives et négatives du papier ne sont pas égales. La force résultante agissant sur le papier est dirigée vers le peigne.

### L'interaction entre dipôles

L'interaction entre les dipôles induits dans des atomes neutres est à l'origine d'un type de liaison faible appelée force de *Van der Waals*. Une fluctuation aléatoire dans la distribution des charges d'un atome peut faire apparaître un moment dipolaire provisoire, que nous appellerons $p_1$. Le champ créé en un point éloigné sur l'axe du dipôle est donné par l'équation 2.21 :

$$\text{(axe)} \qquad E_1 = \frac{2kp_1}{x^3}$$

Comme le montre la figure 2.39, ce champ induit un moment dipolaire $p_2$ dans un atome situé à proximité. Le deuxième atome est donc soumis à une force

$$F_2 = p_2\left|\frac{dE_1}{dx}\right|$$

dirigée vers le premier atome. Le moment dipolaire induit est proportionnel au champ extérieur, c'est-à-dire $p_2 \propto E_1$. Comme $dE_1/dx \propto 1/x^4$, on en déduit que la force d'interaction entre les deux dipôles varie comme suit :

$$F \propto \frac{1}{x^7}$$

Les champs associés à ces dipôles n'étant pas uniformes, la force résultante entre les atomes non chargés est une force attractive. Cette force de Van der Waals intervient lors de la condensation d'un gaz en liquide. La facilité avec laquelle le mica se sépare en feuilles s'explique par la présence de ce type de liaison faible au lieu d'autres liaisons plus fortes.

## 2.8 L'expérience de la goutte d'huile de Millikan

Nous avons vu à la section 1.1 que la charge électrique est quantifiée, c'est-à-dire qu'elle existe seulement sous forme de multiples de la charge élémentaire $e$. Ce principe de quantification fut vérifié pour la première fois en 1909 par R. A. Millikan (figure 2.40), dans son *expérience de la goutte d'huile*. Entre deux plaques produisant un champ électrique (figure 2.41), on vaporise de l'huile (il se servait d'un simple vaporisateur à parfum) au-dessus de la plaque supérieure ; les gouttes d'huile se chargent par frottement et on observe celles

* On peut aussi tirer cette expression de $U = -\vec{\mathbf{p}} \cdot \vec{\mathbf{E}}$ et de la relation $F_x = -dU/dx$.

*Figure 2.40*

Robert A. Millikan (1869-1953).

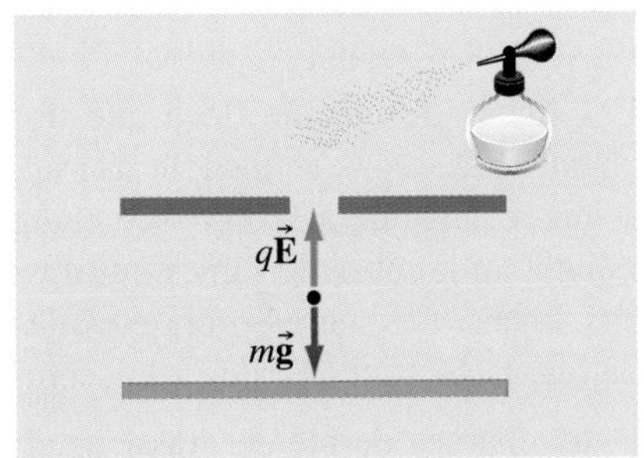


*Figure 2.41*

Dans l'expérience de la goutte d'huile de Millikan, des gouttelettes chargées sont en équilibre dans le champ créé entre deux plaques.

qui tombent par une ouverture pratiquée dans la plaque supérieure. On fait varier la différence de potentiel entre les plaques jusqu'à ce qu'une goutte donnée soit en équilibre, c'est-à-dire jusqu'à ce que la force électrique et la force gravitationnelle soient égales : $qE = mg$.

La masse d'une goutte est déterminée par son rayon $r$ et par la masse volumique de l'huile. Mais comme il s'agit en fait de très fines gouttelettes ($r \approx 2{,}5 \times 10^{-5}$ cm), leur rayon ne peut être mesuré directement. Lorsqu'on supprime le champ, la chute des gouttelettes est ralentie par la résistance visqueuse de l'air, dont la valeur approximative est donnée par $F_{\mathrm{D}} = \gamma v$, où $v$ est la vitesse de la gouttelette et $\gamma$ est une constante qui dépend de son rayon et de la résistance (viscosité) de l'air. En mesurant la vitesse finale, on peut déterminer $r$ puis $m$ (*cf.* problème P15). Enfin, la charge est donnée par $q = mg/E$.

Après avoir effectué plusieurs centaines de mesures, Millikan s'aperçut que la charge des gouttelettes est toujours un multiple entier de l'unité de base $e = 1{,}602 \times 10^{-19}$ C, autrement dit que la charge est *quantifiée*. Soulignons le caractère minutieux de son expérience. On sait en effet qu'une charge minime de $10^{-10}$ C, acquise par frottement, correspond en fait à *un milliard* de charges électroniques. Un écart de quelques millions ne ferait donc pas une grande différence ; Millikan a pourtant réussi à faire des mesures avec des gouttelettes portant *une seule* charge électronique !

## Résumé

Une charge électrique agit sur le milieu qui l'entoure en créant un champ électrique. Le champ électrique en un point est la force par unité de charge agissant sur une charge d'essai $q_{\text{ess}}$ placée en ce point : $\vec{\mathbf{E}} = \vec{\mathbf{F}}/q_{\text{ess}}$. Le vecteur $\vec{\mathbf{E}}$ est de même sens que la force agissant sur une charge positive. Lorsqu'on connaît le vecteur champ, on peut déterminer la force agissant sur une charge $q$ quelconque au moyen de l'égalité

$$\vec{\mathbf{F}} = q\vec{\mathbf{E}}$$

À partir de la loi de Coulomb, on trouve le module du champ électrique créé par une charge ponctuelle $Q$ :

$$E = \frac{k|Q|}{r^2}$$

Lorsqu'on est en présence de plusieurs charges, le champ total est donné par le principe de superposition : $\vec{\mathbf{E}} = \Sigma \vec{\mathbf{E}}_i$. Si la distribution de charge est continue, on calcule le champ en intégrant sur la distribution de charge.

Les lignes de champ électrique nous aident à visualiser la configuration du champ. Elles nous donnent les renseignements suivants : (a) le champ est orienté selon la tangente à la ligne de champ, et (b) le module du champ est proportionnel au nombre de lignes qui traversent une surface unitaire perpendiculaire aux lignes. Les autres propriétés des lignes de champ électrique et la manière de les tracer sont décrites à la section 2.2.

Deux charges de même grandeur et de signes opposés $+q$ et $-q$ séparées par une distance $d$ forment un dipôle électrique. Le moment dipolaire électrique est donné par

$$\vec{\mathbf{p}} = q\vec{\mathbf{d}}$$

où le vecteur $\vec{\mathbf{d}}$, et donc le vecteur $\vec{\mathbf{p}}$, sont orientés de la charge négative vers la charge positive. Placé dans un champ externe, le dipôle est soumis à un moment de force donné par

$$\vec{\boldsymbol{\tau}} = \vec{\mathbf{p}} \times \vec{\mathbf{E}}$$

Ce moment de force a tendance à orienter le moment dipolaire parallèlement au champ. L'énergie potentielle d'un dipôle dans un champ extérieur est

$$U = -\vec{\mathbf{p}} \cdot \vec{\mathbf{E}}$$

L'énergie potentielle est donc minimale lorsque $\vec{\mathbf{p}}$ est parallèle à $\vec{\mathbf{E}}$.

## Termes importants

**cage de Faraday**
**champ électrique**
**densité linéique de charge**
**densité surfacique de charge**
**dipôle électrique**
**équilibre électrostatique**
**ligne de champ**
**moment dipolaire électrique**

## Révision

**R1.** Quel rôle joue le champ électrique entre les particules chargées ?

**R2.** Comparez les définitions et les unités du champ gravitationnel et du champ électrique.

**R3.** Énoncez la règle qui permet de déterminer le sens du vecteur champ électrique produit par une charge $Q$ en un point quelconque.

**R4.** Vrai ou faux ? Si on double la valeur de la charge d'une particule, le champ électrique à l'endroit où elle se trouve double.

**R5.** Quel physicien du XIX$^e$ siècle considérait les lignes de champ comme des entités réelles ?

**R6.** Dressez une liste des propriétés des lignes de champ.

**R7.** Tracez les lignes de champ produites par une paire de charges identiques séparées par une certaine distance (a) si elles sont positives ; (b) si elles sont négatives ; (c) si elles sont de signes opposés.

**R8.** Pourquoi les lignes de champ ne se coupent-elles jamais ?

**R9.** Vrai ou faux ? Le module du champ est constant le long d'une ligne de champ.

**R10.** On place une charge d'essai dans le champ créé par deux charges ponctuelles. Les lignes de champ indiquent-elles les trajets possibles pour la charge d'essai ?

**R11.** Expliquez pourquoi le champ à l'intérieur d'un conducteur est nul à l'équilibre électrostatique.

**R12.** Expliquez pourquoi le champ est perpendiculaire à la surface d'un conducteur à l'équilibre électrostatique.

**R13.** Puisque des objets chargés infinis n'existent pas, dans quelles conditions peut-on utiliser la formule valable pour le fil infini (équation 2.13) ? La formule valable pour la plaque infinie (équation 2.17) ?

**R14.** Comment le module du champ électrique varie-t-il en fonction de la distance dans le cas (i) d'une charge ponctuelle ? (ii) d'un fil infini uniformément chargé ? (iii) d'une plaque infinie uniformément chargée ?

**R15.** Le champ électrique produit par un dipôle est proportionnel à son moment dipolaire, lequel est proportionnel à la distance qui sépare les charges. Expliquez en quoi la séparation des charges affecte la valeur du champ.

**R16.** Expliquez pourquoi le moment dipolaire de la molécule d'eau en fait un solvant très puissant.

## Questions

**Q1.** Soit un champ électrique créé par un ensemble de charges immobiles. Lorsqu'on introduit une nouvelle charge dans la région, les lignes de champ sont modifiées. Devrait-on utiliser les lignes initiales ou les nouvelles lignes pour déterminer la direction de la force agissant sur la nouvelle charge ?

**Q2.** Les lignes de champ électrique partent des charges positives et se dirigent vers les charges négatives. Que deviennent les lignes créées par une charge isolée ?

**Q3.** On place une charge ponctuelle au centre d'un cube métallique creux non chargé. Dessinez les lignes de champ à l'intérieur du cube dans un plan parallèle à une face et passant par la charge.

**Q4.** Expliquez qualitativement pourquoi le champ créé par une feuille infinie chargée est uniforme.

**Q5.** Quatre charges électriques ponctuelles et identiques sont situées aux sommets d'un carré. Où, ailleurs qu'à l'infini et au centre du carré, le champ électrique résultant est-il nul ?

**Q6.** En quoi la loi de Coulomb et la loi de la gravitation universelle de Newton se ressemblent-elles ? En quoi sont-elles différentes ? Considérez les lois proprement dites et leurs modes d'application.

**Q7.** Le champ gravitationnel a-t-il parfois la configuration d'un dipôle ? Si oui, donnez un exemple en indiquant comment cela peut se produire.

**Q8.** Citez deux champs observés dans la vie quotidienne qui sont (a) scalaires ; (b) vectoriels.

**Q9.** Quel est le travail effectué pour faire tourner un dipôle électrique de 180° dans un champ électrique uniforme, dans chacun des cas suivants : (a) de 0° à 180° ; (b) de −90° à +90° ? Les angles sont mesurés par rapport à $\vec{\mathbf{E}}$.

## 2.1 Champ électrique

**E1.** (I) Quel est le champ électrique nécessaire pour compenser le poids des particules suivantes près de la surface de la Terre : (a) un électron ; (b) un proton ?

**E2.** (I) Par beau temps, on observe à la surface de la Terre un champ de 120 N/C dirigé vers le bas. (a) Quelle est la force électrique agissant sur un proton dans un tel champ ? (b) Quelle est l'accélération du proton ?

**E3.** (I) Une charge ponctuelle $q_1 = 3{,}2$ nC est soumise à une force électrique $\vec{\mathbf{F}} = 8 \times 10^{-6}\ \vec{\mathbf{i}}$ N. (a) Décrivez le champ électrique extérieur responsable de cette force. (b) Quelle serait la force exercée sur une charge ponctuelle $q_2 = -6{,}4$ nC située au même point ?

**E4.** (I) Soit une charge ponctuelle $-4q$ située en $x = 0$ et une deuxième charge en $x = 1$ m. À part l'infini, où le champ électrique résultant est-il nul, sachant que la deuxième charge vaut (a) $9q$ ; (b) $-q$ ?

**E5.** (I) On donne quatre charges ponctuelles situées aux sommets d'un carré de côté $L$, comme sur la figure 2.42. Déterminez le champ électrique résultant au point (a) $A$, au centre du carré ; (b) $B$ ($Q > 0$).

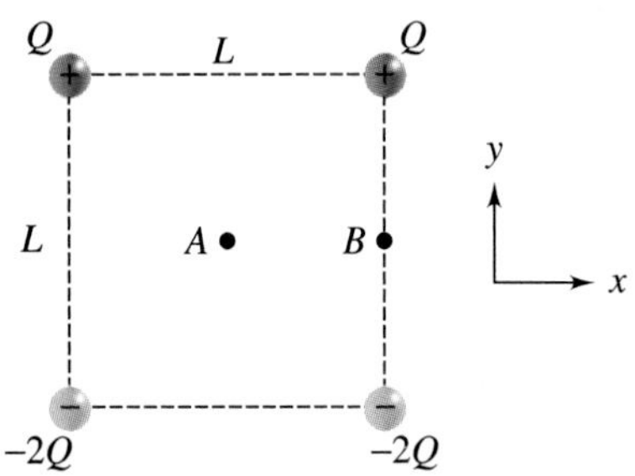


***Figure 2.42***

Exercice 5.

**E6.** (I) Soit une charge ponctuelle $Q_1$ positive située à l'origine et une charge $Q_2$ négative en $x = 2$ m. Le champ électrique résultant est égal à $10{,}8\vec{\mathbf{i}}$ N/C en $x = 1$ m et à $-8\vec{\mathbf{i}}$ N/C en $x = 3$ m. Trouvez $Q_1$ et $Q_2$.

**E7.** (I) Une gouttelette a une masse de $10^{-13}$ kg et une charge de $+2e$. Dans quel champ électrique vertical la gouttelette serait-elle en équilibre près de la surface de la Terre ?

**E8.** (I) Soit une charge $q_1 = 3$ nC située à l'origine et $q_2 = -7$ nC située en $x = 8$ cm. (a) Trouvez le champ électrique créé par $q_1$ au point où se trouve $q_2$. (b) Trouvez le champ électrique créé par $q_2$ au point où se trouve $q_1$. (c) Quelle est la force électrique exercée par $q_1$ sur $q_2$ ? (d) Quelle est la force exercée par $q_2$ sur $q_1$ ?

**E9.** (I) On donne une charge ponctuelle de $-5$ μC située à l'origine. Trouvez le champ électrique aux points suivants : (a) (2 m, −1 m) ; (b) (−2 m, 3 m).

**E10.** (I) Soit une charge ponctuelle $Q_1 = -4$ μC située au point (2 m, 1 m) et une charge $Q_2 = +15$ μC en (1 m, 4 m). Trouvez le champ électrique résultant au point (3 m, 5 m).

**E11.** (I) On considère les trois charges ponctuelles situées aux sommets du triangle équilatéral de la figure 2.43. (a) Déterminez le champ électrique produit à l'origine par les charges −2 μC et +4 μC. (b) Quelle est la force électrique exercée sur la charge de −3 μC ? (c) Si l'on change le signe de la charge située à l'origine, quel est l'effet sur le champ calculé à la question (a) ?

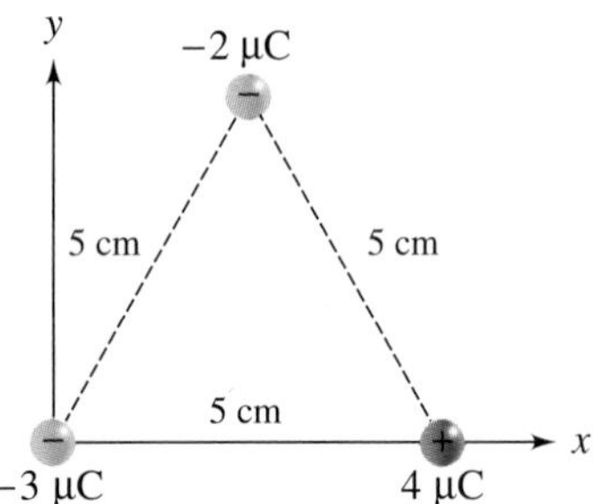


***Figure 2.43***

Exercice 11.

**E12.** (II) Soit une charge ponctuelle $Q_1$ en $x = 0$ et une charge $Q_2$ en $x = d$. Quelle est la relation existant entre ces charges si le champ électrique résultant est nul aux points suivants : (a) $x = d/2$ ; (b) $x = 2d$ ; (c) $x = -d/2$ ?

**E13.** (II) Soit une charge ponctuelle $Q$ située à l'origine. Montrez que les composantes du champ électrique en un point quelconque de l'espace et à une distance $r$ de la charge sont données par

$$E_\alpha = \frac{kQ\alpha}{r^3}$$

où $\alpha = x$, $y$ ou $z$.

(*Indice* : On rappelle que $\vec{\mathbf{E}} = E_x\vec{\mathbf{i}} + E_y\vec{\mathbf{j}} + E_z\vec{\mathbf{k}} = (kQ/r^3)\vec{\mathbf{r}}$. Utilisez le produit scalaire.)

**E14.** (I) Le rayon du proton est égal à $0{,}8 \times 10^{-15}$ m. (a) Quel est le module du champ électrique à sa surface ? (b) Quel est le module du champ électrique à une distance de $0{,}53 \times 10^{-10}$ m du proton, qui correspond au rayon de l'orbite de l'électron selon le modèle atomique de Bohr ?

**E15.** (II) On donne une charge ponctuelle $q$ positive en $x = 0$ et une charge $-q$ en $x = 6$ m. (a) Trouvez l'expression de la composante horizontale du champ électrique résultant le long de l'axe $x$. L'expression est différente selon que l'on se trouve à gauche de la charge $q$, entre les deux charges ou à droite de la charge $-q$. (b) Faites un tracé à main levée de $E_x(x)$.

**E16.** (II) On donne une charge ponctuelle $2q$ positive en $x = 0$ et une charge $-q$ en $x = 6$ m. (a) Trouvez l'expression de la composante horizontale du champ électrique résultant le long de l'axe $x$. (b) Où, ailleurs qu'à l'infini, le champ électrique résultant est-il nul sur l'axe des $x$ ? (c) Faites un tracé à main levée de $E_x(x)$.

**E17.** (I) On suppose l'existence d'un champ électrique uniforme $\vec{\mathbf{E}} = 500\vec{\mathbf{i}}$ N/C sans préciser quelles charges en sont à l'origine. À ce champ s'ajoute celui d'une charge ponctuelle de 2 μC située à l'origine. Quelle est la force électrique résultante agissant sur une charge de 5 μC située au point (3 m, 4 m) ?

**E18.** (I) Les charges ponctuelles $Q_1 = 25$ μC et $Q_2 = -50$ μC sont situées sur l'axe des $y$ comme le montre la figure 2.44. Une charge ponctuelle $q = 2$ μC se trouve sur l'axe des $x$. (a) Trouvez le champ électrique produit par $Q_1$ et $Q_2$ au point où se trouve $q$. (b) Que devient le champ calculé en (a) si la valeur de $q$ est divisée par deux ? (c) Que devient le champ calculé en (a) si $q$ change de signe ?

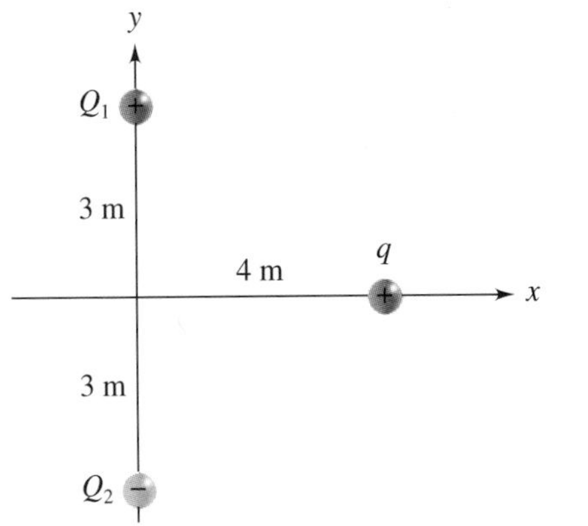


***Figure 2.44***

Exercice 18.

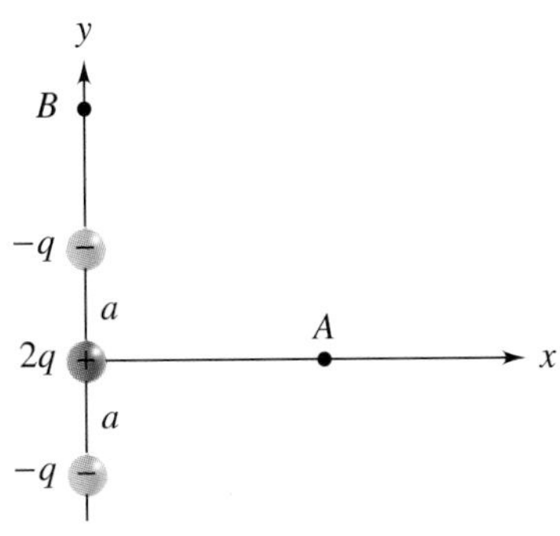


***Figure 2.45***

Exercice 19.

**E19.** (II) La figure 2.45 représente une combinaison de charges que l'on nomme quadripôle électrique, où $q > 0$. Trouvez le champ électrique résultant existant (a) au point $A$ $(x, 0)$ ; (b) au point $B$ $(0, y)$. (c) Montrez que, pour le point $A$ ou le point $B$, $E \propto 1/r^4$ pour $r \gg a$, $r$ étant la distance par rapport à l'origine. (*Indice* : Utilisez l'approximation du binôme $(1 + z)^n \approx 1 + nz$, valable lorsque $z \ll 1$.)

## 2.2 et 2.3 Lignes de champ, champ électrique et conducteurs

**E20.** (II) Trois charges ponctuelles sont situées aux sommets d'un triangle équilatéral. Deux des charges sont égales à $q$ et la troisième à $-q$. Dessinez les lignes de champ. Y a-t-il un point où $\vec{\mathbf{E}} = 0$ $(q > 0)$ ?

**E21.** (II) Une plaque infinie porte une charge électrique positive répartie uniformément sur sa surface. Une charge ponctuelle est à une certaine distance devant ce plan. Dessinez les lignes de champ associées à cet ensemble dans le cas où (a) la charge ponctuelle est positive ; (b) la charge ponctuelle est négative.

**E22.** (II) Dessinez les lignes de champ associées à l'ensemble formé de deux charges, $+3q$ et $-q$, placées à une certaine distance l'une de l'autre $(q > 0)$.

**E23.** (I) Soit un disque de dimension finie portant une charge électrique positive répartie uniformément sur sa surface. Dessinez les lignes de champ apparaissant dans un plan perpendiculaire au disque et passant par le centre du disque.

**E24.** (II) Dessinez les lignes de champ associées à l'ensemble formé de deux charges positives, $2q$ et $q$, placées à une certaine distance l'une de l'autre.

**E25.** (II) Deux charges égales et positives $Q$ sont placées aux extrémités de la diagonale d'un carré. Deux charges négatives $-Q$ sont aux extrémités de l'autre diagonale. Dessinez les lignes de champ.

**E26.** (I) Une charge de 16 μC est placée au centre d'une cavité métallique sphérique portant −8 μC. Quelles sont les charges sur les surfaces intérieure et extérieure de la cavité ? Représentez les lignes de champ à l'intérieur et à l'extérieur de la cavité.

## 2.4 Charges en mouvement dans un champ statique uniforme

**E27.** (I) Un électron initialement au repos est soumis à une accélération par un champ électrique uniforme d'intensité $10^5$ N/C. (a) Combien de temps lui faut-il pour atteindre la vitesse de $0{,}1c$, où $c = 3 \times 10^8$ m/s, soit la vitesse de la lumière ? (b) Quelle distance aura-t-il parcourue au bout de ce délai ? (c) Quelle est son énergie cinétique finale ?

**E28.** (I) Dans le tube cathodique d'un téléviseur, un électron initialement au repos est accéléré jusqu'à une vitesse de $5 \times 10^6$ m/s par un champ électrique uniforme sur une distance de 1,6 cm. Quel est le module du champ ?

**E29.** (I) Un proton est projeté avec une vitesse initiale de $8 \times 10^5$ m/s dans la direction opposée à un champ uniforme de $2{,}4 \times 10^4$ N/C. (a) Quelle distance va-t-il parcourir avant de s'immobiliser ? (b) Combien de temps lui faut-il pour s'immobiliser ?

**E30.** (I) Un électron pénètre dans la région située entre deux plaques horizontales chargées uniformément, mais de signes opposés. Sa vitesse initiale, à mi-distance entre les plaques (figure 2.46), est de $2 \times 10^6 \vec{\mathbf{i}}$ m/s. Les plaques ont une longueur de 4 cm et sont distantes de 1,6 cm. Quelle est l'intensité maximale que peut avoir le champ électrique vertical pour que l'électron ne touche aucune des plaques ?

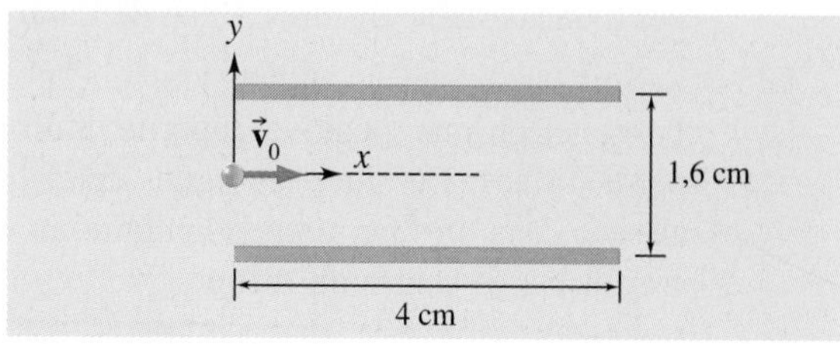


***Figure 2.46***

Exercice 30.

**E31.** (I) Soumises à un champ électrique d'environ $3 \times 10^6$ N/C, les molécules d'air s'ionisent spontanément pour produire des étincelles. Avec un tel champ, déterminez : (a) le temps qu'il faut à un électron initialement au repos pour acquérir une énergie cinétique de $4 \times 10^{-19}$ J, nécessaire pour provoquer son ionisation ; (b) la distance parcourue par l'électron durant ce délai.

**E32.** (II) Un positron est une particule de même masse que l'électron mais de charge $+e$. Soit un électron et un positron en orbite autour de leur centre de masse. Le rayon de l'orbite est égal à $0{,}5 \times 10^{-10}$ m. Trouvez : (a) la vitesse de chaque particule ; (b) la période de rotation.

**E33.** (II) Un électron est projeté avec une vitesse initiale $\vec{\mathbf{v}}_0$ à 45° par rapport à l'horizontale à partir de la plaque inférieure du montage représenté à la figure 2.47. Les plaques sont très longues et séparées par une distance de 2 cm. Quelle valeur doit prendre $v_0$ pour que l'électron effleure la plaque supérieure ? On prendra $E = 10^3$ N/C.

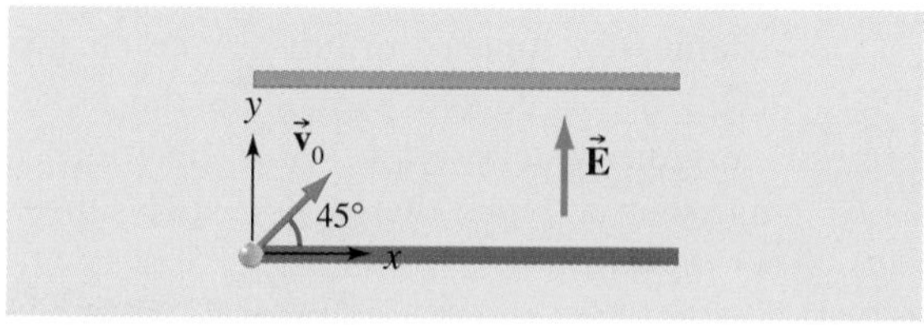


***Figure 2.47***

Exercice 33.

**E34.** (II) Un champ uniforme $\vec{\mathbf{E}} = -10^5 \vec{\mathbf{j}}$ N/C règne entre deux plaques de longueur 4 cm (figure 2.48). Un proton est projeté à 30° par rapport à l'axe des $x$ avec une vitesse initiale de $8 \times 10^5$ m/s. Trouvez : (a) sa coordonnée verticale à sa sortie de la région comprise entre les plaques, en supposant que l'origine de cet axe coïncide avec la position initiale du proton ; (b) l'angle décrivant la direction de sa vitesse à la sortie.

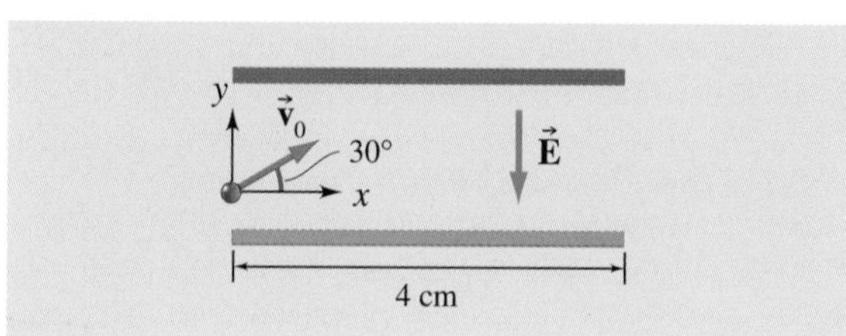


***Figure 2.48***

Exercice 34.

## 2.5 Distributions de charges continues

**E35.** (I) De part et d'autre d'une plaque infinie sur laquelle on trouve une densité surfacique de charges $\sigma$ uniforme, le module du champ électrique est donné par $E = |\sigma|/2\varepsilon_0$. En vous servant de ce résultat, donnez l'expression du champ électrique résultant pour les 4 régions formées par l'agencement de 3 plaques infinies parallèles décrit à la figure 2.49 ($\sigma > 0$).

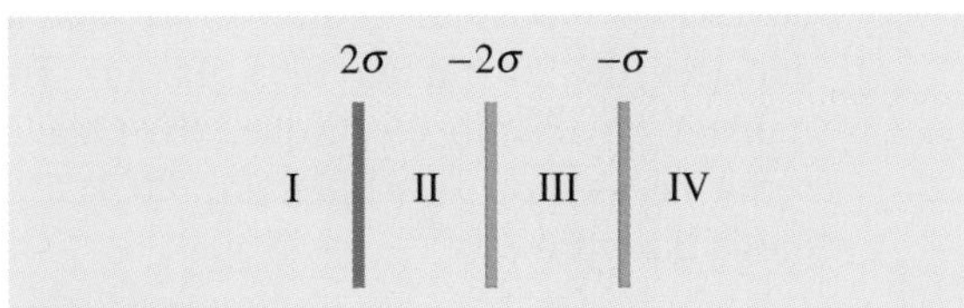


***Figure 2.49***

Exercice 35.

**E36.** (I) Une grande plaque métallique non chargée est telle que son plan soit perpendiculaire aux lignes d'un champ uniforme de module 1000 N/C. Quelle est la densité surfacique de charge apparaissant sur chaque face de la plaque ?

**E37.** (I) Une charge ponctuelle $q = 2$ μC est située à une distance $d = 20$ cm d'une plaque portant une charge uniforme de densité surfacique $\sigma = 20$ μC/m$^2$. (a) Quelle est la force électrique exercée sur la charge ponctuelle ? (b) En quel(s) point(s) le champ résultant est-il nul ?

**E38.** (II) Une mince tige, longue de 10 cm, possède une densité linéique de charge de 2 μC/m. Quelle valeur prend le champ électrique créé par la tige le long de son axe, à 20 cm de son centre ?

**E39.** (II) Soit un disque de rayon 4 cm possédant une densité surfacique de charge uniforme égale à 5 μC/m$^2$. Quel est le module du champ électrique en un point situé le long de son axe central à 10 cm du centre ?

**E40.** (II) Deux fils infinis ayant la même densité de charge linéique $\lambda$ positive coïncident avec les axes des $x$ et des $y$ (figure 2.50). Quel est le champ électrique résultant en un point arbitraire $(x, y)$ ?

**E41.** (II) Deux tiges minces de longueur finie $L$ portent des charges uniformes et de signes opposés. Elles sont situées sur les axes des $x$ et des $y$ avec leurs extrémités à une distance $d$ de l'origine, comme à la figure 2.51. Quel est le champ électrique résultant à l'origine ? On prendra $Q = 0{,}2$ μC, $L = 5$ cm et $d = 1$ cm.

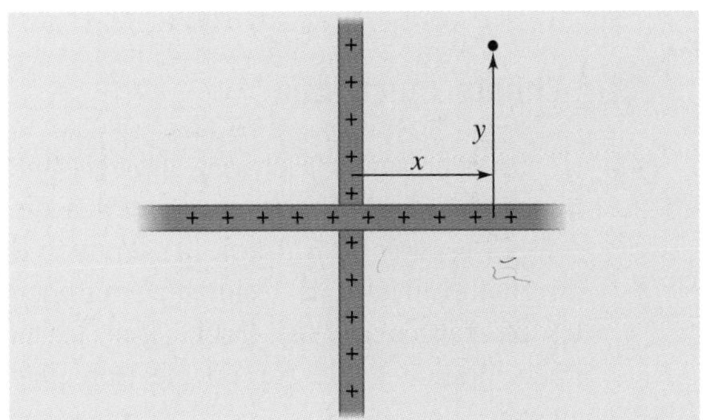


***Figure 2.50***

Exercice 40.

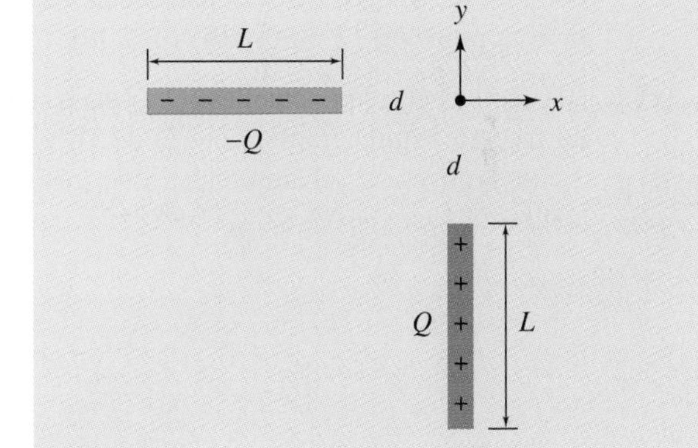


***Figure 2.51***

Exercice 41.

## 2.6 Dipôles

**E42.** (I) Un dipôle de moment $p = 3{,}8 \times 10^{-30}$ C·m est placé dans un champ uniforme $E = 7 \times 10^4$ N/C. (a) Quel est le travail extérieur nécessaire pour faire tourner le dipôle de 60° à partir d'une position initiale parallèle au champ électrique ? (b) Lorsque le dipôle fait un angle de 60° avec le champ, quel est le moment de force exercé sur lui par ce champ ?

**E43.** (I) Un dipôle est formé de deux charges ±2 nC distantes de 4 cm. (a) Quel est le module du moment dipolaire ? (b) Quelle est la variation d'énergie potentielle lorsque le dipôle pivote de 90° à partir d'une position initiale parallèle au champ $\vec{\mathbf{E}}$ dont le module est $E = 10^5$ N/C ?

**E44.** (II) La molécule d'eau a un moment dipolaire $p = 6{,}2 \times 10^{-30}$ C·m. Trouvez le module de la force électrique engendrée par le dipôle sur un ion de charge $+e$ à une distance de 0,5 nm : (a) dans le cas où l'ion se trouve sur l'axe du dipôle ; (b) dans le cas où l'ion se trouve le long d'une droite perpendiculaire à l'axe du dipôle et passant par son centre. (Utilisez l'approximation du champ en un point éloigné.)

## Exercices supplémentaires

### 2.1 Champ électrique

**E45.** (I) On représente la charge apparaissant dans un nuage par deux charges ponctuelles de 40 C et −40 C, séparées par 3 km. (a) Trouvez le module du champ électrique résultant à mi-chemin entre les deux charges. (b) Quel serait le module de l'accélération subie par un électron placé en cet endroit ?

**E46.** (I) Une charge ponctuelle, $Q_1 = 2{,}2$ nC, est à l'origine. Une autre charge, $Q_2 = -3{,}5$ nC, se situe au point (4 m, 0). Trouvez le champ électrique résultant au point (a) (2 m, 0) ; (b) (0, 2 m).

**E47.** (II) Trois charges ponctuelles ($Q$, $Q$ et $-Q$) forment un triangle équilatéral de côté $L$, décrit à la figure 2.52. Trouvez le champ électrique résultant au centre du triangle ($Q > 0$).

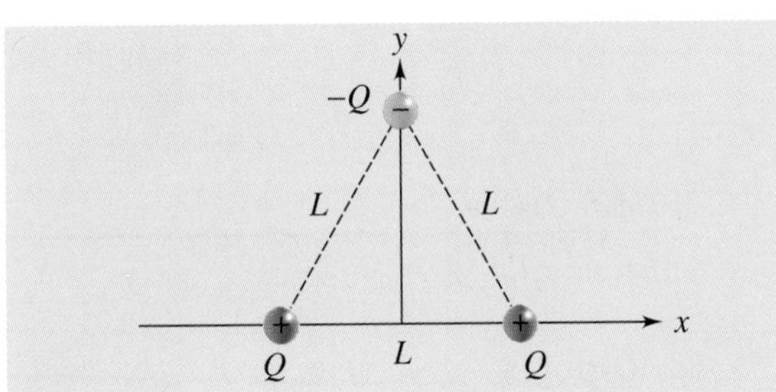


*Figure 2.52*

Exercice 47.

**E48.** (II) Une petite sphère chargée, de masse 0,5 g, est suspendue à un fil. Lorsqu'un champ électrique uniforme et horizontal de $1{,}3 \times 10^4$ N/C agit sur la sphère, le fil forme un angle de 12° avec la verticale. Trouvez la charge présente sur la sphère.

**E49.** (I) Une charge ponctuelle $Q = 0{,}20$ nC est à l'origine. Une autre charge $q$ est à $x = 1$ m, sur l'axe des $x$. Si le champ électrique résultant est nul à $x = 2{,}5$ m sur l'axe des $x$, trouvez $q$.

**E50.** (I) Une charge ponctuelle $Q_1 = -3{,}0$ nC est à l'origine. Une autre charge $Q_2 = 5{,}0$ nC se trouve à $y = 1$ m, sur l'axe des $y$. Trouvez le champ électrique résultant au point (2 m, 0).

### 2.4 Charges en mouvement dans un champ statique uniforme

**E51.** (I) Un proton, initialement au repos, est soumis à un champ électrique uniforme, ce qui le fait se déplacer de 20 cm en 0,65 μs. (a) Trouvez le module du champ électrique. (b) Quel délai lui serait nécessaire pour atteindre $3{,}0 \times 10^6$ m/s à partir du repos ?

### 2.5 Distributions de charges continues

**E52.** (II) Un fil rectiligne de 2 m de long est situé sur l'axe des $x$, entre $x = 1$ m et $x = 3$ m. Sa densité linéique de charge est donnée par la fonction $\lambda = 2 \times 10^{-6}/x$, où $x$ est en mètres et $\lambda$ en coulombs par mètre. Quelle est la charge totale du fil ?

**E53.** (II) Un fil rectiligne de 3 m de long est situé sur l'axe des $x$, entre $x = 2$ m et $x = 5$ m. Sa densité de charge est donnée par la fonction $\lambda = 2 \times 10^{-6}\, x$, où $x$ est en mètres et $\lambda$ en coulombs par mètre. (a) Quelle est la charge totale du fil ? (b) Calculez le champ électrique ($x = 0$).

**E54.** (II) Un fil rectiligne de 4 m de long est situé sur l'axe des $x$, entre $x = 1$ et $x = 5$ m. Il est uniformément chargé à une densité linéique $\lambda = 4$ μC/m. Calculez le champ électrique aux points ($x$, $y$) suivants : (a) (−1 m, 0 m) ; (b) (0 m, 2 m) ; (c) (2 m, 2 m).

**E55.** (II) Soit un disque uniformément chargé de 1 m de rayon, dont la charge est de 100 μC. (a) Calculez le champ électrique sur l'axe du disque à une distance de 20 m du centre du disque. (b) Calculez le champ électrique à 20 m d'une charge ponctuelle de 100 μC. (c) Quel est le pourcentage d'écart entre les réponses de (a) et (b) ? Pourquoi les résultats sont-ils si proches ?

# Problèmes

**P1.** (I) Utilisez le fait que la force électrique est conservative pour montrer que les lignes de champ aux extrémités de deux plaques de charges opposées ne peuvent pas cesser brusquement comme sur la figure 2.53. Dessinez les lignes de champ correctement. (*Indice*: Une force est conservative si le travail effectué le long d'un parcours fermé, comme celui qui est décrit en pointillé à la figure 2.53, est nul: $\oint \vec{\mathbf{F}} \cdot d\vec{\ell} = 0$.)

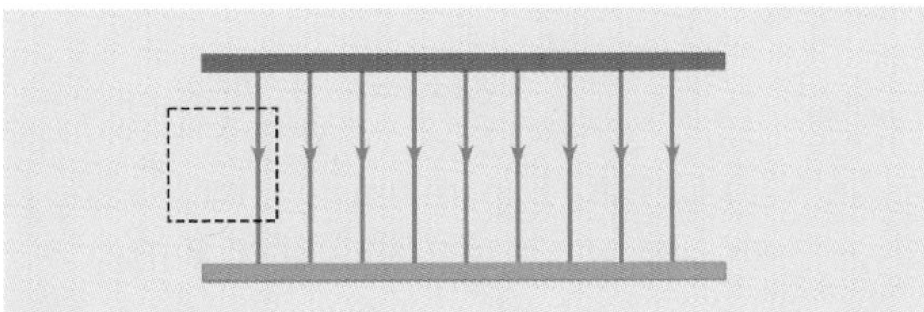

***Figure 2.53***

Problème 1.

**P2.** (I) Un anneau circulaire de rayon $R$ porte une charge de densité linéique $\lambda$ (figure 2.54). (a) Trouvez l'expression du module du champ électrique le long de l'axe de l'anneau, à une distance $z$ du centre ? (b) Pour quelle valeur de $z$ le module du champ est-il maximal ? (c) Que devient le module du champ pour $z \gg R$ ? Vérifiez que votre fonction satisfait ce critère. (d) Faites un tracé qualitatif du module du champ en fonction de $z$.

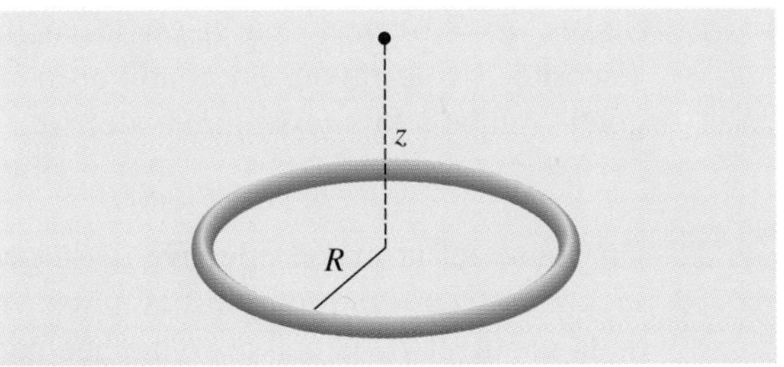


***Figure 2.54***

Problème 2.

**P3.** (I) On donne un dipôle de moment dipolaire $\vec{\mathbf{p}}$ parallèle à l'axe des $x$ ($\vec{\mathbf{p}} = p\vec{\mathbf{i}}$) dans un champ électrique non uniforme $\vec{\mathbf{E}} = (C/x)\vec{\mathbf{i}}$, où $x$ est en mètres et $\vec{\mathbf{E}}$ en newtons par coulomb. Quelle est la force exercée sur le dipôle ?

**P4.** (I) Une tige portant une densité linéique positive $\lambda$ de charge a la forme d'un arc de cercle de rayon $R$ (figure 2.55). (a) Si l'arc de cercle s'étend de $-\theta_0$ à $\theta_0$, exprimez le champ électrique au centre du cercle. (b) Montrez que le module du champ au centre d'un demi-cercle chargé uniformément est égal à $2k\lambda/R$.

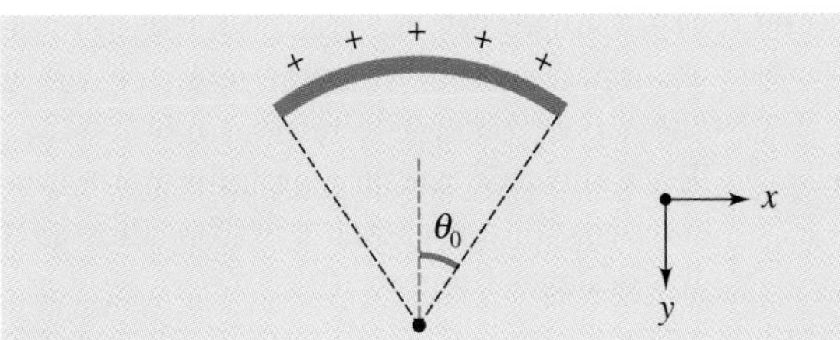


***Figure 2.55***

Problème 4.

**P5.** (I) Soit une charge ponctuelle positive $Q_1$ en $(-a, 0)$ et une charge $Q_2$ en $(a, 0)$. Représentez qualitativement la variation du champ électrique résultant sur l'axe des $x$, sachant que : (a) $Q_1 = Q_2$ ; (b) $Q_1 = -Q_2$.

**P6.** (II) La forme en $1/r^2$ de la loi de Coulomb a les implications suivantes : (i) Le champ électrique est nul en tout point situé à l'intérieur d'une cavité uniformément chargée. (ii) On peut déterminer le champ électrique à l'extérieur d'une sphère uniformément chargée en supposant la charge concentrée au centre de la sphère. À l'aide de ces deux énoncés, montrez que, à l'intérieur d'une sphère uniformément chargée de rayon $R$ et de densité volumique de charge $\rho$, le champ augmente linéairement avec la distance $r$ à partir du centre, c'est-à-dire que $E \propto r$ pour $r < R$.

**P7.** (II) (a) Montrez que le champ électrique à une distance $y$ sur la médiatrice d'une tige uniformément chargée de longueur $L$ et de charge totale positive $Q$ (figure 2.56) est de la forme

$$E = \frac{2kQ}{y(L^2 + 4y^2)^{1/2}}$$

(b) Quelle forme prend cette expression quand $y \gg L$ ? (c) Quelle forme prend-elle quand $y \ll L$ ? (Consultez la table des intégrales à l'annexe C.)

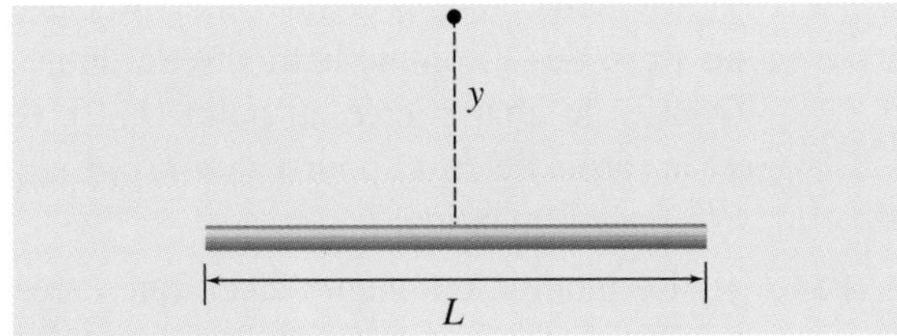


***Figure 2.56***

Problème 7.

**P8.** (I) À l'aide des résultats obtenus à l'exemple 2.7, montrez qu'à la sortie des plaques on peut considérer que les électrons ont parcouru une ligne droite commençant au milieu des plaques.

**P9.** (II) Utilisez le résultat $E = 2k|\lambda|/r$ donnant le champ électrique d'un fil infini chargé uniformément pour obtenir le résultat $E = |\sigma|/2\varepsilon_0$ donnant le champ créé par un plan infini portant une charge de densité surfacique $\sigma$. (Consultez la table des intégrales à l'annexe C.)

**P10.** (II) Une charge $-q$ gravite sur une orbite circulaire de rayon $R$ autour d'un fil infini de densité linéique de charge $\lambda$. Le plan de l'orbite est perpendiculaire au fil. Donnez l'expression de la période. (On donne $q > 0$, $\lambda > 0$.)

**P11.** (II) Un dipôle de moment dipolaire $p$ peut pivoter librement autour de son centre. Il est placé dans un champ électrique uniforme de module $E$. Si son moment d'inertie par rapport au centre est $I$, montrez que, pour de petits déplacements angulaires, le dipôle oscille à la fréquence

$$f = \frac{1}{2\pi}\sqrt{\frac{pE}{I}}$$

**P12.** (II) Un fil de densité linéique de charge $\lambda$ positive s'étend de l'origine à $x = -\infty$ (figure 2.57). Trouvez le champ électrique créé à une distance $R$ de son extrémité : (a) sur l'axe des $x$ ; (b) sur l'axe des $y$.

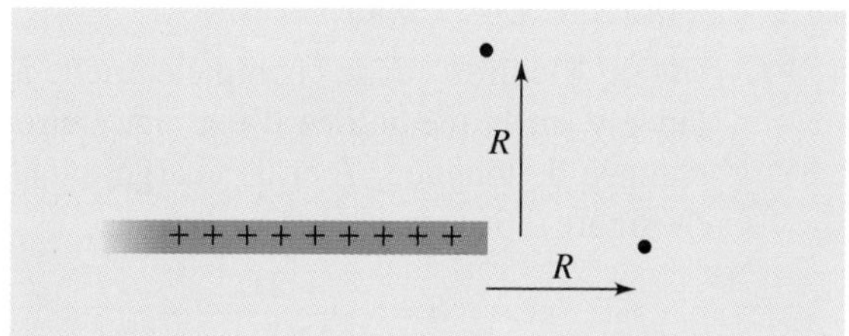


***Figure 2.57***

Problème 12.

**P13.** (I) Soit deux charges positives identiques disposées sur l'axe des $y$ comme le montre la figure 2.58. (a) Trouvez le champ créé au point $(x, 0)$. (b) Quelle est la forme de $E(x)$ pour $x \gg a$ ? (c) En quel point $E(x)$ est-il maximal ?

**P14.** (II) Le module du champ électrique créé sur l'axe et à une distance $x$ du centre d'un anneau circulaire de rayon $R$ et de charge totale $Q$ positive est donné par

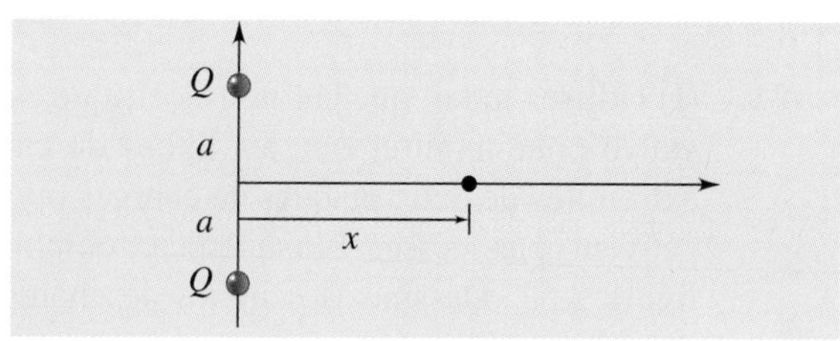


***Figure 2.58***

Problème 13.

$$E(x) = \frac{kQx}{(x^2 + R^2)^{3/2}}$$

(a) Utilisez l'approximation du binôme pour obtenir une expression simplifiée lorsque $x \ll R$. (b) Montrez qu'une charge négative $-q$ serait animée d'un mouvement harmonique simple si on lui faisait subir de petits déplacements sur l'axe à partir du centre. (c) Montrez que la fréquence angulaire de l'oscillation est

$$\omega = \sqrt{\frac{kqQ}{mR^3}}$$

**P15.** (II) Dans l'expérience de la goutte d'huile de Millikan, on maintient d'abord les gouttes immobiles au moyen d'un champ uniforme $E$. Ensuite, on supprime le champ et on laisse les gouttes tomber dans l'air jusqu'à ce qu'elles atteignent la vitesse limite $v_L$. La résistance du fluide est donnée par la loi de Stokes, $F = 6\pi\eta r v_L$, où $\eta$ est le coefficient de viscosité et $r$ le rayon. La condition pour qu'une goutte tombe à la vitesse limite s'écrit :

$$6\pi\eta r v_L = m_{eff} g$$

On donne ici la masse effective de la goutte, soit $m_{eff} = \frac{4}{3}\pi r^3(\rho - \rho_A)$, où $\rho$ est la masse volumique de la goutte et $\rho_A$ la masse volumique de l'air, qui exerce une poussée d'Archimède. Montrez que le module de la charge portée par la goutte est

$$q = \frac{18\pi}{E}\sqrt{\frac{\eta^3 v_L^3}{2(\rho - \rho_A)g}}$$

**P16.** (II) Un électron est projeté selon un angle $\theta = 30°$ par rapport à l'horizontale à partir du point situé à mi-chemin de deux plaques horizontales de 4 cm de longueur et distantes de 1 cm (figure 2.59). Trouvez les valeurs minimale et maximale de la vitesse initiale $v_0$ de l'électron pour qu'il ne frappe aucune des plaques.

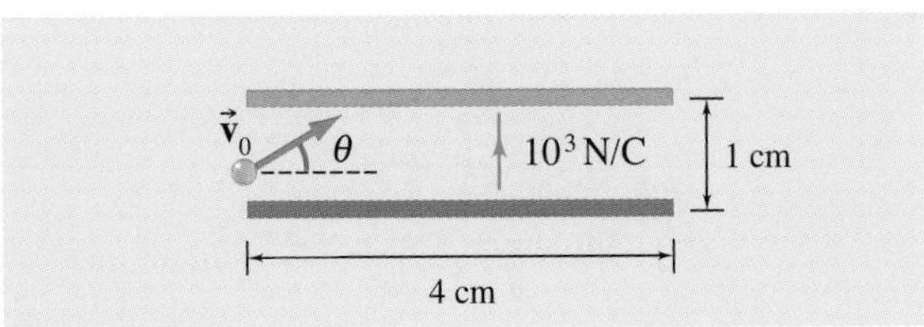


*Figure 2.59*

Problèmes 16 et 17.

**P17.** (I) Un électron est projeté à une vitesse initiale $v_0 = 3 \times 10^6$ m/s à partir du point situé à mi-chemin de deux plaques horizontales de longueur 4 cm et distantes de 1 cm (figure 2.59). Pour quelle valeur initiale de l'angle l'électron se trouve-t-il à mi-distance des plaques lorsqu'il sort de la région comprise entre les plaques ?

**P18.** (I) Deux tiges uniformément chargées, de densités linéiques $+\lambda$ et $-\lambda$, sont recourbées en forme d'arcs de cercle. On fait coïncider leurs extrémités de manière à former un demi-cercle de rayon $R$ (figure 2.60). Quel est le champ électrique résultant créé au centre du demi-cercle ($\lambda > 0$) ?

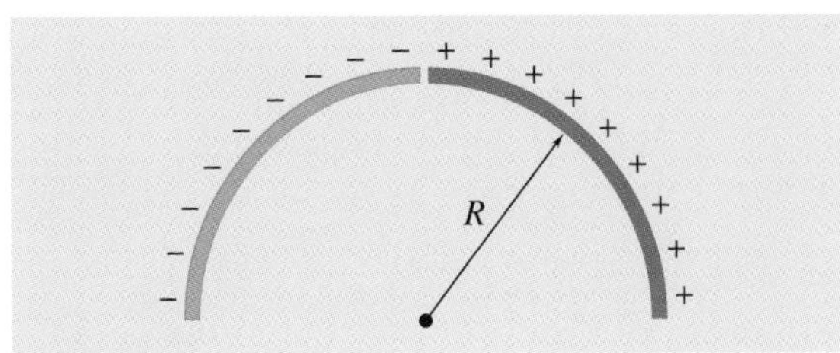


*Figure 2.60*

Problème 18.

## Problèmes supplémentaires

**P19.** (I) Deux fils semi-infinis ont une densité linéique de charge uniforme $+\lambda$ et $-\lambda$. Ces deux fils sont parallèles à l'axe des $x$. Chacun se termine en $x = -a$ ou $x = a$, comme dans la figure 2.61. Calculez le champ électrique à l'origine.

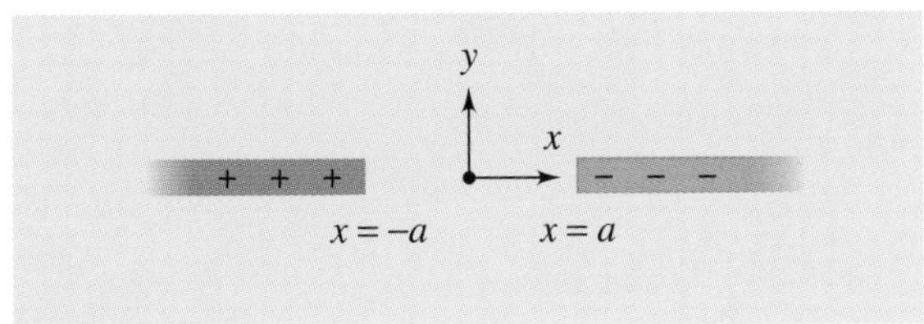


*Figure 2.61*

Problème 19.

**P20.** (I) Un fil chargé a la forme d'un demi-cercle, comme dans la figure 2.62. Sa densité linéique de charge varie comme $\lambda(\theta) = \lambda_0 \sin \theta$. Calculez le champ électrique à l'origine.

**P21.** (II) Reprenez la partie (a) du problème 2 en supposant qu'une moitié seulement de l'anneau est chargée. Considérez que l'anneau est dans le plan $xy$ et que son centre constitue l'origine d'un système d'axe. L'axe des $x$ coupe l'anneau en deux et la portion chargée s'étend dans la région positive de $y$.

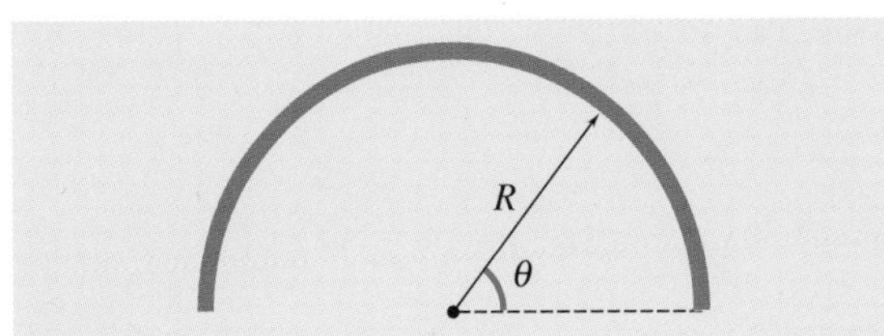


*Figure 2.62*

Problème 20.

**P22.** (II) Reprenez la partie (a) du problème 4 en supposant que la densité linéique de charge $\lambda$ varie comme (a) $\lambda = \lambda_0 \cos \theta$; (b) $\lambda = \lambda_0 \sin \theta$.

**P23.** (II) Soit une tige de longueur $L$ possédant une densité linéique de charge $\lambda$ comme celle de la figure 2.56. Trouvez l'expression du champ électrique à une distance perpendiculaire $y$ du centre de la tige, mais en considérant que la densité linéique de charge varie comme (a) $\lambda = A|x|$ ; (b) $\lambda = Ax$.

# CHAPITRE 3

# *Le théorème de Gauss*

## POINTS ESSENTIELS

1. Le **flux électrique** est proportionnel au nombre de lignes de champ électrique qui traversent une surface.
2. Le **théorème de Gauss** établit une relation entre le flux électrique à travers une surface fermée et la charge nette qu'elle renferme ; il permet de calculer le champ électrique produit par certaines distributions symétriques de charges électriques.
3. La charge nette d'un conducteur en équilibre électrostatique est située à la surface de celui-ci.

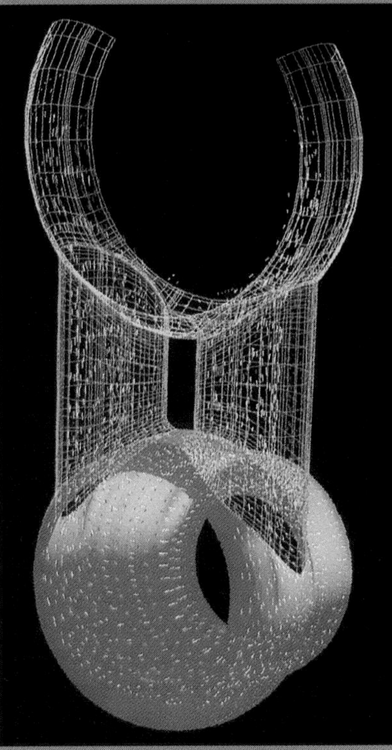

Surface dessinée par ordinateur représentant l'échappement de gaz chaud sortant du réacteur principal d'une navette spatiale.

En principe, le champ électrique créé par une distribution continue de charges peut être déterminé à partir de la loi de Coulomb. On décompose la distribution en un nombre infini de charges infinitésimales, on détermine la contribution de chacune au champ électrique et on effectue l'intégrale (la somme) de toutes les contributions pour calculer le champ total (voir la section 2.5). Toutefois, cette approche peut devenir fort complexe. Nous allons présenter ici une autre approche qui s'appuie sur les lignes de champ et qui peut dans certains cas être beaucoup plus simple. Michael Faraday, qui avait bien entrevu l'utilité de ces lignes pour représenter le champ, n'avait pas exprimé cette idée sous forme mathématique. C'est le mathématicien Carl F. Gauss (figure 3.1) qui, par la suite, traduisit le concept des lignes de champ sous forme quantitative. Partant de l'image des lignes qui « s'écoulent » à travers une surface fermée, Gauss eut l'idée d'introduire une grandeur appelée *flux*, ayant un rapport avec la charge nette à l'intérieur d'une telle surface. Le *théorème de Gauss* reflète les propriétés générales des champs électriques et constitue un moyen élégant et rapide de déterminer le champ électrique créé par une distribution de charges si celle-ci est suffisamment symétrique.

***Figure 3.1***

Carl F. Gauss (1777-1855).

## 3.1 Le flux électrique

On peut faire une analogie entre les lignes de champ qui traversent une surface et les lignes de courant d'un fluide qui s'écoule à travers une surface. Partant de cette analogie, Gauss a défini la grandeur appelée **flux électrique**. La figure 3.2 représente une surface plane d'aire $A$, perpendiculaire aux lignes d'un champ électrique uniforme. Par définition, le flux électrique $\Phi_E$ qui traverse cette surface est

$$\Phi_E = EA$$

L'unité SI de flux électrique est le newton-mètre carré par coulomb ($N \cdot m^2/C$). Bien que la définition du flux ne fasse pas intervenir les lignes de champ, *le flux électrique à travers une surface donnée est proportionnel au nombre de lignes de champ passant par cette surface*. Si la surface est inclinée et fait un certain angle avec le champ, comme à la figure 3.3, le nombre de lignes interceptées dépend de $A_n$, la projection de la surface sur un plan normal aux lignes. Il est équivalent de dire que le flux dépend de la composante de $\vec{\mathbf{E}}$ normale à la surface, c'est-à-dire :

$$\Phi_E = EA_n = E_n A$$

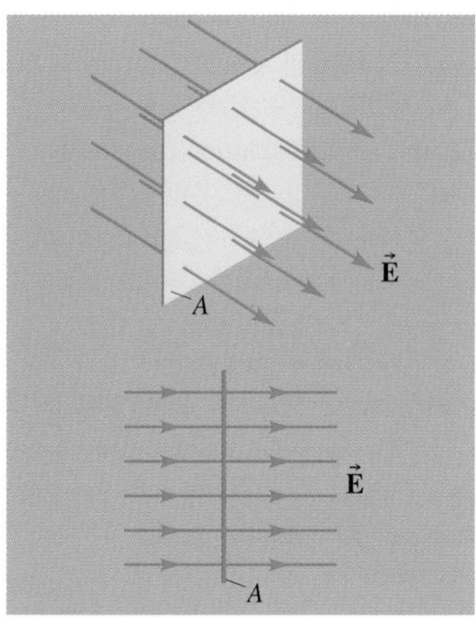


***Figure 3.2***

Le flux électrique à travers une surface plane d'aire $A$ est $\Phi_E = EA$.

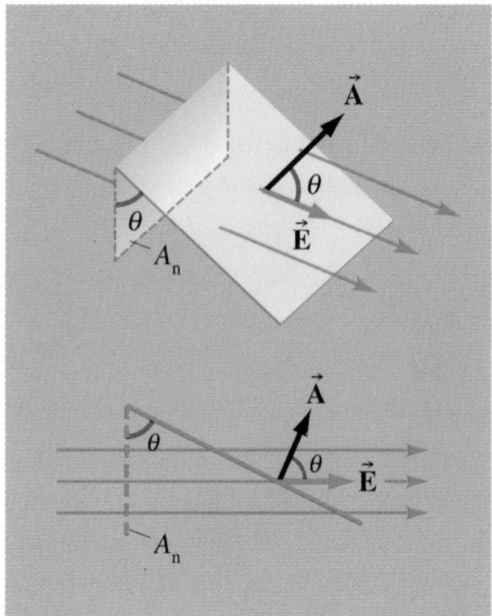


***Figure 3.3***

Si la surface est inclinée par rapport au champ, le flux électrique est $\Phi_E = EA \cos \theta$.

L'orientation de la surface peut être définie par un vecteur $\vec{\mathbf{A}}$, de module égal à $A$ et de direction perpendiculaire au plan de la surface. Le sens de $\vec{\mathbf{A}}$ reste néanmoins ambigu : choisissons-le pour l'instant tel que $\Phi_E$ soit positif. Les deux expressions présentées ci-dessus donnent alors

$$\Phi_E = EA \cos \theta$$

$\theta$ étant l'angle entre $\vec{\mathbf{A}}$ et $\vec{\mathbf{E}}$. On reconnaît là l'expression du produit scalaire (voir le chapitre 2 du tome 1) et on peut donc dire que le flux associé à un champ électrique uniforme s'écrit

Flux électrique dans un champ uniforme

$$(\vec{\mathbf{E}} \text{ uniforme}) \qquad \Phi_E = \vec{\mathbf{E}} \cdot \vec{\mathbf{A}} \qquad (3.1)$$

L'équation 3.1 doit être modifiée si le champ n'est pas uniforme ou si la surface n'est pas plane. Dans ce cas, on divise la surface en petits éléments $\Delta\vec{\mathbf{A}}$ pouvant être considérés comme plans (figure 3.4). Même si le champ n'est pas uniforme, il ne varie pas sensiblement sur chaque élément d'aire. Le flux total à travers la surface est égal à la somme

$$\Phi_E \approx \vec{\mathbf{E}}_1 \cdot \Delta\vec{\mathbf{A}}_1 + \vec{\mathbf{E}}_2 \cdot \Delta\vec{\mathbf{A}}_2 + \ldots = \sum \vec{\mathbf{E}}_i \cdot \Delta\vec{\mathbf{A}}_i$$

À la limite, quand $\Delta\vec{\mathbf{A}} \to 0$, cette somme, discrète et de valeur approchée, devient une intégrale continue et de valeur exacte. On peut donc écrire la définition générale du flux électrique ainsi :

$$\Phi_E = \int \vec{\mathbf{E}} \cdot d\vec{\mathbf{A}} \qquad (3.2)$$

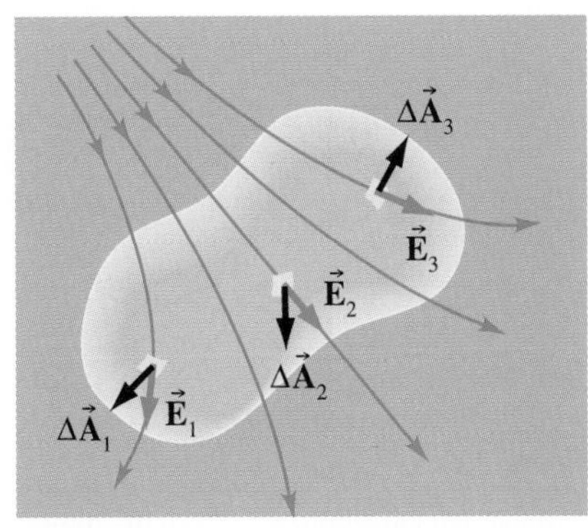


*Figure 3.4*

Si la surface n'est pas plane ou si le champ n'est pas uniforme, il faut additionner les contributions au flux provenant des éléments de surface pouvant être considérés comme plans et sur lesquels le champ a une même valeur.

Le membre de droite de l'équation 3.2 est une intégrale de surface qui peut être assez difficile à calculer pour une surface ou un champ quelconques. Par contre, si la distribution de charges est suffisamment symétrique, on peut considérablement simplifier les calculs en choisissant judicieusement la surface sur laquelle on calcule l'intégrale.

La figure 3.5 représente des lignes de champ passant à travers une surface fermée imaginaire.

La direction et le sens du vecteur $d\vec{\mathbf{A}}$ en un point donné sont par définition la direction et le sens de la normale *sortant* de la surface.

Il s'ensuit que le flux sortant d'une surface fermée est positif, alors que le flux entrant est négatif. À la figure 3.5, le flux net à travers la surface est nul puisque le nombre de lignes de champ qui entrent est égal au nombre de lignes qui sortent de la surface.

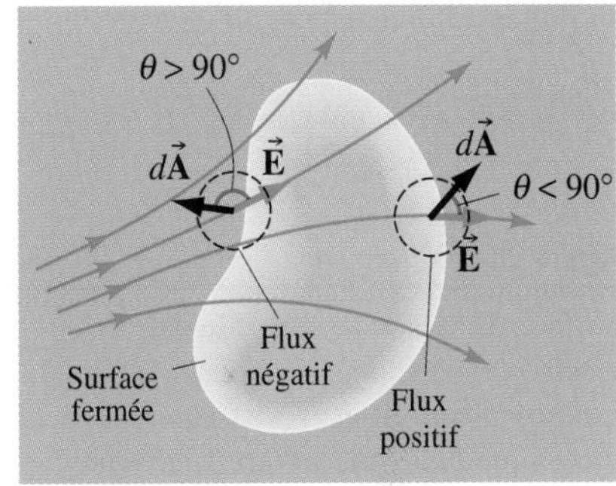


*Figure 3.5*

Le flux sortant d'une surface fermée est positif alors que le flux entrant dans une surface fermée est négatif.

## Exemple 3.1

Le plan d'un cercle de rayon 8 cm est incliné de 40° par rapport à un champ électrique uniforme de 600 N/C. Quel est le flux à travers le cercle ?

**Solution :**

Le vecteur représentant l'aire du cercle fait un angle de 50° avec le champ. L'aire est égale à $A = \pi r^2 = 0{,}02\ \text{m}^2$. Le flux est donc

$$\Phi_E = EA \cos 50°$$
$$= (600\ \text{N/C})(0{,}02\ \text{m}^2)(0{,}643) = 7{,}7\ \text{N}\cdot\text{m}^2/\text{C}$$

## 3.2 Le théorème de Gauss

Considérons une charge ponctuelle positive $Q$ (figure 3.6). Étant donné la symétrie de la configuration, on peut avancer que le champ a la même valeur en tout point d'une sphère imaginaire centrée sur la charge. De plus, tout élément d'aire (représenté par un vecteur perpendiculaire à son plan) est parallèle au champ

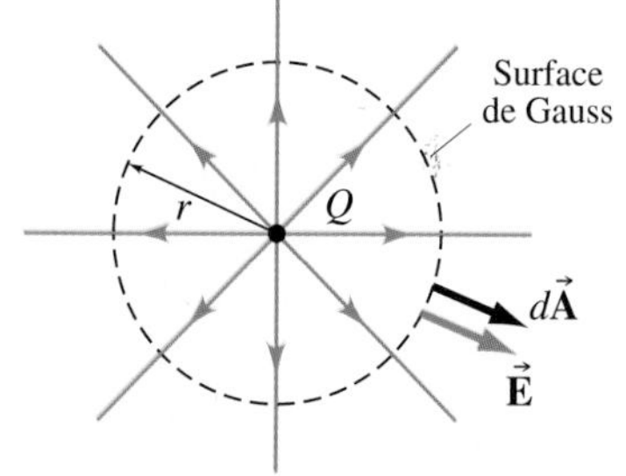


**Figure 3.6**

Surface de Gauss sphérique entourant une charge ponctuelle.

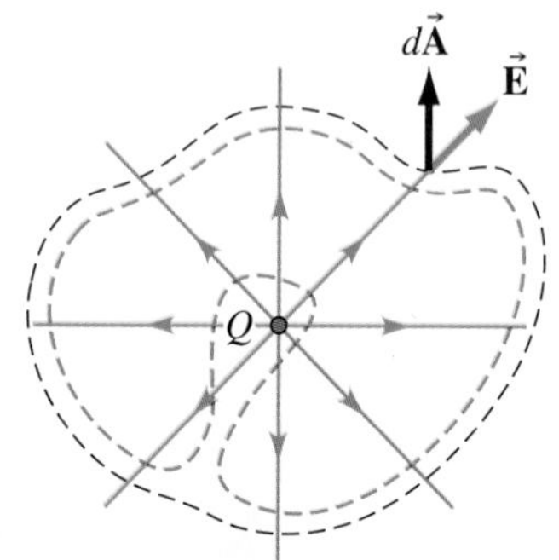


**Figure 3.7**

Surface de Gauss de forme quelconque entourant une charge ponctuelle (en noir). Le flux traversant cette surface est le même que pour une surface sphérique entourant la charge. On remarque que si la surface de Gauss n'entoure pas la charge (en rouge), le flux net est nul, car toutes les lignes de champ qui entrent dans la surface en ressortent.

local, ce qui donne $\vec{E} \cdot d\vec{A} = E\,dA$. Le flux total à travers cette *surface de Gauss* fermée est

$$\Phi_E = \int E\,dA = E \int dA = E(4\pi r^2)$$

On peut mettre $E$ en évidence parce que la valeur du champ est constante sur toute la surface. L'intégrale se réduit donc à la somme des éléments d'aire, qui est tout simplement l'aire de la sphère, $4\pi r^2$. D'après la loi de Coulomb, on sait que $E = kQ/r^2$ ; on en déduit $\Phi_E = 4\pi kQ$. En remplaçant $k$ par sa valeur $1/4\pi\varepsilon_0$, on élimine le facteur $4\pi$ et le flux total s'écrit alors sous la forme

$$\Phi_E = \frac{Q}{\varepsilon_0}$$

Le flux à travers la surface fermée est égal au facteur $1/\varepsilon_0$ multiplié par la charge à l'intérieur de la surface. (Remarquons que la relation $\Phi_E = Q/\varepsilon_0$ est encore valide lorsque $Q$ est négatif, car alors le flux $\Phi_E$ est lui aussi négatif : en effet, l'élément d'aire est alors dans le sens contraire du champ, et le produit scalaire dans la définition du flux fait apparaître un terme cos 180° = −1.) Si l'on définit le nombre de lignes sortant d'une charge ponctuelle $Q$ comme étant égal à $Q/\varepsilon_0$, on peut alors dire que le flux est *égal* au nombre de lignes*. Le rayon de la sphère n'intervient pas dans l'expression de $\Phi_E$ parce que la forme radiale du champ ($E \propto 1/r^2$) est compensée par l'accroissement d'aire ($A \propto r^2$). Il en résulte que le nombre de lignes traversant une grande sphère est exactement le même que le nombre de lignes qui traversent une petite sphère. Le théorème de Gauss pour le champ électrique revêt une forme simple parce que le champ est inversement proportionnel au carré de la distance.

Considérons maintenant une surface de Gauss de forme arbitraire, comme à la figure 3.7. L'intégration nécessaire pour obtenir le flux est un calcul difficile, mais on voit immédiatement que le nombre de lignes qui traversent la surface (et donc le flux) est exactement le même que dans le cas d'une sphère. La démonstration de cette propriété est donnée à la fin de cette section.

Considérons le champ créé par deux charges ponctuelles, comme à la figure 3.8. Le flux (positif) à travers la surface $S_1$ entourant $2Q$ est égal au double du flux (négatif) à travers $S_2$ qui entoure $-Q$. Le flux net à travers la surface $S_3$ entourant les deux charges est égal à celui de la charge nette $2Q - Q = +Q$ entourée par $S_3$. Le **théorème de Gauss** exprime ces résultats dans l'équation

**Théorème de Gauss**

$$\oint \vec{E} \cdot d\vec{A} = \frac{Q}{\varepsilon_0} \qquad (3.3)$$

Le flux net à travers une surface fermée est égal à $1/\varepsilon_0$ que multiplie la charge nette à l'intérieur de la surface.

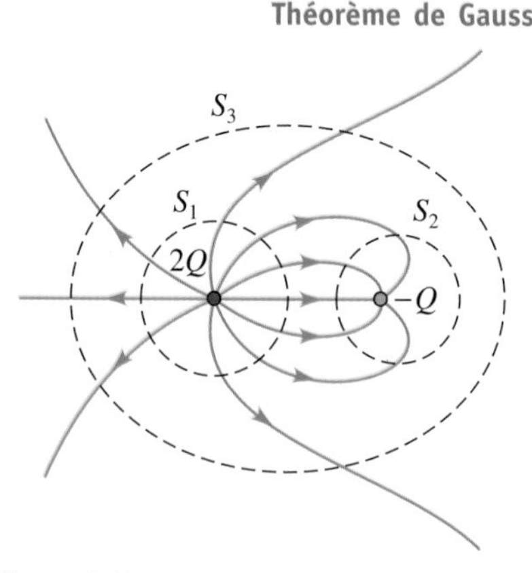


**Figure 3.8**

Le flux à travers une surface est déterminé par la charge *nette* à l'intérieur de celle-ci.

Le cercle sur le symbole de l'intégrale signifie que la surface de Gauss doit être fermée. On remarque que le théorème de Gauss ne dépend pas de la position exacte des charges à l'intérieur de la surface. Le champ qui intervient dans l'équation 3.3 est le champ *total* créé par toutes les charges, et pas seulement par celles qui sont à l'intérieur de la surface de Gauss. Si la charge à l'intérieur est nulle, cela *ne veut pas* forcément dire que $\vec{E} = 0$ sur la surface de Gauss. Le champ peut très bien être créé par des charges extérieures à la surface,

* Peu importe que le nombre de lignes ne soit pas un entier. C'est le flux qui est la véritable grandeur physique, les lignes de champ n'étant tracées que pour aider à visualiser le champ.

comme le montre la figure 3.5. Toutefois, le théorème de Gauss implique que le flux net traversant la surface est fonction *uniquement* des charges qui sont à l'intérieur de la surface.

### Démonstration du théorème de Gauss

En comparant les figures 3.6 et 3.7, on voit que deux surfaces fermées arbitraires entourant une même charge ponctuelle sont traversées par le même nombre de lignes de champ. Comme le théorème de Gauss s'appuie sur la notion de flux et non sur celle de ligne de champ, il faut démontrer que les flux traversant deux surfaces arbitraires sont égaux. Considérons un cône de lignes de champ qui partent d'une charge ponctuelle $Q$ (figure 3.9). Les dimensions du cône sont déterminées par l'angle solide $\Omega$ tel que

$$\Omega = \frac{A_{\mathrm{n}}}{r^2} = \frac{A \cos \theta}{r^2}$$

$A_{\mathrm{n}} = A \cos \theta$ étant la projection de $A$ perpendiculaire à l'axe du cône. L'unité d'angle solide est le stéradian. Une surface fermée sous-tend un angle solide de $4\pi$ stéradians en tout point à l'intérieur de celle-ci (considérez le cas particulier d'une sphère dont l'aire est égale à $4\pi r^2$). La figure 3.9 représente un cône qui intercepte une aire $A_1$ sur la surface sphérique de rayon $r_1$ et une région d'aire $A_2$ sur une surface arbitraire. Les surfaces peuvent être de forme quelconque. D'après la loi de Coulomb ($E \propto 1/r^2$), le rapport entre l'intensité des champs sur les deux surfaces est

$$\frac{E_2}{E_1} = \frac{r_1^2}{r_2^2} \qquad \text{(i)}$$

On peut exprimer l'angle solide du cône en fonction de l'aire de l'une ou l'autre des surfaces :

$$\Omega = \frac{A_1}{r_1^2} = \frac{A_2 \cos \theta}{r_2^2} \qquad \text{(ii)}$$

Le flux traversant chaque surface est $\Phi_1 = E_1 A_1$ et $\Phi_2 = E_2 A_2 \cos \theta$. De (i) et (ii), on tire $\Phi_1 = \Phi_2$. Autrement dit, le flux dans un angle solide donné est constant et ne dépend pas de la forme ni de l'orientation de la surface.

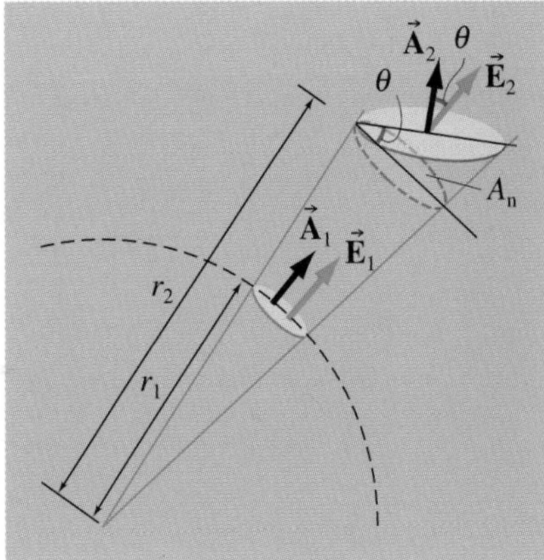


*Figure 3.9*

Le flux à l'intérieur d'un angle solide donné est constant.

## 3.3 L'utilisation du théorème de Gauss

Le théorème de Gauss peut servir à évaluer le champ électrique produit par certaines distributions de charges très symétriques : il est alors possible d'extraire $E$ de l'intégrale de l'équation 3.3.

Supposons que l'on veuille déterminer le champ électrique produit en un point $P$ par une distribution symétrique de charge. Pour que le théorème de Gauss soit applicable, il faut trouver une surface de Gauss fermée *passant par le point P* et pour laquelle l'intégrale est facile à évaluer. En pratique, il faut, sur chaque portion de la surface, (i) que le champ ait partout le même module et soit dans la même direction que $d\vec{\mathbf{A}}$ *ou* (ii) que le champ soit partout perpendiculaire à $d\vec{\mathbf{A}}$. Dans le cas (i), l'angle entre le champ et chaque $d\vec{\mathbf{A}}$ est de 0° (ou 180°), le terme $\cos \theta$ dans le produit scalaire égale 1 (ou −1) et la valeur constante $E$ (ou $-E$) peut être extraite de l'intégrale. L'intégrale est alors égale à la somme des éléments de la surface, donc à la surface elle-même. Dans le cas (ii), le facteur $\cos \theta$ dans le produit scalaire est égal à 0 et l'intégrale est nulle (le flux électrique est nul car le champ ne fait que raser la surface, il ne la traverse pas).

Pour choisir la surface de Gauss qui convient dans une situation donnée, il faut d'abord connaître l'orientation des lignes de champ. Dans les situations où le théorème de Gauss est applicable, la symétrie de la distribution de charge permet de déterminer aisément la configuration des lignes de champ.

La grandeur $Q$ dans le théorème de Gauss représente la charge qui se trouve à l'intérieur de la surface de Gauss. Dans plusieurs cas, la surface de Gauss n'englobe qu'une partie d'un objet chargé. Si l'objet est chargé uniformément, on peut déterminer $Q$ en multipliant la charge totale de l'objet par la fraction du volume de l'objet qui se trouve à l'intérieur de la surface de Gauss. On peut aussi faire appel à la notion de densité de charge. Pour un fil chargé, on utilise la densité linéique de charge $\lambda$ (voir l'équation 2.9). Pour une surface chargée, on définit la densité surfacique de charge $\sigma$ (voir l'équation 2.11). On rencontre aussi parfois des objets pleins chargés ; on utilise alors la **densité volumique de charge**, définie comme la charge par unité de volume. Si une charge $q$ est uniformément distribuée dans un objet de volume $V$, la densité de charge volumique $\rho$ est

$$\rho = \frac{q}{V} \qquad (3.4)$$

La densité volumique de charge s'exprime en coulombs par mètre cube. Pour un objet chargé uniformément, $\rho$ est une constante. Pour un objet qui n'est pas chargé uniformément, $\rho$ dépend de l'endroit où l'on se trouve dans l'objet.

## Exemple 3.2

Une *sphère creuse de rayon R* porte une charge $Q$ uniformément répartie sur sa surface. Trouver le champ en un point (a) à l'extérieur et (b) à l'intérieur de la sphère.

**Solution :**

(a) *À l'extérieur* : Puisque la distribution de charges est de symétrie sphérique, le champ est également de symétrie sphérique. Les lignes de champ sont donc radiales et dirigées vers l'extérieur. De plus, le champ a la même valeur en tout point d'une surface sphérique imaginaire de même centre que la sphère chargée. Cette symétrie nous amène à choisir comme surface de Gauss une coquille de rayon $r > R$ (figure 3.10). Le champ est constant sur la coquille et partout parallèle à $d\vec{\mathbf{A}}$. Dans l'équation 3.3, le facteur $\cos\theta$ dans le produit scalaire est égal à 1, et la valeur constante de $E$ peut être extraite de l'intégrale :

$$\oint E\,dA = E\oint dA = E(4\pi r^2) = \frac{Q}{\varepsilon_0}$$

Par conséquent,

$$E = \frac{Q}{4\pi\varepsilon_0 r^2} = \frac{kQ}{r^2}$$

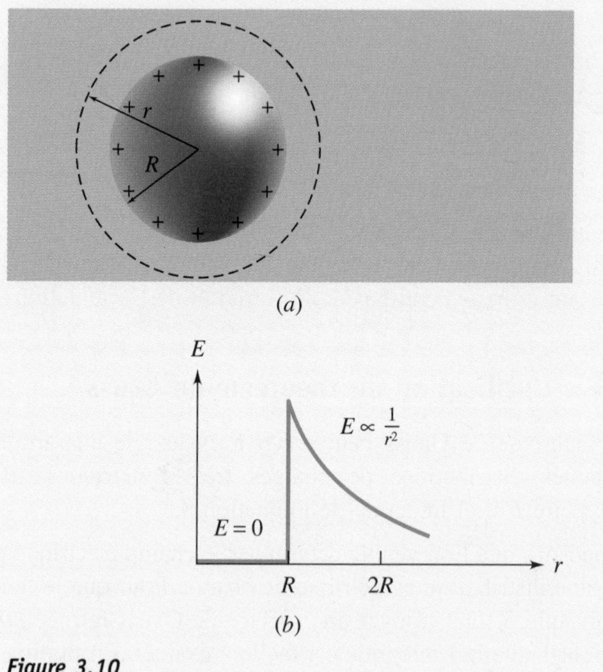


*Figure 3.10*

(*a*) La surface de Gauss pour une distribution de charge de symétrie sphérique est une coquille sphérique.
(*b*) Le champ électrique est nul à l'intérieur de la sphère. À l'extérieur de la sphère, le champ est le même que si la charge était ponctuelle et située au centre de la sphère.

*À l'extérieur de la sphère creuse, le champ est le même que si la charge était ponctuelle et située au centre de la sphère.* Ce calcul est nettement plus simple que l'intégration qui intervient dans une application directe de la loi de Coulomb. Le problème analogue dans le cas de la gravitation (théorème de la masse ponctuelle, chapitre 13 du tome 1) représentait un obstacle énorme pour Newton.

(b) *À l'intérieur*: Là encore, le champ est symétrique et nous choisissons à nouveau une surface de Gauss sphérique, mais cette fois de rayon $r$ inférieur à $R$. La charge étant nulle à l'intérieur de la surface, l'équation 3.3 devient

$$E(4\pi r^2) = 0$$

Puisque $r$ peut prendre n'importe quelle valeur, nous en concluons que $\vec{\mathbf{E}} = 0$ en *tout* point à l'intérieur d'une sphère creuse uniformément chargée. On peut montrer que ce résultat découle directement de la fonction inverse du carré de la distance, qui intervient dans la loi de Coulomb.

La figure 3.10*b* illustre le graphique du champ en fonction du rayon dans cette situation.

## Exemple 3.3

Soit une *sphère pleine non conductrice uniformément chargée*, de rayon $R$ et de charge totale $Q_{tot}$ positive répartie uniformément dans le volume de la sphère. Trouver le champ (a) à l'extérieur de la sphère ; (b) à l'intérieur.

### Solution :

(a) *À l'extérieur*: En un point situé à l'extérieur de la sphère, la situation est identique à celle de l'exemple précédent. Puisque la charge à l'intérieur de la surface de Gauss sphérique de rayon $r > R$ est égale à $Q_{tot}$, on a

$$E(4\pi r^2) = \frac{Q_{tot}}{\varepsilon_0}$$

d'où l'on déduit

$$E = \frac{kQ_{tot}}{r^2} \qquad (3.5)$$

Le champ à l'extérieur de la sphère est le même que le champ créé par une charge ponctuelle placée au centre de la sphère. On remarque que ce résultat dépend uniquement de la symétrie sphérique de la distribution des charges et n'est pas lié au fait qu'elle est uniforme.

(b) *À l'intérieur*: On choisit comme surface de Gauss une coquille sphérique de rayon $r < R$ (figure 3.11*a*). Il y a deux façons de déterminer la charge $Q$ à l'intérieur de cette surface :

(i) On évalue la fraction du volume total de la sphère de rayon $R$ qui se trouve à l'intérieur de la surface de Gauss de rayon $r$. Puisque le volume d'une sphère de rayon $r$ est $\frac{4}{3}\pi r^3$, cette fraction est $(\frac{4}{3}\pi r^3)/(\frac{4}{3}\pi R^3) = r^3/R^3$. La charge à l'intérieur de la surface de Gauss est donc $Q = (r^3/R^3)Q_{tot}$.

(ii) On calcule la densité volumique de charge, qui est constante pour toute la sphère : $\rho = Q_{tot}/V_{tot} = Q_{tot}/(\frac{4}{3}\pi R^3)$. Pour déterminer la charge à l'intérieur de la surface de Gauss, on multiplie par le volume à l'intérieur de la surface de Gauss : $Q = \rho(\frac{4}{3}\pi r^3) = (r^3/R^3)Q_{tot}$.

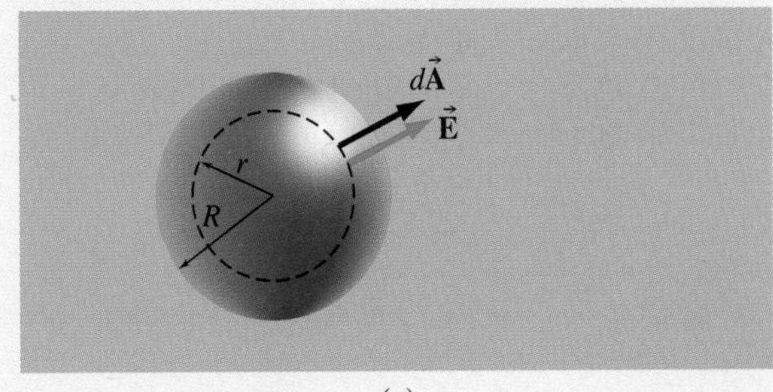


(*a*)

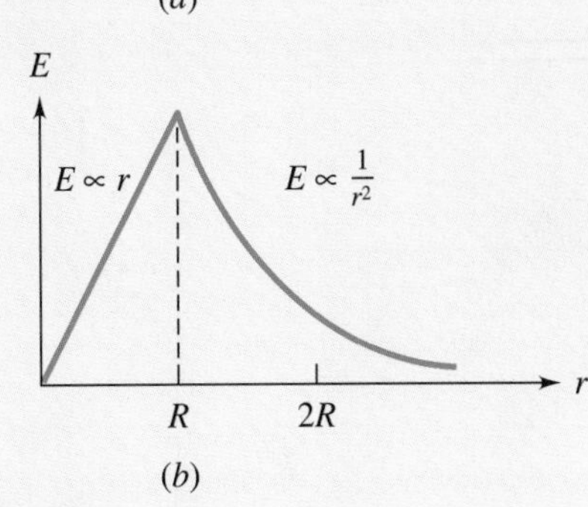


(*b*)

**Figure 3.11**

(*a*) La surface de Gauss à l'intérieur d'une sphère pleine non conductrice uniformément chargée est une coquille sphérique. (*b*) Le champ électrique à l'intérieur de la sphère croît proportionnellement à *r*. À l'extérieur de la sphère, le champ est le même que si la charge était ponctuelle et située au centre de la sphère.

Pour les mêmes raisons de symétrie que précédemment, le théorème de Gauss devient

$$E(4\pi r^2) = \frac{\left(\frac{r^3}{R^3}\right) Q_{\text{tot}}}{\varepsilon_0}$$

et donne (avec $k = 1/4\pi\varepsilon_0$)

$$E = \frac{kQ_{\text{tot}} r}{R^3} \tag{3.6}$$

Le champ électrique est proportionnel à la distance au centre. La variation de $E$ en fonction de $r$ est représentée à la figure 3.11*b*. On remarque que pour $r = R$ les deux expressions de $E$ coïncident : il y a continuité du champ au passage de la surface.

## Exemple 3.4

Un *fil rectiligne infini chargé* porte une densité linéique de charge uniforme égale à $\lambda$. Déterminer le champ électrique à la distance $r$ du fil. On suppose que $\lambda$ est positif.

**Solution :**

À cause de la symétrie cylindrique, nous pouvons dire que le module du champ est le même pour tous les points situés à une distance $r$ du fil. Puisque le fil est infini et que la charge est uniforme, à chaque élément de charge sur l'axe des $y$ positifs correspond un élément symétrique sur l'axe des $y$ négatifs (figure 3.12). Les composantes en $y$ des champs créés par ces éléments de charge s'annulent deux à deux. Les lignes de champ sont donc radiales et orientées vers l'extérieur perpendiculairement au fil chargé.

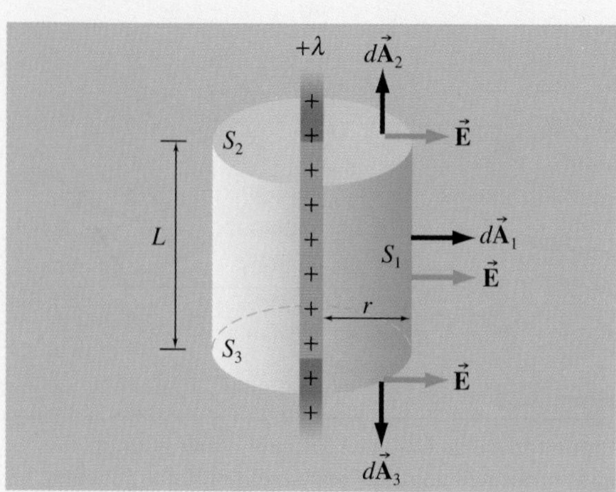


***Figure 3.12***

Surface de Gauss cylindrique entourant un fil infini chargé. Seul le flux traversant la surface latérale $S_1$ n'est pas nul.

La surface de Gauss à choisir ici est un cylindre de rayon $r$ et de longueur $L$ : par la symétrie du problème, on s'attend à ce que $L$ n'apparaisse pas dans l'expression finale pour le champ électrique. La surface de Gauss est une surface fermée composée de la surface latérale du cylindre $S_1$ et des extrémités du cylindre $S_2$ et $S_3$. L'équation 3.3 devient

$$\oint \vec{\mathbf{E}} \cdot d\vec{\mathbf{A}} = \int_{S_1} \vec{\mathbf{E}} \cdot d\vec{\mathbf{A}} + \int_{S_2} \vec{\mathbf{E}} \cdot d\vec{\mathbf{A}} + \int_{S_3} \vec{\mathbf{E}} \cdot d\vec{\mathbf{A}} = \frac{Q}{\varepsilon_0}$$

Sur les surfaces $S_2$ et $S_3$, $\vec{\mathbf{E}}$ est partout perpendiculaire à $d\vec{\mathbf{A}}$, ce qui signifie que le flux est nul à travers ces faces (le facteur $\cos\theta$ du produit scalaire est 0). Sur la surface latérale $S_1$, $\vec{\mathbf{E}}$ est partout parallèle à $d\vec{\mathbf{A}}$ et son module est constant (en raison de la symétrie du problème). Le facteur $\cos\theta$ du produit scalaire est 1, et $E$ peut être extrait de l'intégrale. L'équation centrée précédente devient

$$0 + E\int_{S_1} dA + 0 = \frac{Q}{\varepsilon_0}$$

L'intégrale de $dA$ sur la surface $S_1$ est égale à la surface $S_1$ elle-même, soit $2\pi rL$. La charge contenue dans le cylindre de Gauss est $Q = \lambda L$. Ainsi,

$$E(2\pi rL) = \frac{\lambda L}{\varepsilon_0}$$

Comme $k = 1/4\pi\varepsilon_0$,

$$E = \frac{\lambda}{2\pi r\varepsilon_0} = \frac{2k\lambda}{r} \tag{3.7}$$

Ce calcul est beaucoup plus simple que le calcul direct à partir de la loi de Coulomb qui est donné à la section 2.5. On remarquera que les charges extérieures à la surface de Gauss ne contribuent pas au calcul du flux net traversant la surface, *mais elles contribuent* toutefois au champ total et c'est leur présence qui nous permet de tenir compte de la symétrie.

Dans cet exemple, nous avons considéré un fil infini pour ne pas avoir à tenir compte des « effets de bout » qui se produisent aux extrémités d'un fil réel. Lorsqu'on approche des extrémités, la symétrie est brisée et les lignes de champ ne sont plus radiales vers l'extérieur. Il est alors impossible d'appliquer le théorème de Gauss, car on ne peut pas trouver de surface simple qui soit partout perpendiculaire aux lignes de champ. L'expression trouvée pour le fil rectiligne infini chargé est néanmoins valable pour un fil rectiligne réel, à condition que la distance $r$ soit beaucoup plus petite que la distance à laquelle se trouve l'extrémité la plus proche.

## Exemple 3.5

Déterminer le champ créé par *une feuille plane infinie chargée* de densité surfacique de charge uniforme égale à $\sigma$. On suppose que $\sigma$ est positif.

**Solution :**

La charge étant répartie sur un plan infini, tous les points équidistants du plan sont équivalents. Le champ doit donc avoir un module constant dans tout plan parallèle à la feuille chargée. Par symétrie, on peut également dire que les lignes de champ sont perpendiculaires au plan. On choisit donc comme surface de Gauss un cylindre dont les extrémités, parallèles à la feuille, sont situées de part et d'autre et à égales distances de la feuille, comme le montre la figure 3.13.

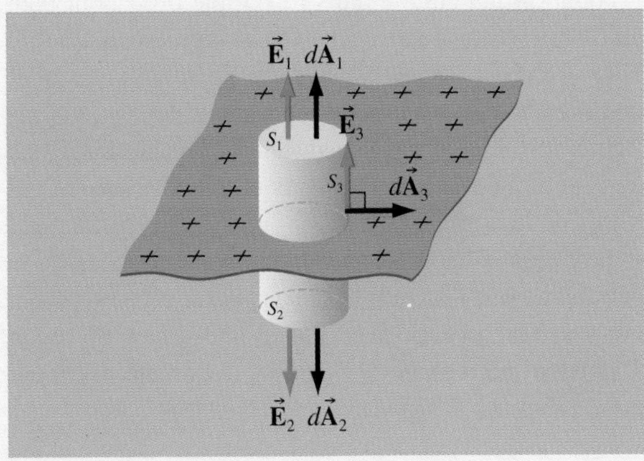


*Figure 3.13*

La surface de Gauss cylindrique dans le cas d'une feuille infinie chargée. Seul le flux traversant les faces aux extrémités du cylindre n'est pas nul.

Dans ce cas, le flux traversant la surface latérale du cylindre est nul ($\vec{\mathbf{E}}_3$ est partout perpendiculaire à $d\vec{\mathbf{A}}_3$). Si l'on désigne par $A$ l'aire de chaque face des extrémités, la charge contenue dans le cylindre est égale à $\sigma A$. Le théorème de Gauss nous donne

$$\oint \vec{\mathbf{E}}\cdot d\vec{\mathbf{A}} = \int_{S_1} \vec{\mathbf{E}}\cdot d\vec{\mathbf{A}} + \int_{S_2} \vec{\mathbf{E}}\cdot d\vec{\mathbf{A}} + \int_{S_3} \vec{\mathbf{E}}\cdot d\vec{\mathbf{A}}$$

$$= E_1 A_1 + E_2 A_2 + 0 = \frac{\sigma A}{\varepsilon_0}$$

Mais nous savons que $A_1 = A_2 = A$ et que les champs doivent avoir le même module des deux côtés. L'expression donnée ci-dessus devient alors $2EA = \sigma A/\varepsilon_0$, c'est-à-dire :

$$E = \frac{\sigma}{2\varepsilon_0} \qquad (3.8)$$

Le champ créé par une feuille infinie chargée en un point donné est indépendant de la distance entre le point et la feuille (figure 3.14). Pour une feuille chargée réelle, le résultat obtenu demeure valable tant que la distance entre le point et la feuille est négligeable par rapport à la distance à laquelle se trouvent les extrémités de la feuille.

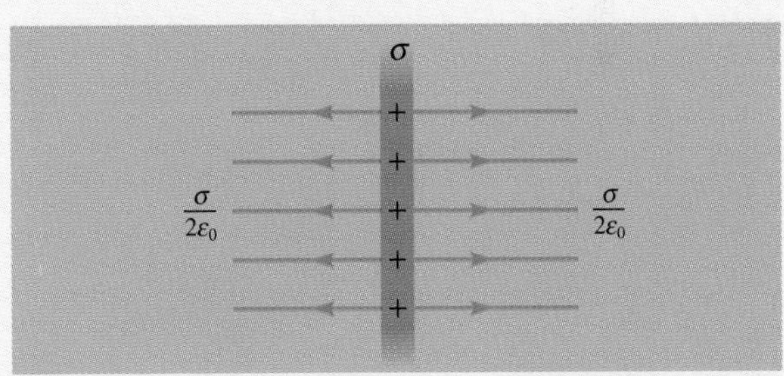


*Figure 3.14*

Le champ d'une feuille infinie chargée est uniforme.

## 3.4 Le théorème de Gauss et les conducteurs

Le théorème de Gauss peut fournir certains renseignements intéressants concernant les charges et les champs associés aux conducteurs. Lorsqu'on ajoute une charge nette à un conducteur, l'intérieur de celui-ci est le siège d'un champ transitoire. Les électrons libres vont se répartir différemment et le champ intérieur va disparaître au bout d'une fraction de seconde ($10^{-12}$ s environ). Par conséquent, le champ à l'intérieur d'un conducteur en état d'équilibre électrostatique est nul (*cf.* section 2.3). À la figure 3.15, on imagine une surface de Gauss à l'intérieur d'un conducteur quelconque et située tout près de sa surface. Puisque $\vec{\mathbf{E}} = 0$ en tout point de cette surface de Gauss, le flux qui la traverse

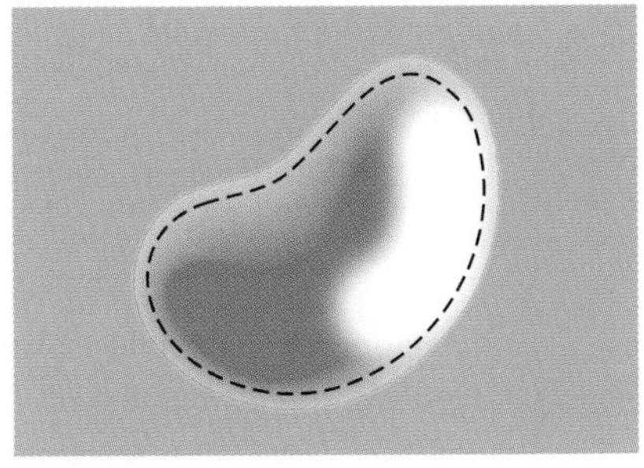

*Figure 3.15*

Surface de Gauss située juste à l'intérieur d'un conducteur.

est nul. D'après l'équation 3.3, la charge nette à l'intérieur de la surface de Gauss doit aussi être nulle. On en conclut que *toute charge nette sur un conducteur est située sur la surface.*

## Exemple 3.6

Déterminer le champ créé par une *plaque conductrice infinie* dont la densité surfacique de charge positive *de chacune des faces* est uniforme et égale à $\sigma$.

**Solution :**

D'après les propriétés de symétrie déjà présentées dans le cas de la feuille infinie, nous savons que le champ est uniforme et perpendiculaire à la plaque. La figure 3.16 représente la surface de Gauss que nous allons utiliser pour résoudre le problème. Dans le cas présent, le champ est nul à l'intérieur du conducteur; une seule des surfaces planes du cylindre est donc traversée par un flux. Si son aire est égale à $A$, le théorème de Gauss nous donne

$$EA = \frac{\sigma A}{\varepsilon_0}$$

donc

$$E = \frac{\sigma}{\varepsilon_0} \qquad (3.9)$$

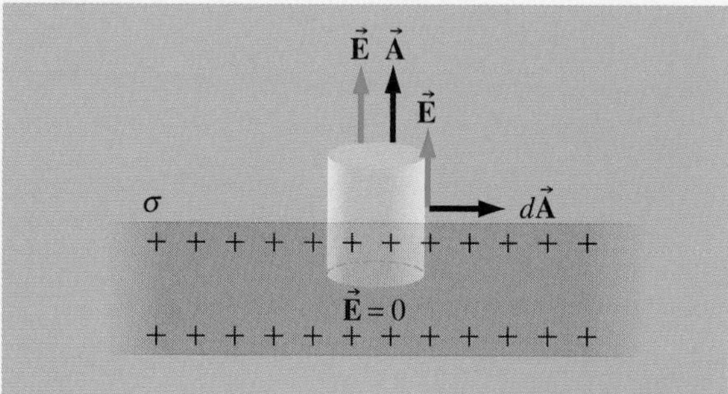


*Figure 3.16*

Plaque conductrice infinie chargée. Puisque $\vec{E} = 0$ à l'intérieur du conducteur, le seul flux est celui qui traverse une des faces à l'extrémité du cylindre de Gauss.

Il faut souligner que nous n'avons *pas seulement* utilisé le théorème de Gauss pour établir l'équation 3.9 ; nous nous sommes également servis du fait que $E = 0$ à l'intérieur d'un conducteur.

À première vue, il semble y avoir contradiction entre les résultats des équations 3.8 et 3.9 : le champ dans l'équation 3.9 est le double du champ dans l'équation 3.8. Toutefois, la densité de charge $\sigma$ dans l'équation 3.9 représente la densité d'*une seule face* de la plaque conductrice. Or, à l'équilibre électrostatique, il doit nécessairement y avoir la même densité de charge sur l'autre face de la plaque, tel qu'indiqué sur la figure 3.16. Si on s'intéresse à la densité de charge de la plaque *prise comme un tout*, comme on l'a fait pour obtenir l'équation 3.8, il faut considérer qu'elle est de $2\sigma$. En remplaçant cette valeur dans l'équation 3.8, on retrouve la valeur du champ donnée par l'équation 3.9. Lorsqu'une plaque chargée est non conductrice, la charge ne se divise pas entre les faces, et la densité surfacique de charge demeure toujours la densité de la plaque dans sa totalité. Mais, dans les situations où on s'intéresse à la densité surfacique de charge pour un *conducteur*, il faut toujours bien spécifier si on considère la charge d'une seule face ou de l'ensemble de l'objet.

L'équation 3.9 établie dans l'exemple précédent peut aussi servir à décrire de façon approximative le champ créé près de la surface de n'importe quel conducteur chargé (loin des points anguleux). D'après l'équation 3.9, le module du champ ne diminue pas en fonction de la distance au conducteur. Dans le cas d'un conducteur de dimensions finies, ce résultat n'est vrai que dans les régions suffisamment proches de la surface pour qu'on puisse la considérer comme plane. Par exemple, près de la surface d'une sphère de rayon $R$ portant une charge $Q$ positive, on vérifie aisément que $E = \sigma/\varepsilon_0 = (Q/4\pi R^2)/\varepsilon_0 = kQ/R^2$.

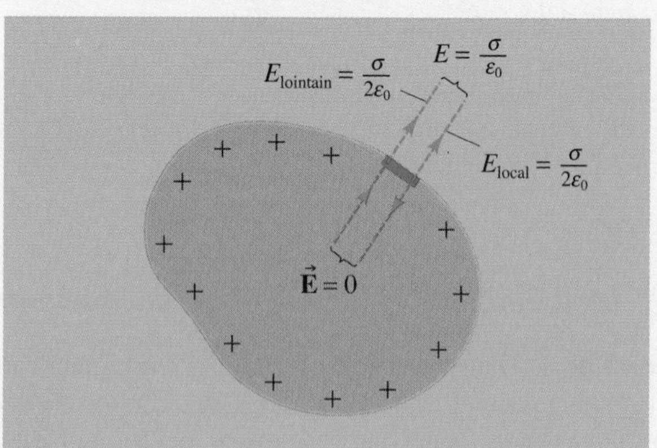


*Figure 3.17*

Le champ à l'extérieur d'un conducteur chargé et près d'une petite région de la surface du conducteur est la somme de deux contributions : le champ local créé par les charges sur la surface et le champ lointain dû à toutes les autres charges.

Il est possible de justifier l'utilisation de l'équation 3.9 près de tout conducteur chargé, en considérant que le champ à proximité d'un conducteur chargé est le fruit de la contribution de deux champs électriques : un champ *local* produit par les charges situées sur une petite portion plane de la surface et un champ *lointain* produit par les autres charges. Le champ local doit alors s'exprimer à partir de l'équation 3.8 selon $E_{\text{local}} = \sigma/2\varepsilon_0$. Puisque le champ à l'intérieur du conducteur est égal à zéro, on en déduit que l'expression du champ lointain doit correspondre à $E_{\text{lointain}} = \sigma/2\varepsilon_0$. À l'extérieur du conducteur, la somme de ces deux contributions donne le champ total $E = \sigma/\varepsilon_0$ comme le prédit l'équation 3.9. La figure 3.17 illustre l'orientation relative des deux champs à l'intérieur et à l'extérieur du conducteur.

## Le cas d'une cavité à l'intérieur d'un conducteur

La figure 3.18 représente un conducteur avec une cavité dans laquelle se trouve une charge ponctuelle $Q$. À l'intérieur du matériau du conducteur, $E = 0$ sur toute surface de Gauss autour de la cavité, et le flux net traversant la surface est donc nul. D'après le théorème de Gauss, la charge nette à l'intérieur de la surface doit également être égale à zéro. Cela signifie qu'il y a une charge induite $-Q$ sur la paroi intérieure de la cavité. Comme le conducteur dans son ensemble est neutre, c'est donc que sa surface extérieure acquiert une charge $+Q$.

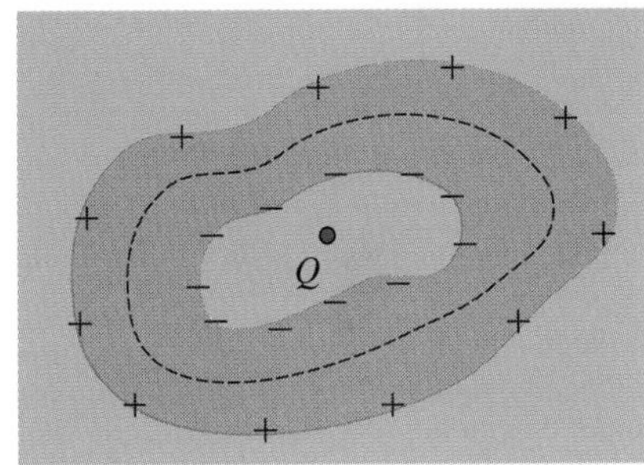


***Figure 3.18***

Une charge ponctuelle $Q$ à l'intérieur d'une cavité dans un conducteur induit des charges égales et opposées sur la surface de la cavité et sur la surface du conducteur. Ici, $Q$ est positif.

### Exemple 3.7

Soit une charge ponctuelle $q$ placée au centre d'une coquille métallique sphérique de rayon $R$ portant une charge nette égale à $-Q$. Trouver le champ à l'intérieur de la coquille et à l'extérieur de la coquille. Préciser comment se distribuent les charges. On pose $q > 0$, $Q > 0$ et $q > Q$.

**Solution :**

Il faut utiliser une surface de Gauss sphérique de rayon $r$ dont le centre coïncide avec celui de la coquille.

Pour $r < R$, la charge à l'intérieur de la surface de Gauss est $q$, et ainsi

$$E(4\pi r^2) = \frac{q}{\varepsilon_0}$$

ce qui donne $E = kq/r^2$. Pour $r > R$, la charge nette située à l'intérieur de la surface de Gauss est égale à $q - Q$. Le champ à l'extérieur de la coquille est donc $E = k(q - Q)/r^2$. Des charges induites $\pm q$ apparaissent sur les surfaces intérieure (–) et extérieure (+) de la coquille. La charge sur la surface extérieure est $q - Q$.

## L'expérience du seau à glace de Faraday

Pour vérifier les valeurs des charges induites sur le conducteur, on peut refaire l'*expérience du seau à glace* de Faraday. On place une boule métallique chargée à l'intérieur d'un récipient creux en métal. On place ensuite un couvercle en métal sur le récipient. La boule induit des charges totales de même grandeur et de signes opposés sur les parois intérieure et extérieure du récipient (figure 3.19*a*). Si la boule entre en contact avec la paroi intérieure, leurs charges se neutralisent mutuellement. Il reste donc sur la paroi extérieure une charge égale à la charge initiale de la boule (figure 3.19*b*).

*Figure 3.19*

Dans l'expérience du seau à glace de Faraday, la charge d'une boule métallique est totalement transmise à la surface extérieure du seau métallique.

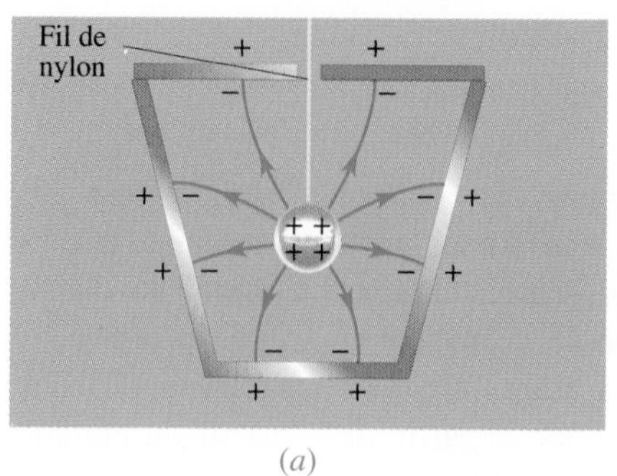


(*a*)

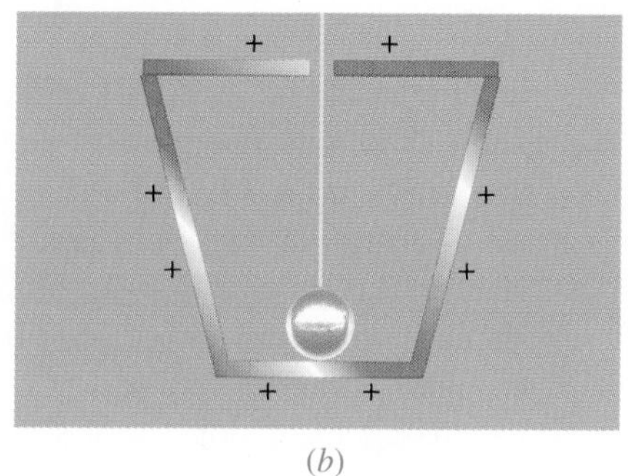

(*b*)

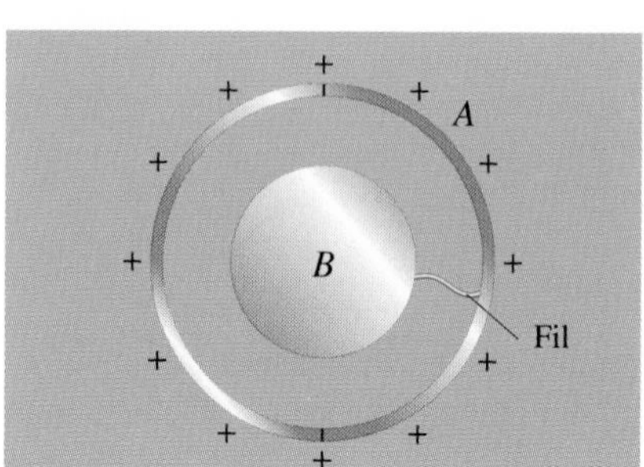


*Figure 3.20*

Vérification du théorème de Gauss, et par ricochet de la loi de Coulomb. Une sphère métallique *B* est reliée par un fil à une sphère creuse *A*. Lorsque *A* est chargée, on ne détecte aucune charge sur *B*, ce qui est en accord avec le théorème de Gauss.

## L'expérience de Cavendish

Le théorème de Gauss en électrostatique est essentiellement une nouvelle formulation de la loi de Coulomb, chacun des énoncés pouvant se déduire de l'autre. À l'aide du théorème de Gauss, nous avons montré qu'à l'équilibre électrostatique la charge nette d'un conducteur est située sur sa surface. Par conséquent, la présence d'une charge à l'intérieur d'un conducteur serait en contradiction avec le théorème de Gauss et la loi de Coulomb. En 1771, Henry Cavendish eut l'idée de placer une coquille métallique B à l'intérieur d'une autre coquille métallique A composée de deux hémisphères (figure 3.20), les deux coquilles étant reliées entre elles par un fil métallique. On charge la coquille extérieure A ; si les charges de A étaient soumises à une force, elles se déplaceraient pour se rapprocher ou s'éloigner de B. Après avoir supprimé la connexion entre les deux coquilles et enlevé la coquille A, Cavendish ne put détecter aucune charge sur B ; il en conclut que la force est de la forme $1/r^n$, avec $n = 2 \pm 1/60$. Les versions modernes de cette technique ont permis de réduire l'incertitude à $10^{-16}$.

## Résumé

La notion de flux électrique $\Phi_E$ permet de traduire l'image d'une aire interceptée par les lignes de champ en une relation quantitative. Par définition, le flux traversant une surface plane d'aire $\vec{\mathbf{A}}$ située dans un champ électrique uniforme $\vec{\mathbf{E}}$ est

$$\Phi_E = \vec{\mathbf{E}} \cdot \vec{\mathbf{A}} = EA \cos \theta$$

le vecteur $\vec{\mathbf{A}}$ étant perpendiculaire au plan de la surface. Si le champ n'est pas uniforme ou si la surface n'est pas plane, le flux est défini par l'expression plus générale

$$\Phi_E = \int \vec{\mathbf{E}} \cdot d\vec{\mathbf{A}}$$

Le théorème de Gauss est une loi générale qui s'applique aux champs électriques. Il met en relation le flux électrique traversant une surface fermée avec la charge nette $Q$ située à l'intérieur de la surface :

$$\oint \vec{\mathbf{E}} \cdot d\vec{\mathbf{A}} = \frac{Q}{\varepsilon_0}$$

Il convient de souligner que le champ $\vec{\mathbf{E}}$ peut inclure les contributions de charges qui *ne sont pas* situées à l'intérieur de la surface fermée. Il va de soi que le flux net produit par ces charges est nul. Le théorème de Gauss permet de déterminer facilement le champ électrique si la distribution de charges est suffisamment symétrique pour que l'intégration soit simple. Dans ce cas, on peut choisir une surface de Gauss pour laquelle $\vec{\mathbf{E}}$ en un point donné est soit parallèle, soit perpendiculaire à l'élément $d\vec{\mathbf{A}}$ en ce point.

Les propriétés suivantes caractérisent le champ électrique associé à un conducteur homogène en état d'équilibre électrostatique.

(a) $\vec{\mathbf{E}} = 0$ en tout point à l'intérieur d'un conducteur.

(b) Toute charge nette est située sur la surface du conducteur.

(c) $\vec{\mathbf{E}}$ est perpendiculaire à la surface d'un conducteur chargé (à proximité de la surface).

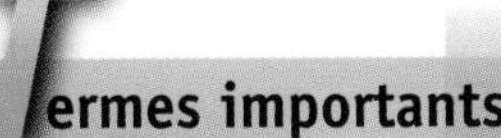

## Termes importants

**densité volumique de charge**

**flux électrique**

**théorème de Gauss**

## Révision

**R1.** Dans l'équation $\Phi = EA \cos \theta$, quelle est la valeur de $\theta$ si les lignes de champ ne font que raser la surface, sans la traverser ?

**R2.** Vrai ou faux ? Le flux sortant d'une surface fermée est positif.

**R3.** Définissez chacun des symboles qui apparaissent dans l'énoncé du théorème de Gauss :

$$\oint \vec{\mathbf{E}} \cdot d\vec{\mathbf{A}} = \frac{Q}{\varepsilon_0}$$

**R4.** Pourquoi faut-il connaître la direction des lignes de champ avant de commencer à appliquer le théorème de Gauss ?

**R5.** Lorsqu'on utilise le théorème de Gauss pour déterminer l'expression du champ électrique, quelles contraintes limitent le choix d'une surface de Gauss utile ?

**R6.** Vrai ou faux ? Pour obtenir la valeur du champ électrique en un point $P$ à l'aide du théorème de Gauss, on doit calculer le flux électrique à travers une surface passant par le point $P$.

**R7.** Vrai ou faux ? Lorsqu'on utilise l'équation 3.3 pour établir le champ électrique *à l'intérieur* d'une sphère uniformément chargée, $Q$ correspond à la charge totale de la sphère.

**R8.** Utilisez le théorème de Gauss pour démontrer que la charge nette sur un conducteur à l'équilibre électrostatique est située à la surface.

**R9.** Illustrez la disposition des charges et des lignes de champ dans les situations suivantes : i) Une sphère conductrice de rayon $a$ portant une charge $-Q$ située à l'intérieur d'une coquille conductrice de rayons intérieur $b$ et extérieur $c$ portant une charge $+2Q$. ii) Une sphère isolante de rayon $a$ uniformément chargée portant une charge $+2Q$ située à l'intérieur d'une coquille conductrice de rayons intérieur $b$ et extérieur $c$ portant une charge $-Q$ ($Q > 0$).

## Questions

**Q1.** Une charge ponctuelle positive est placée au centre d'un cube métallique non chargé. Dessinez les lignes de champ électrique à l'intérieur du cube. La charge induite sur le cube est-elle répartie uniformément ?

**Q2.** Soit une charge $Q$ à l'intérieur d'une surface de Gauss cubique. Quels renseignements peut-on tirer du théorème de Gauss en ce qui concerne : (a) la position de la charge ; (b) le flux total traversant la surface ; (c) le champ électrique en un point quelconque de la surface ?

**Q3.** Le flux total traversant une surface de Gauss est nul. (a) Quelle est la charge nette à l'intérieur ? (b) Peut-on dire que $E = 0$ en tout point de la surface ?

**Q4.** Soit les trois charges et la surface de Gauss représentées à la figure 3.21. (a) Quelles sont les charges qui contribuent au flux net traversant la surface de Gauss ? (b) Quelles sont les charges qui contribuent au champ en un point donné de la surface ? (c) Écrivez le théorème de Gauss pour la surface.

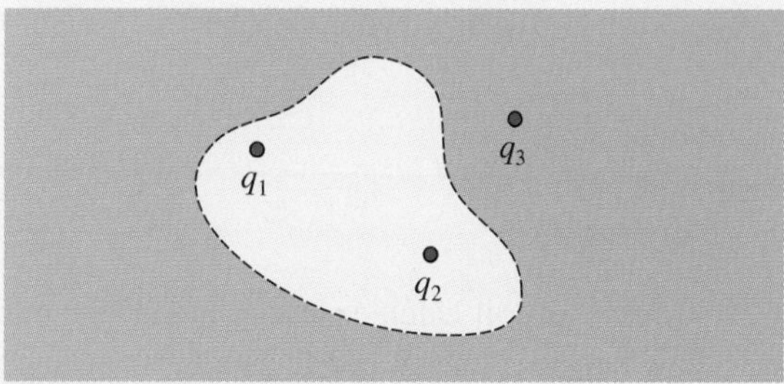


**Figure 3.21**

Question 4.

**Q5.** Soit une charge répartie uniformément sur la circonférence d'un cercle. Peut-on utiliser le théorème de Gauss pour calculer le champ ? Si oui, en quels points ?

**Q6.** Soit une charge ponctuelle $Q$ située à l'intérieur d'une sphère métallique creuse ailleurs qu'au centre. (a) Le champ à l'intérieur de la sphère est-il déterminé uniquement par la charge à l'intérieur de la sphère ? (b) Quel est le flux net traversant une surface fermée située à l'intérieur de la sphère et entourant la charge ? (c) Peut-on utiliser le théorème de Gauss pour calculer le champ à la surface ?

**Q7.** (a) Si la charge nette à l'intérieur d'une surface est nulle, peut-on en déduire que le champ est nul en tout point de la surface ? (b) Si le champ est nul en tout point de la surface, peut-on en déduire que la charge nette à l'intérieur est nulle ?

**Q8.** Laquelle des affirmations suivantes est la bonne ? D'après le théorème de Gauss, le champ électrique est déterminé par (a) la charge à l'intérieur de la surface de Gauss ; (b) la charge sur la surface de Gauss ; (c) toutes les charges qui contribuent au champ en un point quelconque de la surface de Gauss.

**Q9.** Vrai ou faux ? Pour pouvoir utiliser le théorème de Gauss afin de déterminer le champ électrique, on doit connaître les positions de toutes les charges qui contribuent au champ.

**Q10.** À l'aide du théorème de Gauss, montrez que les lignes du champ électrique doivent partir de charges ponctuelles ou y aboutir.

**Q11.** Quel renseignement nous donne le théorème de Gauss en ce qui concerne le champ créé par un dipôle ?

**Q12.** Une coquille métallique isolée a une charge $+Q$ sur sa surface intérieure de rayon $a$ et une charge $-Q$ sur sa surface extérieure de rayon $b$. Que pouvez-vous en déduire ?

**Q13.** Une coquille métallique a une charge de densité surfacique uniforme égale à $-\sigma$ sur sa surface intérieure de rayon $a$ et une charge de densité surfacique uniforme $+\sigma$ sur sa surface extérieure de rayon $b$. Que pouvez-vous en déduire ?

**Q14.** Soit une charge ponctuelle $Q$ située au centre d'une sphère creuse conductrice et une charge ponctuelle $q$ à l'extérieur de la sphère. (a) La charge $q$ est-elle soumise à une force ? (b) La charge $Q$ est-elle soumise à une force ? (c) S'il y a une différence entre les forces agissant sur les charges, conciliez votre réponse avec la troisième loi de Newton.

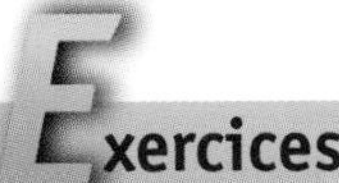

# Exercices

## 3.1 Flux électrique

**E1.** (I) Soit une plaque circulaire de rayon 12 cm. Son plan fait un angle de 30° avec un champ uniforme $\vec{\mathbf{E}} = 450\vec{\mathbf{i}}$ N/C (figure 3.22). Quel est le flux électrique traversant la plaque ?

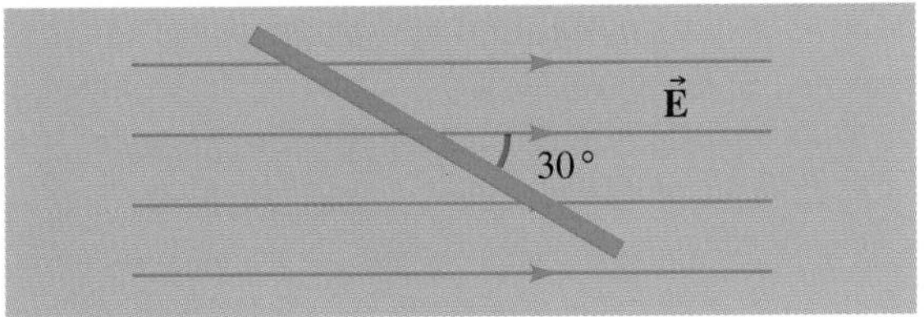


***Figure 3.22***

Exercice 1.

**E2.** (I) Une plaque rectangulaire plane de dimensions 4 cm × 6 cm fait un angle de 37° avec un champ électrique uniforme $\vec{\mathbf{E}} = -600\vec{\mathbf{j}}$ N/C (figure 3.23). Quel est le flux électrique traversant la plaque ?

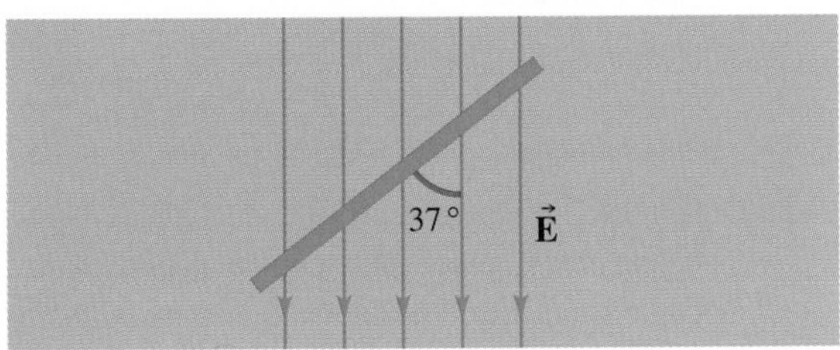


***Figure 3.23***

Exercice 2.

**E3.** (I) Soit un champ électrique uniforme $E$ parallèle à l'axe central d'un hémisphère de rayon $R$ (figure 3.24). Quel est le flux électrique traversant l'hémisphère ?

**E4.** (I) Soit une plaque carrée de 12 cm de côté située dans le plan $xy$. Quel est le flux électrique traversant la plaque dans un champ électrique uniforme $\vec{\mathbf{E}} = (70\vec{\mathbf{i}} + 90\vec{\mathbf{k}})$ N/C ?

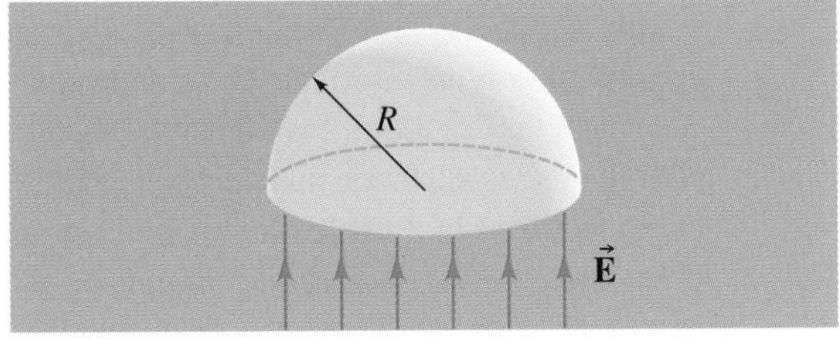


***Figure 3.24***

Exercice 3.

## 3.2 à 3.4 Théorème de Gauss, conducteurs

**E5.** (I) Soit deux charges, $q_1 = 6$ μC et $q_2 = -8$ μC, à l'intérieur d'une surface sphérique de rayon 5 cm. Quel est le flux net traversant la surface ?

**E6.** (I) Le flux à travers chaque face d'une surface de Gauss cubique d'arête 10 cm est égal à $3 \times 10^4$ N·m$^2$/C. Quelle est la charge nette à l'intérieur ?

**E7.** (I) Soit une charge de 60 μC située au centre d'un cube d'arête 10 cm. (a) Quel est le flux net traversant la surface totale du cube ? (b) Quel est le flux à travers une face du cube ? (c) Vos réponses aux questions (a) ou (b) seraient-elles différentes si la charge n'était pas située au centre ?

**E8.** (I) On donne une charge ponctuelle $Q$ positive située à l'un des sommets d'une surface de Gauss ayant la forme d'un cube d'arête $L$. Quel est le flux à travers chaque face ?

**E9.** (I) Un conducteur sphérique de rayon 8 cm a une densité surfacique de charge uniforme égale à 0,1 nC/m$^2$. Déterminez le champ électrique : (a) sur la surface ; (b) à une distance de 10 cm du centre du conducteur.

**E10.** (I) Une charge ponctuelle de 16 μC est placée au centre d'une coquille conductrice portant une charge de −8 μC. (a) Déterminez le champ à l'intérieur et à l'extérieur de la coquille. (b) Quelles sont les charges sur les surfaces intérieure et extérieure de la coquille ? (c) Dessinez les lignes de champ.

**E11.** (I) Montrez que le module du champ à la surface d'une coquille uniformément chargée est $E = |\sigma|/\varepsilon_0$, $|\sigma|$ étant la densité surfacique de charge.

**E12.** (I) Le champ électrique en tout point d'une surface sphérique de rayon 2 cm a une intensité de 800 N/C et il est radial et orienté vers l'intérieur. (a) Quelle est la charge nette à l'intérieur ? (b) La charge doit-elle être ponctuelle et située au centre ? Sinon, quelles sont les autres possibilités ?

**E13.** (I) Soit deux feuilles chargées, infinies et parallèles, ayant une même densité surfacique de charge égale à $\sigma$. Quel est le module du champ (a) dans la région comprise entre les feuilles, et (b) dans les régions non comprises entre les feuilles ?

**E14.** (I) Une plaque infinie non conductrice a une densité surfacique de charge positive égale à $\sigma$ sur chaque face. Elle est parallèle à une plaque analogue de densité $-\sigma$ sur chaque face. Déterminez le module du champ électrique (a) dans la région comprise entre les plaques, et (b) à l'intérieur de la plaque positive.

**E15.** (I) Deux plaques conductrices infinies sont parallèles entre elles. Elles portent des densités surfaciques de charge $+\sigma$ et $-\sigma$. Quel est le champ électrique résultant (a) entre les plaques ; (b) dans les régions non comprises entre les plaques ($\sigma > 0$) ?

**E16.** (II) Un cube d'arête $L$ a l'un de ses sommets à l'origine et trois de ses arêtes sur les axes $x$, $y$ et $z$, respectivement. Il est placé dans un champ $\vec{\mathbf{E}} = (a + bx)\vec{\mathbf{i}}$. (a) Quel est le flux net traversant le cube ? (b) Quelle est la charge nette à l'intérieur du cube ?

**E17.** (I) On considère le long câble coaxial linéaire de la figure 3.25 ; le conducteur intérieur de rayon $a$ a une densité surfacique de charge $\sigma_1$ et l'enveloppe extérieure cylindrique de rayon $b$ a une densité surfacique de charge $\sigma_2$. Trouvez la relation entre $\sigma_1$ et $\sigma_2$ pour que le champ soit nul à l'extérieur du câble, c'est-à-dire pour $r > b$.

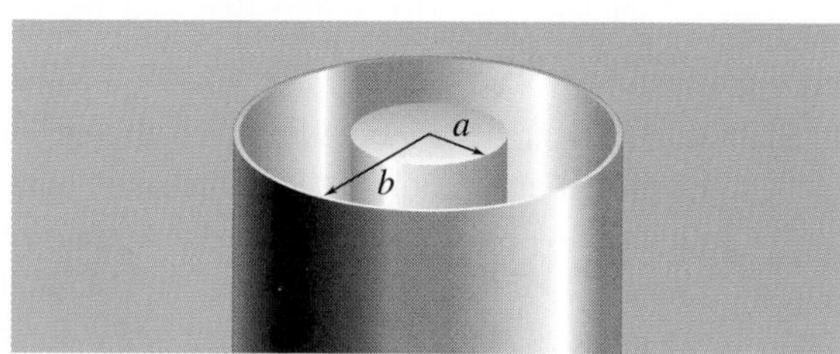


***Figure 3.25***

Exercices 17, 18, 19 et 20.

**E18.** (I) On considère le long câble coaxial linéaire de la figure 3.25 ; le conducteur intérieur de rayon $a$ a une densité surfacique de charge $\sigma$ positive et l'enveloppe extérieure cylindrique de rayon $b$ a une densité $-\sigma$. Trouvez le champ électrique résultant dans les régions (a) $a < r < b$ ; (b) $r > b$.

**E19.** (I) On considère le long câble coaxial linéaire de la figure 3.25 ; le conducteur intérieur de rayon $a$ porte une densité linéique de charge $\lambda_1$ et l'enveloppe extérieure cylindrique de rayon $b$ porte $\lambda_2$. Quelle est la relation entre $\lambda_1$ et $\lambda_2$ pour que le champ soit nul à l'extérieur du câble ($r > b$) ?

**E20.** (I) Soit le long câble coaxial linéaire de la figure 3.25 ; le conducteur intérieur de rayon $a$ porte une densité linéique de charge $\lambda$ positive et l'enveloppe extérieure cylindrique de rayon $b$ porte une densité linéaire $-\lambda$. Trouvez le champ dans les régions (a) $a < r < b$ ; (b) $r > b$.

**E21.** (I) Une sphère métallique de charge $Q$ positive et de rayon $a$ est placée au centre d'une coquille sphérique métallique de rayon $b$ portant une charge $-Q$ (figure 3.26). Trouvez le champ électrique résultant en fonction de la distance $r$ au centre commun des sphères, pour (a) $a < r < b$ ; (b) $r > b$.

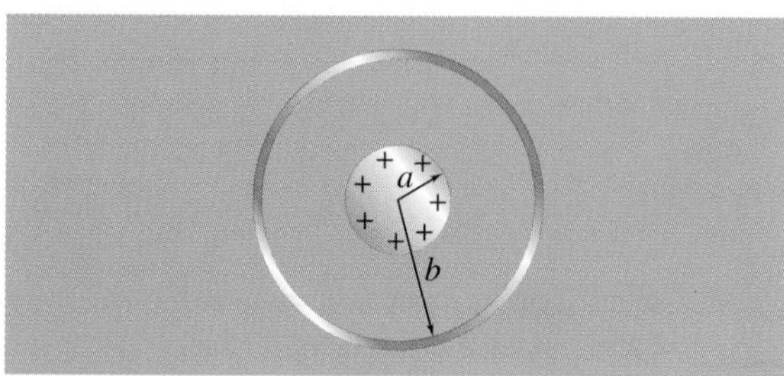


***Figure 3.26***

Exercices 21, 22 et 23.

**E22.** (I) Une sphère métallique de charge positive et de rayon $a$ est placée au centre d'une coquille sphérique métallique de rayon $b$ (figure 3.26). La sphère et la coquille portent des densités surfaciques de charges $+\sigma$ et $-\sigma$. Trouvez le champ électrique résultant en fonction de la distance $r$ au centre commun des sphères, pour (a) $a < r < b$ ; (b) $r > b$.

**E23.** (I) Une sphère métallique de charge positive et de rayon $a$ est placée au centre d'une coquille sphérique métallique de rayon $b$ (figure 3.26). Quelle doit être la relation entre les densités surfaciques de charge pour que le champ électrique résultant soit nul pour $r > b$ ?

**E24.** (II) Une charge ponctuelle $Q$ positive est placée au centre d'une coquille sphérique conductrice non chargée de rayon intérieur $R_1$ et de rayon extérieur $R_2$. (a) Quelles sont les densités surfaciques de charge sur les surfaces intérieure et extérieure de la coquille ? (b) Quel est le champ électrique résultant pour $r < R_1$ ? (c) Trouvez le champ pour $r > R_2$ ? (d) Si on éloigne la charge $Q$ du centre, peut-on utiliser le théorème de Gauss pour trouver le champ à l'extérieur de la sphère ?

## Exercices supplémentaires

### 3.2 à 3.4 Théorème de Gauss, conducteurs

**E25.** (I) Un cylindre de rayon 12 cm et de longueur infinie porte une charge de densité linéique $\lambda = 3$ nC/m. Quel est le module du champ électrique à 10 cm de la surface directement vers l'extérieur ?

**E26.** (I) Un câble coaxial tel que décrit à la figure 3.25 porte une charge de densité linéique 3 nC/m sur son cylindre intérieur de rayon $a$ = 2 cm et de −7 nC/m sur son cylindre extérieur de rayon $b$ = 5 cm. Trouvez le champ électrique résultant à (a) 4 cm du centre ; (b) 8 cm du centre.

**E27.** (I) À 12 cm, dans la direction radiale, d'une sphère conductrice de rayon 10 cm, le champ électrique est de 1800 N/C et sa direction pointe vers l'intérieur de la sphère. Trouvez la densité surfacique de charge sur la sphère.

**E28.** (I) Deux minces coquilles métalliques, sphériques et concentriques ont des rayons de 6 cm et 8 cm. La coquille intérieure porte une charge de 7 nC et la coquille extérieure, une charge de 4 nC. Trouvez le champ électrique résultant à (a) 7 cm du centre ; (b) 10 cm du centre.

**E29.** (II) Le centre d'un cube est à l'origine d'un système de coordonnées. Les arêtes du cube sont de 40 cm et ses côtés sont parallèles aux axes du système. Une charge ponctuelle de 2,2 nC est à l'origine et un champ électrique extérieur valant $-500\vec{\mathbf{j}}$ N/C est présent. Quelle est l'intensité du flux électrique à travers les deux faces du cube parallèles au plan $xz$ et situées à (a) $y = -20$ cm ; (b) $y = +20$ cm ?

**E30.** (I) Une sphère métallique de charge positive $2Q$ et de rayon $R$ est placée au centre d'une mince coquille sphérique métallique de rayon $2R$ et de charge $-3Q$. Trouvez l'expression du champ électrique résultant dans la région (a) entre la sphère et la coquille ; (b) à l'extérieur de la coquille.

**E31.** (II) Une sphère non conductrice de rayon 10 cm porte une charge uniformément distribuée sur tout son volume. À 5 cm du centre de la sphère, le champ électrique est de 2000 N/C et sa direction pointe vers l'extérieur. Trouvez (a) la densité volumique de charge de la sphère ; (b) le module du champ électrique à 20 cm du centre.

**E32.** (I) La base d'une pyramide est un carré de côté $L$. La hauteur de la pyramide est $H$. Un champ électrique $E$ est perpendiculaire à la base de la pyramide. Quelle est l'intensité du flux électrique à travers chacune des faces de la pyramide ?

## Problèmes

**P1.** (I) Une sphère non conductrice de rayon $R$ a une densité volumique de charge uniforme $\rho$ positive. Déterminez le champ électrique à une distance $r$ du centre pour (a) $r < R$ ; (b) $r > R$. Vos résultats concordent-ils pour $r = R$ ?

**P2.** (II) Refaites le problème 1 pour une densité non uniforme $\rho(r) = Ar$, $A$ étant une constante positive. Exprimez vos réponses en fonction de la charge totale $Q$. (*Indice* : La charge à l'intérieur d'une coquille d'épaisseur $dr$ est $dq = \rho\, dV = \rho 4\pi r^2 dr$.)

**P3.** (I) Une coquille conductrice de rayon intérieur $R_1$ et de rayon extérieur $R_2$ porte une densité surfacique de charge $\sigma$ positive à l'intérieur et $-\sigma$ à l'extérieur. (a) Que pouvez-vous dire au sujet de la charge à l'intérieur de la coquille ? (b) Que pouvez-vous dire au sujet de la charge nette sur la coquille ? (c) Déterminez le champ à l'extérieur de la coquille.

**P4.** (I) Un conducteur a une densité surfacique de charge $\sigma$ positive. Montrez que la force par unité d'aire agissant sur la surface est $\sigma^2/2\varepsilon_0$. (*Indice* : Le champ à la surface est composé de deux contributions. De plus, une charge statique n'est pas soumise à une force due à son propre champ.)

**P5.** (I) Une charge est uniformément répartie dans un cylindre infiniment long de rayon $R$. La densité volumique de charge positive est $\rho$. Déterminez le champ électrique à la distance $r$ du centre pour (a) $r < R$ ; (b) $r > R$. Vos résultats concordent-ils pour $r = R$ ?

**P6.** (I) Soit une cavité de rayon $a$ au centre d'une sphère non conductrice de rayon $R$. Le reste de la sphère possède une densité volumique de charge uniforme $\rho$ positive (figure 3.27). Quel est le champ électrique dans les régions suivantes : (a) $r > R$ ; (b) $a < r < R$ ? (*Indice* : La charge à l'intérieur d'une coquille d'épaisseur $dr$ est $dq = \rho\, dV = \rho 4\pi r^2 dr$.)

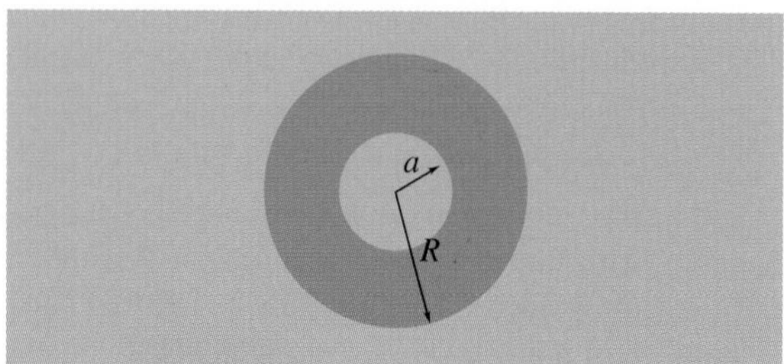


***Figure 3.27***

Problèmes 6 et 10.

**P7.** (II) Considérons un modèle de l'atome d'hydrogène dans lequel le noyau est une charge ponctuelle de valeur $+e$ entouré d'une charge négative $-e$ distribuée uniformément dans le volume d'une sphère de rayon R. Montrez que le module du champ électrique résultant dans la région pour laquelle $r < R$ est donné par :

$$E(r) = ke\left(\frac{1}{r^2} - \frac{r}{R^3}\right)$$

**P8.** (I) Le théorème de Gauss pour le champ gravitationnel s'écrit

$$\oint \vec{\mathbf{g}} \cdot d\vec{\mathbf{A}} = -4\pi Gm$$

$\vec{\mathbf{g}}$ étant le champ gravitationnel, $G$ la constante de gravitation universelle et $m$ la masse à l'intérieur de la surface de Gauss. Montrez que l'on peut établir la loi de la gravitation universelle de Newton à partir de cette expression. Quelle est la signification du signe négatif ?

**P9.** (I) Une sphère métallique de rayon $a$ portant une charge $Q$ positive est située au centre d'une épaisse coquille métallique non chargée de rayon intérieur $b$ et de rayon extérieur $c$ (figure 3.28). Déterminez le champ électrique résultant dans les régions suivantes : (a) $a < r < b$ ; (b) $r > c$.

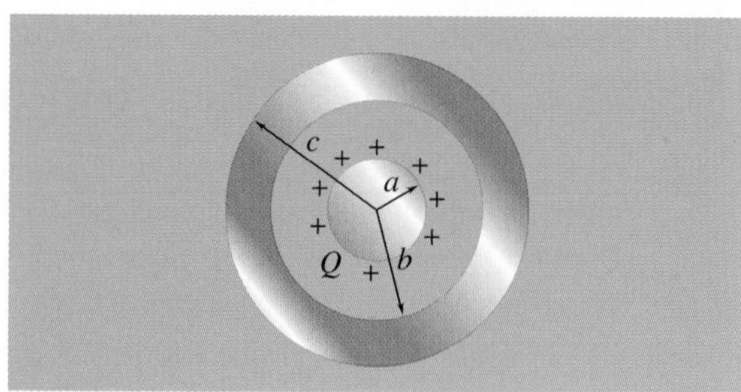


***Figure 3.28***

Problème 9.

**P10.** (II) Soit une cavité sphérique de rayon $a$ au centre d'une sphère non conductrice de rayon $R$ (figure 3.27). La densité volumique de charge dans le reste de la sphère varie selon $\rho = A/r$, où $A$ est une constante positive. Déterminez le champ électrique pour $a < r < R$. (*Indice* : La charge à l'intérieur d'une coquille d'épaisseur $dr$ est $dq = \rho\, dV = \rho 4\pi r^2 dr$.)

**P11.** (I) Soit un cylindre infini de rayon $R$ ayant un trou de rayon $a$ le long de son axe central (figure 3.29). Le reste du cylindre possède une densité volumique de charge uniforme $\rho$ positive. Déterminez le champ électrique dans les régions suivantes : (a) $a < r < R$ ; (b) $r > R$.

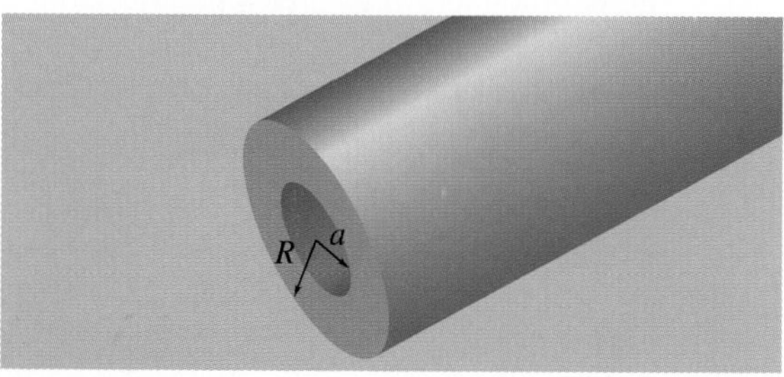


***Figure 3.29***

Problème 11.

**P12.** (I) La densité de charge à l'intérieur d'une sphère non conductrice de rayon $R$ varie selon $\rho = \rho_0(1 - r/R)$, $\rho_0$ étant une constante positive et $r$ étant la distance à partir du centre. Déterminez le champ électrique dans la région où $r < R$. (*Indice* : La charge à l'intérieur d'une coquille d'épaisseur $dr$ est $dq = \rho\, dV = \rho 4\pi r^2 dr$.)

**P13.** (I) Soit une plaque non conductrice infinie d'épaisseur $t$ possédant une densité volumique de charge uniforme $\rho$ positive. Déterminez le champ électrique en fonction de la distance au plan central de symétrie de la plaque.

**P14.** (II) Une sphère de rayon $R$ possède une densité volumique de charge uniforme $\rho$ positive, sauf dans la cavité sphérique de rayon $a$ (figure 3.30). (a) Montrez que le champ électrique est uniforme à l'intérieur de la cavité. (*Indice* : Le champ en tout point à l'intérieur d'une cavité est égal à la somme des champs créés par une sphère pleine de rayon $R$ portant une densité de charge $e$ et par une sphère de rayon $a$ remplissant la cavité et de densité de charge $-\rho$.) (b) Quelles sont l'intensité et la direction du champ électrique à l'intérieur de la cavité ?

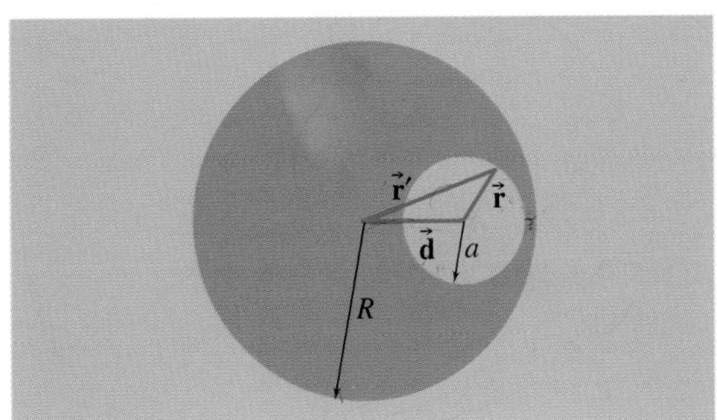


***Figure 3.30***

Problème 14.

# CHAPITRE 4

# *Le potentiel électrique*

Ce générateur de Cock-Wolton au laboratoire de Los Alamos produit une différence de potentiel très élevée pour accélérer des particules élémentaires appelées mésons.

## POINTS ESSENTIELS

1. Le **potentiel électrique** en un point donné est égal à l'énergie potentielle électrique que possède un objet chargé placé en ce point divisée par la charge de l'objet.
2. On peut calculer la différence de potentiel électrique entre deux points si on connaît le champ électrique qui règne le long de la trajectoire reliant les deux points.
3. Les lignes de champ électrique sont perpendiculaires aux surfaces **équipotentielles** et orientées dans le sens des potentiels décroissants.
4. On peut calculer le champ électrique à partir du taux de variation du potentiel électrique en fonction de la position.
5. Tous les points à l'intérieur et sur la surface d'un conducteur en équilibre électrostatique sont au même potentiel.

La notion d'énergie potentielle présentée en mécanique a été utilisée pour formuler la loi de conservation de l'énergie. Nous avons vu au chapitre 8 du tome 1 que l'énergie potentielle ne pouvait être définie que pour des forces conservatives. Rappelons également que la force gravitationnelle donnée par la loi de Newton, $F_g = GMm/r^2$ (voir le chapitre 5 du tome 1), est conservative. Comme la loi de Coulomb $F_E = k|Qq|/r^2$ a la même forme (voir la section 1.5), la force électrique est elle aussi conservative. Cela nous permet de définir une énergie potentielle électrique analogue à l'énergie potentielle gravitationnelle et d'appliquer la loi de conservation de l'énergie aux problèmes d'électricité.

Le présent chapitre porte sur la notion de potentiel électrique (souvent désignée simplement par potentiel), qui est étroitement liée à la notion d'énergie potentielle. Mais, tandis que l'énergie potentielle est une propriété caractérisant un *système* de particules (y compris les particules « d'essai »), le potentiel, comme le champ électrique, est une propriété d'un point de l'espace et ne dépend que des charges *sources*. Le champ électrique donne la force agissant sur une unité de charge en un point donné. Le potentiel représente l'énergie potentielle par unité de charge. Il est souvent plus facile d'analyser une situation physique à partir du potentiel, qui est un scalaire, qu'à partir du champ électrique, qui est un vecteur.

## 4.1 Le potentiel électrique

Le mouvement d'une particule de charge $q$ dans un champ électrique uniforme de grandeur $E$ est analogue au mouvement d'une particule de masse $m$ dans un champ gravitationnel uniforme de grandeur $g$ près de la surface de la Terre (figure 4.1). La force gravitationnelle qui agit sur la particule est toujours orientée dans le sens des lignes de champ gravitationnel, car la masse $m$ est toujours positive. Pour obtenir une analogie avec la particule chargée, nous allons considérer pour l'instant que la charge $q$ est positive (si $q$ est négatif, la force électrique est dans le sens contraire du champ électrique, comme nous l'avons vu au chapitre 2).

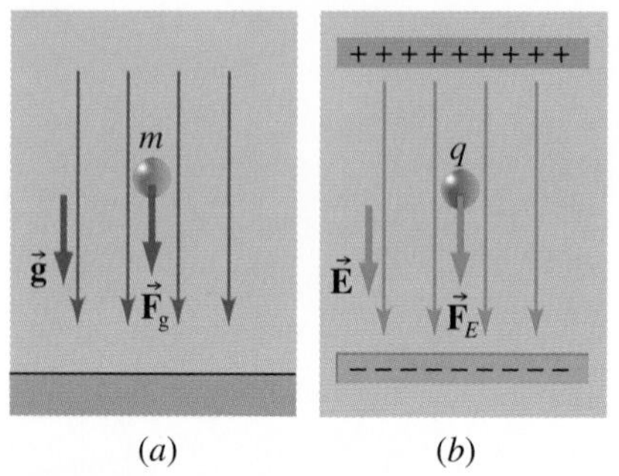


***Figure 4.1***

(*a*) Près de la surface de la Terre, les lignes de champ gravitationnel sont orientées vers le bas et une particule de masse $m$ subit une force vers le bas. (*b*) Entre deux plaques chargées, le champ électrique est constant et une particule de charge $q$ *positive* subit une force dans le même sens que les lignes de champ.

Nous avons vu au chapitre 8 du tome 1 que l'*énergie potentielle gravitationnelle* d'une particule de masse $m$ dans un champ gravitationnel $g$ constant et dirigé vers le bas est

$$U_g = mgy$$

où la position $y$ est donnée par rapport à un axe vertical orienté vers le haut, son origine $y = 0$ étant arbitraire. On peut obtenir une fonction indépendante de $m$ en définissant le *potentiel gravitationnel* comme étant l'énergie potentielle par unité de masse :

$$V_g = \frac{U_g}{m} = gy$$

L'unité SI de $V_g$ est le joule par kilogramme (J/kg). Une caractéristique utile de la fonction potentiel est qu'elle ne dépend que de la *source* du champ (la Terre) représentée par la valeur du champ gravitationnel $g$, et non de la valeur de la masse d'essai $m$.

De même, le **potentiel électrique** est défini comme l'énergie potentielle électrique $U_e$ que possède un objet chargé par unité de charge :

$$V_E = \frac{U_E}{q} \qquad (4.1)$$

L'unité SI du potentiel électrique est le **volt** (V), appelée ainsi en hommage à Alessandro Volta, inventeur de la pile voltaïque (la première pile électrique). Notons que

$$1\ \text{V} = 1\ \text{J/C}$$

Considérons la particule chargée de la figure 4.1*b*. Par analogie avec la situation gravitationnelle de la figure 4.1*a*, l'*énergie potentielle électrique* d'une particule de charge $q$ dans un champ électrique $E$ constant et dirigé vers le bas est

$$U_E = qEy \qquad (4.2)$$

où la position $y$ est donnée par rapport à un axe vertical orienté vers le haut, son origine $y = 0$ étant arbitraire. Le potentiel électrique vaut donc

$$V_E = Ey \qquad (4.3)$$

Dans ce qui suit, on ne s'intéressera qu'au potentiel électrique, et on peut omettre l'indice « $E$ ». La quantité $V$ dépend uniquement du champ électrique créé par les charges sources (les charges sur les plaques à la figure 4.1*b*), et non de la charge d'essai $q$.

Le potentiel électrique, qui se mesure en joules par coulomb (J/C), est analogue au potentiel gravitationnel, qui se mesure en joules par kilogramme (J/kg). Lorsque la hauteur d'une particule augmente, elle se dirige à l'encontre des lignes du champ gravitationnel et son énergie potentielle gravitationnelle augmente. De même, lorsqu'une charge positive se déplace à l'encontre des lignes du champ électrique, vers un point de potentiel plus élevé, son énergie potentielle électrique augmente. Si on les laisse libres de se déplacer, les charges positives ont tendance à se diriger vers les potentiels décroissants, tout comme les masses par rapport au potentiel gravitationnel. Par contre, les charges négatives ont tendance à aller vers les potentiels croissants. Ainsi, dans un champ électrique extérieur, toutes les charges, positives et négatives, ont tendance à subir une diminution d'énergie potentielle électrique.

### Relation entre le potentiel et le travail extérieur

Dans les situations que nous avons considéré à la figure 4.1, un travail fourni par un agent extérieur, l'expérimentateur par exemple, est nécessaire pour déplacer la particule, qu'il s'agisse de la masse ou de la charge positive, dans le sens opposé à celui du champ (figure 4.2). Si la force extérieure est de même grandeur et de sens opposé à la force due au champ, l'énergie cinétique de la particule ne change pas. Dans ce cas, la totalité du travail externe* est emmagasinée sous forme d'énergie potentielle dans le système, c'est-à-dire :

$$(v \text{ constante}) \qquad W_{\text{EXT}} = +\Delta U = U_B - U_A$$

où $U_B$ et $U_A$ sont les énergies potentielles finale et initiale.

En fonction du potentiel électrique, l'équation précédente s'écrit :

$$(v \text{ constante}) \qquad W_{\text{EXT}} = q\ \Delta V = q(V_B - V_A) \qquad (4.4)$$

Le signe de ce travail dépend du signe de $q$ et des valeurs relatives de $V_A$ et $V_B$. Si $W_{\text{EXT}} > 0$, l'agent extérieur est la cause de l'augmentation de l'énergie potentielle et, par conséquent, de l'énergie mécanique de la particule. Si $W_{\text{EXT}} < 0$, l'agent extérieur récupère l'énergie mécanique perdue par la particule car, pour maintenir la vitesse constante, la force extérieure agit en sens contraire du déplacement de la charge.

L'équation 4.4 nous permet de constater que ce sont les variations de potentiel qui ont de l'importance, et non les valeurs de $V_A$ et $V_B$. On peut donc choisir comme point de référence de potentiel nul un point commode, l'infini par exemple. Dans les circuits électroniques, on convient de considérer la prise de terre comme point de potentiel nul. Si $V_A = 0$, on peut écrire $V_B = W_{\text{EXT}}/q$ :

Le potentiel en un point quelconque est le travail extérieur nécessaire pour déplacer une unité de charge positive, à vitesse constante, du point de potentiel nul jusqu'au point considéré.

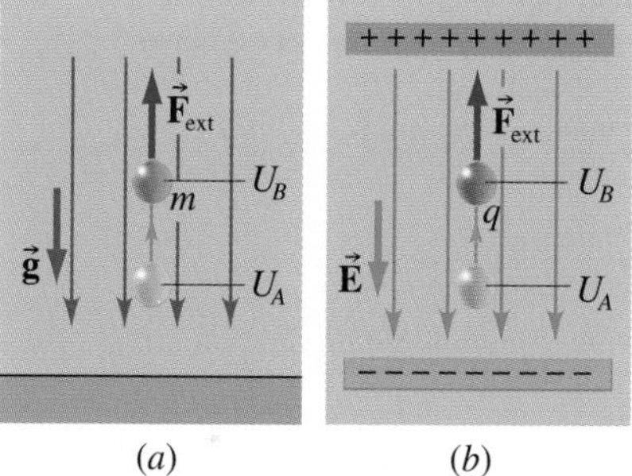


**Figure 4.2**

Si la vitesse de la particule est constante, la variation d'énergie potentielle est liée au travail effectué par un agent extérieur : $W_{\text{EXT}} = +\Delta U$.

* $W_c = -W_{\text{EXT}} = -\Delta U$ pour une force conservative.

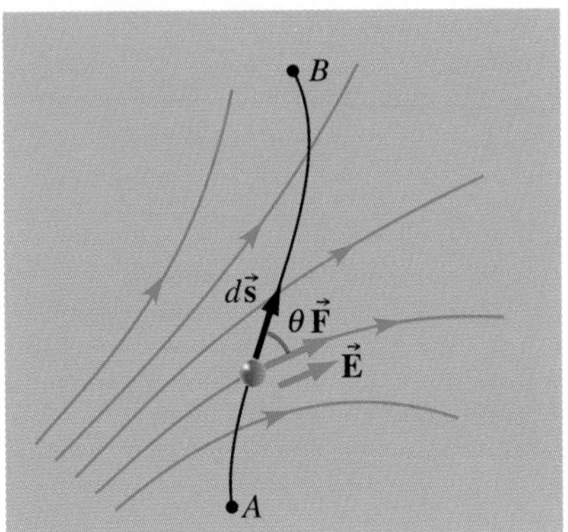


***Figure 4.3***

La variation de potentiel lorsqu'on se déplace d'un point $A$ à un point $B$ dans un champ électrostatique est $V_B - V_A = -\int_A^B \vec{\mathbf{E}} \cdot d\vec{\mathbf{s}}$ et ne dépend pas du trajet suivi.

### Relation générale entre le potentiel et le champ électrique

Pour l'instant, nous avons étudié le potentiel électrique dans le cas particulier d'un champ électrique constant et d'un déplacement le long des lignes de champ (figures 4.1 et 4.2). La situation générale est illustrée à la figure 4.3 : on suppose que $q > 0$ pour les fins de la démonstration. On veut déterminer, pour un champ $\vec{\mathbf{E}}$ quelconque, la différence de potentiel $\Delta V$ entre le point $A$ et le point $B$ en utilisant un parcours quelconque reliant $A$ à $B$. Le long d'un déplacement infinitésimal $d\vec{\mathbf{s}}$, le travail infinitésimal effectué par la force électrique conservative sur une charge d'essai positive est

$$dW_c = Fds \cos \theta = qEds \cos \theta = q\vec{\mathbf{E}} \cdot d\vec{\mathbf{s}}$$

Nous avons vu au chapitre 8 du tome 1 que l'énergie potentielle en fonction du travail accompli par une force conservative s'écrit $\Delta U = -W_c$. Le signe négatif indique qu'un travail positif de la force conservative correspond à une diminution d'énergie potentielle. Par conséquent, la variation d'énergie potentielle le long du déplacement infinitésimal $d\vec{\mathbf{s}}$ est

$$dU = -q\vec{\mathbf{E}} \cdot d\vec{\mathbf{s}}$$

Le potentiel électrique étant égal à l'énergie potentielle électrique par unité de charge,

$$dV = \frac{dU}{q} = -\vec{\mathbf{E}} \cdot d\vec{\mathbf{s}} \qquad (4.5a)$$

La différence de potentiel entre le point $A$ et le point $B$ est égale à la somme (l'intégrale) de ces variations infinitésimales, c'est-à-dire :

$$V_B - V_A = -\int_A^B \vec{\mathbf{E}} \cdot d\vec{\mathbf{s}} \qquad (4.5b)$$

Comme le champ électrique est conservatif dans une situation électrostatique, la valeur de cette intégrale de ligne dépend uniquement des points de départ et d'arrivée $A$ et $B$, et non du trajet suivi. Le signe de la différence de potentiel est déterminé (1) par les signes des composantes de $\vec{\mathbf{E}}$, et (2) par le sens du chemin emprunté, qui est indiqué par les bornes d'intégration.

## 4.2 Le potentiel et l'énergie potentielle dans un champ électrique uniforme

On peut utiliser l'équation 4.5*b* pour retrouver le résultat de l'équation 4.3, établi par analogie avec le potentiel gravitationnel. Dans la situation de la figure 4.2*b*, l'angle entre le déplacement $d\vec{\mathbf{s}}$ (vers le haut) et le champ $\vec{\mathbf{E}}$ (vers le bas) est de 180°. Si on pose $V_A = 0$ pour le point $A$, l'équation 4.5*b* donne

$$V_B = -\int_A^B Eds \cos 180° = E\int_A^B ds = Ey$$

où $y$ correspond à la distance entre le point initial $A$ et le point final $B$.

En général, dans un champ uniforme, l'intégrale de l'équation 4.5 peut s'écrire $\int \vec{\mathbf{E}} \cdot d\vec{\mathbf{s}} = \vec{\mathbf{E}} \cdot \int d\vec{\mathbf{s}} = \vec{\mathbf{E}} \cdot \Delta\vec{\mathbf{s}}$. La différence de potentiel $\Delta V$ associée à un déplacement fini $\Delta\vec{\mathbf{s}}$ s'écrit donc

($\vec{\mathbf{E}}$ uniforme)
$$\Delta V = -\vec{\mathbf{E}} \cdot \Delta\vec{\mathbf{s}} \qquad (4.6a)$$

On remarque que $\Delta\vec{s}$ et $\Delta V$ dépendent uniquement des positions initiale et finale, et non du trajet suivi.

La figure 4.4 représente un champ uniforme $\vec{E} = E\vec{i}$. Essayons de déterminer la différence de potentiel entre le point $A$ et le point $B$. Ici, $d$ correspond à la composante du déplacement dans la direction du champ. Puisque le champ électrique a seulement une composante en $x$, l'équation 4.6$a$ se réduit à $\Delta V = -E_x \Delta x$. En remplaçant $E_x$ par $E$ et $\Delta x$ par $+x$, on obtient

$$V(x) - V(0) = -Ex \qquad (4.6b)$$

Le potentiel décroît linéairement sur l'axe des $x$, comme le montre le graphique de la figure 4.4. Soulignons que les lignes de champ sont orientées des potentiels les plus élevés vers les potentiels les moins élevés. Supposons maintenant que le trajet réel de la figure 4.4 soit remplacé par les deux étapes $AC$ et $CB$. $\vec{E}$ étant perpendiculaire au déplacement le long de $CB$, le travail effectué sur une charge d'essai le long de ce segment est nul. Le seul travail est celui accompli le long du segment $AC$ parallèle aux lignes de champ. Comme la composante du déplacement parallèle ou antiparallèle aux lignes de champ est la seule qui importe, l'équation 4.6$a$ s'écrit souvent sous la forme

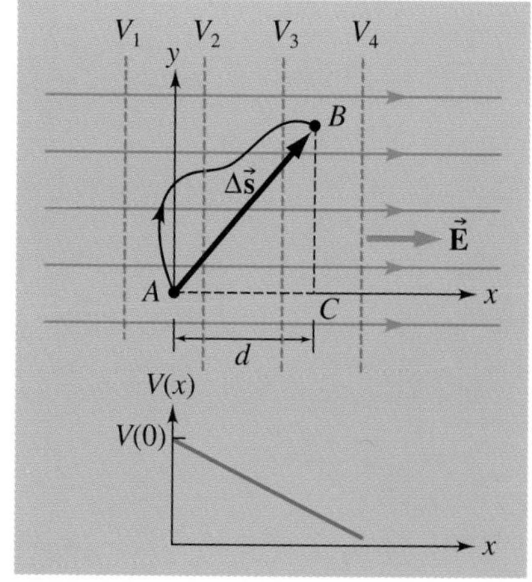


*Figure 4.4*

Dans un champ uniforme, la variation de potentiel lorsqu'on se déplace du point $A$ au point $B$ est égale à $\Delta V = -\vec{E}\cdot\Delta\vec{s}$. Dans un champ uniforme, le potentiel décroît linéairement avec la distance le long des lignes de champ.

(*E* uniforme) $$\Delta V = \pm Ed \qquad (4.6c)$$

où $d$ est la grandeur de la composante du déplacement parallèle ou antiparallèle au champ. Le signe est positif lorsque le sens du déplacement est *opposé* au champ. D'après l'équation 4.6$c$, on constate que le champ électrique peut aussi bien s'exprimer en V/m qu'en N/C :

$$1 \text{ V/m} = 1 \text{ N/C}$$

## Les équipotentielles

Sur une carte topographique (figure 4.5), on trace les courbes de niveau en joignant les points de même altitude. En général, elles représentent des niveaux d'altitude équidistants, un intervalle de 100 m par exemple. Les courbes sont rapprochées lorsque la pente est raide et elles sont plus éloignées lorsque la pente est douce. Une **équipotentielle** est une surface qui joint les points de même potentiel. Sur un tracé dans le plan, les surfaces apparaissent comme des courbes équipotentielles. Les courbes de niveau représentent en fait les équipotentielles gravitationnelles ; de la même façon, on peut tracer des équipotentielles électriques.

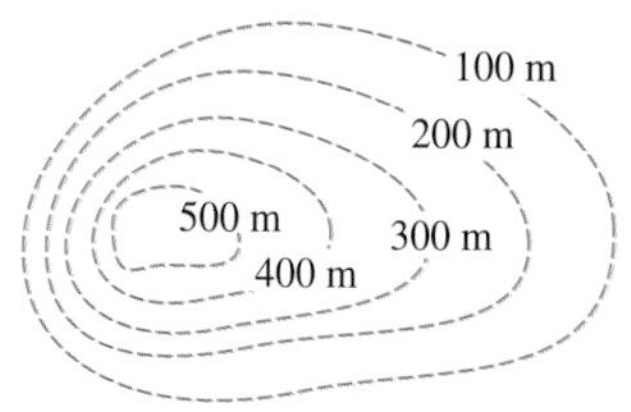


*Figure 4.5*

Sur une carte topographique, les courbes de niveau joignent les points de même altitude.

Dans le champ uniforme de la figure 4.4, à chaque valeur de $x$ correspond une valeur particulière de $V$. Les surfaces équipotentielles sont donc des plans, même si elles sont représentées par des droites en pointillés sur la figure 4.4. On remarque que les *lignes de champ électrique sont perpendiculaires aux équipotentielles et sont orientées des potentiels élevés vers les potentiels plus faibles*, c'est-à-dire dans le sens des potentiels décroissants. Le fait que les lignes de champ soient perpendiculaires aux équipotentielles est un résultat général. D'après l'équation 4.5$a$, la variation de potentiel associée à un déplacement infinitésimal $d\vec{s}$ est $dV = -\vec{E}\cdot d\vec{s}$. Si le déplacement est parallèle à une équipotentielle, alors $dV = 0$ et $\vec{E}\cdot d\vec{s} = 0$, d'où l'on conclut que $\vec{E}$ est perpendiculaire à $d\vec{s}$. Le déplacement d'une particule le long d'une équipotentielle ne demande aucun travail.

## Les charges en mouvement

En l'absence de forces non conservatives, le mouvement d'une charge dans un champ électrique peut être étudié en fonction de la conservation de l'énergie mécanique, $\Delta K + \Delta U = 0$. Lorsqu'on parle de « l'énergie potentielle d'une charge », il est sous-entendu que les autres charges sont fixes. Puisque $\Delta U = q\Delta V$, la conservation de l'énergie mécanique permet d'établir la variation de l'énergie cinétique, en fonction du potentiel,

$$\text{(pas de forces non conservatives)} \quad \Delta K = -q\,\Delta V \tag{4.7}$$

Le signe de $\Delta K$ dépend du signe de $q$ et du signe de $\Delta V$. Par exemple, si $q > 0$ et si la charge se déplace vers les potentiels décroissants ($\Delta V < 0$), elle va gagner de l'énergie cinétique. Pour mesurer l'énergie des particules élémentaires, comme les électrons et les protons, on utilise souvent une unité appelée l'**électronvolt** (eV), qui n'est pas une unité SI. Lorsqu'une particule portant une charge élémentaire $e$ traverse une différence de potentiel d'un volt, son énergie cinétique varie d'un électronvolt. D'après l'équation 4.7,

$$\Delta K = e\,\Delta V = (1{,}602 \times 10^{-19}\ \text{C})(1\ \text{V})$$

Donc,

$$1\ \text{eV} = 1{,}602 \times 10^{-19}\ \text{J} \tag{4.8}$$

Exprimées dans cette unité, les énergies de liaison chimique sont de l'ordre de quelques électronvolts. Dans un tube à rayons cathodiques, les électrons du faisceau gagnent une énergie cinétique de $10^4$ eV environ.

### Exemple 4.1

La figure 4.6 représente deux points $A$ et $B$ dans un champ électrique uniforme. Une charge $q$ se déplace de $A$ vers $B$. (a) Va-t-elle dans le sens des potentiels croissants ou décroissants ? (b) Son énergie potentielle augmente-t-elle ou diminue-t-elle ? Considérer le cas où $q$ est positif et celui où $q$ est négatif. (c) Son énergie cinétique augmente-t-elle ou diminue-t-elle ?

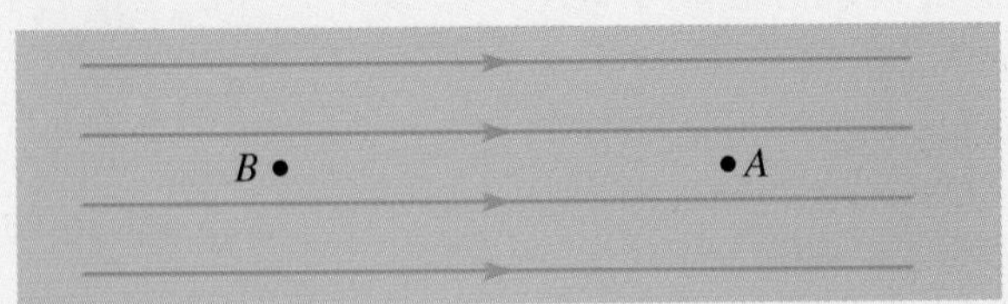


*Figure 4.6*

Lorsqu'une charge se déplace de $A$ à $B$, que deviennent son énergie potentielle et le potentiel ?

**Solution :**

(a) Puisque le potentiel augmente dans la direction opposée aux lignes de champ, $\Delta V > 0$. (b) Puisque $\Delta U = q\Delta V$, l'énergie potentielle d'une charge positive va augmenter. L'énergie potentielle d'une charge négative va diminuer. (c) Comme $\Delta K = -q\Delta V = -\Delta U$, l'énergie cinétique d'une charge positive va diminuer, l'énergie cinétique d'une charge négative va augmenter.

### Exemple 4.2

Un proton, de masse $1{,}67 \times 10^{-27}$ kg, pénètre dans la région comprise entre deux plaques parallèles distantes de 20 cm l'une de l'autre. Il existe un champ électrique uniforme de $3 \times 10^5$ V/m entre les plaques (figure 4.7). Si le proton a une vitesse initiale de $5 \times 10^6$ m/s, quelle est sa vitesse finale ?

**Solution :**

D'après l'équation 4.7, la variation d'énergie cinétique est égale à

$$\tfrac{1}{2}mv_{\text{f}}^2 - \tfrac{1}{2}mv_{\text{i}}^2 = -q\,\Delta V \tag{i}$$

Comme le déplacement est parallèle et *de même sens* que les lignes de champ, la variation de potentiel est négative. D'après l'équation 4.6*c*,

$$\Delta V = -Ed = -6 \times 10^4\ \text{V}$$

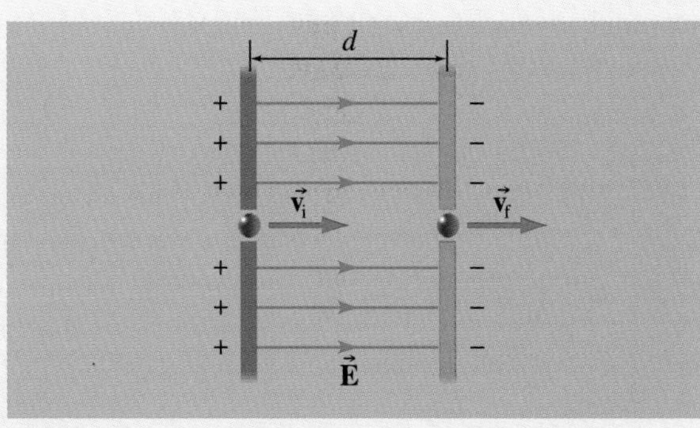


***Figure 4.7***

Lorsqu'un proton se déplace le long des lignes de champ, son énergie potentielle diminue et son énergie cinétique augmente.

De l'équation (i), on tire

$$
\begin{aligned}
v_f^2 &= v_i^2 - \frac{2q\,\Delta V}{m} \\
&= (5 \times 10^6 \text{ m/s})^2 - \frac{2(1{,}6 \times 10^{-19}\text{ C})(-6 \times 10^4\text{ V})}{1{,}67 \times 10^{-27}\text{ kg}} \\
&= 36{,}5 \times 10^{12}\text{ m}^2/\text{s}^2
\end{aligned}
$$

Donc, $v_f = 6 \times 10^6$ m/s.

## 4.3 Le potentiel et l'énergie potentielle de charges ponctuelles

Nous allons examiner maintenant comment le potentiel varie au voisinage d'une charge ponctuelle $Q$. À une distance $r$ de la charge, la grandeur du champ électrique est $E = kQ/r^2$, et sa direction est radiale (figure 4.8). Considérons un déplacement quelconque entre les points $A$ et $B$ au voisinage de la charge. Dans l'intégrale de l'équation 4.5*b*, seule la composante radiale du déplacement $d\vec{s}$* contribue à $\vec{E}\cdot d\vec{s}$ :

$$\vec{E}\cdot d\vec{s} = Eds\cos\theta = E_r dr$$

L'équation 4.5*b* donne

$$
\begin{aligned}
V_B - V_A &= -\int_A^B E_r dr = \left[-\frac{kQ}{r}\right]\Bigg|_A^B \\
&= kQ\left(\frac{1}{r_B} - \frac{1}{r_A}\right)
\end{aligned}
$$

Si l'on choisit $V = 0$ lorsque $r = \infty$, et en posant $r_A = \infty$ et $r_B = r$, le potentiel à la distance $r$ de la charge $Q$ devient

$$V = \frac{kQ}{r} \tag{4.9}$$

Cette fonction potentiel, qui dépend uniquement de la charge source $Q$, est représentée à la figure 4.9. Puisqu'à chaque valeur de $r$ correspond une seule et unique valeur de $V$, les équipotentielles sont des surfaces sphériques centrées sur la charge. Elles sont dessinées en cercles pointillés sur la figure 4.9. Près de la charge, le potentiel varie rapidement selon la distance, de sorte que les

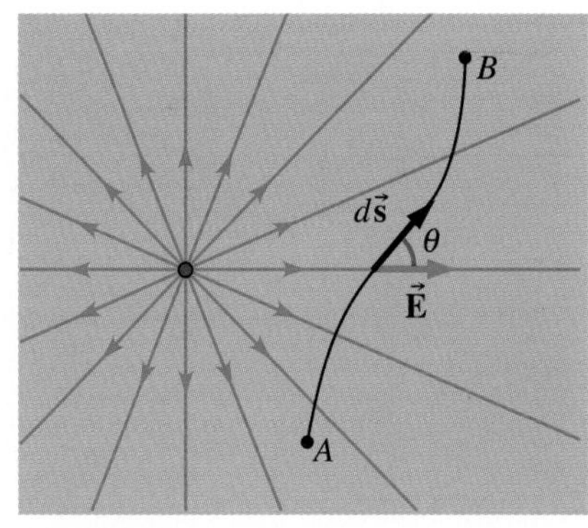


***Figure 4.8***

La variation de potentiel du point $A$ au point $B$ est $V_B - V_A = -\int_A^B \vec{E}\cdot d\vec{s}$.

* Il est important de noter que lorsque l'angle entre $ds$ et $E$ excède 90°, le terme cos $\theta$ introduit un signe négatif. Cela se produit lorsqu'on se déplace à l'encontre des lignes du champ.

équipotentielles sont très rapprochées. Les lignes de champ (en lignes continues) sont normales aux équipotentielles et vont des potentiels élevés vers les potentiels plus faibles. Le champ est d'autant plus intense que les équipotentielles sont plus rapprochées.

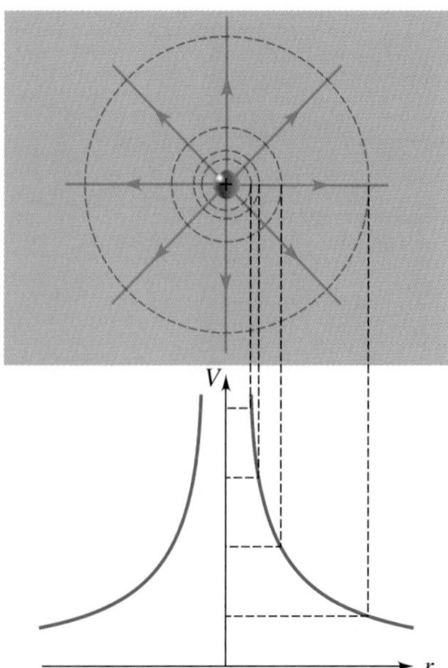


**Figure 4.9**

La fonction potentiel $V = kQ/r$ pour une charge ponctuelle. Les cercles en pointillés représentent les surfaces équipotentielles (qui sont des sphères centrées sur la charge).

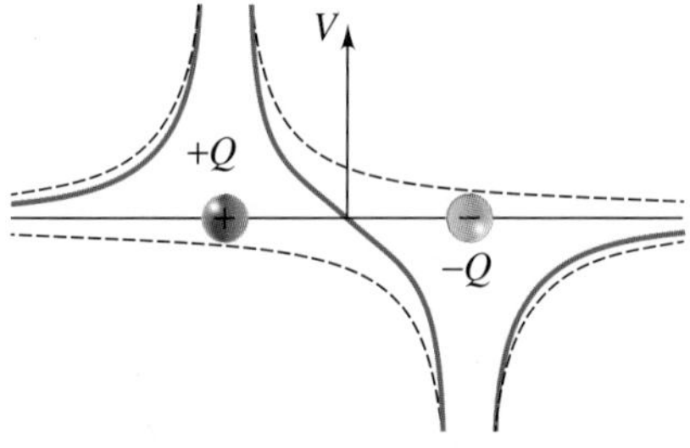


**Figure 4.10**

Les courbes en pointillés sont les potentiels produits par deux charges de même grandeur et de signes opposés. Les courbes continues correspondent au potentiel total.

## Le potentiel d'un système de charges ponctuelles

Nous avons vu au chapitre 2 que le champ électrique obéit au principe de superposition. Comme la fonction potentiel découle du champ électrique (équation 4.5*b*), elle obéit au même principe. Dans le cas de plusieurs charges ponctuelles, le potentiel total en un point quelconque est égal à la somme *algébrique* des potentiels créés par chacune des charges :

$$V = \sum \frac{kQ_i}{r_i} \qquad (4.10)$$

Le potentiel étant un scalaire, nous ne devons tenir compte dans cette somme que des signes des charges.

La figure 4.10 représente le potentiel total dû à deux charges ponctuelles de même grandeur et de signes opposés. Les courbes en pointillés correspondent aux fonctions potentiel de chacune des charges, alors que la courbe continue correspond à la fonction du potentiel total auquel serait soumise une charge externe si on la plaçait dans cette région. La figure 4.11 représente la configuration dans le plan des équipotentielles et des lignes de champ pour deux charges de même grandeur et de signes opposés. Une fois les équipotentielles déterminées, il est facile d'obtenir les lignes de champ en traçant les perpendiculaires aux équipotentielles. Notons qu'au milieu de la figure 4.10 $V = 0$ (dites pourquoi), mais $E \neq 0$.

La figure 4.12 représente la configuration dans le plan des équipotentielles et des lignes de champ pour deux charges égales et positives. La figure 4.13 représente le potentiel total dû à deux charges égales et positives. Notons qu'au milieu de la figure 4.13 $E = 0$, mais $V \neq 0$.

**Figure 4.11**

Vue en coupe (dans un plan) des équipotentielles (courbes en pointillés) et des lignes de champ (courbes continues) pour deux charges de même grandeur et de signes opposés.

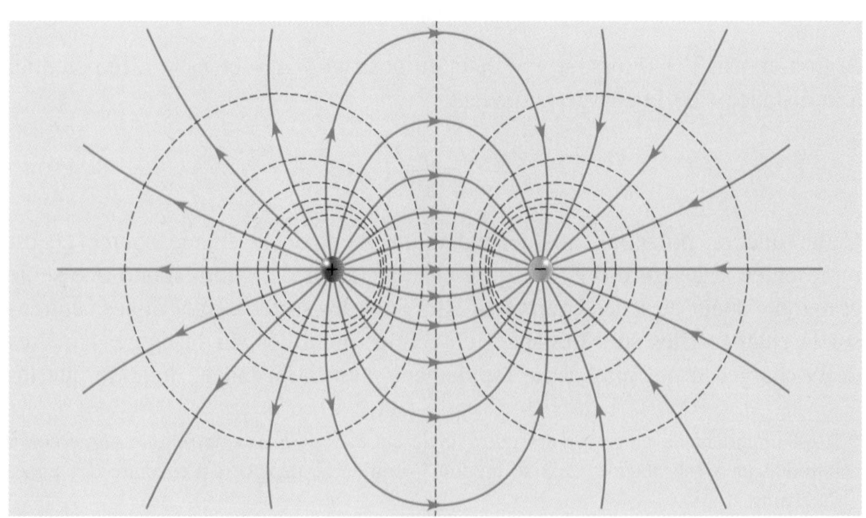

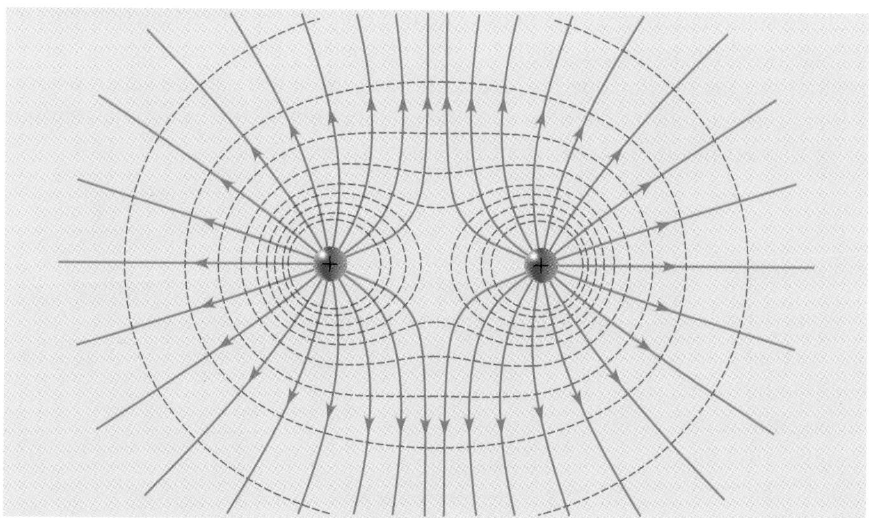

**Figure 4.12**

Vue en coupe (dans un plan) des équipotentielles (courbes en pointillés) et des lignes de champ (courbes continues) pour deux charges égales et positives.

## L'énergie potentielle de charges ponctuelles

Considérons une charge ponctuelle $q$ située en un point où le potentiel est $V$. L'énergie potentielle correspondant à l'interaction de cette charge unique avec les charges créant le potentiel $V$ est

$$U = qV \qquad (4.11)$$

Si la source de potentiel est une charge ponctuelle $Q$, le potentiel à la distance $r$ de $Q$ est $V = kQ/r$. Par conséquent, l'énergie potentielle du système des deux charges $q$ et $Q$ distantes de $r$ est

$$U = \frac{kqQ}{r} \qquad (4.12a)$$

L'hypothèse $U = 0$ pour $r = \infty$, implicite dans l'équation 4.12$a$, permet l'interprétation suivante :

L'énergie potentielle du système formé par deux charges est le travail extérieur qu'il faut fournir pour amener les charges de l'infini jusqu'à la distance $r$ sans variation d'énergie cinétique.

Lorsque les deux charges sont de même signe, leur énergie potentielle est positive et il faut fournir un travail positif pour réduire la distance qui les sépare et vaincre leur répulsion mutuelle. Lorsque les charges sont de signes opposés, le travail extérieur est négatif. Dans ce cas, la force extérieure doit empêcher les particules de prendre de la vitesse, ce qui signifie qu'elle est de sens opposé au déplacement. Lorsque l'énergie potentielle est négative, il faut fournir un travail extérieur pour séparer les charges.

Pour calculer l'énergie potentielle totale d'un système de plusieurs charges, il vaut mieux écrire l'équation 4.12$a$ sous la forme

$$U = \sum_{i<j} U_{ij} = \sum_{i<j} \frac{kq_i q_j}{r_{ij}} \qquad (4.12b)$$

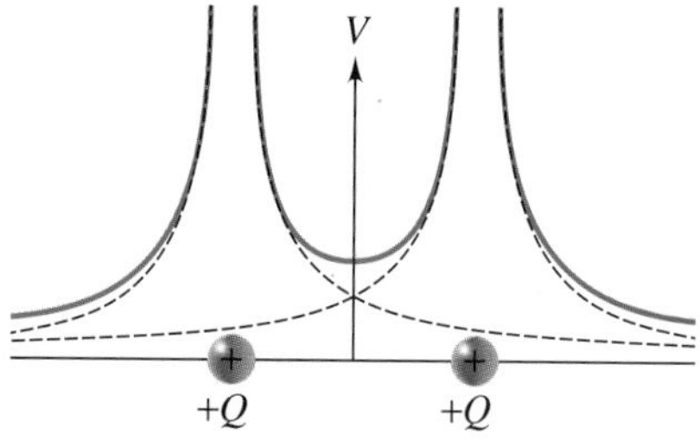


**Figure 4.13**

Les deux courbes en traits pointillés représentent les potentiels produits par deux charges égales et positives.
Les courbes continues correspondent au potentiel total.

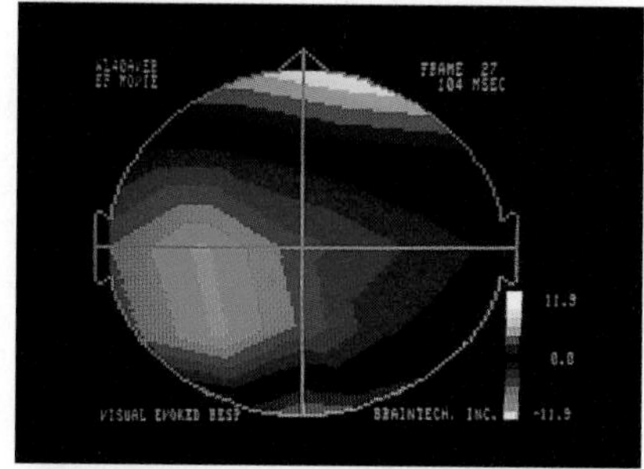

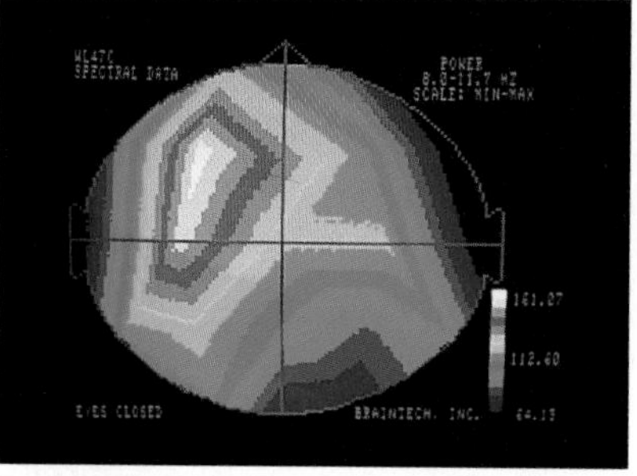

Les équipotentielles du cerveau représentées par des couleurs différentes. Il s'agit de potentiels « provoqués » mesurés 0,1 s environ après un stimulus (flash ou déclic). L'image du haut révèle la présence d'une tumeur ; celle du bas appartient à un patient atteint d'épilepsie.

Utilisée sous cette forme, elle nous évite de compter deux fois les contributions des charges. On remarque que $U_{ij} = U_{ji}$ et que les termes pour lesquels $i = j$ *ne* sont *pas* inclus. Puisque les potentiels vérifient le principe de superposition, l'énergie potentielle totale d'un système est simplement une somme algébrique et ne dépend pas de la façon dont les charges sont réunies.

## Exemple 4.3

Les trois charges ponctuelles $q_1 = 1\ \mu C$, $q_2 = -2\ \mu C$ et $q_3 = 3\ \mu C$ sont situées aux points indiqués à la figure 4.14. (a) Quel est le potentiel total au point $P$ situé à un sommet du rectangle ? (b) Quel travail faut-il fournir pour amener une charge $q_4 = 2{,}5\ \mu C$ de l'infini jusqu'au point $P$ ? (c) Quelle est l'énergie potentielle totale de l'ensemble formé par les charges $q_1$, $q_2$ et $q_3$ ?

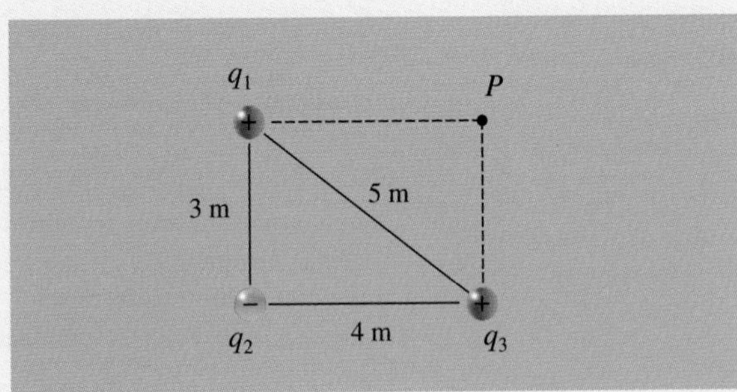


*Figure 4.14*

L'énergie potentielle de ce système de charges est négative.

**Solution :**

(a) Le potentiel total au point $P$ est la somme scalaire

$$V_P = V_1 + V_2 + V_3 = \frac{kq_1}{r_1} + \frac{kq_2}{r_2} + \frac{kq_3}{r_3}$$

Les valeurs données nous permettent de calculer $V_1$ :

$$V_1 = \frac{(9{,}0 \times 10^9\ \text{N·m}^2/\text{C}^2)(10^{-6}\ \text{C})}{4\ \text{m}} = 2{,}25 \times 10^3\ \text{V}$$

De même, $V_2 = -3{,}6 \times 10^3$ V et $V_3 = 9 \times 10^3$ V. Le potentiel total est donc égal à $V_P = 7{,}65 \times 10^3$ V.

(b) Le travail extérieur est $W_{EXT} = q(V_f - V_i)$. Dans le cas présent, $V_i = 0$, donc

$$W_{EXT} = q_4 V_P = (2{,}5 \times 10^{-6}\ \text{C})(7{,}65 \times 10^3\ \text{V})$$
$$= 0{,}0195\ \text{J}$$

(c) L'énergie potentielle totale des trois charges est égale à la somme (scalaire) :

$$U = U_{12} + U_{13} + U_{23}$$
$$= \frac{kq_1q_2}{r_{12}} + \frac{kq_1q_3}{r_{13}} + \frac{kq_2q_3}{r_{23}}$$

On trouve par exemple

$$U_{12} = \frac{(9{,}0 \times 10^9\ \text{N·m}^2/\text{C}^2)(10^{-6}\ \text{C})(-2 \times 10^{-6}\ \text{C})}{3\ \text{m}}$$
$$= -6 \times 10^{-3}\ \text{J}$$

De même, $U_{13} = +5{,}4 \times 10^{-3}$ J et $U_{23} = -13{,}5 \times 10^{-3}$ J. L'énergie potentielle totale est donc $U = -1{,}41 \times 10^{-2}$ J. Le signe négatif de l'énergie potentielle signifie qu'un travail extérieur est nécessaire pour *séparer* les particules et les amener à l'infini. Dans ces situations, on dit qu'on est en présence d'un *système lié*. Dans le cas contraire ($U > 0$), les particules laissées libres chercheraient à atteindre $U = 0$ en s'éloignant jusqu'à l'infini.

## Exemple 4.4

Soit une charge ponctuelle $q_1 = -2\ \mu C$ en (−2 m, 0) et une charge $q_2 = 3\ \mu C$ en (4 m, 3 m). On donne le point $A$ de coordonnées (0, 0) et le point $B$ de coordonnées (4 m, 0). (a) Déterminer le potentiel total aux points $A$ et $B$. (b) Quel travail doit-on fournir pour déplacer une charge ponctuelle $q_3 = 5\ \mu C$ de $A$ à $B$ à vitesse constante ?

**Solution :**

(a) Le potentiel total en un point quelconque est $V = kq_1/r_1 + kq_2/r_2$.

$$V_A = \frac{kq_1}{2\ \text{m}} + \frac{kq_2}{5\ \text{m}} = -3{,}6 \times 10^3\ \text{V}$$

$$V_B = \frac{kq_1}{6\ \text{m}} + \frac{kq_2}{3\ \text{m}} = +6{,}0 \times 10^3\ \text{V}$$

(b) Le travail nécessaire pour déplacer $q_3$ de $A$ à $B$ est

$$W_{EXT} = q_3(V_B - V_A) = (5 \times 10^{-6}\ \text{C})(9{,}6 \times 10^3\ \text{V})$$
$$= 48\ \text{mJ}$$

### Exemple 4.5

En 1913, Niels Bohr proposa un modèle de l'atome d'hydrogène dans lequel l'électron est en orbite sur une trajectoire circulaire autour d'un proton immobile. Trouver l'énergie mécanique de l'électron sachant que le rayon de l'orbite est égal à $0{,}53 \times 10^{-10}$ m.

**Solution :**

La situation de l'électron est analogue à celle d'un satellite en orbite autour de la Terre. L'énergie mécanique est la somme de l'énergie cinétique et de l'énergie potentielle, $E = K + U$. D'après l'équation 4.12*a*, l'énergie potentielle est

$$U = -\frac{ke^2}{r} \qquad \text{(i)}$$

Pour trouver l'énergie cinétique, nous devons calculer la vitesse orbitale $v$. La force centripète est donnée par l'attraction coulombienne entre le proton et l'électron. D'après la deuxième loi de Newton, cette force est liée à l'accélération centripète :

$$\frac{ke^2}{r^2} = \frac{mv^2}{r}$$

L'énergie cinétique de l'électron est donc

$$K = \tfrac{1}{2}mv^2 = \frac{ke^2}{2r} \qquad \text{(ii)}$$

Par conséquent, l'énergie mécanique est

$$K + U = -\frac{ke^2}{2r}$$

$$= \frac{-(9{,}0 \times 10^9\ \mathrm{N{\cdot}m^2/C^2})(1{,}60 \times 10^{-19}\ \mathrm{C})^2}{(1{,}06 \times 10^{-10}\ \mathrm{m})}$$

$$= -2{,}17 \times 10^{-18}\ \mathrm{J} = -13{,}6\ \mathrm{eV} \qquad \text{(iii)}$$

Au chapitre 8 du tome 1, nous avons vu que l'énergie mécanique est négative lorsque la particule en orbite est liée. La valeur 13,6 eV coïncide bien avec la valeur expérimentale de l'énergie d'ionisation de l'atome d'hydrogène (énergie minimale requise pour arracher l'électron à son orbite la plus basse). Le modèle de Bohr est étudié au chapitre 9 du tome 3.

## 4.4 Le potentiel d'une distribution de charge continue

Le potentiel créé par un ensemble de charges ponctuelles discrètes est donné par l'équation 4.10. Il existe deux manières de déterminer le potentiel créé par une distribution de charge continue. La première consiste à le calculer directement à partir de la contribution d'une charge élémentaire arbitraire $dq$. Dans l'exemple illustré à la figure 4.15, la contribution d'une charge ponctuelle infinitésimale $dq$ en un point $P$ situé à une distance $r$ est

$$dV = \frac{k\,dq}{r}$$

Le potentiel total en $P$ est l'intégrale calculée sur toute la distribution de charge, soit :

$$V = k\int\frac{dq}{r} \qquad (4.13)$$

Cette équation implique que $V = 0$ à l'infini. En général, l'équation 4.13 ne convient pas lorsque la distribution de charge est infinie parce que la valeur du potentiel à l'infini est indéterminée.

La deuxième façon de calculer le potentiel s'appuie sur l'équation 4.5*b* :

$$V_B - V_A = -\int_A^B \vec{\mathbf{E}}\cdot d\vec{\mathbf{s}} \qquad (4.14)$$

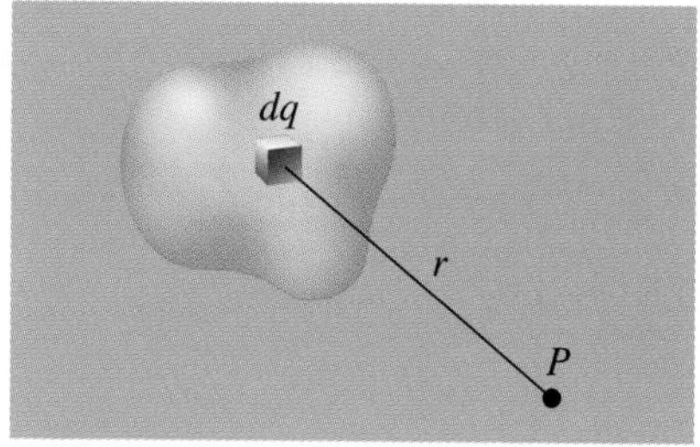


**Figure 4.15**

Une façon de déterminer le potentiel d'une distribution continue de charge consiste à intégrer les contributions d'éléments infinitésimaux de charge $dq$, de sorte que $V = k\int dq/r$.

Si $\vec{\mathbf{E}}$ est connu, à l'aide du théorème de Gauss par exemple, on peut utiliser cette équation pour calculer $\Delta V$. Dans ce cas, on peut choisir de prendre le potentiel égal à zéro en n'importe quel point qui soit commode.

### Exemple 4.6

Un disque non conducteur de rayon $a$ porte une densité surfacique de charge uniforme $\sigma$. Quel est le potentiel en un point de l'axe du disque situé à une distance $y$ de son centre ?

**Solution :**

Étant donné la symétrie du disque, l'élément de charge infinitésimal choisi est un anneau de rayon $x$ et d'épaisseur $dx$ (figure 4.16). Tous les points de cet anneau sont à la même distance $r = (x^2 + y^2)^{1/2}$ du point $P$. La charge sur l'anneau est $dq = \sigma\, dA = \sigma(2\pi x dx)$ et le potentiel dû à l'anneau est donc

$$dV = \frac{k\,dq}{r} = \frac{k\sigma(2\pi x\,dx)}{(x^2 + y^2)^{1/2}}$$

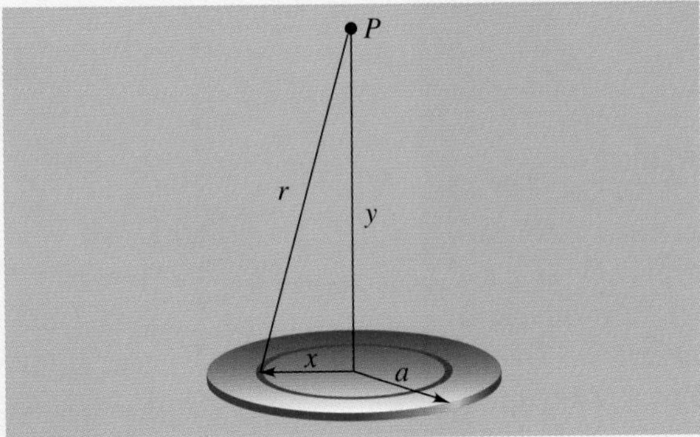


*Figure 4.16*

Pour un disque, l'élément de charge approprié est un anneau mince.

Le potentiel étant une grandeur scalaire, on ne doit pas décomposer selon les axes $x$ et $y$ (comme on le ferait pour une force ou un champ électrique). Notons qu'une seule variable, $x$, figure dans l'expression, la distance $y$ étant fixée. Le potentiel dû au disque tout entier est l'intégrale de l'expression précédente :

$$\begin{aligned} V &= 2\pi k\sigma \int_0^a \frac{x\,dx}{(x^2 + y^2)^{1/2}} \\ &= 2\pi k\sigma[(x^2 + y^2)^{1/2}]\Big|_0^a \\ &= 2\pi k\sigma[(a^2 + y^2)^{1/2} - y] \end{aligned}$$

Examinons le comportement de cette expression en un point éloigné, lorsque $y \gg a$ ou $a/y \ll 1$. Pour développer le premier terme, nous nous servons de l'approximation du binôme, $(1 + z)^n \approx 1 + nz$, valable pour de petites valeurs de $z$ :

$$\begin{aligned} (a^2 + y^2)^{1/2} &= y\left(1 + \frac{a^2}{y^2}\right)^{1/2} \\ &\approx y\left(1 + \frac{a^2}{2y^2}\right) \end{aligned}$$

En remplaçant ce terme dans l'expression donnant $V$, on obtient

$$V = \frac{kQ}{y}$$

où $Q = \sigma\pi a^2$ est la charge totale sur le disque. En un point éloigné, le potentiel dû au disque est le même que celui d'une charge ponctuelle $Q$.

## 4.5 Le potentiel d'un conducteur

La figure 4.17 représente une cavité vide à l'intérieur d'un conducteur en équilibre électrostatique qui peut être chargé ou placé dans un champ électrique uniforme. À l'intérieur du matériau du conducteur, $\vec{\mathbf{E}} = 0$ ; la variation de potentiel, $V_B - V_A = -\int_A^B \vec{\mathbf{E}}\cdot d\vec{\mathbf{s}}$, est donc nulle entre deux points dans le matériau du conducteur, y compris à la surface. Puisque l'intégrale est nulle *quel que soit* le trajet suivi, même à travers la cavité, on en conclut que $\vec{\mathbf{E}}$ est également nul dans la cavité. En général,

> Tous les points à l'intérieur et sur la surface d'un conducteur en équilibre électrostatique sont au même potentiel.

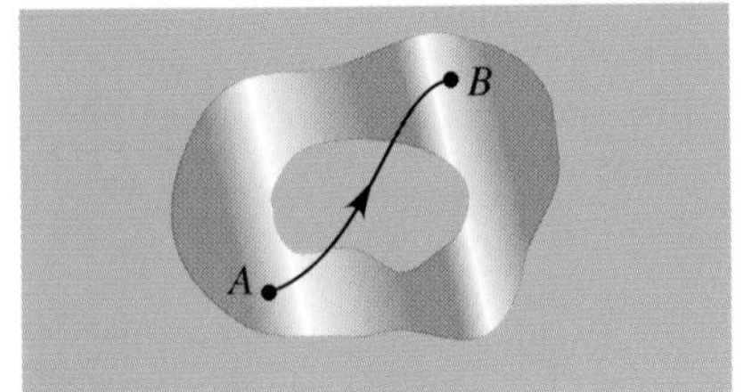


*Figure 4.17*

Le champ est nul à l'intérieur d'une cavité vide dans un conducteur.

Pour un déplacement $d\vec{\mathbf{s}}$ sur la surface du conducteur, on a $dV = \vec{\mathbf{E}} \cdot d\vec{\mathbf{s}} = 0$, ce qui signifie que $\vec{\mathbf{E}}$ est perpendiculaire à $d\vec{\mathbf{s}}$. Comme nous l'avons déjà remarqué à la section 3.3, les lignes de champ sont perpendiculaires à la surface.

## Exemple 4.7

Soit une sphère conductrice de charge $Q$ positive et de rayon $R$. Trouver le potentiel en fonction de la distance $r$ au centre de la sphère. Tracer les graphiques $E(r)$ et $V(r)$.

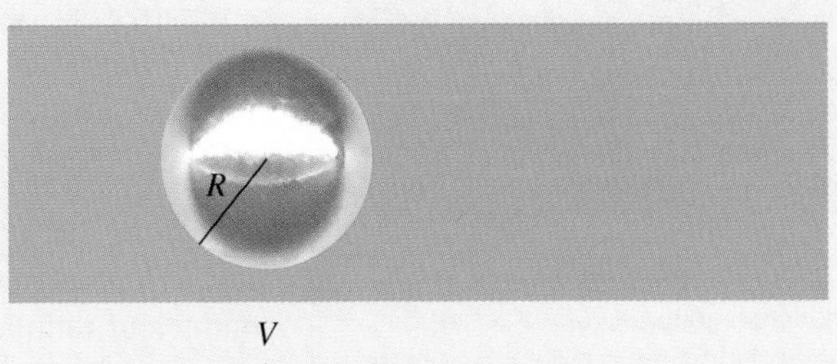


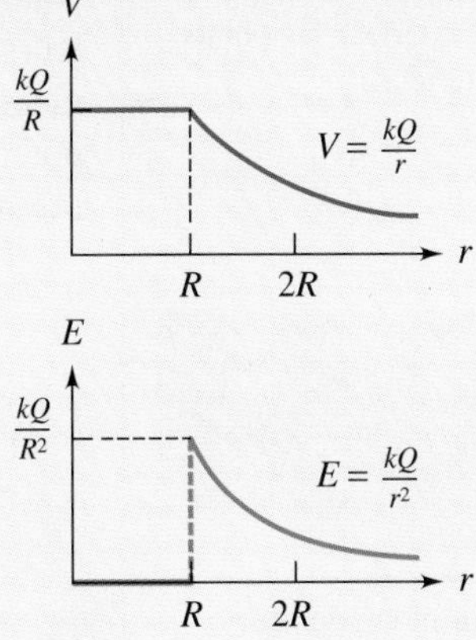


***Figure 4.18***

La variation de potentiel et le champ électrique pour un conducteur sphérique chargé.

**Solution :**

Nous avons vu à l'exemple 2.5*b* que le champ électrique *à l'extérieur* d'une distribution sphérique de charge est le même que le champ créé par une charge ponctuelle placée au centre de la sphère. Ainsi, pour $r > R$, on retrouve la même fonction potentiel que pour une charge ponctuelle :

$$V = \frac{kQ}{r} \qquad (r > R)$$

Ici, la charge est distribuée uniformément sur une mince coquille, la surface du conducteur. Le résultat est valable pour toute distribution de charge de *symétrie sphérique*, puisqu'on peut la considérer comme une série de coquilles concentriques.

À l'intérieur de la sphère conductrice, $E = 0$, et le potentiel est constant. Par conséquent, le potentiel à l'intérieur de la sphère conductrice est égal au potentiel à la surface :

$$V = \frac{kQ}{R} \qquad (r < R)$$

Les graphiques $V(r)$ et $E(r)$ sont représentés à la figure 4.18.

## Exemple 4.8

Une sphère métallique de rayon $R$ porte une charge $Q$. Déterminer son énergie potentielle.

**Solution :**

On peut trouver l'énergie potentielle en calculant le travail nécessaire pour accumuler la charge jusqu'à sa valeur finale. Supposons que la charge sur la sphère soit égale à $q$ à un instant quelconque. D'après ce qu'on a vu à l'exemple précédent, son potentiel est $V = kq/R$. Le travail extérieur nécessaire pour amener depuis l'infini une charge infinitésimale $dq$ et la déposer sur la sphère est égal à $dW_{\text{EXT}} = V\,dq = (kq/R)dq$. Le travail total nécessaire pour donner à la sphère une charge $Q$ est donc

$$W_{\text{EXT}} = \int_0^Q \frac{kq}{R}\,dq = \frac{kQ^2}{2R}$$

Ce travail correspond à l'énergie potentielle de la distribution de charge sur la surface de la sphère conductrice. Elle est de la forme $U = \frac{1}{2}QV$, où $V = kQ/R$ est le potentiel de la sphère. Comparons cette expression avec l'expression 4.11, $U = QV$. Le facteur $\frac{1}{2}$ apparaît ici parce que les deux énergies potentielles n'ont pas la même signification. L'expression $U = QV$ représente l'énergie potentielle associée à une *seule* charge $Q$ en un point où le potentiel dû aux autres charges est égal à $V$. C'est le travail nécessaire pour amener la charge $Q$ de l'infini jusqu'au point en question. L'expression $U = \frac{1}{2}QV$ que nous venons d'obtenir est l'énergie potentielle du *système* de charges dans son ensemble. C'est le travail nécessaire pour rassembler les charges constituant le système.

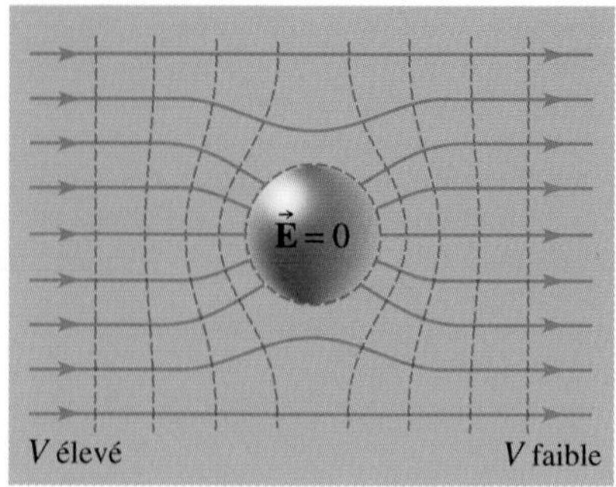


***Figure 4.19***

Le conducteur joue un rôle d'écran, protégeant du champ extérieur les points qui se trouvent à l'intérieur.

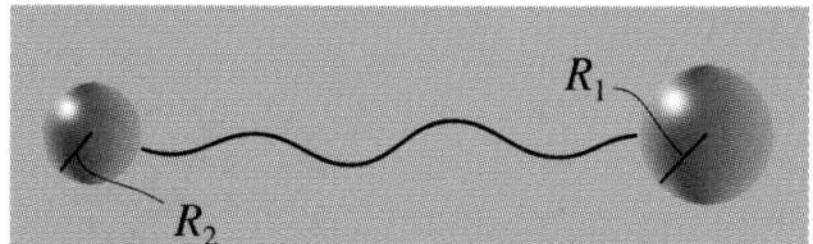


***Figure 4.20***

Lorsqu'on relie par un fil conducteur deux sphères chargées, elles acquièrent le même potentiel.

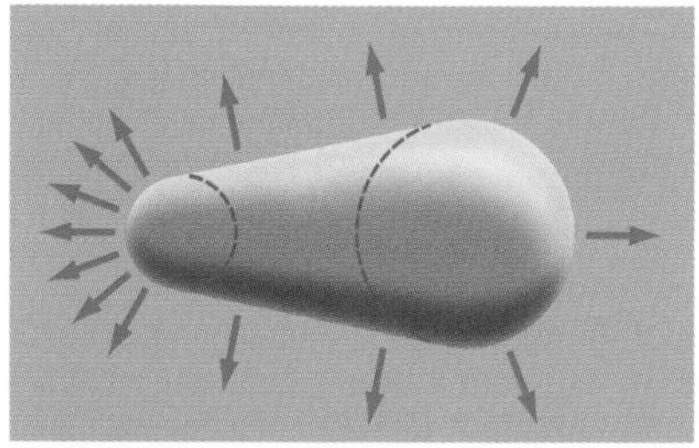

***Figure 4.21***

Sur un conducteur chargé de forme quelconque, la densité superficielle de charge est grande aux endroits où le rayon de courbure est petit.

La figure 4.19 représente un conducteur sphérique non chargé plongé dans un champ uniforme. On peut s'attendre à ce que, en un point éloigné de la sphère, la configuration du champ ne change pas : les lignes de champ sont uniformes et les équipotentielles sont des plans. À la surface de la sphère, l'équipotentielle est une sphère et les lignes de champ sont radiales. Les charges dans la sphère se répartissent de telle sorte que ces conditions soient vérifiées. Le champ est nul à l'intérieur de la cavité parce que le conducteur « protège » les points intérieurs contre les champs extérieurs. Cette propriété est utile lorsqu'on veut isoler de l'équipement ou un câble de transmission des influences externes.

Supposons que deux sphères chargées de rayons $R_1$ et $R_2$ soient reliées par un long fil conducteur (figure 4.20). Puisque les deux sphères forment alors un conducteur unique, la charge va s'écouler d'une sphère à l'autre jusqu'à ce que leurs potentiels soient égaux, c'est-à-dire $V_1 = V_2$. Les sphères étant suffisamment éloignées l'une de l'autre, leurs charges sont réparties uniformément et le potentiel de chaque sphère peut s'écrire $V = kQ/R$ (voir l'exemple 4.7). L'égalité des potentiels donne :

$$\frac{Q_1}{R_1} = \frac{Q_2}{R_2} \tag{4.15}$$

Pour une densité surfacique de charge uniforme $\sigma$, la charge totale est $Q = 4\pi R^2\sigma$ et l'équation précédente devient :

$$\frac{\sigma_1}{\sigma_2} = \frac{R_2}{R_1} \tag{4.16}$$

De l'équation 4.16, on déduit que $\sigma \propto 1/R$ : la densité surfacique de charge sur chaque sphère est inversement proportionnelle au rayon. Cette relation nous permet de faire au moins une remarque d'ordre qualitatif concernant la distribution de charge sur un conducteur de forme irrégulière, comme celui de la figure 4.21 : la densité surfacique de charge est la plus grande dans les régions qui ont le plus petit rayon de courbure*.

Nous avons montré à la section 3.3 que, près de la surface d'un conducteur, l'intensité du champ est $E = \sigma/\varepsilon_0$. De l'équation 4.16, il découle que l'intensité du champ est maximale aux points anguleux d'un conducteur. Si le **champ** électrique atteint $3 \times 10^6$ V/m dans l'air, on le qualifie de **disruptif**, car il provoque une décharge électrique. Cette décharge se produit parce que l'air contient en général des molécules qui ont été ionisées (qui ont perdu des électrons) par les rayons cosmiques ou par la radioactivité naturelle du sol. Sous l'effet du champ électrique, les électrons accélèrent, entrent en collision avec d'autres molécules et créent davantage d'ions. À ce stade, l'air perd ses propriétés isolantes et devient conducteur. Il se produit alors une décharge appelée « effet de couronne » qui s'accompagne d'un halo visible. Le feu Saint-Elme et le halo parfois perceptible autour des lignes électriques sont des exemples de cet effet. Pour éviter les décharges par effet de couronne, les équipements de haute tension ont des surfaces lisses et leurs rayons de courbure sont les plus grands possible.

Mais les points anguleux sont parfois souhaitables. Ainsi, le paratonnerre est conçu pour produire une décharge continue tendant à neutraliser le nuage situé

* On suppose que toutes les parties de la surface sont convexes, c'est-à-dire bombées vers l'extérieur. Consulter R. H. Price et R. J. Crowley, *American Journal of Physics*, vol. 53, 1985, p. 843.

juste au-dessus*. Les tiges métalliques fixées aux ailes des avions ont la même fonction. Dans le microscope à effet de champ, que nous étudierons plus loin, des champs électriques très intenses sont produits par des aiguilles extrêmement pointues.

Le potentiel à la surface d'une sphère chargée est $V = kQ/R$ et l'intensité du champ est $E = kQ/R^2$. Par conséquent, $V = ER$ à la surface. Ainsi, pour une valeur donnée du champ disruptif, $V \propto R$. On peut élever jusqu'à $3 \times 10^5$ V le potentiel d'une sphère de rayon 10 cm avant d'atteindre le potentiel disruptif. Par contre, un grain de poussière de 0,05 mm peut donner lieu à une décharge de 150 V. Dans les silos à grains ou les tours de stockage du ciment, les poussières peuvent facilement se charger par frottement et atteindre ce potentiel. Les décharges électriques qui en résultent ont déjà entraîné de graves explosions au Canada et aux États-Unis.

## 4.6 La détermination du champ à partir du potentiel

Au chapitre 8 du tome 1, nous avons vu que l'on peut déterminer une force conservative au moyen de la dérivée de la fonction d'énergie potentielle correspondante, $F_x = -dU/dx$. De même, lorsqu'on connaît la fonction potentiel (scalaire), on peut déterminer le champ électrique (vecteur). D'après l'équation 4.5*a*, la variation de potentiel associée au déplacement $d\vec{\mathbf{s}}$ est

$$dV = -\vec{\mathbf{E}} \cdot d\vec{\mathbf{s}} = -E\, ds \cos\theta$$

Comme $E_s = E \cos\theta$ est la composante de $\vec{\mathbf{E}}$ parallèle à $d\vec{\mathbf{s}}$, l'équation précédente peut s'écrire sous la forme $dV = -E_s\, ds$, d'où on déduit que

$$E_s = -\frac{dV}{ds} \qquad (4.17)$$

Dans plusieurs des situations que nous avons vues jusqu'ici, le champ électrique était radial. Dans ces conditions, l'équation 4.17 prend la forme

$$E_r = -\frac{dV}{dr}$$

On peut interpréter cette équation en se rappelant que la dérivée d'une fonction correspond à la pente de la tangente du graphique de la fonction. Cela veut dire qu'on peut construire le graphe du champ à partir de celui du potentiel, et vice versa. En tous points, le graphe du champ correspond à moins la pente de la tangente de celui du potentiel.

Dans l'exemple 2.5, on a obtenu l'expression de $E_r$ dans le cas de la combinaison sphère-coquille sphérique représentée à la figure 4.22. La sphère conductrice centrale a un rayon de 50 cm et porte une charge de $-4$ μC. La coquille conductrice de 2,5 m de rayon, dont la cavité a un rayon de 1,5 m, porte une charge nette de $+12$ μC. À l'extérieur et jusqu'à la paroi, le potentiel est celui d'une charge ponctuelle égale à la charge nette de l'ensemble ($Q = 8$ μC) donné par $V = kQ/r$. À l'intérieur de la coquille, le potentiel ne change pas et correspond à $kQ/2{,}5$ m. Entre la sphère centrale et la paroi intérieure de la coquille, on peut montrer que le potentiel est donné par $kQ/2{,}5\text{ m} - kQ'/r + kQ'/1{,}5\text{ m}$, où $Q'$ correspond à 4 μC. Le potentiel décroît et atteint 0,0 pour $r = 0{,}68$ m (vérifiez-le) ; il atteint sa valeur finale à la paroi de la sphère intérieure et est donné par $kQ/2{,}5\text{ m} - kQ'/0{,}5\text{ m} + kQ'/1{,}5\text{ m}$. Le graphe

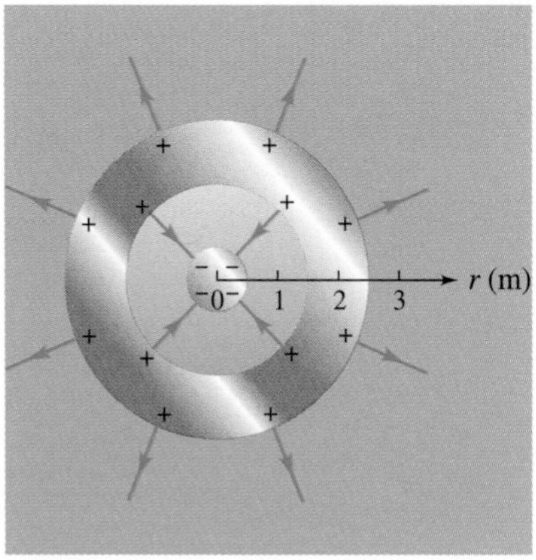

*Figure 4.22*

Distribution des charges et lignes de champ d'une petite sphère conductrice chargée placée à l'intérieur d'une sphère conductrice creuse chargée.

* Voir le sujet connexe « Électrostatique ».

*Figure 4.23*

(*a*) Graphe de $V$ pour l'agencement représenté à la figure 4.22. (*b*) Graphe de $E_r$ pour l'agencement représenté à la figure 4.22.

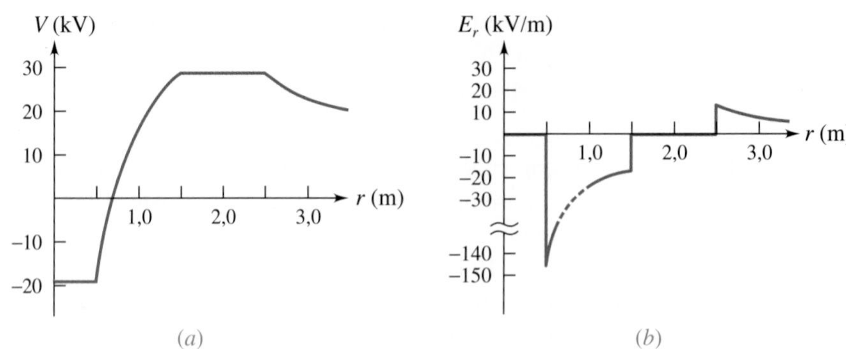


de $V(r)$ correspondant est reproduit à la figure 4.23*a*. On a aussi tracé le graphe de $E_r$ (figure 4.23*b*) ; il correspond en tous points à moins la pente de la tangente de celui de $V$.

La direction de $d\vec{\mathbf{s}}$ étant arbitraire, on peut interpréter l'équation 4.17 de la façon suivante : n'importe quelle composante de $\vec{\mathbf{E}}$ peut être déterminée à partir du taux de variation de $V$ par rapport au déplacement dans la direction choisie. Il y a une direction pour laquelle ce taux de variation est maximal. Le module de $\vec{\mathbf{E}}$ correspond à cette valeur maximale de la dérivée spatiale, c'est-à-dire $E = -(dV/ds)_{\text{max}}$. Comme le montre la figure 4.24, le maximum a lieu dans la direction où les équipotentielles sont le plus rapprochées.

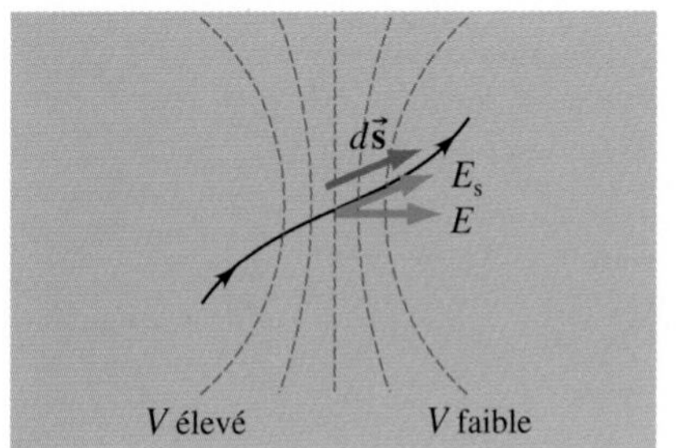


*Figure 4.24*

Le champ électrique est orienté dans le sens des potentiels décroissants. La composante du champ le long d'un déplacement $d\vec{\mathbf{s}}$ est $E_s = -dV/ds$. Le champ est normal aux équipotentielles.

En fonction des composantes rectangulaires, le champ électrique s'écrit $\vec{\mathbf{E}} = E_x\vec{\mathbf{i}} + E_y\vec{\mathbf{j}} + E_z\vec{\mathbf{k}}$ et le déplacement infinitésimal est $d\vec{\mathbf{s}} = dx\vec{\mathbf{i}} + dy\vec{\mathbf{j}} + dz\vec{\mathbf{k}}$. On a donc

$$dV = -\vec{\mathbf{E}}\cdot d\vec{\mathbf{s}} = -(E_x\,dx + E_y\,dy + E_z\,dz)$$

Pour un déplacement dans la direction des $x$, $dy = dz = 0$, ce qui donne $dV = -E_x\,dx$. Par conséquent,

$$E_x = -\left(\frac{dV}{dx}\right)_{y,z\ \text{constantes}}$$

Une dérivée dans laquelle toutes les variables sauf une sont maintenues constantes est appelée dérivée *partielle* et se note $\partial$ au lieu de $d$. Le champ électrique est donc décrit par

$$\vec{\mathbf{E}} = -\frac{\partial V}{\partial x}\vec{\mathbf{i}} - \frac{\partial V}{\partial y}\vec{\mathbf{j}} - \frac{\partial V}{\partial z}\vec{\mathbf{k}} = -\vec{\nabla}V \qquad (4.18)$$

Le membre de droite de l'équation 4.18 est appelé *gradient* de $V$. Comme le montre l'exemple suivant, il n'y a pas de nouvelle règle de dérivation à apprendre.

## Exemple 4.9

Le potentiel créé par une charge ponctuelle est donné par $V = kQ/r$. Trouver : (a) la composante radiale du champ électrique ; (b) la composante en $x$ du champ électrique.

**Solution :**

(a) D'après l'équation 4.17, la composante radiale est donnée par

$$E_r = -\frac{dV}{dr}$$

$$= +\frac{kQ}{r^2}$$

Cette expression concorde avec celle de la loi de Coulomb.

(b) En fonction des composantes cartésiennes, la distance radiale est $r = (x^2 + y^2 + z^2)^{1/2}$ ; la fonction potentiel $V = kQ/r$ s'écrit donc

$$V = \frac{kQ}{(x^2 + y^2 + z^2)^{1/2}}$$

Pour trouver la composante en $x$ du champ électrique, on considère $y$ et $z$ comme des constantes. On a donc

$$\begin{aligned} E_x &= -\frac{\partial V}{\partial x} \\ &= +\frac{kQx}{(x^2 + y^2 + z^2)^{3/2}} \\ &= +\frac{kQx}{r^3} \end{aligned}$$

# Sujet connexe

## L'électrostatique

L'électricité statique peut avoir des effets gênants : elle fait par exemple adhérer les vêtements ; elle occasionne de petites décharges par temps sec ; elle déclenche aussi des phénomènes dangereux, comme la foudre ou des explosions dans les silos de céréales et les citernes de pétrole. Mais l'électrostatique a également des applications utiles. On utilise les charges électrostatiques pour séparer des minéraux, pour vaporiser des peintures ou des produits chimiques, pour séparer les céréales des déchets laissés par les rongeurs, pour enduire le papier de verre ou les papiers peints texturés, ou pour étendre l'apprêt sur les carrosseries d'automobiles (figure 4.25). Nous allons examiner en détail quelques-unes de ces applications.

***Figure 4.25***

Les particules de peinture sont attirées par la carrosserie qui est portée à un potentiel élevé.

### L'accélérateur de Van de Graaff

Nous avons vu à la section 3.3 que la charge nette d'un conducteur se trouve sur sa surface. C'est à partir de cette constatation que Van de Graaff, de l'Institut de technologie du Massachusetts (MIT), inventa en 1932 un accélérateur de particules chargées. Dans ce dispositif, des charges fournies par un peigne métallique porté à un potentiel élevé ($2 \times 10^4$ V) sont projetées par effet de couronne sur une courroie mobile (figure 4.26). La courroie isolante les transporte sur un dôme sphérique posé sur une colonne isolante. Un deuxième peigne recueille les charges de la courroie et les fait passer sur la surface extérieure de la sphère. La charge et le potentiel de la sphère s'élèvent jusqu'à ce que le champ disruptif soit atteint à la surface. Pour augmenter le champ disruptif, on enferme la machine dans une cuve pressurisée (400 lb/po²) contenant du gaz. Pour une courroie de 50 cm de large se déplaçant à la vitesse de 20 m/s environ, le courant de charge est $I$ = 1 mA.

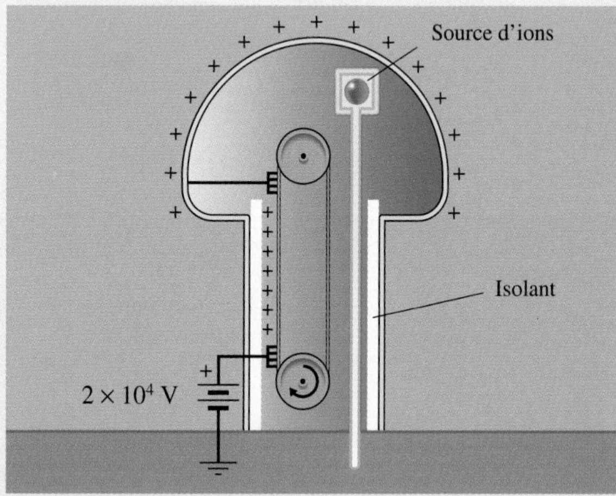


*Figure 4.26*

Un accélérateur de Van de Graaff.

Une source d'ions placée à l'intérieur de la sphère est portée à un potentiel élevé par rapport à la terre. Des particules chargées, comme des protons ou des ions, peuvent donc être accélérées le long d'un tube pour bombarder une cible où les effets qu'elles produisent sont étudiés en physique nucléaire, en physique des solides, ou en fonction d'applications médicales.

## Le précipitateur électrostatique

F. G. Cottrell inventa en 1907 un dispositif simple pour assainir les émissions de panaches de fumée des cimenteries, des hauts fourneaux, des centrales thermiques et d'autres usines chimiques. Dans un précipitateur (figure 4.27), un filament assez court est maintenu à un potentiel élevé (60 kV) par rapport à un conducteur cylindrique extérieur mis à la terre. Les gaz pollués pénètrent dans la partie inférieure et passent dans le champ électrique élevé autour du filament. Il se produit un effet de couronne permanent entre le filament et l'air environnant. Les électrons accélérés par le champ élevé accentuent l'ionisation des particules de gaz polluants et les charges positives ainsi créées sont attirées sur l'enveloppe extérieure où elles se fixent. Cela permet au précipitateur d'éliminer des particules de 10 μm de diamètre environ. La figure 4.28 illustre l'efficacité du procédé. Le cylindre doit être périodiquement secoué ou rincé afin d'éliminer les matériaux recueillis. Dans le modèle industriel, le filament central est négatif. Dans les modèles domestiques, le filament central est positif, car on s'est aperçu que cette polarité réduit la production d'ozone.

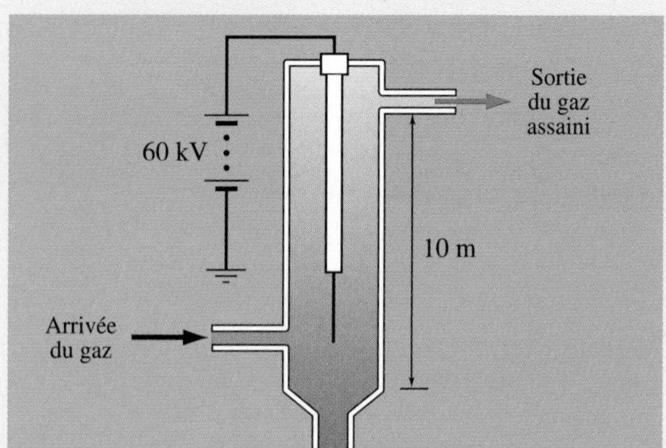


*Figure 4.27*

Dans un précipitateur électrostatique, une grande différence de potentiel est maintenue entre l'enceinte extérieure et un fil court placé au centre. Les particules du polluant deviennent ionisées et sont attirées par l'enceinte où elles s'accumulent.

*Figure 4.28*

Un précipitateur électrostatique permet de réduire la quantité de particules émises par une cheminée d'usine.

## La reproduction d'images

Les photocopieurs que l'on trouve maintenant dans presque tous les bureaux sont peut-être l'application la plus répandue de l'électrostatique. Le procédé électrostatique de reproduction d'images fut inventé en 1935 par C. F. Coulson et, après plusieurs années de mise au point, la première machine fut lancée sur le marché par Xerox en 1948.

Le procédé repose sur l'utilisation d'un matériau appelé *photoconducteur,* qui est isolant dans l'obscurité. Lorsqu'il est exposé à la lumière, il devient conducteur parce que certains de ses électrons acquièrent suffisamment d'énergie pour quitter l'atome auquel ils appartiennent et devenir des électrons libres. Le matériau photoconducteur se présente en général sous la forme d'une couche mince (de 25 μm d'épaisseur) de poudre de sélénium ou de ZnO recouvrant un support conducteur. Les principales étapes du procédé de reproduction sont les suivantes.

1. Un fil mince (0,015 cm) porté à un potentiel élevé (7 kV) se déplace au-dessus de la plaque et applique par effet de couronne une couche uniforme de charge positive sur la couche photoconductrice (figure 4.29*a*).
2. Le photoconducteur est ensuite exposé à la lumière réfléchie par le sujet, par exemple une page dactylographiée. Les régions exposées à la lumière deviennent conductrices, permettant à la charge superficielle de passer jusqu'à la plaque inférieure reliée à la terre (figure 4.29*b*).
3. Le photoconducteur est ensuite recouvert de particules d'encre sèche (figure 4.29*c*). Par exemple, on peut enduire des perles de verre (600 μm de diamètre) d'une couche monomoléculaire de plastique ou de résine carbonée. Les deux matériaux acquièrent des charges opposées lorsqu'on les secoue. On peut aussi vaporiser sur le photoconducteur des particules de carbone chargées (de diamètre 1 μm) ou un aérosol. Les particules chargées négativement adhèrent aux régions chargées positivement.
4. L'image latente doit maintenant être transférée sur papier. Comme les particules d'encre sèche gardent une certaine charge négative, il est nécessaire de vaporiser des charges positives sur le papier (figure 4.29*d*).
5. La chaleur produite par un filament permet de fixer l'image par fusion sur le papier.

Vous l'avez déjà constaté vous-même, la totalité du processus dure environ une seconde.

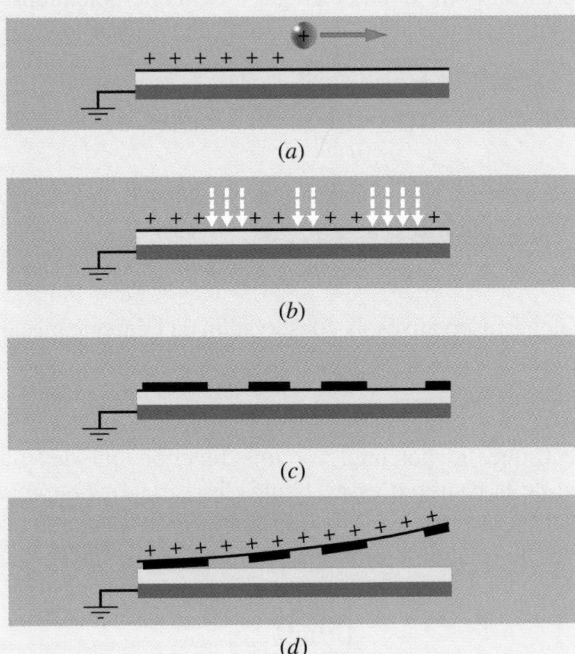


***Figure 4.29***

Les principales étapes de la photocopie électrostatique.

## Le microscope à effet de champ

Le microscope à effet de champ (figure 4.30) fut inventé en 1955 par E. W. Muller, de l'Université de l'État de Pennsylvanie. Cet appareil sert à étudier les défauts dans les semi-conducteurs, les pellicules minces et autres structures superficielles. Dans ce dispositif, un fil très fin a été attaqué à l'acide pour former une pointe d'à peu près 0,05 μm de rayon. La pointe est insérée dans une enceinte en verre dans laquelle on pratique un vide élevé ($10^{-9}$ mm Hg) et on applique une grande différence de potentiel entre la pointe (positive) et l'enceinte (négative). L'intensité du champ à la pointe est environ de 4,5 $\times$ $10^8$ V/m. Seuls certains métaux comme le platine, le

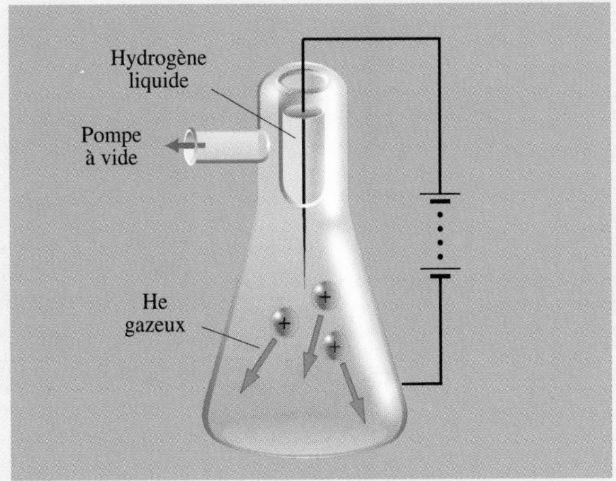


***Figure 4.30***

Le microscope à effet de champ.

tungstène et le chrome peuvent supporter sans se désintégrer des champs aussi élevés. Enfin, on introduit dans l'enceinte un gaz d'atomes inertes, de l'hélium ou du néon. Lorsqu'un atome d'hélium s'approche de la pointe, il devient ionisé et l'ion $He^+$ est accéléré vers un écran fluorescent de l'autre côté de l'enceinte. La configuration de points obtenus sur l'écran (figure 4.31) reproduit la configuration d'atomes à la surface de la pointe. En refroidissant la pointe, par exemple avec de l'hydrogène liquide, on peut réduire les vibrations thermiques des atomes et obtenir une résolution qui permet de distinguer des détails de $2{,}5 \times 10^{-10}$ m.

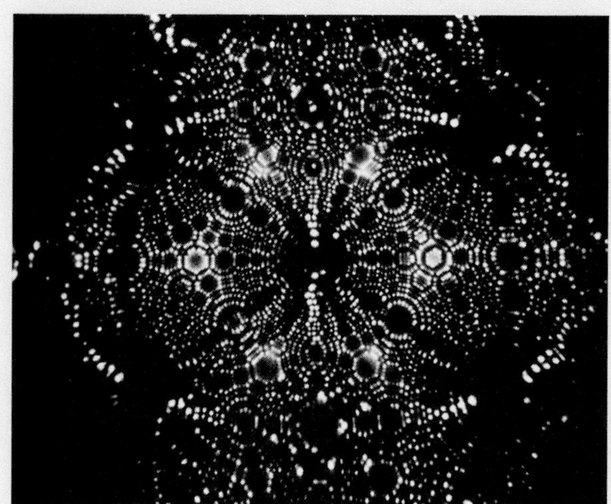

***Figure 4.31***

La pointe d'une aiguille observée au microscope à effet de champ.

## Résumé

Le potentiel électrique en un point donné est égal à l'énergie potentielle électrique que possède un objet chargé placé en ce point divisée par la charge de l'objet :

$$V = \frac{U}{q}$$

Le travail extérieur nécessaire pour déplacer une charge $q$ sans variation de vitesse entre le point $A$ et le point $B$ est

$$W_{\text{EXT}} = q(V_B - V_A) = q\Delta V$$

En l'absence de forces non conservatives, la conservation de l'énergie mécanique implique que

$$\Delta K = -q\Delta V$$

Comme le champ électrique, le potentiel est une fonction qui dépend des charges *sources*, et non de la charge d'essai. Seules les variations de potentiel sont importantes, et l'on peut donc choisir arbitrairement le point où $V = 0$. On peut également écrire la relation entre le potentiel et le champ électrique :

$$V_B - V_A = -\int_A^B \vec{\mathbf{E}} \cdot d\vec{\mathbf{s}}$$

L'intégrale ne dépend pas du trajet suivi entre $A$ et $B$.

Dans un champ *uniforme*, la variation de potentiel s'écrit

(champ uniforme) $$\Delta V = \pm Ed$$

où $\pm d$ est la composante du déplacement parallèle à $\vec{\mathbf{E}}$ entre le point initial et le point final. Le signe positif correspond à un déplacement *de sens contraire* au champ.

Le potentiel à la distance $r$ d'une charge ponctuelle $Q$ est donné par

$$V = \frac{kQ}{r}$$

On suppose que $V = 0$ pour $r = \infty$. Il faut tenir compte du signe de $Q$. Le potentiel d'un système de charges est la *somme algébrique* des potentiels produits par chacune des charges.

On peut représenter la fonction potentiel par des surfaces équipotentielles. Sur un tracé dans le plan, les équipotentielles sont représentées par des courbes. Le champ électrique est perpendiculaire aux équipotentielles et orienté dans le sens des potentiels décroissants.

Lorsqu'on calcule l'énergie potentielle d'un système de charges, il faut faire attention à ne pas compter deux fois les contributions des charges :

$$U = \sum_{i<j} \frac{kq_i q_j}{r_{ij}}$$

Une énergie potentielle positive signifie qu'il a fallu fournir un travail extérieur positif pour amener les charges de l'infini jusqu'à leurs positions actuelles. Une énergie potentielle négative signifie qu'il faut fournir un travail extérieur positif pour *séparer* les charges.

Dans le cas d'un conducteur homogène en état d'équilibre électrostatique, le potentiel est le même en tout point à l'intérieur du matériau et sur la surface.

Le potentiel produit par une distribution de charge continue est

$$V = \int \frac{k\,dq}{r}$$

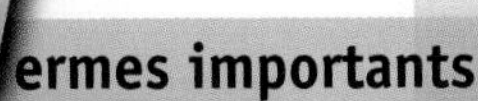

## Termes importants

**champ disruptif**
**électronvolt**
**équipotentielle (adj. et nom)**
**potentiel électrique**
**volt**

## Révision

**R1.** Trouvez l'expression du potentiel électrique d'un champ électrique constant en faisant une analogie avec l'expression de l'énergie potentielle gravitationnelle $U = mgy$.

**R2.** Quelle analogie tirée de la géographie peut-on utiliser pour illustrer le concept d'équipotentielle ?

**R3.** On place une particule chargée positivement dans une région où règne un champ électrique non nul. La particule se met en mouvement sous l'effet du champ électrique. Va-t-elle perdre ou gagner de l'énergie potentielle ? Va-t-elle se déplacer dans le sens des potentiels croissants ou décroissants ?

**R4.** Reprenez la question précédente, mais cette fois-ci pour le cas d'une particule chargée *négativement*.

**R5.** Une particule libre de charge positive se déplace dans le sens des potentiels croissants. Son énergie cinétique augmente-t-elle ou diminue-t-elle ?

**R6.** Une particule de charge $Q$ positive est placée à l'origine et une particule de charge $-Q$ est placée à $x = 1$ m. Tracez approximativement la courbe représentant le potentiel total en fonction de la position sur l'axe des $x$.

**R7.** Reprenez la question précédente, mais cette fois-ci en considérant que les deux particules sont de charge négative.

**R8.** Vrai ou faux ? Les lignes de champ sont partout perpendiculaires aux surfaces équipotentielles.

**R9.** Un système est constitué de six charges ponctuelles. Si on veut déterminer son énergie potentielle à l'aide de l'équation 4.12*b*, combien de termes doit-on calculer ?

**R10.** Que peut-on dire du champ électrique à l'intérieur d'un conducteur ? Que peut-on dire du potentiel ?

**R11.** Expliquez le fonctionnement d'un paratonnerre à partir des principes énoncés à la section 4.5. Expliquez en particulier pourquoi le paratonnerre doit avoir une forme effilée.

## Questions

**Q1.** (a) Si le potentiel électrique est nul en un point, que peut-on dire du champ électrique en ce point ? (b) Si le champ est nul en un point, que peut-on dire de la fonction potentiel ?

**Q2.** L'expression « champ de potentiel » a-t-elle un sens ? Si oui, comment peut-on l'illustrer ?

**Q3.** Les points $A$ et $B$ sont au même potentiel électrique. En général, une force extérieure est-elle nécessaire pour déplacer une charge de $A$ à $B$ ? Un travail extérieur est-il nécessaire ?

**Q4.** (a) Le potentiel électrique d'un objet chargé peut-il être nul par rapport à la terre ? Si oui, expliquez pourquoi. (b) Est-il possible pour un corps non chargé d'être à un potentiel non nul ?

**Q5.** Par temps sec, une étincelle entre vos doigts et un objet peut libérer plusieurs milliers de volts. Comment se fait-il que cela ne soit pas dangereux alors que la tension d'une prise de courant électrique, de 120 V à peine, peut être mortelle ?

**Q6.** Les points $A$ et $B$ sont au même potentiel électrique. Que peut-on dire des champs électriques en ces points ?

**Q7.** Pourquoi la réception sur une radio portative est-elle meilleure à l'extérieur d'une automobile qu'à l'intérieur ?

**Q8.** La surface d'un objet métallique est une équipotentielle. Cela signifie-t-il que la charge excédentaire sur l'objet est répartie uniformément ?

**Q9.** L'équation $\Delta V = \pm Ed$ est-elle vraie en général ? Justifiez votre réponse.

**Q10.** Lorsqu'on suit une ligne de champ dans le sens du champ, le potentiel est-il croissant, décroissant ou constant ?

**Q11.** Deux surfaces équipotentielles peuvent-elles se croiser ? Justifiez votre réponse.

**Q12.** Un anneau circulaire de rayon $R$ a une charge $Q$ positive uniformément répartie sur sa circonférence. Une charge ponctuelle négative $q$ part d'un point arbitraire sur l'axe et se déplace vers le centre de l'anneau. (a) Le potentiel de la charge ponctuelle va-t-il augmenter ou diminuer ? (b) L'énergie potentielle de la charge ponctuelle va-t-elle augmenter ou diminuer ?

**Q13.** Est-il possible de déplacer une charge dans un champ électrique sans fournir de travail ? Si oui, comment ?

**Q14.** Quelle est la forme d'une surface équipotentielle pour un fil chargé infini ?

**Q15.** On charge une coquille métallique de rayon 10 cm jusqu'à ce que son potentiel soit égal à 70 V. (a) Quel est le potentiel au centre ? (b) Quel est le champ électrique au centre ?

**Q16.** On met provisoirement en contact deux sphères métalliques chargées de rayons $R$ et $2R$, puis on les sépare. Si l'on se place à la surface de chaque sphère, sur laquelle des deux les grandeurs suivantes ont-elles la valeur la plus élevée : (a) densité de charge ; (b) charge totale ; (c) potentiel électrique ; (d) champ électrique ?

**Q17.** Le champ électrique à l'intérieur d'un cube chargé en métal creux est nul mais le champ gravitationnel à l'intérieur d'une distribution de masse cubique creuse ne l'est pas. À quoi est due cette différence ?

# Exercices

## 4.1 Potentiel électrique

**E1.** (I) Un éclair peut faire passer jusqu'à 30 C de charge sous une différence de potentiel de $10^8$ V. (a) Quelle est l'énergie mise en jeu ? Exprimez votre réponse en électronvolts. (b) Pendant combien de temps cette quantité d'énergie pourrait-elle alimenter une ampoule de 60 W ?

**E2.** (I) Une batterie d'automobile de 12 V a une capacité nominale de 80 A·h qui représente la charge qu'elle peut faire passer entre ses deux bornes dans un circuit extérieur. (1 A = 1 C/s.) (a) Quelle charge totale peut fournir la batterie ? (b) Quelle énergie peut-elle fournir, si l'on suppose que la différence de potentiel électrique entre les bornes reste constante pendant la décharge ?

**E3.** (I) Il faut fournir un travail extérieur de $4 \times 10^{-7}$ J pour déplacer une charge de $-5$ nC à vitesse constante jusqu'à un point où le potentiel est égal à $-20$ V. Quel est le potentiel électrique au point initial ?

**E4.** (I) Soit un champ électrique donné par $\vec{\mathbf{E}} = -180\vec{\mathbf{k}}$ N/C. (a) Quelle est la variation de potentiel électrique de $z_A = 5$ cm à $z_B = 15$ cm ? (b) Quelle est la distance sur l'axe des $z$ entre deux points dont la différence de potentiel est égale à 27 V ?

**E5.** (II) Soit un champ électrique donné par $\vec{\mathbf{E}} = 2x\vec{\mathbf{i}} - 3y^2\vec{\mathbf{j}}$, où $x$ et $y$ sont en mètres et $E$ en newtons par coulomb. Déterminez la variation du potentiel entre les positions $\vec{\mathbf{r}}_A = [\vec{\mathbf{i}} - 2\vec{\mathbf{j}}]$ m et $\vec{\mathbf{r}}_B = [2\vec{\mathbf{i}} + \vec{\mathbf{j}} + 3\vec{\mathbf{k}}]$ m.

**E6.** (II) Étant donné les champs électriques suivants, trouvez les fonctions correspondantes du potentiel $V(x)$ : (a) $\vec{\mathbf{E}} = (A/x)\vec{\mathbf{i}}$. On prendra $V = 0$ pour $x = x_0$ ; (b) $\vec{\mathbf{E}} = A \exp(-Bx)\vec{\mathbf{i}}$. On prendra $V = 0$ pour $x = 0$.

## 4.2 Potentiel et énergie potentielle dans un champ électrique uniforme

**E7.** (I) Sachant qu'un électron part du repos dans un champ électrique uniforme, quelle est la différence de potentiel nécessaire pour lui faire acquérir les vitesses suivantes : (a) 330 m/s, soit la vitesse du son ; (b) 11,2 km/s, soit la vitesse de libération du champ d'attraction terrestre ; (c) 0,1$c$, soit 10 % de la vitesse de la lumière ?

**E8.** (I) Refaites l'exercice 7 pour un proton.

**E9.** (I) On suppose qu'une batterie d'automobile de 12 V est utilisée comme source d'énergie pour accélérer des particules. Déterminez les vitesses qu'atteindrait (a) un électron ; (b) un proton. On considère que les particules partent du repos.

**E10.** (I) Les armatures d'une bougie d'automobile sont distantes de 0,1 cm. Quelle différence de potentiel est nécessaire pour produire une étincelle, sachant qu'un champ électrique atteignant $3 \times 10^6$ V/m ionise l'air.

**E11.** (I) La figure 4.32 représente deux surfaces équipotentielles (en pointillés) telles que $V_A = -5$V et $V_B = -15$ V. Quel travail extérieur doit-on fournir pour déplacer une charge de $-2$ μC à vitesse constante de $A$ à $B$ en suivant le chemin indiqué ? (Note : Ici, $E$ n'est pas uniforme, mais l'équation 4.4 s'applique malgré tout.)

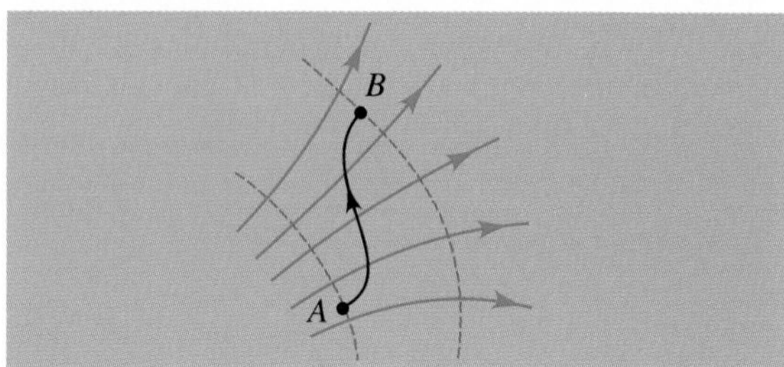


***Figure 4.32***

Exercice 11.

**E12.** (I) Sur la figure 4.33, les points $A$ et $B$ sont distants de 4 cm parallèlement aux lignes d'un champ uniforme $\vec{\mathbf{E}} = 600\vec{\mathbf{i}}$ V/m. (a) Déterminez la variation de potentiel $V_B - V_A$. (b) Quelle est la variation d'énergie potentielle $U_B - U_A$ lorsqu'une charge ponctuelle $q = -3$ μC est déplacée de $A$ à $B$ ?

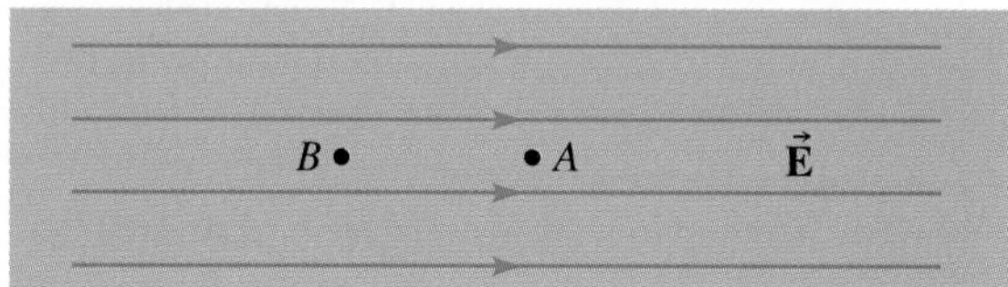


***Figure 4.33***

Exercice 12.

**E13.** (I) Deux grandes plaques conductrices parallèles distantes de 5 cm portent des charges de même grandeur mais de signes opposés. Une charge ponctuelle de 8 μC placée entre elles est soumise à une force électrique de $2{,}4 \times 10^{-2}\vec{\mathbf{i}}$ N. Trouvez la différence de potentiel entre les plaques.

**E14.** (I) Quelle est la différence de potentiel nécessaire pour accélérer les particules suivantes du repos jusqu'à $0{,}1c = 3 \times 10^7$ m/s : (a) une particule alpha de charge $2e$ et de masse 4 u ; (b) un noyau d'uranium de charge $92e$ et de masse 235 u ?

**E15.** (I) Par temps clair, il existe à la surface de la Terre un champ électrique uniforme d'intensité 120 V/m vertical et dirigé vers le bas. Quelle est la différence de potentiel entre le sol et les hauteurs suivantes : (a) le sommet de la tête d'une personne mesurant 1,8 m ; (b) le sommet de la tour Sears de hauteur 433 m ?

**E16.** (I) Une différence de potentiel de 120 V règne entre deux plaques infinies chargées et parallèles, distantes de 3 cm. Un électron initialement au repos part de la plaque ayant le potentiel le plus bas et traverse complètement l'espace séparant les deux plaques. (a) Quel est le module du champ électrique ? (b) Quel travail effectuera la force électrique sur l'électron ? (c) Quelle est la variation de potentiel subie par l'électron ? (d) Quelle est la variation d'énergie potentielle de l'électron ?

**E17.** (I) Quel est le travail extérieur nécessaire pour qu'une particule de masse $2 \times 10^{-2}$ g et de charge $-15$ μC franchisse une variation de potentiel de $-6000$ V tout en augmentant sa vitesse de 0 à 400 m/s ?

**E18.** (II) Le champ électrique produit par une feuille infinie chargée de densité surfacique $\sigma$ parallèle au plan $yz$ est égal à $\sigma/2\varepsilon_0\vec{\mathbf{i}}$. (a) Écrivez l'expression du potentiel $V(x)$ à une distance $x$ de la feuille. On donne $V = 0$ à la distance $x_0$. (b) Quel est le déplacement $\Delta x$ associé à une différence de potentiel de 20 V ? On donne $\sigma = 7$ nC/m$^2$.

**E19.** (I) Un champ électrique uniforme de 400 V/m est orienté à 37° par rapport à l'axe des $x$ dans le sens horaire, comme le montre la figure 4.34. Déterminez les différences de potentiel : (a) $V_B - V_A$ ; (b) $V_B - V_C$.

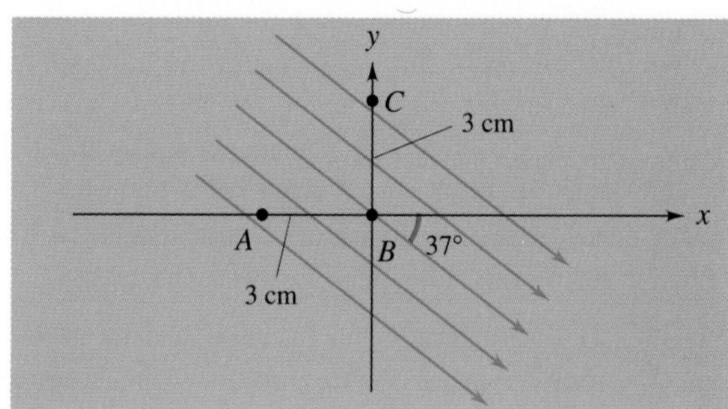


***Figure 4.34***

Exercice 19.

**E20.** (II) Un électron se déplace parallèlement à la direction d'un champ électrique uniforme. Sa vitesse initiale est de $8 \times 10^6$ m/s et sa vitesse finale, après avoir parcouru une distance de 3 mm dans le sens des $x$ positifs, est égale à $3 \times 10^6$ m/s. (a) Quelle est la différence de potentiel entre les deux points ? (b) Quel est le module du champ électrique ?

## 4.3 Potentiel et énergie potentielle de charges ponctuelles

**E21.** (I) Dans un noyau, deux protons sont séparés de $10^{-15}$ m. (a) Quelle est leur énergie potentielle électrique ? (b) Sachant qu'ils partent du repos et qu'ils sont libres de se déplacer, trouvez leur vitesse lorsqu'ils se trouvent à $4 \times 10^{-15}$ m l'un de l'autre.

**E22.** (I) Un noyau d'uranium de charge $+92e$ subit spontanément une fission pour donner deux fragments portant les charges $+48e$ et $+44e$. Si ces fragments sont initialement au repos et séparés par une distance de $7 \times 10^{-15}$ m, quelle est leur énergie cinétique totale lorsqu'ils sont séparés par une distance infinie ?

**E23.** (I) (a) Déterminez le potentiel créé au coin inférieur gauche par les trois charges de la figure 4.35. (b) On place une charge de $-2$ μC au coin inférieur gauche. Quelle est son énergie potentielle ? (c) Quelle est l'énergie potentielle du système formé par les quatre charges ?

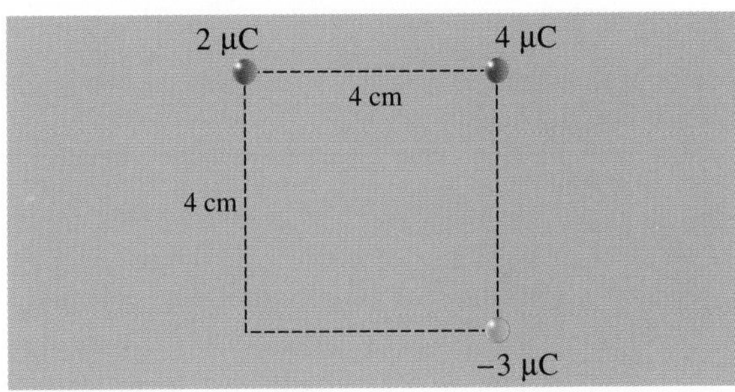


*Figure 4.35*

Exercice 23.

**E24.** (I) Quatre charges ponctuelles de valeur 0,6 μC, 2,2 μC, −3,6 μC et +4,8 μC sont situées aux quatre sommets d'un carré de 10 cm de côté. Quel est le travail extérieur nécessaire pour amener une charge de −5 μC de l'infini jusqu'au centre du carré ? (On suppose que la vitesse de la charge −5 μC reste constante.) Que signifie le signe de votre réponse ?

**E25.** (I) Deux charges, $Q$ et $-Q$, sont maintenues immobiles à une distance de 4 m l'une de l'autre (figure 4.36). On donne $Q = 5$ μC. (a) Quelle est la différence de potentiel $V_B - V_A$ ? (b) Une charge ponctuelle de masse m = 0,3 g et de charge $q = 2$ μC, initialement au repos, part du point $A$. Quelle est sa vitesse en $B$ ?

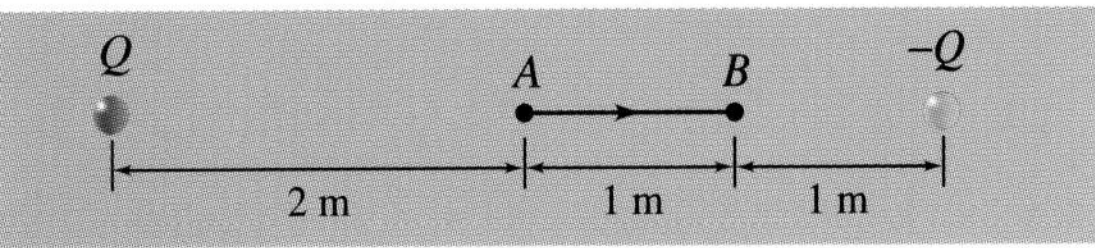


*Figure 4.36*

Exercice 25.

**E26.** (I) Soit les deux charges ponctuelles identiques $Q$ représentées à la figure 4.37. Les points $A$ et $B$ ont respectivement pour coordonnées (0, 4 m) et (0, 0). (a) Déterminez la différence de potentiel $V_B - V_A$. (b) Si on lâche du point $A$ une charge ponctuelle $-q$ de masse $3 \times 10^{-8}$ kg, initialement au repos, quelle est sa vitesse au point $B$ ? On donne $q = Q = 5$ μC.

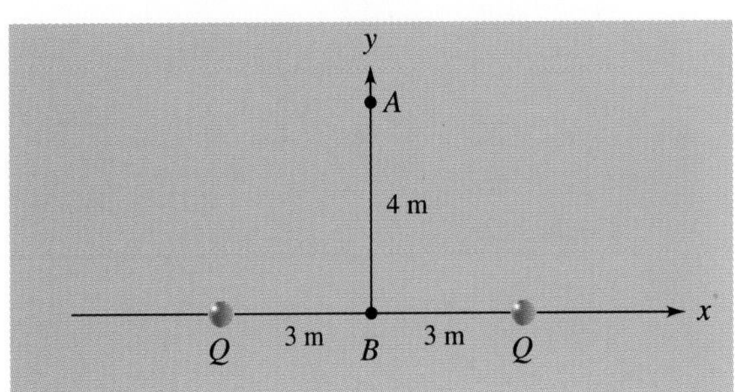


*Figure 4.37*

Exercice 26.

**E27.** (I) À une distance $r$ d'une charge ponctuelle $Q$, le champ électrique a un module de 200 V/m et le potentiel a une valeur de 600 V. Déterminez $Q$ et $r$.

**E28.** (I) Une charge ponctuelle $+4Q$ se trouve en $x = 0$. En quel(s) point(s) de l'axe des $x$ le potentiel est-il nul s'il se trouve en $x = 1$ m une deuxième charge égale à (a) $-Q$ ; (b) $-9Q$ ?

**E29.** (I) À la figure 4.38, les charges $Q_1 = 3$ μC, $Q_2 = -2$ μC et $Q_3 = 5$ μC sont fixes. Quel est le travail extérieur nécessaire pour déplacer une charge $q = -4$ μC à vitesse constante du point $A$, au centre du carré, jusqu'au sommet $B$ ? Que signifie le signe de votre réponse ?

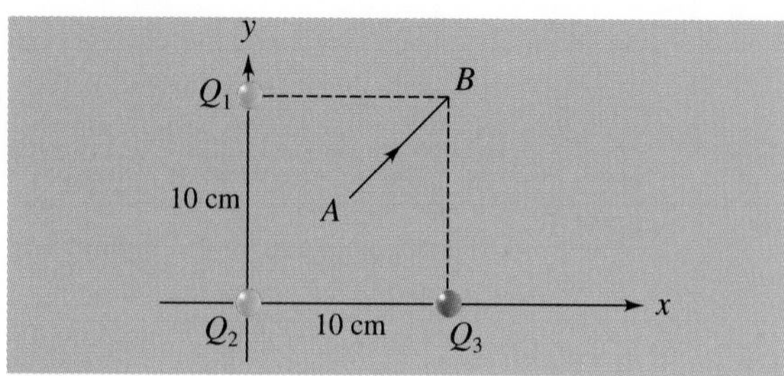


***Figure 4.38***

Exercice 29.

**E30.** (I) Une charge ponctuelle de 5 μC est placée à l'origine, comme sur la figure 4.39. Déterminez le potentiel aux points (a) $A$, (b) $B$ et (c) $C$.

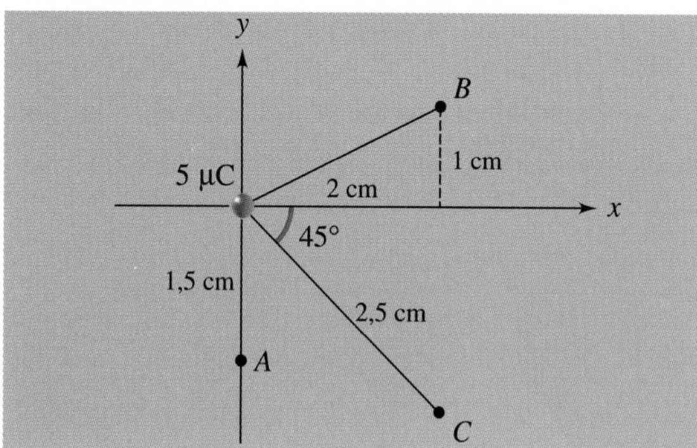


***Figure 4.39***

Exercice 30.

**E31.** (I) Deux charges ponctuelles de −4 μC et +6 μC sont situées comme l'indique la figure 4.40. (a) Quel est le potentiel à l'origine ? (b) Quel est le travail extérieur nécessaire pour amener une charge de 2 μC à vitesse constante depuis l'infini jusqu'à l'origine ?

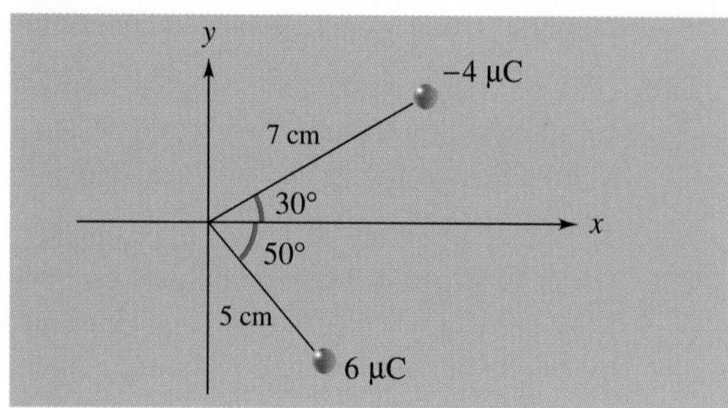


***Figure 4.40***

Exercice 31.

**E32.** (I) Dans le modèle des particules élémentaires faisant intervenir les quarks, un proton est constitué de deux quarks $u$ portant chacun la charge $+2e/3$ et d'un quark $d$ portant la charge $-e/3$. En supposant que les quarks soient également espacés sur un cercle de rayon $1,2 \times 10^{-15}$ m, trouvez l'énergie potentielle électrique de ce système de charges.

**E33.** (I) Une charge ponctuelle $q_1 = -4$ μC est située en (3 cm, 0) et une charge $q_2 = 3,2$ μC est située en (0, 5 cm). Trouvez : (a) le potentiel créé par $q_2$ au point où se trouve $q_1$ ; (b) le potentiel créé par $q_1$ au point où se trouve $q_2$ ; (c) l'énergie potentielle de la paire de charges.

**E34.** (I) Trois charges ponctuelles $q_1 = 6$ μC, $q_2 = -2$ μC et $q_3$ sont disposées comme dans la figure 4.41. Pour quelles valeurs de $q_3$ le potentiel total à l'origine est-il égal à (a) 0 V ; (b) −400 kV ?

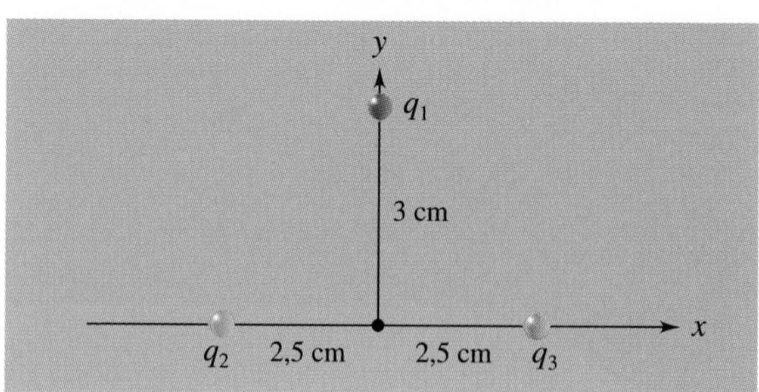


***Figure 4.41***

Exercice 34.

**E35.** (I) Soit une charge ponctuelle de −10 μC située en (0, 3 cm) et une charge ponctuelle de 6 μC située en (4 cm, 0). (a) Quelle est la différence de potentiel entre l'origine et le point de coordonnées (4 cm, 3 cm) ? (b) Quel est le travail extérieur nécessaire pour amener une charge ponctuelle de −2 μC à vitesse constante depuis l'infini jusqu'à l'origine ?

**E36.** (I) Un noyau d'uranium de charge $92e$ subit une fission spontanée et donne deux fragments de charges égales. Ils sont initialement au repos et distants de $7,4 \times 10^{-15}$ m. (a) Quelle est l'énergie potentielle initiale ? (b) Quelle est l'énergie cinétique finale des fragments lorsqu'ils sont séparés par une distance infinie ? (c) En supposant que 30 % de l'énergie cinétique des fragments peut être utilisée dans un réacteur nucléaire, quel est le nombre de fissions par seconde nécessaires pour produire 1 MW ?

**E37.** (II) Le dioxyde de carbone ($CO_2$) est un exemple de quadripôle linéaire (figure 4.42). Déterminez le potentiel total en un point (a) $(x, 0)$ et (b) $(0, y)$ pour $y > a$. Dans chaque cas, montrez que $V \propto 1/r^3$ pour $r \gg a$, $r$ étant la distance par rapport à l'origine.

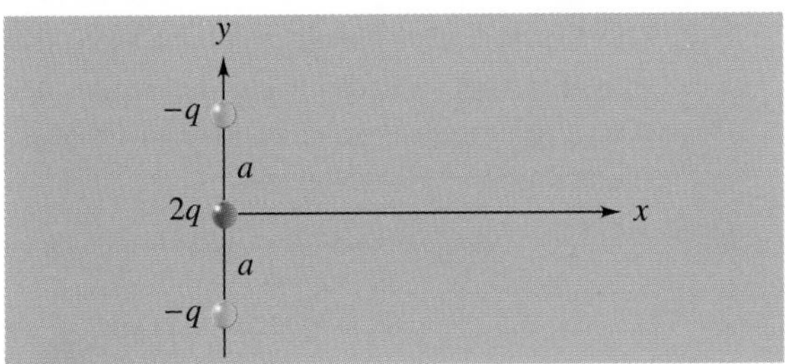


***Figure 4.42***

Exercice 37.

**E38.** (II) (a) Une charge ponctuelle de 2 nC se trouve à l'origine. Trouvez les distances auxquelles le potentiel vaut 0,5 V, 1 V, 1,5 V, 2 V, 2,5 V, 3 V et 3,5 V. (b) Reprenez la question (a) pour une charge ponctuelle négative (−2 nC) et des potentiels négatifs. (c) Placez les charges à 12 m de distance l'une de l'autre. Tracez des cercles représentant les équipotentielles de chaque charge. Indiquez les points d'intersection des deux familles de cercles où le potentiel net est égal soit à 1 V, soit à 0,5 V. Enfin, joignez chaque ensemble de points ayant le même potentiel. Comparez les formes de vos courbes équipotentielles avec la figure 4.11.

**E39.** (I) Partant d'un point situé à 1 m d'une charge de 2 nC, à quelle distance dans la direction radiale se trouvent les points où le potentiel est (a) 1 V plus élevé ; (b) 1 V moins élevé ?

**E40.** (II) Une particule $\alpha$ de masse $6{,}7 \times 10^{-27}$ kg et de charge $+2e$ a une énergie cinétique initiale de 4,2 MeV. Elle est projetée sur un noyau d'or de charge $+79e$. En supposant que le noyau reste au repos et que la particule $\alpha$ revienne sur sa trajectoire initiale, trouvez la distance du point de sa trajectoire où elle est le plus proche du noyau.

**E41.** (II) Un noyau d'uranium de charge $92e$ et de masse 238 u peut se décomposer spontanément en un noyau de thorium de charge $90e$ et une particule $\alpha$ de charge $2e$. La masse du thorium est de 234 u et celle de la particule $\alpha$, de 4 u. On suppose que, juste après la transformation, les produits de fission sont au repos et distants de $7{,}4 \times 10^{-15}$ m. (a) Quelle est l'énergie potentielle initiale ? (b) Trouvez l'énergie cinétique finale de la particule $\alpha$ en supposant que le thorium reste au repos. (Cette hypothèse n'est pas faite au problème 1.)

## 4.4 Distributions de charge continue

**E42.** (I) On suppose qu'un proton est une sphère chargée uniformément de rayon $10^{-15}$ m. Déterminez le potentiel aux points suivants : (a) sur sa surface ; (b) à la position de l'électron dans un atome d'hydrogène, c'est-à-dire à $5{,}3 \times 10^{-11}$ m. (c) Comment ces résultats seraient-ils modifiés si le proton était plutôt considéré comme une sphère creuse ?

**E43.** (II) Une charge $Q$ positive est uniformément répartie sur un anneau de rayon $a$ parallèle au plan $xz$. (a) Déterminez le potentiel $V(y)$ sur l'axe central à la distance $y$ du centre. (b) Utilisez $V(y)$ pour trouver le champ électrique sur l'axe central. Que deviennent vos deux résultats lorsque $y \gg a$ ?

## 4.5 Potentiel d'un conducteur

**E44.** (I) L'intensité du champ disruptif dans l'air sec est de $3 \times 10^6$ N/C. Pour cette valeur, quel serait le potentiel à la surface d'une sphère métallique chargée de rayon : (a) 0,01 mm ; (b) 1 cm ; (c) 1 m ?

**E45.** (I) Le potentiel d'une sphère métallique de rayon 1 cm est égal à $10^4$ V par rapport à la terre. (a) Quelle est la densité surfacique de charge ? (b) Combien d'électrons ont été enlevés de la sphère ? (c) Quel est le champ électrique à la surface de la sphère ?

**E46.** (II) Deux sphères creuses métalliques concentriques ont pour rayons respectifs $a$ et $b$. La sphère intérieure de rayon $a$ porte la charge $Q$ positive et la sphère extérieure la charge $-2Q$. Représentez graphiquement $V$ et $E$ en fonction de la distance $r$ à partir du centre.

## 4.6 Détermination du champ électrique à partir du potentiel

**E47.** (II) Soit deux charges ponctuelles positives égales à $Q$ situées respectivement aux points $(0, a)$ et $(0, -a)$. (a) Déterminez le potentiel $V(x)$ en un point $(x, 0)$. (b) Utilisez $V(x)$ pour trouver le champ électrique sur l'axe des $x$.

**E48.** (II) Soit deux charges ponctuelles positives égales à $Q$ situées en $(0, a)$ et $(0, -a)$. (a) Déterminez le potentiel $V(y)$ en un point $(0, y)$ pour $y > a$. (b) Utilisez $V(y)$ pour trouver le champ électrique sur l'axe des $y$.

**E49.** (II) Un dipôle est constitué des charges $-Q$ en $(-a, 0)$ et $+Q$ en $(a, 0)$. (a) Quel est le potentiel $V(x)$ en un point $(x, 0)$ pour $x > a$ ? (b) À partir de $V(x)$, trouvez le champ électrique sur l'axe des $x$. On pose $Q > 0$.

**E50.** (II) Une sphère de rayon $R$ porte une charge $Q$ positive uniformément répartie dans son volume. Pour $r < R$, la fonction potentiel est

$$V(r) = \frac{kQ(3R^2 - r^2)}{2R^3}$$

À partir de $V(r)$, trouvez la composante radiale du champ électrique.

**E51.** (II) Le potentiel $V(r)$ à une distance perpendiculaire $r$ d'un fil infini de densité linéique de charge $\lambda$ positive est

$$V(r) = V(r_0) - 2k\lambda \ln\left(\frac{r}{r^0}\right)$$

où $r_0$ et $V(r_0)$ sont des constantes. À partir de $V(r)$, trouvez le champ électrique.

**E52.** (II) Le potentiel en un point de l'axe d'un disque uniformément chargé a été déterminé à l'exemple 4.6. Utilisez cette expression pour trouver le champ électrique sur l'axe central.

**E53.** (II) Une fonction potentiel hypothétique a la forme suivante :

$$V(x, y, z) = 2x^3y - 3xy^2z + 5yz^3$$

Quel est le champ électrique associé à ce potentiel ?

## Exercices supplémentaires

### 4.2 Potentiel et énergie potentielle dans un champ électrique uniforme

**E54.** (I) Soit le champ électrique uniforme $\vec{\mathbf{E}} = [-2\vec{\mathbf{i}} + 3\vec{\mathbf{j}} - 5\vec{\mathbf{k}}]$ V/m. Le point $A$ est à la position $\vec{\mathbf{r}}_A = [-\vec{\mathbf{i}} + 2\vec{\mathbf{j}} + 3\vec{\mathbf{k}}]$ m, alors que le point $B$ est à $\vec{\mathbf{r}}_B = [3\vec{\mathbf{i}} - \vec{\mathbf{j}} + 7\vec{\mathbf{k}}]$ m. Évaluez $V_A - V_B$.

### 4.3 Potentiel et énergie potentielle de charges ponctuelles

**E55.** (I) Soit les deux charges ponctuelles suivantes : $Q_1 = 5$ μC est en $\vec{\mathbf{r}}_1 = [2\vec{\mathbf{i}} + 3\vec{\mathbf{j}} - 5\vec{\mathbf{k}}]$ m et $Q_2 = 2$ μC est en $\vec{\mathbf{r}}_2 = [-\vec{\mathbf{i}} + 4\vec{\mathbf{j}} + 2\vec{\mathbf{k}}]$ m. Quelle est l'énergie potentielle électrique de ce couple de charges ?

**E56.** (I) Soit les deux charges ponctuelles suivantes : $Q_1 = 3$ nC est en $\vec{\mathbf{r}}_1 = [3\vec{\mathbf{i}} - 2\vec{\mathbf{j}} + \vec{\mathbf{k}}]$ m et $Q_2 = -2$ nC est en $\vec{\mathbf{r}}_2 = [\vec{\mathbf{i}} - 2\vec{\mathbf{j}} + 6\vec{\mathbf{k}}]$ m. Trouvez (a) le potentiel total à l'origine ; (b) l'énergie potentielle électrique associée à une charge ponctuelle $q = -5$ nC située à l'origine.

**E57.** (II) Deux charges ponctuelles positives sont sur l'axe des $x$. $Q_1$ est à $x = 0$ et $Q_2$ est à $x = 2$ m. À $x = 1$ m, $\vec{\mathbf{E}} = -27\vec{\mathbf{i}}$ N/C et $V = 63$ V. Trouvez $Q_1$ et $Q_2$.

**E58.** (II) Quel travail extérieur est nécessaire pour amener quatre charges ponctuelles de 2 nC aux 4 coins d'un carré dont l'arête mesure 0,14 m ?

### 4.4 Distributions de charge continue

**E59.** (II) Un anneau circulaire possède une densité linéique de charge de 2,2 nC/m sur la moitié de sa longueur. Quel est le potentiel électrique au centre de l'anneau ?

**E60.** (II) Un anneau circulaire de 3 cm de rayon possède une densité linéique de charge de 1,5 nC/m. Une charge ponctuelle de 2 nC et de masse 0,01 g initialement au repos au centre de l'anneau est légèrement déplacée le long de l'axe de l'anneau. (a) Quelle énergie potentielle possède la charge ponctuelle au centre de l'anneau ? (b) Quelle vitesse aura la charge ponctuelle à une distance infinie de l'anneau ?

**E61.** (II) Un disque non conducteur de rayon 20 cm a une densité surfacique de charge uniforme de 2 nC/m². Quel travail extérieur est nécessaire pour amener une charge de 5 nC de l'infini en un point situé à 10 cm du centre du disque le long de l'axe du disque ?

### 4.5 Potentiel d'un conducteur

**E62.** (I) Le potentiel à une distance de 15 cm de la surface d'une sphère métallique uniformément chargée de rayon 10 cm est de 3,8 kV. Quelle est la densité surfacique de charge de la sphère ?

**E63.** (I) Deux sphères métalliques uniformément chargées sont reliées par un fil conducteur. L'une des sphères a un rayon de 0,4 m et possède une densité surfacique de charge de 8,2 nC/m$^2$. Quelle est la charge sur l'autre sphère de rayon 0,25 m ?

**E64.** (II) Deux gouttes de mercure sphériques ont des charges identiques et sont à un potentiel de 1000 V. Les deux gouttes se joignent en additionnant leur charge respective. Quel potentiel mesure-t-on à la surface de cette goutte plus grande ?

**E65.** (II) Deux sphères métalliques uniformément chargées de rayons 3 cm et 7 cm sont reliées par un fil conducteur. La charge totale sur les deux sphères est de 30 nC. Quelle est la charge sur chaque sphère ?

## 4.6 Détermination du champ électrique à partir du potentiel

**E66.** (II) Soit la fonction potentiel suivante : $V(x) = 3x^2 - 15x + 7$, où $x$ est en mètres et $V$ en volts. Où le champ électrique associé à ce potentiel est-il nul ?

# Problèmes

**P1.** (II) Un noyau d'uranium (de charge $92e$, de masse 238 u) au repos se transforme en un noyau de thorium (de charge $90e$, de masse 234 u) et une particule $\alpha$ (de charge $+2e$, de masse 4 u). Juste après la décomposition, les particules sont au repos et distantes de $7{,}4 \times 10^{-15}$ m. Trouvez l'énergie cinétique de chaque particule lorsqu'elles sont à une distance infinie l'une de l'autre. Contrairement à l'exercice 41, on ne suppose pas que le thorium reste au repos.

**P2.** (I) Sur un disque de rayon $b$, on a pratiqué un trou concentrique de rayon $a$. La densité surfacique de charge $\sigma$ est uniforme. Trouvez le potentiel en un point sur l'axe du disque à la distance $y$ du centre.

**P3.** (I) Dans un cristal de NaCl, les ions $Na^+$ et $Cl^-$ sont disposés selon un réseau cubique à trois dimensions, comme le montre la figure 4.43. La plus courte distance entre deux ions est $2{,}82 \times 10^{-10}$ m. Trouvez l'énergie potentielle d'un ion $Na^+$ : (a) en incluant seulement les contributions des six voisins immédiats ; (b) en incluant les contributions des douze voisins les plus proches.

**P4.** (II) Un faisceau d'électrons accélérés par une différence de potentiel de 20 kV est dirigé vers une cible en tungstène de 500 g à raison de $4 \times 10^{16}$ électrons par seconde. En supposant que 30 % de l'énergie des électrons se transforme en chaleur dans la cible, combien de temps faut-il pour que la température de la cible s'élève de 10°C ? (La chaleur spécifique du tungstène est égale à 134 J·K$^{-1}$·kg$^{-1}$.)

**P5.** (I) Une sphère métallique de rayon $R_1$ porte une charge $Q_1$. Elle est entourée d'une sphère creuse conductrice de rayon $R_2$ qui porte la charge $Q_2$ négative (figure 4.44). Déterminez : (a) le potentiel $V_1$ de la sphère intérieure ; (b) le potentiel $V_2$ de la coquille ; (c) la différence de potentiel $V_1 - V_2$. (d) Dans quelle condition a-t-on $V_1 = V_2$ ?

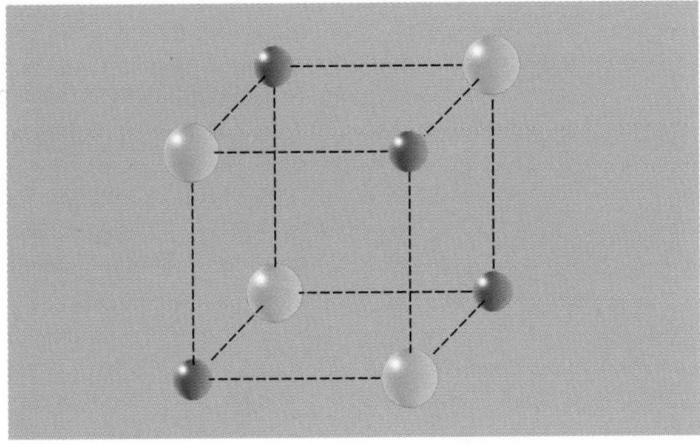

**Figure 4.43**

Problème 3.

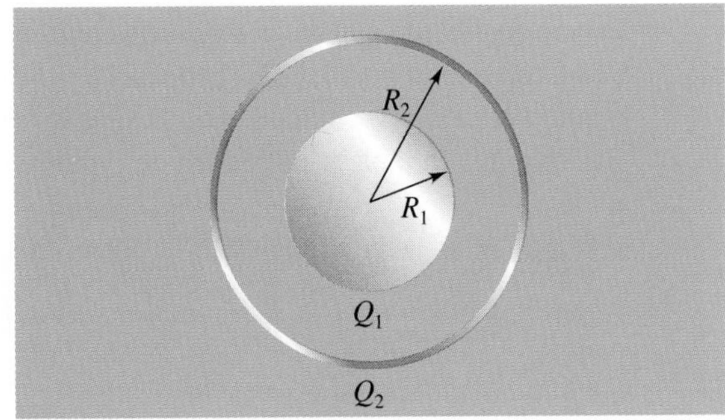


**Figure 4.44**

Problème 5.

**P6.** (II) Un ballon de rayon $R$ porte une densité surfacique de charge uniforme $\sigma$ positive. Montrez que la surface est soumise à une force électrique par unité d'aire égale à $\sigma^2/2\varepsilon_0$. (*Indice* : Utilisez la relation $F_r = -dU/dr$.)

**P7.** (I) Un câble coaxial est composé d'un fil intérieur, de rayon $a$ et de densité linéique de charge $\lambda$ positive, et d'une gaine cylindrique de rayon $b$ portant une densité linéique de charge $-\lambda$. (a) Utilisez l'expression du champ électrique ($E = 2k\lambda/r$) entre le fil et la gaine pour montrer que leur différence de potentiel est

$$V(b) - V(a) = -2k\lambda \ln\left(\frac{b}{a}\right)$$

(b) Un compteur Geiger, qui sert à détecter les rayonnements, a une géométrie cylindrique similaire, avec $a = 3 \times 10^{-3}$ cm, $b = 2{,}5$ cm et $\Delta V = 800$ V. Quel est le champ électrique à la surface du fil intérieur ?

**P8.** (II) Une tige de longueur $L$ porte une charge $Q$ positive uniformément répartie sur sa longueur. (a) Trouvez le potentiel en un point situé sur l'axe de la tige à une distance $x$, supérieure à $L/2$, du centre de la tige (figure 4.45). (b) Trouvez le potentiel en un point situé directement au-dessus du centre de la tige, à une distance $y$.

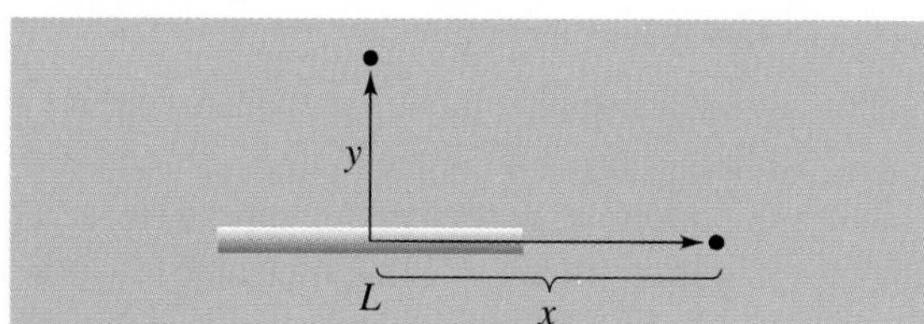


*Figure 4.45*

Problème 8.

**P9.** (I) Une tige de longueur $L$ située sur l'axe des $x$ porte une densité linéique de charge $\lambda$ positive. Trouvez le potentiel en un point situé à la distance $y$ d'une extrémité sur une perpendiculaire à la tige (figure 4.46). (Consultez la table d'intégrales de l'annexe C).

*Figure 4.46*

Problème 9.

**P10.** (II) Une sphère de rayon $R$ porte une charge $Q$ positive uniformément répartie dans son volume. Montrez que pour $r < R$ le potentiel s'écrit

$$V(r) = \frac{kQ(3R^2 - r^2)}{2R^3}$$

(*Indice* : Le champ électrique à l'intérieur d'une sphère uniformément chargée est $E = kQr/R^3$. Calculez $V(r) - V(R)$).

**P11.** (II) Une sphère non conductrice de rayon $R$ porte une charge totale $Q$ uniformément répartie dans son volume. Montrez que l'énergie potentielle de la sphère est

$$U = \frac{3kQ^2}{5R}$$

(*Indice* : Cherchez d'abord l'expression du potentiel à la surface d'une sphère uniformément chargée de rayon $r < R$. La charge à l'intérieur d'une coquille mince entre $r$ et $r + dr$ est égale à $dq = \rho(4\pi r^2\, dr)$. Le travail nécessaire pour amener une charge infinitésimale $dq$ de l'infini jusqu'au point de potentiel $V$ est $Vdq$.)

**P12.** (II) (a) Montrez que le potentiel créé par un dipôle (figure 4.47), de moment dipolaire $p = 2aq$, à la distance $r$ de son centre est donné par

$$V(\theta) = \frac{kp \cos\theta}{r^2}$$

où $r \gg a$ (donc $r_- - r_+ \approx 2a \cos\theta$ et $r_+ r_- \approx r^2$). (b) Utilisez l'expression précédente pour trouver les composantes du champ électrique :

$$E_r = -\frac{\partial V}{\partial r}\ ; \quad E_\theta = -\frac{1}{r}\frac{\partial V}{\partial \theta}$$

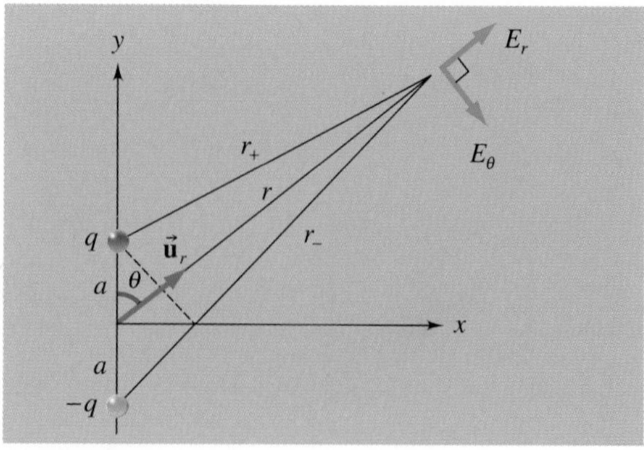


*Figure 4.47*

Problème 12.

**P13.** (II) En un point éloigné, le potentiel créé par un dipôle peut s'écrire (voir le problème 12) sous la forme

$$V = \frac{k\vec{\mathbf{p}}\cdot\vec{\mathbf{r}}}{r^3}$$

En utilisant $E_s = -\partial V/\partial s$, avec $s = x$ ou $y$, montrez que si le moment dipolaire est orienté selon l'axe des $x$, alors

$$E_x = \frac{kp(2x^2 - y^2)}{r^5}; \quad E_y = \frac{3kpxy}{r^5}$$

**P14.** (II) Montrez que l'expression

$$\vec{\mathbf{E}} = \frac{k}{r^3}[3(\vec{\mathbf{p}}\cdot\vec{\mathbf{u}}_r)\vec{\mathbf{u}}_r - \vec{\mathbf{p}}]$$

donne les mêmes résultats qu'au problème 13 pour les composantes $E_x$ et $E_y$ du champ créé par un dipôle. (*Indice*: Supposez que $\vec{\mathbf{p}} = p\vec{\mathbf{i}}$. Exprimez $\vec{\mathbf{u}}_r = \vec{\mathbf{r}}/r$ en fonction de $x$ et $y$.)

**P15.** (II) L'énergie potentielle d'un dipôle de moment dipolaire $\vec{\mathbf{p}}_2$ dans le champ $\vec{\mathbf{E}}_1$ créé par un autre dipôle est $U = -\vec{\mathbf{p}}_2\cdot\vec{\mathbf{E}}_1$. Utilisez l'expression de $\vec{\mathbf{E}}$ donnée dans le problème 14 pour montrer que l'énergie potentielle de l'interaction dipôle-dipôle est

$$U = \frac{k}{r^3}[\vec{\mathbf{p}}_1\cdot\vec{\mathbf{p}}_2 - 3(\vec{\mathbf{p}}_1\cdot\vec{\mathbf{u}}_r)(\vec{\mathbf{p}}_2\cdot\vec{\mathbf{u}}_r)]$$

Calculez l'énergie d'interaction de deux molécules d'eau pour lesquelles $p = 6{,}2 \times 10^{-30}$ Cm. On donne $r = 0{,}4$ nm. Faites ce calcul pour quatre configurations de moments dipolaires: (a) parallèles et côte à côte; (b) antiparallèles et côte à côte; (c) parallèles sur la même droite; (d) antiparallèles sur la même droite.

**P16.** (II) L'énergie potentielle d'un système de charges est donnée par

$$U = \sum_{i<j} \frac{kq_iq_j}{r_{ij}}$$

la somme étant calculée sur toutes les paires *distinctes*, c'est-à-dire que $i \neq j$ et les paires ne sont pas comptées deux fois. Montrez qu'on peut écrire une expression équivalente sous la forme

$$U = \sum \tfrac{1}{2} q_i V_i$$

la somme étant calculée sur toutes les charges du système et $V_i$ étant le potentiel créé par toutes les charges, *sauf* $q_i$, au point où se trouve $q_i$.

## Problèmes supplémentaires

**P17.** (II) Reprenez le problème 8 en supposant que la charge augmente de façon linéaire à partir du centre de la tige, de sorte que (a) $\lambda = A|x|$; (b) $\lambda = Ax$, où $A$ est une constante positive.

**P18.** (II) Servez-vous du résultat du problème 8 et de la relation entre le champ électrique et le potentiel pour trouver l'expression du champ électrique en un point (a) situé sur l'axe de la tige, à une distance $x$ extérieure à la tige; (b) situé directement au-dessus du centre de la tige, à une distance $y$.

**P19.** (II) Reprenez l'exemple 4.6 en supposant que la charge sur le disque augmente (a) de façon linéaire à partir du centre, de sorte que $\sigma = Bx$, où $B$ est une constante positive; (b) comme $\sigma = Cx^2$, où $C$ est une constante positive.

**P20.** (II) Trouvez une expression pour la charge totale $Q$ dans les deux cas présentés au problème 19. Exprimez les deux résultats du problème 19 à partir de la charge totale $Q$. (*Indice*: $Q = \int dq$.)

CHAPITRE 5

# Condensateurs et diélectriques

Au Fermilab, le condensateur « Cap Tree » réduit la quantité d'électricité demandée au réseau électrique local lorsque l'accélérateur est en service.

## POINTS ESSENTIELS

1. La **capacité** d'un condensateur est une mesure de la charge et de l'énergie électrique qu'il est capable d'emmagasiner.
2. On peut calculer la capacité équivalente d'une association de condensateurs reliés en **série** ou en **parallèle**.
3. L'énergie emmagasinée dans un condensateur est proportionnelle au carré de la différence de potentiel entre ses armatures.
4. L'introduction d'un **diélectrique** dans un condensateur a pour effet d'augmenter sa capacité.

Au début des recherches en électricité, on ne disposait d'aucun moyen pour emmagasiner des charges pendant de longues périodes. Les corps chargés peuvent en effet subir des fuites de courant même lorsqu'ils sont placés sur un support isolé. La perte du « fluide électrique » (charge) était alors attribuée à une sorte d'évaporation ; l'on s'efforçait donc de trouver un moyen de « condenser » la charge sans la perdre. En 1745, E. J. von Kleist, un ecclésiastique allemand, eut l'idée d'enfermer de l'eau électrifiée dans un récipient en verre pour réduire la perte de charge. Ayant rempli un flacon d'eau, il y fit tremper un clou (figure 5.1*a*). Prenant le flacon dans une main, il relia le clou à une machine de charge pendant un certain temps puis coupa la connexion. Par manque d'expérience, il commit l'erreur de ne pas poser le flacon sur un support isolé et reçut une énorme décharge lorsqu'il toucha le clou de l'autre main. Plus tard, il s'aperçut que le flacon pouvait rester électrifié assez longtemps à condition qu'il ne soit pas remué.

Les autres chercheurs eurent du mal à répéter l'exploit de von Kleist parce qu'ils employaient la méthode courante qui consiste à maintenir le flacon isolé pendant la charge. Trois mois plus tard, en 1746, Pieter Van Musschenbroek, professeur à l'université de Leyde, se rendit compte que pour recevoir une décharge, il fallait tenir le flacon non seulement durant la charge, mais aussi après. La décharge qu'il reçut lui parut suffisante pour ne pas avoir envie de recommencer. (Pendant le processus de charge, le conducteur chargé à l'intérieur (l'eau) induit une charge opposée sur le conducteur extérieur (la

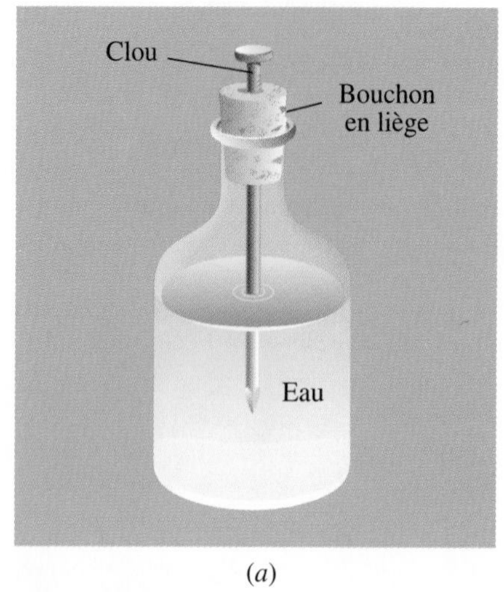

(*a*)

(*b*)

***Figure 5.1***

(*a*) Von Kleist réussit à charger l'eau en reliant le clou à une machine de charge. (*b*) Une bouteille de Leyde.

main) qui est relié au sol par le corps, lui-même conducteur (figure 1.6*b*). Par la suite, la décharge est ressentie lorsque les charges passent d'une main à l'autre par l'intermédiaire du corps. La décharge s'effectue beaucoup plus rapidement que la charge.)

On s'aperçut bientôt que la grenaille de plomb pouvait remplacer l'eau. La grenaille de plomb et la main furent ensuite remplacées par des feuilles métalliques recouvrant les surfaces intérieure et extérieure du flacon de verre. Puis, Benjamin Franklin utilisa une vitre plane au lieu du flacon en verre et l'on aboutit enfin au dispositif le plus simple, composé de deux plaques métalliques planes séparées par de l'air.

L'invention fortuite de von Kleist, connue sous le nom de bouteille de Leyde (figure 5.1*b*), a servi d'élément de base pour les recherches en électricité des cinquante années qui suivirent. C'était le premier « condenseur », que l'on appelle maintenant **condensateur**, un dispositif qui emmagasine les charges et l'énergie électrique. Tout en étant relativement simples, les condensateurs jouent un rôle essentiel dans les circuits de syntonisation des postes de radio, dans les circuits de synchronisation électronique, dans les flashs électroniques et dans bien d'autres dispositifs. On se sert des condensateurs pour atténuer les fluctuations à la sortie des alimentations des postes de radio et de télévision. Les expériences réalisées dans les accélérateurs de particules de haute énergie, en particulier dans le cadre de la recherche sur la fusion, demandent des niveaux de puissance instantanée extrêmement élevés, supérieurs à la capacité de production de toutes les centrales électriques d'un pays comme les États-Unis ! Par conséquent, pour éviter la surcharge des lignes de transport d'électricité dans une région, on charge lentement d'énormes batteries de condensateurs que l'on décharge ensuite rapidement lorsqu'on en a besoin.

## 5.1 La capacité

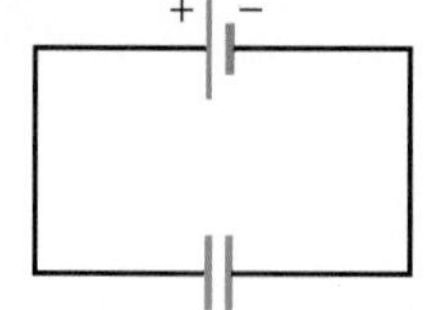

***Figure 5.2***

Les armatures d'un condensateur acquièrent des charges de même grandeur et de signes opposés lorsqu'on les relie à une pile.

Un condensateur est composé de deux conducteurs, appelés *armatures*, séparés par un isolant comme de l'air ou du papier. On peut donner aux armatures des charges de même grandeur mais de signes opposés en les reliant à une pile, un dispositif comprenant des bornes entre lesquelles subsiste une différence de potentiel constante (figure 5.2). En réalité, la pile fait passer la charge d'une armature à l'autre. Dans les schémas de circuits électriques, on utilise le symbole ⊣⊢ pour représenter le condensateur, et le symbole ⊣⊢ pour la pile, la barre plus courte désignant la borne négative. Le potentiel de chaque armature est le même que celui de la borne à laquelle elle est reliée puisqu'il n'y a pas de différence de potentiel dans un conducteur (le fil et l'armature) en état d'équilibre électrostatique. Par conséquent, la différence de potentiel $\Delta V$ entre les armatures est la même que la différence de potentiel entre les bornes de la pile. Lorsque la pile est déconnectée, les charges restent sur les plaques où elles sont maintenues par leur attraction mutuelle.

La quantité de charges $Q$ emmagasinée sur chaque armature d'un condensateur est directement proportionnelle à la différence de potentiel $\Delta V$ entre les plaques. On peut donc écrire

$$Q = C\,\Delta V \qquad (5.1)$$

$C$ étant une constante de proportionnalité appelée **capacité** du condensateur. La capacité d'un condensateur est une mesure de la charge et de l'énergie électrique qu'il est capable d'emmagasiner. En exprimant l'équation 5.1 sous la forme

$$C = \frac{Q}{\Delta V} \qquad (5.2)$$

on voit bien que la capacité nous renseigne sur la quantité de charges qu'un condensateur peut emmagasiner par unité de différence de potentiel entre les armatures. L'unité SI de capacité est le farad (F). D'après l'équation 5.2, on voit que

$$1 \text{ farad} = 1 \text{ coulomb/volt}$$

Dans la pratique, un farad correspond à une très grande valeur. C'est pourquoi les valeurs des capacités sont souvent données en picofarads (1 pF = $10^{-12}$ F) ou en microfarads (1 μF = $10^{-6}$ F). La capacité d'un condensateur dépend, comme nous le verrons plus loin, de la *géométrie* des armatures (leurs dimensions, leur forme et leur position relative) et du *milieu* (comme l'air, le papier ou le plastique) compris entre les armatures. La capacité ne dépend *pas* de $Q$ ou de $\Delta V$ séparément. Si l'on double la différence de potentiel, la charge emmagasinée double également, et leur rapport ne change pas.

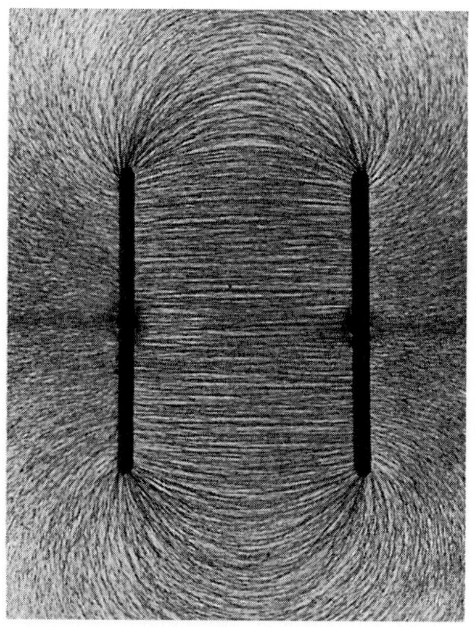

**Figure 5.3**

Le champ électrique produit par deux armatures de charges opposées et de dimensions finies n'est pas tout à fait uniforme.

## Le condensateur plan

Un des condensateurs les plus courants est composé de deux armatures planes parallèles. Si la distance séparant les armatures est petite, on peut négliger les effets de bords aux extrémités (figure 5.3) et supposer que le champ et la distribution de la charge sur les armatures sont uniformes (figure 5.4). Les armatures, qui ont la même aire $A$ et qui sont séparées par une distance $d$, portent des charges opposées de même grandeur $Q$. Ces charges sont situées sur les surfaces intérieures des armatures. D'après le théorème de Gauss appliqué à un conducteur (équation 3.9), ou par un calcul direct (équation 2.18), on sait que le champ entre les armatures est donné par

$$E = \frac{\sigma}{\varepsilon_0} = \frac{Q}{\varepsilon_0 A}$$

où $\sigma = Q/A$ est la densité surfacique de charge. D'après l'équation 4.6$c$, la différence de potentiel dans un champ uniforme est $\Delta V = Ed$. Par conséquent, la capacité ($C = Q/\Delta V$) est donnée par

$$C = \frac{\varepsilon_0 A}{d} \qquad (5.3)$$

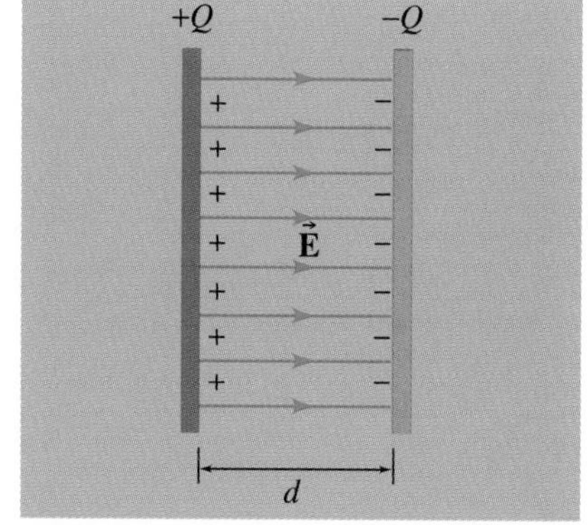


**Figure 5.4**

Si la distance séparant les armatures est petite, on peut négliger les effets de bords et considérer que le champ est uniforme.

D'après l'équation 5.3, on voit que la constante $\varepsilon_0$ peut s'exprimer en F/m :

$$\varepsilon_0 = 8{,}85 \times 10^{-12} \text{ F/m}$$

On peut facilement voir pourquoi la capacité dépend des caractéristiques géométriques $A$ et $d$ du condensateur. La proportionnalité $C \propto A$ est due au fait que, pour une différence de potentiel donnée, une armature plus grande peut emmagasiner une plus grande quantité de charges. Pour une différence de potentiel $\Delta V$ donnée, $E = \Delta V/d$. Puisque $E = \sigma/\varepsilon_0$ et $Q = \sigma A$, on voit que $Q = \varepsilon_0 \Delta V/d$, donc que $Q \propto 1/d$. Autrement dit, la charge emmagasinée est inversement proportionnelle à la distance séparant les armatures. Donc, $C \propto 1/d$ est également valable. Regardons maintenant comment la différence de potentiel varie pour une charge donnée sur les armatures. On sait que $E$ est constant (si l'on néglige les effets de bords), donc $\Delta V = Ed \propto d$. Si l'on éloigne les armatures, leur différence de potentiel augmente. Là encore, on trouve que $C = Q/\Delta V \propto 1/d$ est valable.

Dans la pratique, les condensateurs plans sont faits de deux feuilles métalliques séparées par des feuilles isolantes en plastique. Ce sandwich est enroulé sous forme de cylindre, puis recouvert (figure 5.5*a*). Dans les anciens postes de radio, on trouvait des condensateurs plans d'un type différent, comme celui de la figure 5.5*b*. Ils étaient composés de deux ensembles de plaques semi-circulaires et l'on pouvait faire varier l'aire des plaques juxtaposées en faisant tourner l'un des ensembles. En tournant le bouton de syntonisation du poste, on faisait donc varier la capacité, ce qui faisait varier la fréquence des ondes radio captées par le poste (*cf.* chapitre 12).

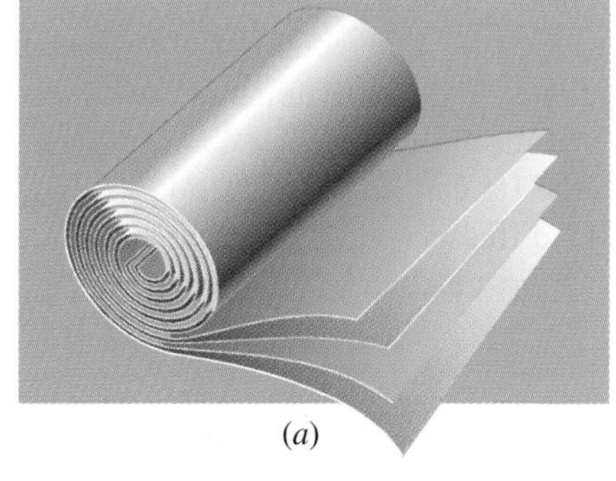

(*a*)

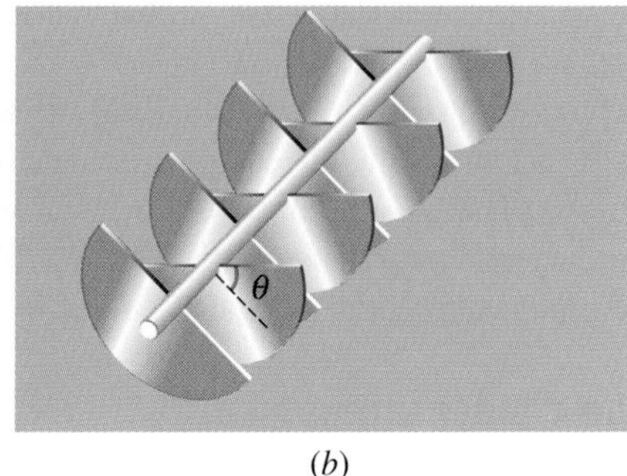


(*b*)

***Figure 5.5***

(*a*) On peut réaliser un condensateur en isolant deux feuilles métalliques au moyen de feuilles de plastique. (*b*) Un condensateur variable. La capacité dépend de l'aire juxtaposée de deux ensembles d'armatures : l'un des ensembles est fixe, l'autre peut tourner.

### Exemple 5.1

Un condensateur plan dont les armatures sont distantes de 1 mm a une capacité de 1 F. Quelle est l'aire de chaque armature ?

**Solution :**

D'après l'équation 5.3,

$$A = \frac{Cd}{\varepsilon_0} = \frac{(1 \text{ F})(10^{-3} \text{ m})}{8{,}85 \times 10^{-12} \text{ F/m}}$$
$$= 1{,}13 \times 10^8 \text{ m}^2$$

ce qui correspond à peu près à 10 km × 10 km ! On voit ici que le farad est une très grande unité.

### Exemple 5.2

Les armatures d'un condensateur plan sont séparées de 2 mm et ont pour dimensions 3 cm × 4 cm. Elles sont reliées à une pile de 60 V. Déterminer : (a) la capacité ; (b) la quantité de charge sur chaque armature.

**Solution :**

(a) L'aire des armatures est $A = 12 \times 10^{-4}$ m². La capacité est donnée par l'équation 5.3 :

$$C = \frac{\varepsilon_0 A}{d}$$
$$= \frac{(8{,}85 \times 10^{-12}\ \text{F/m})(1{,}2 \times 10^{-3}\ \text{m}^2)}{2 \times 10^{-3}\ \text{m}}$$
$$= 5{,}31\ \text{pF}$$

(b) On peut déterminer la quantité de charge sur chaque armature à partir de l'équation 5.1, $Q = C\,\Delta V$. La valeur de la capacité ayant été trouvée à la question (a), on a

$$Q = C\,\Delta V$$
$$= (5{,}31 \times 10^{-12}\ \text{F})(60\ \text{V})$$
$$= 3{,}19 \times 10^{-10}\ \text{C}$$

## Exemple 5.3

Quelle est la capacité d'une *sphère conductrice isolée* de rayon $R$ ?

**Solution :**

Si une sphère conductrice isolée de rayon $R$ porte une charge positive $Q$, on peut considérer que cette charge lui a été transmise par la Terre, qui est un bon conducteur et qui tient lieu de « deuxième armature ». Le potentiel de la sphère est $V = kQ/R$. Le potentiel de la Terre est de 0 par définition. On a donc $\Delta V = kQ/R$. Puisque $k = 1/(4\pi\varepsilon_0)$, la capacité $C = Q/\Delta V$ s'écrit

$$C = 4\pi\varepsilon_0 R \qquad (5.4)$$

On voit donc que la capacité dépend du rayon, c'est-à-dire d'une grandeur géométrique. Ce résultat semble valable puisqu'il faut une plus grande charge pour élever une plus grande sphère à un potentiel donné. Si l'on suppose que la Terre est une sphère conductrice de rayon 6370 km et que la « deuxième armature » est le vide interplanétaire, l'équation 5.4 permet d'affirmer que sa capacité est égale à 710 µF.

## Exemple 5.4

Un *condensateur sphérique* est composé de deux sphères conductrices concentriques (figure 5.6). La sphère intérieure, de rayon $R_1$, porte une charge $Q$ positive. La charge sur la sphère creuse extérieure de rayon $R_2$ est $-Q$. Déterminer sa capacité.

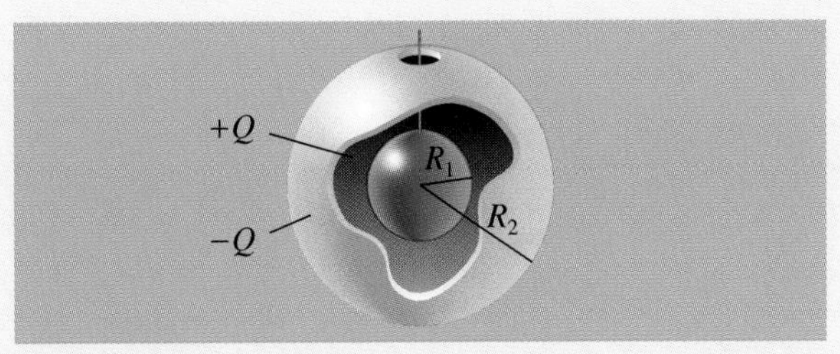


***Figure 5.6***

Un condensateur sphérique.

**Solution :**

La différence de potentiel entre les sphères est déterminée par le champ électrique, $\Delta V = -\int \vec{\mathbf{E}}\cdot d\vec{\mathbf{s}}$. Puisque le champ a seulement une composante radiale, le produit scalaire devient $\vec{\mathbf{E}}\cdot d\vec{\mathbf{s}} = E_r\,dr$, avec $E_r = +kQ/r^2$. (On remarque que $E_r$ est dû uniquement à la charge sur la sphère *intérieure*.) Si l'on choisit un trajet allant de la sphère intérieure à la sphère extérieure, la différence de potentiel est

$$V_2 - V_1 = -\int_{R_1}^{R_2} E_r\,dr = -\left[-\frac{kQ}{r}\right]_{R_1}^{R_2}$$
$$= kQ\left(\frac{1}{R_2} - \frac{1}{R_1}\right)$$

Ce résultat est négatif (à cause de la direction dans laquelle l'intégrale a été calculée), mais seule la valeur absolue nous intéresse. De $C = Q/\Delta V$, on tire

$$C = \frac{R_1 R_2}{k(R_2 - R_1)} \qquad (5.5)$$

On peut rapprocher cette expression de celle qui donne la capacité d'une sphère isolée et de celle qui donne la capacité d'un condensateur plan (voir le problème 11).

## Exemple 5.5

Un *condensateur cylindrique* est composé d'un conducteur central de rayon $a$ entouré d'un cylindre conducteur creux de rayon $b$ (figure 5.7). Les câbles coaxiaux utilisés pour le transport des signaux de télévision ont cette géométrie. En général, la gaine extérieure conductrice est mise à la terre et protège le signal du fil intérieur contre les perturbations électriques. Un manchon en nylon ou en téflon sépare le fil intérieur de la gaine. Trouver la capacité d'une longueur $L$ en supposant que l'espace entre les armatures est rempli d'air.

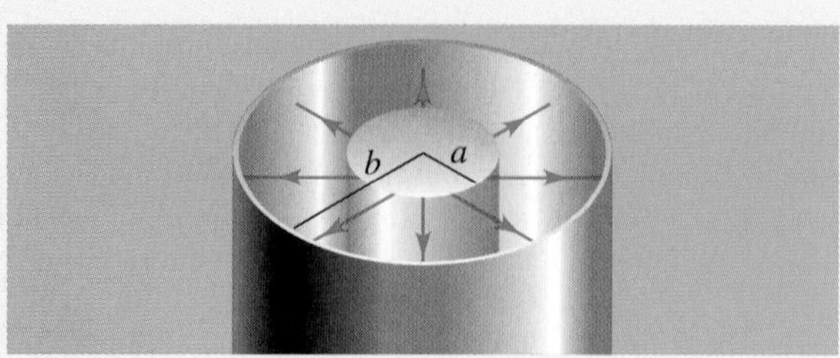


*Figure 5.7*

Un condensateur cylindrique.

**Solution :**

On suppose le câble suffisamment long pour pouvoir négliger les effets de bords. Dans ce cas, le champ électrique, que l'on peut calculer à l'aide du théorème de Gauss, est le même que celui d'un fil infini chargé (équation 2.13 ou exemple 3.4). Avec une densité linéique de charge positive $\lambda$, le champ électrique dans la région $a < r < b$ est

$$E_r = \frac{2k\lambda}{r}$$

On remarque que le champ est déterminé uniquement par la densité de charge sur le conducteur *intérieur*. Puisque le champ a seulement une composante radiale, nous avons $\vec{\mathbf{E}} \cdot d\vec{\mathbf{s}} = E_r \, dr$. La différence de potentiel entre les conducteurs est donnée par

$$V_b - V_a = -\int_a^b E_r \, dr = -2k\lambda \int_a^b \frac{dr}{r}$$

$$= -2k\lambda \ln\frac{b}{a}$$

Nous avons seulement besoin de connaître la valeur absolue de cette différence de potentiel. La charge sur une longueur $L$ est $Q = \lambda L$, et la capacité s'écrit donc

$$C = \frac{2\pi\varepsilon_0 L}{\ln(b/a)} \tag{5.6}$$

La capacité est proportionnelle à la longueur du câble et augmente d'autant plus que la valeur de $a$ s'approche de celle de $b$. Pour comprendre cette relation, considérons un rayon extérieur fixe $b$ et une différence de potentiel donnée entre les armatures. Au fur et à mesure que le rayon du conducteur interne augmente, l'expression de $V_b - V_a$ montre que $\lambda$ doit augmenter puisque $\ln(b/a)$ diminue. Une augmentation de $\lambda$ correspond à un accroissement de la charge totale emmagasinée pour la différence de potentiel donnée, c'est-à-dire à une augmentation de la capacité.

## 5.2 Les associations de condensateurs en série et en parallèle

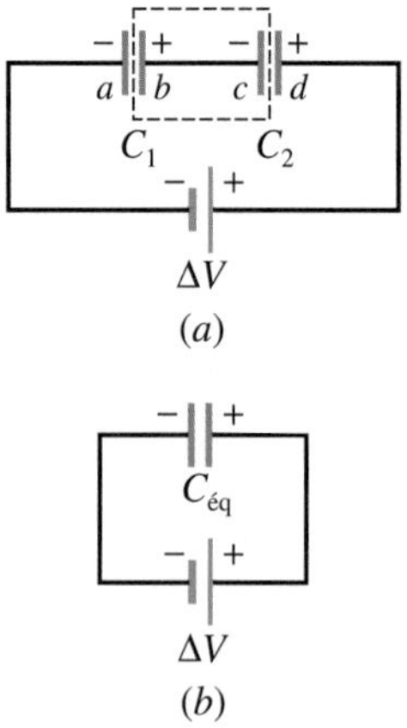

Un condensateur est caractérisé par sa capacité et par la différence de potentiel maximale qu'il est possible de lui appliquer sans endommager l'isolant entre les armatures. Si l'on ne dispose pas de condensateurs ayant la capacité requise, on peut relier entre eux plusieurs condensateurs pour former différentes associations. Nous allons essayer de déterminer la capacité équivalente de deux types fondamentaux d'association.

Dans une **association en série**, deux éléments de circuit sont reliés l'un à la suite de l'autre : ils ont *une* borne commune. La figure 5.8*a* représente deux condensateurs reliés en série avec une pile. Les champs électriques dans les condensateurs sont de même sens, de sorte que la différence de potentiel aux bornes de l'ensemble est simplement égale à la somme des différences de potentiels, c'est-à-dire

$$\Delta V = \Delta V_1 + \Delta V_2$$

Il est important de réaliser que la pile n'est en contact qu'avec les deux seules armatures $a$ et $d$. Cela est le cas quel que soit le nombre de condensateurs reliés en série. Ainsi, la pile va faire passer des charges de l'armature $a$ à l'armature $d$. Les armatures $b$ et $c$ vont acquérir des charges induites qui doivent être de

*Figure 5.8*

Deux condensateurs reliés en série.
(a) Les quantités de charges sont les mêmes sur toutes les armatures.
(b) La capacité équivalente est donnée par $1/C_{éq} = 1/C_1 + 1/C_2$.

même grandeur et de signes opposés puisqu'en fait elles font partie d'un même conducteur sur lequel la charge nette est nulle. Par conséquent, dans une association en série, la quantité de charge est la même sur chaque condensateur. Les deux condensateurs sont équivalents à un seul condensateur $C_{éq}$ (figure 5.8*b*). La charge sur ce condensateur est la même que la charge sur chacun des condensateurs de départ, c'est-à-dire $Q = Q_1 = Q_2$. Puisque $\Delta V = \Delta V_1 + \Delta V_2$ et $\Delta V = Q/C$, on a

$$\frac{Q}{C_{éq}} = \frac{Q}{C_1} + \frac{Q}{C_2}$$

Cela donne

$$\frac{1}{C_{éq}} = \frac{1}{C_1} + \frac{1}{C_2}$$

Ce raisonnement est facile à généraliser au cas de plusieurs condensateurs. Pour une association de $N$ condensateurs en série, la capacité équivalente est

(en série) $$\frac{1}{C_{éq}} = \frac{1}{C_1} + \frac{1}{C_2} + \ldots + \frac{1}{C_N} \qquad (5.7)$$

Dans une association en série, la capacité équivalente est toujours inférieure à celle du condensateur qui a la plus petite capacité. Puisque la charge de chaque condensateur est la même et que $\Delta V = Q/C$, la différence de potentiel est la plus grande aux bornes du condensateur ayant la plus petite capacité.

Dans une **association en parallèle**, les deux éléments de circuit sont reliés côte à côte : ils ont *deux* bornes communes. La figure 5.9*a* représente deux condensateurs montés en parallèle avec une pile. Les potentiels des bornes de gauche doivent être les mêmes à l'état d'équilibre électrostatique parce que les bornes sont reliées par des fils conducteurs dans lesquels le champ est nul. Il en va également ainsi des potentiels des bornes de droite. Par conséquent, les différences de potentiel entre les bornes des deux éléments sont les mêmes, c'est-à-dire $\Delta V = \Delta V_1 = \Delta V_2$. La charge totale sur chaque armature du condensateur équivalent est égale à la somme des charges individuelles :

$$Q = Q_1 + Q_2 = (C_1 + C_2)\Delta V$$
$$= C_{éq}\Delta V$$

On en déduit facilement que

$$C_{éq} = C_1 + C_2$$

En généralisant ce raisonnement au cas de $N$ condensateurs, on trouve

(en parallèle) $$C_{éq} = C_1 + C_2 + \ldots + C_N \qquad (5.8)$$

Ici, contrairement à un agencement en série, la pile est en contact avec toutes les armatures.

D'après l'équation 5.8, on voit que la capacité équivalente d'une association de condensateurs reliés en parallèle est tout simplement la somme des capacités individuelles des condensateurs. On peut faire le lien entre ce résultat et l'équation 5.3 : si on place plusieurs condensateurs plans identiques en parallèle, on peut imaginer qu'ils ne forment qu'un seul condensateur dont l'aire des armatures est la somme des aires individuelles. La capacité de l'ensemble est alors proportionnelle à l'aire totale des armatures.

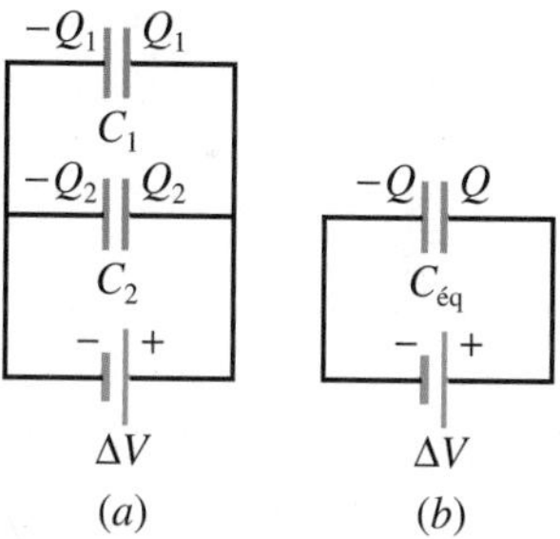


**Figure 5.9**

Deux condensateurs reliés en parallèle. Les différences de potentiel aux bornes des condensateurs sont les mêmes. La capacité équivalente est donnée par $C_{éq} = C_1 + C_2$.

## Exemple 5.6

Pour le circuit de la figure 5.10*a* (où $C_1 = 6\ \mu F$, $C_2 = 1\ \mu F$, $C_3 = 3\ \mu F$ et $C_4 = 12\ \mu F$), déterminer (a) la capacité équivalente ; (b) la charge et la différence de potentiel pour chaque condensateur.

**Solution :**

Dans tous les problèmes où on a à analyser un circuit, il est important de redessiner celui-ci en tentant, dans la mesure du possible, de placer tous les éléments du circuit dans le même sens. On passe du circuit de la figure 5.10*a* à celui de la figure 5.10*b* (qui est le même !) en éliminant les éléments verticaux et diagonaux tout en respectant l'ordre des branchements. Il devient alors très facile de reconnaître quels éléments sont en série ou en parallèle. Ensuite, il faut simplifier le problème en réduisant le plus possible le nombre d'éléments en série ou en parallèle.

(a) Commençons par $C_2$ et $C_3$ ; comme ils sont en parallèle, ils sont équivalents à un condensateur de 4 μF. Ce condensateur de 4 μF est en série avec $C_1$ et $C_4$ (figure 5.10*b*). La capacité équivalente totale (figure 5.10*c*) est donnée par

$$\frac{1}{C_{éq}} = \frac{1}{6} + \frac{1}{4} + \frac{1}{12} = \frac{1}{2}$$

d'où on tire $C_{éq} = 2\ \mu F$.

(b) Puisque les condensateurs en série ont la même charge,

$$Q_1 = Q_2 + Q_3 = Q_4$$

C'est aussi la quantité de charge sur le condensateur équivalent, $Q = C_{éq}\Delta V = (2\ \mu F)(48\ V) = 96\ \mu C$. Donc, $Q_1 = Q_4 = 96\ \mu C$.

Pour trouver les charges sur les deux autres condensateurs, il faut connaître leur différence de potentiel commune $\Delta V_2 = \Delta V_3$. Nous calculons d'abord les différences de potentiel aux bornes de $C_1$ et de $C_4$ :

$$\Delta V_1 = \frac{Q_1}{C_1} = \frac{96\ \mu C}{6\ \mu F} = 16\ V$$

$$\Delta V_4 = \frac{Q_4}{C_4} = \frac{96\ \mu C}{12\ \mu F} = 8\ V$$

Puisque la différence de potentiel de la pile est égale à 48 V, on a $\Delta V_2 = \Delta V_3 = 48\ V - (16\ V + 8\ V) = 24\ V$. Enfin,

$$Q_2 = C_2\Delta V_2 = (1\ \mu F)(24\ V) = 24\ \mu C$$

$$Q_3 = C_3\Delta V_3 = (3\ \mu F)(24\ V) = 72\ \mu C$$

On remarque que la somme $Q_2 + Q_3 = 96\ \mu C$, comme prévu.

## Exemple 5.7

Étant donné deux condensateurs tels que $C_2 = 2C_1$, comparer les charges et les différences de potentiel lorsqu'ils sont reliés (a) en série ; (b) en parallèle.

**Solution :**

(a) Dans une association en série, les charges sont les mêmes. De $\Delta V = Q/C$, on déduit que $\Delta V_2 = 0{,}5\Delta V_1$.

(b) Dans une association en parallèle, $\Delta V_1 = \Delta V_2$. Puisque $Q = C\Delta V$, il s'ensuit que $Q_2 = 2Q_1$.

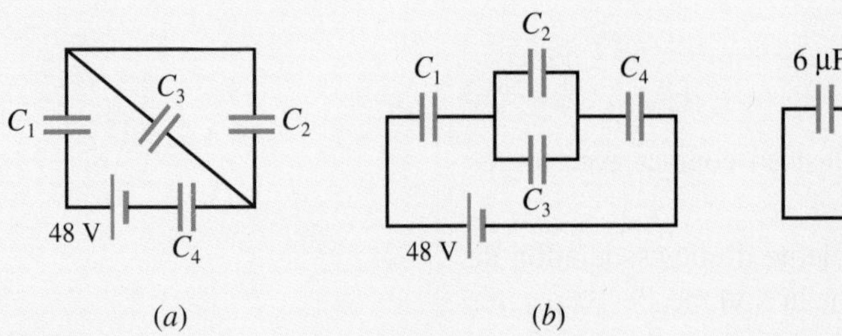


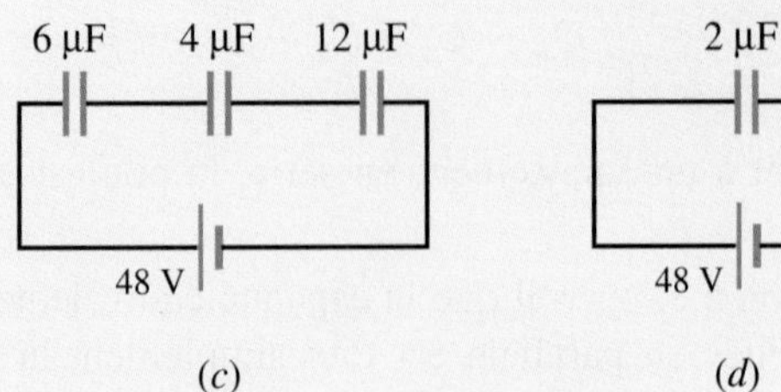


***Figure 5.10***

Lorsqu'on calcule la capacité équivalente de plusieurs condensateurs, on peut diviser le problème en plusieurs étapes intermédiaires.

## 5.3 L'énergie emmagasinée dans un condensateur

L'énergie emmagasinée dans un condensateur est égale au travail fourni, par exemple par une pile, pour le charger. Supposons qu'à un instant donné, la quantité de charge sur chaque armature soit $q$ et que la différence de potentiel entre les armatures soit $\Delta V = q/C$. Le travail nécessaire pour faire passer une charge infinitésimale $dq$ de l'armature négative à l'armature positive est $dW_{\text{ext}} = \Delta V dq = (q/C)dq$ (la charge circule dans les fils et non dans l'espace entre les armatures). Le travail total fourni pour faire passer toute la charge $Q$ est

$$W_{\text{ext}} = \int_0^Q \frac{q}{C}\, dq = \frac{Q^2}{2C}$$

Ce travail est emmagasiné sous forme d'énergie potentielle électrique, $U_E$. Puisque $Q = C\Delta V$, on a

$$U_E = \frac{Q^2}{2C} = \tfrac{1}{2}Q\,\Delta V = \tfrac{1}{2}C\,\Delta V^2 \qquad (5.9)$$

**Énergie emmagasinée dans un condensateur**

L'équation 5.9 donne l'énergie potentielle du *système* de charges sur les deux plaques. L'expression $U = qV$ de l'équation 4.11 correspond à l'énergie potentielle associée à une charge *unique* $q$ au potentiel $V$ créé par des charges situées dans son voisinage. Le facteur $\frac{1}{2}$ qui figure dans le produit $\frac{1}{2}Q\Delta V$ exprime le fait que la charge $Q$ n'a pas été transportée d'un seul coup à travers la différence de potentiel $\Delta V$. La charge ainsi que la différence de potentiel ont augmenté progressivement jusqu'à leur valeur finale, conformément à l'influence mutuelle des charges (voir l'équation 4.12*b*).

### Exemple 5.8

Deux condensateurs, $C_1 = 5$ µF et $C_2 = 3$ µF, sont initialement en parallèle avec une pile de 12 V (figure 5.11*a*). On les déconnecte pour les reconnecter comme sur la figure 5.11*b*. Noter attentivement les numéros des armatures. Déterminer les charges, les différences de potentiel et les énergies emmagasinées (a) pour la première configuration et (b) pour la deuxième configuration.

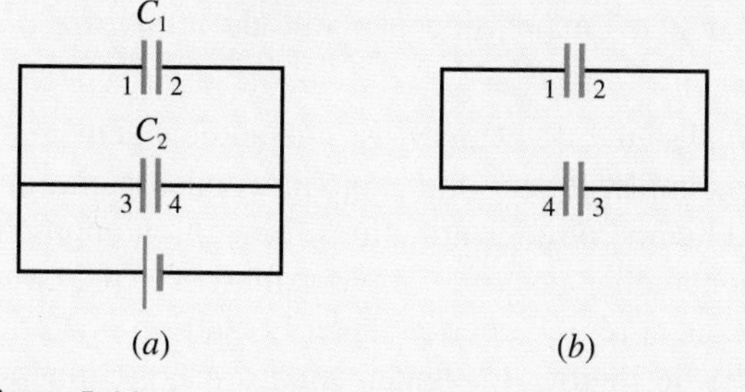


*Figure 5.11*

(*a*) On charge deux condensateurs en les plaçant en parallèle. (*b*) On enlève la pile du circuit et on rétablit la connexion entre les armatures en inversant les polarités.

**Solution :**

(a) Puisque les condensateurs sont initialement en parallèle avec la pile, leurs différences de potentiel sont égales à celle de la pile :

$$\frac{Q_1}{C_1} = \frac{Q_2}{C_2} = 12 \text{ V}$$

Par conséquent, $Q_1 = 60$ µC et $Q_2 = 36$ µC. Les énergies initiales sont

$$U_1 = \tfrac{1}{2}Q_1\Delta V_1 = \tfrac{1}{2}(60\ \mu\text{C})(12\ \text{V}) = 360\ \mu\text{J}$$

$$U_2 = \tfrac{1}{2}Q_2\Delta V_2 = \tfrac{1}{2}(36\ \mu\text{C})(12\ \text{V}) = 216\ \mu\text{J}$$

(b) Lorsqu'on relie l'armature 1 (de charge 60 µC) et l'armature 4 (de charge −36 µC), les charges s'annulent en partie et il ne reste que la différence, 24 µC, que les condensateurs vont se partager. Si les symboles primes représentent les valeurs correspondant à la deuxième configuration, on a

$$Q_1' + Q_2' = 24\ \mu\text{C} \qquad \text{(i)}$$

Une fois l'équilibre électrostatique atteint, les différences de potentiel aux bornes des condensateurs deviennent identiques. On peut traiter les condensateurs comme s'ils étaient montés en parallèle :

$$\frac{Q_1'}{C_1} = \frac{Q_2'}{C_2}$$

Donc

$$3Q_1' = 5Q_2' \qquad \text{(ii)}$$

La résolution du système formé par (i) et (ii) donne $Q_1' = 15$ µC et $Q_2' = 9$ µC. Les différences de potentiel ($\Delta V = Q/C$) sont $\Delta V_1' = \Delta V_2' = 3$ V. Les énergies finales sont $U_1' = \frac{1}{2}Q_1'\Delta V_1' = 22{,}5$ µJ et $U_2' = \frac{1}{2}Q_2'\Delta V_2' = 13{,}5$ µJ.

L'énergie totale initiale $U = 576$ µJ est beaucoup plus importante que l'énergie totale finale $U' = 36$ µJ. La différence peut s'expliquer de deux manières. Premièrement, il y a des pertes thermiques dans les fils de raccordement de tout système réel. Deuxièmement, même en l'absence de résistance, les charges sur les condensateurs n'atteignent pas instantanément leur valeur finale. La charge oscille entre les armatures des condensateurs, comme l'eau dans un tube en U. Comme nous le verrons au chapitre 13, l'oscillation des charges produit un rayonnement électromagnétique, comme la lumière, la chaleur et les ondes radio. Une partie de l'énergie « perdue » est donc dissipée sous forme de rayonnement.

## 5.4 La densité d'énergie du champ électrique

$E = \frac{\sigma}{\varepsilon_0}$ $+\sigma$ $-\sigma$

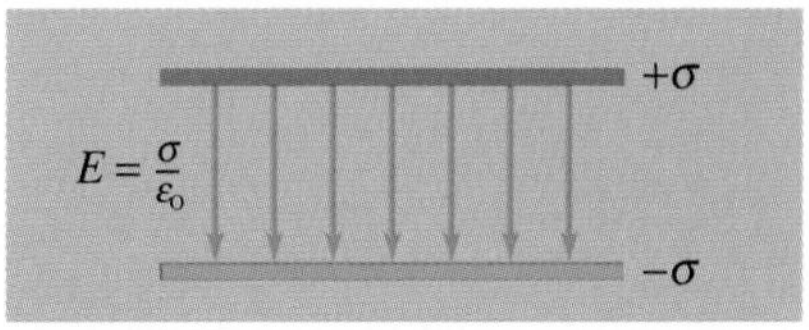

*Figure 5.12*

L'énergie d'un condensateur est emmagasinée dans le champ électrique. La densité d'énergie est $u_E = \frac{1}{2}\varepsilon_0 E^2$.

Nous savons que le travail nécessaire pour amener deux charges ponctuelles de l'infini jusqu'à une distance de séparation finie est emmagasiné sous forme d'énergie potentielle. Puisque les charges elles-mêmes n'ont pas changé, où est emmagasinée cette énergie potentielle ? Pour répondre à cette question, nous allons considérer l'énergie emmagasinée dans un condensateur. La capacité d'un condensateur plan (figure 5.12) est $C = \varepsilon_0 A/d$, et la différence de potentiel entre ses armatures est $\Delta V = Ed$. L'énergie emmagasinée, $U_E = \frac{1}{2}C\Delta V^2$, peut s'écrire

$$U_E = \frac{1}{2}\frac{\varepsilon_0 A}{d}(Ed)^2 = \frac{1}{2}\varepsilon_0 E^2(Ad)$$

Puisque le volume entre les armatures, où règne le champ, est $Ad$, la densité d'énergie, ou l'énergie par unité de volume (J/m$^3$), est

**Densité d'énergie du champ électrique**

$$u_E = \frac{1}{2}\varepsilon_0 E^2 \qquad (5.10)$$

On remarque que les caractéristiques du condensateur n'interviennent pas directement. D'après l'équation 5.10, on peut conclure que l'énergie est emmagasinée dans le champ électrique. Même si l'équation 5.10 a été établie à partir d'un cas particulier, elle donne l'expression générale de la *densité d'énergie d'un champ électrique*.

L'énergie potentielle d'un système de charges est liée au changement subi par le champ électrique. Par exemple, lorsqu'on charge un condensateur, un travail est effectué pour créer le champ entre les armatures. Lorsqu'on approche l'une de l'autre deux charges ponctuelles positives, un travail est effectué pour modifier le champ électrique dans la région environnante. Lorsqu'on libère les charges, elles s'éloignent l'une de l'autre. L'augmentation d'énergie cinétique des particules est le résultat d'une perte d'énergie du champ.

Au XIXe siècle, on pensait que le champ électrique était une forme quelconque de tension ou de déformation d'un milieu raréfié que l'on appelait éther. Nous savons maintenant que l'éther n'existe pas et que les champs électriques peuvent exister dans le vide, très loin des charges sources. En ce sens, ils ont une existence intrinsèque. L'énergie que nous recevons du Soleil sous forme de lumière et de chaleur est transportée par des champs électriques et magnétiques. Comme nous le verrons au chapitre 13, non seulement le champ est une réserve d'énergie, mais il peut également transporter de la quantité de mouvement.

## Exemple 5.9

Le module du champ électrique « disruptif », sous lequel l'air sec perd ses propriétés isolantes et laisse survenir une décharge, est d'environ $3 \times 10^6$ V/m. Quelle est la densité d'énergie correspondant à cette valeur du champ ?

**Solution :**

D'après l'équation 5.10, la densité d'énergie pour cette valeur critique du champ est

$$u_E = \tfrac{1}{2}(8{,}85 \times 10^{-12}\ \mathrm{C^2/N \cdot m^2})(3 \times 10^6\ \mathrm{V/m})^2$$
$$= 40\ \mathrm{J/m^3}$$

Puisque cette valeur correspond à l'intensité du champ disruptif, elle représente également la densité d'énergie maximale qui peut être atteinte avec un champ électrique dans l'air.

## Exemple 5.10

(a) Utiliser l'équation 5.10 pour déterminer l'énergie potentielle d'une sphère métallique de rayon $R$ portant la charge $Q$ positive. (b) Montrer que l'équation 5.9 mène directement au même résultat.

**Solution :**

(a) Notons tout d'abord qu'il n'y a pas de champ électrique à l'intérieur de la sphère conductrice. En appliquant le théorème de Gauss ou en faisant le calcul, on constate que le champ électrique à l'extérieur de la sphère est le même que celui d'une charge ponctuelle $Q$ placée au centre, c'est-à-dire :

$$E = \frac{kQ}{r^2} \quad (r > R)$$

Le volume d'une coquille imaginaire de rayon $r$ et d'épaisseur infinitésimale $dr$ (figure 5.13) est $4\pi r^2 dr$.

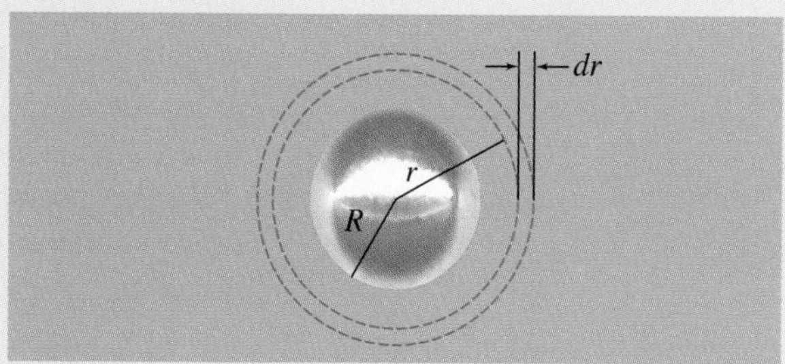


***Figure 5.13***

Pour calculer l'énergie emmagasinée dans le champ électrique à l'extérieur d'une sphère métallique chargée, on détermine d'abord l'énergie dans une coquille de rayon $r$ et d'épaisseur $dr$.

L'énergie du champ électrique à l'intérieur de cette coquille est

$$dU_E = u_E(4\pi r^2\, dr)$$
$$= \tfrac{1}{2}\varepsilon_0\left(\frac{kQ}{r^2}\right)^2(4\pi r^2\, dr)$$
$$= \frac{kQ^2}{2r^2}\, dr$$

Nous avons utilisé $k = 1/4\pi\varepsilon_0$. L'énergie potentielle totale est

$$U_E = \frac{kQ^2}{2}\int_R^\infty r^{-2}\, dr = \frac{kQ^2}{2R}$$

Cette expression coïncide avec celle de l'exemple 4.8. Il est évident que l'on peut considérer l'énergie de la sphère chargée comme étant emmagasinée dans son champ électrique.

(b) D'après l'exemple 5.3, on sait que pour une sphère isolée, $C = R/k$. Donc $U_E = Q^2/2C = kQ^2/2R$.

## 5.5 Les diélectriques

Lorsqu'on introduit entre les armatures d'un condensateur un matériau non conducteur tel que du verre, du papier ou du plastique, la capacité du condensateur augmente. Michael Faraday fut le premier à observer cet effet et donna le nom de **diélectrique** à ces matériaux. Deux expériences simples permettent d'illustrer les effets d'un diélectrique sur la capacité d'un condensateur.

### (i) En l'absence de pile

La figure 5.14*a* représente un condensateur de charge $Q_0$ et dont la différence de potentiel entre les armatures est $\Delta V_0$. La capacité initiale du condensateur lorsqu'on fait le vide entre les armatures est $C_0 = Q_0/\Delta V_0$. Lorsqu'on introduit un diélectrique de manière à remplir complètement l'espace entre les armatures (figure 5.14*b*), on observe que la différence de potentiel entre les armatures diminue d'un facteur $\kappa$, appelé **constante diélectrique** :

$$\Delta V_D = \frac{\Delta V_0}{\kappa} \qquad (5.11)$$

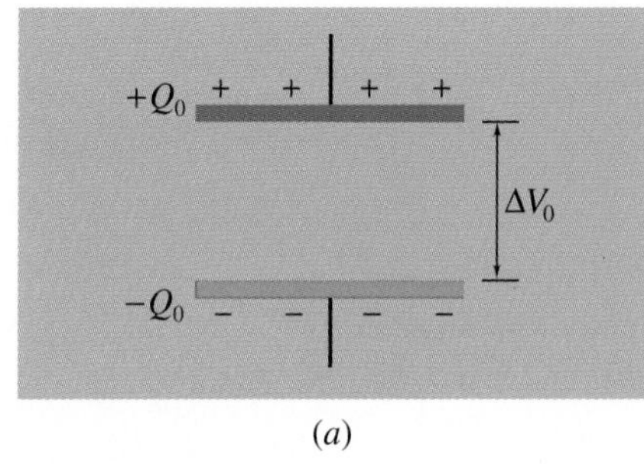


(*a*)

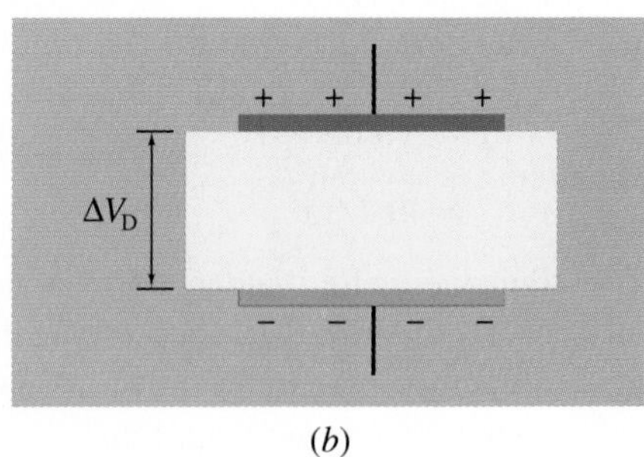


(*b*)

***Figure 5.14***

(*a*) Deux armatures portent des charges de même grandeur et de signes opposés $\pm Q_0$ et ont entre elles une différence de potentiel $\Delta V_0$. (*b*) Lorsque l'espace entre les armatures est complètement rempli de diélectrique, la différence de potentiel diminue et devient $\Delta V_D = \Delta V_0/\kappa$, où $\kappa$ est la constante diélectrique.

D'après la relation $\Delta V = Ed$, on constate que le module du champ électrique est divisé par le même facteur :

**Champ électrique dans un diélectrique**

$$E_D = \frac{E_0}{\kappa} \qquad (5.12)$$

Comme la charge sur chaque armature ne change pas (elle ne peut aller nulle part), la capacité en présence du diélectrique est $C_D = Q_0/\Delta V_D = \kappa C_0$.

### (ii) Avec pile

Pour le circuit représenté à la figure 5.15*a*, les conditions initiales sont les mêmes que celles du circuit de la figure 5.14*a*, mais une pile va maintenir la

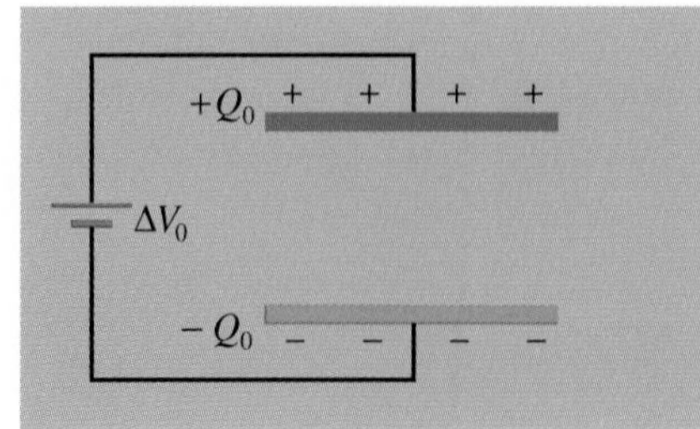


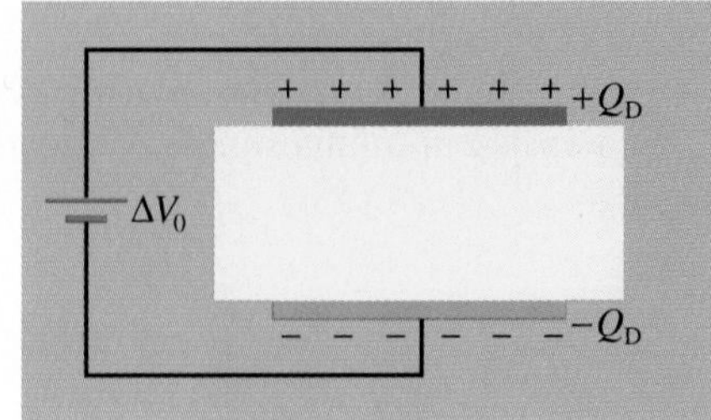


***Figure 5.15***

(*a*) Cette situation est semblable à celle de la figure 5.14*a*, mais la pile reste maintenant branchée. (*b*) La différence de potentiel ne change pas, mais la charge des armatures augmente et devient égale à $Q_D = \kappa Q_0$.

différence de potentiel $\Delta V_0$ entre les armatures. Lorsqu'on introduit le diélectrique dans l'espace entre les armatures (figure 5.15*b*), on observe que la charge sur les armatures augmente d'un facteur $\kappa$ pour devenir $Q_D = \kappa Q_0$. Utilisant la relation $C_D = Q_D/\Delta V_0$, on trouve à nouveau $C_D = \kappa C_0$.

Dans un cas comme dans l'autre, l'introduction d'un diélectrique a pour effet de multiplier la capacité par un facteur $\kappa$:

$$C_D = \kappa C_0 \tag{5.13}$$

*Tableau 5.1*

**Constantes et rigidités diélectriques**

| Matériau | Constante diélectrique | Rigidité diélectrique ($10^6$ V/m) |
|---|---|---|
| Air | 1,00059 | 3 |
| Papier | 3,7 | 16 |
| Verre | 4 – 6 | 9 |
| Paraffine | 2,3 | 11 |
| Caoutchouc | 2 – 3,5 | 30 |
| Mica | 6 | 150 |
| Eau | 80 | – |

Le tableau 5.1 donne les valeurs de $\kappa$ pour certains diélectriques usuels. Le terme diélectrique est presque toujours utilisé pour désigner des matériaux isolants, mais il peut parfois porter à confusion. L'eau, par exemple, a une constante diélectrique élevée, alors qu'elle n'est pas un isolant (en raison des ions $H^+$ et $OH^-$ qu'elle renferme).

En plus d'augmenter la capacité correspondant à une géométrie donnée des armatures, l'utilisation d'un diélectrique présente d'autres avantages. Par exemple, une mince feuille de plastique ou une couche d'oxyde permettent aux armatures d'un condensateur plan d'être très rapprochées sans risque de se toucher. Puisque $C \propto 1/d$ pour une capacité donnée, on peut ainsi réduire la taille du condensateur. L'utilisation d'un diélectrique présente également un avantage lié à sa **rigidité diélectrique**, qui correspond au module maximal du champ électrique pouvant être appliqué au matériau avant que celui-ci ne perde ses propriétés d'isolant et ne soit traversé par une décharge (figure 5.16). Un diélectrique augmente la différence de potentiel critique pour laquelle il se produit un claquage, c'est-à-dire une décharge entre les armatures.

*Figure 5.16*

Configuration arborescente produite lors du « claquage » d'un diélectrique, c'est-à-dire lorsqu'il est traversé par une décharge électrique.

## 5.6 La description atomique des diélectriques

La constante diélectrique d'une substance mesure la réaction de ses charges face à un champ électrique extérieur. Les charges peuvent se répartir de deux façons. Nous avons vu à la section 2.6 que dans un champ électrique extérieur, un atome acquiert un moment dipolaire *induit*. C'est la seule réaction électrostatique observée dans une substance non polaire. Mais dans une molécule polaire, comme celle de l'eau, les centres des charges positives et négatives ne coïncident pas et la molécule possède donc un moment dipolaire électrique permanent. En l'absence de champ extérieur, les dipôles sont orientés au hasard (figure 5.17*a*). Lorsqu'on applique un champ extérieur, le moment de force des dipôles a tendance à les aligner parallèlement aux lignes de champ, bien que l'alignement ne soit pas parfait à cause de l'agitation thermique. Aux extrémités du diélectrique, il semble y avoir davantage de charges d'un signe que de l'autre. Le résultat est une séparation réelle des charges sur l'épaisseur du matériau, comme le montre la figure 5.17*b*. (Cet effet s'ajoute à la contribution non polaire caractéristique de tous les matériaux.)

Ainsi, que le diélectrique soit polaire ou non, ses extrémités acquièrent des charges induites de signe opposé à celui de l'armature adjacente du condensateur. Cette séparation des charges est appelée *polarisation*. À l'intérieur du matériau, les charges induites créent un champ électrique *induit* $\vec{\mathbf{E}}_i$ qui est de sens opposé au champ externe $\vec{\mathbf{E}}_0$ (figure 5.18*a*). Par conséquent, le champ $\vec{\mathbf{E}}_0$ qui en résulte est inférieur au champ externe d'un facteur $\kappa$ (figure 5.18*b*) :

$$\vec{\mathbf{E}}_D = \frac{\vec{\mathbf{E}}_0}{\kappa} \tag{5.14}$$

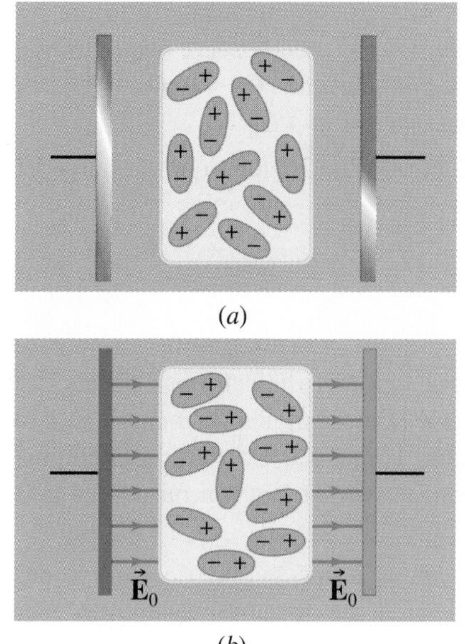


(*a*)

(*b*)

**Figure 5.17**

(*a*) En l'absence de champ extérieur, les dipôles présents dans une substance polaire sont orientés au hasard. (*b*) Lorsqu'on applique un champ extérieur, les dipôles ont tendance à s'aligner sur les lignes de champ et les extrémités du diélectrique deviennent chargées.

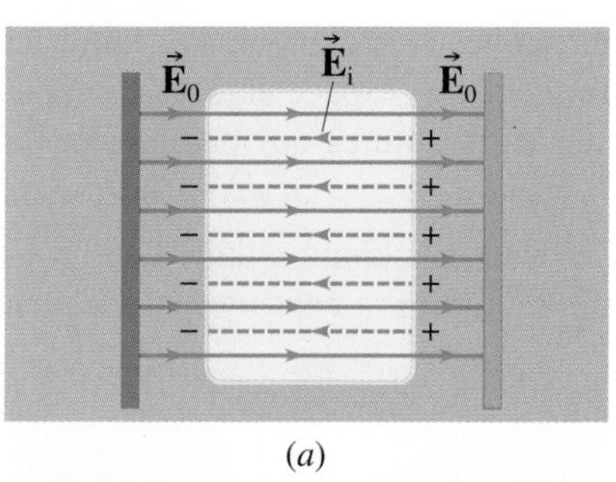


(*a*)

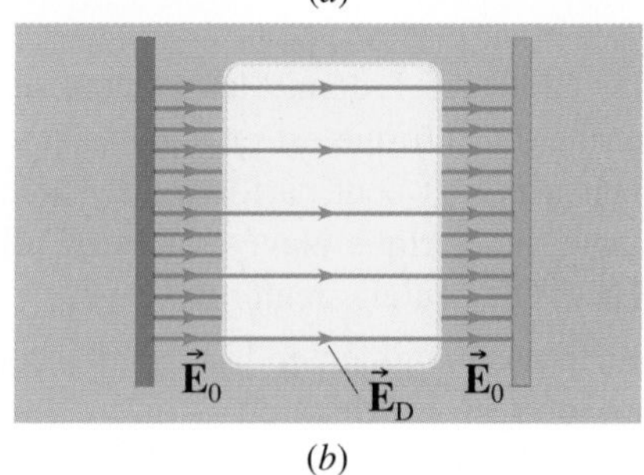


(*b*)

**Figure 5.18**

(*a*) Le champ électrique induit $\vec{E}_i$ créé par les charges superficielles du diélectrique est opposé au champ extérieur $\vec{E}_0$. (*b*) Le champ net à l'intérieur du diélectrique est $E_D = E_0 - E_i$.

En grandeur, on a, en tenant compte du sens,

$$E_D = E_0 - E_i$$

Étant donné la faible densité des molécules dans un gaz, on peut s'attendre à ce que le facteur $\kappa$ ne soit pas très grand pour un gaz. Puisque l'eau est un liquide et a une molécule polaire, il est relativement facile de réorienter ses molécules. Cela explique qu'elle ait une constante diélectrique élevée.

## Exemple 5.11

On introduit une plaque de diélectrique d'épaisseur $\ell$ et de constante diélectrique $\kappa$ dans un condensateur plan dont les armatures, d'aire $A$, sont séparées par une distance $d$ (figure 5.19). On suppose que la pile est débranchée avant l'introduction de la plaque. Quelle est la capacité ?

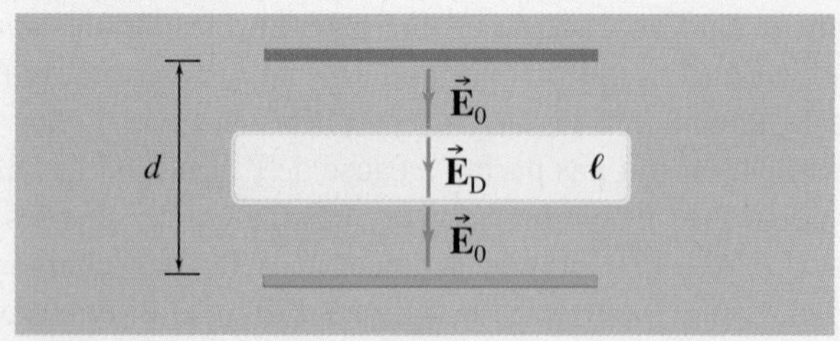


**Figure 5.19**

Une plaque de diélectrique est introduite entre deux armatures parallèles. Pour calculer la capacité, on doit d'abord calculer la différence de potentiel entre les armatures.

### Solution :

On doit d'abord trouver la différence de potentiel entre les armatures. Les valeurs du champ dans l'air et dans le diélectrique sont

$$E_0 = \frac{\sigma}{\varepsilon_0} = \frac{Q}{A\varepsilon_0}\,; \quad E_D = \frac{E_0}{\kappa}$$

La différence de potentiel entre les armatures est, pour les espaces remplis d'air, $\Delta V_0 = E_0(d - \ell)$, et, pour l'espace rempli de diélectrique, $\Delta V_D = E_D\ell = \sigma\ell/(\kappa\varepsilon_0)$. La différence de potentiel totale entre les armatures est donc

$$\Delta V = \frac{\sigma}{\varepsilon_0}\left[(d - \ell) + \frac{\ell}{\kappa}\right]$$

La capacité est égale à $C = Q/\Delta V = \sigma A/\Delta V$, ce qui donne

$$C = \frac{\varepsilon_0 A}{d + \ell(1/\kappa - 1)}$$

On remarque que lorsque $\kappa = 1$, $C = \varepsilon_0 A/d$ (équation 5.3).

On peut aussi résoudre ce problème en considérant le condensateur comme une association de deux condensateurs en série : un condensateur sans diélectrique d'épaisseur $d - \ell$ et un condensateur avec diélectrique d'épaisseur $\ell$. Les capacités de ces condensateurs valent respectivement $C_1 = \varepsilon_0 A/(d - \ell)$ et $C_2 = \kappa\varepsilon_0 A/\ell$. Par l'équation 5.7, $C = (1/C_1 + 1/C_2)^{-1}$ ; après quelques calculs, on retrouve l'expression donnée plus haut (vérifiez-le).

## 5.7 L'application du théorème de Gauss aux diélectriques

Nous allons voir comment s'applique le théorème de Gauss en présence d'un diélectrique, par exemple dans un condensateur plan. On peut exprimer les champs électriques dans le vide et dans le diélectrique en fonction de la densité de charges *libres* $\sigma_f$ sur les armatures métalliques et de la densité de charges *liées* $\sigma_b$ sur la surface du diélectrique* : $E_0 = \sigma_f/\varepsilon_0$ et $E_i = \sigma_b/\varepsilon_0$. D'après l'équation 5.14,

$$\frac{\sigma_f}{\varepsilon_0} - \frac{\sigma_b}{\varepsilon_0} = \frac{\sigma_f}{\kappa\varepsilon_0} \qquad (5.15)$$

La figure 5.20 représente un cylindre de Gauss dont l'une des faces planes est à l'intérieur de l'armature métallique (où $\vec{\mathbf{E}} = 0$) et dont l'autre surface plane est à l'intérieur du diélectrique où le champ est $\vec{\mathbf{E}}_D$. Si $A$ est l'aire de la section du cylindre, alors la charge nette à l'intérieur est $\sigma_f A - \sigma_b A = Q_f - Q_b$. Seule la face plane à l'intérieur du diélectrique contribue au flux intervenant dans le théorème de Gauss ; en utilisant l'équation 5.15, on trouve donc

$$\int \vec{\mathbf{E}}_D \cdot d\vec{\mathbf{A}} = \frac{Q_f - Q_b}{\varepsilon_0} = \frac{Q_f}{\kappa\varepsilon_0} \qquad (5.16)$$

D'après cette équation, on constate qu'à l'intérieur d'un matériau diélectrique, le champ électrique dû à une charge est divisé par le facteur $\kappa$.

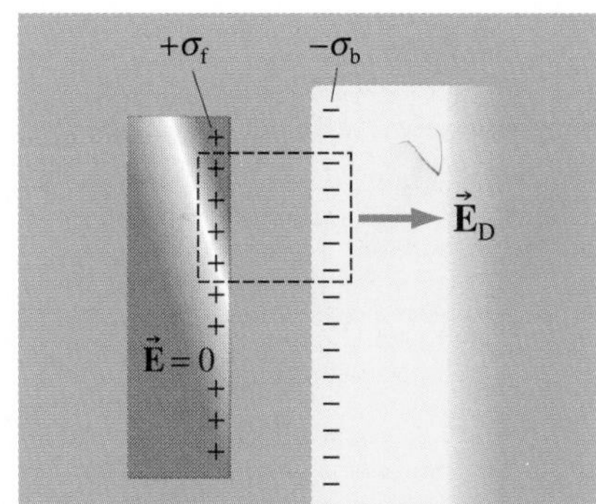


*Figure 5.20*

Un cylindre de Gauss qui s'étend du métal au diélectrique contient une charge nette $(Q_f - Q_b)$, où $Q_f$ est la quantité de charges libres sur le métal et $Q_b$ la quantité de charges liées sur la surface du diélectrique.

## Résumé

Un condensateur est un dispositif qui emmagasine la charge et l'énergie électrique. Il est composé de deux armatures conductrices séparées par un isolant. Si les armatures portent les charges $\pm Q$ et ont entre elles une différence de

* Les indices donnés à $\sigma$ correspondent aux termes anglais *free* (libre) et *bound* (lié).

potentiel $\Delta V$, la capacité du condensateur est définie comme la quantité de charge sur une armature divisée par la différence de potentiel $\Delta V$ entre les armatures :

$$C = \frac{Q}{\Delta V}$$

La capacité dépend des dimensions et de la forme des armatures ainsi que du matériau présent dans l'espace entre les armatures. Elle *ne dépend pas* de $Q$ ni de $\Delta V$ séparément.

Lorsque $N$ condensateurs sont associés en série ou en parallèle, la capacité équivalente est donnée par

(en série) $$\frac{1}{C_{\text{éq}}} = \frac{1}{C_1} + \frac{1}{C_2} + \ldots + \frac{1}{C_N}$$

(en parallèle) $$C_{\text{éq}} = C_1 + C_2 + \ldots + C_N$$

Lorsqu'on charge un condensateur, il y a transfert des charges positives du potentiel faible au potentiel élevé. Le travail effectué par l'agent extérieur est emmagasiné sous forme d'énergie potentielle :

$$U_E = \tfrac{1}{2}Q\Delta V = \frac{Q^2}{2C} = \tfrac{1}{2}C\Delta V^2$$

Si la capacité d'un condensateur est $C_0$ en l'absence de matériau entre ses armatures, sa capacité augmente lorsqu'on remplit l'espace entre les armatures d'un matériau diélectrique et devient

$$C_{\text{D}} = \kappa C_0$$

$\kappa$ étant appelée constante diélectrique du matériau. Dans un diélectrique, un champ électrique extérieur $E_0$ est divisé par le facteur $\kappa$ et a la valeur $E_{\text{D}} = E_0/\kappa$.

## Termes importants

**association en parallèle**
**association en série**
**capacité**
**condensateur**
**constante diélectrique**
**diélectrique**
**rigidité diélectrique**

## Révision

**R1.** Quel est l'effet d'une diminution de la distance entre les plaques sur la capacité d'un condensateur plan ?

**R2.** Vrai ou faux ? La capacité d'un condensateur cylindrique reste constante si on double la longueur et les rayons des cylindres.

**R3.** Vrai ou faux ? La capacité d'un agencement de condensateurs en parallèle est toujours plus grande que la capacité du plus grand condensateur de l'ensemble.

**R4.** Vrai ou faux ? Dans un agencement de condensateurs en série, c'est aux bornes du plus petit condensateur que s'établit la plus grande différence de potentiel.

**R5.** Dans l'expression $U_E = \frac{1}{2}C\,\Delta V^2$, on pourrait croire que l'énergie emmagasinée dans un condensateur est directement proportionnelle à sa capacité, tandis que l'expression $U_E = \frac{1}{2}Q^2/C$ donne à penser qu'elle est inversement proportionnelle à sa capacité. Montrez qu'il n'y a pas de contradiction entre ces deux expressions.

**R6.** Vrai ou faux ? Pour accumuler le plus d'énergie possible dans un condensateur rempli de diélectrique, on devrait utiliser un matériau qui combine une forte constante diélectrique et une faible rigidité diélectrique.

**R7.** L'introduction d'un diélectrique entre les armatures d'un condensateur fait augmenter sa capacité. Expliquez dans quel cas cette augmentation provient a) d'une augmentation de la charge du condensateur ; b) d'une diminution de la différence de potentiel aux bornes du condensateur.

**R8.** Expliquez comment l'introduction d'un diélectrique entre les armatures d'un condensateur chargé qui n'est pas relié à une pile affecte le champ électrique présent.

**R9.** Vrai ou faux ? L'introduction d'un diélectrique entre les armatures d'un condensateur chargé qui n'est pas relié à une pile s'accompagne d'une perte d'énergie dans le condensateur.

## Questions

**Q1.** Lorsqu'on relie une pile aux bornes d'un condensateur, les charges sur les armatures sont-elles toujours de même grandeur et de signes opposés, même si les armatures sont de tailles différentes ?

**Q2.** Deux conducteurs ont-ils une capacité, même si leurs charges ne sont pas de même grandeur et de signes opposés ?

**Q3.** Lorsqu'on introduit un diélectrique dans un condensateur plan chargé, l'énergie emmagasinée augmente-t-elle ou diminue-t-elle, sachant que (a) la pile reste branchée ; ou (b) la pile est d'abord débranchée ?

**Q4.** On double la différence de potentiel aux bornes d'un condensateur. Comment varient les grandeurs suivantes : (a) la capacité ; (b) la charge emmagasinée ; (c) l'énergie emmagasinée ?

**Q5.** Avec une pile donnée, doit-on relier deux condensateurs en série ou en parallèle pour qu'ils emmagasinent : (a) la charge totale maximale ; (b) l'énergie totale maximale ?

**Q6.** On charge un condensateur plan, puis on le débranche de la pile. Si l'on écarte les armatures, la différence de potentiel va-t-elle augmenter, diminuer ou rester la même ? Quel effet cela a-t-il sur l'énergie emmagasinée ?

**Q7.** Un condensateur plan est relié à une pile. Supposons qu'on rapproche les armatures. (a) Quel effet cela a-t-il sur la charge, la différence de potentiel et l'énergie ? (b) Le travail externe accompli pour déplacer les armatures est-il positif ou négatif ?

**Q8.** Reprenez la question 7 pour un condensateur plan chargé, la pile étant débranchée.

**Q9.** Donnez deux raisons justifiant l'utilisation des diélectriques dans les condensateurs.

**Q10.** L'eau a une constante diélectrique élevée. Pourquoi n'est-elle pas souvent utilisée dans les condensateurs ?

**Q11.** Quelle est la différence entre la constante diélectrique et la rigidité diélectrique d'un matériau ?

**Q12.** On introduit entre les armatures d'un condensateur plan une feuille de métal d'épaisseur négligeable (figure 5.21). (a) Quel effet cela a-t-il sur la capacité ? (b) La position de la feuille a-t-elle de l'importance ? (c) Qu'arrive-t-il si la feuille a une épaisseur non négligeable ?

***Figure 5.21***

Question 12.

**Q13.** Peut-on s'attendre à ce que la constante diélectrique d'une substance polaire dépende de la température ? Si oui, va-t-elle augmenter ou diminuer si la température s'élève ?

**Q14.** Montrez que $F/m = C^2 \cdot N^{-1} \cdot m^{-1}$.

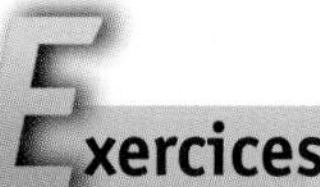

# Exercices

## 5.1 Capacité

**E1.** (I) Un condensateur a des armatures circulaires de rayon 6 cm séparées par une distance de 2 mm. Déterminez : (a) sa capacité ; (b) la charge sur chaque armature lorsque le condensateur est relié à une pile de 12 V.

**E2.** (I) (a) Quelle est la capacité par unité de longueur d'un long câble coaxial rectiligne dont le fil intérieur a un rayon de 0,5 mm et la gaine conductrice extérieure un rayon de 0,5 cm ? (b) Lorsqu'on lui applique une différence de potentiel de 24 V, quelle est la quantité de charge emmagasinée sur 2,5 m du fil ?

**E3.** (I) Un condensateur plan de 240 pF a des charges de ±40 nC sur ses armatures qui sont distantes de 0,2 mm. Déterminez : (a) l'aire de chaque armature ; (b) la différence de potentiel entre les armatures ; (c) le champ électrique entre les armatures.

**E4.** (I) Dans un condensateur plan, les armatures sont séparées de 0,8 mm. Les armatures portent des charges ±60 nC et un champ électrique de $3 \times 10^4$ V/m règne entre les armatures. Déterminez : (a) la différence de potentiel ; (b) la capacité ; (c) l'aire d'une armature.

**E5.** (I) Supposons que la Terre (de rayon 6400 km) est entourée d'une sphère conductrice à 50 km au-dessus de la surface et qu'il règne un champ électrique constant de 100 N/C orienté verticalement vers le bas. (a) Quelle est la densité surfacique de charge à la surface de la Terre ? (b) Quelle est la capacité du système ? (c) Comparez la réponse obtenue à la question (b) avec la capacité de la Terre considérée comme une sphère conductrice isolée.

**E6.** (I) Un long câble coaxial rectiligne a un fil intérieur de rayon $r = 1$ mm et une gaine extérieure conductrice de rayon $r_2$. Lorsqu'on lui applique une différence de potentiel de 27 V, la densité de charge linéique sur le fil intérieur est de 4 nC/m. Trouvez $r_2$.

**E7.** (II) Un condensateur est constitué de deux ensembles de plaques intercalées (figure 5.22). La distance de séparation des plaques et l'aire utile correspondante sont indiquées sur la figure. Quelle est la capacité de ce système ?

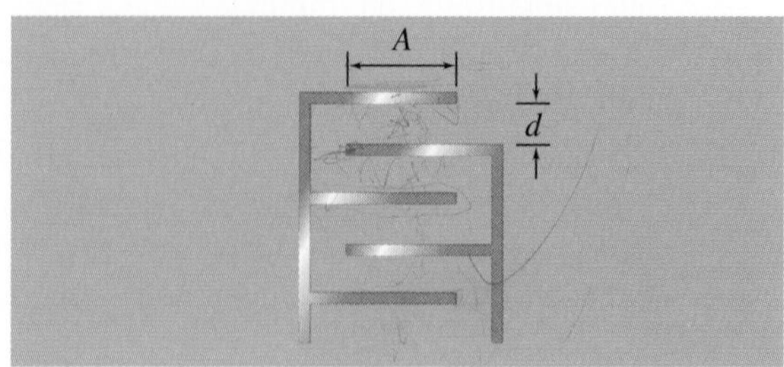


***Figure 5.22***

Exercice 7.

**E8.** (I) Un condensateur plan de 24 pF a des armatures dont l'aire est égale à 0,06 m$^2$. (a) Quelle est la différence de potentiel nécessaire pour provoquer une décharge entre les armatures ? Le module du champ disruptif dans l'air est $3 \times 10^6$ V/m. (b) Quelle serait la charge sur les armatures correspondant à cette différence de potentiel ?

**E9.** (I) Lorsque $10^{12}$ électrons sont transférés d'une armature à l'autre, la différence de potentiel aux bornes d'un condensateur initialement non chargé atteint 20 V. Quelle est sa capacité ?

**E10.** (I) Une pile de 12 V est reliée aux deux sphères concentriques d'un condensateur sphérique. Les rayons des sphères sont 15 cm et 20 cm. Quelle est la charge sur chaque sphère ?

**E11.** (I) Un condensateur de capacité $C_1 = 4$ μF est relié aux bornes d'une pile de 20 V. On enlève la pile et on relie le condensateur à un autre condensateur de capacité $C_2 = 6$ μF, non chargé. Quelles sont les charges et les différences de potentiel finales des condensateurs ?

**E12.** (II) Un condensateur variable comprend sept armatures en forme de demi-cercles de rayon 2 cm (figure 5.23). Les armatures sont distantes de 1 mm. Trouvez la capacité lorsque l'angle $\theta$ est : (a) nul ; (b) égal à 45° ; (c) égal à 135°.

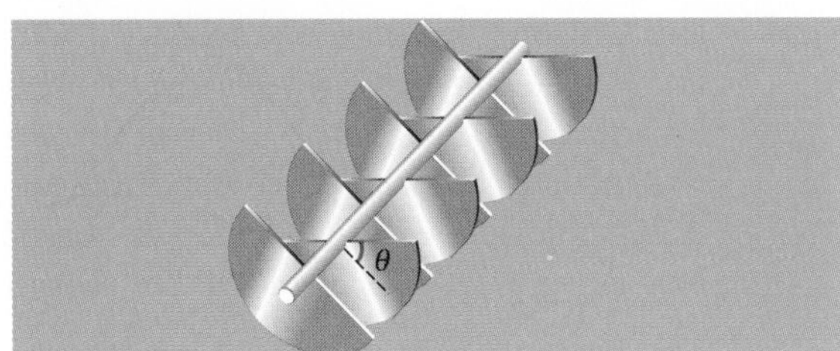


***Figure 5.23***

Exercice 12.

**E13.** (I) Un condensateur sphérique comprend une sphère intérieure de rayon 3 cm et une sphère extérieure de rayon 11 cm. (a) Quelle est sa capacité ? (b) Combien d'électrons doivent être transférés d'une sphère à l'autre pour créer une différence de potentiel de 5 V ?

## 5.2 Associations en série et en parallèle

**E14.** (I) Étant donné deux condensateurs de capacités $C_1 = 0,1$ μF et $C_2 = 0,25$ μF, et une pile de 12 V, trouvez la charge et la différence de potentiel pour chacun s'ils sont reliés (a) en série ; (b) en parallèle avec la pile.

**E15.** (I) Les trois condensateurs de la figure 5.24*a* ont une capacité équivalente de 12,4 μF. Trouvez $C_1$.

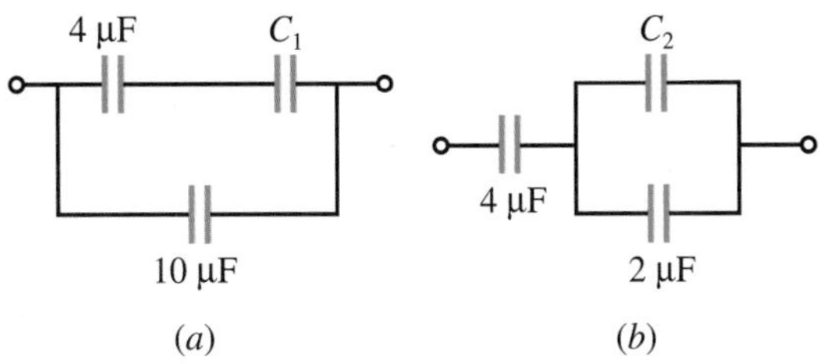


***Figure 5.24***

Exercices 15 et 16.

**E16.** (I) Les trois condensateurs de la figure 5.24*b* ont une capacité équivalente de 2,77 μF. Quelle est la valeur de $C_2$ ?

**E17.** (I) On vous donne quatre condensateurs de 10 μF. Trouvez la configuration ayant une capacité de (a) 4 μF ; (b) 2,5 μF.

**E18.** (I) Tous les condensateurs de la figure 5.25 sont identiques, avec $C = 1$ μF. Quelle est leur capacité équivalente ?

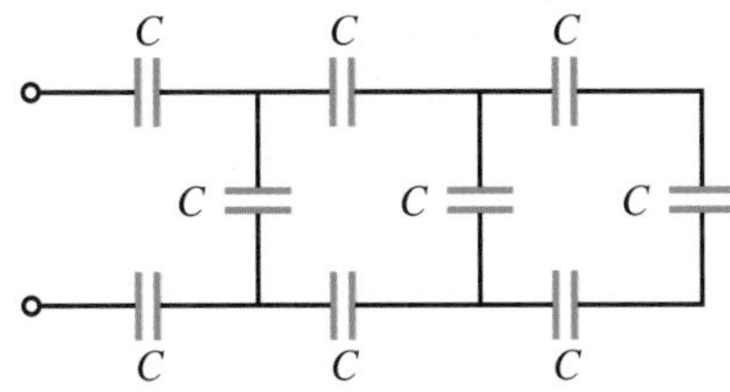


***Figure 5.25***

Exercice 18.

**E19.** (II) Deux condensateurs de capacité $C_1 = 2$ μF et $C_2 = 4$ μF sont reliés en série avec une pile de 18 V. On enlève la pile et on relie entre elles les armatures de même signe. Trouvez la charge et la différence de potentiel finales pour chaque condensateur.

**E20.** (II) Deux condensateurs de capacité $C_1 = 2$ μF et $C_2 = 6$ μF sont en parallèle avec une pile de 60 V. On enlève la pile et on relie entre elles les armatures de signes contraires. Trouvez la charge et la différence de potentiel finales pour chaque condensateur.

**E21.** (II) Un condensateur de capacité $C_1 = 3$ μF possède une différence de potentiel initiale de 12 V et un deuxième condensateur, $C_2 = 5$ μF, a une différence de potentiel initiale de 10 V. Trouvez les charges et différences de potentiel finales pour chaque condensateur si leurs armatures sont reliées de la manière suivante : (a) armatures de même signe reliées ensemble ; (b) armatures de signes contraires reliées ensemble.

**E22.** (II) On vous donne trois condensateurs de capacité $C_1 = 1$ μF, $C_2 = 2$ μF et $C_3 = 4$ μF. Combien de capacités différentes pouvez-vous produire avec ces trois condensateurs ? Indiquez les valeurs obtenues.

## 5.3 et 5.4 Énergie et densité d'énergie

**E23.** (I) Quelle est la capacité requise pour emmagasiner 100 MeV sous une différence de potentiel de 12 V entre les armatures ?

**E24.** (I) Étant donné deux condensateurs de 50 μF et une pile de 20 V, trouvez l'énergie emmagasinée totale lorsque les condensateurs sont reliés : (a) en parallèle ; (b) en série avec la pile.

**E25.** (I) Les armatures d'un condensateur plan ont une aire de 40 cm$^2$ et sont distantes de 2,5 mm. Le condensateur est relié à une pile de 24 V. Déterminez : (a) la capacité ; (b) l'énergie emmagasinée ; (c) le module du champ électrique entre les armatures ; (d) la densité d'énergie dans le champ électrique.

**E26.** (I) Dans un condensateur plan, la distance entre les armatures est égale à 0,6 mm et chaque armature porte une charge de ±0,03 μC. Si le module du champ électrique entre les armatures est égale à $4 \times 10^5$ V/m, trouvez : (a) la capacité ; (b) l'énergie emmagasinée.

**E27.** (I) Les armatures d'un condensateur plan de 400 pF sont distantes de 1,2 mm. Trouvez la densité d'énergie lorsqu'on applique une différence de potentiel de 250 V entre les armatures.

**E28.** (I) Étant donné deux condensateurs, $C_1 = 3$ μF et $C_2 = 5$ μF, déterminez l'énergie emmagasinée dans chacun d'entre eux lorsqu'ils sont reliés : (a) en parallèle, (b) ou en série avec une pile de 20 V.

**E29.** (II) Deux condensateurs, $C_1 = 2$ μF et $C_2 = 5$ μF, sont reliés en série avec une pile de 20 V. On enlève la pile et on relie entre elles les armatures de même signe. Trouvez les énergies emmagasinées initiale et finale pour chaque condensateur.

**E30.** (II) Deux condensateurs, $C_1 = 2$ μF et $C_2 = 5$ μF, sont en parallèle avec une pile de 40 V. On enlève la pile et on relie entre elles les armatures de signes contraires. Trouvez les énergies emmagasinées initiale et finale pour chaque condensateur.

**E31.** (II) On considère l'association de condensateurs représentée à la figure 5.26. Déterminez l'énergie emmagasinée dans (a) le condensateur de 5 μF ; (b) le condensateur de 4 μF.

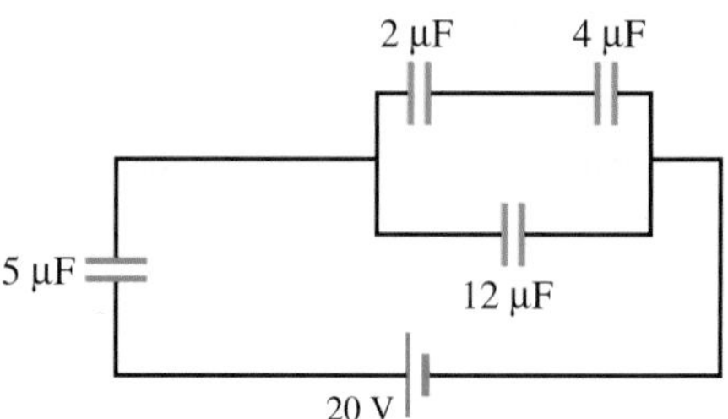


***Figure 5.26***

Exercice 31.

**E32.** (I) Un condensateur plan de 5 pF a une différence de potentiel de 25 V entre ses armatures. L'aire des armatures est égale à 40 cm$^2$. Déterminez : (a) l'énergie emmagasinée ; (b) la densité d'énergie dans le champ.

**E33.** (I) Les armatures d'un condensateur plan ont une aire $A$ et sont séparées d'une distance $d$. On introduit un bloc métallique d'épaisseur $\ell$ à mi-chemin entre les armatures (figure 5.27). (a) Trouvez une expression pour la capacité de ce condensateur *modifié*. (b) Que devient cette expression si l'on déplace le bloc de sorte qu'il touche l'une des armatures ?

***Figure 5.27***

Exercice 33 et problème 2.

**E34.** (I) Un condensateur plan dont les armatures sont distantes de $d$ est relié à une pile avec une différence de potentiel $\Delta V$. On éloigne les armatures l'une de l'autre jusqu'à ce qu'elles soient distantes de $2d$. Quelle est la variation subie par les grandeurs suivantes : (a) la différence de potentiel ; (b) la charge sur chaque armature ; (c) l'énergie emmagasinée dans le condensateur ?

**E35.** (II) Reprenez l'exercice 34 avec un condensateur chargé, la pile étant débranchée.

**E36.** (I) On considère l'association de condensateurs de la figure 5.28. L'énergie emmagasinée dans le condensateur de 5 μF est égale à 200 mJ. Quelle est l'énergie emmagasinée dans (a) le condensateur de 4 μF ; (b) le condensateur de 3 μF ?

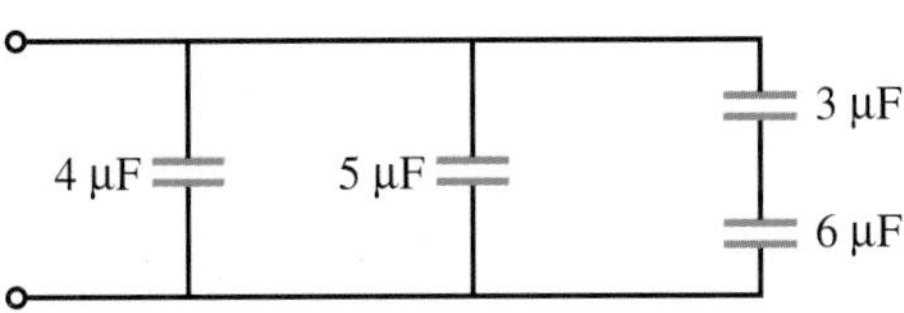


***Figure 5.28***

Exercice 36.

**E37.** (I) Le module du champ électrique à la pointe de l'aiguille d'un microscope à effet de champ (voir à la page 91) est d'environ $4{,}5 \times 10^8$ V/m. Quelle est la densité d'énergie dans un tel champ ?

**E38.** (I) Par beau temps, il règne à la surface de la Terre un champ électrique de 120 N/C vertical et dirigé vers le bas. Quelle est l'énergie électrique contenue dans une enceinte cubique d'arête 10 m ?

**E39.** (I) Les armatures d'un condensateur plan sont distantes de 1 mm. Pour quelle différence de potentiel la densité d'énergie est-elle égale à $1{,}8 \times 10^{-4}$ J/m$^3$ ?

**E40.** (I) Un condensateur plan de 15 pF est relié à une pile de 48 V. L'aire de chaque armature est égale à 80 cm$^2$. Quelle est la densité d'énergie dans le champ ?

## 5.5 Diélectriques

**E41.** (I) L'espace entre les armatures d'un condensateur plan est rempli de deux diélectriques de mêmes dimensions (figure 5.29). Quelle est la capacité résultante du condensateur en fonction de $\kappa_1$, $\kappa_2$ et $C_0$, sa capacité lorsque ses armatures sont séparées par le vide ?

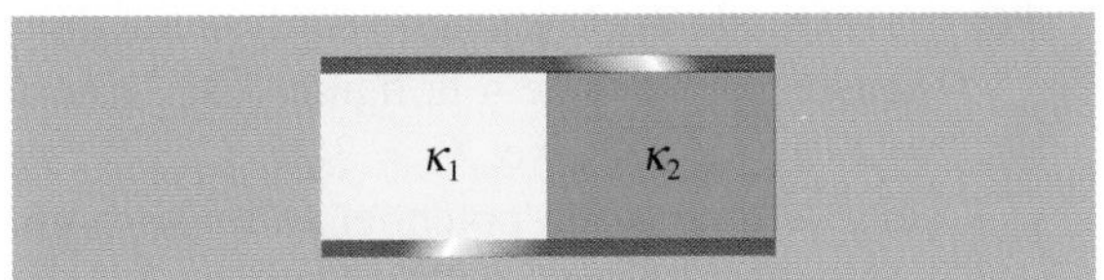


***Figure 5.29***

Exercice 41.

**E42.** (II) Un condensateur plan est rempli à moitié d'une couche de diélectrique de constante $\kappa_1$ alors que l'autre moitié contient une couche de constante $\kappa_2$ (figure 5.30). Quelle est la capacité résultante ? Exprimez votre réponse en fonction de $\kappa_1$, $\kappa_2$ et $C_0$, la capacité du condensateur en l'absence de diélectrique.

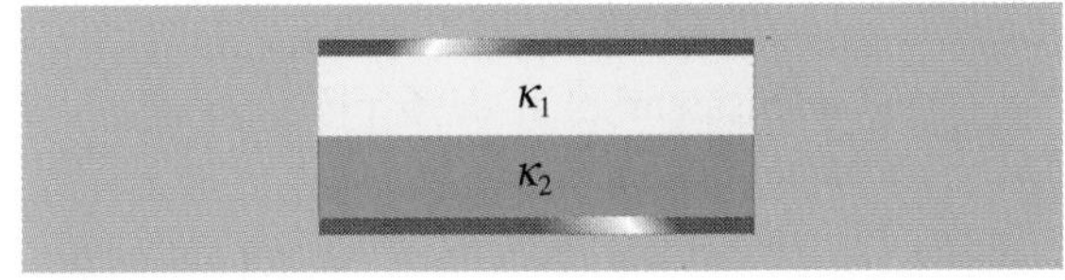


***Figure 5.30***

Exercice 42.

**E43.** (II) Les armatures d'un condensateur plan portent une densité surfacique de charge $\sigma$ (figure 5.31). On place entre les armatures une couche de diélectrique d'épaisseur $\ell$ et de constante diélectrique $\kappa$. Déterminez (a) la différence de potentiel ; (b) la capacité du condensateur *modifié*. On donne $d = 1$ cm, $\ell = 0{,}3$ cm, $\sigma = 2$ nC/m$^2$, $\kappa = 5$, $A = 40$ cm$^2$.

***Figure 5.31***

Exercice 43.

**E44.** (I) Un condensateur plan de 0,1 μF est relié à une pile de 12 V. On introduit un diélectrique ($\kappa = 4$) de manière à ce qu'il occupe entièrement l'espace entre les armatures. Trouvez la charge additionnelle transférée sur les armatures.

**E45.** (II) Un condensateur plan dont le diélectrique est une feuille de mica a une capacité de 50 pF. Si la distance séparant les armatures est égale à 0,1 mm et que le diélectrique occupe entièrement l'espace, trouvez : (a) l'aire des armatures ; (b) la différence de potentiel maximale que peut supporter le condensateur.

**E46.** (I) Un diélectrique est introduit dans l'espace entre les armatures d'un condensateur de manière à l'occuper entièrement. Déterminez la constante diélectrique dans chacun des cas suivants : (a) la capacité augmente de 50 % ; (b) la différence de potentiel diminue de 25 % ; (c) la charge emmagasinée double de valeur.

## Exercices supplémentaires

### 5.1 Capacité

**E47.** (I) Une sphère conductrice isolée a une capacité de 4,2 pF et un potentiel de 1000 V. Quel est (a) son rayon ; (b) sa densité surfacique de charge ?

**E48.** (I) Deux plaques conductrices circulaires et identiques sont éloignées de 4 mm et forment un condensateur plan de 6 pF. Quel est le rayon de chacune des plaques ?

**E49.** (I) Quand une différence de potentiel de 12 V est appliquée aux deux armatures d'un condensateur plan, une densité surfacique de charge de $\pm 15$ nC/m$^2$ apparaît sur chacune des armatures. Quelle distance sépare les armatures ?

**E50.** (I) Un condensateur cylindrique a une capacité de 15 pF pour chaque 12 cm de longueur. Le rayon du cylindre extérieur est de 0,7 cm. (a) Quel est le rayon du cylindre intérieur ? (b) Évaluez la densité linéique de charge sur l'un ou l'autre des conducteurs lorsqu'une différence de potentiel de 24 V règne entre les deux cylindres.

### 5.2 Associations en série et en parallèle

**E51.** (II) Un condensateur $C_1$ = 20 μF a une différence de potentiel de 26 V. Lorsqu'il est branché à un autre condensateur $C_2$ non-chargé, la différence de potentiel sur chaque condensateur tombe à 16 V. Quelle est la capacité de $C_2$ ?

### 5.3 Énergie dans un condensateur

**E52.** (I) Un condensateur de 50 μF possédant une différence de potentiel de 240 V se décharge complètement en 0,2 ms. Quelle puissance moyenne libère-t-il ?

## Problèmes

**P1.** (I) Un condensateur plan est rempli d'un matériau de constante diélectrique $\kappa$. Montrez que la densité d'énergie dans un diélectrique est $\frac{1}{2}\kappa\varepsilon_0 E^2$, où $E$ est le champ dans le diélectrique. Ce résultat dépend-il de la présence d'une pile reliée au condensateur ?

**P2.** (I) Un condensateur plan dont les armatures d'aire $A$ sont distantes de $d$ est relié à une pile de différence de potentiel $\Delta V$. Un bloc métallique d'épaisseur $\ell$ est placé à mi-chemin entre les armatures (figure 5.27). Quel est le travail nécessaire pour enlever le bloc, sachant que la pile reste reliée au condensateur ?

**P3.** (I) Reprenez le problème 2 sachant que l'on débranche la pile avant d'enlever le bloc.

**P4.** (I) Deux condensateurs plans identiques sont reliés en série à une pile de 12 V. L'aire des armatures est égale à 16 cm$^2$ et elles sont séparées de 0,4 mm. (a) Quelle est la charge et la différence de potentiel pour chaque condensateur ? (b) On introduit dans l'un des condensateurs un bloc de diélectrique ($\kappa = 5$) qui remplit complètement l'espace entre les armatures. Quelles sont les nouvelles valeurs de la charge et de la différence de potentiel pour chaque condensateur ?

**P5.** (II) L'association de condensateurs identiques, de capacité 50 pF, représentée à la figure 5.32 se poursuit indéfiniment. Quelle est la capacité équivalente entre les bornes $a$ et $b$ ? (*Indice* : Puisque la configuration est infinie, la capacité entre les points $a'$ et $b'$ est la même qu'entre les points $a$ et $b$.)

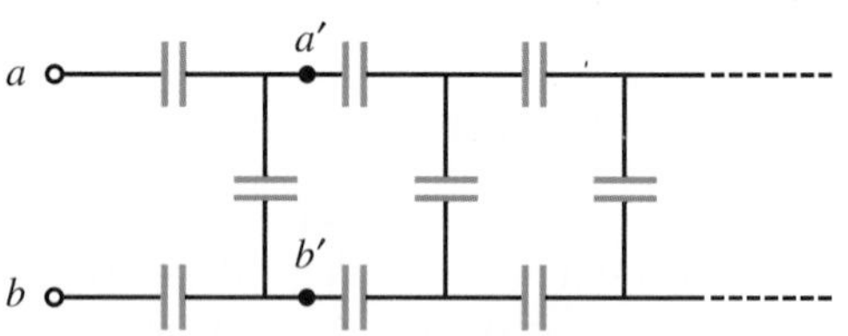


***Figure 5.32***

Problème 5.

**P6.** (II) Quelle est la capacité équivalente de la combinaison représentée à la figure 5.33 ? On donne $C_1$ = 2 μF, $C_2$ = 4 μF et $C_3$ = 3 μF. (*Indice* : Appliquez une différence de potentiel entre les bornes. Cette différence de potentiel est la même quel que soit le trajet entre les bornes. Quelle est la relation entre les charges sur les armatures ?)

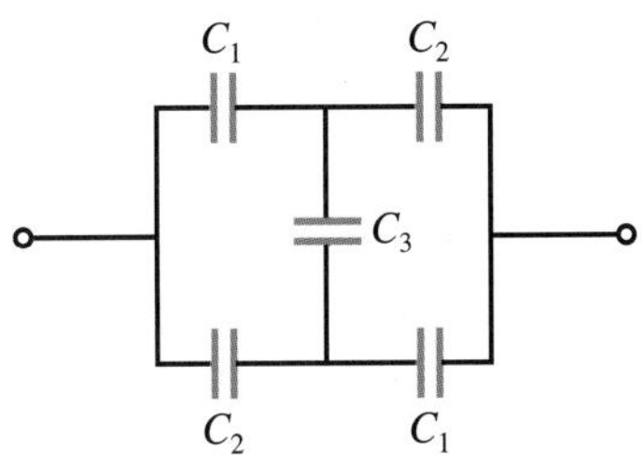


***Figure 5.33***

Problème 6.

**P7.** (II) Les armatures d'un condensateur plan ont une aire égale à $A$ et sont séparées d'une distance $d$. Les charges sur les armatures sont $\pm Q$. Quelle est la force entre les armatures sachant que la pile a été enlevée ? S'agit-il d'une force d'attraction ou de répulsion ? (*Indice* : Utilisez $F_x = -dU/dx$.)

**P8.** (I) À l'aide d'une pile, dont la différence de potentiel est $\Delta V$, on charge un condensateur plan de capacité $C$. On débranche la pile et on introduit un diélectrique de constante $\kappa$ qui remplit complètement l'espace entre les armatures. Trouvez l'énergie emmagasinée dans le condensateur.

**P9.** (I) Reprenez le problème 8 dans le cas où la pile reste reliée au condensateur.

**P10.** (II) Un condensateur cylindrique a un conducteur central de rayon $a$ et une gaine extérieure de rayon $b$. Montrez que si $b - a \ll b$, la capacité devient celle d'un condensateur plan.

**P11.** (II) Un condensateur sphérique est composé de deux sphères concentriques de rayons $R_1$ et $R_2$. (a) Montrez que si $R_2 - R_1 \ll R_2$, la capacité devient celle d'un condensateur plan. (b) Montrez qu'il existe un cas limite dans lequel la capacité du condensateur sphérique se réduit à celle d'une sphère isolée.

**P12.** (II) (a) Déterminez la densité d'énergie en fonction de $r$ pour un condensateur cylindrique ayant un fil intérieur de rayon $a$ et un conducteur extérieur de rayon $b$. (b) Quelle est l'énergie totale emmagasinée sur une longueur $\ell$ du condensateur ? (c) Comparez votre résultat avec celui que donne le calcul à partir de $\frac{1}{2}C\Delta V^2$ ou de $Q^2/2C$.

**P13.** (I) On introduit entre les armatures d'un condensateur plan un bloc de diélectrique de constante $\kappa$ remplissant tout l'espace. Montrez que la densité surfacique de charges liées $\sigma_b$ sur le diélectrique et la densité surfacique de charges libres $\sigma_f$ sur les armatures du condensateur sont reliées par

$$\sigma_b = \frac{(\kappa - 1)}{\kappa}\sigma_f$$

CHAPITRE 6

# Courant et résistance

## POINTS ESSENTIELS

1. Le **courant électrique** est la quantité de charge qui traverse la section d'un conducteur par unité de temps.
2. La **résistance** d'un conducteur dépend de la **résistivité** du matériau, de sa longueur et de sa section.
3. D'après la **loi d'Ohm**, la différence de potentiel entre les bornes d'un dispositif est directement proportionnelle au courant qui le traverse.

Lueur produite dans le filament d'une ampoule ancienne lorsqu'un courant y circule.

Les chapitres précédents portaient sur les charges électriques au repos. Nous allons maintenant étudier les effets liés à des charges en mouvement, c'est-à-dire à des courants électriques. La question au cœur de cette étude est de savoir comment le courant circulant dans un fil dépend de la différence de potentiel appliquée entre ses extrémités. Les notions de différence de potentiel et de courant électrique se sont précisées peu à peu au cours du XVIII<sup>e</sup> siècle, mais, pour diverses raisons, on ne parvenait pas à définir la relation existant entre elles. Tout d'abord, on ne disposait pas de source de courant continu. Jusqu'en 1800, la seule manière de produire un courant électrique dans un fil consistait à y décharger une bouteille de Leyde. L'effet obtenu était bien sûr uniquement transitoire. Deuxièmement, on ne savait pas encore très bien si le fil conducteur n'était là que pour permettre au « fluide » électrique de circuler ou s'il ne jouait pas un rôle plus actif. Troisièmement, on ne disposait pas d'instruments de mesure, ce qui nuisait considérablement à l'évolution des connaissances dans ce domaine. Les chercheurs devaient avoir recours à leur corps, à leur langue ou même à leurs yeux pour déceler les courants électriques. Les électroscopes pouvaient détecter une « électrification », mais l'on ne savait jamais exactement la grandeur qui était mesurée. (On sait maintenant que la déviation des feuilles d'un électroscope dépend de la différence de potentiel entre les feuilles et l'enceinte extérieure.)

Les recherches en électricité ont fait un grand pas en avant grâce à la découverte fortuite de « l'électricité animale » par le physiologiste italien Luigi Galvani en 1780. Galvani utilisait un générateur électrostatique pour étudier les effets des décharges électriques dans les tissus. Ayant disséqué une grenouille, il toucha par hasard un nerf avec son scalpel alors même qu'un générateur situé à proximité produisait une étincelle. Il remarqua avec surprise que les muscles de la grenouille se contractaient plusieurs fois bien qu'elle n'était pas reliée à la machine. Les tissus réagissaient ainsi aux charges électriques qui avaient été induites sur eux. Mais Galvani n'avait pas entendu parler des charges induites et, au lieu de redécouvrir l'induction électrostatique, il fit une découverte beaucoup plus importante. Ayant observé qu'une cuisse de grenouille, suspendue par un nerf, était animée de contractions saccadées coïncidant avec des éclairs d'électricité statique, il décida de voir s'il pouvait utiliser la grenouille pour détecter un phénomène bien connu alors, l'électricité de l'air par beau temps. Il attacha un crochet de laiton à la moelle épinière d'une grenouille qu'il suspendit à une tringle en fer. Comme rien ne se passait, il fit un geste impatient et toucha par mégarde la tringle avec le crochet : aussitôt, les muscles se contractèrent plusieurs fois. Il obtint le même effet en plaçant la grenouille sur une table en fer et en mettant le crochet de laiton en contact avec la table. Par la suite, il s'aperçut que d'autres paires de métaux, comme le cuivre et le zinc, produisaient également des contractions. Il publia ses résultats en 1791 et donna à ce phénomène le nom « d'électricité animale ». La figure 6.1 représente certains des instruments qu'il utilisa pour ses travaux.

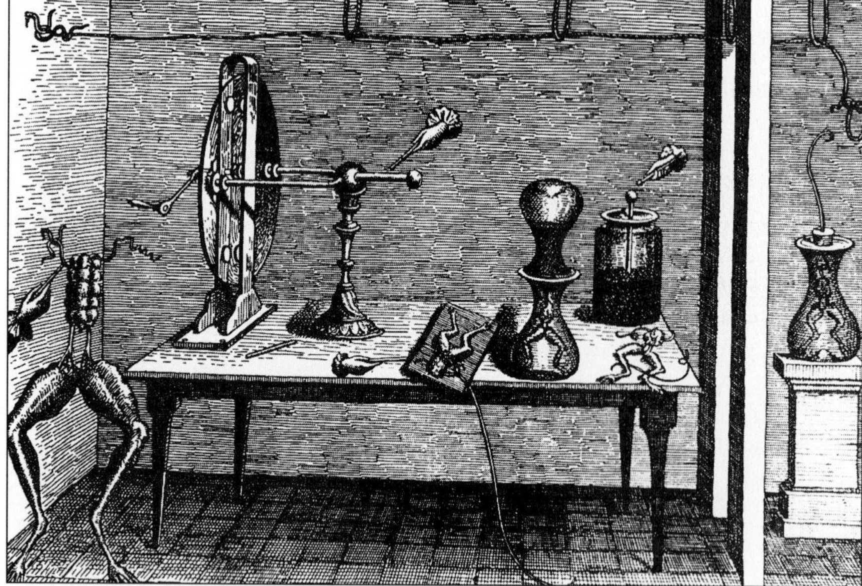

*Figure 6.1*

Une collection d'instruments utilisés par Luigi Galvani (1737-1798) pour étudier « l'électricité animale ».

Le physicien Alessandro Volta (figure 6.2*a*), de l'Université de Pavie, refit l'expérience en admettant tout d'abord la notion d'électricité animale. Il s'aperçut que, en mettant bout à bout les extrémités de deux bandes métalliques, d'argent et de zinc par exemple, et en plaçant les autres extrémités de chaque côté de la langue, on observait un goût et une sensation bien particuliers. Volta utilisa même les différences de goûts produits pour catégoriser les propriétés électriques des métaux. En 1796, il découvrit que des plaques de cuivre et de zinc pouvaient se charger simplement en étant mises en contact. Il finit par se rendre compte que ces effets dépendaient de l'utilisation de métaux différents en contact et que le tissu ne jouait que le rôle de milieu conducteur entre ces métaux. Il tenta d'augmenter les quantités de charges produites par contact en empilant alternativement des disques de cuivre et de zinc, sans parvenir toutefois à obtenir l'effet voulu. Il eut alors une idée d'une importance cruciale. Il était bien connu, depuis l'antiquité grecque, que la torpille (un poisson) et la gymnote (une anguille) étaient

(*a*)

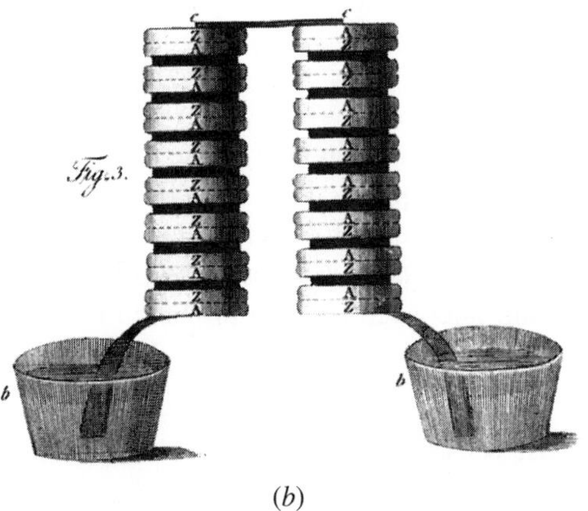

(*b*)

**Figure 6.2**

(*a*) Alessandro Volta (1745-1827).
(*b*) Une « pile voltaïque ».

capables de produire des décharges électriques. Volta savait que les organes électriques de ces animaux avaient une structure lamellaire (en couches) remplie de fluide. Partant de cette idée, il intercala entre les paires de disques de cuivre et de zinc des rondelles de carton trempées dans une solution saline ou acide. Grâce à ce montage, il fut capable de produire des étincelles et de chauffer jusqu'à incandescence des fils assez fins. En 1799, il publia son invention sous le nom de « pile voltaïque » (figure 6.2*b*). La pile voltaïque permettait, pour la première fois, de produire un courant continu. Sans elle, les découvertes survenues ultérieurement en électromagnétisme n'auraient pas pu avoir lieu.

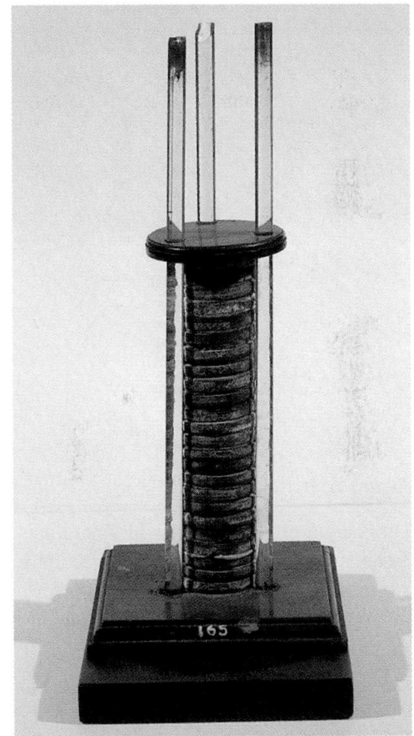


La pile de Volta à l'Institut royal.

## 6.1 Le courant électrique

Considérons le flux des charges à travers une surface représentée à la figure 6.3*a*. Si, pendant l'intervalle de temps $\Delta t$, une charge nette $\Delta Q$ traverse la surface, l'intensité moyenne du **courant électrique** est définie par

$$I = \frac{\Delta Q}{\Delta t} \qquad (6.1a)$$

Si le flux n'est pas constant, l'intensité instantanée du courant électrique $I$ est définie par

$$I = \lim_{\Delta t \to 0} \frac{\Delta Q}{\Delta t} = \frac{dQ}{dt} \qquad (6.1b)$$

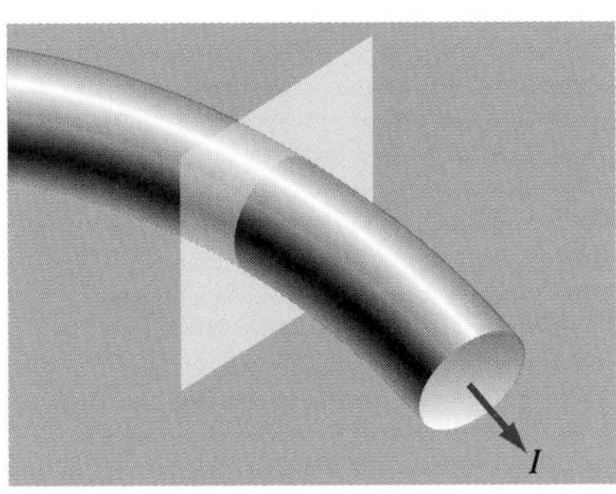


(*a*)

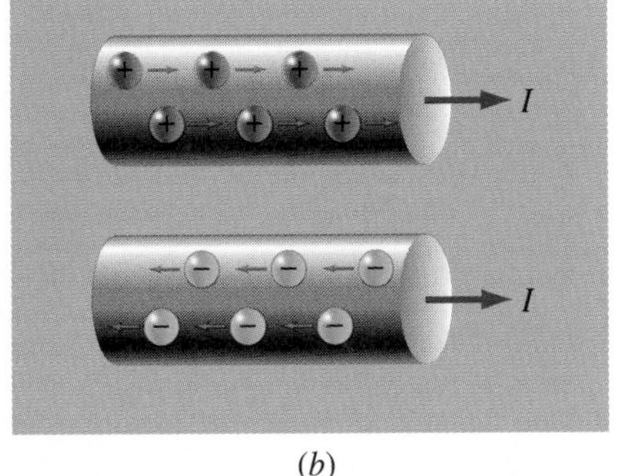


(*b*)

**Figure 6.3**

(*a*) Un courant est défini comme le débit avec lequel la charge traverse une surface. (*b*) Le courant produit par des charges positives en mouvement dans une direction est le même que le courant créé par un nombre égal de charges négatives en mouvement dans la direction opposée.

Le courant électrique est le *débit* d'écoulement des charges à travers une surface. L'unité SI de courant est l'**ampère** (A). D'après l'équation 6.1,

$$1 \text{ A} = 1 \text{ C/s}$$

Du point de vue du courant, le flux des particules chargées positivement dans un sens est équivalent au flux des particules chargées négativement dans le sens opposé (figure 6.3*b*). L'effet Hall (*cf.* section 8.6) confirme le fait que, dans la plupart des cas, le courant est constitué d'électrons en mouvement. Malgré tout, on suit la convention, qui provient historiquement de la théorie du « fluide » de Franklin :

Le sens conventionnel du courant $I$ est celui du mouvement des charges *positives*.

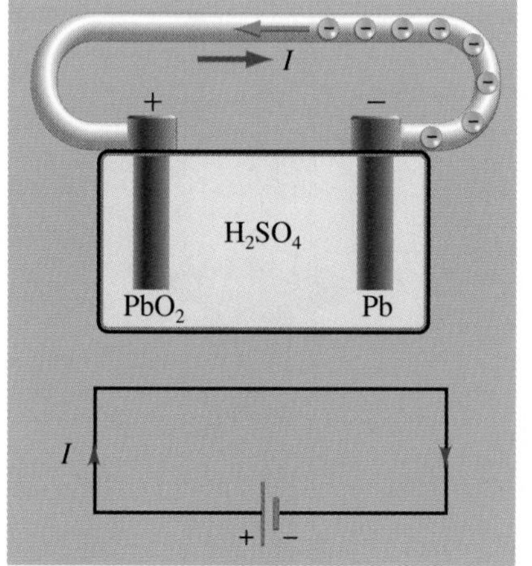

*Figure 6.4*

Un courant circule dans un fil lorsqu'une différence de potentiel est appliquée entre ses extrémités. Le sens conventionnel du courant $I$ est dans le sens contraire du mouvement des électrons.

Les courants électriques circulant dans les fils en offrent l'exemple le plus connu. Mais un faisceau de particules chargées en mouvement dans le vide (des électrons ou des protons) constitue également un courant. Dans les gaz ionisés et dans les électrolytes liquides, les charges des deux signes contribuent au courant.

Pour qu'un courant puisse circuler dans un fil, une différence de potentiel doit exister entre les extrémités du fil. Le sens conventionnel du courant présente un avantage :

Le courant circule du potentiel le plus élevé vers le potentiel le moins élevé.

Le flux de courant électrique dans le sens des potentiels électriques décroissants est donc analogue à l'écoulement de l'eau dans une conduite inclinée. On peut même poursuivre l'analogie un peu plus loin. Tout comme une pompe permet d'élever le potentiel gravitationnel de l'eau, on peut dire qu'une pile sert à élever les charges positives d'un potentiel faible (borne négative) à un potentiel élevé (borne positive). Un courant ne va circuler en permanence que dans une boucle fermée, appelée **circuit électrique**, qui comprend une pile et un fil (figure 6.4). Lorsque la charge pénètre à une extrémité du fil, une quantité égale quitte l'autre extrémité ; le fil lui-même n'acquiert pas de charge nette.

### Exemple 6.1

Un courant de 1 A circule dans un fil. Combien d'électrons passent en un point donné en 1 s ?

**Solution :**

D'après la définition du courant, $\Delta Q = I\Delta t = (1 \text{ A})(1 \text{ s}) = 1 \text{ C}$. Comme $e = 1{,}6 \times 10^{-19}$ C, le nombre d'électrons est $(1 \text{ C})/(1{,}6 \times 10^{-19} \text{ C}) = 6{,}3 \times 10^{18}$ électrons.

## Le champ électrique dans un fil

Comme nous l'avons vu au chapitre 1, les métaux sont caractérisés par la présence d'électrons libres, en moyenne un par atome, qui permettent la conduction électrique. La présence d'une différence de potentiel entre deux points d'un fil implique l'existence d'un champ électrique le long du fil. Nous allons essayer de voir quelle est la source de ce champ. Lorsqu'un fil est relié aux bornes d'une pile, une partie de la charge s'écoule entre les bornes et la *surface* du fil. La densité surfacique de charge diminue avec la distance à partir de chaque borne (figure 6.5*a*). On sait que le champ à l'intérieur d'un conducteur en état d'équilibre électrostatique est nul et que, à la surface, le champ est perpendiculaire au conducteur. Mais lorsqu'on applique une différence de potentiel entre les extrémités d'un fil, les conditions cessent d'être statiques. Le champ électrique dû aux charges en surface présentes sur le fil a une composante *parallèle* au fil. C'est ce champ électrique *à l'intérieur* du fil qui fait circuler le courant dans le fil. La figure 6.5*b* représente la configuration du champ électrique créé par une courte longueur de fil.

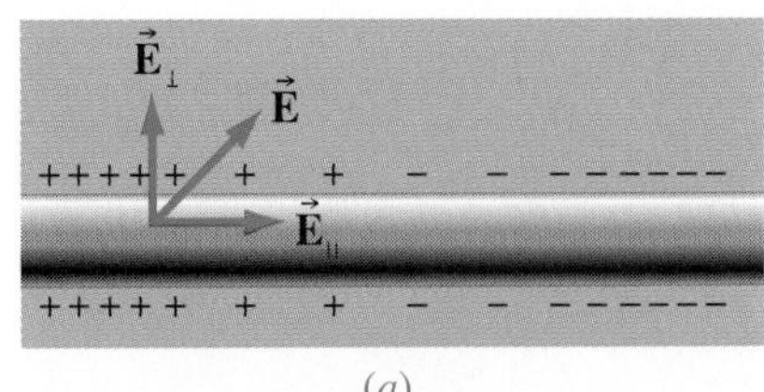


(*a*)

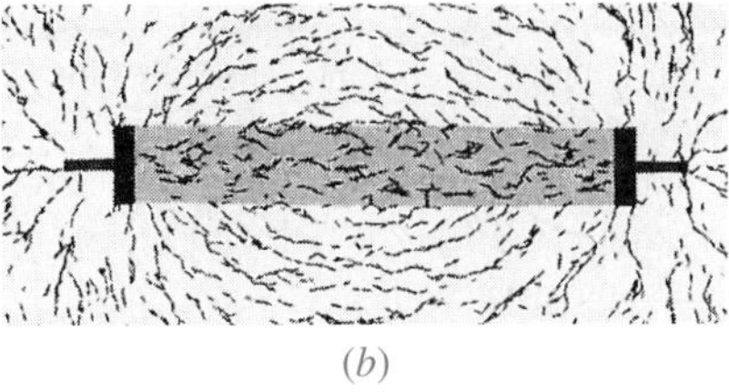

(*b*)

*Figure 6.5*

(*a*) Lorsqu'on relie un fil à une pile, la surface du fil se charge (bien qu'il n'y ait pas de charge nette sur le fil dans son ensemble). C'est le champ électrique à l'intérieur du fil produit par ces charges superficielles qui « entraîne » le courant. (*b*) La configuration du champ électrique due à une courte longueur de fil.

## La nature du courant dans un fil

La trajectoire d'un électron de conduction dans un fil traversé par un courant est assez désordonnée (figure 6.6*a*). Le mouvement fait intervenir des composantes distinctes. Premièrement, les électrons de conduction se comportent un peu comme les molécules de gaz dans un contenant. Ils se déplacent dans tous les sens à vitesse élevée et entrent souvent en collision avec les ions essentiellement immobiles. Le nombre d'électrons qui se déplacent dans une direction compense exactement le nombre de ceux qui se déplacent dans la direction opposée. Deuxièmement, lorsqu'on le relie à une pile, une différence de potentiel apparaît entre les extrémités du fil. À cause de cette différence de potentiel, les électrons ont légèrement tendance à se déplacer dans une direction plutôt que dans l'autre. Le mouvement d'un électron ressemble à celui d'une bille d'acier roulant sur un plan incliné planté de clous (figure 6.6*b*). Le déséquilibre du flux d'électrons, qui ne représente que près de 1 électron sur $10^4$, constitue le courant.

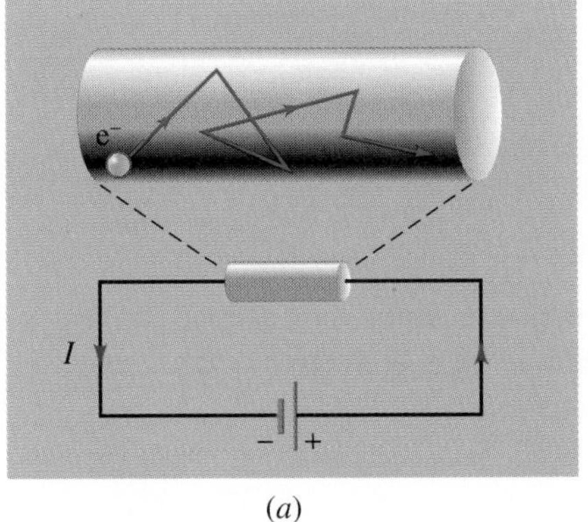


(*a*)

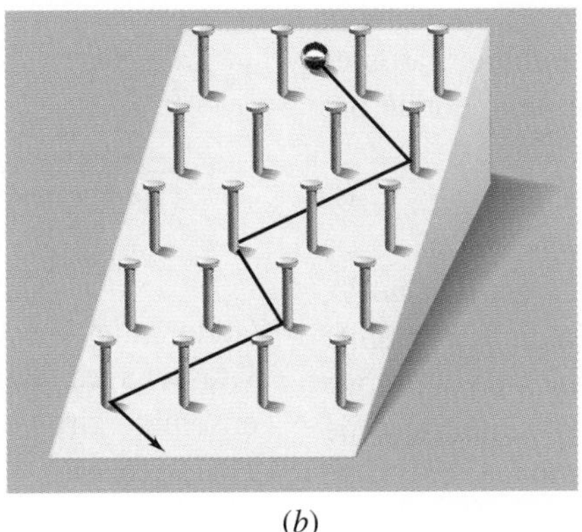

(*b*)

*Figure 6.6*

(*a*) Les électrons de conduction dans un métal entrent en collision avec les ions positifs du cristal et suivent des trajectoires en zigzag. Lorsqu'on relie une pile, les électrons ont légèrement tendance à se déplacer dans le sens opposé au sens conventionnel du courant. (*b*) Le mouvement des électrons est analogue à celui d'une bille d'acier roulant vers la base d'un plan incliné planté de clous.

Il existe une analogie entre le vent et le courant électrique. Les molécules d'air ont des vitesses thermiques aléatoires dont la valeur moyenne est un peu plus grande que la vitesse du son, soit environ 330 m/s. Une différence de pression entre deux régions provoque un flux net de molécules dans une direction. La vitesse du vent, disons à peu près 10 m/s, est très inférieure aux vitesses aléatoires des molécules. De la même façon, les électrons de conduction dans un fil ont des vitesses thermiques aléatoires pouvant aller jusqu'à $10^6$ m/s environ. Lorsqu'on applique une différence de potentiel, ils acquièrent une vitesse de dérive très faible ($\approx 10^{-4}$ m/s) qui se superpose au mouvement thermique aléatoire.

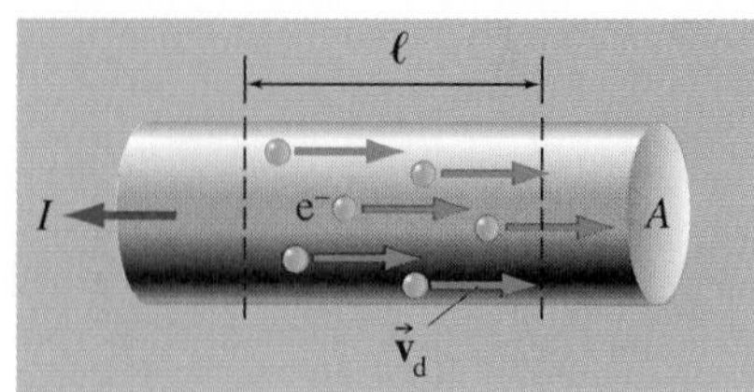


*Figure 6.7*

Pour calculer le courant, on néglige le mouvement aléatoire et on ne tient compte que de la faible vitesse de dérive acquise par le « gaz d'électrons libres » dans son ensemble.

## 6.2 La vitesse de dérive

Puisque le mouvement aléatoire des électrons de conduction ne contribue pas au courant, nous allons envisager seulement l'effet net de la faible vitesse de dérive acquise par les électrons. La figure 6.7 représente des électrons de charge $q = -e$ se déplaçant avec une vitesse de dérive moyenne $\vec{\mathbf{v}}_d$ le long d'un fil. S'il y a $n$ charges par unité de volume, la charge totale à l'intérieur d'un cylindre de longueur $\ell$ et d'aire $A$ est égale à $\Delta Q = n(A\ell)e$. Cette charge met un temps $\Delta t = \ell/v_d$ pour franchir une distance $\ell$ et donc traverser l'extrémité du cylindre. L'intensité du courant, donnée par $I = \Delta Q/\Delta t$, est

$$I = nAev_d \tag{6.2}$$

### Exemple 6.2

Un fil de cuivre transporte un courant de 10 A. L'aire de sa section transversale est égale à 0,05 cm². Calculer la vitesse de dérive des électrons.

**Solution :**

Afin de trouver le nombre d'électrons libres par unité de volume qui figure dans l'équation 6.2, nous devons déterminer le nombre d'atomes par unité de volume. Rappelons que, si $M$ est la masse molaire d'une substance, le nombre d'entités élémentaires (atomes ou molécules) dans $M$ grammes est le nombre d'Avogadro $N_A = 6{,}02 \times 10^{23}$. Le nombre d'atomes $N$ correspondant à une masse $m$ est donc donné par

$$\frac{N}{N_A} = \frac{m}{M} \tag{i}$$

La masse volumique de la substance est $\rho = m/V$, où $V$ est le volume. Le nombre d'atomes par unité de volume, $n_a = N/V$, est liée à la masse volumique $\rho$. Utilisant la relation $N = (m/M)N_A$, qui découle de l'équation (i), et $V = m/\rho$, on trouve

$$n_a = \frac{N}{V} = \frac{\rho N_A}{M}$$

Pour le cuivre, $\rho = 8{,}9$ g/cm³ $= 8{,}9 \times 10^3$ kg/m³ et $M = 63{,}5 \times 10^{-3}$ kg/mol. Avec ces valeurs,

$$n_a = \frac{(8{,}9 \times 10^3 \text{ kg/m}^3)(6{,}02 \times 10^{23} \text{ atomes/mol})}{63{,}5 \times 10^{-3} \text{ kg/mol}}$$

$$= 8{,}43 \times 10^{28} \text{ atomes/m}^3$$

Dans le cuivre, chaque atome cède un électron au gaz d'électrons libres et le nombre que nous venons de trouver est donc égal à $n$, le nombre d'électrons libres par unité de volume.

D'après l'équation 6.2, la vitesse de dérive est

$$v_d = \frac{I}{nAe}$$

$$= \frac{10 \text{ A}}{(8{,}43 \times 10^{28} \text{ m}^{-3})(5 \times 10^{-6} \text{ m}^2)(1{,}6 \times 10^{-19} \text{ C})}$$

$$= 1{,}48 \times 10^{-4} \text{ m/s}$$

Cette valeur extrêmement faible correspond à la vitesse avec laquelle le gaz d'électrons dans son ensemble circule dans le fil.

L'exemple précédent montre que, pour les courants et les grosseurs de fils usuels, la vitesse de dérive est très petite. À des vitesses de dérive inférieures à 1 mm/s, les électrons prennent plusieurs dizaines de minutes pour parcourir un mètre de fil. Heureusement, lorsqu'on branche un appareil électrique à une pile, on n'a pas besoin d'attendre que les électrons voyagent dans le fil entre la pile et l'appareil. En effet, la fonction de la pile est de mettre en mouvement les électrons libres *qui existent déjà* partout dans le fil. Quand on branche une pile dans un circuit, le « signal de départ » se propage à partir de la pile dans le fil à la vitesse de la lumière (300 000 km/s) ; tous les électrons libres du circuit se mettent à dériver quasi instantanément, chaque électron « poussant » sur son voisin pour créer le courant global. Voici une analogie mécanique. Considérons un tube plein de billes. Lorsqu'on fait entrer de force une bille supplémentaire à une extrémité, une autre bille est éjectée presque instantanément à l'autre extrémité.

### La densité de courant

La *densité de courant* (moyenne) est définie comme le courant par unité d'aire :

$$J = \frac{I}{A} \tag{6.3}$$

L'unité SI de densité de courant est l'ampère par mètre carré (A/m$^2$). Alors que le courant est un scalaire, la densité de courant est une grandeur vectorielle parallèle à la vitesse de dérive, mais dont le sens est fixé par la direction du courant. D'après l'équation 6.2,

$$\vec{\mathbf{J}} = -ne\vec{\mathbf{v}}_{\text{d}} = nq\vec{\mathbf{v}}_{\text{d}} \tag{6.4}$$

En effet, pour des porteurs de charges négatives, $\vec{\mathbf{J}}$ est opposée à $\vec{\mathbf{v}}_{\text{d}}$, car $q < 0$. On note que le courant $I$ est un scalaire mesuré à l'échelle macroscopique ; il est défini en fonction de la charge traversant une surface. La densité de courant $\vec{\mathbf{J}}$ est un vecteur exprimé en fonction de grandeurs microscopiques et peut varier d'un point à l'autre. Si la densité de courant n'est pas uniforme, le courant traversant une surface est donné par $I = \int \vec{\mathbf{J}} \cdot d\vec{\mathbf{A}}$. Ainsi, de façon générale, on peut dire que $I$ est le flux de $\vec{\mathbf{J}}$ au travers de la section du fil.

## 6.3 La résistance

En 1729, Stephen Gray fit la distinction entre les isolants et les conducteurs. Mais, faute d'instruments adéquats, il n'était pas possible de comparer les propriétés conductrices de différents matériaux. Les premiers progrès dans la classification des conducteurs furent réalisés en 1772 par Henry Cavendish lors d'expériences remarquables au cours desquelles il utilisa son propre corps pour détecter les décharges d'une bouteille de Leyde. Il fit passer par exemple la décharge dans des tubes d'eau pure et d'eau de mer. En modifiant les longueurs des tubes de manière à obtenir des décharges de même intensité, il s'aperçut « qu'une solution saturée d'eau de mer conduit 720 fois mieux que l'eau douce ». Il essaya également de comparer le pouvoir conducteur de différents métaux en tenant à deux mains des longueurs connues de fil dans lesquelles il faisait passer une décharge.

Supposons qu'un courant $I$ circule dans un conducteur lorsqu'on applique une différence de potentiel $\Delta V$ entre deux points. La **résistance** du conducteur entre ces points est définie par

$$R = \frac{\Delta V}{I} \tag{6.5}$$

**Définition de la résistance électrique**

L'unité SI de résistance est l'ohm (Ω). D'après l'équation 6.5, on voit que 1 Ω = 1 V/A. La résistance d'un conducteur dépend du matériau dont il est fait ainsi que de ses caractéristiques géométriques (dimensions et forme). Afin de déterminer l'influence des caractéristiques géométriques sur la résistance, nous

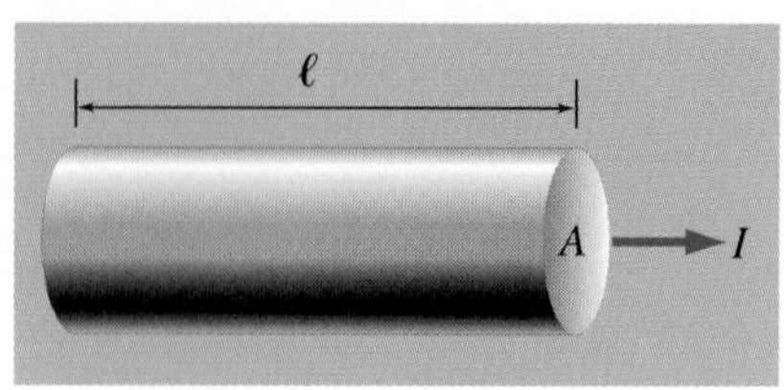


*Figure 6.8*

Le courant circulant dans un fil auquel est appliquée une différence de potentiel dépend de la longueur, de l'aire de la section du fil et de sa résistivité.

allons considérer un fil conducteur de longueur $\ell$ et de section $A$ (figure 6.8). Supposons que la résistance de ce fil soit égale à $R_0$. Si on applique une différence de potentiel $\Delta V$ entre ses extrémités, le courant qui le traverse correspond à $I_0 = \Delta V/R_0$ (équation 6.5).

Si on prend deux fils identiques, qu'on les relie *bout à bout* et qu'on applique une différence de potentiel $\Delta V$ entre les extrémités de l'ensemble, la différence de potentiel aux bornes de chacun des fils égale $\Delta V/2$ ; par l'équation 6.5, le courant dans chaque fil équivaut à $I_0/2$. C'est aussi la valeur du courant total, puisque le même courant passe successivement par les deux fils. Si on considère l'ensemble des deux fils, le courant est divisé par 2 pour la même différence de potentiel : par l'équation 6.5, la résistance de l'ensemble égale donc $2R_0$. On détermine ainsi que la résistance est directement proportionnelle à la longueur d'un fil.

Si on prend deux fils identiques, qu'on les place *un à côté de l'autre* et qu'on applique une différence de potentiel $\Delta V$ entre les extrémités de l'ensemble, la différence de potentiel aux bornes de chacun des fils égale encore $\Delta V$. Le courant dans chaque fil est encore $I_0$, et le courant total vaut donc $2I_0$. Si le courant est multiplié par 2 pour la même différence de potentiel, la résistance de l'ensemble des deux fils vaut $R_0/2$ (équation 6.5). Or, deux fils placés côte à côte sont équivalents à un fil dont la section est 2 fois plus grande. On détermine ainsi que la résistance est inversement proportionnelle à la section du fil.

L'analyse que nous venons de faire nous permet d'affirmer que la résistance d'un fil de longueur $\ell$ et de section $A$ équivaut à

$$R = \frac{\rho \ell}{A} \qquad (6.6)$$

où $\rho$ est une constante de proportionnalité que l'on appelle **résistivité** et qui dépend du matériau dont est fait le fil. Dans le SI, elle s'exprime en ohms-mètres ($\Omega \cdot$m) ; le tableau 6.1 donne quelques valeurs types de $\rho$. On définit aussi la **conductivité** $\sigma = 1/\rho$. Un bon conducteur électrique a une faible résistivité et une conductivité élevée.

*Tableau 6.1*

**Résistivités à 20°C**

| Matériau | Résistivité ($\Omega \cdot$m) | Coefficient thermique de résistivité (°C)$^{-1}$ |
|---|---|---|
| Mica | $2 \times 10^{15}$ | $-50 \times 10^{-3}$ |
| Verre | $10^{12} - 10^{13}$ | $-70 \times 10^{-3}$ |
| Caoutchouc dur | $10^{13}$ | |
| Silicium | 2200 | −0,7 |
| Germanium | 0,45 | −0,05 |
| Carbone (graphite) | $3{,}5 \times 10^{-5}$ | $-0{,}5 \times 10^{-3}$ |
| Nichrome | $1{,}2 \times 10^{-6}$ | $0{,}4 \times 10^{-3}$ |
| Manganin | $44 \times 10^{-8}$ | $5 \times 10^{-7}$ |
| Acier | $40 \times 10^{-8}$ | $8 \times 10^{-4}$ |
| Platine | $11 \times 10^{-8}$ | $3{,}9 \times 10^{-3}$ |
| Aluminium | $2{,}8 \times 10^{-8}$ | $3{,}9 \times 10^{-3}$ |
| Cuivre | $1{,}7 \times 10^{-8}$ | $3{,}9 \times 10^{-3}$ |
| Argent | $1{,}5 \times 10^{-8}$ | $3{,}8 \times 10^{-3}$ |

### Exemple 6.3

Le rayon d'un fil de cuivre de calibre 8 est égal à 1,63 mm. On applique une différence de potentiel de 60 V entre les extrémités d'un segment de 20 m de ce fil. Trouver : (a) sa résistance ; (b) le courant.

**Solution :**

(a) D'après le tableau 6.1, la résistivité du cuivre est $\rho = 1{,}7 \times 10^{-8}\ \Omega{\cdot}\text{m}$. L'aire de la section transversale est $A = \pi r^2$. L'équation 6.6 donne donc

$$R = \frac{\rho \ell}{A} = \frac{(1{,}7 \times 10^{-8}\ \Omega{\cdot}\text{m})(20\ \text{m})}{(3{,}14)(1{,}63 \times 10^{-3}\ \text{m})^2}$$
$$= 0{,}04\ \Omega$$

(b) Le courant est $I = \Delta V/R = 60\ \text{V}/0{,}04\ \Omega = 1500\ \text{A}$.

En combinant les équations 6.3, 6.5 et 6.6, on trouve

$$J = \frac{I}{A} = \frac{\Delta V}{RA} = \frac{\Delta V}{\rho \ell} \qquad (6.7)$$

Puisque le champ électrique dans le fil correspond à $E = \Delta V/\ell$ (équation 4.6*c*), on peut écrire la relation vectorielle

$$\vec{\mathbf{J}} = \frac{1}{\rho}\vec{\mathbf{E}} = \sigma \vec{\mathbf{E}} \qquad (6.8)$$

L'équation 6.8, qui relie $\vec{\mathbf{J}}$ et $\vec{\mathbf{E}}$ en un point donné d'un milieu, constitue en réalité une *définition* de $\rho$ (ou de $\sigma$). Cette relation est valable pour les conducteurs, quelles que soient leurs dimensions et leur forme, y compris pour les électrolytes et les gaz ionisés.

## Variation de la résistivité en fonction de la température

La résistivité d'un matériau dépend généralement de la température. La résistivité $\rho$ d'un métal à la température $T$ s'exprime en fonction de la résistivité $\rho_0$ à une température de référence $T_0$ :

$$\rho = \rho_0[1 + \alpha(T - T_0)] \qquad (6.9)$$

où $\alpha$ est le **coefficient thermique de résistivité**, mesuré en °C$^{-1}$. L'équation 6.9 est valable uniquement dans une plage de températures bien définie. La figure 6.9*a* montre comment la résistivité d'un métal type varie en fonction de la température. On peut expliquer ce comportement en considérant trois facteurs qui contribuent à la résistivité.

Tout d'abord, les électrons entrent en collision avec les ions positifs du réseau cristallin. Ces ions vibrent autour de leurs positions d'équilibre. Au fur et à mesure que la température s'élève, l'amplitude des vibrations augmente et gêne de plus en plus l'écoulement des électrons. Il n'est donc pas surprenant que la résistivité d'un métal augmente avec la température. Les deux autres facteurs font intervenir les inévitables impuretés et les défauts dans le réseau cristallin. Les contributions aux collisions des impuretés et des défauts dans le cristal sont essentiellement indépendantes de la température. C'est pourquoi la résistivité des métaux courants n'est pas nulle, même à $T = 0$ K.

Deux autres types de matériaux méritent d'être mentionnés ici. La résistivité des **semi-conducteurs** purs, comme le silicium, le germanium et le carbone, diminue lorsque la température augmente (figure 6.9*b*). Ce phénomène est lié à l'augmentation du nombre d'électrons qui deviennent libres et participent à la conduction. Une caractéristique encore plus intéressante des semi-conducteurs

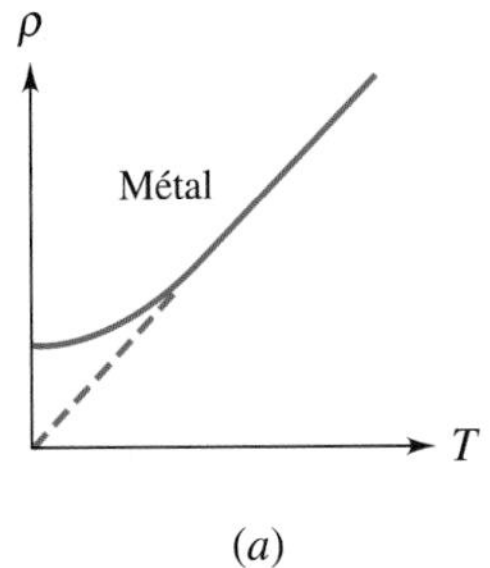


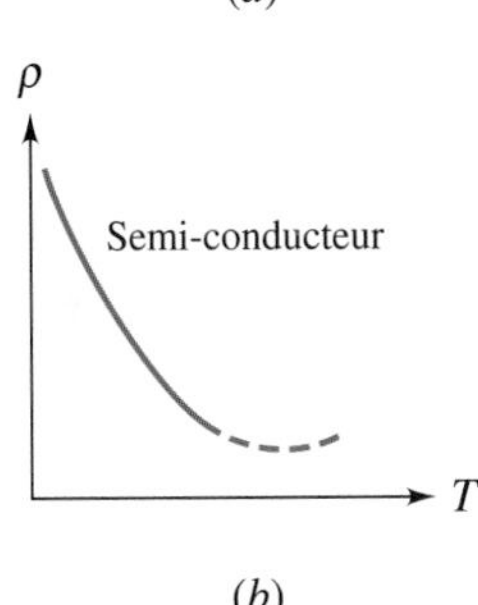


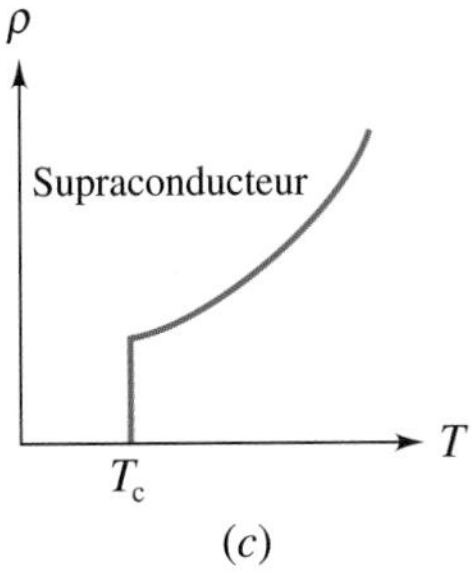


**Figure 6.9**

(*a*) La résistivité d'un métal normal varie linéairement avec la température sur une large plage de températures. La résistivité finie à basse température est due aux impuretés et aux imperfections. (*b*) La résistivité d'un semi-conducteur diminue lorsque la température augmente parce que davantage de porteurs de charge se libèrent et prennent part à la conduction. (*c*) La résistivité d'un supraconducteur s'annule brutalement à une température de *transition* qui dépend du matériau.

est que l'on peut agir sur leur résistivité en ajoutant certaines impuretés au matériau pur. C'est cette propriété qui est utilisée dans la fabrication des transistors et des circuits intégrés. Dans certains matériaux, appelés **supraconducteurs**, la résistivité devient nulle en dessous d'une température critique $T_c$ (figure 6.9*c*). Lorsqu'un courant est établi dans un supraconducteur, il persiste indéfiniment à condition que la basse température soit maintenue. Les semi-conducteurs et les supraconducteurs sont étudiés de manière plus détaillée au chapitre 11 du tome 3.

### Exemple 6.4

La résistance d'un thermomètre à résistance de platine augmente de 75 Ω à 80 Ω. Quelle est la variation de température correspondante ?

**Solution :**

Si l'on suppose que les dimensions du fil n'ont pas changé, on peut réécrire l'équation 6.9 en fonction de la résistance comme suit :

$$R = R_0(1 + \alpha\Delta T)$$

Donc,

$$\Delta T = \frac{R - R_0}{\alpha R_0} = 17\ \text{K}$$

où on a utilisé $\alpha = 3{,}9 \times 10^{-3}\ (°\text{C})^{-1}$, valeur tirée du tableau 6.1.

## 6.4 La loi d'Ohm

L'équation 6.5, $R = \Delta V/I$, peut s'écrire sous la forme

$$\Delta V = RI \qquad (6.10)$$

À première vue, cette équation n'est qu'une formulation différente de la définition de la résistance. Dans les cas particuliers où $R$ est une constante, *indépendante de* $\Delta V$ *ou de* $I$, cette équation exprime également une relation fonctionnelle, appelée loi d'Ohm, qui fut établie en 1827 par Georg Ohm (figure 6.10). En termes actuels, la **loi d'Ohm** stipule que *la différence de potentiel entre les bornes d'un dispositif est directement proportionnelle au courant qui le traverse.* Dans la pratique, la condition en vertu de laquelle la résistance (ou la résistivité) doit être constante est satisfaite dans les métaux, pourvu que la température soit maintenue constante. Dans certains cas (certains alliages ou le carbone), la loi d'Ohm est vérifiée même lorsque la température varie à l'intérieur d'une plage donnée. Un matériau qui obéit à la loi d'Ohm est dit *ohmique* ; sinon, il est *non ohmique*.

*Figure 6.10*

Georg S. Ohm (1787-1854).

Puisque $\Delta V$ et $I$ sont des grandeurs mesurées à l'échelle macroscopique, l'équation $\Delta V = RI$ est appelée forme macroscopique de la loi d'Ohm, à condition que $R$ soit constante. La relation $\vec{\mathbf{J}} = \vec{\mathbf{E}}/\rho$ est appelée forme microscopique de la loi d'Ohm, à condition que $\rho$ soit constante, *indépendante de $J$ ou de $E$.*

La relation entre $I$ et $\Delta V$ pour un dispositif ohmique est représentée graphiquement par une droite (figure 6.11*a*). La relation entre $I$ et $\Delta V$ pour un dispositif *non ohmique*, comme une diode à jonction (figure 6.11*b*), n'est pas représentée par une droite. L'équation $R = \Delta V/I$ peut être utilisée comme une définition de la résistance en tout point sur de telles courbes. Mais cela *ne veut pas* dire que l'objet obéit à la loi d'Ohm. En réalité, la résistance d'une diode dépend du sens de circulation du courant.

Une **résistance** est un dispositif simple qui offre une résistance donnée à la circulation du courant dans un circuit électrique. On peut confectionner une résistance à l'aide d'un fil fin ou d'une plaque de céramique. Comme la résistivité du carbone est pratiquement constante sur une grande plage de températures, on l'utilise souvent dans la fabrication des résistances. Nous supposerons que les résistances obéissent à la loi d'Ohm sous la forme de l'équation 6.10. On peut utiliser une résistance pour agir sur le courant qui circule dans une branche donnée d'un circuit. Deux résistances placées en série peuvent servir à diviser une différence de potentiel fixe, comme celle créée par une pile, en différences de potentiel plus petites dont on a besoin pour d'autres éléments, comme des transistors. On peut obtenir une différence de potentiel variable « de sortie » au moyen d'un contact qui glisse sur un fil. Un tel dispositif est utilisé pour faire varier le volume sur un récepteur radio par exemple.

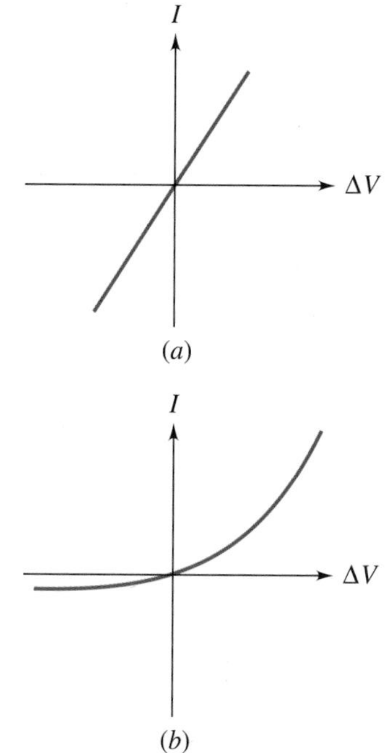


***Figure 6.11***

La relation entre $I$ et $\Delta V$ pour (*a*) un conducteur ohmique et (*b*) pour une diode à jonction, qui est un dispositif non ohmique. La portion négative des graphiques correspond à une inversion du sens du courant.

## 6.5 La puissance électrique

Considérons un flux de particules chargées en mouvement sous l'effet d'un champ électrique. Lorsqu'une charge donnée $q$ franchit une différence de potentiel fixe $\Delta V$, son énergie potentielle varie de $\Delta U = q\Delta V$. Le taux d'énergie cédée par le champ à la charge est la puissance fournie, c'est-à-dire $P = \Delta U/\Delta t = (\Delta q/\Delta t)\Delta V$, ou

$$P = I\Delta V \qquad (6.11)$$

Si les particules chargées sont des électrons en mouvement dans un milieu résistif, l'énergie électrique est convertie en énergie thermique. D'après la relation $\Delta V = RI$, la puissance électrique dissipée peut également s'écrire

$$P = RI^2 = \frac{\Delta V^2}{R} \qquad (6.12)$$

James Joule a été le premier à démontrer que la puissance électrique dissipée dans une résistance est proportionnelle au carré du courant qui la traverse. Ainsi, lorsqu'on parle de la chaleur libérée par le passage du courant dans une résistance, on la désigne souvent par l'expression **effet Joule**.

La puissance s'exprime en joules par seconde (J/s). L'unité SI correspondante est le watt (W). Les appareils électriques courants ne consomment pas tous la même puissance. Les producteurs d'électricité ne facturent que l'énergie que chaque client utilise. L'unité SI d'énergie (J) correspondant à une trop petite quantité, ils utilisent en général le **kilowattheure** (kWh) pour établir les comptes à payer. Un kilowattheure correspond à l'énergie utilisée pendant une heure par un appareil consommant 1000 J/s, ce qui équivaut à $3{,}6 \times 10^6$ J.

### Exemple 6.5

L'élément chauffant d'un radiateur consomme une puissance de 1000 W lorsqu'il fonctionne à 120 V. (a) Quelle est l'intensité du courant qui le traverse dans ces conditions normales ? (b) Quelle puissance consommerait-il si la différence de potentiel diminuait à 110 V ?

**Solution :**

(a) D'après l'équation 6.11,

$$I = \frac{P}{\Delta V} = \frac{1000 \text{ W}}{120 \text{ V}} = 8{,}3 \text{ A}$$

(b) Nous devons d'abord trouver la résistance de l'élément :

$$R = \frac{\Delta V^2}{P} = \frac{(120 \text{ V})^2}{1000 \text{ W}} = 14{,}4 \ \Omega$$

Puisque nous supposons que l'élément obéit à la loi d'Ohm, sa résistance ne va pas changer dans les nouvelles conditions de fonctionnement. Par conséquent, la nouvelle puissance consommée est

$$P = \frac{\Delta V^2}{R} = \frac{(110 \text{ V})^2}{14{,}4 \ \Omega} = 840 \text{ W}$$

## 6.6 La théorie microscopique de la conduction

Un modèle classique de la conduction électrique fut proposé en 1900 par P. K. Drude, peu après la découverte de l'électron. Drude réussit à établir une relation entre la résistivité d'un conducteur et le mouvement des électrons. Dans la version simplifiée qui suit, nous supposons qu'un métal est composé d'un réseau d'ions positifs et d'un gaz d'électrons libres. En l'absence de champ électrique extérieur, les vitesses thermiques des électrons sont orientées au hasard. La vitesse thermique moyenne est nulle, ce qui signifie qu'il n'y a aucun écoulement net dans une direction donnée. Lorsqu'on applique un champ électrique, chaque électron est soumis à une accélération $\vec{\mathbf{a}} = -e\vec{\mathbf{E}}/m$. Durant un intervalle de temps $\Delta t$, la variation de vitesse d'un électron est donc

$$\Delta\vec{\mathbf{v}} = -\frac{e\vec{\mathbf{E}}}{m}\Delta t$$

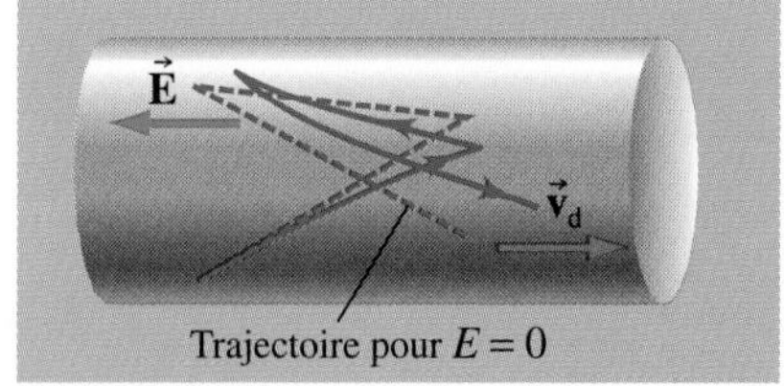


*Figure 6.12*

Lorsqu'on applique un champ, la trajectoire d'un électron de conduction passe des lignes pointillées aux lignes en trait plein.

À cause des collisions dans le réseau, $\Delta\vec{\mathbf{v}}$ n'augmente pas indéfiniment. À chaque collision, un électron cède toute l'énergie *excédentaire* venant du champ pour la transformer en énergie de vibration des ions. Les collisions ont donc tendance à briser le mouvement ordonné, de sorte que les électrons ne gardent que leur vitesse thermique aléatoire après chaque collision. En l'absence de champ électrique, les trajectoires d'un électron entre les collisions sont des lignes droites. En présence d'un champ, ces trajectoires sont paraboliques, comme on le voit à la figure 6.12. Les temps écoulés entre les collisions dépendent de la grandeur et de la direction de la vitesse de l'électron après chaque collision. Le module de la variation de vitesse d'un électron donné peut ressembler au graphe de la figure 6.13. Puisque les temps écoulés entre les collisions peuvent prendre diverses valeurs, nous avons besoin de calculer une moyenne sur l'ensemble des électrons. C'est ce que l'on appelle le temps moyen entre collisions, $\tau$. Utilisant ce temps dans notre équation déterminant $\Delta\vec{\mathbf{v}}$, nous voyons que le gaz d'électrons dans son ensemble acquiert une vitesse de dérive moyenne donnée par

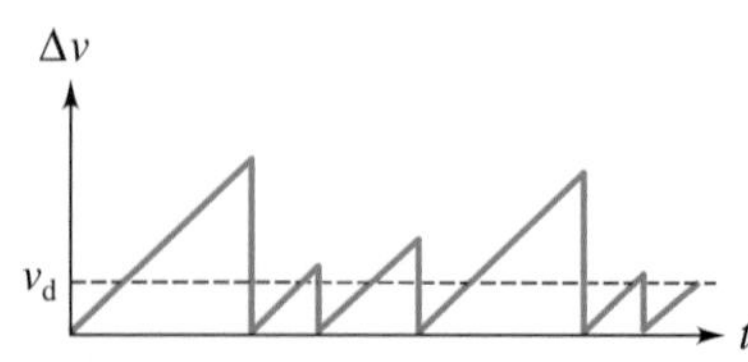


*Figure 6.13*

La variation de vitesse $\Delta v$ acquise par un électron entre les collisions fluctue dans le temps. La moyenne des variations calculées sur tous les électrons est appelée vitesse de dérive $v_d$.

$$\vec{\mathbf{v}}_d = -\frac{e\vec{\mathbf{E}}\tau}{m}$$

La constante $\tau$ est une propriété du matériau. Elle *ne dépend pas* du champ électrique, car la vitesse de dérive est nettement inférieure aux vitesses thermiques, comme nous le verrons plus loin. D'après l'équation 6.4, $\vec{\mathbf{v}}_d = \vec{\mathbf{J}}/nq$, où $q = -e$, et la densité de courant est donc

$$\vec{\mathbf{J}} = \frac{ne^2\tau}{m}\vec{\mathbf{E}} = \frac{1}{\rho}\vec{\mathbf{E}}$$

avec

$$\rho = \frac{m}{ne^2\tau} \tag{6.13}$$

La résistivité $\rho$ est indépendante de $\vec{\mathbf{E}}$, conformément à la loi d'Ohm.

Nous pouvons utiliser l'équation 6.13 pour calculer la valeur de $\tau$. À l'aide des valeurs données pour le cuivre, on trouve

$$\begin{aligned}\tau &= \frac{m}{ne^2\rho}\\ &= \frac{(9{,}1 \times 10^{-31}\ \text{kg})}{(8{,}5 \times 10^{28}\ \text{m}^{-3})(1{,}6 \times 10^{-19}\ \text{C})^2(1{,}7 \times 10^{-8}\ \Omega\cdot\text{m})}\\ &= 2{,}46 \times 10^{-14}\ \text{s}\end{aligned}$$

Si l'on traite les électrons comme un gaz idéal, leur énergie cinétique moyenne est donnée par le théorème d'équipartition (*cf.* chapitre 18, tome 1) qui dit que

$$K_{\text{moy}} = \frac{1}{2}mv^2 = \frac{3}{2}kT$$

Le calcul de l'énergie cinétique moyenne entraîne la nécessité de définir la vitesse quadratique moyenne $v_{\text{qm}} = \sqrt{\overline{v^2}}$, qui donne une bonne idée de l'ordre de grandeur des mouvements thermiques. À 300 K, la vitesse quadratique moyenne serait égale à environ $10^5$ m/s. À l'aide de cette valeur, on peut calculer la distance parcourue entre les collisions, appelée *libre parcours moyen*

$$\lambda = v_{\text{qm}}\tau = 25 \times 10^{-10}\ \text{m}$$

On peut comparer cette valeur avec l'espace interatomique, voisin de $2{,}5 \times 10^{-10}$ m. En physique classique, on s'attendrait à ce que le libre parcours moyen dépende de l'espace interatomique et de la taille des atomes.

Le modèle de Drude prévoit bien que la résistivité est indépendante du champ, comme l'exige la loi d'Ohm, mais sa formulation théorique pose quelques problèmes. En physique classique, la vitesse thermique varie en fonction de la température selon $v_{\text{qm}} \propto \sqrt{T}$. Comme $\tau = \lambda/v_{\text{qm}}$, l'équation 6.13 implique que la résistivité est proportionnelle à $\sqrt{T}$. En fait, comme le montre la figure 6.9*a*, la résistivité des métaux est directement proportionnelle à la température dans les limites d'une plage étendue de températures (sauf aux très basses températures). Au fur et à mesure que la température baisse, le libre parcours moyen augmente. À basse température, $\lambda$ peut dépasser 1 mm ! La physique classique ne parvient pas à expliquer comment les électrons peuvent éviter les collisions avec des ions aussi nombreux.

Ces problèmes furent résolus avec l'avènement de la mécanique quantique et de la description statistique du comportement du gaz d'électrons libres. Premièrement, comme nous le verrons au chapitre 10 du tome 3, les électrons ont des propriétés ondulatoires. Ainsi, c'est la notion même de collision entre un électron et un ion qui est incorrecte. Deuxièmement, les énergies des électrons ne sont pas réparties selon le théorème d'équipartition. En réalité, seulement 1 électron libre sur $10^4$ environ (ceux qui ont les vitesses les plus élevées, près de $10^6$ m/s intervient dans le processus de conduction).

Sujet connexe

## L'électricité atmosphérique

Depuis toujours, l'homme craint et redoute la foudre ; pour les anciens, elle était une manifestation de la colère des dieux. Au milieu du XVIIIe siècle, Benjamin Franklin démontra que la foudre était en réalité un phénomène électrique. Nous allons examiner certains aspects de ce phénomène et voir comment se forment les orages. Le premier sujet porte sur un phénomène relativement peu connu : la présence d'un champ électrique dans l'atmosphère, même par beau temps.

### Le champ électrique par beau temps

Par temps clair, il règne à la surface de la terre un champ électrique d'environ 100 V/m dirigé vers le bas. D'après l'équation $E = \sigma/\varepsilon_0$, il y a donc une densité surfacique de charge négative d'environ $-10^{-9}$ C/m$^2$ sur le sol. Les lignes de champ partent d'une couche chargée positivement à une altitude de 50 km environ, la limite inférieure d'une région appelée ionosphère. La différence de potentiel entre la terre et cette couche est d'environ $3 \times 10^5$ V (l'intensité du champ diminue avec l'altitude, de sorte que la différence de potentiel n'est pas de 5 MV).

La terre et l'ionosphère sont deux bons conducteurs. Bien que l'air sec soit un bon isolant, l'atmosphère laisse circuler le courant à cause des ions d'oxygène et d'azote qui sont créés par les rayons cosmiques, par la radioactivité naturelle, et, à haute altitude, par la photoionisation due aux rayons ultraviolets et aux rayons X provenant du Soleil. On pourrait s'attendre à ce que le courant vertical dans l'air ($3 \times 10^{-12}$ A/m$^2$ ou 1500 A globalement) entraîne la neutralisation des charges au sol en 10 min environ. Nous allons voir que c'est le transfert de charge associé à la foudre qui maintient le champ par beau temps.

D'après la valeur du champ par beau temps, on constate que la différence de potentiel entre deux niveaux distants de 2 m est à peu près égale à 200 V. Cette différence de potentiel est-elle dangereuse pour la population ? Pourrait-on l'utiliser comme source d'énergie électrique ? Non, car les personnes et les objets sont de bons conducteurs, et toutes les parties d'un conducteur en contact avec le sol

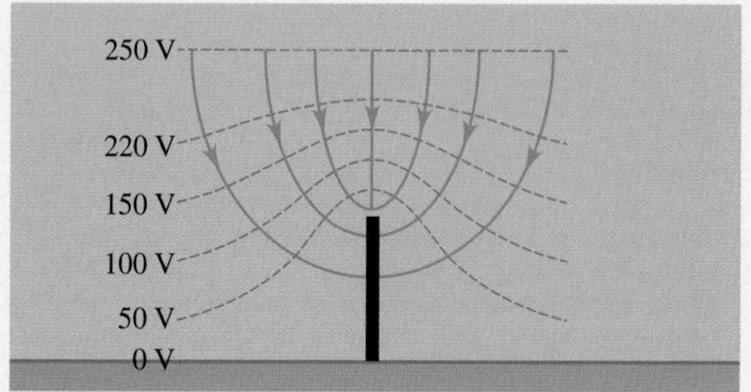


*Figure 6.14*

Une tige métallique plantée dans le sol est au potentiel de la terre. Le schéma montre la déformation des équipotentielles horizontales.

sont au potentiel de la terre. Il en résulte une déformation des équipotentielles horizontales (figure 6.14).

On peut mesurer l'intensité du champ par beau temps à l'aide d'un instrument appelé « *moulin à champ* » dont le principe est le suivant. Lorsqu'on relie à la terre une plaque métallique horizontale *A* (figure 6.15*a*), sa face supérieure se charge négativement, les charges étant maintenues par le champ extérieur. Si l'on recouvre soudainement *A* par une deuxième plaque *B* (figure 6.15*b*), les lignes de champ ne peuvent plus atteindre *A*, de sorte que la charge négative s'écoule dans la terre en traversant un appareil de mesure. Dans la pratique, *A* et *B* ont la forme de pales (figure 6.15*c*). En tournant, la plaque supérieure masque alternativement la plaque inférieure, la protégeant du champ de façon périodique. Le courant s'écoulant de la plaque inférieure consiste en impulsions qui peuvent être amplifiées et étalonnées pour donner l'intensité du champ.

Le champ par beau temps varie au cours de la journée. Lorsqu'on le mesure en haute mer, loin de toute perturbation, on s'aperçoit qu'il atteint sa valeur maximale à 19 h T.U. (temps universel) et sa valeur minimale à 4 h T.U. en tout point du globe (figure 6.16). Étant donné la haute conductivité de la terre et de l'ionosphère, les variations locales de densité de charges se dispersent très rapidement autour du globe.

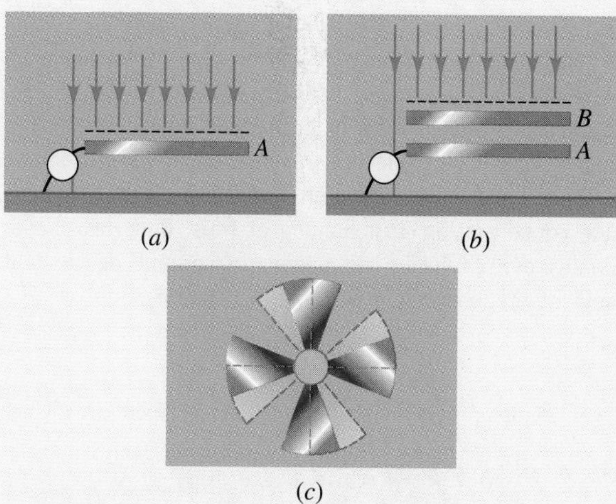


**Figure 6.15**

(*a*) Le champ électrique terrestre induit une charge sur une plaque métallique reliée à la terre. (*b*) Lorsque la plaque est protégée par un écran, la charge induite s'écoule dans le dispositif de détection. (*c*) Dans un « moulin à champ », les plaques supérieure et inférieure ont la forme de pales. Lorsque la pale supérieure tourne, il y a production d'un courant pulsé qui peut être amplifié et mesuré.

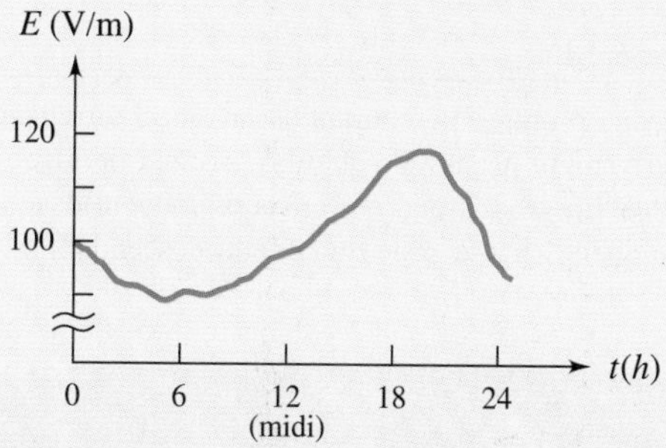


**Figure 6.16**

Le champ par beau temps varie en fonction du temps de la même façon tout autour du globe.

## L'expérience du cerf-volant de Franklin

En 1750, Benjamin Franklin eut l'idée d'approcher d'un corps électrifié un conducteur pointu relié à la terre ; il s'aperçut qu'il pouvait ainsi décharger le corps plus rapidement qu'avec un conducteur arrondi. Il en déduisit que, si les nuages d'orage étaient électrifiés, on pourrait peut-être les décharger sans risque et éviter ainsi les dégâts provoqués par la foudre. Il dut d'abord démontrer que le nuage était chargé. Le raisonnement qu'il adopta est décrit ici en termes modernes.

La figure 6.17 représente une tige métallique dont la base est chargée négativement. Cette tige se trouve isolée sous un nuage d'orage. Le champ électrique, dirigé verticalement vers le haut, induit une séparation des charges dans la tige. Les charges négatives présentes dans l'air neutralisent une partie des charges positives présentes à la pointe de la tige ; celle-ci acquiert ainsi une charge négative en excès. Un conducteur relié à la terre, comme une personne, va donc produire une étincelle en approchant un doigt de la tige chargée isolée. Par contre, si la tige est reliée à la terre (comme à la figure 6.17*b*), la

Benjamin Franklin en train de réaliser son expérience du cerf-volant.

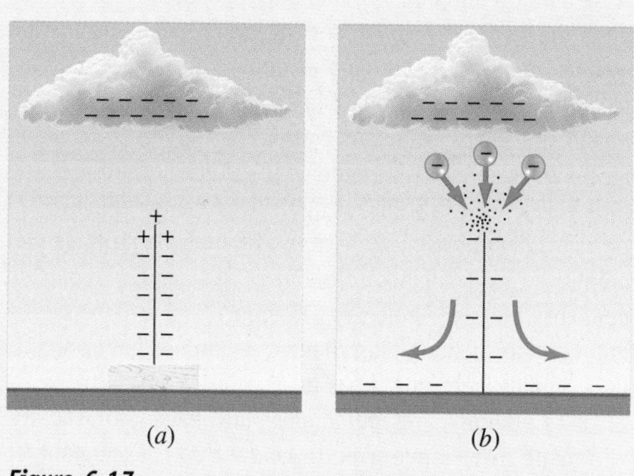


**Figure 6.17**

(*a*) Il y a séparation des charges dans une tige métallique isolée. (*b*) Si la tige est reliée à la terre, un courant constant circule dans la tige.

charge négative continue de s'écouler par la tige dans la terre et on peut apercevoir une faible lueur à la pointe de la tige. Cette lueur est due à l'ionisation des molécules par les électrons accélérés dans le champ électrique intense près de la pointe. Lorsque les molécules se recombinent avec d'autres électrons, il y a émission lumineuse. Au IVe siècle, cette lueur, visible en haut des mâts des navires, était appelée feu Saint-Elme.

Pour montrer qu'un nuage d'orage est chargé, Franklin proposa de vérifier si une personne placée dans une guérite pouvait produire des étincelles à l'extrémité d'une haute tige métallique isolée en approchant de la tige un fil relié à la terre. Pour se protéger, elle devait tenir le fil avec une poignée en paraffine. Ayant entendu parler de cette proposition, des scientifiques français érigèrent une tige de quarante pieds en mai 1752 et obtinrent les étincelles prévues. Avant même d'avoir eu connaissance de leur résultat, Franklin décida de tenter une expérience avec un cerf-volant auquel il avait attaché un fil muni d'une pointe. Il fit donc voler son cerf-volant dans un nuage d'orage en tenant la ficelle au moyen d'un fil de soie isolant et en prenant soin de ne pas la mouiller. Il avait attaché une clé à la ficelle. Lorsqu'il vit les fils se hérisser, il comprit que la ficelle était électrifiée et, avec le point, fit jaillir une étincelle à partir de la clé. Cette expérience montrait qu'un nuage d'orage est chargé et indirectement que la foudre est un phénomène électrique. L'expérience du cerf-volant et celle de la guérite sont très dangereuses. Quelques mois plus tard, un professeur fut tué sur le coup par un éclair transmis par la tige alors qu'il essayait de répéter l'expérience de la guérite.

## Les orages

Il se produit environ 40 000 orages chaque jour autour du globe et près de 100 éclairs chaque seconde. Un nuage *cumulonimbus* se développe à partir d'un nuage relativement petit s'étendant entre les altitudes de 2 à 5 km. Le nuage se forme par un fort courant ascendant d'air chaud et humide. Il grossit rapidement et peut atteindre une altitude de 10 à 15 km en quelques minutes. Puisque la pression diminue avec l'altitude, l'air humide se dilate en montant et sa température baisse. La vapeur d'eau se condense alors en gouttes et libère sa chaleur latente, ce qui rend l'air humide plus chaud que l'air sec environnant. L'air humide continue ainsi de monter, à une vitesse de 25 m/s environ. Près du sommet du nuage, l'air sec environnant se mélange avec le courant d'air ascendant et provoque un refroidissement des gouttes par évaporation. Des cristaux de glace se forment, entrent en collision avec les gouttes d'eau et grossissent jusqu'à devenir des grêlons. Lorsque ces grêlons sont trop lourds pour être portés par le courant ascendant, ils commencent à tomber et provoquent un courant descendant dans la partie du nuage extérieure au courant ascendant (figure 6.18). Comme les grêlons fondent en général avant d'arriver au sol, ils produisent une forte averse. Un nuage d'orage se déplace horizontalement à environ 30 km/h et provoque une concentration d'air humide et frais. Dans les phases finales de l'évolution du nuage, le courant descendant devient prédominant et il produit une pluie fine.

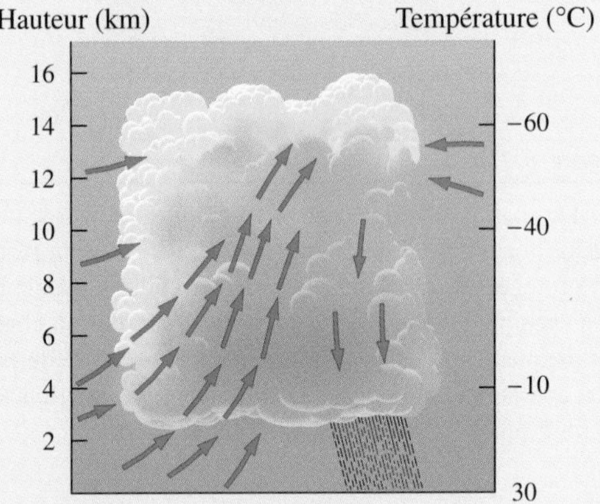


***Figure 6.18***

Un nuage d'orage. Le courant ascendant d'air chaud et humide monte jusqu'à ce que des cristaux de glace se forment. En grossissant, ces cristaux donnent des grêlons qui tombent dans la zone du courant descendant.

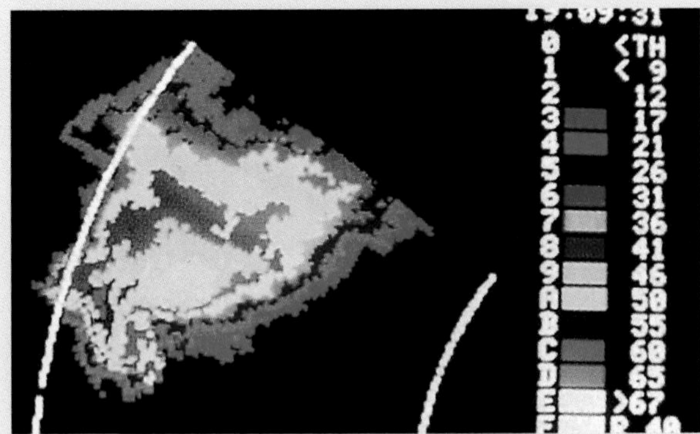

Un orage présentant un risque de foudre, détecté par radar Doppler. Le décalage de fréquence du signal radar indique la vitesse du vent (code couleur) en m/s.

## La séparation des charges

Un aspect important du nuage d'orage est l'apparition d'une grande quantité de charges à la base et au sommet du nuage. Des mesures de la charge effectuées à l'intérieur du nuage et du champ électrique à la surface de la terre montrent que la partie inférieure du nuage est chargée négativement ($N = -40$ C), alors que la partie supérieure est chargée positivement ($P = +40$C) (figure 6.19). On note également la présence d'une faible charge positive ($p = +10$C) à la base du nuage. Le champ électrique sous le nuage, qui est opposé au champ par beau temps, a une intensité voisine de $10^4$ V/m. La différence de potentiel entre la base du nuage et la terre est d'environ 3 MV.

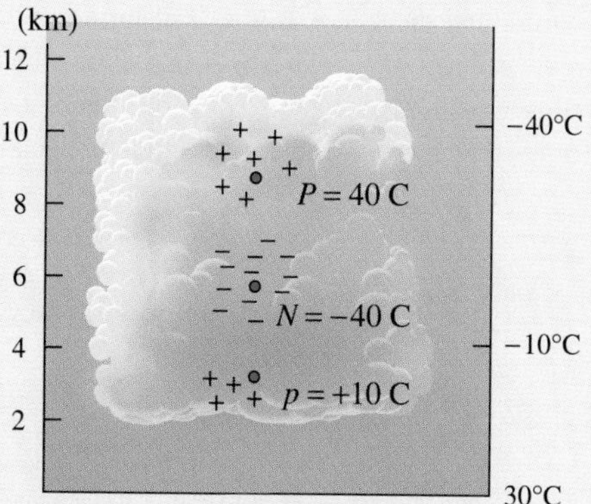


**Figure 6.19**

La séparation des charges dans un nuage d'orage.

Le mécanisme de la séparation des charges n'est pas bien connu. L'une des hypothèses proposées est la suivante. Lorsqu'un grêlon tombe, il est polarisé par le champ qui règne par beau temps : sa base est positive alors que son sommet est négatif (figure 6.20*a*). Une goutte d'eau ou un petit cristal de glace peuvent entrer en collision avec la base du grêlon et acquérir une charge positive. La plus légère des particules chargées positivement est ainsi entraînée par le courant ascendant mais le grêlon chargé négativement continue de tomber. Le champ électrique est renforcé par cette séparation des charges et produit une polarisation encore plus importante des grêlons. Le processus fait intervenir une « contre-réaction positive ». Les ions déjà présents dans l'air contribuent probablement à cet effet.

Un autre mécanisme fait intervenir le processus de congélation. On sait que, lorsqu'il y a une différence de température dans un échantillon de glace, la partie chaude se charge négativement parce que les ions $H^+$, légers, sont plus mobiles que les ions $OH^-$. Les ions $H^+$ quittent en grand nombre la partie chaude et entraînent ainsi l'apparition d'une charge négative non compensée. Lorsqu'une goutte gèle, une mince couche de glace se forme d'abord sur la surface. Au cours de la congélation du liquide intérieur, celui-ci libère la chaleur latente de fusion, de sorte que la température de la surface intérieure de la pellicule est plus élevée que celle de la surface extérieure. À cause de cet effet *thermoélectrique*, la surface extérieure se charge positivement (figure 6.20*b*). Une collision avec une autre particule peut faire éclater la pellicule et provoquer la formation d'éclats de glace chargés positivement. Très légers, ces éclats peuvent être entraînés par le courant ascendant. Le reste de la goutte est chargé négativement et continue à tomber.

Ces deux explications cessent toutefois d'être valables si l'on admet que la séparation des charges se produit avant l'apparition d'un courant descendant. Il n'y a pas de mécanisme qui soit accepté universellement.

## La foudre

La foudre est la manifestation la plus spectaculaire de l'électricité atmosphérique (figure 6.21). On a utilisé divers moyens pour l'étudier : caméras ultrarapides, émissions en radiofréquences, échos radar et variations du champ

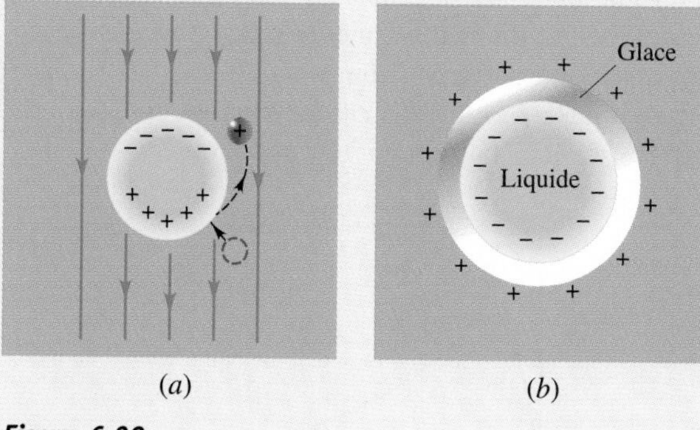


**Figure 6.20**

(*a*) Une gouttelette peut devenir chargée lorsqu'elle entre en collision avec la partie inférieure positive d'un grêlon en train de tomber. (*b*) Lorsqu'une gouttelette d'eau commence à geler, une couche de glace se forme avec les charges indiquées.

**Figure 6.21**

De violents éclairs sur la ville.

électrique au niveau du sol. Un *éclair* est composé de plusieurs *coups*. Le phénomène commence probablement par une décharge à l'intérieur du nuage entre la petite base positive $p$ et la charge négative plus élevée $N$. Cette décharge interne dure environ 50 ms et produit une faible lueur qu'on peut enregistrer sur film. La moitié des éclairs d'un orage se produisent entre des nuages qui peuvent être distants de 10 km. Parfois, la décharge va si loin qu'elle atteint une zone dégagée et devient alors le proverbial « coup de foudre en plein ciel bleu ».

Un coup de foudre est déclenché par un *traceur par bonds*. Il s'agit d'un gaz fortement ionisé qui transporte surtout des charges négatives (figure 6.22*a*). Sur film, il apparaît comme une lueur vive qui se déplace de 50 m en 1 μs, s'immobilise pendant 50 μs puis fait un autre « bond ». Sa vitesse moyenne est de $2 \times 10^5$ m/s et sa pointe est à un potentiel de $-10^8$ V par rapport à la terre. Lorsque la pointe se trouve à 50 m environ de la surface de la terre, une *décharge* quitte la terre, en général à partir d'un point anguleux (figure 6.22*b*). Lorsque la décharge rencontre le traceur par bonds, il se forme un chemin conducteur ininterrompu entre la terre et la base du nuage. La charge négative dans ce canal ionisé s'écoule très rapidement dans la terre. La partie la plus proche du sol se décharge en premier lieu et produit une lueur intense (figure 6.22*c*). Lorsque les parties plus élevées se déchargent, il se produit une *décharge en retour*, de 20 cm de diamètre environ, ce qui crée un effet lumineux ascendant (figure 6.22*d*). Au début, le front de l'onde lumineuse se déplace à une vitesse voisine du tiers de la vitesse de la lumière, mais il ralentit jusqu'à $c/10$ près de la base du nuage (on remarque que c'est la vitesse de propagation de la décharge, et non la vitesse des électrons). Le traceur par bonds transporte −5 C en 40 ms environ, ce qui correspond à un courant moyen voisin de 100 A.

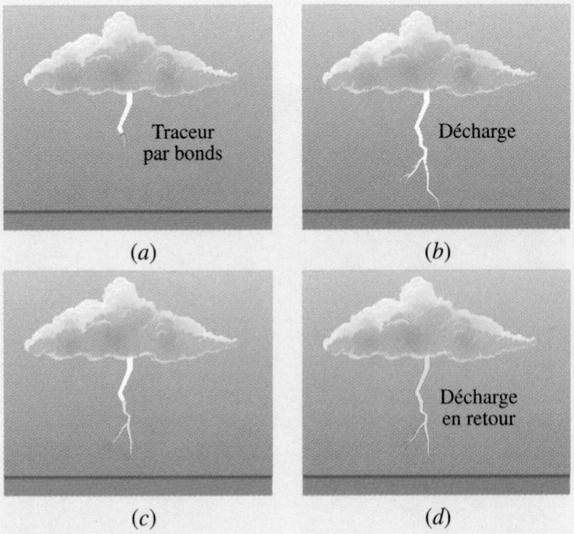

Après la décharge en retour, un faible courant continue de circuler dans le canal. Après une pause, un *traceur en dard* d'environ 1 m de large descend vers la terre à $5 \times 10^6$ m/s et déclenche une deuxième décharge en retour (figure 6.23). Le traceur en dard transporte 1 C en 2 ms, ce qui donne un courant moyen de 500 A. Un seul éclair, qui dure de 0,3 à 0,5 s, fait intervenir 4 ou 5 décharges en retour, d'une durée de 2 ms chacune, à intervalles de 50 ms. Chaque coup de foudre est visible sous forme d'une lueur vacillante pendant l'éclair.

***Figure 6.23***

Après la première décharge en retour, d'autres décharges en retour sont déclenchées par les traceurs en dard.

La variation du courant en fonction du temps est représentée à la figure 6.24. Le courant augmente jusqu'à 30 kA ou plus en 2 μs environ, puis diminue graduellement. (On peut calculer le courant maximal en plaçant de petites barres d'acier au cobalt près d'une longue tige ou d'une tour émettrice. Après un éclair, la barre devient magnétisée et on peut calculer le courant d'après l'intensité de la magnétisation. On a déjà relevé des courants allant jusqu'à 60 kA.) Une charge négative de 10 à 20 C est transférée à la terre en 100 μs.

Traceur par bonds (*a*) — Décharge (*b*) — (*c*) — Décharge en retour (*d*)

***Figure 6.22***

Les quatre phases d'évolution d'une décharge en retour.

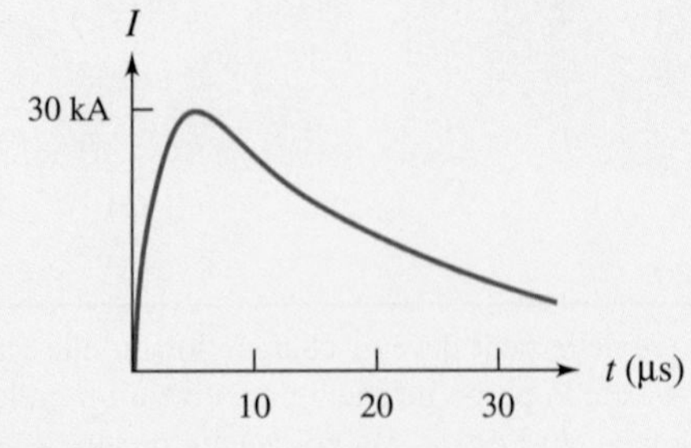


***Figure 6.24***

La variation du courant durant une décharge en retour.

Pendant la décharge en retour, la température du canal ionisé atteint 30 000 K. L'augmentation de pression produit une onde de choc : c'est le tonnerre que l'on entend jusqu'à 25 km à la ronde. Le grondement du tonnerre est dû au fait que le son provenant de diverses régions du coup de foudre arrive à des instants différents.

Un seul coup de foudre peut faire passer 5 C sous une différence de potentiel de $10^8$ V en 10 μs. L'énergie dissipée est de $5 \times 10^8$ J et la puissance de $5 \times 10^{13}$ W ! Cette énergie est dégagée sous forme d'excitation moléculaire, de création d'ions, d'énergie cinétique des particules et de rayonnement. Malgré l'aspect spectaculaire des éclairs, près de 80 % du transfert de charge est dû à des décharges ponctuelles, notamment entre les nuages et les arbres. Le courant moyen observé durant un orage est de 1,5 A.

## Protection contre la foudre

La foudre est à l'origine de nombreux dégâts matériels et incendies de forêts. Aux États-Unis seulement, elle tue deux cents personnes chaque année. Franklin pensait qu'une tige métallique reliée à la terre et comportant une pointe effilée pouvait permettre à la charge contenue dans un nuage de s'écouler et donc d'éviter la foudre. Cette explication du fonctionnement d'un « paratonnerre » n'est pas correcte. Tous les objets comportant des points anguleux, comme les feuilles, provoquent des décharges ponctuelles. Mais si un traceur par bonds s'approche de la région entourant la tige, celle-ci sera frappée par la foudre et transportera la charge sans danger vers la terre. Un paratonnerre protège une zone située autour de lui, comme l'illustrent les lignes pointillées sur la figure 6.25. Il est très rare qu'un seul point anguleux décharge complètement le nuage. Pendant plusieurs années, la foudre a fait l'objet d'études à l'*Empire State Building* : on s'est aperçu qu'une décharge positive (250 A) pouvait partir du sommet de l'immeuble et monter jusqu'aux nuages, sans décharge en retour. La théorie de Franklin n'est donc valable que pour le sommet de mâts très élevés ou d'immeubles.

***Figure 6.25***

Un paratonnerre « protège » la région délimitée par les lignes pointillées.

Que doit-on faire durant un orage ? Premièrement, éviter les arbres ou les bâtiments isolés qui sont des cibles évidentes. Deuxièmement, puisque l'eau est un conducteur, il faut éviter de nager. Une décharge peut pénétrer dans une maison par les conduites d'eau ou même par les câbles téléphoniques. Le courant peut circuler dans les conduites et électrocuter une personne en train de prendre un bain. On a déjà signalé des décharges mortelles par les robinets. Il est donc déconseillé d'utiliser le téléphone ou de prendre un bain durant un orage.

Un coup de foudre peut induire un flux rapide de charge dans un conducteur relié à la terre. Par exemple, on a mesuré un courant de 100 A dans un câble de transmission à 0,5 km de la décharge. Lorsque la foudre frappe la terre, des courants intenses s'y écoulent. La différence de potentiel entre deux points distants de 1 m peut produire un courant mortel pour une personne ou un animal. On peut réduire les effets d'un tel « saut de tension » en gardant les pieds joints. Lorsque la foudre tombe sur un arbre, le courant circule le long des rigoles mouillées sur l'écorce et peut passer du tronc sur une personne qui se tient à proximité ou qui s'appuie contre l'arbre. Il faut donc éviter de s'abriter sous un arbre isolé.

## Résumé

Le courant électrique est la quantité de charge qui traverse la section d'un conducteur par unité de temps :

$$I = \frac{\Delta Q}{\Delta t}$$

La vitesse moyenne de dérive des électrons dans un fil de section $A$ est reliée à la valeur du courant $I$ qui parcourt le fil selon

$$I = nAev_{\mathrm{d}}$$

où $n$ est le nombre d'électrons libres par unité de volume.

Si un courant $I$ circule dans un dispositif ayant une différence de potentiel $\Delta V$ entre ses bornes, la résistance est définie comme le rapport

$$R = \frac{\Delta V}{I}$$

Dans le cas particulier d'un fil de longueur $\ell$ et de section transversale $A$, la résistance est donnée par

$$R = \frac{\rho \ell}{A}$$

où $\rho$ est la résistivité du matériau dont est fait le fil. Pour les métaux, $\rho$ varie avec la température.

La définition de la résistance peut se mettre sous la forme

$$\Delta V = RI$$

Cette équation s'applique à tout conducteur, quelle que soit sa forme. Elle *n'exprime pas* forcément la loi d'Ohm. Elle constitue la forme macroscopique de la loi d'Ohm *seulement* si $R$ est constante et indépendante de $V$ et de $I$.

Si un flux de particules chargées se déplace à travers une différence de potentiel $\Delta V$, le taux du travail fourni par le champ ou par un agent extérieur, c'est-à-dire la puissance fournie, est

$$P = I\Delta V$$

D'après la relation $\Delta V = RI$ pour un conducteur, la puissance dissipée sous forme d'énergie thermique est

$$P = RI^2 = \frac{\Delta V^2}{R}$$

## Termes importants

**ampère**
**circuit électrique**
**coefficient thermique de résistivité**
**conductivité**
**courant électrique**
**effet Joule**
**kilowattheure**
**loi d'Ohm**
**résistance**
**résistivité**
**semi-conducteur**
**supraconducteur**

## Révision

**R1.** Décrivez le mécanisme mis au point par Volta pour produire un courant électrique.

**R2.** Combien d'électrons passent par un point donné d'un fil parcouru par un courant de 1 A pendant 1 s, 1 min, 1 h ?

**R3.** Dessinez un circuit simple comprenant une pile et un fil reliant la borne positive à la borne négative en représentant le sens du courant et le sens du déplacement des électrons.

**R4.** Vrai ou faux ? Dans un fil, les électrons circulent du potentiel le plus élevé vers le potentiel le moins élevé.

**R5.** Vrai ou faux ? Lorsqu'on allume l'interrupteur d'une ampoule, les électrons voyagent presque instantanément de l'interrupteur à l'ampoule.

**R6.** Vrai ou faux ? C'est pour augmenter leur résistance électrique qu'on utilise de très gros fils pour le transport de l'électricité.

**R7.** Expliquez comment on déduit que la résistance d'un conducteur donné est directement proportionnelle à sa longueur.

**R8.** Expliquez pourquoi la résistance d'un métal augmente avec sa température.

**R9.** Dans quelles conditions un matériau conducteur obéit-il à la loi d'Ohm ?

**R10.** Combien de temps faut-il utiliser une ampoule de 100 W pour consommer 1 kWh ?

**R11.** Vrai ou faux ? Il est plus économique d'utiliser un radiateur électrique de 1000 W fonctionnant sur 220 V qu'un radiateur électrique de 1000 W fonctionnant sur 110 V.

## Questions

**Q1.** La loi d'Ohm est-elle valable seulement pour les fils ?

**Q2.** Si un appareil fait « griller » son propre fusible de 15 A, ou un fusible extérieur de 15 A, est-ce une bonne idée de le remplacer par un fusible de 20 A ?

**Q3.** En quoi le courant dans un métal diffère-t-il du courant dans un électrolyte ? Pouvez-vous donner un autre exemple de courant électrique qui diffère qualitativement du courant dans un métal ?

**Q4.** Pourquoi une ampoule a-t-elle plus de chances de griller lorsqu'on l'allume ? Pourquoi produit-elle un éclair juste avant de griller ?

**Q5.** Qu'entend-on par « court-circuit » ? Illustrez votre réponse à l'aide d'un schéma.

**Q6.** Pourquoi les oiseaux peuvent-ils se percher sur les lignes électriques sans s'électrocuter ?

**Q7.** Les liquides ont une résistance plus grande au début lorsque la température baisse, car ils sont plus visqueux. L'effet est-il le même sur le débit des charges dans un fil ?

**Q8.** En supposant toutes les autres grandeurs constantes, comment la vitesse de dérive le long d'un fil dépend-elle de chacun des facteurs suivants : (a) la longueur du fil ; (b) la différence de potentiel ; (c) l'aire de la section transversale ; (d) le courant ?

**Q9.** Un fil de cuivre et un fil d'argent de même longueur et de même diamètre sont traversés par le même courant. Dans lequel des deux fils l'intensité du champ électrique est-elle la plus grande ?

**Q10.** De quelle(s) manière(s) le courant du faisceau d'électrons dans un tube de téléviseur est-il différent du courant dans un fil ?

**Q11.** L'expression $P = RI^2$ indique que la puissance augmente avec la résistance, alors que $P = \Delta V^2/R$ semble indiquer le contraire. Faites concorder ces deux idées apparemment contradictoires.

**Q12.** On accélère un faisceau d'électrons sans augmenter son aire. La densité de courant varie-t-elle lorsque la vitesse des particules augmente ?

**Q13.** Quels sont les avantages ou inconvénients relatifs que présente l'utilisation d'un seul brin de fil ou de plusieurs brins ayant la même résistance totale ?

# Exercices

## 6.1 et 6.2 Courant, vitesse de dérive

**E1.** (I) Dans un tube écran de téléviseur couleur, le courant du faisceau a une intensité de 1,9 mA. La section transversale du faisceau est circulaire et a un rayon de 0,5 mm. (a) Combien d'électrons frappent l'écran par seconde ? (b) Quelle est la densité du courant ?

**E2.** (I) Dans un accélérateur, les protons se déplacent à la vitesse de $5 \times 10^6$ m/s et produisent un faisceau d'intensité 1 μA. Si le rayon du faisceau vaut 1 mm, trouvez : (a) la densité de courant ; (b) $n$, le nombre de charges par unité de volume.

**E3.** (I) Un courant de 200 mA circule dans un fil d'argent de rayon 0,8 mm. Trouvez : (a) la vitesse de dérive des électrons ; (b) le champ électrique à l'intérieur du fil. Le nombre d'électrons libres par unité de volume est de $5{,}8 \times 10^{28}$ m$^{-3}$.

**E4.** (I) Une longueur de 30 km de câble de transport d'électricité, composé d'un fil de cuivre de diamètre 1 cm, transporte un courant de 500 A. Trouvez : (a) la densité de courant ; (b) le module du champ électrique à l'intérieur du fil ; (c) la vitesse de dérive ; (d) le temps que met un électron donné pour parcourir la longueur du fil. Le nombre d'électrons libres par unité de volume est de $8{,}5 \times 10^{28}$ m$^{-3}$.

**E5.** (I) Le démarreur d'une automobile est alimenté par 80 A circulant dans un câble en cuivre de rayon 0,3 cm. (a) Quelle est la densité de courant ? (b) Déterminez le champ électrique à l'intérieur du fil.

**E6.** (I) Un fil de cuivre de calibre 14 et de diamètre 1,628 mm transporte 15 A. Déterminez : (a) la densité de courant ; (b) la vitesse de dérive. Le nombre d'électrons libres par unité de volume est de $8{,}5 \times 10^{28}$ m$^{-3}$.

**E7.** (I) Dans un atome d'hydrogène, l'électron décrit un cercle de rayon $5{,}3 \times 10^{-11}$ m à la vitesse de $2{,}2 \times 10^6$ m/s. Quel est le courant moyen associé à ce mouvement ?

**E8.** (II) Le courant circulant dans un fil varie selon $I = (2t^2 - 3t + 5)$ A, où $t$ est en secondes. Quelle est la charge traversant une section transversale du fil entre $t = 2$ s et 5 s ?

**E9.** (I) Soit un fil d'aluminium de longueur 10 m et de diamètre 1,5 mm. Il transporte un courant de 12 A. Trouvez : (a) la densité de courant ; (b) la vitesse de dérive ; (c) le champ électrique dans le fil. L'aluminium a à peu près $10^{29}$ électrons libres par m$^3$.

## 6.3 Résistance

**E10.** (I) Lorsqu'on applique une différence de potentiel de 100 V aux bornes d'un fil de longueur 25 m et de rayon 1 mm, un courant de 11 A circule dans le fil. Trouvez la résistivité du matériau.

**E11.** (I) Une tige cylindrique de silicium a une longueur de 1 cm et un rayon de 2 mm. Quel est le courant lorsqu'on applique une différence de potentiel de 120 V entre ses extrémités ?

**E12.** (II) Un fil de longueur $\ell$ et de section transversale $A$ possède une résistance $R$. Quelle est la résistance obtenue si l'on utilise la même quantité de matériau pour réaliser un fil deux fois plus long ?

**E13.** (II) Un tube cylindrique de longueur $\ell$ a un rayon intérieur $a$ et un rayon extérieur $b$ (figure 6.26). La résistivité est $\rho$. Quelle est la résistance entre les extrémités ?

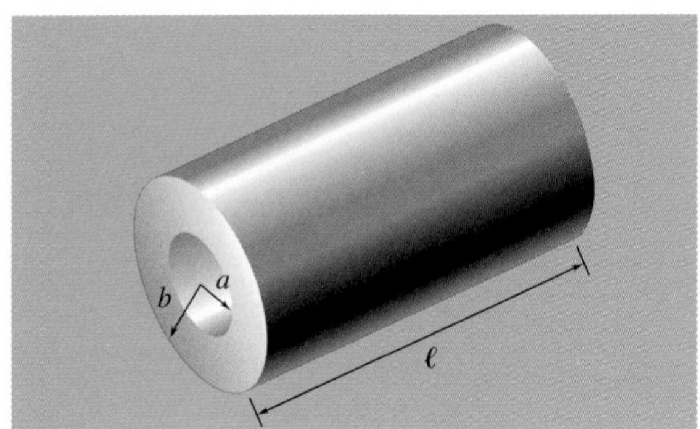


***Figure 6.26***

Exercice 13.

**E14.** (I) Un fil d'argent a une résistance de 1,20 Ω à 20°C. Quelle est sa résistance à 35°C ? (On néglige les variations de dimensions.)

**E15.** (I) La résistance d'un fil de cuivre est égale à 0,8 Ω à 20°C. Lorsqu'on le place dans un four, sa résistance devient égale à 1,2 Ω. Quelle est la température du four ?

**E16.** (I) Un fil de 4 m de long et de 0,8 mm de diamètre a une résistance de 16 Ω à 20°C. À 35°C, sa résistance s'élève à 16,5 Ω. Quel est le coefficient thermique de résistivité ?

**E17.** (I) Les résistances d'un fil de cuivre et d'un fil d'aluminium sont égales. Quel est le rapport de leur longueur, $\ell_{Cu}/\ell_{Al}$, s'ils ont le même diamètre ?

**E18.** (II) En associant en série une résistance de carbone et une résistance de nichrome, on peut obtenir une résistance équivalente indépendante de la température. Quel pourcentage de la résistance représente la contribution du carbone ?

**E19.** (I) Les résistances d'un fil de cuivre et d'un fil d'aluminium sont égales. Quel est le rapport des diamètres, $d_{Cu}/d_{Al}$, s'ils ont la même longueur ?

**E20.** (I) La conductance $G$ d'un dispositif est définie comme étant l'inverse de sa résistance, $G = 1/R$. L'unité SI de la conductance est le siemens (S = ohm$^{-1}$). Quelle est la conductance d'un dispositif dans lequel circule un courant de 2 A lorsqu'on lui applique une différence de potentiel de 60 V ?

**E21.** (I) Un fil de rayon 2 mm et de longueur 12 m a une résistance de 0,027 Ω. Quelle est sa résistivité ? Pouvez-vous identifier le matériau ?

**E22.** (I) La résistance d'une tige de carbone est égale à 0,6 Ω à 0°C. Quelle est sa résistance à 30°C ?

**E23.** (I) Un fil de longueur 10 m et de diamètre 1,2 mm a une résistance de 1,4 Ω. Quelle serait la résistance si le fil avait une longueur de 16 m et un diamètre de 0,8 mm ?

**E24.** (I) Un fil est relié à une pile de 6 V. À 20°C, le courant vaut 2 A, alors qu'à 100°C il vaut 1,7 A. Quel est le coefficient thermique de résistivité ?

**E25.** (I) Un fil de cuivre a une résistance de 1 Ω à 20°C. À quelle température la résistance est-elle de 10 % (a) supérieure ; (b) inférieure ?

## 6.4 et 6.5 Loi d'Ohm, puissance

**E26.** (I) Un haut-parleur est relié à un amplificateur audio à l'aide d'un fil de cuivre de calibre 18 (diamètre 1,024 mm) de longueur totale 20 m. (a) Quelle est la résistance du fil ? (b) Si le haut-parleur a une résistance de 4 Ω, quel pourcentage de la puissance fournie par l'amplificateur est dissipée dans le fil ? (Pour simplifier, on suppose que la différence de potentiel ne varie pas en fonction du temps et que le haut-parleur est une résistance.)

**E27.** (I) Une ligne de transport d'électricité de 200 km de long a une résistance de 10 Ω et transporte un courant de 1200 A. Quelle est la différence de potentiel entre deux pylônes séparés de 200 m ?

**E28.** (I) Selon un code de sécurité, le courant maximal admissible pour un fil de cuivre de calibre 14 (diamètre 1,628 mm) est de 15 A, et il est de 5 A pour un fil de calibre 18 (diamètre 1,024 mm). Quelle serait la différence de potentiel entre les extrémités d'une longueur de 10 m de chaque type de fil pour un courant maximal ?

**E29.** (I) Une batterie d'automobile de 12 V porte l'inscription 80 A·h. (a) Quelle charge peut-elle fournir ? (b) Pendant combien de temps peut-elle fournir une puissance de 25 W, en supposant la différence de potentiel constante ?

**E30.** (I) Un grille-pain fonctionne à 120 V avec un courant de 7 A. Il met 30 s pour accomplir sa tâche. À raison de 0,06 $ par kWh, combien cela coûte-t-il de griller une tranche de pain ?

**E31.** (I) Un fil de cuivre de calibre 14 a un diamètre de 1,628 mm, alors qu'un fil de calibre 18 a un diamètre de 1,024 mm. Comparez les pertes de puissance électrique lorsqu'un courant de 8 A circule dans une longueur de 10 m dans chacun des fils.

**E32.** (I) Les deux phares d'une automobile demandent un courant total de 10 A sous 12 V. Sachant que la combustion de 1 L d'essence libère $3 \times 10^7$ J et que la conversion en puissance électrique a un rendement de 25 %, quelle est la quantité d'essence consommée en une heure uniquement par les phares ?

**E33.** (I) Une pile fournit 30 mW à un haut-parleur de 8 Ω. Combien d'électrons quittent la borne négative en 1 min ?

**E34.** (I) Un fil de cuivre de calibre 12 et de diamètre 2,05 mm est utilisé pour fournir 12 A à un appareil électrique. Quelle est la puissance dissipée dans 20 m de ce fil ?

**E35.** (I) Un fil d'aluminium a une résistance de $1,8 \times 10^{-3}$ Ω/m et transporte un courant de 200 A. Quelle est la puissance dissipée dans 10 km de ce fil ?

**E36.** (II) Un moteur fonctionnant sous une tension de 240 V demande 10 A pour soulever un bloc de 2000 kg verticalement à une vitesse constante de 2,5 cm/s. Trouvez : (a) sa puissance mécanique en chevaux-vapeur britanniques (hp) ; (b) le rendement (en pourcentage) de conversion de la puissance électrique en puissance mécanique.

**E37.** (I) Une centrale électrique fournit 100 kW à un réseau par des câbles de résistance totale 5 Ω. Trouvez la perte de puissance dans les câbles si la différence de potentiel aux bornes du réseau est égale à (a) $10^4$ V; (b) $2 \times 10^5$ V.

**E38.** (II) Une bouilloire fonctionnant sous 120 V chauffe 1,5 L d'eau de 20°C à 90°C en 8 min. Quel est le courant circulant dans la bouilloire? (La chaleur spécifique de l'eau est de 4190 $J \cdot kg^{-1} \cdot K^{-1}$.)

**E39.** (II) Un tube en verre de rayon intérieur 1 cm et de longueur 20 cm contient de l'eau parcourue par un courant. Quelle est la différence de potentiel nécessaire pour élever la température de l'eau de 30°C en 4 min ? La résistivité de l'eau est de $10^{-2}$ $\Omega \cdot m$.

**E40.** (I) Une ampoule à trois intensités utilise deux filaments, seuls ou en série, pour produire 3 puissances différentes, soit 41 W, 70 W et 100 W, lorsqu'elle est reliée à une source de 120 V. Trouvez la résistance des deux filaments.

**E41.** (I) Une ampoule à trois intensités utilise deux filaments, seuls ou en parallèle, pour produire trois puissances différentes, soit 50 W, 100 W et 150 W, lorsqu'elle est reliée à une source de 120 V. Trouvez la résistance des deux filaments.

## Exercices supplémentaires

### 6.1 et 6.2 Courant, vitesse de dérive

**E42.** (II) À la température ambiante, l'aluminium a trois électrons libres par atome. (a) Déterminez le nombre d'électrons libres par unité de volume $n$. (b) Quelle est la vitesse de dérive associée à un courant de 10 A circulant dans un fil d'aluminium de rayon 0,7 mm ? (La masse volumique de l'aluminium est de 2700 $kg/m^3$.)

**E43.** (II) La charge circulant dans un fil et traversant sa section de 2 $cm^2$ est décrite par l'expression $q(t) = 3 - 4t + 5t^2$, où $t$ est en secondes et $q$ en coulombs. (a) Trouvez une expression pour $I(t)$. (b) Quelle est la densité de courant à $t = 1$ s ?

### 6.3 Résistance

**E44.** (I) Montrez que $1\Omega = 1\ kg \cdot m^2/(s^3 \cdot A^2)$.

**E45.** (I) La section transversale d'un rail de chemin de fer est de $5{,}0 \times 10^{-3}$ $m^2$. Si le fer a une résistivité de $3{,}0 \times 10^{-7}$ $\Omega \cdot m$, quelle résistance possède un rail de 10 km ?

**E46.** (II) À 20°C, la résistance d'un fil de cuivre est de 6,52 mΩ et celle d'un fil de tungstène est de 6,45 mΩ. À quelle température, la résistance des deux fils serait-elle égale ? Le coefficient thermique de résistivité du tungstène est de $4{,}5 \times 10^{-3}$°$C^{-1}$.

**E47.** (I) Le champ électrique à l'intérieur d'un fil de rayon 1,2 mm a une grandeur de 0,1 V/m et le courant a une intensité de 16 A. Quelle est la résistivité du matériau qui constitue le fil ?

**E48.** (II) Un fil de cuivre a une masse de 21 g et une résistance de 0,065 Ω. Quelles sont (a) la longueur et (b) l'aire de section du fil ?

**E49.** (II) Une différence de potentiel constante est appliquée aux deux extrémités d'un fil de nichrome. Quand on élève la température du fil à partir de 20°C, le courant chute à 96 % de sa valeur à 20°C. Quelle est la nouvelle température ?

**E50.** (II) Quelle masse de cuivre est nécessaire pour produire un fil de 1 km ayant une résistance de 1 Ω ? La masse volumique du cuivre est de 8900 $kg/m^3$.

## Problèmes

**P1.** (I) Le nichrome est un alliage utilisé dans les éléments chauffants d'un radiateur à eau qui fonctionne sous 120 V. La résistance d'un des éléments est de 16 Ω à 20°C. (a) Si le rayon du fil est de 1 mm, quelle est sa longueur ? (b) Quel est le courant à 200°C avec la même tension ?

**P2.** (I) On donne les valeurs suivantes pour un élément de circuit (comme une ampoule) :

| $\Delta V$ (V) : | 2 | 4 | 6 |
|---|---|---|---|
| $I$ (A) : | 0,3 | 0,5 | 0,7 |

(a) Quelle est la résistance lorsque $\Delta V = 5$ V ? (b) Quel serait le courant pour $\Delta V = 0$ ? (c) L'élément obéit-il à la loi d'Ohm ?

**P3.** (II) Un tube cylindrique de longueur $L$ a un rayon intérieur $a$ et un rayon extérieur $b$ (figure 6.27). Le matériau a une résistivité $\rho$. Le courant circule radialement de la surface intérieure vers la surface extérieure. (a) Montrez que la résistance est

$$R = \frac{\rho}{2\pi L} \ln \frac{b}{a}$$

(b) Pour un courant circulant dans cette direction, quelle est la résistance d'un filament de carbone dont les dimensions sont $a = 0,4$ cm, $b = 3$ cm et $L = 30$ cm ? (*Indice* : Commencez avec l'équation $J = E/\rho$ en remarquant que $E_r = -dV/dr$.)

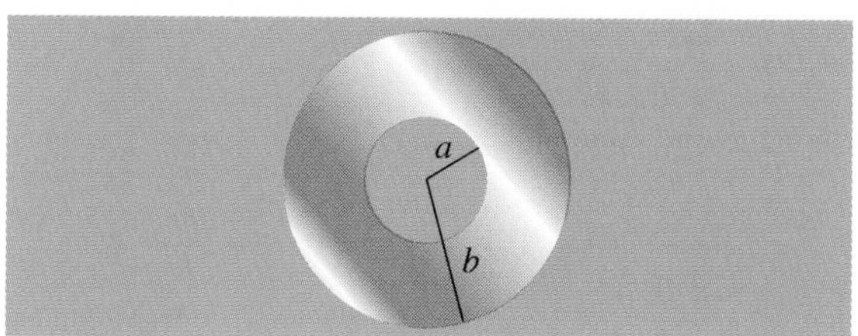


***Figure 6.27***

Problème 3.

**P4.** (II) Une coquille sphérique a un rayon intérieur $a$ et un rayon extérieur $b$. La résistivité du matériau est $\rho$. Montrez que, lorsqu'on applique une différence de potentiel entre les surfaces intérieure et extérieure, la résistance est

$$R = \frac{(b - a)\rho}{4\pi ab}$$

On suppose que le courant est partout dirigé radialement. (*Indice* : Commencez avec $J = E/\rho$ puis utiliser $E_r = -dV/dr$.)

**P5.** (I) La densité surfacique de charge d'un disque non conducteur de rayon $a$ est uniforme, positive et égale à $\sigma$. Le disque tourne à une vitesse angulaire $\omega$ (figure 6.28). Quel courant traverse une surface perpendiculaire au plan du disque et s'étendant du centre jusqu'à sa limite extérieure ? (*Indice* : Trouvez d'abord le courant correspondant à un anneau de rayon $r$ et d'épaisseur $dr$.)

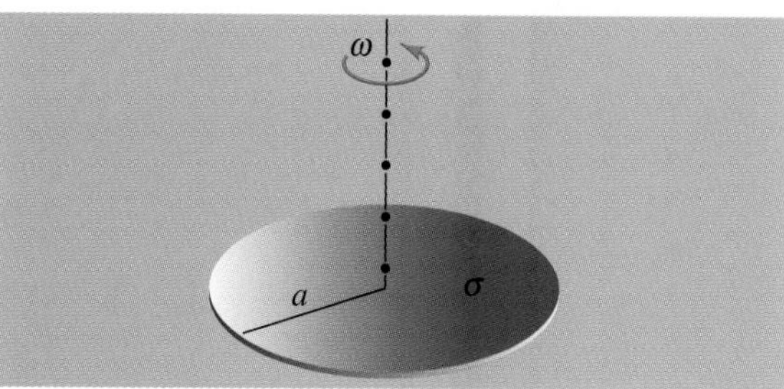


***Figure 6.28***

Problème 5.

**P6.** (II) On applique une différence de potentiel de 2 V entre les extrémités d'un fil d'argent de longueur 30 m et de diamètre 0,5 mm. Trouvez : (a) la vitesse de dérive ; (b) le temps moyen entre les collisions ; (c) le libre parcours moyen à 300 K. Le nombre d'électrons libres par unité de volume est de $5,8 \times 10^{28}$ $m^{-1}$.

**P7.** (I) Une cellule de galvanoplastie utilise du nitrate d'argent ($AgNO_3$) pour déposer l'argent (108 u) sur une électrode. Si un courant de 0,2 A est partagé à parts égales entre les ions $Ag^+$ et $NO_3^-$, quelle masse d'argent est déposée en 10 min ?

**P8.** (II) Une automobile électrique de 600 kg est alimentée par un groupe de 20 batteries de 12 V en parallèle, chacune d'elles pouvant libérer une charge de 100 A·h. À 60 km/h, une force de 180 N combinant tous les types de friction s'oppose au mouvement de l'automobile. Pendant combien de temps peut-elle rouler à cette vitesse (a) sur un sol horizontal ; (b) en montant une pente de 10° ? On suppose que la différence de potentiel reste constante.

**P9.** (I) On relie ensemble les extrémités d'un fil de cuivre et d'un fil d'acier ayant chacun une longueur de 40 m et un rayon de 1 mm. On applique une différence de potentiel de 10 V entre les extrémités libres. Trouvez : (a) la puissance dissipée dans chaque fil ; (b) le champ électrique dans chaque fil.

CHAPITRE 7

# Les circuits à courant continu

Un ouvrier effectue une connexion électrique durant la construction de la tour John Hancock à Chicago.

## POINTS ESSENTIELS

1. La **f.é.m.** d'un dispositif correspond au travail par unité de charge accompli pour faire circuler celle-ci dans un circuit fermé.
2. On peut calculer la résistance équivalente d'une association de résistances reliées en série ou en parallèle.
3. D'après la **loi des nœuds de Kirchhoff**, la somme algébrique des courants qui entrent dans un nœud et des courants qui en sortent est nulle.
4. D'après la **loi des mailles de Kirchhoff**, la somme algébrique des variations de potentiel dans une maille fermée est nulle.
5. Dans un circuit composé d'une résistance et d'un condensateur, la charge et la décharge du condensateur sont décrites par des fonctions exponentielles.

Ce chapitre porte sur les courants et les différences de potentiel dans les circuits et décrit quelques instruments simples servant à mesurer ces grandeurs. Notre étude se limite ici aux courants circulant dans une seule direction, appelés « courants continus » (c.c.). Nous allons commencer par les courants continus d'intensité constante dans les circuits contenant des résistances, puis nous étudierons les courants continus d'intensité variable dans le temps dans des circuits contenant à la fois une résistance et un condensateur.

Lorsqu'un courant circule dans une résistance, de l'énergie électrique est dissipée. Mais un circuit ne peut pas contenir uniquement des dispositifs qui dissipent l'énergie électrique ; il doit également comporter une source d'énergie électrique. Un tel dispositif est appelé source de *force électromotrice*, dont l'abréviation est *f.é.m.* Les circuits électriques comportent en général plusieurs mailles qui contiennent des éléments tels que des résistances, des condensateurs et des sources de f.é.m. Gustav Kirchhoff a formulé deux lois simples qui sont à la base de l'étude des courants et des différences de potentiel dans les circuits électriques. Nous verrons que ces lois s'appuient en fait sur les principes de conservation de la charge et de conservation de l'énergie.

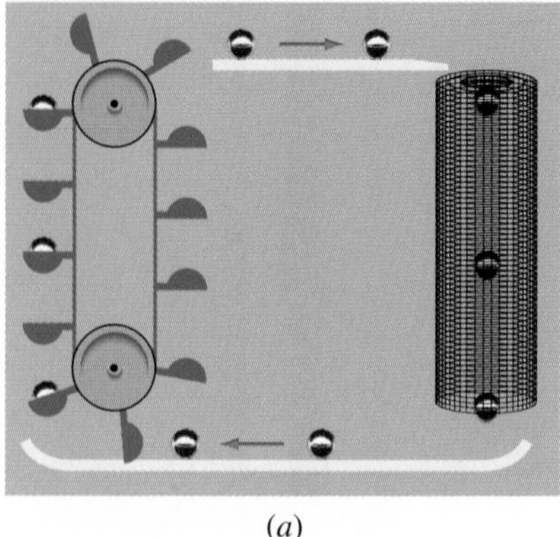

(*a*)

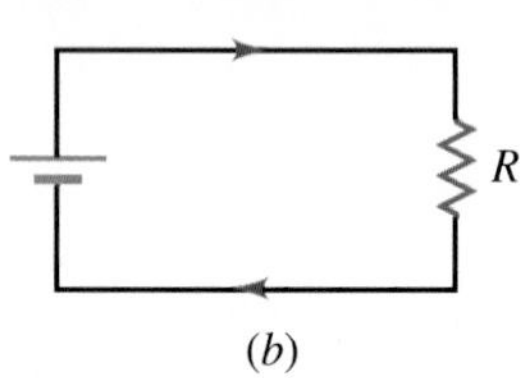


(*b*)

***Figure 7.1***

(*a*) Un analogue mécanique d'un circuit électrique. Un dispositif mécanique fournit l'énergie servant à soulever les billes à une certaine hauteur. Elles tombent ensuite à vitesse constante dans un tube encombré de fils métalliques, leur énergie potentielle étant convertie en énergie thermique. (*b*) Dans un circuit électrique, une source de f.é.m. élève l'énergie potentielle des charges. Cette énergie est dissipée sous forme d'énergie thermique dans la résistance.

## 7.1 La force électromotrice

Pour comprendre le fonctionnement d'un circuit simple, nous allons faire une analogie avec un dispositif mécanique. La figure 7.1*a* représente une courroie verticale, entraînée par un moteur ou une crémaillère, qui soulève des billes à une certaine hauteur. Il est évident qu'il faut fournir un travail pour accroître l'énergie potentielle gravitationnelle des billes. Elles roulent ensuite sur une surface horizontale où leur énergie n'est pas modifiée, puis elles tombent dans un tube vertical encombré de fils métalliques. Par suite de la friction, les billes atteignent une vitesse limite constante et leur énergie potentielle est transformée en énergie thermique. À leur arrivée au bas du tube, les billes roulent à nouveau vers la courroie avant de refaire le circuit.

Considérons maintenant le mouvement d'une particule fictive chargée positivement le long d'un circuit fermé composé d'une pile, d'une résistance $R$ et de deux fils (figure 7.1*b*). Pour des raisons pratiques, nous supposons que le potentiel de la borne négative est nul. Lorsque la particule arrive à la borne négative, l'action chimique augmente son énergie potentielle électrique et la transporte à la borne positive. L'énergie de la particule ne varie pas pendant son trajet dans le fil (si l'on suppose qu'il a une résistance nulle). Lorsqu'elle traverse la résistance, la particule subit de nombreuses collisions avec les ions du réseau et se déplace avec une faible vitesse de dérive. L'énergie potentielle électrique de la particule est convertie en énergie thermique dans la résistance. Enfin, la charge quitte la résistance avec une énergie potentielle nulle.

Une pile doit fournir un travail pour séparer les charges positives et négatives et pour les placer sur les bornes en surmontant la répulsion des charges qui s'y trouvent déjà. Une pile est un exemple de source de force électromotrice (f.é.m.). Le terme force électromotrice porte à confusion. Il a été introduit par Volta, qui supposait qu'une sorte de « force » faisait circuler le courant. Puisque nous savons maintenant qu'il ne s'agit pas d'une force, nous n'utiliserons dorénavant que le terme f.é.m. On dit aujourd'hui qu'une source de f.é.m. convertit une certaine forme d'énergie, qu'elle soit chimique, thermique, de rayonnement ou mécanique, en énergie potentielle électrique. La **f.é.m.** $\mathscr{E}$ d'un dispositif est définie par

$$\mathscr{E} = \frac{W_{\text{né}}}{q} \qquad (7.1)$$

La f.é.m. d'un dispositif correspond au travail par unité de charge accompli pour faire circuler celle-ci dans un circuit fermé.

L'indice « né » signifie que le travail est effectué par un agent non électrostatique, comme une pile ou un générateur électrique. La valeur de la f.é.m. dépend du processus physique particulier utilisé pour produire la séparation des charges et de la différence de potentiel correspondante. En général, mais pas toujours, elle constitue une propriété intrinsèque d'un dispositif.

Il faut bien faire attention à ne pas confondre les notions de f.é.m. et de différence de potentiel. Une différence de potentiel correspond uniquement à un champ électrique (conservatif). Comme nous l'avons indiqué à la section 6.1, lorsqu'un courant circule dans un fil, le champ électrique « d'entraînement » est produit par la distribution des charges sur les bornes de la pile et sur la surface du fil. Cette distribution de charge est causée par une source de f.é.m. Une f.é.m.

est toujours associée à un mécanisme non électrique qui fournit l'énergie requise pour séparer les charges positives des charges négatives. Une source de f.é.m. *convertit* donc une certaine forme d'énergie en énergie potentielle électrique.

## La production d'un courant

Volta expliquait le fonctionnement de la pile voltaïque par une différence de potentiel créée par le contact de deux métaux. Dans cette optique, la solution saline ou acide (appelée électrolyte) servait uniquement de conducteur. C'est le chimiste anglais Humphrey Davy qui, à juste titre, attira l'attention sur les interactions entre les métaux et l'électrolyte fluide. Nous allons donner ci-dessous une explication simple du fonctionnement d'une cellule plomb-acide comme celles que l'on trouve dans les batteries d'automobiles.

Dans une cellule plomb-acide (figure 7.2), une électrode de plomb (Pb) et une électrode d'oxyde de plomb ($PbO_2$) sont immergées dans une solution aqueuse d'acide sulfurique ($H_2SO_4$) qui se dissocie en ions hydrogène positifs ($H^+$) et en ions sulfate négatifs ($SO_4^{2-}$). Lorsqu'on relie les bornes par un fil, les réactions suivantes ont lieu. Sur l'électrode de Pb,

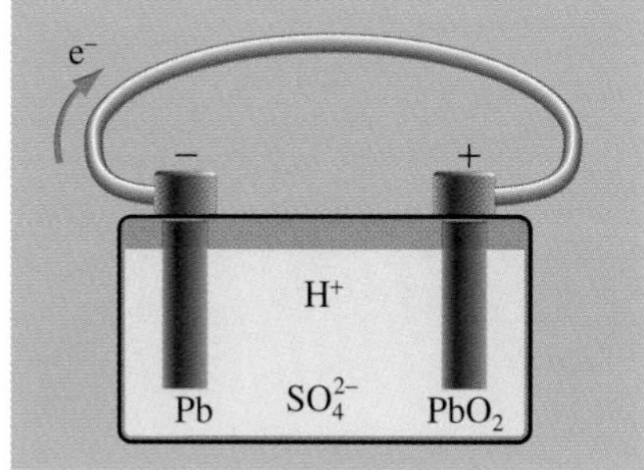


***Figure 7.2***

Dans une pile plomb-acide, les électrons passent continuellement de la borne en plomb (Pb) à la borne en oxyde de plomb ($PbO_2$) en traversant le fil.

$$Pb + SO_4^{2-} \rightarrow PbSO_4 + 2e^-$$

Les deux électrons libérés dans cette réaction quittent la borne de plomb et pénètrent dans le fil. Sur l'électrode de $PbO_2$, deux autres électrons quittent le fil pour pénétrer dans la borne et la réaction suivante a lieu :

$$PbO_2 + 4H^+ + SO_4^{2-} + 2e^- \rightarrow PbSO_4 + 2H_2O$$

On remarque que, pour chaque électron quittant l'électrode de Pb, un autre électron arrive sur l'électrode de $PbO_2$ ; le fil lui-même n'acquiert aucune charge nette. Le sulfate de plomb ($PbSO_4$) se dépose sur les deux électrodes et l'acide est consommé. Il y a transfert continu d'électrons de l'électrode de Pb, qui agit comme borne négative, à l'électrode de $PbO_2$, qui agit comme borne positive. Le résultat est un courant circulant dans le fil extérieur. Une différence de potentiel constante de 2,05 V est maintenue entre les électrodes. Une batterie d'automobile contient six cellules en série, qui donnent une différence de potentiel totale d'environ 12 V. N'oublions pas que c'est la *différence* de potentiel qui est importante ; on peut donc attribuer le potentiel $V = 0$ à l'une ou l'autre des bornes. Au fur et à mesure qu'on utilise la batterie, la concentration en acide de la solution diminue, faisant chuter sa densité. On mesure souvent l'état d'une batterie par la densité de la solution qui varie, à la température de la pièce, de 1,27 pour une batterie en bon état à 1,14 pour une batterie devant être rechargée. On procède à la recharge en reliant la batterie à une f.é.m. plus puissante. À chacune des électrodes se produisent alors les réactions chimiques inverses qui éliminent le $PbSO_4$ et remettent l'acide en solution. Une fois la pile complètement rechargée, il est important de la couper de la f.é.m. extérieure. Si on poursuit le processus alors que les électrodes ont retrouvé leur composition d'origine, l'énergie de la f.é.m. sert alors à briser les molécules d'eau de la solution en leur constituants (H et O), qui forment un mélange particulièrement explosif.

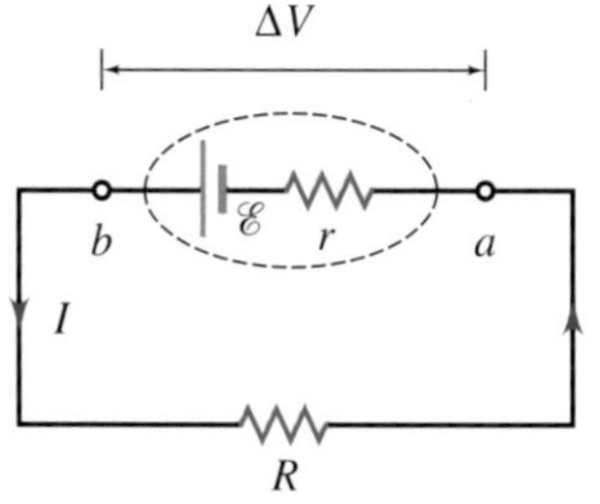


***Figure 7.3***

Une pile réelle est considérée comme une source idéale de f.é.m. $\mathscr{E}$, en série avec une résistance *interne* $r$. Lorsqu'un courant circule dans le sens indiqué, la différence de potentiel aux bornes est $\Delta V = \mathscr{E} - rI$.

## La différence de potentiel aux bornes d'une pile réelle

Une source réelle de f.é.m. possède une résistance interne : on appelle une telle source une **pile réelle**. Lorsque le courant circule, il se produit une chute de potentiel aux bornes de la résistance interne. Essayons de déterminer la différence de potentiel entre les bornes d'une pile dans laquelle circule un courant. À la figure 7.3, la pile réelle est considérée comme une source idéale de f.é.m.

$\mathscr{E}$ en série avec une résistance $r$. Partant du point $a$, on relève les variations d'énergie potentielle d'une charge d'essai positive unitaire. Lorsque la charge se déplace dans la pile depuis la borne négative jusqu'à la borne positive, la source de f.é.m. modifie le potentiel d'une quantité égale à $+\mathscr{E}$. Durant la traversée de la résistance interne, le potentiel de la charge unitaire décroît de $rI$. La différence de potentiel entre les bornes de la pile réelle s'écrit donc

$$\Delta V = V_b - V_a = \mathscr{E} - rI \qquad (7.2a)$$

Soulignons que, si $I = 0$ *ou* $r = 0$, nous avons $\Delta V = \mathscr{E}$. Par conséquent, on peut mesurer la f.é.m. de plusieurs sources à partir de la différence de potentiel aux bornes « en circuit ouvert ». Contrairement à la f.é.m., qui est en général une propriété fixe de la source, la différence de potentiel aux bornes dépend du courant qui circule dans le dispositif. Comme la résistance interne d'une pile augmente avec l'âge de la pile, la différence de potentiel aux bornes diminue pour une valeur donnée du courant de sortie.

Le fait que la f.é.m. soit numériquement égale à la différence de potentiel aux bornes lorsque $I = 0$ ne signifie pas que la f.é.m. est « identique » à la différence de potentiel. D'une certaine façon, la condition $I = 0$ représente un équilibre entre deux tendances contraires : les charges ont tendance à réduire au maximum leur énergie potentielle électrique et la source de f.é.m. a tendance à les séparer et donc à réduire au maximum une autre forme d'énergie, par exemple l'énergie des liaisons chimiques.

Il arrive que le courant circulant dans une pile réelle soit de sens opposé à celui qui est indiqué à la figure 7.3. Cela se produit lorsqu'une pile $A$ est en train d'être « rechargée » par une pile $B$ de f.é.m. plus élevée et de sens opposé : la pile $B$ « force » le courant à traverser la pile $A$ dans le sens contraire du sens habituel, et on a alors

$$\Delta V = \mathscr{E} + rI \qquad (7.2b)$$

Lorsqu'on étudie un circuit, il est important d'utiliser la terminologie correcte. On doit dire que le courant circule *dans* une résistance lorsqu'il existe une différence de potentiel *aux bornes* de cette résistance. De plus, le courant *n'est pas* « consommé » : le nombre de charges qui sortent de l'une des bornes de la pile est exactement égal au nombre de charges qui entrent dans l'autre borne. Elles perdent simplement de l'énergie potentielle électrique qui est convertie en énergie thermique.

## Exemple 7.1

On branche une pile réelle à une résistance externe $R$ (figure 7.4). Lorsque $R = 1\ \Omega$, la différence de potentiel aux bornes de la pile est de 6 V ; lorsque $R = 2\ \Omega$, la différence de potentiel égale 8 V. Trouver la valeur de la f.é.m. et de la résistance interne de la pile.

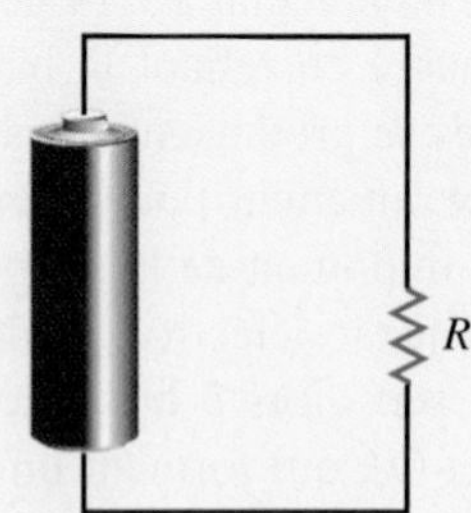


***Figure 7.4***

Une pile réelle est branchée à une résistance externe $R$.

**Solution :**

La différence de potentiel $\Delta V$ aux bornes de la pile est égale à la différence de potentiel aux bornes de la résistance $R$. Ainsi, on peut calculer le courant débité par la pile en appliquant la loi d'Ohm à la résistance $R$ : $I = \Delta V/R$.

Dans le premier cas, $\Delta V = 6$ V et $R = 1\ \Omega$, d'où $I = \Delta V/R = 6$ A. L'équation 7.2*a* donne

$$6 = \mathscr{E} - 6r \qquad \text{(i)}$$

On ne peut pas résoudre l'équation tout de suite. Il faut utiliser les données du deuxième cas, $\Delta V = 8$ V et $R = 2\ \Omega$, qui correspondent à $I = \Delta V/R = 4$ A. L'équation 7.2*a* donne

$$8 = \mathscr{E} - 4r \qquad \text{(ii)}$$

La résolution du système d'équations (i) et (ii) donne $r = 1\ \Omega$ et $\mathscr{E} = 12$ V.

## 7.2 Les résistances en série et en parallèle

Les résistances, comme les condensateurs, peuvent être montées en série ou en parallèle. Nous allons déterminer la résistance équivalente à chacune de ces associations. Lorsqu'on relie en série deux résistances, $R_1$ et $R_2$ (figure 7.5), elles sont traversées par le même courant. Puisque le champ électrique dans les fils est de même sens, la différence de potentiel aux bornes de l'ensemble est la somme des différences de potentiel individuelles :

$$\Delta V = \Delta V_1 + \Delta V_2 = (R_1 + R_2)I = R_{\text{éq}}I$$

Les deux résistances ont une résistance *équivalente* $R_{\text{éq}} = R_1 + R_2$. Il est évident que l'on peut généraliser ce raisonnement à un nombre $N$ de résistances en série, c'est-à-dire :

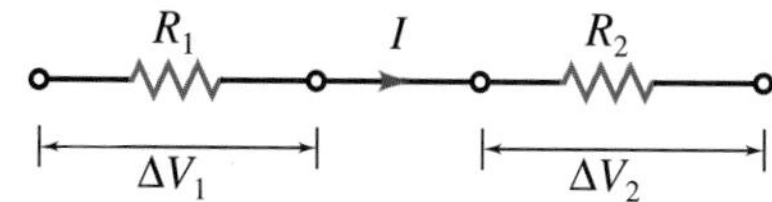


***Figure 7.5***

Deux résistances en série ont une résistance équivalente $R_{\text{éq}} = R_1 + R_2$.

(en série) $$R_{\text{éq}} = R_1 + R_2 + R_3 + \ldots + R_N \qquad (7.3)$$

La résistance équivalente à plusieurs résistances associées en série est simplement égale à la somme des résistances. Il est bon de comparer ce résultat avec le résultat obtenu pour les condensateurs en série (équation 5.7).

La figure 7.6 représente deux résistances en parallèle. Le courant $I$ total se divise au point $a$, d'où

$$I = I_1 + I_2$$

Nous voulons déterminer la résistance équivalente $R_{\text{éq}}$ dans laquelle circulerait le même courant total $I$. En utilisant la loi d'Ohm, $\Delta V = RI$, on trouve

$$I = \frac{\Delta V_1}{R_1} + \frac{\Delta V_2}{R_2}$$

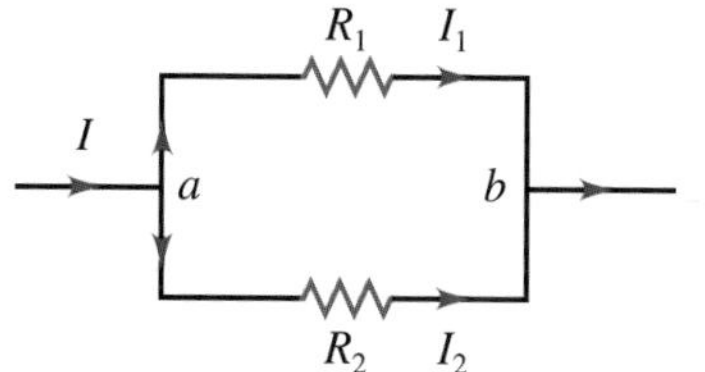


***Figure 7.6***

Deux résistances en parallèle ont une résistance équivalente donnée par $1/R_{\text{éq}} = 1/R_1 + 1/R_2$.

Les potentiels aux points $a$ et $b$ sont uniques et indépendants des chemins suivis par les charges. La différence de potentiel est donc la même aux bornes des résistances : $\Delta V_1 = \Delta V_2 = \Delta V$. La résistance équivalente est $R_{\text{éq}} = \Delta V/I$. En utilisant cette valeur dans l'équation précédente, on obtient

$$\frac{1}{R_{\text{éq}}} = \frac{1}{R_1} + \frac{1}{R_2}$$

Si l'on généralise ce raisonnement à $N$ résistances en parallèle, on obtient

(en parallèle) $$\frac{1}{R_{\text{éq}}} = \frac{1}{R_1} + \frac{1}{R_2} + \ldots + \frac{1}{R_N} \qquad (7.4)$$

La résistance équivalente à plusieurs résistances en parallèle est toujours inférieure à la plus petite des résistances. Ce résultat devrait être comparé à celui de l'étude des condensateurs en parallèle (équation 5.8).

## Exemple 7.2

Déterminer la résistance équivalente à l'association de résistances représentée à la figure 7.7*a*.

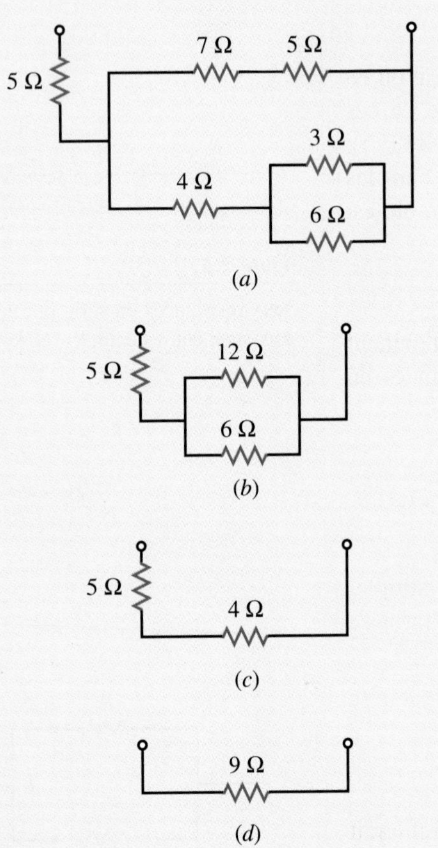


***Figure 7.7***

Pour calculer la résistance équivalente d'une association de résistances, on procède en plusieurs étapes.

**Solution :**

Dans ce type de problème, il est bon de commencer par la plus petite association en série ou en parallèle. On calcule la résistance équivalente aux résistances de 3 Ω et de 6 Ω en parallèle :

$$\frac{1}{3\ \Omega} + \frac{1}{6\ \Omega} = \frac{1}{2\ \Omega}$$

Les deux résistances sont donc équivalentes à 2 Ω. Lorsque cette résistance de 2 Ω est ajoutée en série à la résistance de 4 Ω, on obtient une résistance de 6 Ω, qui est en parallèle avec une résistance de 12 Ω, comme le montre la figure 7.7*b*. Ces deux résistances étant associées en parallèle, on calcule leur résistance équivalente :

$$\frac{1}{6\ \Omega} + \frac{1}{12\ \Omega} = \frac{1}{4\ \Omega}$$

On trouve une résistance équivalente de 4 Ω. Enfin, on ajoute cette résistance de 4 Ω à la résistance de 5 Ω avec laquelle elle est en série (figure 7.7*c*) et l'on trouve une résistance équivalente de 9 Ω pour l'ensemble du montage (figure 7.7*d*).

## Exemple 7.3

À la figure 7.8, toutes les résistances valent 3 Ω. Calculer la résistance équivalente entre les points (a) *A* et *B* ; (b) *A* et *D*.

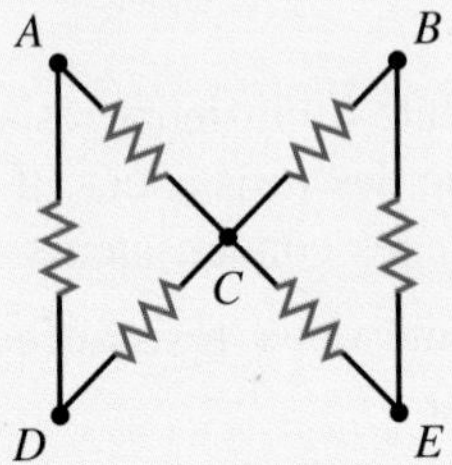


***Figure 7.8***

Une association de six résistances valant 3 Ω chacune.

**Solution :**

(a) Un courant circulant entre A à B doit passer par C. Pour aller de A à C, il y a deux chemins en parallèle : AC direct ($R$ = 3 Ω) et ADC ($R$ = 3 + 3 = 6 Ω). La résistance équivalente entre A et C vaut donc $(1/3 + 1/6)^{-1}$ = 2 Ω. Par symétrie, la résistance entre C et B vaut aussi 2 Ω, et la résistance totale entre A et B vaut 2 + 2 = 4 Ω.

(b) Pour aller de A à D, un courant peut prendre le chemin AD direct ou le chemin ACD. (Il n'y a aucune raison que le courant aille parcourir le triangle CBEC.) Un calcul similaire à celui de la partie (a) nous donne $R_{éq}$ = 2 Ω.

## Exemple 7.4

(a) Deux résistances dissipent respectivement 60 W et 90 W lorsqu'elles sont reliées séparément à une source de f.é.m. de 120 V. Trouver la puissance dissipée dans chaque résistance lorsqu'elles sont reliées en série avec la source de 120 V. (b) Répondre à la même question, mais en considérant cette fois que les résistances sont reliées en parallèle avec la source de 120 V.

### Solution :

(a) Il faut d'abord trouver la valeur de chaque résistance. De $P = (\Delta V)^2/R$ (équation 6.12), on tire $R_1 = (120\ \text{V})^2/(60\ \text{W}) = 240\ \Omega$ et $R_2 = (120\ \text{V})^2/(90\ \text{W}) = 160\ \Omega$. Lorsque les résistances sont reliées en série, elles sont traversées par le même courant, qui est égal à $I = \mathscr{E}/(R_1 + R_2) = (120\ \text{V})/(400\ \Omega) = 0{,}3\ \text{A}$. Par l'équation 6.12, la puissance dissipée dans chaque résistance est

$$P_1 = R_1 I^2 = 21{,}6\ \text{W} \qquad P_2 = R_2 I^2 = 14{,}4\ \text{W}$$

Comme on s'en rend compte, l'importance relative des puissances dissipées a été inversée.

(b) Si les deux résistances sont en parallèle, chacune a une différence de potentiel de 120 V, comme si elle était branchée séparément à la pile. On trouve donc 60 W et 90 W.

## Exemple 7.5

Dans le circuit illustré à la figure 7.9*a*, toutes les résistances valent 10 Ω. Calculer la résistance du circuit du point de vue de la pile.

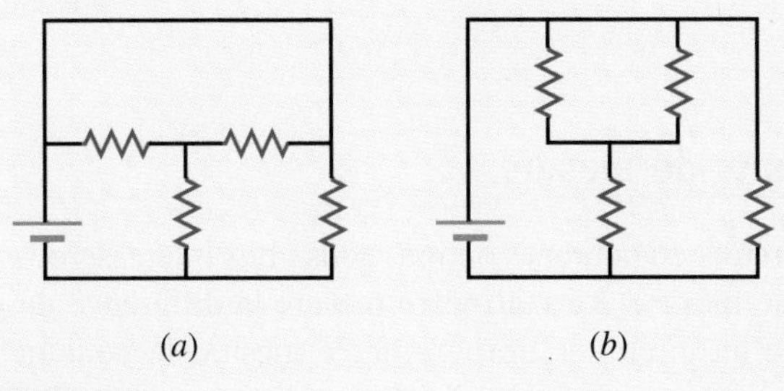


*Figure 7.9*

Exemple 7.5.

### Solution :

Dans un cas comme celui-ci, il peut être relativement ardu de distinguer correctement les résistances en série et en parallèle. Toutefois, si on redessine le circuit en se servant du principe que l'*on peut déplacer à volonté une jonction de fils le long d'un fil sans résistance*, on peut visualiser beaucoup plus clairement la géométrie du circuit (figure 7.9*b*).

La résistance de la branche du milieu égale alors

$$\left(\frac{1}{10\ \Omega} + \frac{1}{10\ \Omega}\right)^{-1} + 10\ \Omega = 15\ \Omega$$

et la résistance totale égale

$$\left(\frac{1}{15\ \Omega} + \frac{1}{10\ \Omega}\right)^{-1} = 6\ \Omega$$

## Exemple 7.6

Dans le circuit illustré à la figure 7.10, toutes les résistances valent 12 Ω. Calculer la résistance du point de vue de la pile.

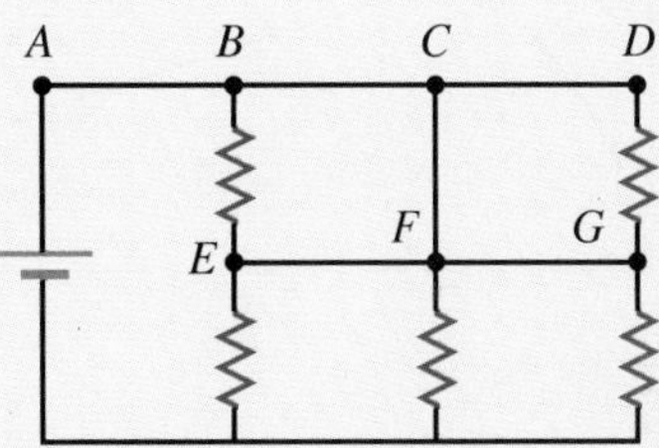


*Figure 7.10*

Exemple 7.6.

### Solution :

Dans ce circuit, le fil *CF* n'a pas de résistance. Ainsi, tous les points *A*, *B*, *C*, *D*, *E*, *F* et *G* sont au même potentiel, puisqu'on peut se rendre de *A* à n'importe lequel de ces points en n'empruntant que des fils sans résistance. Puisque *B* et *E* sont au même potentiel, il n'y a pas de courant dans la résistance entre *B* et *E*, et c'est comme si elle n'était pas là. De même, c'est tout comme si la résistance entre *D* et *G* n'était pas là. Tout le courant emprunte le segment *CF*, puis il se sépare dans les trois résistances du bas, qui sont en parallèle. La résistance totale du circuit égale donc 4 Ω.

Un *court-circuit* est une portion de circuit de résistance nulle qui fait en sorte que certaines portions du circuit ne sont pas « visitées » par le courant. Dans le circuit de la figure 7.10, le fil *CF* est un court-circuit.

## Exemple 7.7

Lorsqu'une source réelle de f.é.m. fournit de la puissance à une résistance externe, une certaine quantité de puissance est également dissipée dans la résistance interne. On relie une résistance externe $R$ à une source de f.é.m. dont la résistance interne est $r$ (figure 7.11$a$). Pour quelle valeur de $R$ la puissance fournie à cette dernière est-elle maximale ?

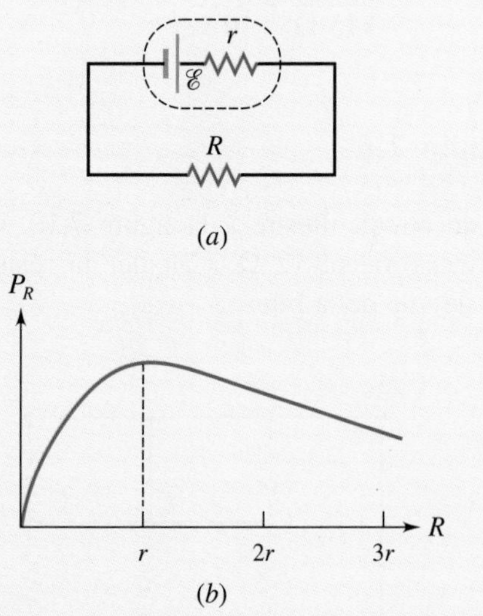


***Figure 7.11***

($a$) Une source de f.é.m. $\mathscr{E}$ ayant une résistance interne $r$ est reliée à une résistance externe $R$. ($b$) La puissance fournie à la résistance externe en fonction de $r$. Le transfert de puissance est maximal lorsque $R = r$.

**Solution :**

La différence de potentiel aux bornes de la résistance externe ($RI$) est égale à celle aux bornes de la pile réelle, de sorte que $\mathscr{E} - rI = RI$. On en tire l'expression du courant, $I = \mathscr{E}/(R + r)$. La puissance dissipée dans $R$ est donc donnée par

$$P = RI^2 = \frac{R\mathscr{E}^2}{(R + r)^2}$$

Pour trouver la valeur maximale de $P$, on peut tracer $P$ en fonction de $R$ (figure 7.11$b$). Une meilleure approche consiste à trouver la dérivée de $P$ par rapport à $R$ (en considérant $r$ et $\mathscr{E}$ comme constantes). On a alors

$$\frac{dP}{dR} = \left[\frac{1}{(R + r)^2} - \frac{2R}{(R + r)^3}\right]\mathscr{E}^2$$

Selon les règles du calcul différentiel et intégral, on obtient la valeur de $R$ pour laquelle $P$ est maximale en posant $dP/dR = 0$*. On peut facilement vérifier que cette condition mène à l'équation $(R + r) = 2R$, qui nous donne $R = r$. *La puissance transférée à* R *est donc maximale lorsqu'elle est égale à la résistance interne de la source de f.é.m.* On dit alors que la source et la résistance externe sont « adaptées ». Cette adaptation est importante, car elle permet d'obtenir un bon transfert de puissance, par exemple entre un amplificateur audio et un haut-parleur, bien que l'analyse soit dans ce cas un peu plus complexe parce que le courant n'est pas continu (*cf.* chapitre 12).

* À strictement parler, on doit également montrer que la dérivée seconde, $d^2P/dR^2$, est négative.

## 7.3 Les instruments de mesure

Dans notre étude des circuits en courant continu, nous nous intéresserons à trois différents instruments de mesure. Le **voltmètre** mesure la différence de potentiel entre deux points d'un circuit. L'**ampèremètre** mesure le courant en un point du circuit. L'**ohmmètre** mesure la résistance d'une portion du circuit. Chaque appareil de mesure possède deux « sondes » (deux fils qui sortent de l'appareil) que l'on doit placer de manière appropriée pour prendre la mesure. En pratique, on dispose souvent d'un seul appareil, appelé *multimètre*, qui peut être réglé pour agir comme un voltmètre, un ampèremètre ou un ohmmètre.

Nous décrirons plus loin (section 7.6) comment ces appareils de mesure fonctionnent. Dans cette section, nous allons nous contenter d'expliquer comment les brancher correctement pour prendre la mesure.

## Le voltmètre

Le voltmètre est l'appareil le plus simple à brancher : il mesure la différence de potentiel entre les deux points du circuit où on place les sondes. Par exemple, dans le circuit de la figure 7.12, si on veut mesurer la différence de potentiel entre les bornes de $R_3$, on doit brancher le voltmètre *en parallèle* avec la résistance $R_3$, tel qu'indiqué à la figure 7.12*a*.

Lorsqu'on utilise un appareil de mesure, on ne veut pas que la présence de l'appareil modifie de manière appréciable ce que l'on veut mesurer. Puisque le voltmètre est placé « à l'extérieur » du circuit, il faut limiter au maximum la fraction du courant qui va être déviée à travers le voltmètre. Ainsi, *il faut que la résistance interne du voltmètre soit très grande* (beaucoup plus grande que les résistances dans le circuit).

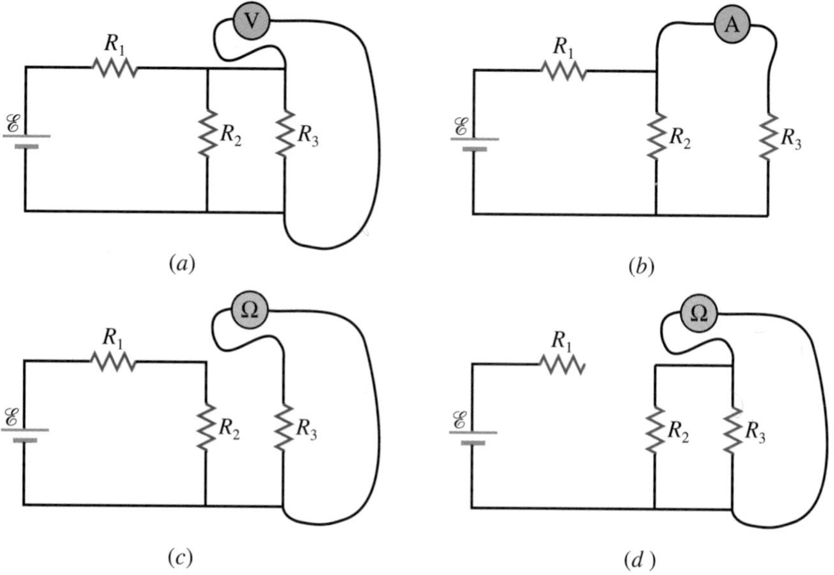


**Figure 7.12**

(*a*) Un voltmètre branché pour mesurer la différence de potentiel aux bornes de $R_3$. (*b*) Un ampèremètre branché pour mesurer le courant qui circule dans $R_3$. (*c*) Un ohmmètre branché pour mesurer la résistance de $R_3$. (*d*) Un ohmmètre branché pour mesurer la résistance de $R_2$ et $R_3$ en parallèle.

## L'ampèremètre

Pour mesurer le courant en un point du circuit, il faut placer l'ampèremètre *dans* le circuit à l'endroit qui nous intéresse afin que *tout le courant que l'on veut mesurer traverse l'ampèremètre*. Par exemple, si on veut mesurer le courant qui traverse $R_3$, on peut brancher l'ampèremètre comme indiqué à la figure 7.12*b*. Contrairement au voltmètre, l'ampèremètre se branche *en série*. Pour limiter les effets de sa présence sur ce qu'on veut mesurer, il *faut que la résistance interne de l'ampèremètre soit très petite* (beaucoup plus petite que les résistances dans le circuit).

Dans un schéma où se trouvent des ampèremètres et des voltmètres, on indique parfois la polarité des bornes de l'appareil (voir par exemple la figure 7.50). Le signe positif représente alors le côté de l'appareil qui se trouve au potentiel le plus élevé.

## L'ohmmètre

Contrairement au voltmètre et à l'ampèremètre, l'ohmmètre est un appareil *actif* : il possède une pile interne et il envoie du courant dans le circuit qu'il mesure. Si on veut mesurer la valeur d'une résistance (ou d'une combinaison de résistances) à l'aide de l'ohmmètre, il faut brancher cette résistance à l'ohmmètre *alors qu'elle n'est pas branchée au reste du circuit* ; sinon, la pile du circuit interférera avec la pile de l'ohmmètre, et les résultats seront faussés.

Par exemple, si on veut mesurer la valeur de la résistance $R_3$, on peut brancher l'ohmmètre comme indiqué à la figure 7.12*c*. Remarquez que l'on a débranché seulement un des deux liens entre $R_3$ et le reste du circuit ; on aurait pu enlever les deux liens, mais il suffit de rompre le circuit. Un ohmmètre peut aussi mesurer la résistance équivalente d'une *combinaison* de résistances. Par exemple, si on débranche une autre portion du circuit, comme à la figure 7.12*d*, l'ohmmètre mesurera la résistance équivalente de $R_2$ et $R_3$ en parallèle. Pour savoir ce que mesure l'ohmmètre, il faut imaginer l'ohmmètre comme une pile et suivre les différents chemins possibles que peut prendre le courant envoyé par l'ohmmètre.

### Exemple 7.8

Soit le circuit de la figure 7.13. Les interrupteurs $S_1$ et $S_2$ sont initialement ouverts. Préciser si les valeurs indiquées par l'ampèremètre et le voltmètre augmentent ou diminuent dans chacun des cas suivants : (a) $S_1$ ouvert, $S_2$ fermé ; (b) $S_1$ fermé, $S_2$ ouvert ; (c) $S_1$ et $S_2$ fermés.

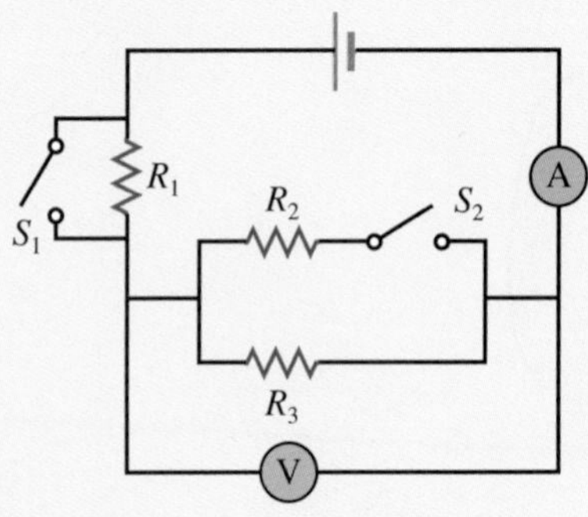


**Figure 7.13**

Exemple 7.8.

**Solution :**

(a) La résistance équivalente à $R_2$ et $R_3$ est inférieure à chacune de ces deux résistances. La résistance de l'ensemble du circuit va donc diminuer et la valeur indiquée par l'ampèremètre va augmenter. Puisque la différence de potentiel aux bornes de $R_1$ augmente, la différence de potentiel aux bornes de l'association en parallèle diminue. (b) Comme $R_1$ est en parallèle avec un court-circuit, il ne reste que $R_3$. La valeur indiquée par l'ampèremètre augmente et la valeur indiquée par le voltmètre augmente pour égaler la différence de potentiel aux bornes de la source. (c) $R_1$ est hors circuit. La différence de potentiel aux bornes de l'association en parallèle augmente pour devenir égale à celle de la source. La résistance équivalente diminue et la valeur indiquée par l'ampèremètre augmente.

**Figure 7.14**

Gustav R. Kirchhoff (1824-1887).

## 7.4 Les lois de Kirchhoff

L'analyse des circuits électriques est simplifiée grâce à l'utilisation de deux lois qui furent énoncées par G. R. Kirchhoff (figure 7.14) : la *loi des nœuds* et la *loi des mailles*. Nous allons commencer par la loi des nœuds. Un circuit comporte souvent plusieurs embranchements (figure 7.15). Un **nœud** est un point d'un circuit où 3 fils ou plus se rencontrent. On pourrait définir n'importe quel point d'un circuit comme un nœud, mais il faut qu'il y ait 3 fils ou plus pour que le nœud soit « intéressant ». La **loi des nœuds de Kirchhoff** s'énonce de la manière suivante :

$$\sum I = 0 \qquad (7.5)$$

La somme algébrique des courants qui entrent dans un nœud et des courants qui en sortent est nulle.

Le signe attribué à un courant pénétrant dans un nœud est opposé à celui d'un courant qui en sort. Pour les courants de la figure 7.15, on peut écrire $I_1 + I_2 - I_3 - I_4 = 0$. La loi des nœuds découle de la conservation des charges : au nœud, la charge n'est ni créée ni détruite, et elle ne s'accumule pas en ce point.

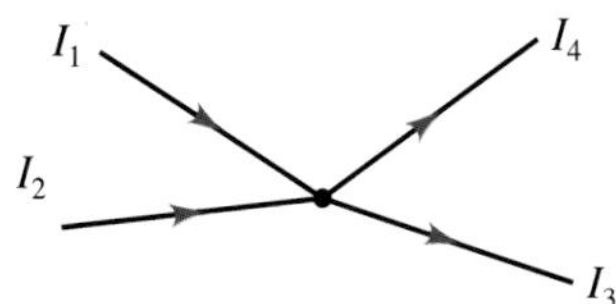


***Figure 7.15***

La somme des courants pénétrant dans un nœud doit être égale à la somme des courants qui en sortent, ou $\Sigma I = 0$.

Une **maille** est un parcours fermé dans un circuit. Pour étudier la loi des mailles, considérons le circuit de la figure 7.16, qui est composé d'une pile de résistance interne $r$ en série avec une résistance $R$. Nous supposons que la résistance des fils est suffisamment petite pour être négligée. D'après la convention selon laquelle le courant circule des potentiels élevés aux potentiels faibles, le sens du courant dans le circuit va de la borne positive à la borne négative de la pile. Pour des raisons pratiques, on suppose que la borne négative est au potentiel zéro. Examinons les variations de l'énergie potentielle d'une charge positive unitaire fictive lorsqu'elle se déplace dans le circuit. (Tout au long de son trajet, la charge garde la faible énergie cinétique correspondant à la vitesse de dérive.)

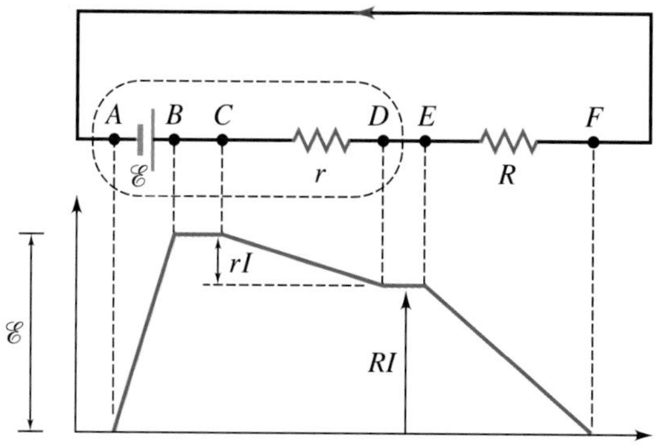


***Figure 7.16***

La somme des *variations* de potentiel le long d'une maille fermée est nulle : $\Sigma \Delta V = 0$.

Partons de $A$, au moment où la charge arrive à la borne négative de la pile. À ce stade, elle n'a pas d'énergie potentielle. La source de f.é.m. augmente de la valeur $\mathscr{E}$ le potentiel de la charge. Entre $B$ et $C$, la charge ne change pas de potentiel. (On suppose que les fils n'ont pas de résistance.) En $C$, la charge rencontre la résistance interne et perd progressivement du potentiel jusqu'à ce qu'elle atteigne la borne positive de la pile réelle, au point $D$. De $D$ à $E$, la charge se déplace librement sans variation de potentiel ; en $E$, elle rencontre la résistance $R$ et perd le reste de son potentiel en traversant $R$. Enfin, entre $F$ et $A$, la charge se déplace librement, sans variation de potentiel. Tout au long de son parcours, la charge possède une vitesse de dérive dont la valeur est dictée, entre autres, par l'intensité du courant et la section transversale du fil.

À cause de la nature conservative du champ électrique, la charge doit avoir perdu *toute* l'énergie fournie par la pile lorsqu'elle arrive au point $F$. Lorsqu'elle effectue un tour complet du circuit, la charge revient donc au même potentiel électrique. C'est ce qu'exprime la **loi des mailles de Kirchhoff** :

$$\sum \Delta V = 0 \qquad (7.6)$$

La somme algébrique des *variations* de potentiel dans une maille fermée est nulle.

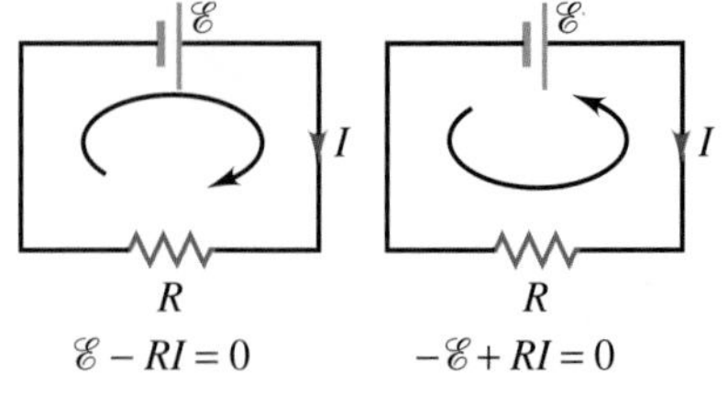


***Figure 7.17***

Dans l'application de la loi des mailles, on peut parcourir le circuit dans un sens ou dans l'autre.

Cette loi découle de la conservation de l'énergie : l'énergie potentielle fournie à une charge par la source de f.é.m. est perdue dans les résistances.

Lorsqu'on additionne les variations de potentiel, on peut parcourir la maille, soit dans le même sens, soit dans le sens contraire au sens connu (ou présumé) du courant, comme le montre la figure 7.17. Si l'on se déplace dans le sens du courant, la variation de potentiel dans une résistance (y compris toute résistance interne de la source de f.é.m.) est négative. Cela vient du fait que le courant circule vers le potentiel décroissant. Conséquemment, la variation de potentiel attribuable à la traversée d'une résistance dans le sens contraire au courant est de signe positif. Le signe de la variation de potentiel lorsqu'on traverse une source idéale de f.é.m. dépend de l'ordre dans lequel on rencontre les bornes. Il *ne dépend pas* du sens du courant.

## La résolution des circuits complexes

Un circuit complexe peut comporter des résistances en série, des résistances en parallèle, ainsi que des résistances qui ne sont ni en série, ni en parallèle (par exemple, la résistance $R_5$ à la figure 7.22). La résolution d'un circuit complexe consiste habituellement à trouver la valeur du courant dans les différentes **branches** du circuit (une branche est une portion de circuit entre 2 nœuds, définis plus haut comme les points où 3 fils ou plus se rencontrent). Il peut s'agir aussi de chercher d'autres paramètres, une fois la valeur du courant connue.

Lorsque le circuit ne comporte qu'une seule pile et qu'on peut regrouper les résistances en associations en série ou en parallèle, il est bon de calculer la résistance équivalente du circuit dès le départ. En appliquant la loi d'Ohm à l'ensemble du circuit, on détermine ainsi le courant total, $I = \mathscr{E}/R_{\text{éq}}$, débité par la pile. Pour déterminer comment le courant se sépare dans les diverses branches du circuit, on doit souvent utiliser la loi des nœuds et la loi des mailles de Kirchhoff.

On peut aussi appliquer la loi d'Ohm à chacune des résistances du circuit : la différence de potentiel aux bornes d'une résistance $R_i$ parcourue par un courant $I_i$ est

$$\Delta V_i = R_i I_i \tag{7.7}$$

L'équation 7.7 permet de trouver $\Delta V_i$ en valeur absolue. Pour trouver le sens de $\Delta V_i$, on doit se rappeler que le courant $I$ circule des potentiels les plus élevés vers les potentiels les moins élevés.

Pour résoudre un circuit complexe, il peut être utile de fixer arbitrairement $V = 0$ en un point du circuit. En partant de ce point de référence, on « remonte » ensuite dans les diverses branches du circuit et on détermine un à un les potentiels aux autres points du circuit. Dans certains cas, cette approche permet de résoudre l'ensemble du circuit. Toutefois, il arrive souvent qu'on n'a pas l'information nécessaire pour remonter « étape par étape » dans les diverses branches du circuit : cela se produit habituellement lorsqu'il y a plus d'une pile et qu'on ne connaît aucun des courants dans les branches du circuit (voir l'exemple 7.11). On doit alors résoudre le circuit « globalement » en écrivant un système de $N$ équations à $N$ inconnues à l'aide des lois de Kirchhoff.

## Méthode de résolution : Méthode globale de Kirchhoff

Dans un circuit à résoudre, il y a en général *autant d'inconnues que de branches* : en fait, on cherche habituellement le courant dans chaque branche. Tout circuit peut être résolu par une méthode globale qui consiste à écrire les équations décrivant le circuit et à résoudre le système d'équations. Les équations dont nous avons besoin sont tout simplement les équations de Kirchhoff pour les différents nœuds et mailles du circuit.

Voici les étapes suggérées pour résoudre un problème par la méthode globale de Kirchhoff :

1. Numéroter chaque branche et assigner un courant $I_i$ dans chacune, avec un sens (flèche). On ne connaît habituellement pas les sens des courants avant de commencer, mais ce n'est pas important : on fait une hypothèse pour chaque branche et, dans le cas des branches pour lesquelles on s'est trompé, la résolution des équations donnera un $I$ négatif. Attention : ne jamais changer les hypothèses des directions des courants en cours de résolution !
2. Écrire la loi des nœuds pour chaque nœud. En général, une des équations est redondante (elle est une combinaison des autres équations), et on peut ainsi se limiter à $n - 1$ des $n$ nœuds du problème.
3. Écrire la loi des mailles pour diverses mailles, jusqu'à obtenir assez d'équations pour résoudre le système global d'équations ($N$ équations à $N$ inconnues). On peut décider de parcourir une maille donnée dans un sens ou dans l'autre : cela n'a pas d'importance, car parcourir une maille dans le sens contraire ne fait que changer tous les signes des termes de l'équation, ce qui ne change rien en fin de compte.
4. Voici les règles à appliquer pour déterminer les signes des $\Delta V$ dans la loi des mailles :
   - traverser une pile $\mathscr{E}$ de la borne – vers la borne + correspond à une hausse de potentiel : $\Delta V = +\mathscr{E}$
   - traverser une pile $\mathscr{E}$ de la borne + vers la borne – correspond à une baisse de potentiel : $\Delta V = -\mathscr{E}$
   - traverser une résistance $R$ dans le sens du courant $I$ qui la parcourt (« descendre une résistance », par analogie avec un canot sur une rivière !) correspond à une baisse de potentiel $RI$ : $\Delta V = -RI$
   - traverser une résistance $R$ dans le sens contraire du courant $I$ qui la parcourt (« remonter une résistance ») correspond à une hausse de potentiel $RI$ : $\Delta V = +RI$

Remarque : Le nombre de mailles possibles est toujours plus élevé que le nombre de mailles nécessaires pour résoudre le problème. Pour s'assurer d'avoir toute l'information nécessaire pour résoudre le problème, il faut vérifier qu'une fois qu'on a écrit les équations pour toutes les mailles sélectionnées, *chaque branche du circuit a été parcourue au moins une fois.*

## Exemple 7.9

Une pile dont la f.é.m. est de 20 V et la résistance interne de 1 Ω est reliée à trois résistances selon le schéma de la figure 7.18. Déterminer : (a) la différence de potentiel aux bornes de la pile ; (b) le courant qui traverse chaque résistance et la différence de potentiel entre ses bornes ; (c) la puissance fournie par la f.é.m. ; (d) la puissance dissipée dans chaque résistance.

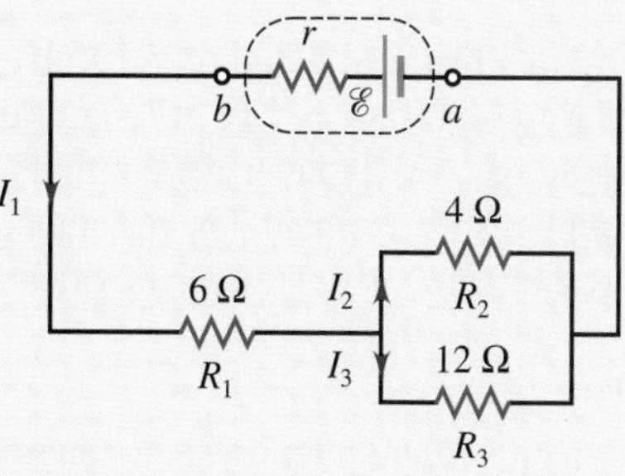


***Figure 7.18***

Une source de f.é.m. ayant une résistance interne est reliée à trois résistances. Le courant circulant dans la source est $I_1 = \mathscr{E}/R_{éq}$, où $R_{éq}$ est la résistance équivalente de l'ensemble des résistances du circuit.

**Solution :**

(a) Pour trouver la différence de potentiel aux bornes de la pile, il faut connaître le courant qui la traverse. Puisque $\frac{1}{4} + \frac{1}{12} = \frac{1}{3}$, la résistance équivalente à $R_2$ et $R_3$ est égale à 3 Ω. La résistance équivalente de l'ensemble du circuit est égale à 6 Ω + 3 Ω + 1 Ω = 10 Ω. Le courant est donc $I_1 = \mathscr{E}/R_{éq} = 2$ A, et la différence de potentiel aux bornes de la source est

$$\Delta V = \mathscr{E} - rI_1 = 18 \text{ V}$$

(b) Le courant $I_1$ étant connu, on trouve facilement les différences de potentiel aux bornes de $r$ et de $R_1$. Par conséquent, $\Delta V_r = rI_1 = 2$ V et $\Delta V_1 = R_1 I_1 = 12$ V. Les résistances $R_2$ et $R_3$ étant en parallèle, $\Delta V_2 = \Delta V_3$. D'après la loi des mailles, la somme des différences de potentiel dans l'ensemble du circuit doit être égale à la f.é.m. La somme des différences de potentiel connues étant égale à 14 V, il nous reste $\Delta V_2 = \Delta V_3 = 6$ V.

Les courants circulant dans $R_2$ et $R_3$ sont $I_2 = \Delta V_2/R_2 = 1{,}5$ A et $I_3 = \Delta V_3/R_3 = 0{,}5$ A. On remarque que $I_1 = I_2 + I_3$, comme l'exige la loi des nœuds. Il faut toujours penser à faire ce genre de vérification pour s'assurer de la cohérence des calculs.

(c) La puissance fournie par la source de f.é.m. est $P = \mathscr{E}I_1 = 40$ W.

(d) On trouve la puissance dissipée dans chaque résistance en utilisant soit $P = I\Delta V$, soit $P = RI^2$. On obtient

$$P_r = 4 \text{ W}; \quad P_1 = 24 \text{ W}; \quad P_2 = 9 \text{ W}; \quad P_3 = 3 \text{ W}$$

La somme de ces puissances est égale à 40 W, ce qui correspond à la puissance fournie par la source de f.é.m. C'est un autre moyen de vérifier les calculs.

## Exemple 7.10

Dans le circuit illustré à la figure 7.19, $\mathscr{E}_1 = 20$ V, $R_1 = 8$ Ω, $R_2 = 4$ Ω, $R_3 = 5$ Ω et le courant $I_2$ est de 3 A vers le bas. (a) Trouver les courants $I_1$ et $I_3$ qui traversent respectivement les résistances $R_1$ et $R_3$ (grandeur et sens). (b) Trouver la valeur de $\mathscr{E}_2$.

**Solution :**

Lorsqu'il y a plus d'une pile, il est en général impossible de déterminer la résistance équivalente du circuit. C'est le cas ici : du point de vue de $\mathscr{E}_1$, $R_1$ est en série avec la combinaison $R_2$ et $R_3$ en parallèle ; du point de vue de $\mathscr{E}_2$, c'est plutôt $R_3$ qui est en série avec la combinaison $R_2$ et $R_1$ en parallèle.

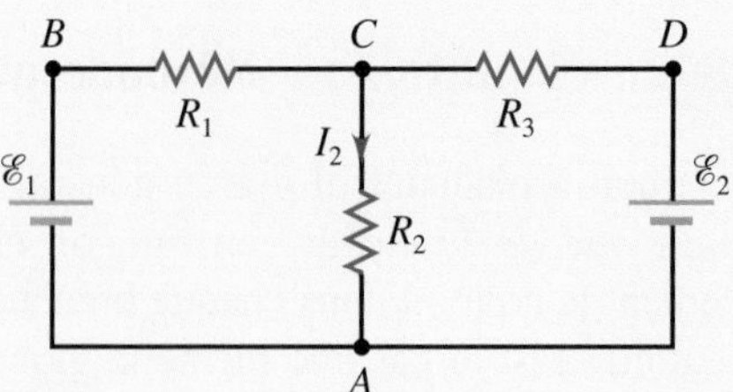


***Figure 7.19***

On peut résoudre ce circuit en plaçant arbitrairement $V = 0$ au point $A$ et en déterminant la valeur du potentiel aux autres points.

Ainsi, dans ce problème nous ne pouvons pas calculer la résistance équivalente et le courant total. En revanche, on peut déterminer le potentiel en divers points du circuit, et utiliser cette information pour répondre aux questions.

(a) Choisissons arbitrairement $V_A = 0$ ; en partant de $A$ et en traversant la pile jusqu'à $B$, on trouve $V_B = 20$ V. Par la loi d'Ohm, la différence de potentiel entre les bornes de $R_2$ est de

$$\Delta V_2 = R_2 I_2 = 4 \ \Omega \times 3 \text{ A} = 12 \text{ V}$$

Ainsi, $V_C = 12$ V. On peut alors calculer la différence de potentiel entre les bornes de $R_1$ :

$$\Delta V_1 = V_B - V_C = 20 \text{ V} - 12 \text{ V} = 8 \text{ V}$$

Par la loi d'Ohm, on trouve

$$I_1 = \frac{\Delta V_1}{R_1} = \frac{8 \text{ V}}{8 \ \Omega} = 1 \text{ A}$$

Puisque $V_B > V_C$, le courant $I_1$ dans la résistance $R_1$ est *vers la droite*.

Pour trouver $I_3$, on peut appliquer la loi des nœuds au point $C$. Si un courant de 1 A entre en $C$ par la gauche et que 3 A ressortent par le bas, il doit y avoir 2 A qui entrent par la droite : le courant $I_3$ dans la résistance $R_3$ est de 2 A *vers la gauche*.

(b) Pour trouver la valeur de $\mathscr{E}_2$, on doit déterminer le potentiel au point $D$. Par la loi d'Ohm, la différence de potentiel entre les bornes de $R_3$ est de

$$\Delta V_3 = R_3 I_3 = 5 \ \Omega \times 2 \text{ A} = 10 \text{ V}$$

Puisque le courant va de $D$ vers $C$, $V_D > V_C$ :

$$V_D = V_C + \Delta V_3 = 12 \text{ V} + 10 \text{ V} = 22 \text{ V}$$

Ainsi,

$$\mathscr{E}_2 = V_D - V_A = 22 \text{ V} - 0 \text{ V} = 22 \text{ V}$$

## Exemple 7.11

Dans le circuit illustré à la figure 7.20*a*, $\mathscr{E}_1 = 17$ V, $\mathscr{E}_2 = 6$ V, $R_1 = 1\ \Omega$, $R_2 = 4\ \Omega$, $R_3 = 3\ \Omega$. (a) Trouver les courants dans chacune des résistances. (b) Vérifier que la puissance fournie par les piles est bien transformée en chaleur dans les résistances.

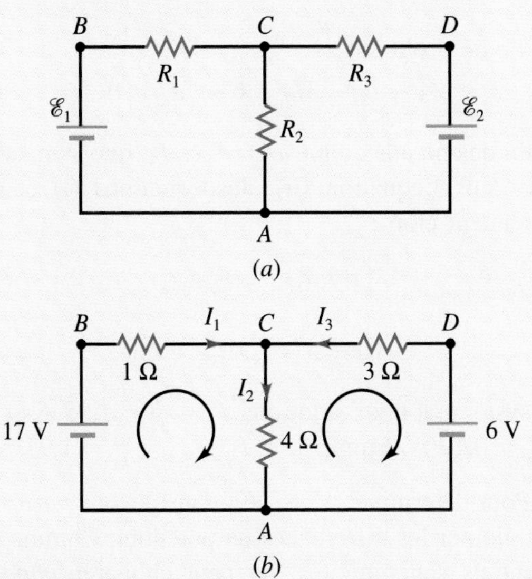


**Figure 7.20**

(*a*) Ce circuit peut être résolu au moyen de la méthode globale de Kirchhoff. (*b*) Pour appliquer la méthode globale de Kirchhoff, on indique une hypothèse de sens pour le courant dans chaque branche (flèches vertes) et on choisit le sens des mailles à parcourir (flèches recourbées).

### Solution :

(a) Si on pose $V_A = 0$, on peut trouver $V_B = 17$ V et $V_D = 6$ V, mais on est alors bloqué ; aucun calcul en une étape ne peut nous donner $V_C$. On doit donc appliquer la méthode globale de Kirchhoff.

À la figure 7.20*b*, nous avons indiqué une hypothèse de sens pour le courant de chaque branche (pointes de flèches vertes). Comme nous avons 2 nœuds, nous devons écrire 1 équation par la loi des nœuds. Choisissons le nœud *C* ; en supposant que le courant sortant est positif, on trouve

$$I_2 - I_1 - I_3 = 0 \qquad \text{(i)}$$

Il est inutile d'écrire une équation pour le nœud *A* (on trouverait $I_1 + I_3 - I_2 = 0$, une équation redondante).

Puisque nous avons 3 inconnues, nous devons écrire 2 équations par la loi des mailles (pour obtenir 3 équations en tout). Choisissons les mailles *ABCA* et *ACDA*, que nous allons parcourir dans le sens horaire (flèches recourbées au milieu des mailles). On remarque qu'il n'est pas nécessaire que le sens du parcours des mailles corresponde aux hypothèses de sens des courants ; d'ailleurs, en général, il n'est pas possible de faire concorder tous les sens.

La maille *ABCA* nous permet d'écrire (en partant de *A* dans le sens horaire) :

$$+17 - 1I_1 - 4I_2 = 0 \qquad \text{(ii)}$$

La maille *ACDA* nous permet d'écrire (en partant de *A* dans le sens horaire) :

$$+4I_2 + 3I_3 - 6 = 0 \qquad \text{(iii)}$$

Il ne reste plus qu'à résoudre le système d'équations. En général, c'est une bonne idée de procéder en isolant dans les équations les plus simples et en remplaçant dans l'équation la plus compliquée (ici, c'est l'équation (i) qui est la plus compliquée, car elle possède 3 inconnues). Puisque $I_2$ apparaît dans les 3 équations, nous allons tout isoler en fonction de $I_2$ :

En isolant $I_1$ dans l'équation (ii), on trouve

$$I_1 = 17 - 4I_2$$

En isolant $I_3$ dans l'équation (iii), on trouve

$$I_3 = \frac{(6 - 4I_2)}{3} = 2 - 1{,}33I_2$$

En remplaçant le tout dans l'équation (i), on trouve

$$I_2 - (17 - 4I_2) - (2 - 1{,}33I_2) = 0$$

d'où on tire $I_2 = 3$ A, $I_1 = 17 - 4I_2 = 5$ A et $I_3 = 2 - 1{,}33I_2 = -2$ A. Le signe négatif pour $I_3$ signifie que notre hypothèse de sens pour $I_3$ était mauvaise : le courant dans la résistance de 3 Ω est de 2 A *vers la droite*. Les hypothèses de sens pour $I_1$ et $I_2$ étaient bonnes : le courant dans la résistance de 1 Ω est de 5 A vers la droite et le courant dans la résistance de 4 Ω est de 3 A vers le bas.

On remarque que la pile de 17 V a une f.é.m. telle qu'elle force le courant global dans la branche *CDA*, $I_3$, à voyager dans le sens contraire du courant qu'établirait la pile de 6 V si elle était seule. En fait, la pile de 6 V va se recharger dans la situation indiquée (si elle est rechargeable ; sinon, elle risque d'être endommagée ou d'exploser !).

(b) Le courant dans la résistance $R_1 = 1\ \Omega$ égale $I_1 = 5$ A, pour une puissance $P = R_1 I_1^2 = 25$ W. Le courant dans la résistance $R_2 = 4\ \Omega$ égale $I_2 = 3$ A, pour une puissance $P = R_2 I_2^2 = 36$ W. Le courant dans la résistance $R_3 = 3\ \Omega$ égale $I_3 = 2$ A, pour une puissance $P = R_3 I_3^2 = 12$ W. La puissance totale dissipée dans les résistances égale 25 W + 36 W + 12 W = 73 W.

Le courant qui traverse la pile $\mathscr{E}_1 = 17$ V est de $I_1 = 5$ A, pour une puissance $P = I_1 \mathscr{E}_1 = 85$ W. Le courant qui traverse la pile $\mathscr{E}_2 = 6$ V est de $I_3 = 2$ A, pour une puissance $P = I_2 \mathscr{E}_2 = 12$ W. Si on ne fait pas attention, on pourrait conclure à tort que la puissance totale fournie par les piles est de 85 W + 12 W = 97 W, ce qui ne concorde pas avec la puissance dissipée trouvée plus haut. Or, il faut tenir compte du fait que la pile $\mathscr{E}_2$ est en train de se recharger (car $I_3$ traverse la pile « dans le mauvais sens »). Ainsi, la puissance de 12 W calculée pour $\mathscr{E}_2$ est une puissance *absorbée* par la pile. La puissance totale fournie par les piles égale bien 85 W − 12 W = 73 W, et tout concorde.

## Exemple 7.12

Le circuit de la figure 7.21 comporte deux mailles et trois sources de f.é.m. (a) Déterminer les courants, sachant que $r_1 = r_2 = 2\ \Omega$, $r_3 = 1\ \Omega$, $R_1 = 4\ \Omega$, $R_2 = 3\ \Omega$, $\mathscr{E}_1 = 15$ V, $\mathscr{E}_2 = 6$ V et $\mathscr{E}_3 = 4$ V. (b) Quelle est la différence de potentiel $V_A - V_B$?

### Solution :

Pour résoudre ce problème à l'aide de la méthode globale de Kirchhoff, nous avons indiqué les hypothèses de sens de courant et le sens de parcours des mailles sur la figure 7.21. La loi des nœuds appliquée au point $A$ donne, en supposant que le courant sortant est positif,

$$I_1 - I_2 + I_3 = 0$$

Pour appliquer la loi des mailles, on peut donner à chaque maille le sens horaire (représenté par une flèche courbe à la figure 7.21).

Maille de gauche :

$$\mathscr{E}_1 - r_1 I_1 - R_1 I_1 + r_3 I_3 - \mathscr{E}_3 = 0$$

Maille de droite :

$$\mathscr{E}_3 - r_3 I_3 - R_2 I_2 + \mathscr{E}_2 - r_2 I_2 = 0$$

(a) En introduisant les valeurs données dans l'équation des mailles, on obtient

Maille de gauche :

$$15 - 2I_1 - 4I_1 + I_3 - 4 = 0 \qquad \text{(i)}$$

Maille de droite :

$$4 - I_3 - 3I_2 + 6 - 2I_2 = 0 \qquad \text{(ii)}$$

La loi des nœuds donne $I_2 = I_1 + I_3$, que l'on substitue dans l'équation (ii) ; les équations (i) et (ii) deviennent alors :

$$11 - 6I_1 + I_3 = 0 \qquad \text{(iii)}$$

$$10 - 5I_1 - 6I_3 = 0 \qquad \text{(iv)}$$

Ce système a pour solutions $I_1 = \frac{76}{41} = 1{,}85$ A et $I_3 = \frac{5}{41} = 0{,}12$ A. Enfin, $I_2 = I_1 + I_3 = \frac{81}{41} = 1{,}97$ A.

(b) Pour déterminer $V_A - V_B$, nous devons *partir de B* et ajouter les différences de potentiel. Comme les potentiels sont uniques, on peut choisir *n'importe quel* trajet entre $B$ et $A$. (Quelle propriété fondamentale cela traduit-il ?) Le long de la branche centrale, on trouve

$$V_B + r_3 I_3 - \mathscr{E}_3 = V_A$$

$$V_A - V_B = r_3 I_3 - \mathscr{E}_3 = 0{,}12 \times 1 - 4 = -3{,}88 \text{ V}$$

Le signe négatif signifie que $V_A$ est inférieur à $V_B$. (Essayez les deux autres trajets.)

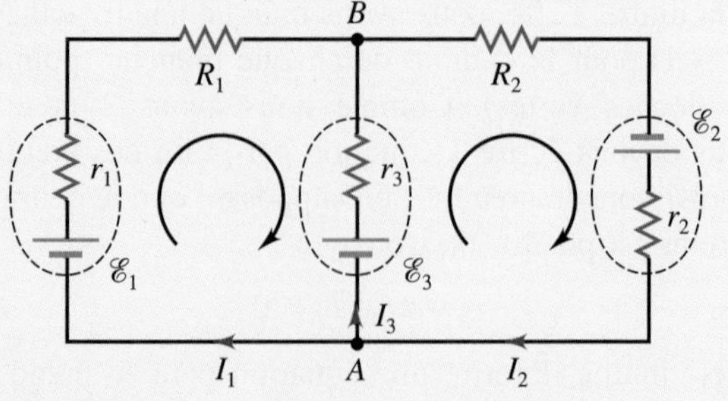


*Figure 7.21*

Un circuit à deux mailles avec trois sources de f.é.m. Le sens de parcours dans chaque maille est indiqué par une flèche incurvée.

### Exemple 7.13

Écrire l'équation de maille pour la grande maille de la figure 7.21, c'est-à-dire sans $\mathscr{E}_3$ ni $R_3$. La comparer à la somme des équations (i) et (ii) de la solution de l'exemple précédent. Que peut-on en conclure ?

**Solution :**

$\mathscr{E}_1 - (r_1 + R_1)I_1 - (r_2 + R_2)I_2 + \mathscr{E}_2 = 0$. C'est simplement la somme des équations pour les mailles de gauche et de droite. Il n'y a que deux équations de mailles indépendantes.

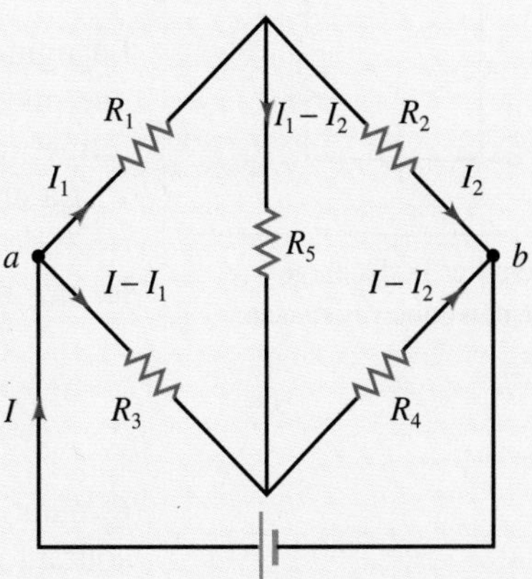


*Figure 7.22*

On ne peut pas déterminer la résistance équivalente de cette association de résistances en considérant des associations en série et en parallèle.

### Exemple 7.14

Cinq résistances sont reliées comme l'indique la figure 7.22. Quelle est la résistance équivalente entre les points $a$ et $b$ ?

**Solution :**

Dans cet exemple, on ne peut pas déterminer la résistance équivalente à l'aide des techniques courantes pour les associations en série et en parallèle. Dans un tel problème, il faut d'abord réduire le nombre d'inconnues. Par exemple, si $I_1$ et $I_2$ sont les courants traversant $R_1$ et $R_2$ et si $I \neq I_1 + I_2$ est le courant arrivant au nœud $a$, on peut exprimer les trois autres courants, à l'aide de la loi des nœuds, en fonction des trois courants ainsi définis :

$$I_3 = I - I_1\,; \quad I_4 = I - I_2\,; \quad I_5 = I_1 - I_2$$

Ces valeurs sont indiquées sur le schéma. Nous allons trouver la résistance équivalente à partir de l'équation $R_{\text{éq}} = |\Delta V|/I$, où $\Delta V$ est la différence de potentiel entre les points $a$ et $b$.

La loi des mailles nous donne, pour les mailles de gauche et de droite :

$$-R_1 I_1 - R_5(I_1 - I_2) + R_3(I - I_1) = 0 \qquad \text{(i)}$$

$$+R_5(I_1 - I_2) - R_2 I_2 + R_4(I - I_2) = 0 \qquad \text{(ii)}$$

À partir de (i) et (ii), on peut exprimer $I_1$ et $I_2$ en fonction de $I$ : $I_1 = \alpha_1 I$, et $I_2 = \alpha_2 I$, où les coefficients $\alpha_1$ et $\alpha_2$ sont des expressions faisant intervenir les résistances.

La différence de potentiel entre les points $a$ et $b$ est

$$V_b - V_a = -R_1 I_1 - R_2 I_2 = -(\alpha_1 R_1 + \alpha_2 R_2)I$$

La résistance équivalente est donc $R_{\text{éq}} = |\Delta V|/I = \alpha_1 R_1 + \alpha_2 R_2$. (On vous demandera de calculer $\alpha_1$ et $\alpha_2$ au problème 16.)

## 7.5 Les circuits *RC*

Les circuits dont nous avons parlé jusqu'à présent étaient des circuits parcourus par des courants constants. Lorsqu'on inclut un condensateur dans un circuit, le courant varie en fonction du temps pendant la charge ou la décharge du condensateur. Si l'on relie un condensateur directement aux bornes d'une pile idéale (sans résistance interne), le condensateur se charge instantanément. De même, si l'on relie par un fil les bornes d'un condensateur chargé, il se décharge instantanément. Nous allons étudier comment la charge du condensateur et le courant varient en fonction du temps dans un circuit comprenant une résistance.

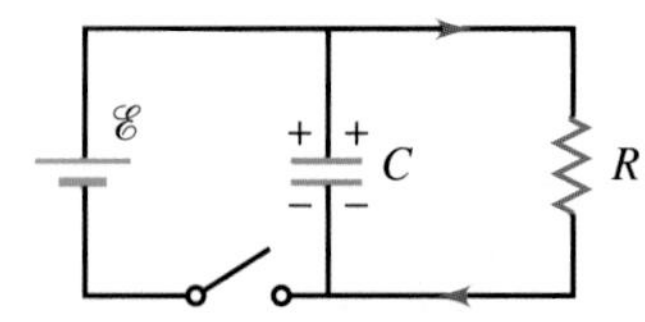


***Figure 7.23***

Circuit servant à étudier la décharge d'un condensateur dans une résistance.

## (i) La décharge du condensateur

La figure 7.23 représente un condensateur et une résistance en parallèle avec une pile idéale (sans résistance interne) de f.é.m. $\mathscr{E}$. Tant que l'interrupteur est fermé, la différence de potentiel aux bornes de $C$ et de $R$ est égale à la f.é.m. $\mathscr{E}$. La charge du condensateur est $Q_0 = C\mathscr{E}$. Lorsqu'on ouvre l'interrupteur à $t = 0$, le condensateur commence à se décharger dans la résistance. D'après la loi des mailles,

$$\frac{Q}{C} - RI = 0$$

$Q$ étant la valeur instantanée de la charge sur le condensateur et $I$ étant le courant circulant dans le fil. On remarque que le courant $I$ est égal au taux de *décroissance* de la charge $Q$ ; on a donc $I = -dQ/dt$. La loi des mailles devient

$$\frac{dQ}{dt} = -\frac{Q}{RC}$$

En réarrangeant et en intégrant cette relation, on obtient

$$\int \frac{dQ}{Q} = -\frac{1}{RC}\int dt$$

Donc,

$$\ln Q = -\frac{t}{RC} + k$$

où $k$ est une constante d'intégration. On sait qu'à $t = 0$ la charge $Q = Q_0$ ; donc $k = \ln Q_0$. En prenant la fonction inverse du logarithme, on trouve

$$Q = Q_0 e^{-t/RC} \qquad (7.8)$$

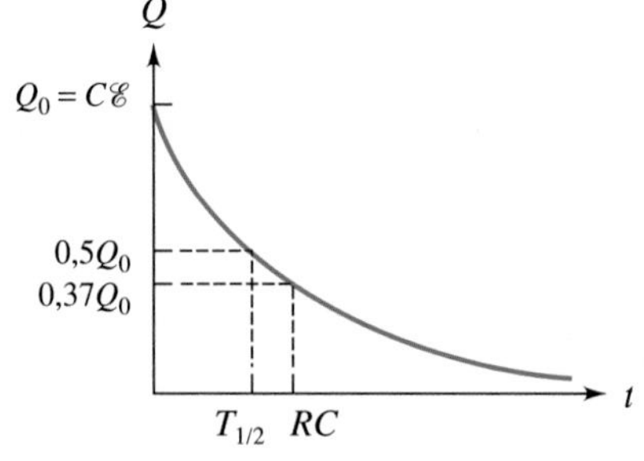


***Figure 7.24***

Lors d'une décharge, la charge portée par un condensateur décroît de façon exponentielle. $T_{1/2}$ est la demi-vie et $\tau = RC$ est la constante de temps.

Cette *décroissance exponentielle* est représentée à la figure 7.24. Au temps

$$\tau = RC \qquad (7.9)$$

appelé **constante de temps**, la charge chute à $Q = Q_0 e^{-1} = 0{,}37Q_0$, c'est-à-dire à 37 % de sa valeur initiale. La **demi-vie**, $T_{1/2}$, exprime un autre aspect intéressant de la décharge : c'est le temps nécessaire pour que la charge tombe à 50 % de sa valeur initiale. On a donc

$$\tfrac{1}{2}Q_0 = Q_0 e^{-T_{1/2}/RC}$$

En prenant le logarithme naturel et en réarrangeant les termes, on trouve

$$T_{1/2} = RC \ln 2 = 0{,}693\,\tau \qquad (7.10)$$

On peut déterminer le courant à partir de $I = -dQ/dt$ et de l'équation 7.8 :

$$I = I_0 e^{-t/RC} \qquad (7.11)$$

où $I_0 = \mathscr{E}/R$ est le courant à $t = 0$. La forme de la variation du courant en fonction du temps est la même que celle de la charge.

## Exemple 7.15

(a) Montrer que la constante de temps indique le temps que met la charge pour diminuer de $1/e$ ou de 37 % de *n'importe quelle* valeur de départ, et non pas seulement de la valeur initiale, $Q_0$, à $t = 0$. (De même, il faut une demi-vie, $T_{1/2}$, pour chuter à 50 % de toute valeur initiale donnée.) (b) Combien faut-il de demi-vies pour que la charge chute à 12,5 % de sa valeur initiale ?

**Solution :**

(a) Considérons les charges à deux instants $t_1$ et $t_2$ $(t_2 > t_1)$ :

$$Q_1 = Q_0 e^{-t_1/\tau}\,; \quad Q_2 = Q_0 e^{-t_2/\tau}$$

En divisant ces équations membre à membre, on voit que

$$Q_2 = Q_1 e^{-(t_2 - t_1)/\tau}$$

Si $t_2 - t_1 = \tau$, on obtient $Q_2 = Q_1 e^{-1} = 0{,}37 Q_1$.

(b) Puisque $12{,}5\,\% = 0{,}125 = (1/2)^3$, il faut $3T_{1/2}$.

### (ii) La charge d'un condensateur

Nous allons voir maintenant comment la charge d'un condensateur augmente lorsqu'une résistance est placée en série dans le circuit (figure 7.25). À $t = 0$, au moment où l'interrupteur est fermé, on suppose qu'il n'y a pas de charge sur $C$, et donc que la différence de potentiel entre ses bornes est nulle. La différence de potentiel aux bornes de $R$ est $\mathscr{E}$, de sorte que le courant initial (maximal) circulant dans le circuit est $I_0 = \mathscr{E}/R$. À tout instant ultérieur $t$, la loi des mailles appliquée au circuit (dans le sens horaire) donne

$$\mathscr{E} - \frac{Q}{C} - RI = 0$$

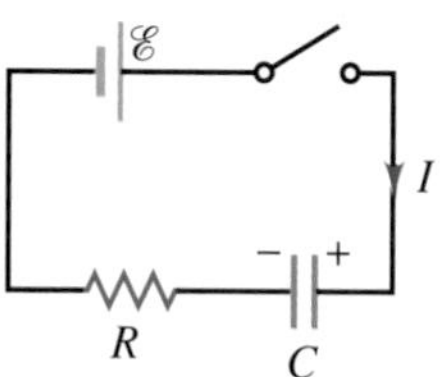


*Figure 7.25*

Un circuit servant à la charge d'un condensateur.

La somme des différences de potentiel aux bornes du condensateur et de la résistance est toujours constante : $\Delta V_C + \Delta V_R = \mathscr{E}$. Au fur et à mesure que la charge augmente sur le condensateur, la différence de potentiel entre ses bornes augmente, ce qui veut dire que la différence de potentiel aux bornes de $R$ doit diminuer, de même que le courant circulant dans le circuit. Dans ce circuit, le courant $I$ *accroît* la charge du condensateur et donc $I = +dQ/dt$. Au fur et à mesure que le courant décroît, on peut s'attendre à ce que la rapidité avec laquelle le condensateur se charge diminue également. Lorsque la différence de potentiel aux bornes de $C$ atteint $\mathscr{E}$, la différence de potentiel aux bornes de $R$ est nulle : le courant cesse alors de circuler et la charge du condensateur a atteint sa valeur maximale $Q_0 = C\mathscr{E}$.

En utilisant $I = +dQ/dt$ dans la loi des mailles, on trouve

$$C\mathscr{E} - Q = \frac{dQ}{dt} RC$$

Après avoir regroupé les termes, on intègre des deux côtés :

$$\int \frac{dQ}{C\mathscr{E} - Q} = \frac{1}{RC} \int dt$$

ce qui donne

$$-\ln(C\mathscr{E} - Q) = \frac{t}{RC} + k$$

$k$ étant une constante d'intégration. À $t = 0$, $Q = 0$, donc $k = -\ln(C\mathscr{E})$. Sachant que $\ln A - \ln B = \ln A/B$, l'équation ci-dessus peut donc s'écrire sous la forme

$$\ln\left(\frac{C\mathscr{E} - Q}{C\mathscr{E}}\right) = -\frac{t}{RC}$$

Charge d'un condensateur

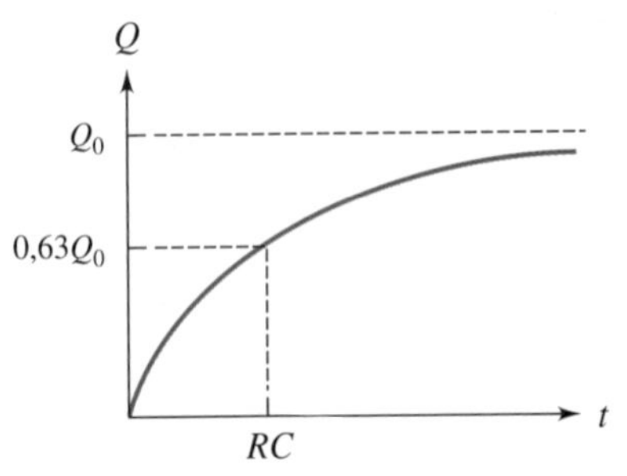


**Figure 7.26**

L'augmentation de la charge d'un condensateur en fonction du temps.

En prenant la fonction inverse du logarithme et en réarrangeant les termes, on trouve

$$Q = Q_0(1 - e^{-t/RC}) \tag{7.12}$$

avec $Q_0 = C\mathscr{E}$. Cette fonction est représentée à la figure 7.26. Dans ce cas, la constante de temps $\tau = RC$ nous indique le temps que met la charge pour monter jusqu'à $Q = Q_0(1 - e^{-1}) = 0{,}63Q_0$, c'est-à-dire à 63 % de sa valeur finale. Le courant, déduit de $I = +dQ/dt$, est

$$I = I_0 e^{-t/RC} \tag{7.13}$$

avec $I_0 = \mathscr{E}/R$. On remarque que l'équation 7.13 a la même forme que celle de la décharge du condensateur.

Dans le circuit de décharge de la figure 7.23, les différences de potentiel aux bornes de $R$ et de $C$ sont égales, $\Delta V_C = \Delta V_R$. Dans le circuit de charge de la figure 7.25, elles ne sont pas égales. En effet, la différence de potentiel aux bornes de la résistance, $\Delta V_R = RI$, décroît avec le temps, alors que la différence de potentiel aux bornes du condensateur, $\Delta V_C = Q/C$, augmente avec le temps. Leur somme, $\Delta V_R + \Delta V_C = \mathscr{E}$, est constante.

## Exemple 7.16

Pour le circuit de charge de la figure 7.25, on donne $\mathscr{E} = 200$ V, $R = 2 \times 10^5\ \Omega$ et $C = 50\ \mu$F. Trouver : (a) le temps que met la charge pour monter jusqu'à 90 % de sa valeur finale ; (b) l'énergie emmagasinée dans le condensateur à $t = RC$ ; (c) la puissance dissipée dans $R$ à $t = RC$ ; (d) le travail total fourni par la pile lorsque le condensateur est totalement chargé ($t = \infty$) ; (e) l'énergie finale emmagasinée dans le condensateur ; (f) la perte totale d'énergie dans la résistance.

**Solution :**

(a) Nous cherchons le temps auquel $Q = 0{,}9Q_0$, avec $Q_0 = C\mathscr{E} = 0{,}01$ C. La constante de temps est $\tau = RC = 10$ s. D'après l'équation 7.12,

$$0{,}9Q_0 = Q_0(1 - e^{-t/10\ \mathrm{s}})$$

Cela donne $\exp(-t/10\ \mathrm{s}) = 0{,}1$. En prenant le logarithme naturel, on obtient $-t/10\ \mathrm{s} = -2{,}3$ et $t = 23$ s.

(b) Après un délai égal à une constante de temps, $Q = Q_0\ (1 - 1/e) = 0{,}63Q_0$. Par l'équation 5.9, l'énergie emmagasinée dans le condensateur est

$$U_C = \frac{Q^2}{2C} = \frac{(0{,}63 \times 0{,}01\ \mathrm{C})^2}{10^{-4}\ \mathrm{F}} = 0{,}4\ \mathrm{J}$$

(c) La puissance dissipée dans $R$ est $P_R = RI^2$. En une constante de temps, $I = 0{,}37I_0$, avec $I_0 = \mathscr{E}/R = 10^{-3}$ A. Donc,

$$P_R = RI^2 = (2 \times 10^5\ \Omega)(0{,}37 \times 10^{-3}\ \mathrm{A})^2$$
$$= 2{,}7 \times 10^{-2}\ \mathrm{W}$$

(d) La pile fait passer une quantité de charges $Q_0$ d'une armature du condensateur à l'autre et lui fait traverser une différence de potentiel $\mathscr{E}$. Le travail total fourni par la pile est donc $Q_0\mathscr{E} = C\mathscr{E}^2 = 2$ J.

(e) L'énergie finale emmagasinée dans le condensateur est

$$U_C = \frac{Q_0^2}{2C} = \frac{1}{2}C\mathscr{E}^2 = 1\ \mathrm{J}$$

(f) Le taux de dissipation d'énergie dans $R$ est $P_R = dU_R/dt = RI^2$. Donc $dU_R = RI^2\ dt$, $I$ étant donné par l'équation 7.13. La perte totale d'énergie est

$$U_R = \int_0^\infty P_R\, dt = \int_0^\infty RI_0^2\ e^{-2t/RC}\, dt$$
$$= \frac{1}{2}C\mathscr{E}^2$$

Ce résultat est surprenant : l'énergie emmagasinée dans le condensateur est exactement égale à l'énergie dissipée dans la résistance. Bien sûr, la somme $U_C + U_R$ est égale à l'énergie fournie par la source de f.é.m.

## 7.6 L'utilisation du galvanomètre

La conception de la plupart des ampèremètres et des voltmètres s'inspire du *galvanomètre*. Ce dispositif que nous étudierons au chapitre suivant enregistre la déviation d'une bobine traversée par un courant, qui est suspendue entre les pôles d'un aimant (*cf.* section 8.4). On peut aussi mesurer les différences de potentiel avec un oscilloscope, qui enregistre la déviation d'un faisceau d'électrons. Les instruments numériques modernes utilisent des circuits électroniques permettant de mesurer les courants et différences de potentiel et d'afficher les valeurs sur un petit écran.

La bobine d'un galvanomètre a une résistance de l'ordre de 10 à 100 Ω ; elle donne une déviation maximale de l'aiguille pour un courant de l'ordre de 10 μA à 1 mA. (Les galvanomètres les plus sensibles peuvent mesurer des courants inférieurs à $10^{-9}$ A.) Avec une résistance type $R_G = 20\ \Omega$ et un courant de 1 mA correspondant à la déviation maximale, la différence de potentiel aux bornes est de 20 mV. Un tel galvanomètre peut être utilisé comme ampèremètre jusqu'à 1 mA et comme voltmètre jusqu'à 20 mV. Pour étendre ces plages de valeurs, on peut combiner le galvanomètre avec des résistances en série ou en parallèle comme nous allons le voir dans l'exemple qui suit.

### Exemple 7.17

Soit un galvanomètre dont la déviation maximale est produite par un courant de 1 mA. La bobine a une résistance de 20 Ω. Modifier l'instrument pour obtenir : (a) un ampèremètre pouvant mesurer jusqu'à 500 mA ; (b) un voltmètre capable de mesurer 25 V.

**Solution :**

(a) Puisque le galvanomètre ne peut être traversé que par un courant de 1 mA, on place une résistance de dérivation (appelée shunt), $R_{sh}$, en parallèle avec le galvanomètre (figure 7.27). En appliquant la loi des nœuds, on voit que le courant entrant est

$$I = I_G + I_{sh}$$

Donc $I_{sh} = 499$ mA. Les différences de potentiel aux bornes du galvanomètre et du shunt sont égales :

$$R_G I_G = R_{sh} I_{sh}$$

On en déduit que $R_{sh} = R_G I_G / I_{sh} = (20\ \Omega)(1\text{ mA}) / (499\text{ mA}) = 0{,}04\ \Omega$. Cette résistance étant en parallèle avec les 20 Ω du galvanomètre, la résistance effective de l'ampèremètre est essentiellement égale à 0,04 Ω.

(b) Lorsqu'un courant de 1 mA circule dans la bobine, la différence de potentiel aux bornes est égale à 20 mV seulement. Pour mesurer 25 V, on doit brancher une résistance *en série*, $R_s$, avec le galvanomètre (figure 7.28). D'après la loi d'Ohm,

$$\begin{aligned} 25 &= (R_G + R_s) I_G \\ &= (20\ \Omega + R_s)(1\text{ mA}) \end{aligned}$$

On en déduit $R_s = 24\,980\ \Omega \approx 25$ kΩ. La résistance effective du voltmètre est donc de 25 kΩ. Un tel instrument ne devrait pas être employé pour mesurer la différence de potentiel aux bornes, par exemple, d'une résistance de 10 kΩ.

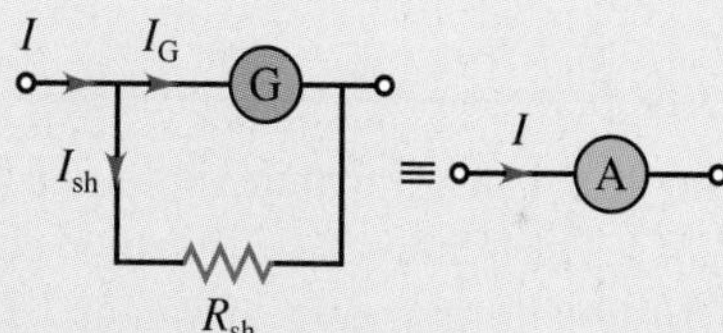


***Figure 7.27***

Un galvanomètre peut être utilisé comme ampèremètre si on le branche en parallèle avec un shunt $R_{sh}$.

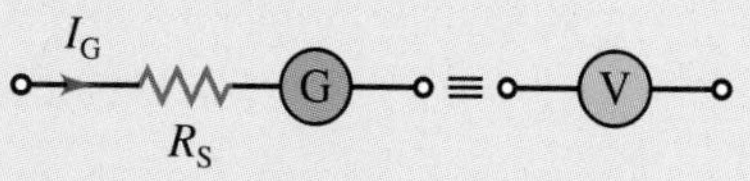

***Figure 7.28***

Un galvanomètre peut être utilisé comme voltmètre si on le branche *en série* avec une résistance $R_S$.

Un « multimètre » commercial, qui utilise un seul galvanomètre, offre plusieurs échelles pour mesurer les courants, les différences de potentiel et aussi les résistances. Un multimètre est classifié selon sa *sensibilité*. Une valeur de 1000 Ω/V, par exemple, signifie que lorsqu'on utilise l'instrument comme voltmètre la résistance effective est de 1000 Ω fois la valeur maximale sur une échelle donnée. Ainsi, sur l'échelle de 25 V, la résistance effective est de (1000 Ω/V)(25 V) = 25 kΩ. Comme $I = \Delta V/R$, la sensibilité est simplement l'inverse du courant requis par le galvanomètre pour produire une déviation maximale. Pour la valeur donnée de la sensibilité, le courant dans le galvanomètre serait de 1/1000 V/Ω = $10^{-3}$ A.

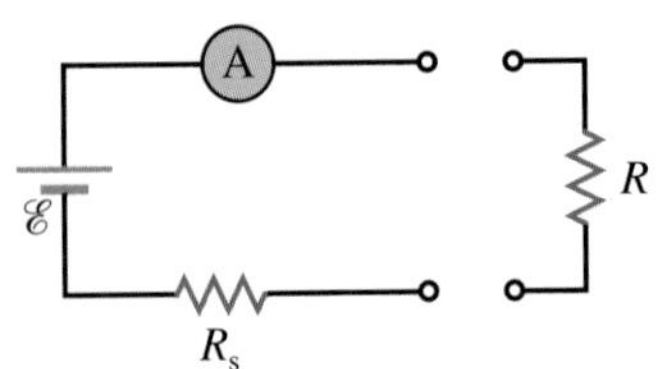


*Figure 7.29*

Dans un ohmmètre, une source de f.é.m. est en série avec un ampèremètre et une résistance $R_s$. Si les bornes sont mises en court-circuit, on observe une déviation maximale de l'aiguille sur l'ampèremètre. La déviation est plus faible lorsqu'on branche la résistance $R$.

## Mesure de la résistance

Un *ohmmètre* contient un ampèremètre comportant une résistance $R_A$ (non représentée), une petite pile et une résistance variable en série $R_s$ (figure 7.29). On met d'abord les bornes en court-circuit (on les relie directement entre elles) et on règle une petite résistance variable incluse dans $R_A$, de manière à ce que la déviation de l'aiguille soit maximale. Cette méthode sert à compenser les variations de la f.é.m. de la pile. La valeur obtenue pour la déviation maximale correspond alors à une résistance (externe) nulle. Lorsqu'on branche une résistance $R$, le courant est plus faible, de sorte que la déviation de l'aiguille est moindre. L'échelle des résistances est ainsi étalonnée de la droite vers la gauche.

### Exemple 7.18

Sur l'échelle de 0,1 mA, un ampèremètre a une résistance de 20 Ω. On le branche en série avec une pile de 1,5 V. (a) Quelle doit être la valeur de la résistance $R_s$ pour que la déviation soit maximale ? (b) Quelle résistance externe fait dévier l'aiguille jusqu'au milieu de l'échelle ?

**Solution :**

(a) Considérons le cas où les bornes sont en court-circuit (sans résistance externe). D'après la loi des mailles, avec $R_A$ comme résistance de l'ampèremètre,

$$\mathscr{E} = (R_A + R_s)I_A$$
$$1{,}5 = (20\ \Omega + R_s)(0{,}1\ \text{mA})$$

Donc $R_s$ = 14 980 Ω ≈ 15 kΩ.

(b) Lorsqu'on ajoute la résistance externe $R$, le courant vaut

$$I = \frac{\mathscr{E}}{R_A + R_s + R} = \frac{1{,}5\ \text{V}}{15\ \text{k}\Omega + R}$$

Pour une déviation jusqu'au milieu de l'échelle, $I = I_A/2$. Il est pratique d'exprimer $I_A$ sous la forme (1,5 V)/(15 kΩ). On voit immédiatement que 2 × 15 kΩ = (15 kΩ + $R$) ; donc $R$ = 15 kΩ. Ainsi, l'aiguille dévie jusqu'au milieu de l'échelle lorsque la résistance externe est égale à la résistance interne. Si la résistance à mesurer est petite, il faut réduire la résistance interne de l'ohmmètre pour améliorer la sensibilité. Le courant circulant dans l'ampèremètre étant alors plus intense, son échelle doit également être modifiée. Il ne faut pas oublier qu'un ohmmètre envoie un courant dans le dispositif dont on veut mesurer la résistance et risque donc d'endommager un élément sensible, par exemple un autre galvanomètre.

## Le pont de Wheatstone

Une méthode permettant de mesurer avec précision les résistances fut mise au point en 1843 par Charles Wheatstone, inventeur du télégraphe électrique. Quatre résistances sont montées de manière à former un « pont » (figure 7.30). Les résistances $R_1$, $R_2$ et $R_s$ sont connues, alors que la résistance $R_x$ est l'inconnue à mesurer. L'instrument peut être utilisé de deux façons.

Selon la première méthode, $R_1$ et $R_2$ ont des valeurs fixes et l'on fait varier la résistance étalonnée (standard) $R_s$ jusqu'à ce que le galvanomètre enregistre un courant nul. On dit alors que le pont est « équilibré ». (Dans cette méthode du courant nul, la valeur de la f.é.m. et l'étalonnage du galvanomètre n'ont pas d'importance. Dans la pratique, on utilise une résistance pour limiter le courant traversant le galvanomètre avant l'équilibrage du pont.) Lorsque le pont est équilibré, les points $P$ et $Q$ sont au même potentiel. Les différences de potentiel aux bornes de $R_1$ et $R_s$ et aux bornes de $R_2$ et $R_x$ sont donc égales :

$$R_1 I_1 = R_s I_2$$
$$R_2 I_1 = R_x I_2$$

Prenant les rapports de ces équations, on trouve

$$R_x = \frac{R_2}{R_1} R_s$$

La résistance inconnue est déterminée en fonction de la résistance étalon.

Selon la deuxième méthode, $R_s$ est une résistance de précision dont la valeur est fixée et $R_1$ et $R_2$ font partie d'un même fil continu. Le point $P$ est un curseur (contact mobile) que l'on peut faire glisser sur le fil pour réaliser l'équilibre. La résistance d'un fil homogène étant proportionnelle à la longueur, $R_x = (\ell_2/\ell_1)R_s$ s'obtient à partir du rapport des longueurs de chaque côté du curseur.

Le pont de Wheatstone permet de mesurer les résistances avec une grande précision. On s'en sert pour mesurer la résistance des thermomètres à résistance de platine ou des jauges de contrainte (extensomètres).

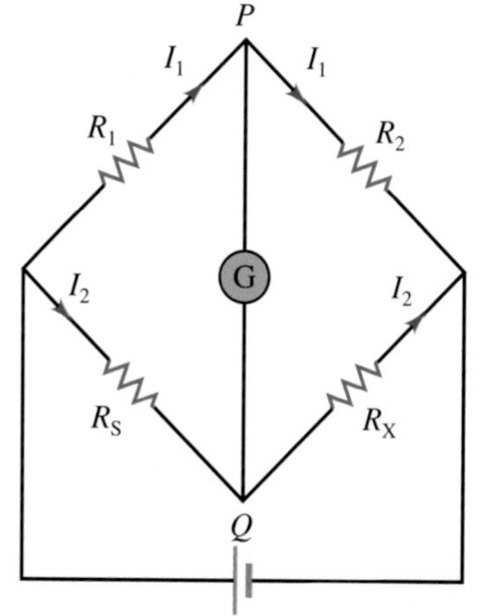


*Figure 7.30*

Un pont de Wheatstone sert à mesurer les résistances avec précision. L'instrument est « équilibré » lorsque le courant circulant dans le galvanomètre est nul.

## Le potentiomètre

On peut mesurer rapidement la f.é.m. d'une pile en branchant un voltmètre directement aux bornes de la pile. Toutefois, puisque le voltmètre a une résistance finie, on mesure inévitablement la différence de potentiel entre les bornes plutôt que la vraie f.é.m. Le *potentiomètre* est un instrument qui nous permet de comparer une f.é.m. inconnue avec une f.é.m. connue. Comme le pont de Wheatstone, c'est un dispositif qui fonctionne sur le principe de réglage du courant nul.

Une pile « en service » fournit un courant constant à un fil (en général de 1 m de long) sur lequel peut glisser un curseur. Un galvanomètre est relié d'un côté à un interrupteur et de l'autre côté à un curseur $P$ mobile sur le fil (figure 7.31). On ferme d'abord l'interrupteur de manière à relier la pile étalon (qui peut être une cellule au cadmium, de f.é.m. 1,01826 V), dont la f.é.m. connue, est désignée par $\mathscr{E}_s$. On déplace le curseur jusqu'à ce que le galvanomètre indique zéro. Si la résistance du fil entre $O$ et $P$ dans la boucle inférieure est $R_s$, la loi des mailles de Kirchhoff donne

$$\mathscr{E}_s - R_s I = 0$$

On remplace ensuite la pile standard par la pile de f.é.m. inconnue et on déplace à nouveau $P$ jusqu'à ce que le galvanomètre indique zéro. On a maintenant

$$\mathscr{E}_x - R_x I = 0$$

Les résistances sont proportionnelles aux longueurs de fil entre $O$ et $P$. En éliminant $I$, on voit que

$$\mathscr{E}_x = \frac{\ell_x}{\ell_s} \mathscr{E}_s$$

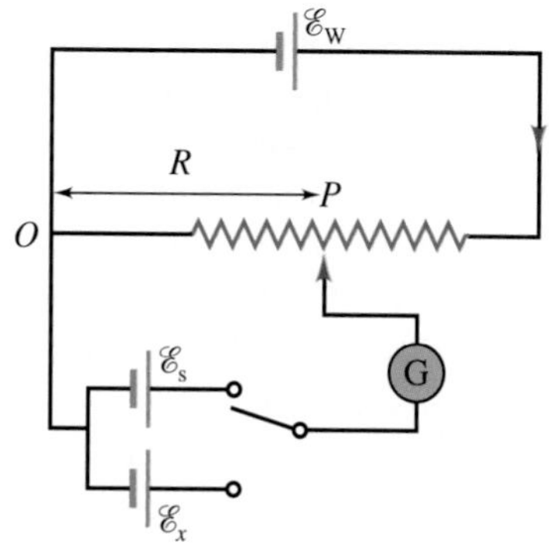


*Figure 7.31*

On utilise un potentiomètre pour comparer une f.é.m. inconnue $\mathscr{E}_x$ avec une f.é.m. étalon connue $\mathscr{E}_s$.

Le rapport des longueurs donne la f.é.m. inconnue en fonction de $\mathscr{E}_s$. Puisque le courant circulant dans les sources est nul, la résistance interne n'a pas d'importance. La f.é.m. de la pile en service n'a pas non plus d'importance à condition qu'elle soit supérieure à la fois à $\mathscr{E}_s$ et à $\mathscr{E}_x$. Les potentiomètres de précision modernes permettent de mesurer des f.é.m. par étape de $10^{-6}$ V avec une précision de $10^{-3}$ %.

## L'éclairage électrique

Au début du XIXe siècle, les gens s'éclairaient couramment au gaz. Mais vers 1850, on commença à utiliser, dans les phares, les gares et pour l'éclairage de rue, des lampes à arc dont la lumière était produite par des décharges électriques entre deux tiges de carbone faiblement éloignées. Lorsque Thomas Edison, l'inventeur du phonographe, vit l'une des premières démonstrations de lampe à arc, en 1877, il fut très impressionné et pensa immédiatement à la possibilité d'installer des lampes électriques dans les bureaux et les résidences. Mais comme les arcs électriques dégageaient des fumées nocives et produisaient une lumière très vive, ils ne pouvaient être utilisés que dans les grands espaces, en plein air. Edison pensa alors que la lampe à incandescence, dans laquelle la lumière est produite par un filament chauffé électriquement, produirait une lumière plus douce et serait donc une meilleure source lumineuse, même si elle n'avait pas encore donné de résultats satisfaisants à cette époque.

En 1878, Edison fit un coup d'audace : il lança la Edison Electric Light Company et, grâce à sa réputation, obtint un soutien financier. Il se vantait d'être sur le point d'établir un réseau complet de distribution d'électricité permettant d'alimenter les lampes et les moteurs électriques tout en servant à d'autres fins industrielles. À cause de sa publicité, les actions des compagnies de gaz subirent une forte baisse aux États-Unis et en Angleterre. Un comité du parlement britannique fut mis sur pied pour examiner, avec l'aide de scientifiques renommés, la faisabilité des projets d'Edison.

Le réseau de distribution de gaz déjà en place avait une particularité intéressante : chaque consommateur pouvait ouvrir et fermer sa propre alimentation. Il était donc évident que le réseau électrique devait permettre la même « subdivision » de l'alimentation en électricité. Les lampes à arc avaient une résistance voisine de 5 Ω et demandaient un courant de 10 A. Elles étaient normalement reliées en série dans des circuits comportant dix lampes. Bien sûr, il suffisait qu'une lampe soit déconnectée pour que toutes les lampes s'éteignent. Pour permettre à certaines d'être allumées pendant que d'autres étaient éteintes, elles auraient dû être montées en parallèle. Mais dix lampes à arc en parallèle auraient demandé un courant de 100 A, ce qui était déjà bien au-delà de la capacité des génératrices électriques de l'époque. Les quelques lampes à incandescence de courte durée qui avaient alors été fabriquées avaient des résistances d'environ 0,5 Ω. Si la puissance requise par une lampe à incandescence était presque la même que celle d'une lampe à arc, le courant requis était, quant à lui, très supérieur. Et pourtant, Edison se proposait d'installer des milliers de lampes ! Les câbles de transport devaient pouvoir supporter de très hautes intensités de courant sans surchauffer, ce qui voulait dire qu'il fallait utiliser d'énormes quantités de cuivre. Le comité britannique finit par conclure que la « subdivision de l'éclairage électrique » était impossible. Mais, à l'instar de Napoléon, Edison n'aimait pas beaucoup le mot impossible. Si l'on pouvait subdiviser le gaz, pourquoi pas l'électricité ?

## Mise au point d'une nouvelle lampe

Partant de l'équation de la puissance, $P = RI^2$, Edison se rendit compte qu'une quantité donnée de puissance pouvait être fournie soit par un courant intense à une faible résistance, soit par un courant faible à une grande résistance. Pour réduire le courant dans les lignes de transport d'électricité, il avait besoin d'une lampe de résistance *élevée*. Ses premiers essais avec des filaments de carbone se soldèrent par des échecs parce que les filaments avaient tendance à se consumer (ils s'oxydaient au contact de l'air restant dans les ampoules en verre). Des essais avec d'autres matériaux donnèrent les mêmes résultats. En janvier 1879, il emprunta une nouvelle pompe à vide qui lui permit d'atteindre un vide supérieur à ce qui avait été atteint à l'époque ($10^{-6}$ atm). Néanmoins, après une année de travail, la meilleure valeur qu'il était parvenu à atteindre était une résistance de 3 Ω, avec une spirale de Pt-Ir. C'est alors qu'il lut dans le numéro de juillet de *Scientific American* un article décrivant la lampe au filament de carbone de l'Anglais Joseph Swan, une lampe qui n'avait d'ailleurs fonctionné que quelques heures. N'ayant pas essayé le carbone avec la nouvelle pompe à vide, Edison décida de tenter sa chance. En novembre 1879, il mit au point un filament carboné dont la résistance atteignait 100 Ω après avoir essayé plus de 1600 matériau sur une période de près de quinze mois. La figure 7.32 représente une des premières lampes à filament.

**Figure 7.32**

Une des premières lampes à filament.

## Un nouveau générateur

Nous avons vu à l'exemple 7.7 que la puissance transférée est maximale lorsque la résistance interne de la source de f.é.m. est égale à la résistance externe, qu'on nomme aussi résistance de charge. Tous les générateurs électriques antérieurs (que nous étudierons au chapitre 10) avaient été conçus en fonction de ce principe. De plus, leur rendement de conversion de l'énergie mécanique en énergie électrique était inférieur à 40 % et ils ne pouvaient alimenter que quelques lampes à arc. Edison fit preuve d'intuition en décelant une lacune dans cette approche. On peut définir le rendement du transfert de puissance par le rapport

$$\text{rendement} = \frac{P_C}{P_S + P_C} = \frac{R_C}{R_S + R_C}$$

$P_C = R_C I^2$ étant la puissance délivrée à la résistance de charge $R_C$ et $P_S = R_S I^2$ étant la puissance perdue dans la résistance de source $R_S$. Lorsque $R_S = R_C$, la moitié de la puissance électrique produite est perdue dans le générateur lui-même. La puissance transférée est maximale, mais le *rendement* n'est que de 0,5 ou 50 %. La figure 7.33 représente la variation de rendement du transfert de puissance en fonction de la résistance de charge. Le rendement approche de 1 quand $R_S \to 0$ ou $R_C \to \infty$. On voit donc que le rendement maximal est obtenu lorsque la résistance interne de la source est aussi *petite* que possible et que la résistance externe est aussi *grande* que possible. Dans cette nouvelle optique, Francis Upton, un ingénieur électricien engagé par Edison, mit au point un nouveau type de générateur électrique à courant continu en tenant compte des développements les plus récents. Ce générateur pouvait convertir l'énergie mécanique en énergie électrique avec un rendement de 90 % et produire une tension relativement constante de 110 V même lorsque le courant de sortie variait.

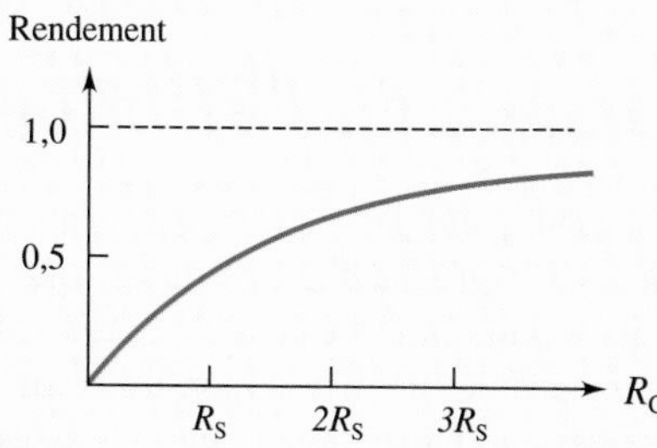


**Figure 7.33**

Le rendement du transfert de puissance augmente lorsque la résistance de charge augmente ou la résistance interne de la source *diminue*.

## Un nouveau système de distribution

Edison décida ensuite de concevoir un système à trois fils pour la distribution de la puissance électrique. Ce système est encore utilisé de nos jours pour l'alimentation des bureaux et des résidences, bien qu'à l'heure actuelle il fonctionne en courant alternatif et non en courant continu. La figure 7.34 représente une source de f.é.m. à trois bornes (Edison utilisait en réalité deux générateurs en série). Il existe une différence de potentiel de 110 V entre la borne centrale et chacune des deux autres bornes, l'une positive et l'autre négative. $R_1$ et $R_2$ sont deux résistances de charge sous une tension de 110 V. Si seule $R_1$, ou $R_2$, est branchée, le courant circule dans le fil de terre et dans l'un des autres fils. Lorsque les deux résistances sont branchées, le courant circulant dans le fil de terre du milieu, $I_t = I_2 - I_1$, est déterminé par le potentiel du point $P$ par rapport à la terre. Toutefois, si $R_1 = R_2$, le potentiel de $P$ est à mi-chemin entre +110 V et −110 V, c'est-à-dire égal à zéro. Par conséquent, si les charges sont «équilibrées», *aucun* courant ne circule dans la connexion à la terre. Au lieu d'avoir des pertes par effet joule dans les trois fils, il n'y a des pertes que dans les fils «sous tension». Ce système à trois fils présente également l'avantage d'offrir deux différences de potentiel: 110 V pour l'usage normal et 220 V pour les appareils électriques plus puissants comme les fours, les sécheuses électriques, qui sont branchés entre les deux fils «sous tension».

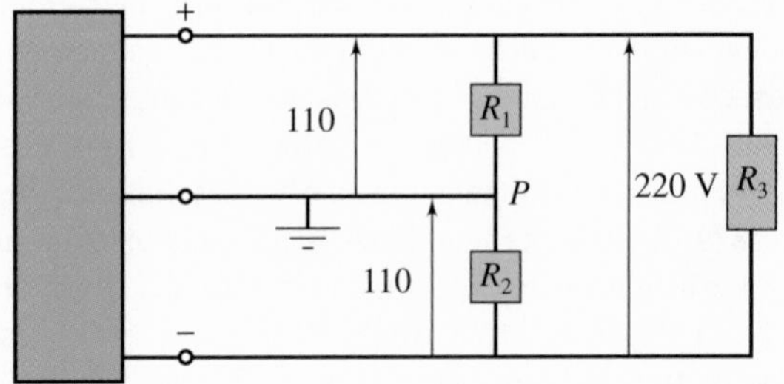


***Figure 7.34***

Le système à trois fils d'Edison pour la distribution d'électricité. Si les résistances de charge $R_1$ et $R_2$ sont presque égales, le potentiel du point $P$ est proche du potentiel de la terre de la borne centrale de la source. La perte de puissance dans le fil du milieu est donc très faible.

# Les dangers de l'électrocution

**O**n entend souvent parler des dangers que comporte l'utilisation inappropriée d'appareils électriques. Que doit-on penser des appels à la prudence que lancent à répétition les grandes compagnies de distribution d'électricité dans leurs campagnes de prévention? Pour en juger, nous allons décrire ici les effets physiologiques du passage d'un courant électrique à travers le corps humain.

Le corps humain est un bon conducteur d'électricité. À la différence des métaux conducteurs, dans lesquels ce sont les électrons libres qui assurent le passage du courant, ce sont les nombreux ions en solution qui permettent la circulation électrique dans notre organisme. Notre système nerveux contrôle la plupart de nos organes par l'intermédiaire de faibles courants d'ions le long du réseau complexe formé par les neurones. Ainsi, la circulation d'un courant provenant d'une source extérieure peut provoquer des effets dévastateurs en interférant avec les courants naturels du système nerveux.

Pour qu'un courant s'établisse dans une personne, il faut que le corps devienne partie intégrante d'un circuit fermé. Le seul fait de toucher à un fil de distribution électrique dénudé ne suffit pas nécessairement. Pour que le courant *passe*, il lui faut un chemin de retour. Malheureusement (de ce point de vue, du moins), les humains sont généralement en contact avec le sol. Or, la Terre, par son immense capacité, constitue un réservoir naturel vers lequel peuvent passer les charges électriques. Ainsi, on peut toucher à un fil de distribution électrique dénudé et éviter d'être traversé par un courant électrique si on se coupe de tout contact avec le sol. Des bottes munies d'une semelle faite d'un matériau isolant peuvent nous protéger. De même, si un fil de distribution électrique tombe sur une voiture, les passagers sont en sécurité puisque les pneus forment une barrière isolante entre la Terre et le véhicule. Dans cette situation particulière, il faut éviter de quitter la voiture puisque pendant un court instant le corps humain pourrait servir de lien fatal entre la voiture chargée et le sol. Un phénomène semblable se produit lorsque la foudre frappe un avion en plein vol. Puisque l'avion n'est pas en contact avec la Terre, il n'y a aucun danger pour les passagers; la charge acquise par l'avion s'échappera lentement dans l'air jusqu'à l'atterrissage.

Lorsque le contact est établi et qu'un courant arrive à circuler, les choses se gâtent rapidement. Un courant aussi faible que 1 mA suffit à produire une sensation de douleur. À partir de 10 mA, l'interférence avec le système nerveux est telle que la plupart des muscles se contractent, rendant très difficile, pour ne pas dire impossible, la simple action de lâcher volontairement la source de courant. Au-delà de 100 mA, c'est le cœur qui est touché. Le muscle cardiaque est alors victime de fibrillations ventriculaires associées à une désynchronisation du mécanisme de pompage du sang qui fait chuter le débit sanguin global du corps en deçà du minimum nécessaire au maintien de la vie. Par contre, on peut survivre à un courant de plusieurs ampères si celui-ci est de courte durée. Une telle décharge a pour effet de paralyser complètement le cœur. Celui-ci peut reprendre son rythme normal une fois le choc passé. On exploite d'ailleurs cette capacité du cœur lorsque l'on a recours au *défibrillateur*, un appareil qui envoie une brève mais intense décharge au cœur, dans l'espoir de lui faire reprendre son rythme normal. En plus des effets sur le système nerveux et les muscles, les forts courants produisent aussi des brûlures par simple effet Joule.

Cette description des effets de l'électrocution est relative aux valeurs des courants en cause. Nous savons que le courant d'un circuit est fonction de la différence de potentiel appliquée et de la valeur de la résistance dans le circuit. Les sources de tension auxquelles nous risquons d'être exposés sont diverses. Elles sont de 120 ou de 240 V dans le cas d'un circuit domestique, de 25 000 V dans le cas d'un circuit typique de distribution d'une grande ville et de 735 000 V dans celui du réseau de transport. La donnée manquante pour établir l'importance du danger auquel on s'expose en manipulant une source de tension donnée est donc la résistance du corps humain. Celle-ci n'est malheureusement pas simple à évaluer. Généralement, le contact avec la source se fait par l'intermédiaire de la peau. D'un bout à l'autre du corps, à divers points de contact sur la peau, notre résistance varie de $10^4$ à $10^6$ Ω. À une tension de 120 V, on ne s'expose donc qu'à un courant de quelques mA. Rappelons que de tels courants provoquent une douleur sensible et que, dès qu'on atteint les 10 mA, d'importantes contractions musculaires peuvent survenir. Ainsi, à première vue, on risque de se tirer d'affaire à la suite d'un contact accidentel avec la plus faible des tensions auxquelles nous sommes exposés. Malheureusement, du seul fait de la transpiration, notre peau est rarement complètement sèche. Or, la résistance de la peau humide chute aux environs de $10^3$ Ω. Cela provoque une augmentation notable du courant, laquelle s'accompagne de brûlures qui ont tôt fait de briser la barrière naturelle que constitue la peau. Une fois en contact avec *l'intérieur* du corps, le courant ne rencontre plus qu'une résistance de quelques dizaines d'ohms en raison de la faible résistivité de la solution ionique qui irrigue le corps. Pire, au fur et à mesure que de forts courants y circulent, les membranes des cellules se rompent et rendent le corps encore plus conducteur.

De toute évidence, le corps humain est très vulnérable aux courants électriques. Il est clair que la prudence et le respect des règles de sécurité s'imposent dès qu'on manipule une source de courant électrique.

## Résumé

Une source de f.é.m. convertit une certaine forme d'énergie en énergie électrique. La *f.é.m.* est définie comme le travail effectué par unité de charge lors du déplacement des charges dans une boucle fermée :

$$\mathscr{E} = \frac{W_{\text{né}}}{q}$$

L'indice « né » signifie que le travail est effectué par un agent non électrostatique. Lorsqu'une source de f.é.m. produit un courant $I$, la différence de potentiel entre ses bornes est

$$\Delta V = \mathscr{E} - rI$$

$r$ étant la résistance interne de la source. Si la pile est en train de se recharger, $\Delta V = \mathscr{E} + rI$. On voit facilement que $\Delta V = \mathscr{E}$ si $I = 0$ ou si $r = 0$. On peut donc mesurer la f.é.m. d'une source à l'aide de la différence de potentiel en « circuit ouvert ».

Les résistances peuvent être reliées en série ou en parallèle. Dans chaque cas, la résistance équivalente est

(en série) $$R_{\text{éq}} = R_1 + R_2 + \ldots + R_N$$

(en parallèle) $$\frac{1}{R_{\text{éq}}} = \frac{1}{R_1} + \frac{1}{R_2} + \ldots + \frac{1}{R_N}$$

Il y a deux lois de Kirchhoff :

(loi des nœuds de Kirchhoff) $$\sum I = 0$$

En un nœud du circuit, la somme algébrique des courants est nulle, ou encore, le courant pénétrant dans un nœud doit être égal au courant qui en sort. La loi des nœuds est un exemple de la conservation de la charge.

(loi des mailles de Kirchhoff) $$\sum \Delta V = 0$$

La somme algébrique des *variations* de potentiel aux bornes des éléments le long d'une maille fermée est nulle.

Il ne faut pas oublier que le courant circule dans le sens du potentiel décroissant. Lorsqu'on parcourt une résistance dans le sens du courant, la variation de potentiel est donc négative. Elle est positive si l'on parcourt la résistance dans le sens contraire au courant. Lorsqu'on traverse une source de f.é.m., le signe de la variation *ne dépend pas* du sens du courant. La loi des mailles est un exemple de la conservation de l'énergie.

Une résistance détermine le taux de charge ou de décharge d'un condensateur. Pour une constante de temps $\tau = RC$, les équations des circuits de décharge et de charge sont les suivantes :

(décharge) $Q = Q_0 e^{-t/\tau}$ ; $I = I_0 e^{-t/\tau}$ ; $\Delta V_{\text{C}} = \Delta V_{\text{R}}$

(charge) $Q = Q_0(1 - e^{-t/\tau})$ $I = I_0 e^{-t/\tau}$ ; $\Delta V_{\text{C}} + \Delta V_{\text{R}} = \mathscr{E}$

La demi-vie $T_{1/2}$ de la charge et de la décharge s'exprime par $T_{1/2} = RC \ln 2$.

## Termes importants

**ampèremètre**
**branche**
**constante de temps**
**demi-vie**
**f.é.m. (force électromotrice)**
**loi des mailles de Kirchhoff**
**loi des nœuds de Kirchhoff**
**maille**
**nœud**
**ohmmètre**
**pile réelle**
**voltmètre**

## Révision

**R1.** Vrai ou faux ? Dans un circuit simple constitué d'une pile et d'une résistance, le courant est plus élevé avant le passage de la résistance et il chute après.

**R2.** Décrivez le fonctionnement d'une cellule plomb-acide munie d'une électrode de plomb et d'une autre de dioxyde de plomb ($PbO_2$) plongées dans une solution aqueuse d'acide sulfurique ($H_2SO_4$).

**R3.** Si on branche une résistance variable $R$ aux bornes d'une pile réelle et qu'on diminue progressivement la résistance, est-ce que $\Delta V$ va augmenter ou diminuer ? Expliquez pourquoi.

**R4.** Soit deux résistances en série. Vrai ou faux : (i) le courant dans chacune des résistances est toujours le même ; (ii) la différence de potentiel aux bornes de chacune des résistances est toujours la même.

**R5.** Soit deux résistances en parallèle. Vrai ou faux : (i) le courant dans chacune des résistances est toujours le même ; (ii) la différence de potentiel aux bornes de chacune des résistances est toujours la même.

**R6.** Énoncez les règles à suivre pour redessiner un circuit.

**R7.** Soit le circuit suivant :

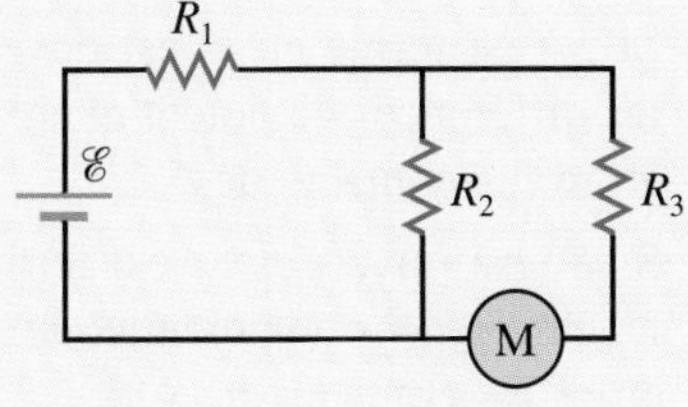


D'après l'endroit où le multimètre M est placé, il ne devrait qu'être dans *un* des modes ampèremètre, voltmètre ou ohmmètre ; lequel ? (b) À quoi correspond la valeur lue au multimètre dans ce cas ? (c) Expliquez ce qui se passe si on règle le multimètre dans chacun des deux modes qui ne sont *pas* adéquats.

**R8.** Dans le circuit illustré à R7, montrez comment vous devez brancher le multimètre pour mesurer (a) la différence de potentiel aux bornes de $R_1$, (b) le courant qui traverse $R_1$, (c) la valeur de la résistance $R_1$.

**R9.** Énoncez les règles à appliquer pour déterminer les signes des $\Delta V$ dans la loi des mailles.

**R10.** Vrai ou faux ? Dans la méthode globale de Kirchhoff, il y a en général autant d'inconnues que de nœuds.

**R11.** Vrai ou faux ? La valeur du temps de demi-vie est la même, qu'il s'agisse de la charge ou de la décharge d'un condensateur.

**R12.** Vrai ou faux ? L'expression donnant la valeur du courant en fonction du temps est la même, qu'il s'agisse de la charge ou de la décharge d'un condensateur.

**R13.** Expliquez pourquoi la différence de potentiel aux bornes d'un condensateur qui se charge varie plus rapidement au début du processus qu'à la fin.

## Questions

**Q1.** Lorsqu'elles fonctionnent séparément, deux ampoules ont respectivement une puissance de 25 W et 100 W. Quelle ampoule est la plus proche de sa luminosité normale lorsqu'elles sont reliées en série ?

**Q2.** À quoi sert un fusible ? Sa fonction dans un circuit de câblage domestique est-elle différente de celle qu'il a dans un circuit électronique ou de haut-parleur ?

**Q3.** (a) La loi des mailles de Kirchhoff serait-elle valable si le tracé de la maille traversait une couche d'air ? (b) D'après votre réponse, quelle conclusion pouvez-vous tirer concernant le champ électrique dans l'espace entourant un circuit ?

**Q4.** Soit deux résistances, $R_1$ et $R_2$, avec $R_2 > R_1$. Pour une pile de différence de potentiel donnée, dans quelle résistance la puissance dissipée est-elle la plus grande lorsqu'elles sont reliées : (a) en série ; (b) en parallèle ?

**Q5.** (a) Expliquez la différence entre une pile réelle et une différence de potentiel. (b) Toutes les différences de potentiel sont-elles créées par des piles réelles ? Expliquez.

**Q6.** Huit piles de type D reliées en série donnent une différence de potentiel de 12 V. Ce montage peut-il être utilisé pour faire démarrer une automobile ? Justifiez votre réponse.

**Q7.** La figure 7.35 représente deux résistances reliées à une source de f.é.m. Initialement, les interrupteurs $S_2$ et $S_3$ sont ouverts. Comment varie le courant circulant dans $R_1$ lorsque : (a) $S_2$ est fermé, $S_3$ est ouvert ; (b) $S_3$ est fermé, $S_2$ est ouvert ?

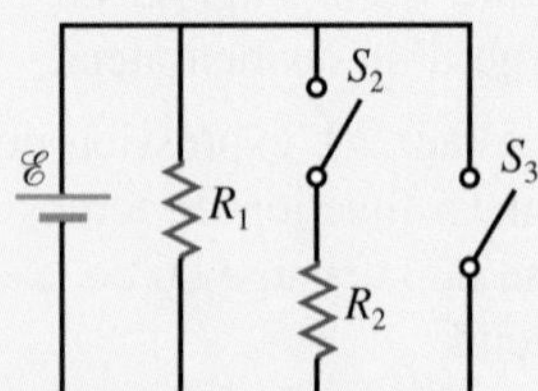


***Figure 7.35***

Question 7.

**Q8.** Reprenez la question 7 pour le circuit représenté à la figure 7.36.

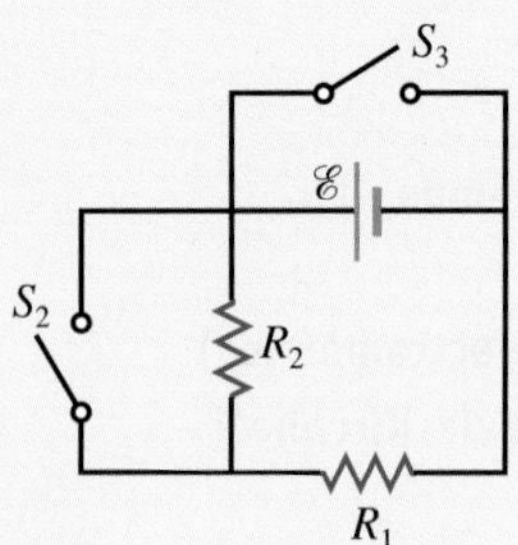


***Figure 7.36***

Question 8.

**Q9.** Une pile réelle de f.é.m. ℰ et de résistance interne $r$ est reliée à deux résistances (figure 7.37).

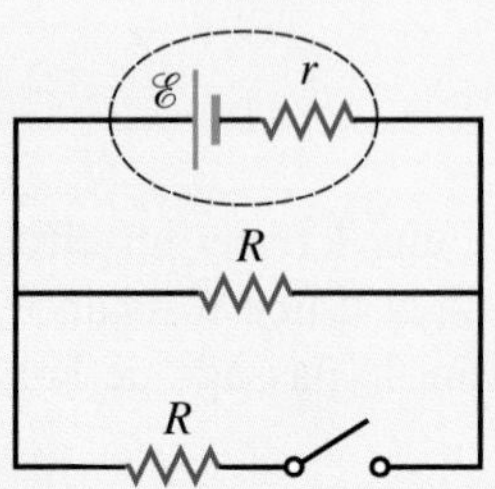


***Figure 7.37***

Question 9.

L'interrupteur est initialement ouvert. Lorsque l'interrupteur est fermé, la différence de potentiel aux bornes de la pile réelle augmente-t-elle ou diminue-t-elle ?

**Q10.** Décrivez comment vous pouvez mesurer la résistance interne d'une pile.

**Q11.** Le circuit de la figure 7.38 est composé d'une source idéale de f.é.m., d'une résistance et de deux interrupteurs.

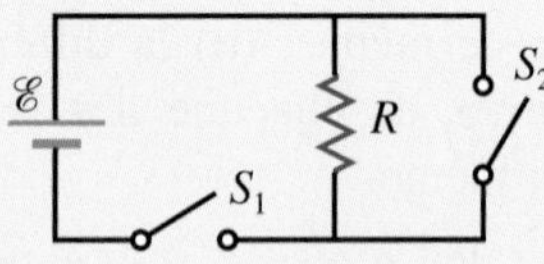


***Figure 7.38***

Question 11.

(a) Si $S_1$ est fermé et $S_2$ est ouvert, quelles sont les différences de potentiel aux bornes de $R$ et entre les contacts de $S_2$ ?

(b) Si $S_1$ est ouvert et $S_2$ est fermé, quelles sont les différences de potentiel aux bornes de $R$ et entre les contacts de $S_1$ ?

(c) Si $S_1$ et $S_2$ sont tous les deux fermés, quelle est la différence de potentiel aux bornes de $R$ ?

(d) Si $S_1$ et $S_2$ sont tous les deux ouverts, quelles sont les différences de potentiel aux bornes de $R$ et entre les contacts de $S_1$ et $S_2$ ?

**Q12.** Quels sont les avantages du pont de Wheatstone par rapport à d'autres méthodes de mesure de la résistance ? Quels sont les facteurs qui influent sur la précision ?

**Q13.** Comment pouvez-vous modifier le potentiomètre pour mesurer des f.é.m. très inférieures à $\mathscr{E}_s$, qui est la f.é.m. de la source étalon ?

**Q14.** On suppose que les circuits de la figure 7.39 ont atteint le régime permanent. On donne $\mathscr{E} = 10$ V, $R_1 = 5\ \Omega$, $R_2 = 10\ \Omega$ et $C = 40\ \mu$F. Quelle est la différence de potentiel aux bornes des résistances et du condensateur (a) pour la figure 7.39*a* ; (b) pour la figure 7.39*b* ?

**Q15.** Les circuits de la figure 7.40 ont atteint le régime permanent. Trouvez la différence de potentiel aux bornes de chaque résistance et de chaque condensateur pour (a) la figure 7.40*a* ; (b) la figure 7.40*b*. On donne $\mathscr{E} = 12$ V, $R_1 = 2\ \Omega$, $R_2 = 3\ \Omega$, $C_1 = 6\ \mu$F et $C_2 = 3\ \mu$F.

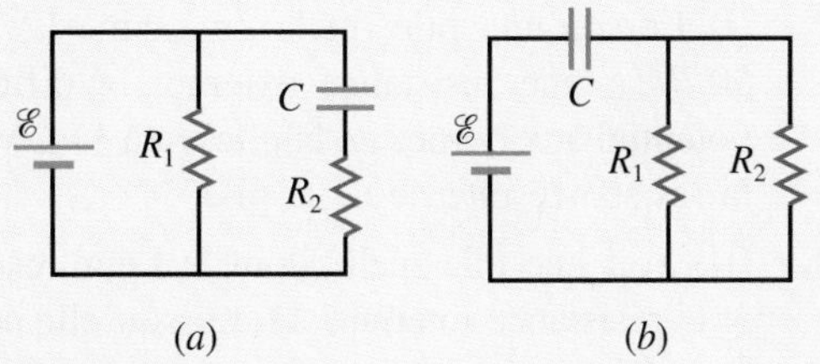


***Figure 7.39***

Question 14.

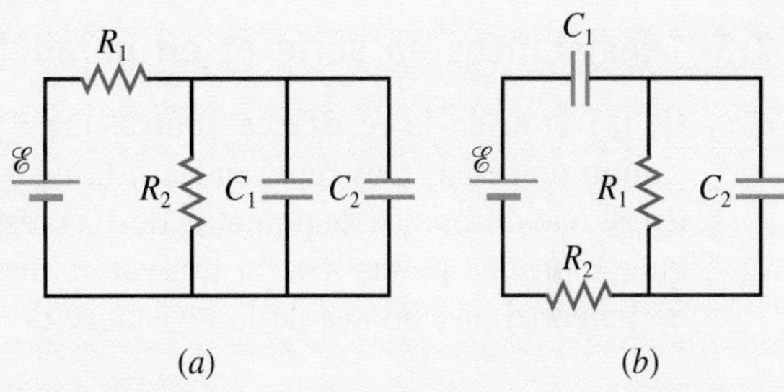


***Figure 7.40***

Question 15.

# Exercices

## 7.1 F.é.m.

**E1.** (I) Une pile réelle a une f.é.m. $\mathscr{E}$ et une résistance interne $r$. Elle est reliée à une résistance externe $R$. Lorsque $R = 4\ \Omega$, la différence de potentiel aux bornes de la pile est de 9,5 V, et si $R = 6\ \Omega$, elle est de 10 V. Trouvez $\mathscr{E}$ et $r$.

**E2.** (I) La différence de potentiel aux bornes d'une batterie d'automobile est de 12,4 V lorsqu'elle n'est pas reliée à un circuit. Cette différence de potentiel chute à 11,2 V lorsque la pile est branchée au moteur du démarreur et que l'ensemble est parcouru d'un courant de 80 A. Quelle est la résistance interne de la batterie ?

**E3.** (I) Une pile réelle est reliée aux bornes d'une résistance externe variable $R$. Lorsque le courant est égal à 6 A, la différence de potentiel aux bornes de la pile réelle vaut 8,4 V. Lorsque le courant vaut 8 A, cette différence de potentiel est de 7,2 V. Trouvez la f.é.m. et la résistance interne de la pile réelle.

**E4.** (I) Une source de f.é.m. idéale est reliée à une résistance externe. Lorsqu'on insère une autre résistance de 2 Ω en série avec la première, le courant chute de 8 A à 6 A. Trouvez la valeur de la résistance et la f.é.m. de la pile.

**E5.** (I) Une pile réelle de 16 V fournit 50 W à une résistance externe de 4 Ω. (a) Trouvez la résistance interne de la pile. (b) Pour quelle valeur de la résistance externe la puissance fournie serait-elle de 100 W ?

**E6.** (I) Une pile de 12,4 V dont la résistance interne vaut 0,05 Ω est chargée par une source de f.é.m. externe idéale de 14,2 V. Trouvez : (a) le taux de dissipation thermique du circuit ; (b) le taux auquel l'énergie électrique est convertie en énergie chimique dans la pile.

**E7.** (I) Lorsqu'une pile réelle de f.é.m. 12 V fournit 50 W à une résistance externe, la différence de potentiel aux bornes de la pile est à 11,2 V. Trouvez la résistance interne de la pile.

**E8.** (II) Soit une pile réelle dont la f.é.m. est de 10 V et la résistance interne 1 Ω. Lorsqu'elle est reliée à une résistance externe $R$, la puissance dissipée dans $R$ est $P$. Trouvez $R$, la valeur de la résistance externe si, lorsqu'elle augmente de 50 %, la puissance dissipée (a) augmente de 25 % ; (b) diminue de 25 %.

## 7.2 Résistances en série et en parallèle

**E9.** (I) (a) Trouvez la résistance équivalente à l'association de résistances représentée à la figure 7.41. (b) Si une différence de potentiel de 10 V est appliquée entre les points a et b, trouvez la différence de potentiel aux bornes de la résistance de 4 Ω.

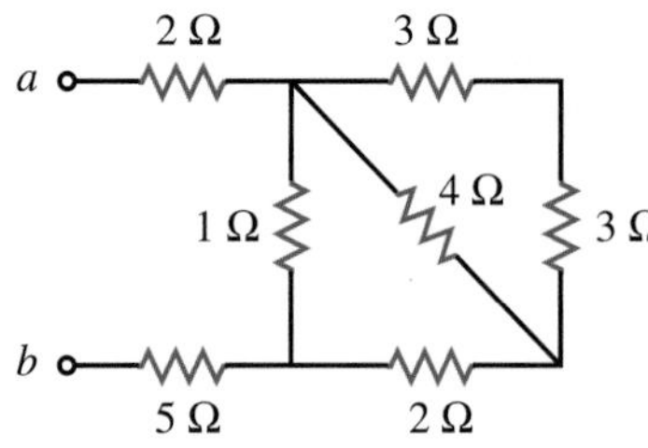


***Figure 7.41***

Exercice 9.

**E10.** (I) La résistance équivalente à l'association représentée à la figure 7.42 est égale à 16 Ω. Que vaut $R$ ?

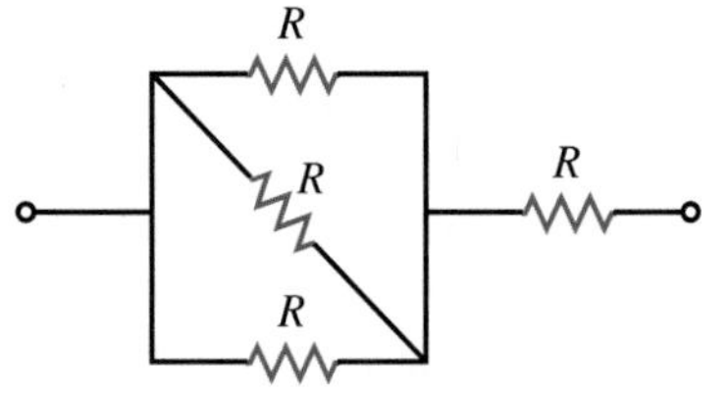


***Figure 7.42***

Exercice 10.

**E11.** (I) On donne trois résistances de valeur 2 Ω, 3 Ω et 4 Ω ; combien de résistances équivalentes différentes peut-on produire avec ces résistances ? Indiquez les valeurs.

**E12.** (I) Indiquez deux manières d'associer quatre résistances égales de valeur $R$ pour obtenir une résistance équivalente $R$.

**E13.** (I) On veut produire les valeurs entières de résistance allant de 1 Ω à 10 Ω par l'association d'un nombre minimal de résistances identiques. Combien de résistances sont nécessaires et quelle valeur prend chacune d'elles ? La solution au problème est-elle unique ?

**E14.** (I) Pour des raisons liées à sa géométrie et au matériau qui la constitue, et pour éviter qu'elle ne « grille », on fixe la valeur maximale du courant pouvant traverser une résistance, ce qui détermine sa puissance maximale. Étant donné trois résistances de 5 Ω et de puissance maximale 10 W, trouvez la différence de potentiel maximale qui peut être appliquée à l'ensemble si elles sont reliées (a) toutes en série ; (b) comme sur la figure 7.43*a*.

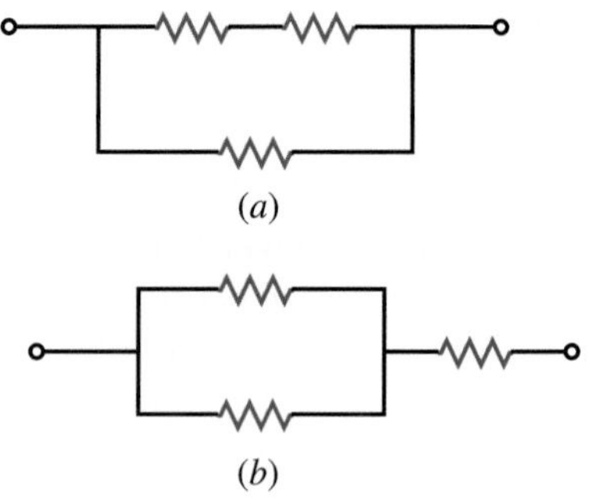


***Figure 7.43***

Exercices 14 et 15.

**E15.** (I) Étant donné trois résistances de 4 Ω de puissance maximale égale à 20 W, trouvez la différence de potentiel maximale qui peut être appliquée à l'ensemble si elles sont reliées (a) toutes en parallèle ; (b) comme sur la figure 7.43*b*.

## 7.4 Lois de Kirchhoff

**E16.** (I) Deux piles réelles sont reliées en parallèle (figure 7.44). On donne $\mathscr{E}_1$ = 1,53 V, $r_1$ = 0,05 Ω, $\mathscr{E}_2$ = 1,48 V et $r_2$ = 0,15 Ω. Trouvez la différence de potentiel entre $a$ et $b$ et le taux de dissipation thermique du circuit.

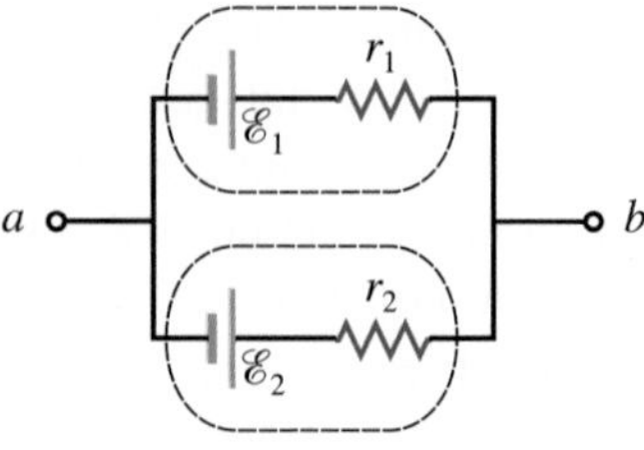


***Figure 7.44***

Exercice 16.

**E17.** (I) Le circuit électrique d'une résidence peut ressembler à celui de la figure 7.45, où l'on affiche la puissance dissipée dans chaque appareil, lorsqu'un courant le traverse. Calculez le courant circulant dans chaque dispositif. (Puisque le courant maximal autorisé pour un fil de cuivre de calibre 14 couramment utilisé dans les câblages domestiques est égal à 15 A, le radiateur devrait être dans un circuit séparé.)

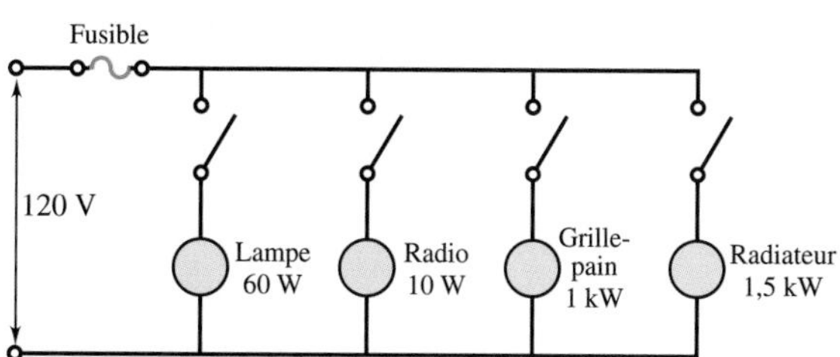


**Figure 7.45**

Exercice 17.

**E18.** (I) Le courant circulant dans l'ampèremètre de la figure 7.46 est égal à 2 A. Trouvez : (a) $R_2$ ; (b) la puissance dissipée dans $R_1$ et $R_2$ ; (c) la différence de potentiel aux bornes de chaque pile réelle ; (d) la puissance fournie par chaque pile. On donne $\mathscr{E}_1 = 12$ V, $\mathscr{E}_2 = 6$ V, $R_1 = 3\ \Omega$, $r_1 = r_2 = 1\ \Omega$.

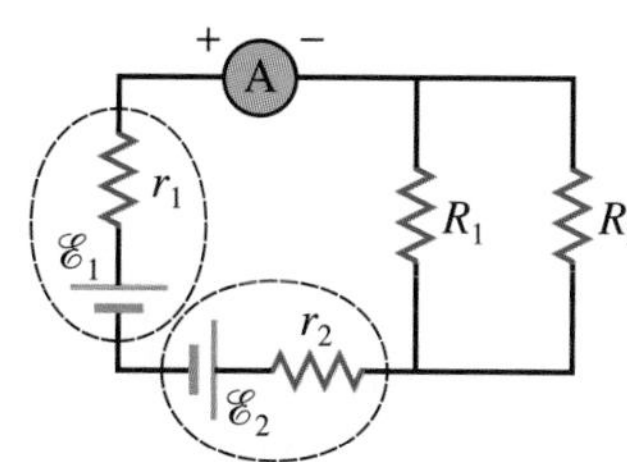


**Figure 7.46**

Exercice 18.

**E19.** (I) Deux f.é.m. idéales sont reliées en série avec deux résistances (figure 7.47). Trouvez : (a) le courant dans le circuit ; (b) la puissance dissipée dans chaque résistance ; (c) la puissance fournie par chaque pile. On donne $\mathscr{E}_1 = 9$ V, $\mathscr{E}_2 = 6$ V.

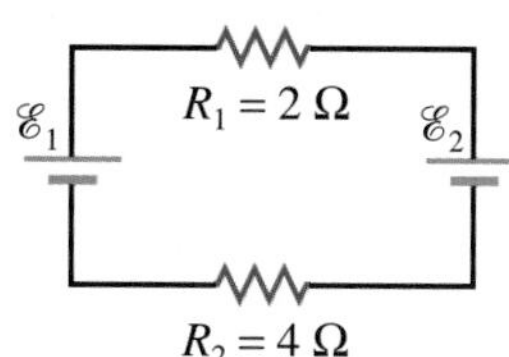


**Figure 7.47**

Exercice 19.

**E20.** (I) Dans le circuit représenté à la figure 7.48, l'un des points est relié à la terre. (a) Quel est le potentiel au point $P$ ? (b) Quelle est la différence de potentiel aux bornes de chaque pile réelle ? (c) Trouvez la puissance dissipée dans $R$. On donne $\mathscr{E}_1 = 5$ V, $\mathscr{E}_2 = 9{,}5$ V, $r_1 = 1\ \Omega$, $r_2 = 2\ \Omega$, $R = 1{,}5\ \Omega$.

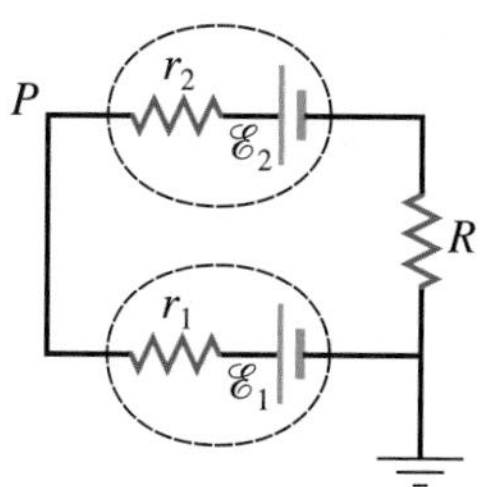


**Figure 7.48**

Exercice 20.

**E21.** (I) Une f.é.m. idéale est reliée à trois résistances (figure 7.49). Trouvez le courant dans chaque résistance.

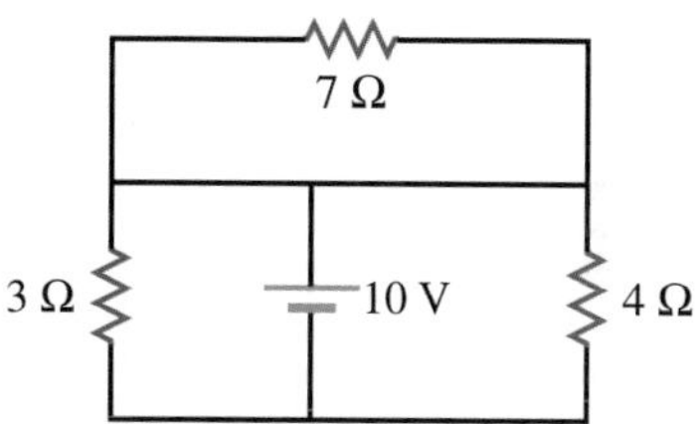


**Figure 7.49**

Exercice 21.

**E22.** (II) Dans le circuit de la figure 7.50, l'ampèremètre indique 2 A et le voltmètre indique 4 V. Trouvez la f.é.m. $\mathscr{E}$ et la résistance $R$.

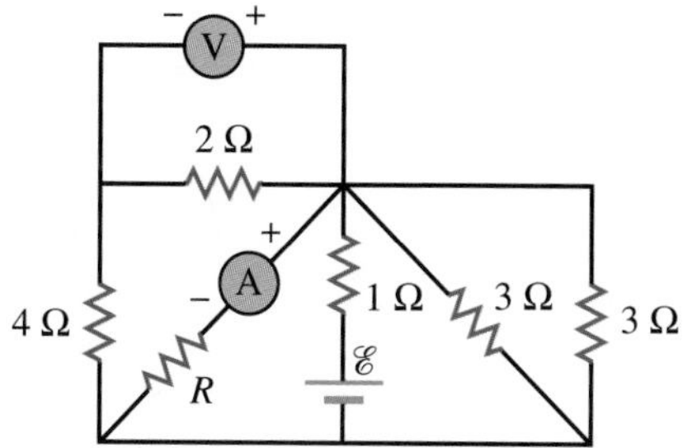


**Figure 7.50**

Exercice 22.

**E23.** (II) Deux piles de même f.é.m. $\mathscr{E}$ et de résistance interne $r$ sont en parallèle avec une résistance $R$. Pour quelle valeur de $R$ la dissipation thermique dans les résistances est-elle maximale ?

**E24.** (II) Une différence de potentiel est appliquée aux bornes des résistances $R_1$ et $R_2$ de la figure 7.51. $R_C$ est une résistance de « charge ». Pour quelle valeur de $R_C$ la puissance dissipée dans $R_C$ est-elle maximale ?

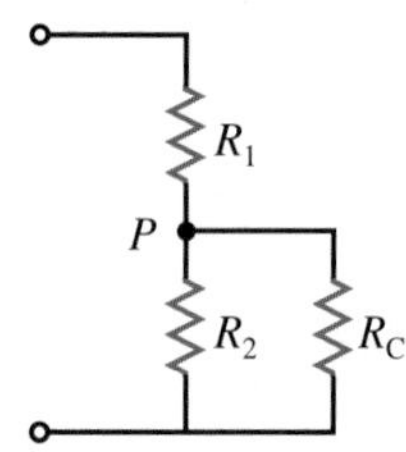


***Figure 7.51***

Exercices 24 et 48.

**E25.** (II) Pour le circuit représenté à la figure 7.52, trouvez : (a) le courant et la différence de potentiel pour chaque résistance ; (b) la variation de potentiel $V_A - V_B$. (Les directions données aux courants dans la figure sont arbitraires.)

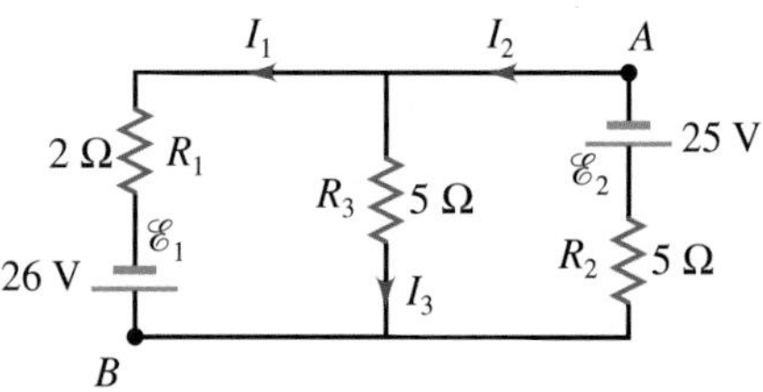


***Figure 7.52***

Exercice 25.

**E26.** (II) Pour le circuit représenté à la figure 7.53, trouvez le courant et la différence de potentiel pour chaque résistance. On donne $R_1 = R_2 = 2\ \Omega$, $R_3 = 3\ \Omega$, $\mathscr{E}_1 = 12$ V, $\mathscr{E}_2 = 8$ V et $\mathscr{E}_3 = 6$ V.

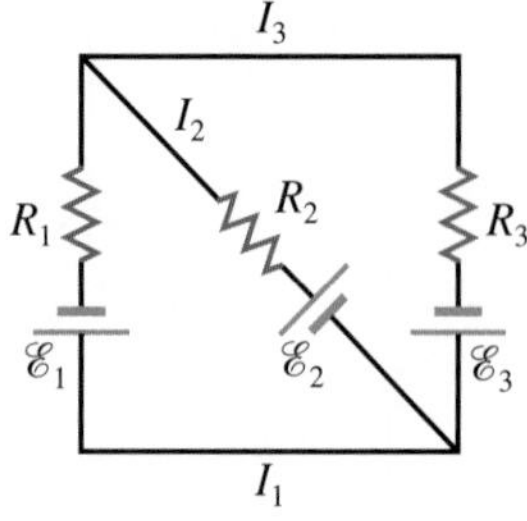


***Figure 7.53***

Exercices 26 et 27.

**E27.** (II) Pour le circuit représenté à la figure 7.53, trouvez le courant et la différence de potentiel pour chaque résistance. On donne : $R_1 = 4\ \Omega$, $R_2 = R_3 = 3\ \Omega$, $\mathscr{E}_1 = 12$ V, $\mathscr{E}_2 = 7$ V et $\mathscr{E}_3 = 5$ V.

**E28.** (II) Pour le circuit de la figure 7.54, trouvez les courants dans les trois branches. Quelle est la variation de potentiel $V_A - V_B$ ?

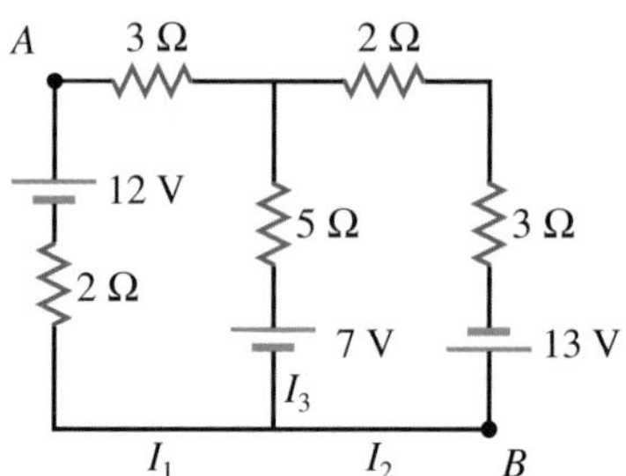


***Figure 7.54***

Exercice 28.

**E29.** (II) Dans le circuit de la figure 7.55, l'ampèremètre indique 6,0 A et le voltmètre 14 V. Trouvez la f.é.m. $\mathscr{E}$ et la résistance $R$.

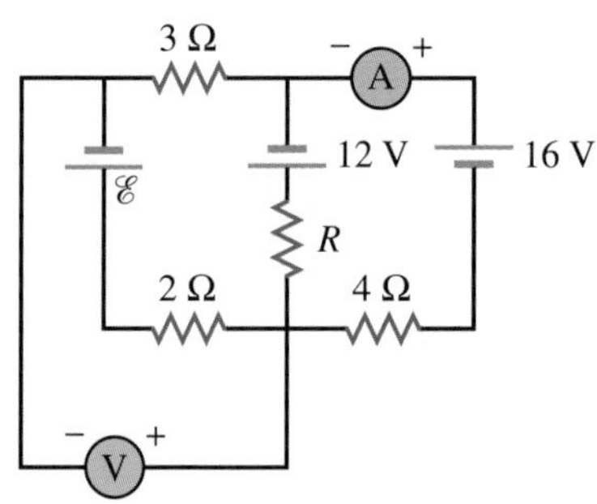


***Figure 7.55***

Exercice 29.

**E30.** (II) Quelles sont les valeurs indiquées par l'ampèremètre et le voltmètre de la figure 7.56 lorsque (a) l'interrupteur est ouvert ; (b) l'interrupteur est fermé ?

**E31.** (II) Lorsque deux résistances $R_1$ et $R_2$ sont reliées en parallèle, elles dissipent quatre fois la puissance qu'elles dissiperaient si elles étaient en série avec la même source idéale de f.é.m. Si $R_1 = 3\ \Omega$, trouvez $R_2$.

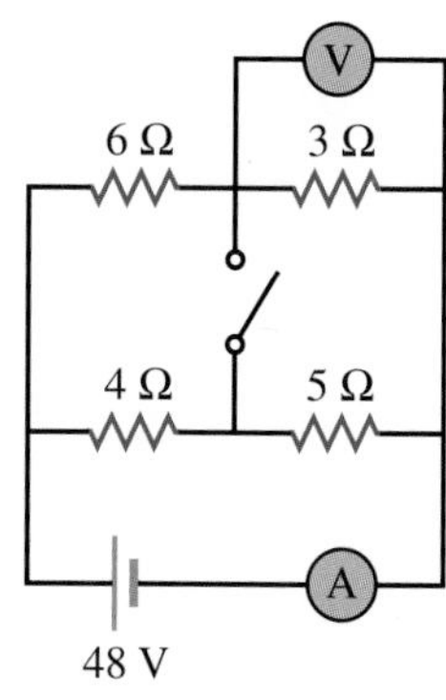


**Figure 7.56**

Exercice 30.

**E32.** (I) On considère les résistances de la figure 7.57. Le montage qu'elles forment n'est ni en série ni en parallèle. (a) Lorsqu'une différence de potentiel $\Delta V$ est appliquée aux bornes du montage, quelle est la différence de potentiel aux bornes de chaque résistance ? (b) Quelle est la résistance équivalente du montage ?

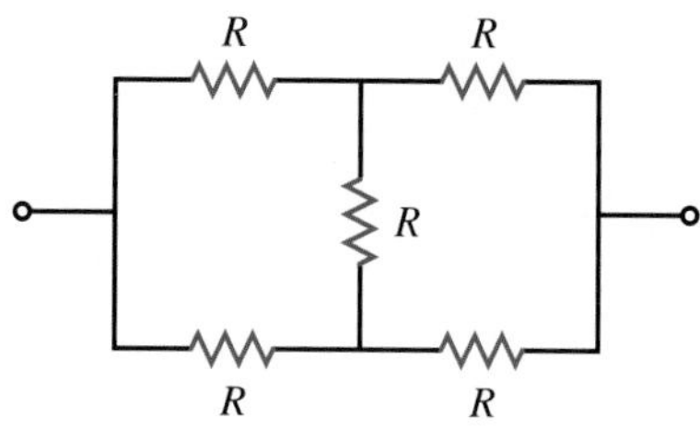


**Figure 7.57**

Exercice 32.

**E33.** (II) Dans le circuit de la figure 7.58, (a) quelle f.é.m. idéale va fournir 6 W à $R_3$ ? (b) Évaluer la puissance thermique des autres résistances. On donne $R_1 = 2\ \Omega$, $R_2 = 4\ \Omega$, $R_3 = 2\ \Omega$.

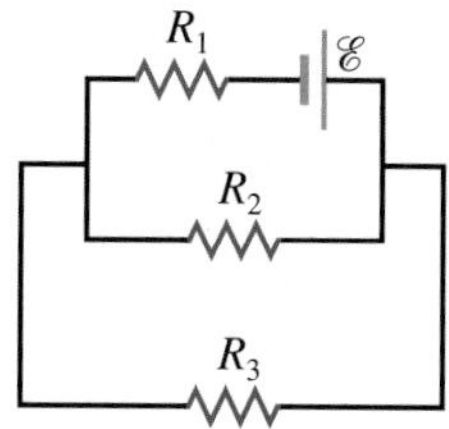


**Figure 7.58**

Exercice 33.

**E34.** (I) Dans le circuit représenté à la figure 7.59, déterminez : (a) les valeurs des f.é.m. ; (b) la variation de potentiel $V_b - V_a$.

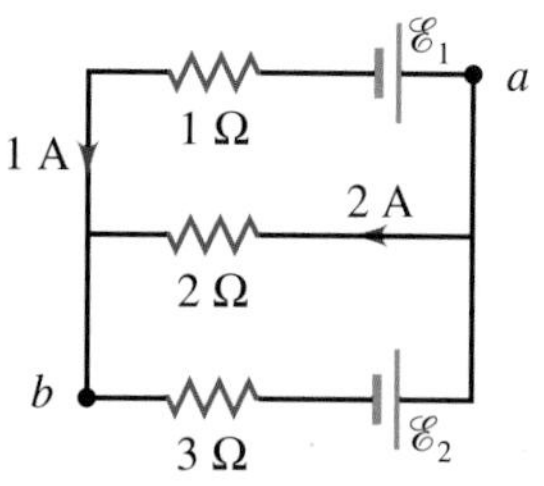


**Figure 7.59**

Exercice 34.

## 7.5 Circuits *RC*

**E35.** (I) Un condensateur de capacité 0,01 μF est relié en parallèle avec une f.é.m. idéale et une résistance. Lorsqu'on débranche la pile, la charge du condensateur chute à 25 % de sa valeur initiale en 2 ms. Quelle est la valeur de la résistance ?

**E36.** (I) Quelle est la constante de temps pour l'association représentée à la figure 7.60 ?

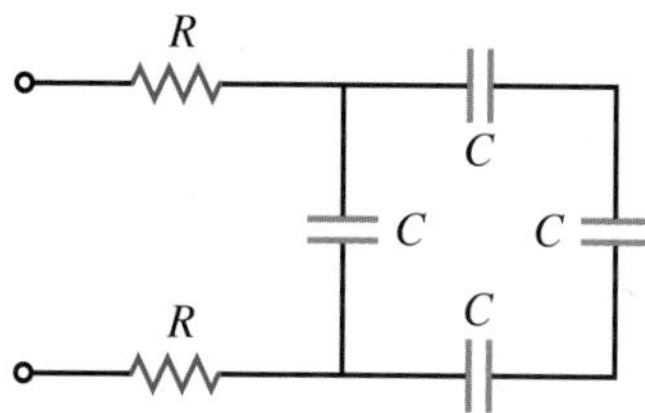


**Figure 7.60**

Exercice 36.

**E37.** (I) Dans un circuit *RC*, on donne $R = 10^4\ \Omega$. Si la charge sur $C$ augmente de 0 à 90 % de sa valeur finale en 2 s, trouvez la valeur de $C$.

**E38.** (I) Dans un circuit *RC* (figure 7.25), $\mathscr{E} = 200$ V, $R = 2 \times 10^5\ \Omega$, $C = 50\ \mu$F et $Q = 0$ à $t = 0$. Trouvez : (a) la différence de potentiel aux bornes de $C$ après une constante de temps ; (b) la différence de potentiel aux bornes de $R$ après une constante de temps ; (c) l'énergie emmagasinée dans $C$ au bout de 5 s ; (d) la puissance dissipée dans $R$ à 5 s.

**E39.** (II) Dans un circuit *RC* (figure 7.23), on donne $R = 2{,}5 \times 10^4\ \Omega$ et $C = 40\ \mu$F. La différence de potentiel initiale aux bornes de $C$ est égale à 25 V. Trouvez : (a) la charge sur $C$ et le courant circulant dans $R$ après une constante de temps ; (b) l'énergie emmagasinée dans $C$ après une constante de temps ; (c) le taux de dissipation thermique dans $R$ à 0,5 s ; (d) le taux de perte d'énergie de $C$ à 0,5 s.

**E40.** (II) (a) À l'instant initial, quel est le taux d'augmentation de la charge sur un condensateur $C$ comme celui de la figure 7.25, sachant que $Q = 0$ à $t = 0$ ? (b) Si ce taux était constant, combien de temps faudrait-il à $C$ pour atteindre sa charge maximale ?

**E41.** (II) Dans un circuit $RC$ (figure 7.23), le courant chute à 10 % de la valeur initiale en 5 s. (a) Combien de temps met-il pour chuter à 50 % ? (b) Exprimez le courant circulant à 10 s sous forme d'un pourcentage du courant initial.

**E42.** (I) L'espace entre les plaques d'un condensateur est rempli d'air et sa capacité est de 250 pF. Il est en série avec une résistance de $2 \times 10^6\ \Omega$ et une pile. On remplit l'espace entre les armatures avec un matériau de constante diélectrique $\kappa$. Lorsqu'on ferme l'interrupteur, le courant chute à 5 % de sa valeur initiale en 0,02 s. Quelle est la constante diélectrique ? (On suppose qu'il n'y a pas de fuites de courant dans le matériau.)

**E43.** (II) Le circuit de la figure 7.61 comprend un condensateur. (a) Quel est le courant dans chaque résistance lorsque le régime permanent s'est établi ? (b) Quelle est la charge du condensateur ?

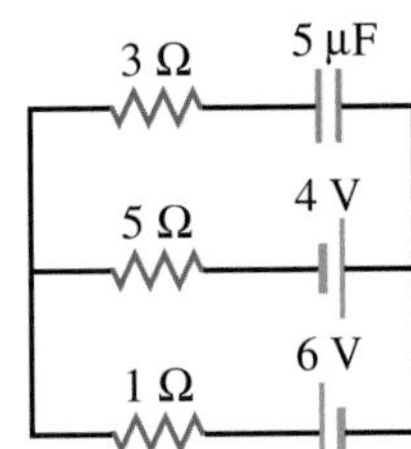


***Figure 7.61***

Exercice 43.

## 7.6 L'utilisation du galvanomètre

**E44.** (I) Un multimètre est calibré à 20 000 Ω/V. (a) Quel est le courant nécessaire pour produire la déviation maximale de l'aiguille ? (b) Quelle est la résistance effective de l'instrument lorsqu'il est utilisé comme voltmètre sur l'échelle de 50 V ?

**E45.** (I) Un galvanomètre a une résistance interne de 50 Ω et la déviation maximale de l'aiguille correspond à 1 mA. Quelles sont les résistances en série nécessaires pour qu'il puisse être utilisé dans le montage de la figure 7.62 comme voltmètre avec différentes échelles ? La figure donne la position des résistances en série et la valeur maximale de la différence de potentiel mesurée sur chaque branche.

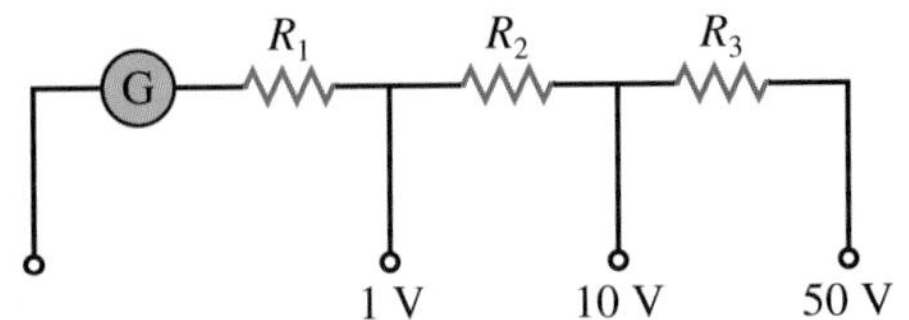


***Figure 7.62***

Exercice 45.

**E46.** (I) Un multimètre est calibré à 20 000 Ω/V. (a) Quel est le courant nécessaire dans le galvanomètre pour produire la déviation maximale de l'aiguille ? Si la résistance du galvanomètre est égale à 40 Ω, trouvez la valeur de la résistance en série ou du shunt pour obtenir une déviation maximale de (b) 250 V ; (c) 5 A.

**E47.** (I) Un galvanomètre a une résistance de 20 Ω et enregistre une déviation maximale de l'aiguille pour un courant de 50 μA. Transformez-le en : (a) un voltmètre mesurant de 0 à 10 V ; (b) un ampèremètre mesurant de 0 à 500 mA.

**E48.** (II) La figure 7.51 représente un « diviseur de tension ». On applique un potentiel $V$ à la borne supérieure du circuit et le potentiel à la borne inférieur est supposé égal à 0 V. Trouvez le potentiel en $P$ pour les valeurs suivantes de la résistance de charge $R_C$ : (a) zéro ; (b) infini ; (c) $R_2$ ; (d) 0,5 $R_2$.

**E49.** (I) Dans le circuit de la figure 7.63*a*, les résistances internes du voltmètre et de l'ampèremètre sont $R_V = 1$ kΩ, $R_A = 0{,}1$ Ω. La résistance $R$ a une valeur de 10 Ω. (a) Quelles sont les vraies valeurs du courant circulant dans la résistance et de la différence de potentiel à ses bornes ? (b) Quelles sont les valeurs du courant et de la différence de potentiel mesurées par les instruments ?

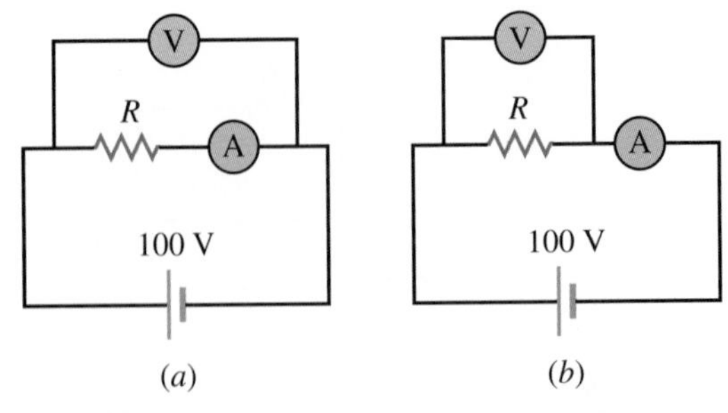


***Figure 7.63***

Exercices 49 et 50.

**E50.** (I) Reprenez l'exercice 49 pour le circuit de la figure 7.63*b*.

## Exercices supplémentaires

### 7.1 F.é.m.

**E51.** (I) La différence de potentiel mesurée aux bornes d'une pile réelle de résistance interne 0,2 Ω est de 11,4 V lorsqu'elle est branchée à une résistance de 2,3 Ω. Trouvez la f.é.m. de la pile.

### 7.2 Résistances en série et en parallèle

**E52.** (I) Lorsqu'une résistance $R$ est branchée à une f.é.m. idéale, le courant traversant le circuit est de 1,4 A. Si une résistance de 2 Ω est branchée en parallèle avec la résistance $R$, le courant traversant la f.é.m. monte à 1,82 A. Trouvez $R$.

**E53.** (I) Deux résistances ont une résistance équivalente à 8,0 Ω lorsqu'elles sont branchées en série et à 1,5 Ω lorsqu'elles sont en parallèle. Déterminez leur valeur individuelle.

### 7.4 Lois de Kirchhoff

**E54.** (II) À la figure 7.64, déterminez $R$, sachant que le courant qui la traverse est de 0,8 A.

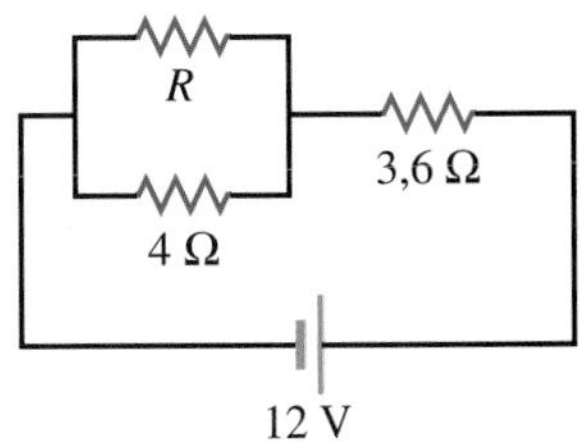


**Figure 7.64**

Exercice 54.

**E55.** (II) Le voltmètre, dans la figure 7.65, indique 1,0 V. Déterminez la valeur de $\mathscr{E}$ si le côté droit du voltmètre est à un potentiel (a) positif ; (b) négatif.

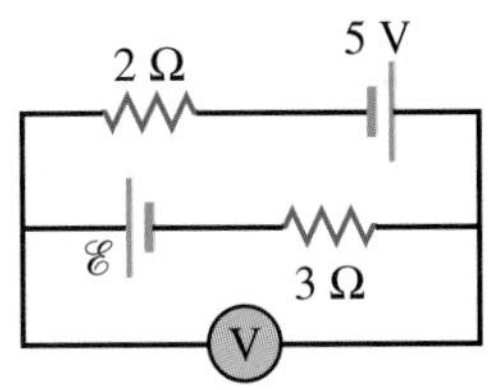


**Figure 7.65**

Exercice 55.

**E56.** (I) Deux résistances, de 2,0 Ω et 5,0 Ω ont, individuellement, une puissance maximale de 10 W. Quelle différence de potentiel peut être appliquée à l'arrangement qu'elles forment lorsqu'elles sont branchées (a) en parallèle ; (b) en série ?

**E57.** (II) À la figure 7.66, les résistances et les f.é.m. idéales sont $R_1 = R_3 = 30$ Ω, $R_2 = 50$ Ω, $\mathscr{E}_1 = 1{,}6$ V et $\mathscr{E}_2 = 6{,}3$ V. Déterminez les trois courants.

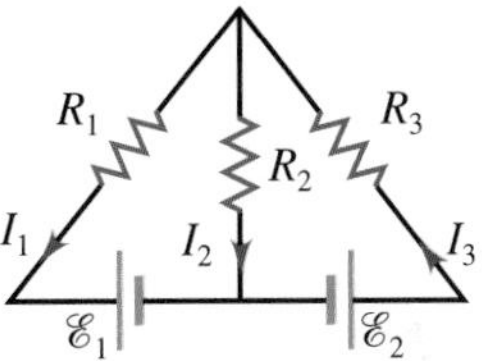


**Figure 7.66**

Exercice 57.

**E58.** (II) Lorsqu'on ferme le commutateur de la figure 7.67, le courant fourni par la f.é.m. idéale augmente d'un facteur 3. Trouvez $R$.

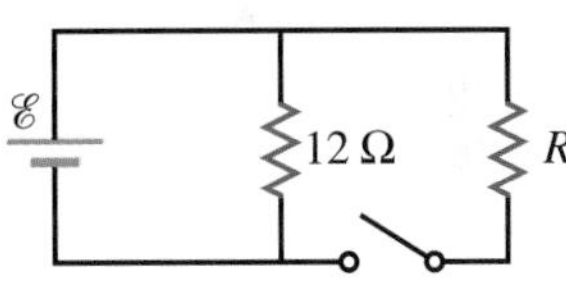


**Figure 7.67**

Exercice 58.

**E59.** (II) Lorsqu'une pile réelle fournit un courant de 0,8 A, la différence de potentiel entre ses bornes est de 1,44 V. Lorsqu'on recharge cette pile en la traversant d'un courant de 0,5 A, la différence de potentiel entre ses bornes est de 1,7 V. Déterminez la f.é.m. et la résistance interne de cette pile.

**E60.** (II) À la figure 7.68, l'ampèremètre mesure 2,0 A et le voltmètre donne 2,0 V. Utilisez ces informations pour trouver la valeur de la résistance inconnue $R$ ainsi que les courants $I_1$ et $I_2$.

**E61.** (I) Un circuit à une maille contient 3 f.é.m. idéales et 4 résistances. Les valeurs des éléments sont indiquées à la figure 7.69. Évaluez (a) la puissance thermique dissipée dans la résistance $R_2$ ; (b) la puissance fournie par la f.é.m. $\mathscr{E}_3$ ; (c) la différence de potentiel $V_a - V_b$.

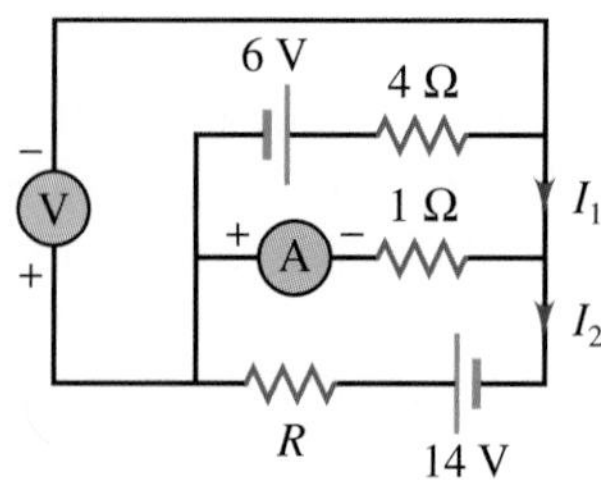


Figure 7.68

Exercice 60.

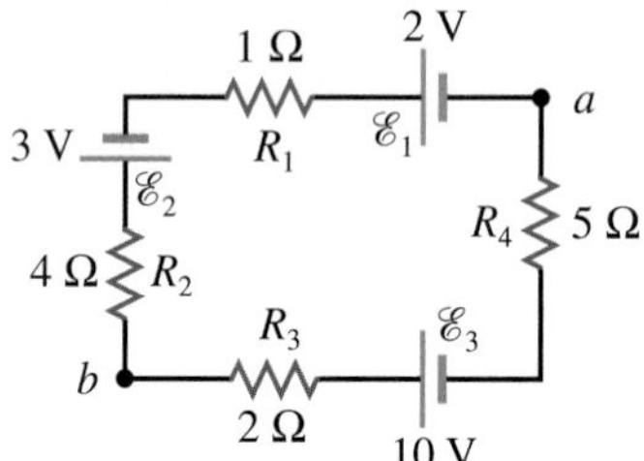


Figure 7.69

Exercice 61.

## 7.5 Circuits *RC*

**E62.** (II) La constante de temps du circuit apparaissant à la figure 7.70 est la même, selon que les deux commutateurs sont fermés ou ouverts. Si $R_1 = 2{,}0 \times 10^5$ Ω, $C_1 = 60$ μF et $C_2 = 20$ μF, trouvez $R_2$.

**E63.** (II) Le commutateur de la figure 7.71 est initialement fermé. (a) Quelle charge possédera le condensateur à l'équilibre ? (b) Si on ouvre le commutateur à l'instant $t = 0$, à quel moment la charge sur le condensateur sera-t-elle réduite à 25 % de sa valeur initiale ?

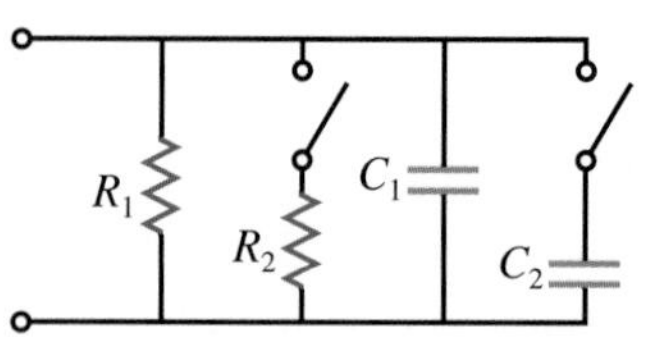


Figure 7.70

Exercice 62.

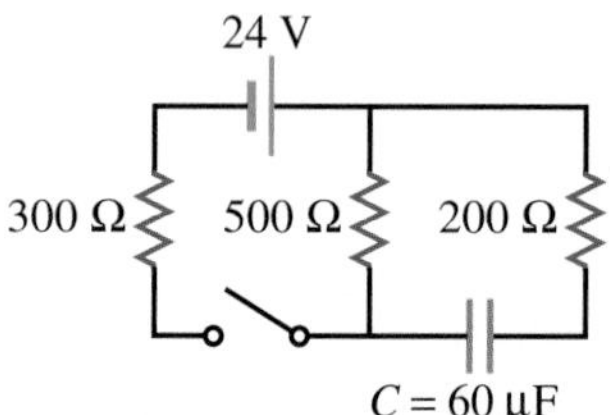


Figure 7.71

Exercice 63.

## 7.6 L'utilisation du galvanomètre

**E64.** (I) Une résistance de 1,0 Ω est branchée à une f.é.m. idéale de 20 V. Quelle valeur maximale doit posséder la résistance interne d'un ampèremètre branché en série à la résistance et à la f.é.m. pour que la mesure effective du courant ne diffère pas de sa valeur réelle de plus de 1 % ?

# Problèmes

**P1.** (I) Un galvanomètre a une résistance interne de 20 Ω et donne une déviation maximale de l'aiguille lorsqu'il est traversé par un courant de 2 mA. Quels sont les shunts nécessaires pour les trois échelles indiquées à la figure 7.72 ? La figure donne la position des shunts et la valeur maximale de courant mesuré sur chaque branche.

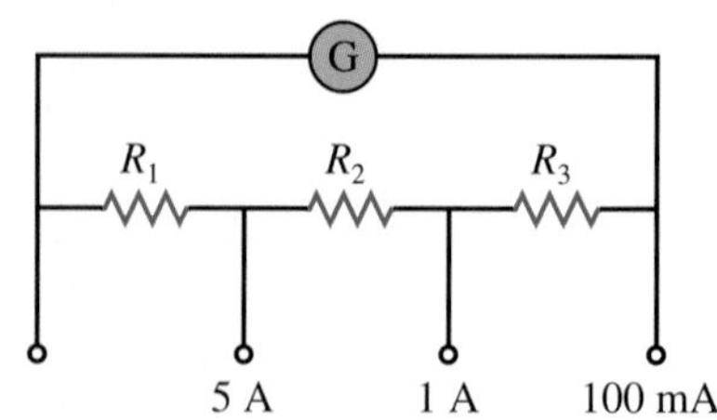


Figure 7.72

Problème 1.

**P2.** (II) Le montage des résistances d'égale valeur représenté à la figure 7.73 se répète indéfiniment. Montrez que la résistance équivalente entre les bornes $a$ et $b$ est $(1 + \sqrt{3})R$. (*Indice* : Le montage étant reproduit indéfiniment, la résistance entre les points $a'$ et $b'$ est la même qu'entre $a$ et $b$).

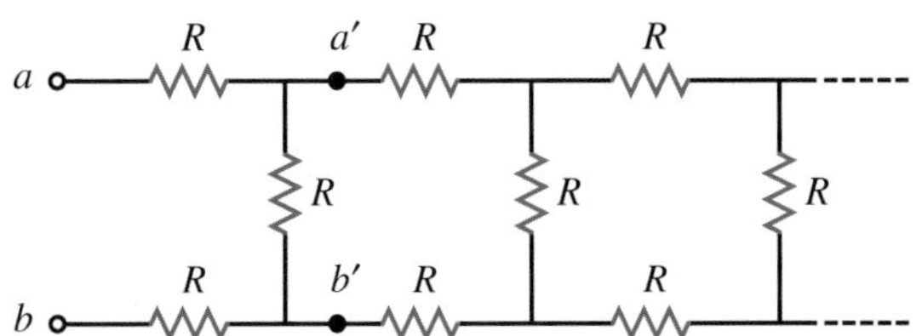


***Figure 7.73***

Problème 2.

**P3.** (II) Soit douze résistances identiques formant un cube (figure 7.74). Trouvez la résistance équivalente entre les points $A$ et $D$. (*Indice* : Numérotez les sommets du cube. Utilisez la symétrie du montage pour trouver les points qui sont au même potentiel et joignez-les. Refaites un tracé du montage en deux dimensions.)

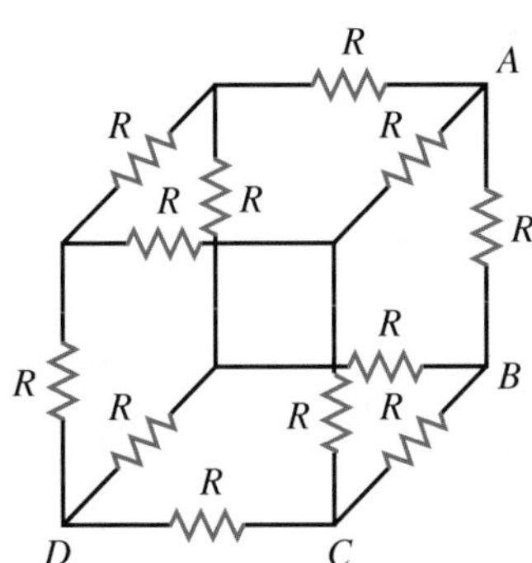


***Figure 7.74***

Problèmes 3 et 4.

**P4.** (II) Reprenez le problème 3 pour les points (a) $A$ et $B$ ; (b) $A$ et $C$.

**P5.** (I) Un condensateur plan est rempli d'un matériau de constante diélectrique $\kappa$. Ce matériau est faiblement conducteur, de sorte qu'on lui attribue une résistivité $\rho$. Montrez que, si le condensateur est chargé et que l'on enlève la pile, la charge va diminuer avec une constante de temps $\tau = \varepsilon_0 \kappa \rho$.

**P6.** (II) *Fonctionnement d'un stroboscope*. Un condensateur peut servir à faire varier les intervalles de temps séparant les éclairs émis par un petit tube au néon dans le circuit représenté à la figure 7.75. Lorsqu'il est froid, le gaz est un bon isolant. Le tube s'allume (ionisation et émission de lumière) lorsque la différence de potentiel entre ses bornes atteint la valeur d'allumage $\Delta V_a$. Sa résistance devient très petite et le condensateur se décharge donc rapidement dans le tube. Au fur et à mesure que la différence de potentiel diminue, le gaz se refroidit, et il redevient un isolant à la différence de potentiel d'extinction $\Delta V_e$. À ce stade, le condensateur recommence à se charger. Le graphe représente la variation de la différence de potentiel aux bornes du condensateur et du tube. On remarque que

$$\Delta V_e = \Delta V_0(1 - e^{-t/RC})\,;\ \Delta V_a = \Delta V_0(1 - e^{-(t+T)/RC})$$

$t$ étant un instant quelconque et $T$ étant la période des éclairs. Montrez que

$$T = RC \ln\left(\frac{\Delta V_0 - \Delta V_e}{\Delta V_0 - \Delta V_a}\right)$$

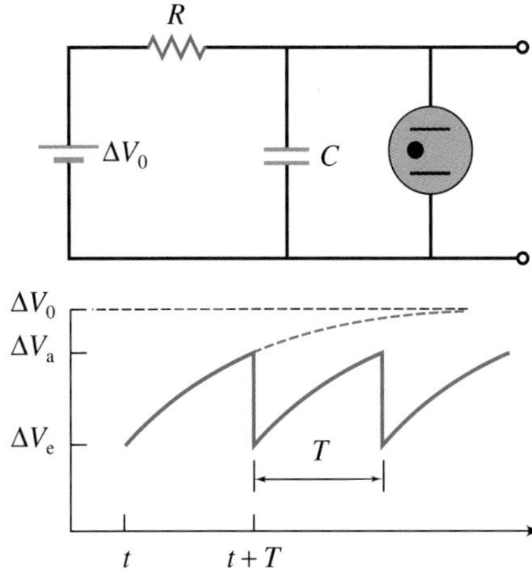


***Figure 7.75***

Problème 6.

**P7.** (II) Quelle est la valeur du courant dans le galvanomètre du pont de Wheatstone non équilibré représenté à la figure 7.76 ? La résistance du galvanomètre est égale à 20 Ω.

**P8.** (I) Un condensateur de 40 μF a une charge initiale de 50 μC. Il se décharge dans une résistance de 8000 Ω. Trouvez : (a) le courant à 10 ms ; (b) la charge à 10 ms ; (c) le taux de dissipation thermique dans la résistance à 10 ms. (d) Combien faut-il de temps pour que l'énergie dans le condensateur chute à 10 % de sa valeur initiale ?

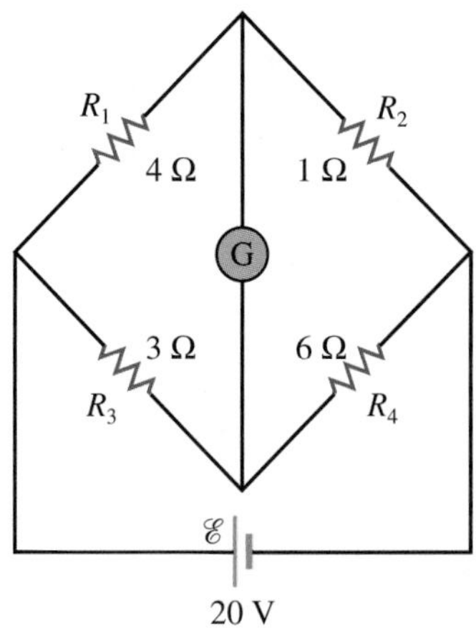


*Figure 7.76*

Problème 7.

**P9.** (I) Dans le circuit de la figure 7.77, l'interrupteur $S_1$ est initialement fermé et $S_2$ est ouvert. (a) Trouvez $V_a - V_b$ ; (b) $S_2$ étant *également* fermé, que devient $V_a - V_b$ ? (c) On ouvre $S_1$ et on garde $S_2$ fermé. Quelle est la constante de temps pour la décharge du condensateur ?

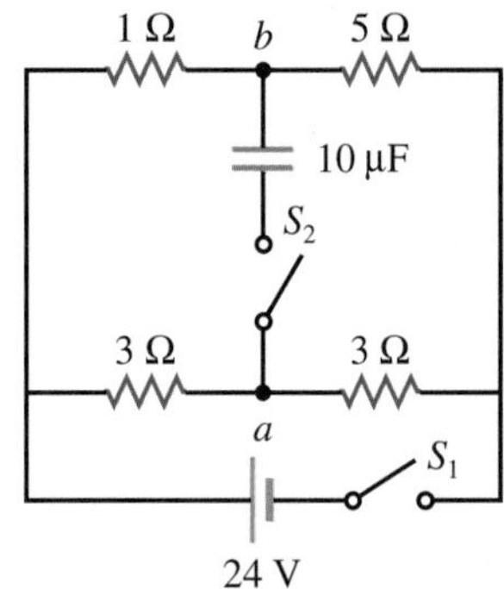


*Figure 7.77*

Problème 9.

**P10.** (I) Le circuit de la figure 7.78 comprend trois f.é.m. idéales et trois mailles. Trouvez le courant dans chaque résistance.

**P11.** (I) Trouvez le courant dans chaque résistance du circuit de la figure 7.79.

**P12.** (I) Pour le circuit de la figure 7.80, trouvez : (a) le courant initial dans chaque résistance lorsque l'interrupteur est fermé ; (b) le courant final en régime permanent dans chaque résistance ; (c) l'énergie finale emmagasinée dans le condensateur ; (d) la constante de temps lorsque l'interrupteur est réouvert après que la charge maximale soit atteinte.

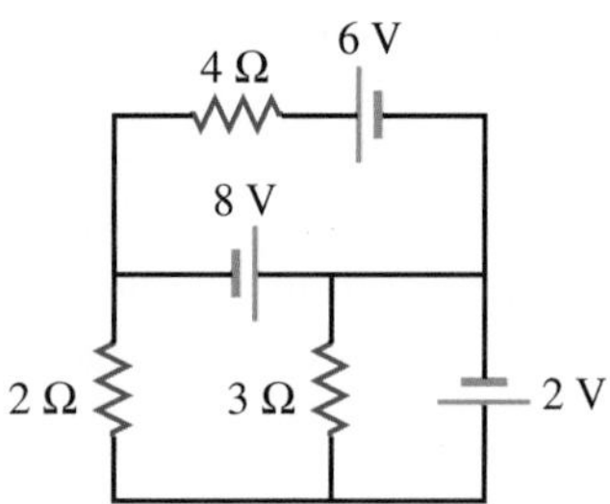


*Figure 7.78*

Problème 10.

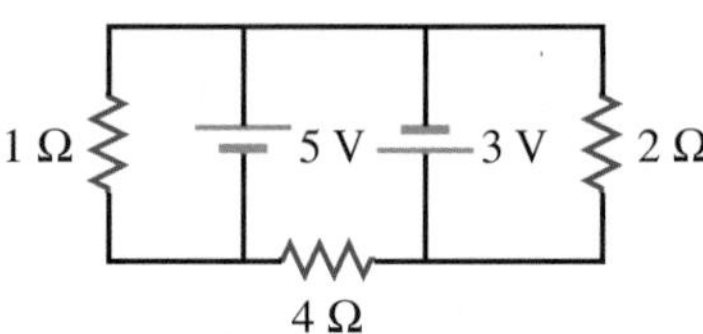


*Figure 7.79*

Problème 11.

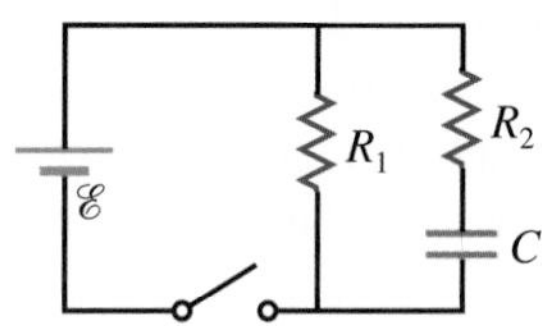


*Figure 7.80*

Problème 12.

**P13.** (II) À la figure 7.81, on ferme l'interrupteur à $t = 0$. (a) Quels sont les courants dans les résistances à (a) $t = 0$ ; (b) $t = \infty$ ? (c) Montrez que le courant de charge du condensateur est donné par

$$I_C = \frac{\mathscr{E}}{R_1} e^{-t/\tau}$$

où $\tau = R_1R_2C/(R_1 + R_2)$. (*Indice* : Appliquez la loi des mailles pour chaque maille et établissez une relation entre les courants à l'aide de la loi des nœuds. Obtenez une équation différentielle pour $I_C$ et intégrez-la.)

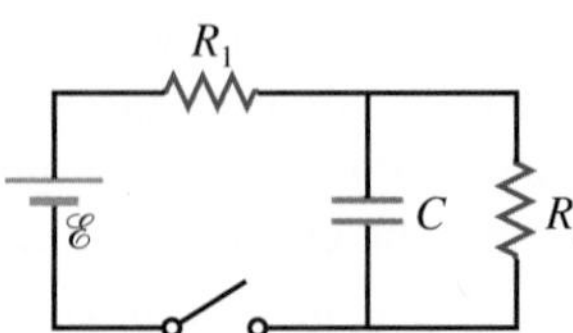


*Figure 7.81*

Problème 13.

**P14.** (II) Dans un circuit *RC* (figure 7.25), $\mathscr{E} = 100$ V, $C = 80$ μF et $R = 10^5$ Ω. Trouvez : (a) le temps nécessaire pour que l'énergie dans le condensateur atteigne 50 % de sa valeur maximale ; (b) le taux de charge du condensateur à 2 s ; (c) le taux de dissipation thermique dans *R* à 2 s ; (d) l'énergie totale dissipée par la résistance entre 0 et 10 s.

**P15.** (II) On donne deux piles de f.é.m. $\mathscr{E}_1$ et $\mathscr{E}_2$ et de résistances internes $r_1$ et $r_2$. Elles sont reliées en parallèle. Montrez qu'elles sont équivalentes à une pile de f.é.m. $\mathscr{E}_{éq}$, avec

$$\mathscr{E}_{éq} = \left(\frac{\mathscr{E}_1}{r_1} + \frac{\mathscr{E}_2}{r_2}\right)\left(\frac{1}{r_1} + \frac{1}{r_2}\right)^{-1}$$

(*Indice* : Considérez les piles reliées à une résistance externe *R*. Remarquez que $\mathscr{E}_{éq} - r_{éq}I = RI$.)

**P16.** (I) Calculez les coefficients $\alpha_1$ et $\alpha_2$ dans l'exemple 7.14, puis la valeur de la résistance équivalente entre les points *a* et *b*. On donne $R_1 = 2$ Ω, $R_2 = 3$ Ω, $R_3 = 1$ Ω, $R_4 = 5$ Ω et $R_5 = 4$ Ω.

**P17.** (II) Deux piles ont la même f.é.m. $\mathscr{E}$ et la même résistance interne *r*. Elles sont reliées à une résistance externe *R*. Les piles doivent-elles être reliées en série ou en parallèle pour que le taux de dissipation thermique dans *R* soit maximal, sachant que (a) $r < R$ ; (b) $r > R$ ?

*Figure 8.1*

Hans Christian Œrsted (1770-1851).

Durant les deux siècles qui suivirent les travaux de Gilbert, l'électricité et le magnétisme évoluèrent séparément. Cependant, à partir de 1735, on commença à soupçonner qu'il existait entre eux une relation lorsqu'on découvrit que la foudre pouvait magnétiser des objets métalliques comme des fourchettes et des cuillères. Le professeur danois Hans Christian Œrsted (figure 8.1) défendait l'idée métaphysique d'une certaine unité entre les « forces » de la nature. Selon lui, toutes les « forces », en particulier l'électricité et le magnétisme, étaient liées entre elles. Dès 1813, il se mit à essayer de produire des effets magnétiques à partir de l'électricité. Comme d'autres scientifiques, il tenta diverses expériences, l'une d'elles consistant à suspendre une pile voltaïque par une corde pour voir si elle s'orientait comme une boussole.

Au printemps 1820, en préparant un cours pour ses étudiants, Œrsted se souvint que l'aiguille d'une boussole fluctue pendant un orage, en particulier lors d'un coup de foudre. À la fin de son exposé, il plaça une aiguille de boussole sous un mince fil de platine orienté selon l'axe nord-sud. Lorsqu'il fit passer un courant intense, il vit l'aiguille tourner et s'écarter de son orientation normale selon le champ magnétique terrestre. Œrsted venait de découvrir qu'un courant *électrique* peut produire un effet *magnétique*. Il montra par la suite qu'un aimant exerce une force sur un fil conducteur traversé par un courant. Ces résultats, publiés en juillet 1820, établirent le lien existant entre l'électricité et le magnétisme.

De nos jours, les aimants sont utilisés dans les appareils de mesure, les moteurs, les haut-parleurs, les appareils d'enregistrement, les mémoires d'ordinateur, en analyse chimique, pour concentrer le faisceau d'électrons dans un tube de téléviseur, et dans une foule d'autres mécanismes. En plus d'être utile à la navigation, le champ magnétique terrestre nous protège contre les effets dangereux des particules chargées de haute énergie provenant de l'espace (*cf.* section 8.5). Dans ce chapitre, nous allons supposer que les champs magnétiques existent, sans nous préoccuper vraiment de la façon dont ils sont produits. Cela nous permettra de concentrer nos efforts sur l'étude des effets des champs magnétiques sur les particules chargées en mouvement et sur les courants électriques. Ce n'est qu'au chapitre suivant que, en nous basant sur la découverte d'Œrsted, nous verrons comment de tels champs sont produits par les courants électriques et les charges en mouvement.

## 8.1 Le champ magnétique

Au voisinage d'un barreau aimanté, la limaille de fer forme une configuration caractéristique (figure 8.2*a*) qui montre l'influence de l'aimant sur le milieu environnant. C'est à partir de ces configurations que Michael Faraday eut l'idée d'introduire la notion du champ magnétique et les lignes de champ correspondantes (figure 8.2*b*). Le **champ magnétique $\vec{\mathbf{B}}$** en un point est dirigé selon la tangente à une ligne de champ. Le sens de $\vec{\mathbf{B}}$ correspond à la direction vers laquelle pointe le nord de l'aiguille d'une boussole placée sur cette ligne. L'intensité du champ est proportionnelle au nombre de lignes traversant une surface unitaire normale au champ ($\vec{\mathbf{B}}$ est aussi appelé densité du flux magnétique).

On remarque, à la figure 8.2, que les pôles ne sont pas situés en des points précis mais qu'ils correspondent plutôt à des régions mal définies proches des extrémités de l'aimant. Si l'on essaie d'isoler les pôles en coupant l'aimant, il se produit une chose curieuse : on obtient deux aimants, comme on le voit à la

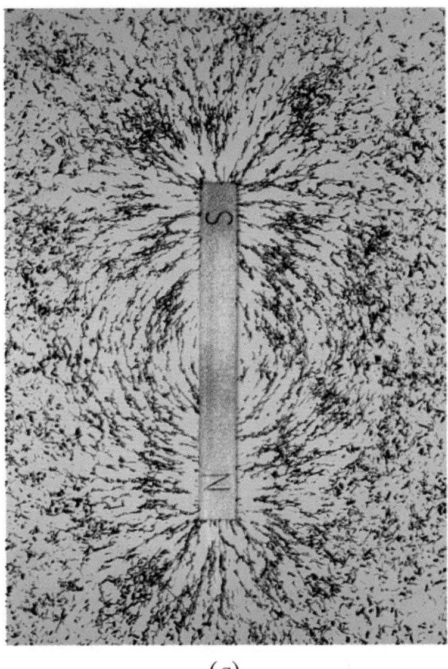


(*a*)

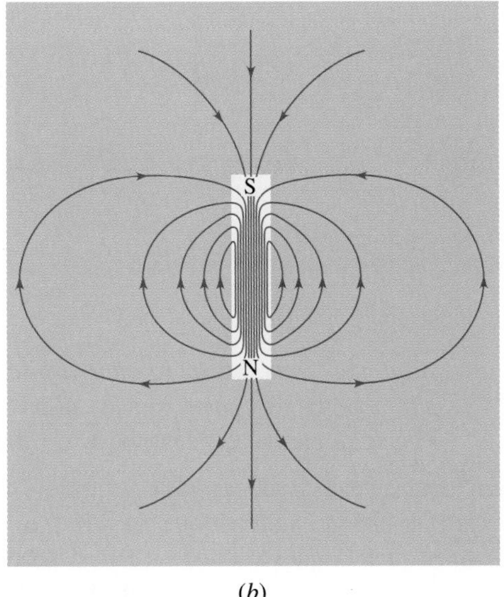


(*b*)

**Figure 8.2**

(*a*) La configuration de la limaille de fer autour d'un barreau aimanté. (*b*) Les lignes du champ magnétique d'un barreau aimanté. Les lignes forment des boucles fermées.

figure 8.3. Si l'on coupe l'aimant en tranches très fines, chaque fragment garde toujours deux pôles. Même à l'échelle atomique, nul n'est parvenu à trouver un pôle magnétique isolé, ce que l'on appelle un *monopôle*. C'est pourquoi les lignes de champ magnétique forment des boucles fermées (figure 8.2*b*). À l'extérieur de l'aimant, les lignes émergent du pôle nord et entrent par le pôle sud ; à l'intérieur, elles sont dirigées du pôle sud vers le pôle nord.

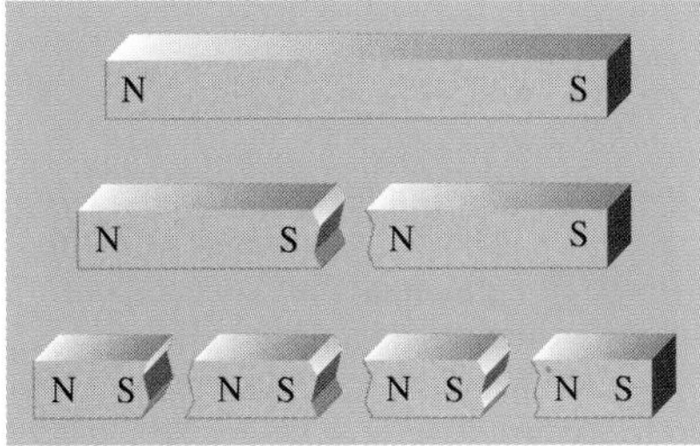


**Figure 8.3**

Lorsqu'on coupe un aimant, on obtient deux aimants plus petits. Il n'est pas possible d'isoler le pôle nord ou le pôle sud.

Dans ce chapitre, nous aurons souvent à représenter des vecteurs dans les trois dimensions de l'espace. Pour nous faciliter la tâche, nous utiliserons la convention illustrée à la figure 8.4. Le point représente la pointe d'une flèche venant vers nous ($\vec{\mathbf{B}}$ sort de la page). La croix représente l'extrémité d'une flèche qui s'éloigne ($\vec{\mathbf{B}}$ entre dans la page).

## Définition du champ magnétique

La définition du champ *électrique* est assez simple. Si $\vec{\mathbf{F}}$ est la force électrique agissant sur une charge $q$ placée dans le champ, le champ électrique est $\vec{\mathbf{E}} = \vec{\mathbf{F}}/q$, c'est-à-dire la force par charge unitaire. Mais puisqu'il n'est pas possible d'isoler un pôle, la définition du champ magnétique n'est pas aussi simple. En examinant l'effet d'un champ magnétique (la force magnétique) sur une charge électrique, on constate ce qui suit :

**(i)** La force agissant sur une particule chargée est directement proportionnelle à la charge $|q|$ et au module de la vitesse $v$, c'est-à-dire : $F \propto |q|v$.

**(ii)** Si la vitesse $\vec{\mathbf{v}}$ de la particule fait un angle $\theta$ avec les lignes de $\vec{\mathbf{B}}$, on trouve $F \propto \sin\theta$.

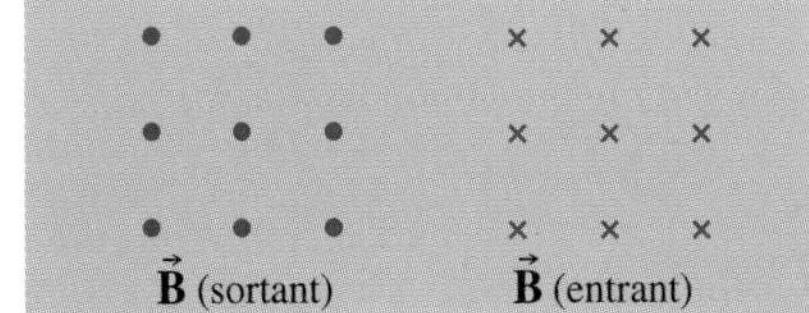


**Figure 8.4**

La convention utilisée pour représenter les lignes du champ magnétique (*a*) sortant et (*b*) entrant dans la page.

En combinant ces deux résultats, on obtient

$$F \propto |q|v \sin\theta$$

Il va de soi que la force doit également dépendre du champ. La relation de proportionnalité présentée ci-dessus devient une équation si l'on définit l'intensité du champ magnétique $B$ comme étant la constante de proportionnalité :

$$F = |q|vB \sin\theta \qquad (8.1)$$

**(iii)** On observe que $\vec{\mathbf{F}}$ est perpendiculaire à la fois à $\vec{\mathbf{B}}$ et à $\vec{\mathbf{v}}$, donc au plan défini par $\vec{\mathbf{B}}$ et $\vec{\mathbf{v}}$ (figure 8.5*a*). Le sens de $\vec{\mathbf{F}}$ dépend du signe de la charge en mouvement. Si la charge $q$ est positive, on observe la règle suivante :

### Figure 8.5

(*a*) La force magnétique $\vec{\mathbf{F}}$ agissant sur une particule de vitesse $\vec{\mathbf{v}}$ dans un champ magnétique $\vec{\mathbf{B}}$ est perpeniculaire à la fois à $\vec{\mathbf{v}}$ et à $\vec{\mathbf{B}}$. (*b*) D'après la règle de la main droite, si on met les doigts de la main droite (sauf le pouce) dans le sens de $\vec{\mathbf{R}}$ et qu'on les replie pour qu'ils s'alignent sur $\vec{\mathbf{S}}$, alors le pouce pointe dans le sens de $\vec{\mathbf{R}} \times \vec{\mathbf{S}}$.

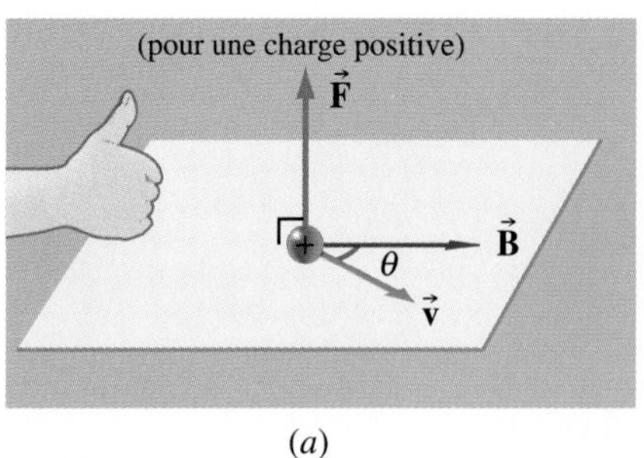

(*a*)

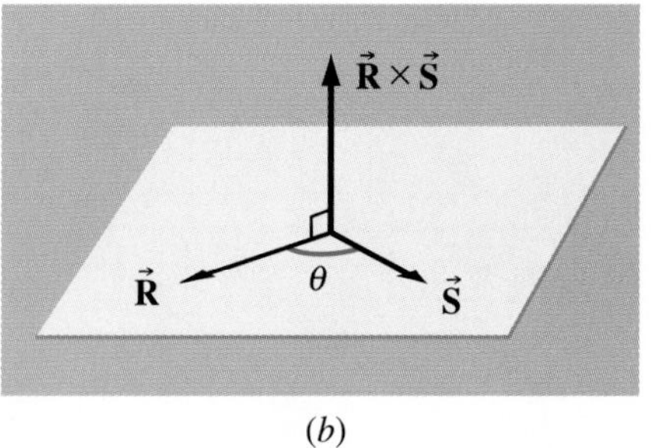

(*b*)

*si on met les doigts de la main droite dans le sens de* $\vec{\mathbf{v}}$ *et qu'on les replie pour qu'ils s'alignent sur* $\vec{\mathbf{B}}$*, alors le pouce pointe dans le sens de* $\vec{\mathbf{F}}$. Pour une charge $q$ négative, $\vec{\mathbf{F}}$ est dans le sens opposé au pouce.

On peut se servir du produit vectoriel (voir le chapitre 2 du tome 1) pour exprimer la force magnétique. En effet, le produit vectoriel entre deux vecteurs $\vec{\mathbf{R}}$ et $\vec{\mathbf{S}}$ quelconques (noté $\vec{\mathbf{R}} \times \vec{\mathbf{S}}$) est perpendiculaire à $\vec{\mathbf{R}}$ et à $\vec{\mathbf{S}}$, et le sens de $\vec{\mathbf{R}} \times \vec{\mathbf{S}}$ est donné par la **règle de la main droite**: *si on met les doigts de la main droite dans le sens de* $\vec{\mathbf{R}}$ *et qu'on les replie pour qu'ils s'alignent sur* $\vec{\mathbf{S}}$*, alors le pouce pointe dans le sens de* $\vec{\mathbf{R}} \times \vec{\mathbf{S}}$ (figure 8.5*b*). De plus, le module de $\vec{\mathbf{R}} \times \vec{\mathbf{S}}$ vaut $RS \sin \theta$, où $\theta$ est l'angle entre les vecteurs $\vec{\mathbf{R}}$ et $\vec{\mathbf{S}}$. En fonction du produit vectoriel, on peut donc écrire une équation qui décrit complètement la force magnétique qui agit sur une charge en mouvement:

***La figure animée II-2*, Force magnétique sur une particule**, est conçue pour aider à visualiser l'application de l'équation 8.2 dans les trois dimensions de l'espace.

$$\vec{\mathbf{F}} = q\vec{\mathbf{v}} \times \vec{\mathbf{B}} \tag{8.2}$$

On remarque qu'*il n'y a pas* de valeur absolue dans cette équation: lorsque $q$ est négatif, le signe moins inverse le sens du vecteur $\vec{\mathbf{F}}$, tel que désiré.

Puisque $\vec{\mathbf{F}}$ est toujours perpendiculaire à $\vec{\mathbf{v}}$, *une force magnétique n'effectue aucun travail sur une particule et ne peut servir à faire varier son énergie cinétique*. L'unité SI de champ magnétique est le **tesla** (T): d'après l'équation 8.2, on voit que 1 T = 1 (N·s)/(C·m). Un aimant ordinaire de laboratoire peut produire un champ d'environ 1 T, alors qu'un aimant supraconducteur peut produire plus de 30 T. Le tesla étant une grande unité, on utilise souvent une autre unité, le **gauss** (G). Entre ces deux unités, le facteur de conversion est 1 G = $10^{-4}$ T.

L'intensité du champ magnétique terrestre près du sol est voisine de 0,5 G, alors que l'intensité du champ au voisinage d'un barreau aimanté peut atteindre 50 G.

## Exemple 8.1

Un électron a une vitesse $\vec{\mathbf{v}} = 10^6\vec{\mathbf{j}}$ m/s dans un champ $\vec{\mathbf{B}} = 500\vec{\mathbf{k}}$ G (figure 8.6). Quelle est la force magnétique agissant sur l'électron?

**Solution:**

Tout d'abord, il faut convertir $B$ en unités SI. On obtient $B = 5 \times 10^{-2}$ T. En utilisant $q = -e$ dans l'équation 8.2, on trouve

$$\begin{aligned}\vec{\mathbf{F}} &= -e\vec{\mathbf{v}} \times \vec{\mathbf{B}} \\ &= (-1{,}6 \times 10^{-19}\ \text{C})(10^6\vec{\mathbf{j}}\ \text{m/s}) \times (5 \times 10^{-2}\vec{\mathbf{k}}\ \text{T}) \\ &= -8 \times 10^{-15}\vec{\mathbf{i}}\ \text{N}\end{aligned}$$

car $\vec{\mathbf{j}} \times \vec{\mathbf{k}} = \vec{\mathbf{i}}$.

On remarque que la force magnétique est perpendiculaire à la fois à la vitesse et au champ magnétique.

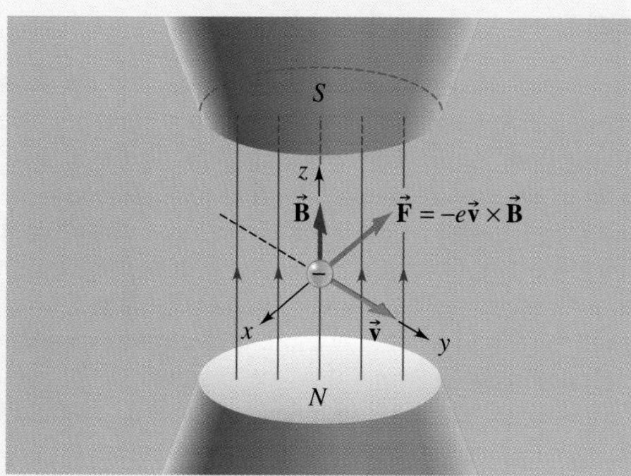


*Figure 8.6*

La force magnétique sur un électron est $\vec{F} = -e\vec{v} \times \vec{B}$.

## Exemple 8.2

En un point donné, le champ magnétique terrestre est horizontal et dirigé vers le nord. Quelle est la direction de la force magnétique agissant sur un électron en mouvement (a) vertical ascendant ; (b) horizontal vers l'est ; (c) horizontal vers le sud-ouest ?

### Solution :

Pour résoudre ce genre de problème, il faut faire bien attention de distinguer entre la direction nord-sud et la direction haut-bas (figure 8.7) : la direction nord-sud est horizontale (parallèle au sol), tandis que la direction haut-bas est verticale (perpendiculaire au sol).

(a) L'électron se déplace vers le haut, le champ magnétique est vers le nord ; si on applique la règle de la main droite, le pouce pointe vers l'ouest.

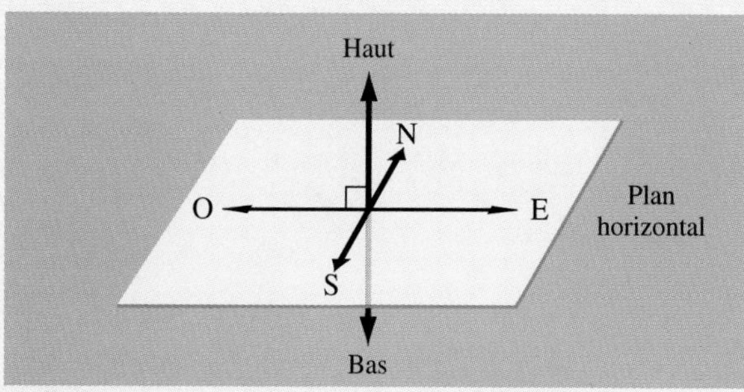


*Figure 8.7*

Diagramme utile pour se repérer en trois dimensions à l'aide des points cardinaux.

Toutefois, comme il s'agit d'une charge négative, la force est vers l'est.

(b) L'électron se déplace vers l'est, le pouce pointe vers le haut et la force est vers le bas.

(c) L'électron se déplace dans le plan horizontal à mi-chemin entre le sud et l'ouest. Le pouce pointe vers le bas et la force est vers le haut.

## Exemple 8.3

En un point donné, le champ magnétique terrestre est dirigé vers le nord et fait un angle de 60° vers le bas par rapport à l'horizontale. Quelle est la direction de la force magnétique agissant sur un proton en mouvement (a) vertical ascendant ; (b) horizontal vers l'est ?

### Solution :

Il est bon de changer l'orientation de la figure 8.7 pour pouvoir représenter plus facilement le champ magnétique (figure 8.8).

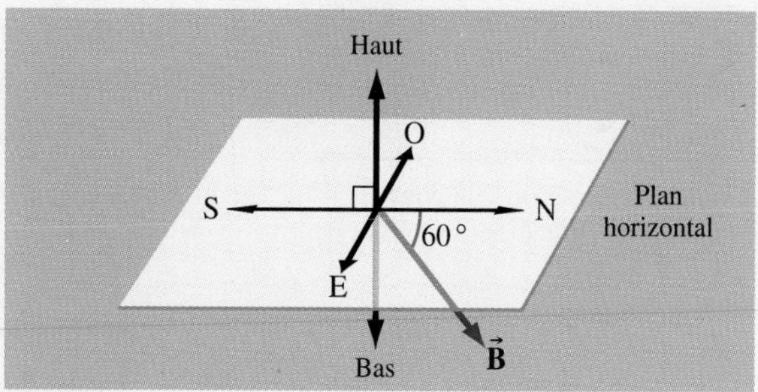


*Figure 8.8*

Le champ magnétique est dirigé vers le nord et fait un angle de 60° vers le bas par rapport à l'horizontale.

(a) Le proton se déplace vers le haut : si on applique la règle de la main droite, le pouce pointe vers l'ouest : puisque le proton est chargé positivement, la force est vers l'ouest.

(b) Le proton se déplace vers l'est. La force est perpendiculaire au plan défini par la direction est et le champ magnétique ; elle est donc inclinée de 30° par rapport à la direction nord-sud. En appliquant la règle de la main droite, on trouve que la force est dirigée vers le nord à 30° vers le haut par rapport à l'horizontale.

## 8.2 La force magnétique sur un conducteur parcouru par un courant

Si l'on place un fil conducteur dans un champ magnétique, il n'est soumis à aucune force. Les vitesses thermiques des électrons libres sont orientées au hasard et la force nette est donc nulle. Par contre, lorsque le fil est parcouru par un courant, les électrons acquièrent une faible vitesse de dérive $\vec{\mathbf{v}}_d$ et sont donc soumis à une force magnétique qui est ensuite transmise au fil (ce mécanisme est expliqué au chapitre 10). Considérons un segment rectiligne de fil de longueur $\ell$ et de section $A$ parcouru par un courant $I$ perpendiculaire à un champ magnétique uniforme (figure 8.9). Si $n$ est le nombre d'électrons de conduction par unité de volume, le nombre d'électrons dans ce segment de fil est $nA\ell$. Chaque électron est soumis à une force de grandeur $ev_dB$ et le module de la force magnétique totale exercée sur les électrons dans ce segment est

$$F = (nA\ell)ev_dB$$

D'après l'équation 6.2, $I = nAev_d$, et l'expression précédente devient $F = I\ell B$. Si le conducteur parcouru par un courant n'est pas perpendiculaire au champ, la force exercée sur le fil est donnée par l'expression vectorielle

$$\vec{\mathbf{F}} = I\vec{\boldsymbol{\ell}} \times \vec{\mathbf{B}} \qquad (8.3)$$

où le vecteur $\vec{\boldsymbol{\ell}}$ est par définition de même sens que le courant. La force est toujours normale au fil et aux lignes de champ. La grandeur de la force est

$$F = I\ell B \sin\theta \qquad (8.4)$$

où $\theta$ est l'angle entre le vecteur $\vec{\boldsymbol{\ell}}$ et le champ $\vec{\mathbf{B}}$. Si le fil n'est pas rectiligne ou si le champ n'est pas uniforme, la force agissant sur un élément de fil infinitésimal $d\ell$ (figure 8.10) est

$$d\vec{\mathbf{F}} = Id\vec{\boldsymbol{\ell}} \times \vec{\mathbf{B}} \qquad (8.5)$$

et la force totale sur le fil est donnée par l'intégrale des forces infinitésimales :

$$\vec{\mathbf{F}} = \int d\vec{\mathbf{F}}$$

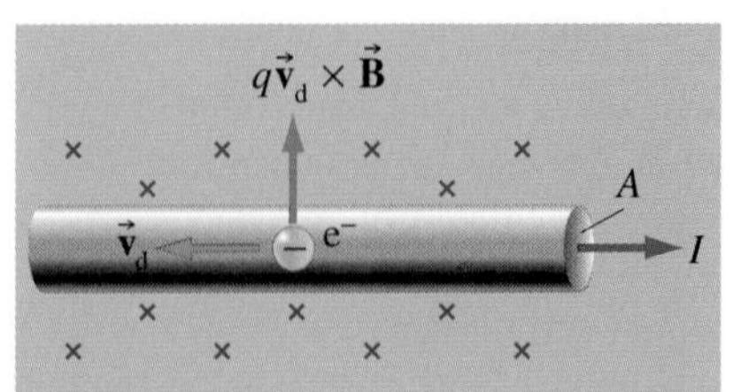


***Figure 8.9***

Lorsqu'un courant circule dans un fil, la force magnétique sur les électrons en mouvement est transmise au fil.

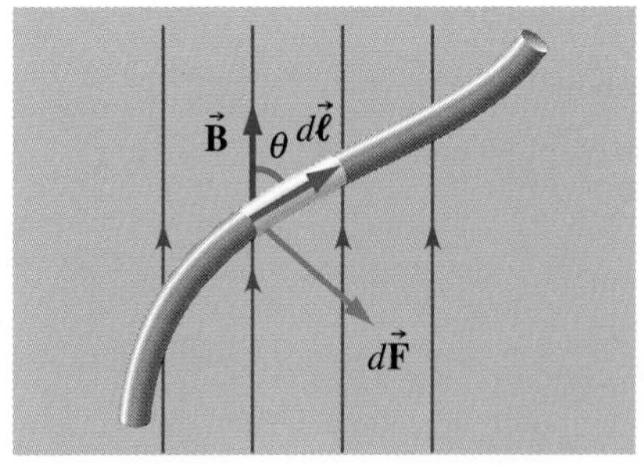


***Figure 8.10***

La force magnétique sur un élément de fil parcouru par un courant est $d\vec{\mathbf{F}} = I\, d\vec{\boldsymbol{\ell}} \times \vec{\mathbf{B}}$.

### Exemple 8.4

Un fil rectiligne de longueur 30 cm et de masse 50 g suit la direction est-ouest. Le champ magnétique terrestre en ce point est horizontal et a une intensité de 0,8 G. Pour quelle valeur du courant la force magnétique compense-t-elle le poids du fil ?

**Solution :**

Le champ magnétique terrestre est dirigé vers le nord (figure 8.11). Pour que la force magnétique soit verticale et dirigée vers le haut, le courant doit circuler d'ouest en est. Comme $\theta = 90°$, l'équation 8.4 nous donne $F = I\ell B$. Cette force doit être égale au poids $mg$. Par conséquent,

$$I = \frac{mg}{\ell B} = 2{,}1 \times 10^4 \text{ A}$$

Un fil de cuivre ordinaire fondrait rapidement s'il était parcouru par un tel courant, mais un fil supraconducteur est capable de supporter une telle intensité.

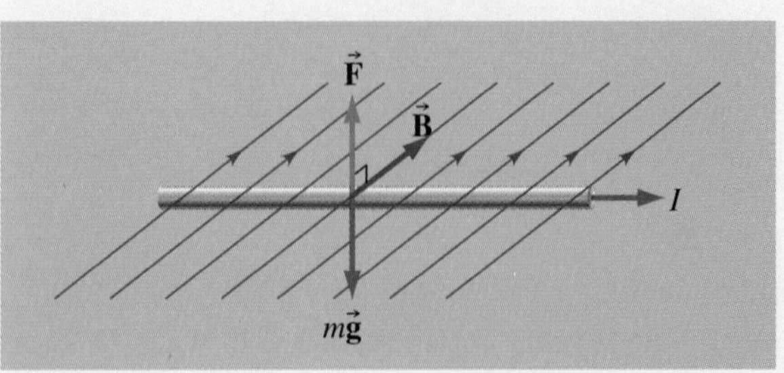


***Figure 8.11***

Le fil et le champ magnétique sont dans le plan horizontal. La force magnétique est verticale et dirigée vers le haut.

## Exemple 8.5

Un fil de 3 m de longueur portant un courant de 2 A fait un angle de 30° avec l'axe des $x$ (figure 8.12). Il est placé dans un champ magnétique uniforme $B = 0{,}5$ T. Calculer la force $\vec{\mathbf{F}}$ qui s'exerce sur le fil si le champ magnétique est orienté : (a) dans le sens des $x$ positifs ; (b) dans le sens des $y$ positifs ; (c) dans le sens des $z$ positifs.

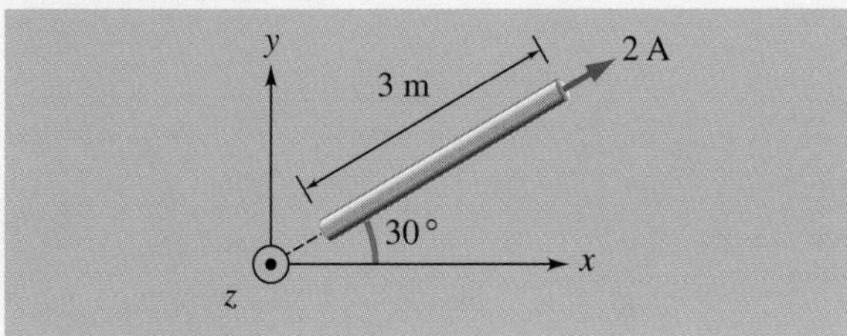


**Figure 8.12**

Un fil parcouru par un courant est placé dans un champ magnétique.

**Solution :**

(a) L'angle $\theta$ entre le fil et le champ magnétique est de 30°. Par l'équation 8.4, $F = (2\text{ A})(3\text{ m})(0{,}5\text{ T})\sin 30° = 1{,}5$ N. D'après la règle de la main droite, la force est orientée selon l'axe des $z$, mais entre dans la page. Ainsi, $\vec{\mathbf{F}} = -1{,}5\,\vec{\mathbf{k}}$ N.

(b) L'angle $\theta$ vaut 60°, et on trouve $\vec{\mathbf{F}} = +2{,}6\,\vec{\mathbf{k}}$ N.

(c) L'angle $\theta$ vaut 90°, et on trouve $F = 3$ N dans le plan $xy$, à 60° sous l'axe des $x$. On doit décomposer en $x$ et en $y$, et on obtient finalement $\vec{\mathbf{F}} = (1{,}5\,\vec{\mathbf{i}} - 2{,}6\,\vec{\mathbf{j}})$ N.

## Exemple 8.6

Un fil rectiligne est orienté selon une diagonale centrale d'un cube imaginaire d'arête $a = 20$ cm et il est parcouru par un courant de 5 A (figure 8.13, notez bien l'orientation du système d'axes). Trouver la force agissant sur le fil créée par un champ uniforme $\vec{\mathbf{B}} = 0{,}6\vec{\mathbf{j}}$ T.

**Solution :**

Pour utiliser l'équation 8.4, il faut trouver l'angle entre $\vec{\boldsymbol{\ell}}$ et $\vec{\mathbf{B}}$. Nous pouvons éviter ce calcul en utilisant la notation des vecteurs unitaires. D'après la figure 8.13, on voit que

$$\vec{\boldsymbol{\ell}} = a\vec{\mathbf{i}} - a\vec{\mathbf{j}} + a\vec{\mathbf{k}}$$

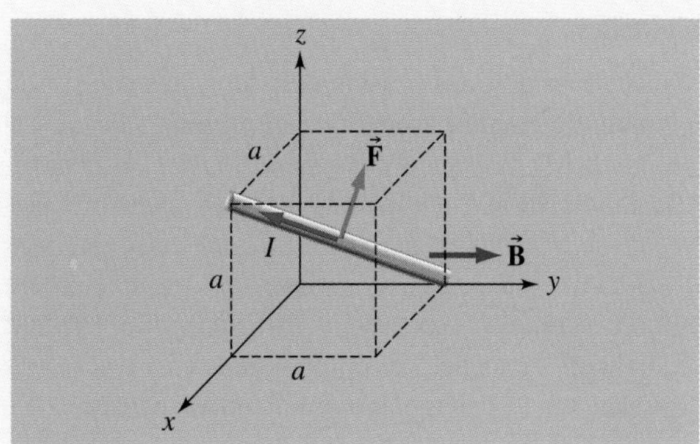


**Figure 8.13**

Une longueur de fil rectiligne est orientée selon une diagonale centrale d'un cube. La force magnétique est parallèle à une diagonale faciale. La notation utilisant les vecteurs unitaires ($\vec{\mathbf{i}}$, $\vec{\mathbf{j}}$, $\vec{\mathbf{k}}$) est utile dans ce genre de cas.

La force est donc

$$\begin{aligned}\vec{\mathbf{F}} &= I\vec{\boldsymbol{\ell}} \times \vec{\mathbf{B}} = IaB(\vec{\mathbf{i}} - \vec{\mathbf{j}} + \vec{\mathbf{k}}) \times (\vec{\mathbf{j}})\\ &= IaB(-\vec{\mathbf{i}} + \vec{\mathbf{k}})\end{aligned}$$

La force est située dans le plan $xz$ et a pour module

$$F = \sqrt{2}\; IaB = 0{,}85 \text{ N}$$

## Exemple 8.7

Soit un fil conducteur courbé en forme de demi-cercle de rayon $R$. Il est parcouru par un courant $I$ et son plan est perpendiculaire à un champ magnétique uniforme $B$ (figure 8.14). Trouver la force magnétique totale sur la boucle.

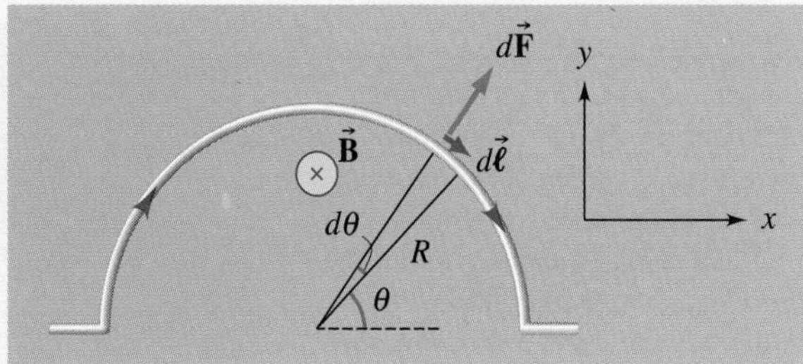


**Figure 8.14**

La force infinitésimale $d\vec{\mathbf{F}}$ est celle qui agit sur un élément de courant de longueur $d\ell$. Par symétrie, la composante en $x$ de la force totale sur la boucle demi-circulaire est nulle.

**Solution :**

Nous allons d'abord considérer la force exercée sur un élément de courant arbitraire de longueur $d\ell = R\ d\theta$ (figure 8.12). Puisque l'élément de courant est perpendiculaire à $\vec{\mathbf{B}}$, le module de la force agissant sur l'élément est $dF = I d\ell B$ ; la force est radiale et dirigée vers l'extérieur. Par symétrie, on voit qu'à tout élément situé à droite de l'axe des $y$ correspond un élément équivalent à gauche. Les composantes en $x$ des forces agissant sur ces éléments s'annulent par paires.

La composante en $y$ de la force agissant sur l'élément représenté est

$$dF_y = dF \sin\theta = I(R\ d\theta)B \sin\theta$$

où l'on a utilisé $d\ell = R\ d\theta$. La force totale exercée sur le demi-cercle est

$$F_y = RIB \int_0^\pi \sin\theta\ d\theta = RIB[-\cos\theta]\Big|_0^\pi$$
$$= 2RIB$$

On remarque que cette expression correspond à la force exercée sur un fil rectiligne de longueur $2R$ joignant les extrémités du demi-cercle. En réalité, la force nette sur une longueur de fil de forme quelconque est égale à la force sur un fil rectiligne reliant les extrémités, comme le montre la figure 8.15 (voir le problème 5). Il s'ensuit que, dans un champ magnétique *uniforme*, la force nette sur toute boucle *fermée* parcourue par un courant est nulle.

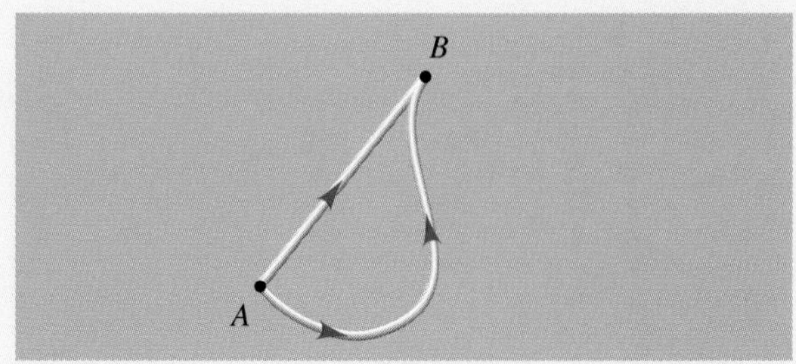


***Figure 8.15***

Dans un champ uniforme, la force sur un fil incurvé joignant les points $A$ et $B$ est la même que la force agissant sur un fil rectiligne joignant les mêmes points.

## 8.3 Le moment de force sur une boucle de courant

L'exemple précédent a permis d'établir un résultat important : *la force magnétique nette sur une boucle de courant plongée dans un champ magnétique uniforme est nulle.* Pourtant, la boucle peut subir un moment de force net qui tend à la faire tourner. La figure 8.16*a* représente un cadre rectangulaire, de côtés $a$ et $c$, qui pivote autour d'un axe vertical. Le cadre forme un angle avec un champ magnétique uniforme $\vec{\mathbf{B}} = B\vec{\mathbf{i}}$. La figure 8.16*b* représente le cadre vu d'en haut, si l'on regarde vers le bas dans le sens des $z$ négatifs. Il est pratique de déterminer l'angle $\theta$ entre la *normale* au plan du cadre et le champ magnétique. Les côtés horizontaux sont soumis à des forces verticales de même

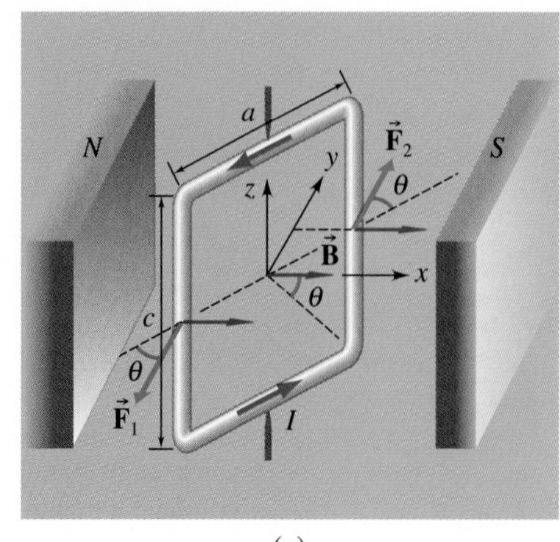


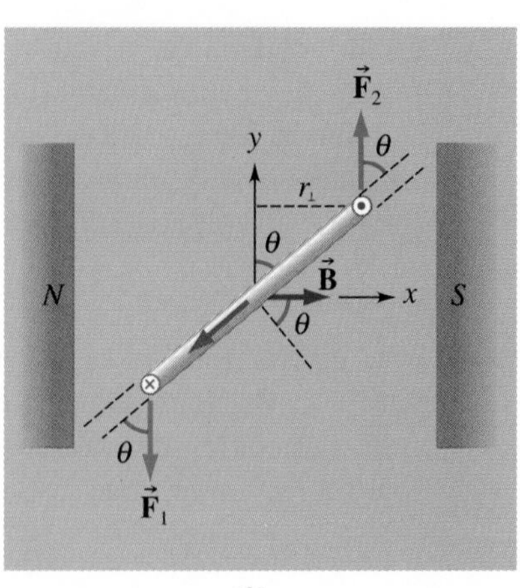


***Figure 8.16***

Un cadre parcouru par un courant, libre de pivoter dans un champ magnétique. Les forces agissant sur les côtés verticaux produisent un moment de force par rapport à l'axe central. (*a*) Le cadre vu de côté ; (b) le cadre vu d'en haut. Le moment magnétique $\vec{\boldsymbol{\mu}}$ est perpendiculaire au plan du cadre.

grandeur et de directions opposées qui ont tendance à les écarter (ce que vous pouvez vérifier par la règle de la main droite). Ces forces verticales n'exercent aucun moment de force puisqu'elles sont situées dans le plan du cadre. Les forces agissant sur les côtés verticaux sont elles aussi de même grandeur et de directions opposées :

$$\vec{\mathbf{F}}_1 = I(-c\vec{\mathbf{k}}) \times (B\vec{\mathbf{i}}) = -IcB\vec{\mathbf{j}}$$
$$\vec{\mathbf{F}}_2 = I(c\vec{\mathbf{k}}) \times (B\vec{\mathbf{i}}) = IcB\vec{\mathbf{j}}$$

D'après la figure 8.16*b*, on voit que ces forces produisent des moments de force de même sens par rapport à l'axe central. Le bras de levier pour chacune de ces forces est $r_\perp = (a/2)\sin\theta$, où $\theta$ est l'angle entre le champ magnétique et la *perpendiculaire* à la boucle ; le module du moment de force total produit par ces deux forces par rapport à l'axe est donc

$$\tau = 2(IcB)\left(\frac{a}{2}\sin\theta\right) = IAB\sin\theta$$

où $A = ac$ est l'aire du cadre. Pour un cadre comportant $N$ spires, le moment de force est $N$ fois plus grand. On a donc :

$$\tau = NIAB\sin\theta \qquad (8.6)$$

## Exemple 8.8

Le cadre carré de la figure 8.17 a des côtés de longueur 20 cm. Il comporte cinq spires et il est parcouru par un courant de 2 A. La normale au cadre fait un angle de 37° avec un champ uniforme $\vec{\mathbf{B}} = 0{,}5\vec{\mathbf{j}}$ T. Trouver le module du moment de force sur le cadre.

**Solution :**

D'après l'équation 8.6, $\tau = NIAB\sin\theta = (5)(2\text{ A})(0{,}2\text{ m})^2(0{,}5\text{ T})\sin 37° = 0{,}12$ N·m. Ce moment de force a pour effet de faire pivoter la boucle pour que son plan soit perpendiculaire au champ magnétique $\vec{\mathbf{B}}$.

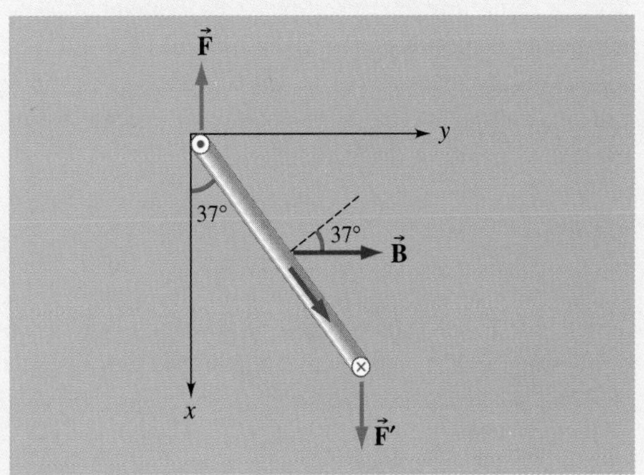


**Figure 8.17**

On peut déterminer le moment de force sur le cadre carré en calculant les forces agissant sur les côtés verticaux ou directement à l'aide de l'équation 8.6.

Les barreaux aimantés (il en sera question au chapitre 9) et les cadres parcourus d'un courant sont des dipôles magnétiques. Le *moment magnétique dipolaire* d'un cadre plan de forme quelconque est défini par

$$\vec{\boldsymbol{\mu}} = NIA\vec{\mathbf{u}}_n \qquad (8.7)$$

L'unité SI de moment magnétique est l'ampère-mètre carré (A·m²). Le sens du vecteur unitaire $\vec{\mathbf{u}}_n$ est donné par la règle de la main droite : si vous refermez les doigts de votre main droite dans le sens du courant, votre pouce pointe en

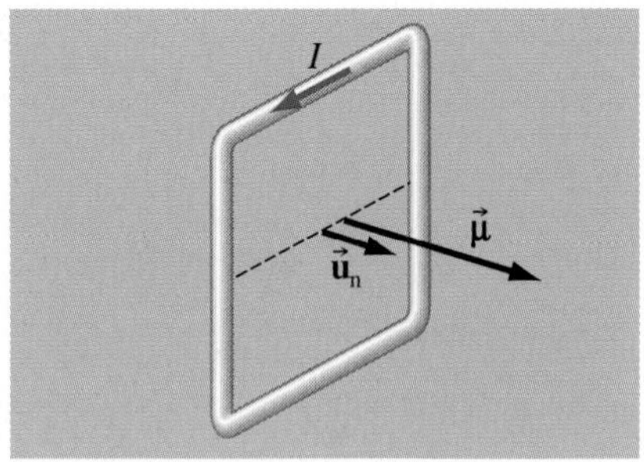


*Figure 8.18*

Le sens du moment magnétique $\mu$ est donné par la règle de la main droite : si vous refermez vos doigts dans le sens du courant, votre pouce tendu donne la direction de $\vec{\mathbf{u}}_n$.

direction de $\vec{\mathbf{u}}_n$ (figure 8.18). On peut maintenant écrire de manière plus concise l'équation du moment de force :

$$\vec{\tau} = \vec{\mu} \times \vec{\mathbf{B}} \tag{8.8}$$

Le moment de force a tendance à aligner le moment magnétique sur le champ, tout comme l'aiguille d'une boussole.

Le moment de force exercé sur une spire parcourue par un courant dans un champ magnétique est utilisé dans les moteurs et les appareils de mesure. Si l'on compare l'équation 8.8 avec l'équation 2.23 donnant le moment de force sur un dipôle électrique placé dans un champ électrique, $\vec{\tau} = \vec{\mathbf{p}} \times \vec{\mathbf{E}}$, on peut faire une analogie avec l'équation 2.24, $U = -\vec{\mathbf{p}}\cdot\vec{\mathbf{E}}$, donnant l'énergie potentielle d'un dipôle électrique dans un champ électrique. On peut écrire

$$U = -\vec{\mu}\cdot\vec{\mathbf{B}} \tag{8.9}$$

qui donne l'énergie potentielle d'un dipôle magnétique dans le champ magnétique. Comme pour le dipôle électrique, on pose $U = 0$ lorsque l'angle entre $\vec{\mu}$ et $\vec{\mathbf{B}}$ est égal à 90°.

## Exemple 8.9

Soit la situation de l'exemple 8.8. Trouver : (a) le moment magnétique ; (b) le moment de force (vectoriel) sur le cadre ; (c) le travail nécessaire pour faire tourner le cadre de sa position d'énergie minimale à la position donnée.

**Solution :**

(a) D'après la figure 8.19, on voit que $\vec{\mathbf{u}}_n = -\sin 37°\vec{\mathbf{i}} + \cos 37°\vec{\mathbf{j}} = -0{,}6\vec{\mathbf{i}} + 0{,}8\vec{\mathbf{j}}$. Rappelons que $\vec{\mathbf{u}}_n$ a pour module 1. Le moment magnétique est

$$\begin{aligned}\vec{\mu} &= NIA\vec{\mathbf{u}}_n = (5)(2\ \text{A})(0{,}2\ \text{m})^2(-0{,}6\vec{\mathbf{i}} + 0{,}8\vec{\mathbf{j}})\\ &= -0{,}24\vec{\mathbf{i}} + 0{,}32\vec{\mathbf{j}}\ \text{A}\cdot\text{m}^2\end{aligned}$$

(b) On peut trouver le moment de force en calculant d'abord les forces agissant sur les côtés parallèles à l'axe des $z$. Mais nous choisissons d'utiliser l'équation 8.8 :

$$\begin{aligned}\vec{\tau} &= \vec{\mu} \times \vec{\mathbf{B}} = (-0{,}24\vec{\mathbf{i}} + 0{,}32\vec{\mathbf{j}}) \times (0{,}5\vec{\mathbf{j}})\\ &= -0{,}12\vec{\mathbf{k}}\ \text{N}\cdot\text{m}\end{aligned}$$

Pointant vers l'axe des $z$ négatifs (figure 8.19), le moment de force (de sens horaire) a tendance à orienter $\vec{\mu}$ parallèlement à $\vec{\mathbf{B}}$.

(c) L'énergie potentielle du cadre est $U = -\mu\text{B} \cos \theta$, avec $\mu = NIA = 0{,}4\ \text{A}\cdot\text{m}^2$ et $B = 0{,}5$ T. Sa position d'énergie minimale est $\theta = 0$. Le travail extérieur, $W_{\text{EXT}} = +\Delta U$, nécessaire pour le faire tourner dans la position donnée, est donc

$$\begin{aligned}U_f - U_i &= (-\mu B \cos 37°) - (-\mu B \cos 0°)\\ &= (0{,}4)(0{,}5)(1 - 0{,}8) = 0{,}04\ \text{J}\end{aligned}$$

Le travail extérieur est positif puisque le moment dipolaire tourne en s'éloignant de la direction du champ.

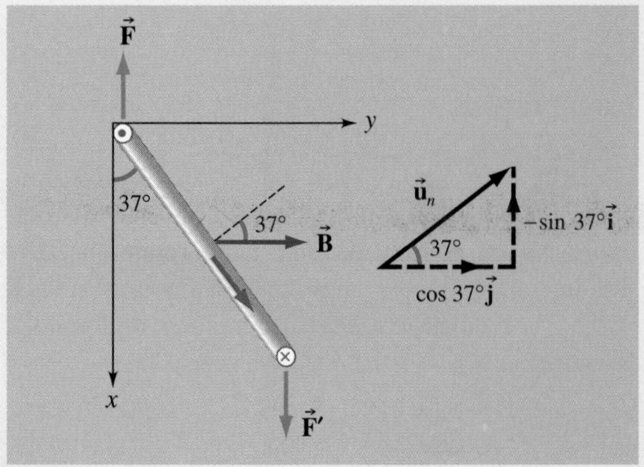


*Figure 8.19*

On peut déterminer le moment de force sur le cadre carré en calculant d'abord les forces agissant sur les côtés verticaux ou, comme on le fait ici, en déterminant le moment magnétique. Le moment de force a tendance à aligner le moment magnétique parallèlement au champ.

## Exemple 8.10

Dans le modèle de Bohr de l'atome d'hydrogène, un électron décrit une orbite circulaire autour d'un proton stationnaire. Le rayon de l'orbite est de 0,53 $\times 10^{-10}$ m et la vitesse de l'électron est de 2,2 $\times 10^{6}$ m/s. (a) Quel est le moment magnétique attribuable au mouvement orbital ? (b) Écrire la relation entre le moment magnétique et le moment cinétique orbital de l'électron.

**Solution :**

(a) Le courant moyen correspondant au mouvement de l'électron est $I = e/T$, où $T = 2\pi r/v$ est la période de l'orbite. Le moment magnétique de ce cadre parcouru par un courant est

$$\mu = IA = \left(\frac{ev}{2\pi r}\right)(\pi r^2) = \frac{evr}{2} \qquad \text{(i)}$$

En remplaçant les variables par leur valeur dans (i), on trouve une quantité appelée le *magnéton de Bohr* :

$$\mu_B = \tfrac{1}{2}(1{,}6 \times 10^{-19}\ \text{C})(2{,}2 \times 10^{6}\ \text{m/s})(0{,}53 \times 10^{-10}\ \text{m}) = 9{,}3 \times 10^{-24}\ \text{A m}^2$$

Cette quantité est une unité pratique utilisée pour mesurer les moments magnétiques des atomes.

(b) Le moment cinétique d'une particule en orbite circulaire est $L = mvr$. D'après (i), nous avons $\mu = evr/2$. Donc, en notation vectorielle,

$$\vec{\mu} = -\frac{e}{2m}\vec{\mathbf{L}} \qquad \text{(ii)}$$

Le signe négatif indique que les vecteurs sont de sens opposés.

## 8.4 Le principe du fonctionnement du galvanomètre

La pile voltaïque inventée par Volta en 1800 fit considérablement avancer les recherches en électricité, car elle permettait de produire un courant continu. Mais avant 1820, la présence d'un courant électrique ne pouvait être détectée que par une élévation de température dans un fil, par les transformations chimiques produites dans une cellule ou par la sensation produite par le courant lorsqu'il passe sur la langue. Ces méthodes ne se prêtaient pas à des *mesures* précises du courant. Peu après la découverte d'Œrsted, on s'aperçut que la déviation de l'aiguille d'une boussole pouvait servir à mesurer un courant. J. Schweigger eut l'idée de placer une aiguille de boussole au centre d'une bobine rectangulaire comportant un grand nombre de spires (figure 8.20), afin d'accentuer le champ magnétique produit par le courant. S'inspirant de ce montage, d'Arsonval le perfectionna pour confectionner ce que l'on appelle un *galvanomètre à cadre mobile*, instrument encore utilisé de nos jours. Le courant circule dans un cadre comportant un grand nombre de spires de fil fin. Le cadre est suspendu ou pivote dans un champ magnétique extérieur, tout en étant relié à un ressort de torsion (figure 8.21). Lorsque le courant circule dans le cadre, le module du moment de force dû au champ magnétique extérieur est

$$\tau_B = \mu B \sin\theta$$

où $\theta$ est l'angle entre $\vec{\mu}$ et $\vec{\mathbf{B}}$. Le moment de force mécanique exercé par le ressort de torsion s'oppose au moment de force dû au champ. Ce moment de rappel du ressort obéit à la loi de Hooke :

$$\tau_{res} = \kappa\phi$$

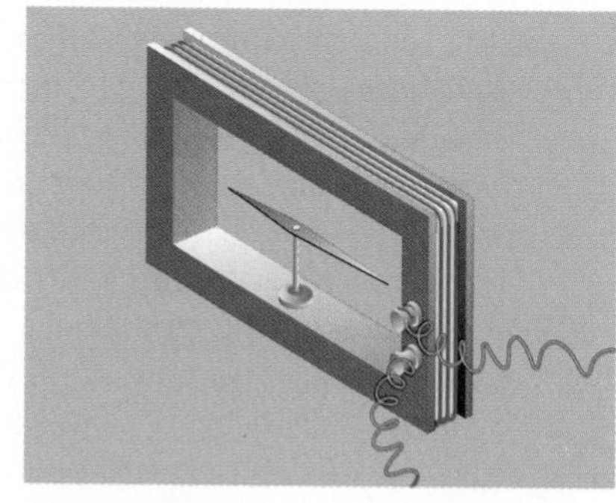

*Figure 8.20*

Un des premiers instruments servant à détecter un courant. L'aiguille aimantée est déviée à partir de sa position normale, parallèle au champ terrestre, lorsqu'un courant circule dans le cadre.

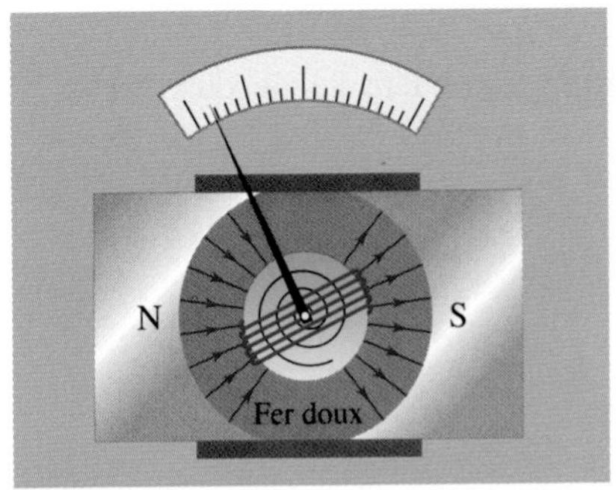


*Figure 8.21*

Le principe fondamental d'un galvanomètre d'Arsonval. Un cadre est bobiné sur un morceau de fer cylindrique. Lorsqu'un courant circule, le cadre est soumis à un moment de force magnétique et au moment de force mécanique de rappel du ressort.

où $\phi$ est l'angle de torsion du ressort et $\kappa$ la constante de torsion. Le cadre s'immobilise lorsque ces deux moments s'équilibrent :

$$NIAB \sin \theta = \kappa\phi$$

Cette équation peut servir à déterminer le courant $I$. Toutefois, le facteur $\sin \theta$ introduit une complication puisqu'il rend l'échelle non linéaire. Pour qu'elle soit linéaire, les faces des pôles de l'aimant doivent être cylindriques (figure 8.21). Dans ce cas, les lignes de champ sont radiales au lieu d'être uniformes (pour ce faire, on place un cylindre de fer doux à l'intérieur du cadre). Ainsi, comme le plan du cadre est toujours parallèle aux lignes de champ et le moment magnétique toujours normal aux lignes, $\sin \theta = 1$ et

$$\phi = \frac{NAB}{\kappa} I$$

Dans ces conditions, la déviation est directement proportionnelle au courant. Un bon galvanomètre peut enregistrer une intensité de 1 μA, et les meilleurs appareils peuvent mesurer des courants très faibles de l'ordre de 1 pA.

## Le moteur électrique

La découverte par Œrsted du champ magnétique produit par un fil conducteur comportait un aspect intrigant : la force magnétique (dont la direction est mise en évidence par l'aiguille d'une boussole) agit le long d'une tangente à un cercle dans le plan perpendiculaire au fil (figure 9.1*b*). Cette « circularité » de la force magnétique est une propriété qui la distingue nettement des forces centrales de gravitation ou des forces électrostatiques, qui agissent le long de la droite joignant les particules. En juillet 1821, Michael Faraday réussit à démontrer cette nouvelle propriété. Il affirma qu'un pôle « isolé » (l'extrémité d'un long barreau aimanté) serait soumis à une force qui lui ferait décrire un trajet circulaire autour d'un fil parcouru par un courant. Ce phénomène est illustré du côté gauche de l'appareil sur la figure 8.22. Pour permettre au courant de circuler, il utilisait du mercure liquide. Faraday démontra également qu'un fil parcouru par un courant décrit un cercle autour d'un des pôles d'un aimant immobile. C'est ce qu'illustre le côté droit de la figure. Faraday avait ainsi produit le premier moteur électrique à courant continu ! L'appareil de Faraday démontrait

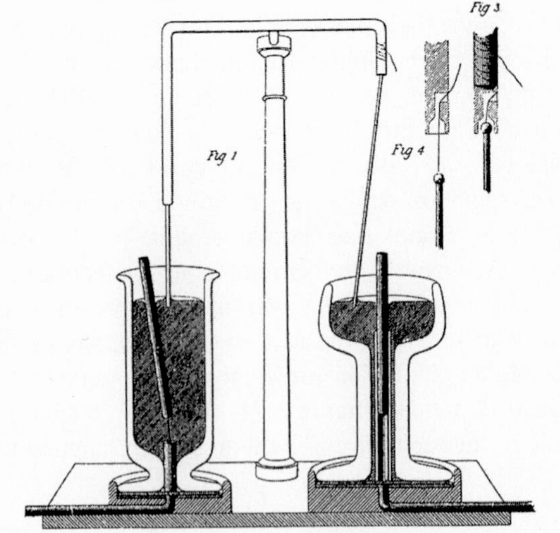


*Figure 8.22*

La démonstration par Michael Faraday du mouvement continu produit par une force magnétique. Ce fut le premier moteur.

brillamment que les forces magnétiques pouvaient produire un mouvement mécanique continu, mais il n'eut malheureusement aucune application pratique.

Tout comme le galvanomètre, le *moteur à courant continu* moderne ordinaire effectue un travail en utilisant le moment de force sur un cadre parcouru par un courant dans un champ magnétique. Toutefois, si le courant circulant dans le cadre tournant conserve toujours le même sens, le sens du moment de force agissant sur le cadre s'inverse chaque fois que le plan du cadre passe par le plan pointillé de la figure 8.23*a*. On utilise donc, pour inverser le sens du courant au bon moment, après chaque demi-révolution, un dispositif appelé *commutateur*, qui est composé de deux demi-anneaux reliés électriquement au cadre (figure 8.23*b*). Le courant entre et sort du cadre en passant par deux contacts à balai qui glissent sur le commutateur. Ce montage présente l'inconvénient suivant : le moment de force s'annule chaque fois que le courant doit changer de sens. Le moment de force produit subit donc des fluctuations. En pratique, on bobine dans les montages un grand nombre de spires de fil autour d'un cylindre en fer doux. Le moment de force fourni par le moteur est ainsi considérablement augmenté et relativement stable.

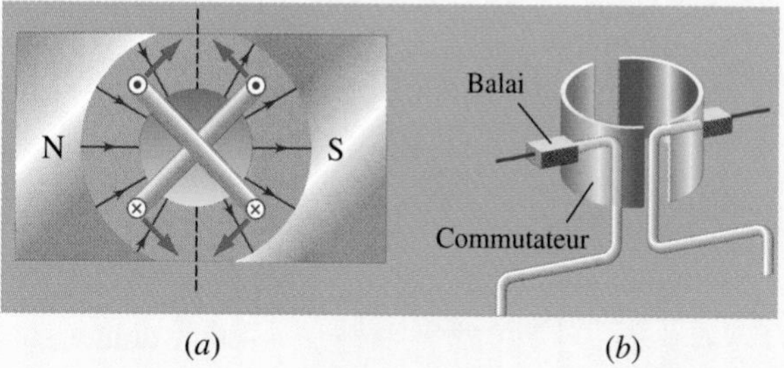


**Figure 8.23**

(*a*) Le sens du moment de force magnétique s'inverse lorsque le cadre passe au niveau de la ligne pointillée au cours de sa rotation. (*b*) Un commutateur inverse le sens du courant dans le cadre, de sorte que le moment de force garde toujours le même sens.

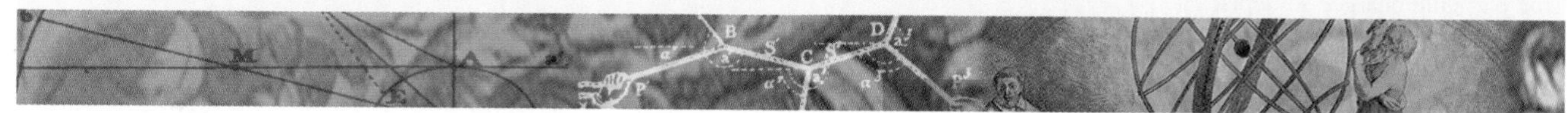

## 8.5 Le mouvement des particules chargées dans les champs magnétiques

Nous l'avons vu au début de ce chapitre, une particule chargée en mouvement dans un champ magnétique est soumise à une force. Les champs magnétiques servent à dévier et à focaliser les faisceaux d'électrons dans les tubes de téléviseur ou à séparer les particules élémentaires produites dans les accélérateurs de particules (figure 8.24). Dans les recherches sur la fusion, le gaz complètement ionisé (plasma) est confiné et contrôlé par des champs magnétiques. Bien que le champ magnétique terrestre soit relativement faible, il nous protège contre les particules cosmiques de haute énergie. Nous allons étudier dans cette section certains aspects du mouvement des particules chargées dans les champs magnétiques.

La figure 8.25 représente, selon deux perspectives différentes, une particule chargée positive animée d'une vitesse initiale $\vec{\mathbf{v}}$ perpendiculaire à un champ magnétique uniforme $\vec{\mathbf{B}}$. Comme $\vec{\mathbf{v}}$ et $\vec{\mathbf{B}}$ sont perpendiculaires, la particule est soumise à une force $F = qvB$, de module constant et dirigé perpendiculairement à $\vec{\mathbf{v}}$. Sous l'action d'une telle force, la particule se déplace sur une trajectoire circulaire à vitesse constante. D'après la deuxième loi de Newton appliquée selon un axe $r$ orienté vers le centre du cercle, $\Sigma\ F_r = ma_r$, nous avons

$$|q|vB = \frac{mv^2}{r} \tag{8.10}$$

où $r$ est le rayon du cercle et où l'utilisation de la valeur absolue rend l'équation générale. De l'équation 8.10, on tire

$$r = \frac{mv}{|q|B}$$

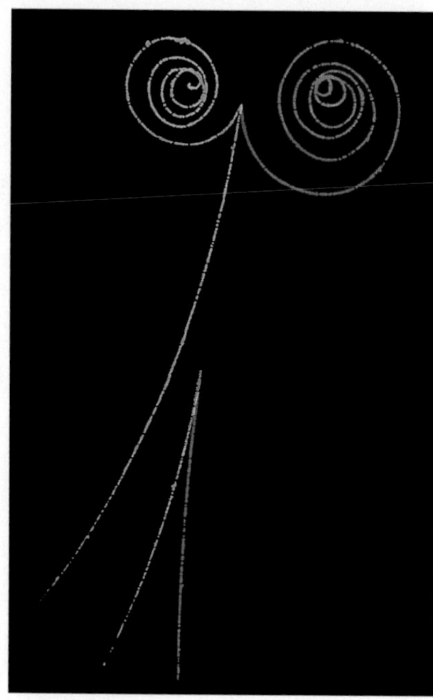

**Figure 8.24**

Des particules élémentaires décrivent des trajectoires circulaires sous l'effet d'un champ magnétique.

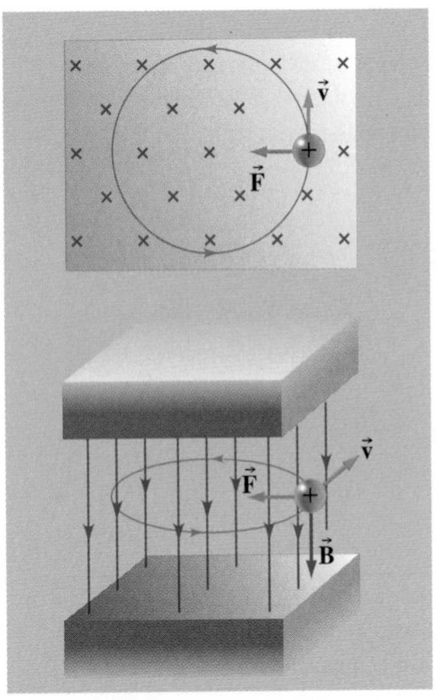


*Figure 8.25*

Une particule chargée se déplaçant perpendiculairement aux lignes de champ décrit une trajectoire circulaire.

Le rayon de l'orbite est directement proportionnel à la quantité de mouvement de la particule et inversement proportionnel au champ magnétique. Puisque $r/v = m/|q|B$, la période de l'orbite est

$$T = \frac{2\pi r}{v} = \frac{2\pi m}{|q|B} \qquad (8.11)$$

Puisque $f = 1/T$, la fréquence de rotation $f_c$ est

$$f_c = \frac{|q|B}{2\pi m} \qquad (8.12)$$

Étant donné son importance dans le fonctionnement d'un accélérateur de particules appelé le *cyclotron*, $f_c$ est appelée **fréquence cyclotron**. Les équations 8.11 et 8.12 permettent de tirer deux conclusions importantes :

**(i)** la période et la fréquence sont toutes deux indépendantes de la vitesse de la particule.

**(ii)** Toutes les particules ayant le même rapport charge/masse, $q/m$, ont la même période et la même fréquence de rotation $f_c$.

## Exemple 8.11

Un électron d'énergie cinétique $10^3$ eV se déplace perpendiculairement aux lignes d'un champ uniforme $B = 1$ G. (a) Quelle est la période de son orbite ? (b) Quel est le rayon de son orbite ?

**Solution :**

(a) D'après l'équation 8.11, la période est

$$T = \frac{2\pi m}{eB} = \frac{2(3{,}14)(9{,}11 \times 10^{-31}\ \text{kg})}{(1{,}6 \times 10^{-19}\ \text{C})(10^{-4}\ \text{T})} = 3{,}6 \times 10^{-7}\ \text{s}$$

Même dans un champ aussi faible, à peu près équivalent au champ terrestre, la fréquence de rotation est grande : $f_c = 1/T = 2{,}8$ MHz.

(b) Pour trouver le rayon à partir de l'équation 8.10, on doit d'abord déterminer la vitesse. Puisque $K = \frac{1}{2}mv^2 = 1{,}6 \times 10^{-16}$ J, on trouve $v = \sqrt{2K/m} = 1{,}9 \times 10^7$ m/s. (Si la vitesse de la particule se rapproche de la vitesse de la lumière, les effets de la relativité d'Einstein, que nous étudierons au chapitre 8 du tome 3, modifient la définition de l'énergie cinétique ; en pratique, pour les vitesses inférieures à $3 \times 10^7$ m/s, soit un dixième de la vitesse de la lumière, on peut négliger les effets relativistes.)

Le rayon de la trajectoire circulaire est

$$r = \frac{mv}{eB} = \frac{(9{,}11 \times 10^{-31}\ \text{kg})(1{,}9 \times 10^7\ \text{m/s})}{(1{,}6 \times 10^{-19}\ \text{C})(10^{-4}\ \text{T})} = 1{,}1\ \text{m}$$

## Exemple 8.12

Un proton décrit un cercle de rayon 20 cm, perpendiculaire à un champ d'intensité 0,05 T. Trouver : (a) le module de sa quantité de mouvement ; (b) son énergie cinétique en eV.

**Solution :**

(a) En combinant la deuxième loi de Newton pour une charge en rotation dans un champ magnétique, $evb = mv^2/r$, et la définition de la quantité de mouvement $p = mv$, on trouve

$$p = mv = erB$$
$$= (1{,}6 \times 10^{-19}\ \text{C})(0{,}2\ \text{m})(0{,}05\ \text{T}) \qquad \text{(i)}$$
$$= 1{,}6 \times 10^{-21}\ \text{kg·m/s}$$

(b) L'énergie cinétique $K = mv^2/2$ est

$$K = \frac{(erB)^2}{2m}$$
$$= \frac{(1{,}6 \times 10^{-21}\ \text{kg·m/s})^2}{2 \times 1{,}67 \times 10^{-27}\ \text{kg}} \qquad \text{(ii)}$$
$$= 7{,}7 \times 10^{-16}\ \text{J} = 4{,}8\ \text{keV}$$

## Exemple 8.13

Deux particules chargées se déplacent perpendiculairement à un champ magnétique uniforme. Leurs masses et leurs charges sont telles que $m_2 = 4m_1$ et $q_2 = 2q_1$. Quel est le rapport des rayons des orbites, sachant que les particules ont (a) la même vitesse ; (b) la même énergie cinétique ?

**Solution :**

(a) À partir de $|q|vb = mv^2/r$, on trouve $r \propto mv/|q|$ (pour un champ $B$ constant). La particule 2 a une masse 4 fois plus grande et une charge 2 fois plus grande que la particule 1. Si sa vitesse est la même, son rayon sera donc $4 \times 1/2 = 2$ fois plus grand : $r_2/r_1 = 2$.

(b) Si les énergies cinétiques $\frac{1}{2}mv^2$ sont les mêmes, on doit avoir $v \propto 1/\sqrt{m}$. La particule 2 ayant une masse 4 fois plus grande que la particule 1, elle aura une vitesse 2 fois plus *petite*. Par $r \propto mv/|q|$, on trouve un rapport entre les deux rayons de $4 \times 0{,}5/2 = 1$ : les deux rayons sont égaux.

## Le mouvement hélicoïdal

Considérons le mouvement d'une particule positive dont la vitesse a une composante parallèle aux lignes d'un champ magnétique uniforme. Nous appelons $v_{\parallel}$ la composante de $\vec{\mathbf{v}}$ parallèle à $\vec{\mathbf{B}}$ et $v_{\perp}$ la composante de $\vec{\mathbf{v}}$ perpendiculaire à $\vec{\mathbf{B}}$ (figure 8.26). La composante perpendiculaire $v_{\perp}$ donne lieu à une force $|q|v_{\perp}B$ qui produit un mouvement circulaire (figure 8.25), mais la composante parallèle $v_{\parallel}$ ne change pas. On obtient la superposition d'un mouvement circulaire uniforme normal aux lignes de champ et d'un mouvement rectiligne uniforme parallèle aux lignes. Ces deux mouvements se combinent pour produire une trajectoire en spirale ou *hélicoïdale*. Le **pas de l'hélice** est le déplacement de la particule dans la direction des lignes pendant une période

$$d = v_{\parallel}T = v_{\parallel}\frac{2\pi m}{|q|B} \qquad (8.13)$$

Dans un champ non uniforme, le rayon de la trajectoire varie. Si les autres variables ont des valeurs fixes, on peut voir d'après l'équation 8.10 que $r \propto 1/B$, ce qui signifie que le rayon décroît au fur et à mesure que l'intensité du champ augmente. Il se produit aussi un effet plus important, lié au fait que la particule est soumise à une force dirigée vers la région où le champ est plus faible (figure 8.27). Il en résulte que la composante de la vitesse le long des lignes de $B$ n'est pas constante.

Si la particule se dirige vers la région où le champ est plus intense, elle peut être amenée à s'arrêter et à inverser le sens de son mouvement (à condition que $v$ ne soit pas trop grande). Cette particularité est utilisée dans la conception des « bouteilles magnétiques » qui servent à confiner les plasmas à haute température dans les recherches sur la fusion. Le plasma ne peut pas être confiné dans un récipient ordinaire parce qu'il se refroidirait rapidement au contact des parois. Un autre exemple important du confinement magnétique est observé dans le champ magnétique terrestre. Les particules chargées provenant de l'espace, qu'elles soient associées au vent solaire ou au rayonnement cosmique, décrivent des trajectoires en spirale le long des lignes de champ d'un pôle à

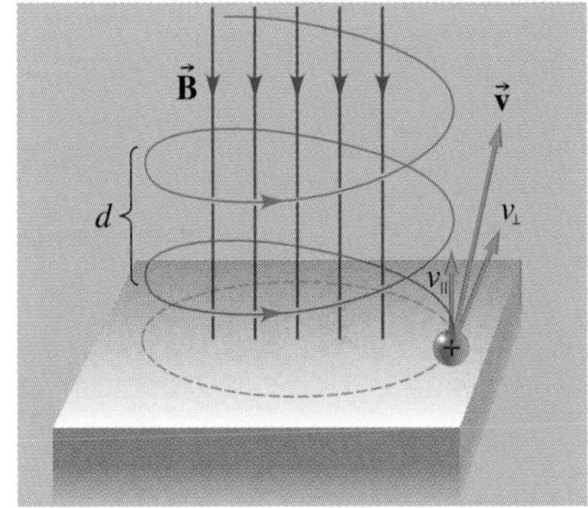


*Figure 8.26*

Une particule chargée dont la vitesse fait un certain angle avec le champ décrit une trajectoire hélicoïdale.

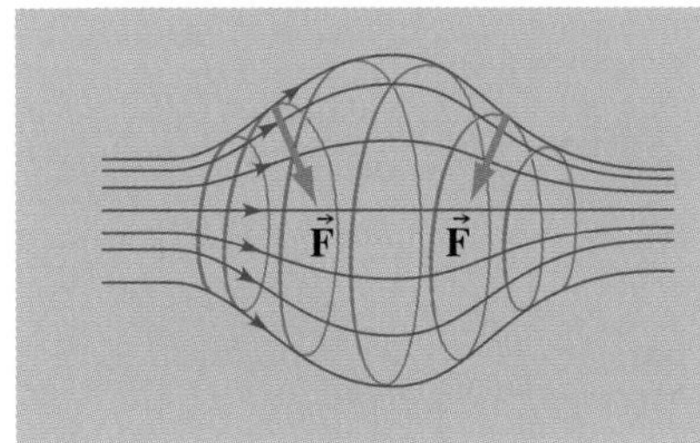


*Figure 8.27*

Dans un champ magnétique non uniforme, une particule chargée est soumise à une force dirigée vers les régions où le champ est plus faible. Le sens du mouvement sur la trajectoire en spirale peut être inversé. C'est le principe de la « bouteille magnétique ».

*La figure animée II-3*, **Mouvement circulaire et hélicoïdal**, permet d'illustrer le mouvement des particules chargées dans les champs magnétiques.

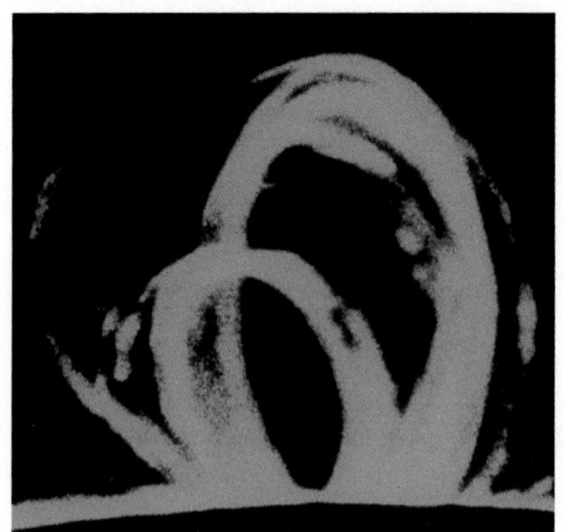

La forme de ces éruptions solaires est une preuve de l'existence du champ magnétique solaire.

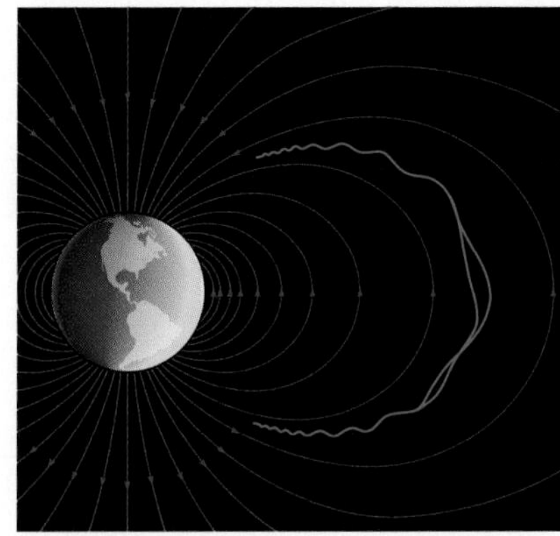

*Figure 8.28*

Les protons et les électrons de l'espace sont confinés par le champ magnétique terrestre.

l'autre (figure 8.28). Ces particules captives sont confinées dans des régions que l'on appelle ceintures de Van Allen, qui sont décrites dans le sujet connexe du chapitre suivant.

## 8.6 La combinaison des champs électrique et magnétique

Lorsqu'une particule est soumise à un champ électrique et à un champ magnétique dans la même région, la force totale agissant sur elle est

Force de Lorentz

$$\vec{\mathbf{F}} = q(\vec{\mathbf{E}} + \vec{\mathbf{v}} \times \vec{\mathbf{B}}) \qquad (8.14)$$

Cette force est appelée **force de Lorentz** d'après le physicien hollandais H. A. Lorentz. Nous venons de voir que la trajectoire d'une particule dans un champ magnétique uniforme est hélicoïdale et nous savons que sa trajectoire dans un champ électrique uniforme est une parabole. Lorsqu'elle est soumise à la fois à un champ électrique et à un champ magnétique, la particule a donc en général un mouvement assez complexe. Toutefois, dans les cas particuliers où les champs sont soit parallèles, soit perpendiculaires entre eux, l'analyse du mouvement est considérablement simplifiée et s'avère fort utile.

### Le sélecteur de vitesse

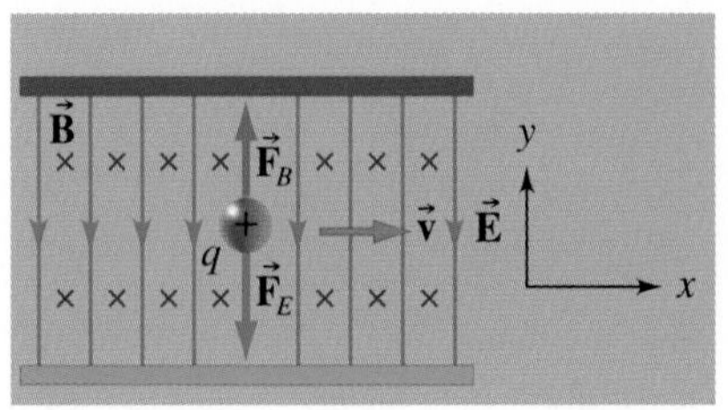


*Figure 8.29*

Un sélecteur de vitesse. Dans une région où règnent un champ électrique et un champ magnétique perpendiculaires, seules les particules ayant une vitesse qui vérifie la condition $\vec{\mathbf{E}} = -\vec{\mathbf{v}} \times \vec{\mathbf{B}}$ ne sont pas déviées.

La figure 8.29 représente une région dans laquelle un champ électrique $\vec{\mathbf{E}} = -E\vec{\mathbf{j}}$ est perpendiculaire à un champ magnétique $\vec{\mathbf{B}} = -B\vec{\mathbf{k}}$. On suppose qu'une particule de charge positive $q$ pénètre dans cette région avec une vitesse initiale $\vec{\mathbf{v}} = v\vec{\mathbf{i}}$. Les forces électrique et magnétique sont $\vec{\mathbf{F}}_E = -qE\vec{\mathbf{j}}$ et $\vec{\mathbf{F}}_B = qvB\vec{\mathbf{j}}$. Ces forces sont de sens opposés et vont s'annuler si elles ont le même module. Autrement dit, $\vec{\mathbf{F}}_E + \vec{\mathbf{F}}_B = q(\vec{\mathbf{E}} + \vec{\mathbf{v}} \times \vec{\mathbf{B}}) = 0$ si

$$\vec{\mathbf{E}} = -\vec{\mathbf{v}} \times \vec{\mathbf{B}}$$

ou, en fonction des modules, si $E = vB$. Par conséquent, si un faisceau de particules a une certaine distribution de vitesse, seules les particules dont la vitesse est

$$v = \frac{E}{B} \qquad (8.15)$$

vont traverser la zone des champs perpendiculaires sans être déviées. Ce montage de champs électrique et magnétique perpendiculaires s'appelle **sélecteur de vitesse**. Il s'agit d'une façon pratique de mesurer les vitesses de particules chargées ou de trier les particules selon leur vitesse.

## Le spectromètre de masse

Un **spectromètre de masse** est un dispositif qui sépare les particules chargées, en général des ions, selon leur rapport masse/charge. Si les charges sont identiques, l'instrument peut servir à mesurer la masse des ions. La figure 8.30 représente un instrument fabriqué par K. T. Bainbridge en 1933. Un faisceau de particules chargées passe dans un collimateur (qui en fait un pinceau de particules) constitué par les fentes $S_1$ et $S_2$. Les particules pénètrent alors dans un sélecteur de vitesse dans lequel le champ magnétique est $\vec{\mathbf{B}}_1$ et le champ électrique perpendiculaire est $\vec{\mathbf{E}}$. Il s'ensuit que seules les particules de vitesse $v = E/B_1$ continuent en ligne droite et pénètrent dans la section suivante, où il ne règne qu'un champ magnétique $\vec{\mathbf{B}}_2$. Les particules décrivent des trajectoires demi-circulaires et frappent une plaque photographique. D'après l'équation 8.10, on sait que le rayon de la trajectoire est $r = mv/|q|B_2$. En remplaçant $v = E/B_1$, on obtient

$$\frac{m}{|q|} = \frac{B_1 B_2}{E} r \qquad (8.16)$$

Pour une valeur donnée de $|q|$, le rayon de la trajectoire est proportionnel à la masse. On utilise cette technique pour séparer les isotopes, qui sont des atomes ayant les mêmes propriétés chimiques mais des masses légèrement différentes (*cf.* chapitre 12, tome 3). Cet instrument permet de déceler des différences de masses d'environ 0,01 %. La largeur des traces laissées sur la photographie nous renseigne également sur l'abondance relative des particules. La spectroscopie de masse est utilisée couramment en analyse chimique, par exemple dans la détection des polluants ou des impuretés (figure 8.31).

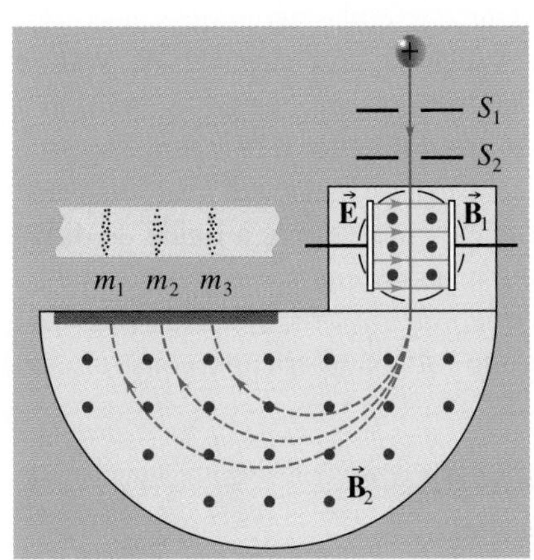


***Figure 8.30***

Le spectromètre de masse de Bainbridge sépare les particules chargées en fonction de leur rapport charge/masse. Elles traversent d'abord un sélecteur de vitesse, puis décrivent une trajectoire demi-circulaire dans le champ magnétique $\vec{\mathbf{B}}_2$. Une plaque photographique enregistre les impacts des particules.

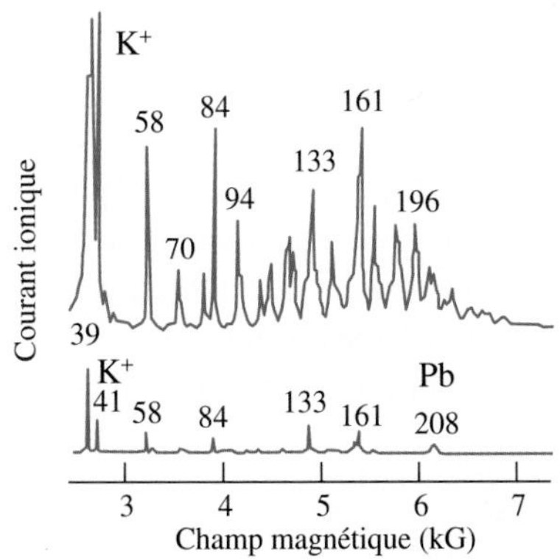


***Figure 8.31***

Une spectrographie de masse réalisée sur l'air d'une pièce avant et après qu'on y ait fumé une cigarette. Les pics 84 et 161 sont dus à la nicotine. (W. D. Davis, *Environmental Science Technology*, n° 11, 1977, p. 543.)

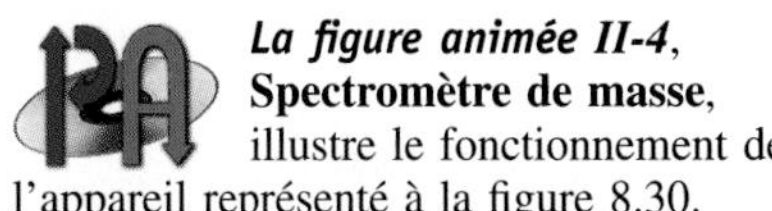

***La figure animée II-4*, Spectromètre de masse**, illustre le fonctionnement de l'appareil représenté à la figure 8.30.

## Exemple 8.14

Dans le spectromètre de masse de A. J. Dempster représenté à la figure 8.32, deux isotopes d'un élément, de masses $m_1$ et $m_2$ et de charge positive $q$, sont accélérés à partir du repos par une différence de potentiel $\Delta V$. Ils pénètrent ensuite dans un champ uniforme $\vec{\mathbf{B}}$ perpendiculairement aux lignes du champ magnétique. Quel est le rapport des rayons de leurs trajectoires ?

**Solution :**

L'énergie cinétique d'une particule est donnée par $\frac{1}{2}mv^2 = q\Delta V$, donc

$$v = \sqrt{\frac{2q\Delta V}{m}} \qquad \text{(i)}$$

D'après l'équation 8.10, on sait que dans le champ magnétique, $v = qrB/m$. En égalant ces deux expressions de $v$, on trouve que le rayon est donné par

$$r = \sqrt{\frac{2m\Delta V}{qB^2}} \qquad \text{(ii)}$$

Donc, si la charge $q$ est la même, le rapport des rayons $r_1/r_2 = \sqrt{m_1/m_2}$.

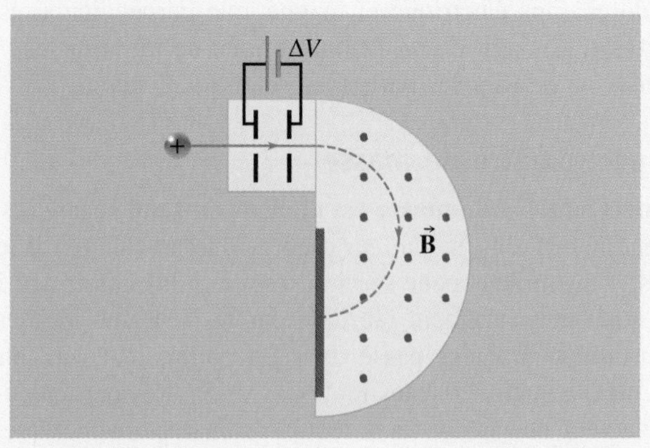


*Figure 8.32*

Le spectromètre de masse de Dempster. L'énergie des particules est déterminée par la différence de potentiel accélératrice dont on ajuste la valeur pour que toutes les particules décrivent un demi-cercle de rayon fixe. L'arrivée des particules est enregistrée par un électromètre.

Dans la pratique, on fixe l'électromètre à un rayon donné. Puis, selon la différence de potentiel appliquée, on recueille les différents isotopes comme le carbone 14 radioactif, moins abondant que le carbone 12.

## 8.7 Le cyclotron

On obtient une multitude d'informations concernant les propriétés des noyaux et des particules élémentaires en bombardant des cibles atomiques avec des particules de haute énergie. En 1932, les Anglais J. Cockcroft et W. Walton réalisèrent le premier « casseur d'atomes » en bombardant une cible en lithium avec des protons qui avaient été accélérés par une différence de potentiel énorme de 700 000 V. En 1929, le physicien américain Ernest Lawrence avait envisagé la possibilité d'accélérer des particules par étapes successives à l'aide de différences de potentiel relativement faibles, plutôt qu'en une seule fois. Il mit au point un dispositif, appelé **cyclotron**, en collaboration avec M. S. Livingston. Le premier cyclotron (construit en 1930) et une version ultérieure (construite en 1934) sont représentés à la figure 8.33.

*Figure 8.33*

(*a*) Le premier prototype de cyclotron tenait dans une main. (*b*) Un cyclotron de 27 po réalisé en 1934. Lawrence se tient à droite et Livingston à gauche.

(*a*)

(*b*)

Le fonctionnement du cyclotron s'appuie sur le fait que la période orbitale d'une particule dans un champ magnétique est indépendante de sa vitesse. Le cyclotron, représenté à la figure 8.34, est composé de deux demi-cylindres en forme de dé, appelés $D_1$ et $D_2$, séparés par un petit espace et placés dans un champ magnétique uniforme. Au centre de l'espace se trouve une source d'ions qui produit des particules chargées, telles que des protons ou des particules alpha, lesquelles sont injectées dans l'un des demi-cylindres avec une faible vitesse. On a créé le vide dans l'appareil afin de réduire au minimum les pertes dues aux collisions avec les molécules de l'air. Le champ magnétique pénètre dans les demi-cylindres et donne aux particules une trajectoire circulaire.

On applique aux demi-cylindres une tension élevée dont la polarité s'inverse chaque fois que les particules parcourent une demi-révolution. Le champ électrique associé à cette différence de potentiel est principalement confiné dans l'espace entre les demi-cylindres. Au moment même où les particules terminent leur première demi-révolution, $D_2$ devient positif et $D_1$ négatif. Puisque cette polarité accélère les particules (positives) lorsqu'elles traversent l'espace entre les demi-cylindres, elles acquièrent l'énergie cinétique $\Delta K = q\Delta V$ et passent à une orbite plus grande. Au bout d'un temps $T/2$, elles arrivent à nouveau dans cet espace, mais la polarité de la différence de potentiel s'est inversée de sorte qu'elles accélèrent à nouveau en le traversant. Ce processus se répétant à chaque traversée de l'espace, les particules subissent une nouvelle accélération en traversant l'espace et décrivent des cercles de plus en plus grands, *mais toujours avec la même période*. Lorsqu'elles atteignent le rayon maximal, les particules sont déviées par une plaque qui les dirige vers la zone expérimentale. Pour accélérer les particules de manière optimale, la tension $\Delta V$ doit osciller avec la période des particules donnée par l'équation 8.11. En effet, une tension qui oscille avec une période $T$ s'inverse bien à tous les $T/2$, donc à chaque demi-tour des particules.

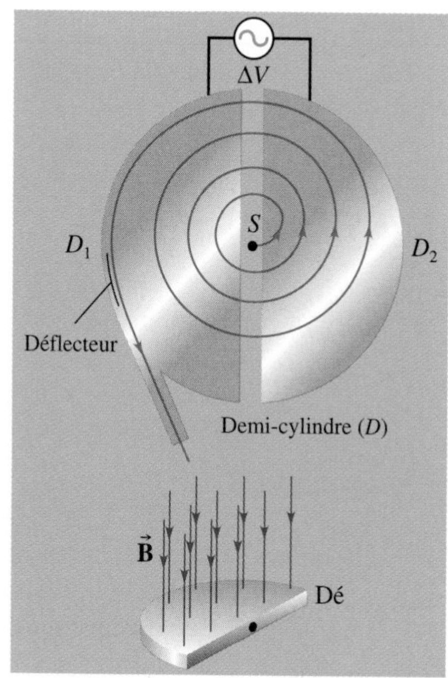


***Figure 8.34***

Le fonctionnement d'un cyclotron s'appuie sur le fait que la période du mouvement circulaire est indépendante de la vitesse de la particule. Une différence de potentiel alternative appliquée entre deux demi-cylindres sert à accélérer les particules lorsqu'elles traversent l'espace entre les demi-cylindres. Un champ magnétique est appliqué perpendiculairement aux demi-cylindres de sorte que les particules décrivent des trajectoires demi-circulaires à l'intérieur de chaque demi-cylindre.

Dans la pratique, le fonctionnement du cyclotron présente quelques complications. Tout d'abord, il est difficile de produire un champ magnétique uniforme dans une région étendue comme celle des cyclotrons modernes (de rayon voisin de 2 m). Un autre problème se présente lorsque la vitesse des particules commence à représenter une fraction appréciable de la vitesse de la lumière : la masse des particules est alors modifiée de manière appréciable par la relativité d'Einstein (voir le chapitre 8 du tome 3), ce qui affecte la période des particules. Cela crée un déphasage entre l'alternance de la différence de potentiel et le passage des particules dans l'espace entre les demi-cylindres. C'est pourquoi on utilise des protons, qui sont des particules plus lourdes que les électrons : pour une énergie donnée, la vitesse d'un proton est bien inférieure à celle d'un électron. Dans un cyclotron, les protons atteignent une énergie maximale voisine de 25 MeV. Dans le *synchrocyclotron*, la fréquence de la tension d'alimentation diminue progressivement pour compenser l'accroissement de masse. Cette machine permet d'accélérer des protons jusqu'à des énergies de 200 MeV.

Dans un *synchroton*, le champ magnétique et la fréquence varient tous deux, de sorte que les particules décrivent une orbite de rayon fixe. Les particules subissent une accélération lorsqu'elles passent entre de longs tubes dont le potentiel électrique alterne à la fréquence appropriée. Dans l'accélérateur du Fermilab (figure 8.35), les protons décrivent un cercle de rayon d'environ 1 km et leur énergie finale atteint près de 1 TeV.

*Figure 8.35*

L'accélérateur de particules du Fermilab, à Batavia (Illinois).

### Exemple 8.15

On utilise un cyclotron pour accélérer des protons à partir du repos. Il a un rayon de 60 cm et il est le siège d'un champ magnétique de 0,8 T. La différence de potentiel aux bornes des demi-cylindres est de 75 kV. Déterminer : (a) la fréquence de la différence de potentiel alternative ; (b) l'énergie cinétique maximale ; (c) le nombre de révolutions effectuées par les protons.

**Solution :**

(a) D'après l'équation 8.12, la fréquence cyclotron s'écrit

$$f_c = \frac{qB}{2\pi m}$$
$$= \frac{(1{,}6 \times 10^{-19}\ \text{C})(0{,}8\ \text{T})}{(6{,}28)(1{,}67 \times 10^{-27}\ \text{kg})} = 12\ \text{MHz}$$

(b) L'énergie cinétique est maximale pour $r = 0{,}6$ m. En utilisant l'expression obtenue dans l'exemple 8.12, on trouve

$$K_{\text{max}} = \frac{(qrB)^2}{2m}$$
$$= \frac{[(1{,}6 \times 10^{-19}\ \text{C})(0{,}6\ \text{m})(0{,}8\ \text{T})]^2}{3{,}34 \times 10^{-27}\ \text{kg}}$$
$$= 1{,}76 \times 10^{-12}\ \text{J} = 11\ \text{MeV}$$

(c) Durant chaque révolution, le proton est accéléré deux fois et son gain d'énergie est donc

$$\Delta K = 2q\Delta V$$
$$= 2(1{,}6 \times 10^{-19}\ \text{C})(7{,}5 \times 10^4\ \text{V})$$
$$= 2{,}4 \times 10^{-14}\ \text{J}$$

Le nombre total de révolutions est simplement $K_{\text{max}}/\Delta K = 73{,}5$ révolutions.

*Figure 8.36*

Edwin H. Hall (1855-1938).

## 8.8 L'effet Hall

En 1820, Œrsted avait montré qu'un aimant exerce une force sur un fil parcouru par un courant. Dans un document important publié par J. C. Maxwell (dont les travaux seront étudiés au chapitre 13), celui-ci suggérait que la force magnétique agit non pas sur le courant électrique mais sur le conducteur dans lequel il circule. Il en concluait que la distribution de courant dans le fil devrait être la même en l'absence d'un champ. Ces positions ne convenaient pas à Edwin Hall (figure 8.36) qui, en 1877, venait de commencer ses études de deuxième cycle à l'Université Johns Hopkins sous la direction du professeur Henry Rowland. On savait en effet que la force magnétique est proportionnelle au courant et ne dépend pas des dimensions du fil. En particulier, la force disparaît lorsque le courant est nul. La suggestion de Maxwell ne paraissait donc pas acceptable.

À cette époque, on considérait le courant électrique comme le flux d'un, ou peut-être de deux fluides (l'électron devait être découvert vingt ans après). Hall imagina donc que, dans un champ magnétique, le « fluide » serait attiré d'un côté du fil, entraînant une diminution de la section transversale effective du fil et donc une augmentation de sa résistance. Son idée était correcte, mais il ne disposait pas d'instruments assez sensibles pour détecter une variation de résistance. Il essaya donc d'utiliser une autre approche en supposant que, sous l'action du champ magnétique, le fluide produirait un « état de contrainte » sur le conducteur. Quelques années auparavant, Rowland avait effectivement réussi à déceler une faible différence de potentiel aux bornes latérales d'un conducteur parcouru par un courant dans un champ magnétique. Il proposa à Hall de refaire l'expérience, mais cette fois-ci avec une feuille d'or très fine. C'est ainsi qu'en octobre 1879 Hall découvrit l'effet qui porte maintenant son nom.

Pour illustrer l'**effet Hall**, supposons que le sens conventionnel du courant soit vers la droite et que $\vec{\mathbf{B}}$ entre perpendiculairement dans la page (figure 8.37). Si les charges en mouvement dans le fil sont positives, leur vitesse de dérive sera dans le sens conventionnel du courant, donc vers la droite (figure 8.37*a*). La force magnétique sur les charges sera vers le haut, ce qui entraînera une accumulation nette de charges positives sur le haut du fil. Il apparaîtra ainsi une différence de potentiel positive entre le haut et le bas du fil : $V_{\text{haut}} - V_{\text{bas}} > 0$. En revanche, si les charges en mouvement sont négatives, leur vitesse de dérive sera dans le sens opposé, donc vers la gauche (figure 8.37*b*). La force magnétique sur les charges sera *encore* vers le haut (vérifiez-le), et les charges négatives s'accumuleront en haut du fil : $V_{\text{haut}} - V_{\text{bas}} < 0$. L'effet Hall observé dans la plupart des matériaux montre que ce sont bel et bien les électrons négatifs qui se déplacent.

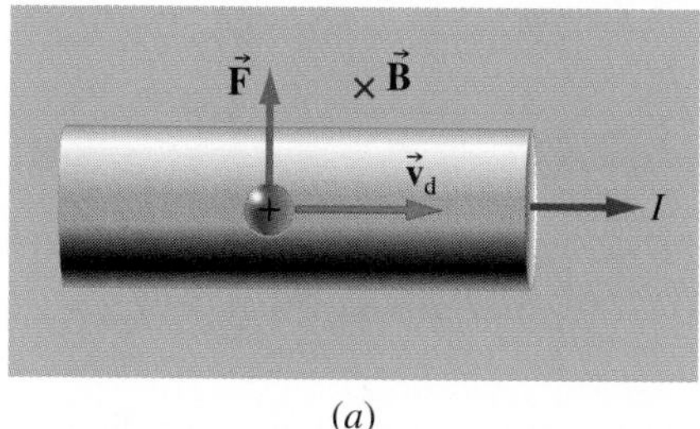


(*a*)

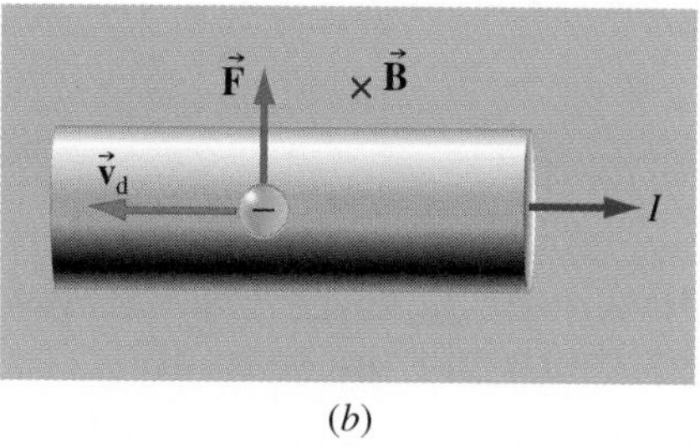


(*b*)

**Figure 8.37**

Sous l'effet d'un champ magnétique perpendiculaire au fil, les charges en mouvement sont affectées. (*a*) Si le courant est dû à des charges positives, un excès de charges positives se forme en haut du fil. (*b*) Si le courant est dû à des charges négatives, un excès de charges négatives se forme en haut du fil.

La figure 8.38 représente une plaquette métallique de largeur $L$ et d'épaisseur $\ell$ dans laquelle circule un courant $I$. Un champ magnétique uniforme $\vec{\mathbf{B}}$ est orienté comme l'indique la figure. Une charge négative $q$ se déplaçant dans le sens de la longueur à la vitesse de dérive $\vec{\mathbf{v}}_d$ est soumise à une force magnétique vers le haut $\vec{\mathbf{F}}_B = |q|v_d B\vec{\mathbf{k}}$. La face supérieure se charge négativement tandis que la face inférieure se charge positivement. Ces charges produisent alors un champ électrique dirigé vers le haut qui crée une force électrique vers le bas sur les charges négatives en mouvement, $\vec{\mathbf{F}}_E = -|q|E\vec{\mathbf{k}}$. Au fur et à mesure que les charges s'accumulent sur les faces supérieure et inférieure, la force électrique devient assez intense pour compenser la force magnétique.

La force nette, $\vec{\mathbf{F}} = q(\vec{\mathbf{E}} + \vec{\mathbf{v}} \times \vec{\mathbf{B}})$, est nulle lorsque $\vec{\mathbf{E}} = -\vec{\mathbf{v}}_d \times \vec{\mathbf{B}}$, c'est-à-dire lorsque $E = v_d B$. L'effet Hall fait intervenir une différence de potentiel entre les côtés de la plaquette métallique. Cette différence de potentiel, ou **tension de Hall**, s'écrit

$$\Delta V_H = EL = v_d BL \qquad (8.17)$$

D'après l'équation 6.2, le courant est $I = n|q|v_d A$, $n$ étant le nombre de porteurs de charge par unité de volume et $A = L\ell$ étant l'aire de la section de la plaquette. Si l'on remplace $v_d = I/(n|q|L\ell)$ dans l'équation 8.17, on obtient

$$\Delta V_H = \frac{IB}{n|q|\ell} \qquad (8.18)$$

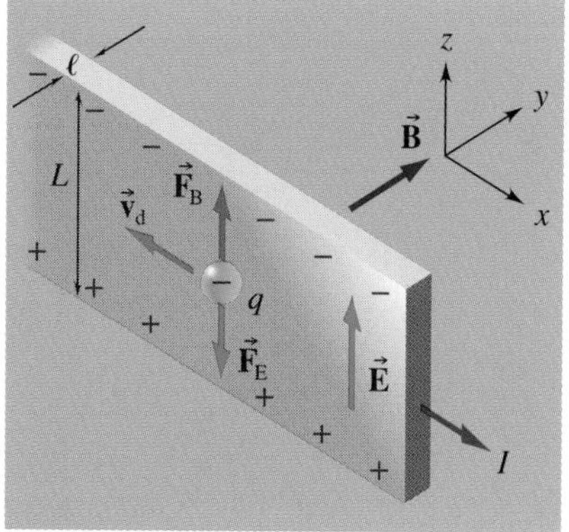


**Figure 8.38**

L'effet Hall. Lorsqu'un champ magnétique est appliqué perpendiculairement à une plaquette parcourue par un courant, une différence de potentiel apparaît entre les côtés supérieur et inférieur de la plaquette.

L'équation 8.18 peut servir soit à déterminer $v_d$ si l'on connaît $B$, soit à mesurer $B$ si l'on connaît $v_d$. Il existe un instrument appelé sonde de Hall servant à mesurer les champs magnétiques à partir de la tension de Hall.

D'après l'équation 8.18, on voit que $\Delta V_H$ est inversement proportionnelle au nombre de porteurs de charge par unité de volume. Si les autres variables sont connues, on peut donc déterminer ce nombre. Pour les métaux, $\Delta V_H$ est de l'ordre du μV, alors que pour les semi-conducteurs, elle peut être de l'ordre du mV. Pour des métaux comme l'or, le cuivre, l'argent, le platine et l'aluminium, le signe de $\Delta V_H$ concorde avec la présence de porteurs de charge négatifs. Mais les résultats obtenus avec le cobalt, le zinc, le plomb et le fer, et avec les semi-conducteurs silicium et germanium ont pendant longtemps dérouté les scientifiques. Ces matériaux semblent avoir des porteurs de charge positifs. L'explication de cette anomalie fait appel à la mécanique quantique.

### Exemple 8.16

Une plaquette de métal de largeur 1 cm et d'épaisseur 2 mm est orientée perpendiculairement à un champ magnétique. Lorsqu'elle est parcourue par un courant de 10 A, la tension de Hall vaut 0,4 μV. Quelle est l'intensité de $B$ ? On donne $n = 5 \times 10^{28}$ m$^{-3}$.

**Solution :**

D'après l'équation 8.18,

$$B = \frac{n|q|t\Delta V_H}{I}$$

$$= \frac{(5 \times 10^{28})(1{,}6 \times 10^{-19})(2 \times 10^{-3})(4 \times 10^{-7})}{10}$$

$$= 0{,}64 \text{ T}$$

### Nature de la force magnétique agissant sur un conducteur parcouru par un courant

L'effet Hall montre que Maxwell avait tort : le champ magnétique agit directement sur les charges en mouvement qui constituent le courant électrique. Puisque les ions positifs qui forment le réseau d'un conducteur sont immobiles (si l'on ne tient pas compte du mouvement thermique), ils ne peuvent être soumis à une force magnétique. Mais alors : comment la force est-elle transmise au fil ? Nous avons vu qu'il se produit une séparation des charges et un champ électrique correspondant dans le fil. Les ions positifs du conducteur sont soumis à la force électrique attribuable à ce champ. Par conséquent, la « force magnétique sur le fil » est en réalité une force électrique agissant sur le réseau d'ions positifs dans le conducteur.

## 8.9 La découverte de l'électron

La découverte de l'électron, la première particule subatomique connue, survint pendant l'étude des décharges électriques dans les gaz raréfiés, au cours de travaux qui débutèrent en 1860. Lorsqu'on applique une différence de potentiel élevée aux bornes d'une enceinte en verre contenant un gaz à basse pression (0,01 atm), le gaz commence à émettre une lueur, un peu à la manière d'un tube fluorescent. Si la pression est très faible ($10^{-3}$ mm Hg), le tube devient complètement sombre et l'électrode négative (cathode) émet de faibles lueurs bleutées. Lorsqu'ils atteignent l'enceinte, les « rayons cathodiques » invisibles, responsables de l'émission lumineuse, rendent également le verre fluorescent ; il diffuse alors une lueur verdâtre ou bleuâtre. Une croix en mica intercalée entre la cathode et le verre projette une ombre nette sur le verre, ce qui montre que les « rayons cathodiques » se propagent en ligne droite. Plusieurs propriétés de ces rayons furent découvertes après 1880. (1) Ils sont déviés par un champ magnétique comme s'ils étaient chargés négativement. (2) Ils sont émis perpendiculairement à la surface de la cathode, contrairement à la lumière qui est émise dans toutes les directions. (3) Ils possèdent une quantité de mouvement (ils peuvent faire tourner une petite roue à aubes) et une énergie (ils peuvent élever la température d'un corps).

Les avis étaient partagés quant à la nature de ces rayons, certains scientifiques pensant qu'il s'agissait d'ondes électromagnétiques, comme les ondes lumineuses ou les ondes radio, d'autres croyant qu'il s'agissait de particules chargées. Aujourd'hui, on considère que leur déviation dans un champ magnétique est une preuve concluante qu'il s'agit en fait de particules chargées. Mais à cette époque, on n'avait pas encore réellement démontré qu'une onde électromagnétique ne pouvait être déviée par un champ magnétique. Heinrich Hertz avait bien essayé de dévier les rayons au moyen d'un champ électrique en appliquant une différence de potentiel de 22 V entre deux armatures, mais il n'avait observé aucun effet. En élevant la différence de potentiel (à 500 V environ), il avait observé une décharge en arc entre les armatures et il avait renoncé à poursuivre dans cette direction. Son assistant, P. Lenard, découvrit que les rayons pouvaient traverser de minces feuilles de métal (2 μm) et une couche d'air de 1 cm. Il démontra que ces rayons ne pouvaient être formés d'atomes parce que les feuilles ne laissaient pas passer le gaz hydrogène (on supposait à juste titre que l'hydrogène, étant l'élément le plus léger, avait les atomes les plus petits). En admettant que les rayons soient des particules chargées en mouvement, ils devraient alors *produire* un champ magnétique. Hertz fut incapable de détecter ce champ et la plupart des physiciens allemands continuèrent donc à penser qu'ils étaient de nature ondulatoire.

En 1895, le français J. Perrin démontra, en recueillant les rayons dans un cylindre, qu'ils portaient une charge négative. Lorsqu'ils étaient déviés du collecteur par un champ magnétique, aucune charge n'y était recueillie, ce qui prouvait que les rayons étaient en fait des particules. En 1897, J. J. Thomson (figure 8.39), de Cambridge, décida d'élucider l'énigme que posait la nature de ces « corpuscules », comme il les appelait. Sa première découverte importante fut de montrer que les particules pouvaient être déviées par un champ électrique, ce qu'il réussit à faire parce qu'il fut capable de produire un vide plus complet que celui obtenu par Hertz.

Le montage utilisé par J. J. Thomson est représenté à la figure 8.40. Les rayons étaient émis à la cathode C et accélérés jusqu'à l'anode A dans laquelle on avait

**Figure 8.39**

J. J. Thomson (1856-1940).

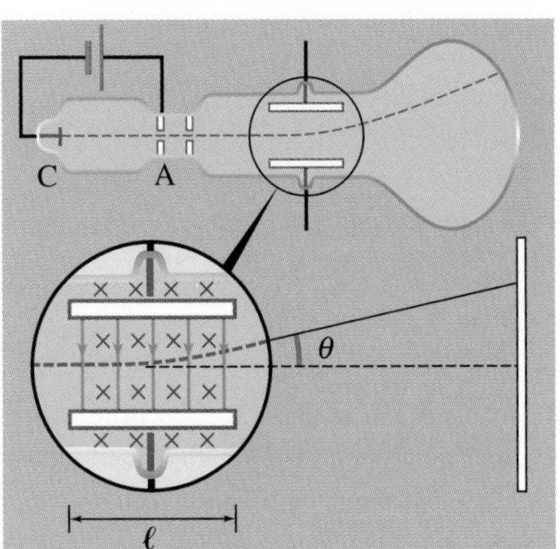

**Figure 8.40**

L'appareillage de Thomson. Les électrons émis par la cathode C étaient accélérés vers l'anode A. Ils traversaient ensuite une région de champs électrique et magnétique perpendiculaires et allaient frapper un écran revêtu d'une substance phosphorescente.

pratiqué une petite ouverture. Ils traversaient ensuite une région de champs $E$ et $B$ perpendiculaires dont les valeurs étaient choisies de manière à ne pas dévier le faisceau. La position du faisceau apparaissait comme une tache sur un écran enduit d'un matériau phosphorescent tel du ZnS. D'après notre étude du sélecteur de vitesse, nous savons que la vitesse des particules est $v = E/B$. Thomson détermina que leur vitesse était environ de $3 \times 10^7$ m/s. Ensuite, les particules étaient déviées *soit* par le champ électrique *ou* par le champ magnétique. Nous nous intéressons uniquement pour l'instant à la déviation électrique : la trajectoire des particules dans un champ électrique uniforme est une parabole. Nous avons montré à l'exemple 2.7 que l'angle selon lequel elles sortent des armatures est donné par

$$\tan \theta = \frac{|q|E\ell}{mv^2}$$

Comme $v = E/B$, on obtient

$$\frac{|q|}{m} = \frac{E \tan \theta}{B^2\ell} \tag{8.19}$$

Toutes les variables figurant au deuxième membre sont faciles à mesurer.

Thomson utilisa plusieurs gaz différents dans le tube pour montrer que le rapport charge/masse des « corpuscules » gardait toujours la même valeur, $|q|/m = 10^{11}$ C/kg. Il était donc clair qu'il s'agissait du même type de particules. Ce rapport charge/masse était mille fois supérieur à celui de l'ion hydrogène, le plus léger connu. Si le « corpuscule » avait la même charge que l'ion $H^+$, sa masse devait donc être mille fois plus petite. Le fait que les « corpuscules » pouvaient traverser des feuilles métalliques et parcourir des distances relativement importantes dans l'air indiquait qu'il s'agissait de particules très petites. À une époque où certains scientifiques n'étaient pas encore convaincus de l'existence des atomes, Thomson se rendit compte qu'il avait affaire à une nouvelle forme de matière, de taille encore plus petite qu'un atome. Le corpuscule fut bientôt identifié comme *électron*, dont l'existence avait été postulée en vertu de preuves chimiques. La valeur définitive de la charge de l'électron ne fut mesurée qu'en 1909 par R. A. Millikan (*cf.* section 2.8). Le rôle de l'électron dans l'atome fut élucidé quelques années plus tard. (Soulignons en passant que les électrons étaient émis par la cathode à cause du bombardement par les ions positifs du gaz dans l'enceinte.)

## Résumé

La force magnétique sur une charge $q$ de vitesse $\vec{\mathbf{v}}$ dans un champ magnétique $\vec{\mathbf{B}}$ est

$$\vec{\mathbf{F}} = q\vec{\mathbf{v}} \times \vec{\mathbf{B}}$$

La force a pour module $F = qvB \sin \theta$ et sa direction est toujours perpendiculaire à la fois à $\vec{\mathbf{v}}$ et à $\vec{\mathbf{B}}$. Une force magnétique peut accélérer une particule mais ne peut effectuer de travail sur la particule et ne peut donc modifier son énergie cinétique.

La force magnétique sur un fil rectiligne de longueur $\ell$ parcouru par un courant $I$ dans un champ magnétique uniforme $\vec{\mathbf{B}}$ est

$$\vec{\mathbf{F}} = I\vec{\boldsymbol{\ell}} \times \vec{\mathbf{B}}$$

$\vec{\boldsymbol{\ell}}$ étant orienté dans le sens du courant. Si le fil n'est pas rectiligne ou si le champ n'est pas uniforme, la force agissant sur une longueur infinitésimale $d\vec{\boldsymbol{\ell}}$ est

$$d\vec{\mathbf{F}} = I\, d\vec{\boldsymbol{\ell}} \times \vec{\mathbf{B}}$$

Une boucle de $N$ spires de section $A$ parcourue par un courant $I$ et plongée dans un champ magnétique uniforme $B$ est soumise à un moment de force dont le module est donné par

$$\tau = NIAB \sin \theta$$

où $\theta$ est l'angle entre la perpendiculaire à la boucle et le champ magnétique. Ce moment de force tend à faire tourner la boucle pour que son plan soit perpendiculaire au champ magnétique.

Une particule de charge $q$ et de masse $m$ en mouvement à vitesse $v$ dans un plan perpendiculaire à un champ uniforme décrit une trajectoire circulaire. D'après la deuxième loi de Newton,

$$|q|vB = \frac{mv^2}{r}$$

La période $T = 2\pi r/v$ et la fréquence cyclotron $f_c$ sont données par

$$f_c = \frac{1}{T} = \frac{|q|B}{2\pi m}$$

On remarque que ces grandeurs ne dépendent ni de $v$ ni de $r$.

Une particule soumise à la fois à un champ électrique et à un champ magnétique est soumise à la force de Lorentz :

$$\vec{\mathbf{F}} = q(\vec{\mathbf{E}} + \vec{\mathbf{v}} \times \vec{\mathbf{B}})$$

## Termes importants

- champ magnétique
- cyclotron
- effet Hall
- force de Lorentz
- fréquence cyclotron
- gauss
- pas de l'hélice
- règle de la main droite
- sélecteur de vitesse
- spectromètre de masse
- tension de Hall
- tesla

## Révision

**R1.** Représentez à l'aide d'un dessin les lignes du champ magnétique d'un barreau aimanté.

**R2.** Vrai ou faux ? Le pôle nord d'un aimant est attiré par le pôle nord d'un autre aimant.

**R3.** Vrai ou faux ? Pour qu'une particule chargée en mouvement dans un champ magnétique subisse une force, il faut absolument que sa vitesse soit perpendiculaire au champ.

**R4.** Dans un fil de longueur $\ell$ parcouru par un courant $I$ et plongé dans un champ magnétique $B$, ce sont les électrons de conduction qui subissent une force magnétique donnée par $\vec{\mathbf{F}} = q\vec{\mathbf{v}} \times \vec{\mathbf{B}}$. Montrez, à l'aide d'un dessin et en appliquant la règle de la main droite, que cette force est dans le même sens que celle obtenue par l'expression $\vec{\mathbf{F}} = I\vec{\boldsymbol{\ell}} \times \vec{\mathbf{B}}$.

**R5.** Vrai ou faux ? Une boucle de courant placée dans un champ magnétique a tendance à s'orienter de manière à ce que le plan de la boucle soit perpendiculaire aux lignes de champ magnétique.

**R6.** On lance une particule chargée à une vitesse $\vec{\mathbf{v}}$ dans un champ magnétique uniforme $\vec{\mathbf{B}}$. Quelle est la forme de la trajectoire de la particule si (i) $\vec{\mathbf{v}}$ est parallèle à $\vec{\mathbf{B}}$ ? (ii) $\vec{\mathbf{v}}$ est perpendiculaire à $\vec{\mathbf{B}}$ ?

**R7.** Une particule chargée de masse $m$ et de charge $q$ se déplace selon un module de vitesse $v$ et une période $T$ sur une trajectoire circulaire dans un champ magnétique uniforme $B$. Qu'arrive-t-il à $T$ (i) si on double $m$ ? (ii) si on double $q$ ? (iii) si on double $v$ ? (iv) si on double $B$ ?

**R8.** On lance une particule chargée positivement à une vitesse $\vec{\mathbf{v}}$ perpendiculaire à un champ magnétique uniforme $\vec{\mathbf{B}}$. Comment doit-on disposer un champ électrique $\vec{\mathbf{E}}$ si on désire, à l'aide de ce dernier, annuler la force magnétique subie par la particule ? Votre réponse dépend-elle du signe de la charge de la particule ?

**R9.** Décrivez en mots et en images ce qu'est (i) un sélecteur de vitesse ; (ii) un spectrographe de masse ; (iii) un cyclotron.

**R10.** Vrai ou faux ? Une particule qui fait $N$ tours dans un cyclotron a subi $N$ fois l'effet accélérateur de la différence de potentiel maintenue entre les deux demi-cylindres.

**R11.** Expliquez dans vos termes et à l'aide de dessins comment on peut déterminer, à l'aide de l'effet Hall, le signe des charges en mouvement dans un fil parcouru par un courant.

## Questions

**Q1.** Montrez que $1\ \mathrm{T} = 1\ \mathrm{N \cdot A^{-1} \cdot m^{-1}}$.

**Q2.** Un champ magnétique peut-il servir à accélérer une particule chargée ? Expliquez pourquoi.

**Q3.** Dans l'équation $\vec{\mathbf{F}} = q\vec{\mathbf{v}} \times \vec{\mathbf{B}}$, quels couples de vecteurs sont toujours perpendiculaires ? Quels couples de vecteurs peuvent avoir entre eux un angle quelconque ?

**Q4.** Comment varie le rayon de la trajectoire d'une particule chargée dans un champ magnétique en fonction de son énergie cinétique ?

**Q5.** Un faisceau d'électrons traverse une région sans être dévié. Quelle conclusion peut-on en déduire quant à l'existence de champs électrique et magnétique ?

**Q6.** Le flux de rayons cosmiques constitués de particules chargées arrivant sur la Terre à l'équateur provient plutôt de l'ouest. Que peut-on en déduire ?

**Q7.** Une charge immobile n'est soumise qu'à l'action d'un champ électrique, alors qu'une charge en mouvement peut également être soumise à un champ magnétique. Si un barreau aimanté se déplace rapidement près d'une charge immobile (figure 8.41), la charge est-elle soumise à une force ? Si oui, de quelle nature est cette force ?

**Q8.** Soit une charge dans un champ magnétique. Étant donné $q$, $\vec{\mathbf{v}}$ et $\vec{\mathbf{F}}$, que peut-on dire de $\vec{\mathbf{B}}$ ?

**Q9.** Soit une région où le champ magnétique terrestre est horizontal et orienté plein nord. Quelle est la direction de la force agissant sur un électron qui se déplace : (a) vers le nord ; (b) vers l'est ; (c) verticalement vers le haut ?

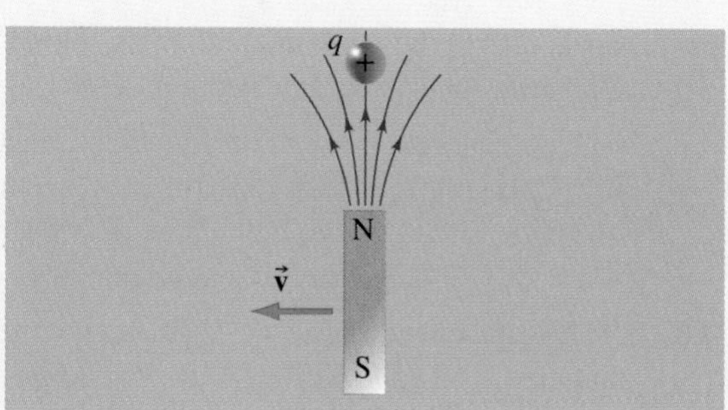


*Figure 8.41*

Question 7.

**Q10.** La figure 8.42 représente les lignes de champ magnétique aux extrémités d'un aimant. On considère un électron en orbite dans un plan perpendiculaire aux lignes. Montrez que l'orbite est stable par rapport à de petits déplacements perpendiculaires au plan de l'orbite.

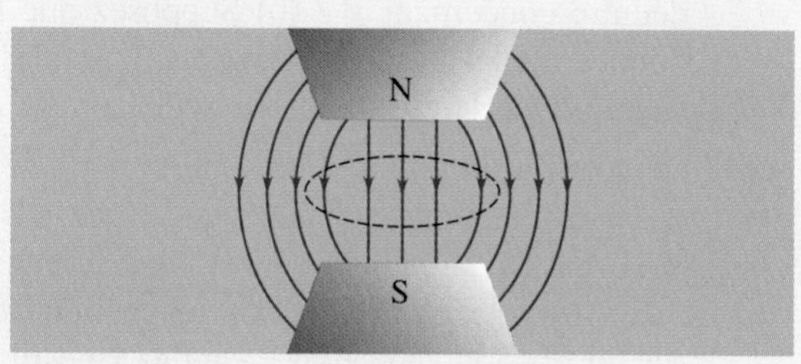


*Figure 8.42*

Question 10.

**Q11.** Serait-il acceptable de définir la direction de $\vec{\mathbf{B}}$ comme étant celle de la force agissant sur une charge positive en mouvement ? Justifiez votre réponse.

**Q12.** Une particule chargée provenant d'une région qui n'est soumise à aucun champ pénètre dans un champ magnétique uniforme. Peut-elle décrire une trajectoire fermée dans le champ ?

**Q13.** On utilise une plaquette de semi-conducteur comme sonde de Hall pour mesurer l'intensité du champ magnétique (figure 8.43). Quel est le signe de la différence de potentiel $V_a - V_b$ si les porteurs de charge sont (a) négatifs ; (b) positifs ?

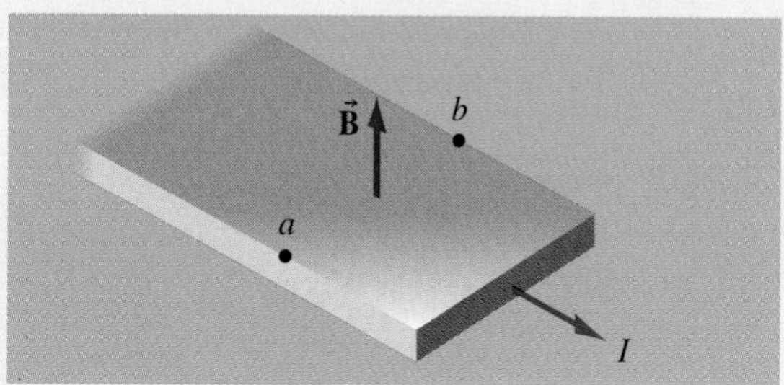


*Figure 8.43*

Question 13.

**Q14.** Les rayons cosmiques sont des particules chargées de haute énergie qui proviennent de l'espace et bombardent la Terre. Le flux de particules des rayons cosmiques qui atteignent la Terre est plus intense au pôle qu'à l'équateur. Pourquoi ? (Pensez au champ magnétique terrestre.)

**Q15.** Si, dans un champ magnétique donné, deux particules ont la même fréquence angulaire du cyclotron, que peut-on en conclure ?

**Q16.** Pourquoi un barreau aimanté placé à proximité d'un tube de téléviseur provoque-t-il une distorsion de l'image sur l'écran ?

**Q17.** L'énergie cinétique maximale atteinte par les particules dans un cyclotron est-elle influencée par la valeur de la différence de potentiel entre les demi-cylindres du cyclotron ? Si oui, comment ?

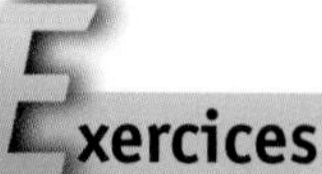

# Exercices

## 8.1 Champ magnétique

**E1.** (I) En un point donné de l'équateur, le champ magnétique terrestre est horizontal, dirigé vers le nord et possède une grandeur de 0,6 G. Quelle force magnétique engendre-t-il sur (a) un proton se déplaçant vers le bas à $10^6$ m/s ; (b) un électron se déplaçant vers l'ouest à $10^6$ m/s ?

**E2.** (I) Un électron se déplace selon la direction négative de l'axe des $y$ à $10^6$ m/s perpendiculairement à un champ magnétique uniforme. La force magnétique agissant sur l'électron est $3{,}2 \times 10^{-15}\vec{\mathbf{i}}$ N. Quels sont le module et la direction du champ magnétique ?

**E3.** (I) En un point donné de sa surface, le champ magnétique de la Terre a un module de 0,12 G et sa direction pointe directement vers le bas. Décrivez la force magnétique agissant sur un proton se déplaçant à l'horizontale à $2{,}7 \times 10^6$ m/s, selon une direction qui pointe à 45° au sud de l'est.

**E4.** (I) Une charge $q = 1$ μC se déplace à la vitesse de $10^6$ m/s dans un champ uniforme $\vec{\mathbf{B}} = 500\vec{\mathbf{j}}$ G. Trouvez la force magnétique agissant sur la charge pour chacune des trois directions de la vitesse précisées par une arête et deux des diagonales du cube de la figure 8.44 (utilisez la notation $\vec{\mathbf{i}}$, $\vec{\mathbf{j}}$, $\vec{\mathbf{k}}$).

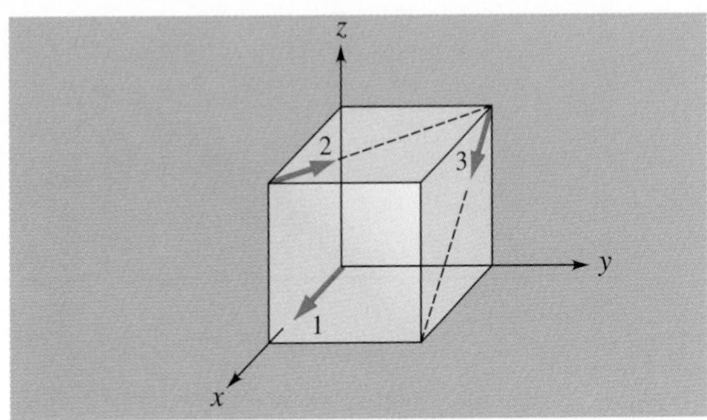


*Figure 8.44*

Exercice 4.

**E5.** (I) Lorsqu'une charge positive se déplace dans le plan $xy$ selon un angle de 30° par rapport à l'axe des $x$ positifs, elle est soumise à une force dirigée suivant l'axe des $z$ positifs. Lorsqu'elle se déplace avec la même vitesse le long de l'axe des $y$ positifs, la force est orientée dans le sens des $z$ négatifs et a le même module qu'auparavant. Quelle est la direction du champ magnétique ?

**E6.** (II) Une charge $q = -0{,}25$ μC a une vitesse de $2 \times 10^6$ m/s faisant un angle de 45° avec l'axe des $x$ dans le plan $xz$ (figure 8.45). Il règne un champ magnétique de module 0,03 T. (a) Si $\vec{\mathbf{B}}$ est orienté selon l'axe des $z$ positifs, quelle est la force magnétique agissant sur la charge ? (b) Si la force agissant sur la charge est égale à $4 \times 10^{-3}$ N selon l'axe des $y$ positifs, quelle est la direction de $\vec{\mathbf{B}}$ ?

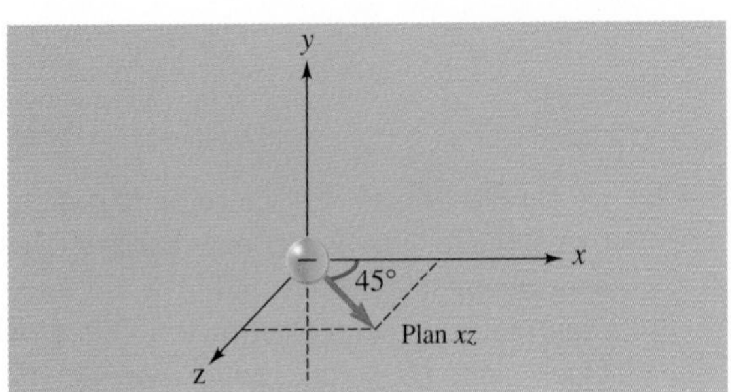


*Figure 8.45*

Exercice 6.

**E7.** (I) Une charge $q = -4$ μC a une vitesse instantanée $\vec{\mathbf{v}} = [2{,}0\vec{\mathbf{i}} - 3{,}0\vec{\mathbf{j}} + 1{,}0\vec{\mathbf{k}}] \times 10^6$ m/s dans un champ magnétique uniforme $\vec{\mathbf{B}} = [2{,}0\vec{\mathbf{i}} + 5{,}0\vec{\mathbf{j}} + 3{,}0\vec{\mathbf{k}}] \times 10^2$ T. Quelle est la force agissant sur la charge ?

**E8.** (I) Lorsqu'une charge $q = -2$ μC a une vitesse instantanée $\vec{\mathbf{v}} = [-\vec{\mathbf{i}} + 3\vec{\mathbf{j}}] \times 10^6$ m/s, elle est soumise à une force $\vec{\mathbf{F}} = [3{,}0\vec{\mathbf{i}} + \vec{\mathbf{i}} + 3{,}0\vec{\mathbf{j}}]$N. Déterminez le champ magnétique sachant que $B_x = 0$.

**E9.** (I) Un électron est soumis à une force magnétique $\vec{\mathbf{F}} = [-2\vec{\mathbf{i}} + 6\vec{\mathbf{j}}] \times 10^{-13}$ N dans un champ magnétique $\vec{\mathbf{B}} = -1{,}2\vec{\mathbf{k}}$ T. Quelle est la vitesse de l'électron, sachant que $v_z = 0$ ?

**E10.** (I) Un électron se déplaçant à la vitesse de $10^6\vec{\mathbf{i}}$ m/s dans un champ magnétique est soumis à une force de $4 \times 10^{-14}\vec{\mathbf{j}}$ N. (a) Quels renseignements ces données vous permettent-elles de déduire concernant $\vec{\mathbf{B}}$ ? (b) Supposez que la force donnée ait la plus grande valeur possible dans le champ. Que pouvez-vous en déduire dans ce cas ?

**E11.** (II) Lorsqu'un proton a une vitesse $\vec{\mathbf{v}} = [-2\vec{\mathbf{i}} + 3\vec{\mathbf{j}}] \times 10^6$ m/s, il est soumis à une force $\vec{\mathbf{F}} = -1{,}28 \times 10^{-13}\vec{\mathbf{k}}$ N. Lorsque sa vitesse est orientée selon l'axe des $z$ positifs, la force magnétique agissant sur lui est orientée selon l'axe des $x$ positifs. Quel est le champ magnétique ?

## 8.2 Force magnétique sur un conducteur parcouru par un courant

**E12.** (I) Une ligne de transmission transporte un courant de $10^3$ A d'ouest en est. Le champ magnétique terrestre est horizontal, orienté vers le nord et a une intensité de 0,5 G. Quelle est la force exercée sur 1 m de la ligne ?

**E13.** (I) La boucle triangulaire de la figure 8.46 est située dans le plan $xy$ et parcourue par le courant

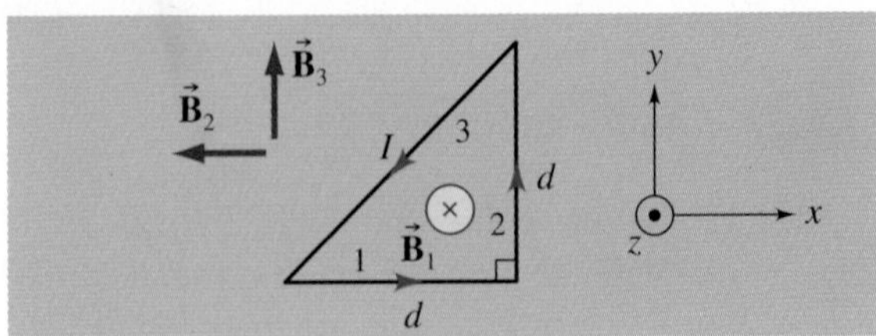


*Figure 8.46*

Exercices 13, 14, 15 et 24.

indiqué. Si cette boucle est soumise à un champ magnétique uniforme $\vec{\mathbf{B}}_1 = -B_1\vec{\mathbf{k}}$, quelle est la force agissant sur chacun des côtés de la boucle ?

**E14.** (I) La boucle triangulaire de la figure 8.46 est soumise à un champ magnétique uniforme $\vec{\mathbf{B}}_2 = -B_2\vec{\mathbf{i}}$. Quelle est la force agissant sur chacun des côtés de la boucle ?

**E15.** (I) La boucle triangulaire de la figure 8.46 est soumise à un champ magnétique uniforme $\vec{\mathbf{B}}_3 = +B_3\vec{\mathbf{j}}$. Quelle est la force agissant sur chacun des côtés de la boucle ?

**E16.** (II) Une tige de longueur $\ell = 15$ cm et de masse $m = 30$ g est située sur un plan incliné faisant un angle de 37° par rapport à l'horizontale (figure 8.47). Le courant entre et sort de la tige par des fils souples et légers dont on ne tient pas compte. Donnez la direction et l'intensité du courant pour lequel la tige est en équilibre dans un champ magnétique $\vec{\mathbf{B}} = 0{,}25\vec{\mathbf{j}}$ T ? On néglige la friction sur la surface du plan incliné.

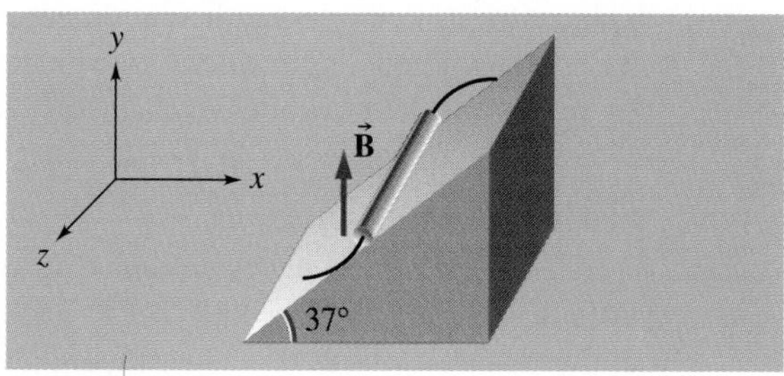


*Figure 8.47*

Exercice 16.

**E17.** (I) Une ligne de transmission transporte un courant de 800 A d'est en ouest. Le champ magnétique terrestre est de 0,8 G, dirigé vers le nord mais selon un angle de 60° sous l'horizontale. Quelle est la force par unité de longueur agissant sur la ligne ?

**E18.** (I) Soit un fil rectiligne de longueur 80 cm parcouru par un courant de 3 A dans un champ magnétique uniforme de 0,6 T. Trouvez la force agissant sur le fil lorsque le champ est orienté dans le plan $xy$ comme à la figure 8.48.

**E19.** (I) Un fil rectiligne de longueur 45 cm transporte un courant de 6 A selon l'axe des $z$ positifs. Il est soumis à une force de 0,05 N dans le sens des $x$ négatifs. Trouvez le champ magnétique, sachant qu'il est orienté : (a) perpendiculairement au fil ; (b) selon un angle de 30° par rapport à l'axe des $z$ positifs.

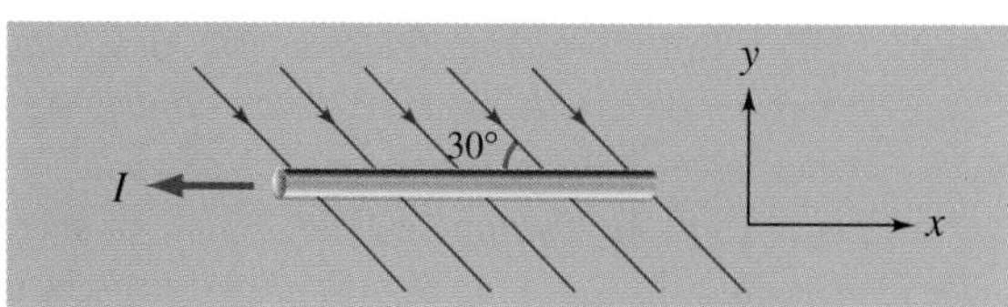


*Figure 8.48*

Exercice 18.

## 8.3 Moment de force sur une boucle de courant

**E20.** (I) Un cadre rectangulaire comportant vingt-cinq spires a pour côtés $a = 2$ cm et $c = 5$ cm (figure 8.49). Quels sont la force agissant sur chacun des côtés et le moment de force sur le cadre si le champ magnétique extérieur est égal à 0,3 T et est orienté : (a) parallèlement au plan du cadre ($\vec{\mathbf{B}}_1$) ; (b) normalement au plan du cadre ($\vec{\mathbf{B}}_2$) ? On donne $I = 8$ A.

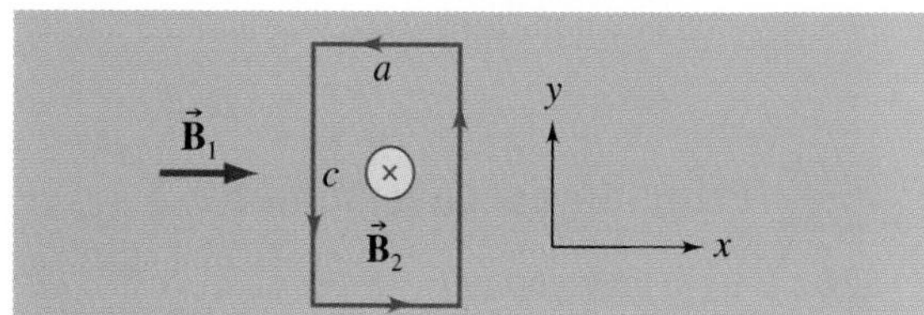


*Figure 8.49*

Exercice 20.

**E21.** (II) Une bobine rectangulaire comportant seize spires a pour côtés $a = 20$ cm et $c = 50$ cm. Le côté $c$ est parallèle à l'axe des $z$. On fait pivoter la bobine autour de l'axe des $z$ de sorte que son plan fasse un angle de 30° par rapport à un champ magnétique $\vec{\mathbf{B}} = 0{,}5\vec{\mathbf{i}}$ T (figure 8.50). (a) Trouvez la force agissant sur chacun des côtés. (b) Quel est le moment magnétique de la bobine ? (c) Quel est le moment de force sur la bobine ? On donne $I = 10$ A.

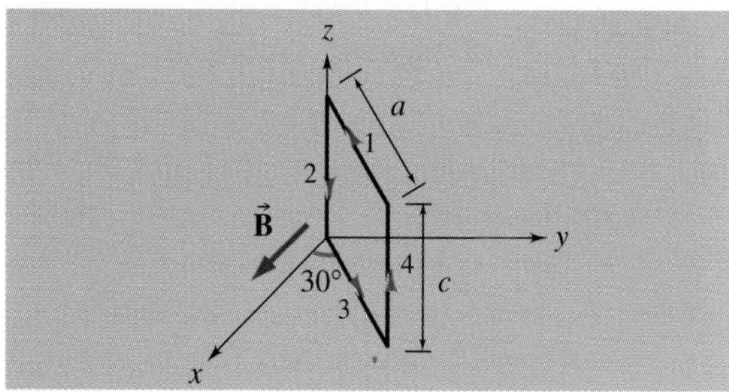


*Figure 8.50*

Exercice 21.

**E22.** (II) L'armature d'un moteur comporte huit bobines carrées de 10 cm de côté. Elles sont toutes perpendiculaires à un champ magnétique radial d'intensité 0,2 T. Si le courant est de 10 A, trouvez: (a) le module du moment de force total; (b) la puissance mécanique produite à 1200 tr/min.

**E23.** (I) Un courant de 5 A circule dans un cadre circulaire de rayon 2 cm. L'axe du cadre fait un angle de 30° avec un champ uniforme de 0,06 T. Quel est le module du moment de force sur le cadre?

**E24.** (I) Soit la boucle de courant triangulaire de la figure 8.46. Trouvez: (a) le moment magnétique; (b) le moment de force dans un champ magnétique $\vec{\mathbf{B}} = -B\vec{\mathbf{i}}$.

**E25.** (I) Un cadre circulaire de rayon 4 cm est parcouru par un courant de 2,8 A. Le moment magnétique du cadre est dirigé selon $\vec{\mathbf{u}}_n = 0{,}6\vec{\mathbf{i}} - 0{,}8\vec{\mathbf{j}}$. Le champ magnétique est $\vec{\mathbf{B}} = [0{,}2\vec{\mathbf{i}} - 0{,}4\vec{\mathbf{k}}]$ T. Trouvez: (a) le moment de force sur le cadre; (b) l'énergie potentielle du cadre.

## 8.4 Principe du galvanomètre

**E26.** (I) Un galvanomètre a un cadre carré comportant vingt spires de 2 cm de côté. Lorsqu'il est suspendu dans un champ magnétique radial ($B$ = 400 G), il enregistre une déviation de 30° pour un courant de 2 mA. Quelle est la constante de torsion $\kappa$ de la suspension?

**E27.** (I) Un galvanomètre a un cadre carré de 200 spires de 2,5 cm de côté. Le champ magnétique est radial, d'intensité 500 G, et normal aux côtés verticaux du cadre. Si la constante de torsion de la suspension est égale à $2 \times 10^{-8}$ N·m/degré, quelle est la déviation angulaire produite par un courant de 10 μA?

## 8.5 à 8.7 Mouvement des particules chargées; cyclotron

**E28.** (I) Un proton se déplace à la vitesse de $3 \times 10^7$ m/s perpendiculairement à un champ magnétique uniforme de 0,05 T. Trouvez: (a) le rayon de la trajectoire; (b) la période de son mouvement.

**E29.** (I) Un électron d'énergie cinétique égale à 1 keV est projeté perpendiculairement aux lignes d'un champ magnétique de module 50 G. Trouvez: (a) le rayon de sa trajectoire; (b) le module de son accélération; (c) la période de son mouvement.

**E30.** (I) Un proton décrit un cercle de rayon 10 cm, normal aux lignes d'un champ magnétique de 1,0 T. Trouvez: (a) sa quantité de mouvement; (b) son énergie cinétique en eV.

**E31.** (I) Un proton décrit une orbite circulaire de rayon 20 cm perpendiculaire à un champ de 0,8 T. Trouvez: (a) le module de sa vitesse; (b) la période de son mouvement; (c) son énergie cinétique.

**E32.** (I) Quel est le moment magnétique du mouvement orbital d'un électron dans l'atome d'hydrogène si son moment cinétique orbital est égal à 2,11 $\times 10^{-34}$ kg·m²/s?

**E33.** (I) La masse d'un deutéron est le double de celle du proton, $m_d = 2m_p$, mais ils ont la même charge. Ils se déplacent tous deux dans une direction normale à un champ magnétique uniforme. Quel est le rapport des rayons de leurs trajectoires s'ils ont les mêmes: (a) quantités de mouvement; (b) modules de la vitesse; (c) énergies cinétiques?

**E34.** (I) On suppose qu'un électron et un proton se déplacent tous deux perpendiculairement au même champ magnétique uniforme. Trouvez le rapport des rayons de leurs orbites sachant qu'ils ont les mêmes: (a) modules de la vitesse; (b) énergies cinétiques.

**E35.** (I) Dans une expérience, des protons ($m_p$, $q_p$) et des particules alpha ($m_\alpha = 4m_p$; $q_\alpha = 2q_p$) doivent décrire des trajectoires de même rayon, normales à un champ magnétique dont on peut faire varier l'intensité. Trouvez le rapport des intensités de champ nécessaire pour que les deux types de particules aient les mêmes: (a) modules de la vitesse; (b) quantités de mouvement; (c) énergies cinétiques.

**E36.** (I) Un électron se déplaçant à $4 \times 10^6$ m/s pénètre dans un champ uniforme $B$ = 0,04 T selon un angle de 30° par rapport aux lignes du champ. Quel est le pas de la trajectoire hélicoïdale?

**E37.** (I) Un proton issu du rayonnement cosmique s'approche de la Terre à $0{,}1c$ le long d'une ligne radiale dans le plan équatorial, c'est-à-dire normalement aux lignes de champ. On suppose que le champ terrestre a une intensité de 0,2 G dans la région. (a) Quel est le rayon de la trajectoire du proton? (b) La déviation se produit-elle vers l'est ou vers l'ouest?

**E38.** (I) Un proton décrit un cercle de rayon 3,2 cm perpendiculaire à un champ magnétique de 0,75 T. Trouvez: (a) la fréquence du cyclotron; (b) l'énergie cinétique; (c) la quantité de mouvement.

**E39.** (I) Une particule alpha de masse $6,7 \times 10^{-27}$ kg et de charge $2e$ est accélérée à partir du repos par une différence de potentiel de 14 kV et pénètre dans un champ magnétique uniforme de 0,6 T, normalement aux lignes de champ. Trouvez le rayon de sa trajectoire.

**E40.** (II) Les deux isotopes du néon ont des masses de 20 u et 22 u. Des ions portant une charge $e$ sont accélérés à partir du repos par une différence de potentiel de 1 kV, puis pénètrent dans un champ magnétique uniforme de 0,4 T, normalement aux lignes du champ. Quelle distance les sépare après une demi-révolution dans un spectromètre ?

**E41.** (II) Dans un spectromètre de masse de Bainbridge (figure 8.30), les ions traversent le champ électromagnétique $(B_1, E)$ d'un sélecteur de vitesse et sont ensuite déviés par un champ purement magnétique $(B_2)$. Sachant que $E = 3 \times 10^5$ V/m et que $B_1 = B_2 = 0,4$ T, calculez la différence des positions sur la plaque photographique pour les ions de charge $q = e$ des isotopes de carbone de masses 12 u et 14 u.

**E42.** (I) Un électron de vitesse $\vec{\mathbf{v}} = 2 \times 10^6 \vec{\mathbf{i}}$ m/s pénètre dans une région où le champ électrique est $\vec{\mathbf{E}} = -200\vec{\mathbf{j}}$ V/m. (a) Quel champ magnétique est nécessaire pour que l'électron ne soit pas dévié ? (b) Si l'on supprime le champ électrique, quel est le rayon de la trajectoire de l'électron dans le champ magnétique ?

**E43.** (I) Un proton est accéléré à partir du repos selon l'axe des $x$ négatifs par une différence de potentiel de 10 kV. Il traverse une région où le champ électrique est égal à $-10^3\vec{\mathbf{j}}$ V/m. Quel est le champ magnétique nécessaire pour qu'il ne soit pas dévié ? (On suppose que $\vec{\mathbf{B}}$ est perpendiculaire à $\vec{\mathbf{E}}$.)

**E44.** (I) Un proton effectue cent révolutions dans un cyclotron et sort à partir d'une trajectoire circulaire ayant un rayon de 50 cm et une énergie de 10 MeV. Trouvez : (a) le champ magnétique dans le cyclotron ; (b) la différence de potentiel entre les demi-cylindres ; (c) la fréquence de la source de tension.

**E45.** (I) Un cyclotron servant à accélérer des protons a un rayon de 75 cm et un champ de 0,9 T. Trouvez : (a) la fréquence angulaire du cyclotron ; (b) l'énergie cinétique maximale des protons à la sortie.

**E46.** (I) Des protons sortent d'un cyclotron avec une énergie cinétique de 12 MeV. La différence de potentiel alternative a une amplitude de $6 \times 10^4$ V et le champ magnétique a une intensité de 1,6 T. (a) Quel est le rayon du cyclotron ? (b) Combien de temps les protons mettent-ils pour sortir du cyclotron, à partir du moment où ils sont émis par la source ?

**E47.** (I) Une particule chargée est accélérée à partir du repos selon l'axe des $x$ par une différence de potentiel de 225 V, puis elle pénètre dans un champ uniforme $\vec{\mathbf{B}} = 10\vec{\mathbf{k}}$ G. Le rayon de sa trajectoire est égal à 5 cm. Quel est le rapport charge/masse de la particule ?

**E48.** (I) Un ion ($m = 1,2 \times 10^{-25}$ kg, $q = 2e$) est accéléré à partir du repos par une tension de 200 V, puis pénètre dans un champ uniforme $B = 0,2$ T, dans une direction normale aux lignes de champ. Trouvez le rayon de sa trajectoire.

## 8.8 Effet Hall

**E49.** (II) Une plaquette métallique d'épaisseur 0,1 cm et de largeur 1,6 cm est parcourue par un courant de 15 A dans un champ de 0,2 T normal à la largeur de la plaquette. La tension de Hall est égale à 6 μV. Trouvez : (a) la vitesse de dérive des porteurs de charge ; (b) le nombre d'électrons par unité de volume.

**E50.** (II) Une plaquette de cuivre d'épaisseur 0,25 cm, parcourue par un courant de 10 A, est disposée perpendiculairement à un champ magnétique. La tension de Hall est égale à 1,2 μV. Quel est le module de $B$ ? On donne $n = 8,5 \times 10^{28}$ électrons par mètre cube.

**E51.** (II) Un courant de 2 A circule dans une plaquette métallique d'épaisseur 0,1 mm et de largeur 0,8 cm. Dans un champ magnétique de 0,8 T normal à la largeur de la plaquette, la tension de Hall est égale à 1,4 μV. Quel est le nombre d'électrons par unité de volume ?

## Exercices supplémentaires

### 8.1 Champ magnétique

**E52.** (II) Lorsque la vitesse d'un proton est selon $+x$, la force magnétique qu'il subit est selon $-y$. Si la vitesse d'un autre proton est de $2 \times 10^6$ m/s et que sa direction est à 30° par rapport à celle du même champ magnétique, ce proton subit une force de $-4{,}8 \times 10^{-14}\vec{\mathbf{i}}$ N. Décrivez le champ magnétique.

**E53.** (II) Un proton ayant une vitesse $1{,}8 \times 10^6\vec{\mathbf{i}}$ m/s se déplace dans un champ magnétique uniforme de module 0,65 T. La force magnétique qu'il subit a un module de $7{,}91 \times 10^{-14}$ N. (a) Quel est l'angle entre la vitesse et le champ magnétique ? (b) Si la vitesse du proton est selon $+y$, la force est selon $+z$. Exprimez les deux valeurs possibles du vecteur $\vec{\mathbf{B}}$ en notation vectorielle.

### 8.2 Force magnétique sur un conducteur parcouru par un courant

**E54.** (I) Un fil conducteur traversé d'un courant de 12 A prend la forme décrite à la figure 8.51, où le cube a une arête de 20 cm. Avec un champ $\vec{\mathbf{B}} = 0{,}5\vec{\mathbf{i}}$ T, quelle force magnétique subit chaque portion rectiligne du fil ?

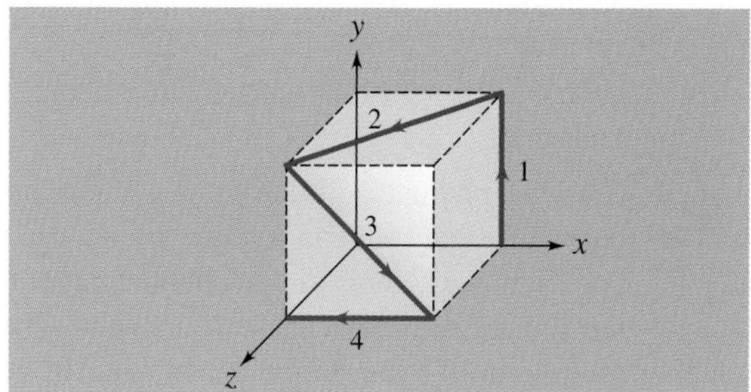


*Figure 8.51*

Exercices 54 et 55.

**E55.** (I) Répétez l'exercice précédent avec $\vec{\mathbf{B}} = 0{,}5\vec{\mathbf{k}}$ T.

**E56.** (I) Un fil rectiligne de 2 m est traversé d'un courant de 25 A dans la direction négative de $z$, perpendiculaire à un champ magnétique uniforme. Si la force est donnée par $[4{,}01\vec{\mathbf{i}} - 6{,}0\vec{\mathbf{j}}] \times 10^{-5}$ N, déterminez $\vec{\mathbf{B}}$.

**E57.** (I) En un point donné de la surface de la Terre, le champ magnétique a une grandeur de 0,8 G. Il pointe vers le nord à 70° sous l'horizontale. Un fil rectiligne de 1,8 m, parallèle à la surface de la Terre, est parcouru d'un courant de 20 A. Décrivez la force magnétique sur le fil dans le cas où le courant coule (a) directement vers le nord ; (b) directement vers l'est.

**E58.** (I) Une ligne de transmission électrique horizontale est traversée d'un courant de 2000 A. La ligne de transmission est parallèle au méridien et le courant est vers le sud. À cet endroit, le champ magnétique terrestre pointe vers le nord à 60° sous l'horizontale. Quelle force subit 10 m de la ligne de transmission ?

### 8.3 Moment de force sur une boucle de courant

**E59.** (I) Une bobine circulaire comporte 15 tours de fils et son rayon est de 25 cm. La bobine est parallèle au plan $xy$, comme dans la figure 8.52. Si $\vec{\mathbf{B}} = 0{,}2\vec{\mathbf{i}}$ T, quel moment de force subit la bobine ?

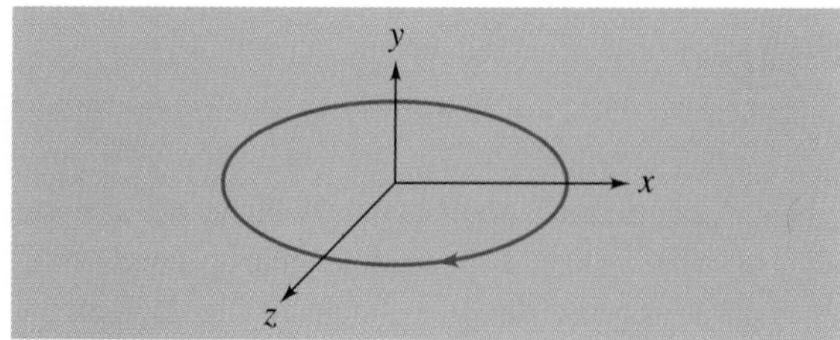


*Figure 8.52*

Exercice 59.

**E60.** (II) Une bobine rectangulaire, comme celle décrite à la figure 8.53, où le cube a une arête de 20 cm, est traversée d'un courant de 8,0 A. Si $\vec{\mathbf{B}} = 0{,}4\vec{\mathbf{i}}$ T, trouvez (a) la force sur chacun des segments de la bobine rectangulaire ; (b) le moment de force sur la bobine.

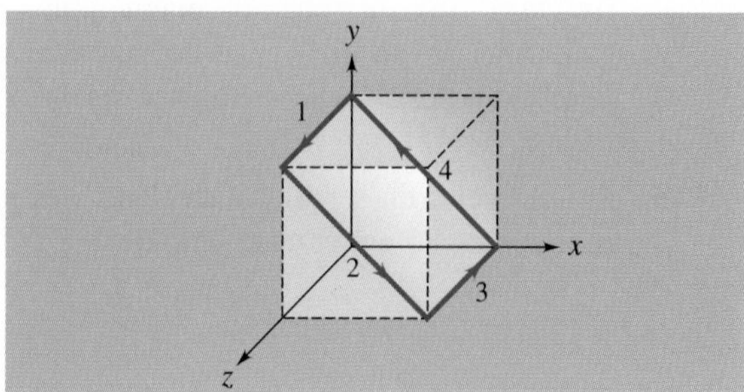


*Figure 8.53*

Exercice 60.

**E61.** (I) Le moment magnétique de la Terre a une valeur approximative de $8 \times 10^{22}$ A·m². Supposons, même si cela est irréaliste, que ce moment magnétique est produit par un courant circulant dans un anneau de 5000 km de rayon. Quelle intensité aurait ce courant ?

## 8.4 Principe du galvanomètre

**E62.** (I) Un galvanomètre rectangulaire comporte 120 tours de fil et possède une aire de section de 5,0 cm². Un champ magnétique de 0,06 T traverse le galvanomètre, comme dans la figure 8.20, et la constante de torsion du ressort est de $2{,}2 \times 10^{-7}$ N·m/rad. Quel courant produit une déflection de 45° de l'aiguille ?

## 8.5 Mouvement des particules chargées dans les champs magnétiques

**E63.** (I) Un électron accéléré du repos par une différence de potentiel de 260 V pénètre une région de l'espace où règne un champ magnétique uniforme. Sa trajectoire prend la forme d'un cercle de 6,0 cm de rayon. Quel est le module du champ magnétique ?

**E64.** (II) Des particules de masse $m$ accélérées par une différence de potentiel $\Delta V$ pénètrent dans une région de l'espace où règne un champ magnétique uniforme. (a) Si les particules se déplacent perpendiculairement au champ magnétique, exprimez le rayon de la trajectoire en faisant appel à $\Delta V$. (b) Si la différence de potentiel augmente de 21 %, de quel facteur le rayon de la trajectoire augmente-t-il ?

**E65.** (I) Quel rayon doit posséder un cyclotron pour être en mesure d'accélérer des particules alpha ($m = 4$ u, $q = 2e$) et leur procurer une énergie cinétique de 10 MeV dans un champ magnétique de 1,2 T ?

**E66.** (I) Un électron possède une énergie cinétique de 2,0 keV et se déplace perpendiculairement à un champ magnétique de 0,40 G. Quel est le rayon de sa trajectoire circulaire ?

**E67.** (I) Un proton, dont la vitesse est $2{,}4 \times 10^{6}$ m/s, se déplace à 80° des lignes d'un champ magnétique de 0,2 T. (a) Quel est le rayon de la portion circulaire de son mouvement ? (b) Quel est le pas de sa trajectoire hélicoïdale ?

**E68.** (I) Un proton et un deutéron ($m_{\mathrm{d}} = 2\ m_{\mathrm{p}}$, $q_{\mathrm{d}} = q_{\mathrm{p}} = e$) ont une trajectoire circulaire de même rayon dans un champ magnétique donné. Quel est le rapport de leur (a) quantité de mouvement ; (b) leur énergie cinétique ?

**E69.** (II) Un électron accéléré à partir du repos par une différence de potentiel de 400 V pénètre dans une région de l'espace où règne un champ magnétique uniforme. Sa trajectoire prend initialement la forme d'un cercle de 5,0 cm de rayon. Si, après 10 tours complets, le rayon n'est plus que de 3,0 cm, estimez la valeur moyenne de la force de friction qu'engendrent les molécules du gaz que frappe l'électron tout au long de sa trajectoire.

# Problèmes

**P1.** (II) Un dipôle de moment magnétique $\mu$ pivote librement autour de son centre et a un moment d'inertie $I$ par rapport à son axe. (a) Montrez que, pour de petits déplacements angulaires, le dipôle décrit un mouvement harmonique simple dans un champ magnétique uniforme $B$. (b) Quelle est la période des oscillations ?

**P2.** (I) La figure 8.54 représente un fil incurvé parcouru par un courant $I$ entre $a$ et $b$ dans un champ magnétique uniforme $\vec{\mathbf{B}}$. Montrez que la force nette agissant sur le fil incurvé est la même que celle qui agit sur le fil rectiligne parcouru par le même courant entre $a$ et $b$.

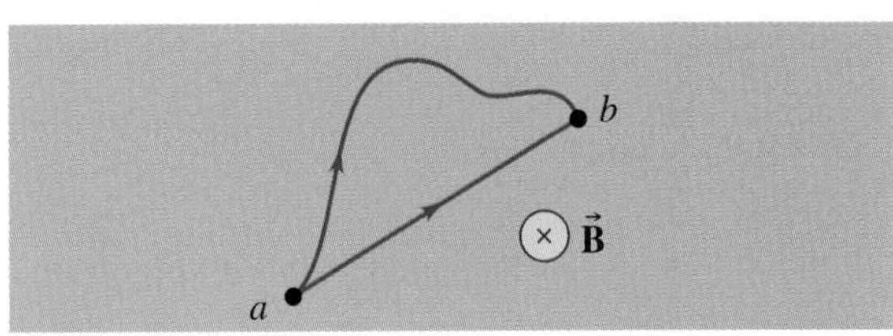


*Figure 8.54*

Problème 2.

**P3.** (I) Pour une longueur donnée de fil parcouru par un courant $I$, combien de spires circulaires produiraient le moment magnétique maximal ?

**P4.** (I) Un disque de rayon $R$ a une densité surfacique de charge uniforme $\sigma$ positive. Il tourne autour de son axe central à la vitesse angulaire $\omega$, exprimée en radians par seconde, son axe étant normal à un champ uniforme $B$. (a) Trouvez son moment magnétique. (b) Montrez que le module du moment de force sur le disque est

$$\tau = \tfrac{1}{4}\sigma\omega\pi BR^4$$

(*Indice* : Divisez le disque en anneaux de rayon $r$ et de largeur $dr$.)

**P5.** (II) Un électron est en orbite autour d'un proton dans un atome d'hydrogène. On applique un champ magnétique faible, normal au plan de l'orbite. Montrez que si le rayon de l'orbite ne varie pas, la vitesse angulaire varie de

$$\Delta\omega = \pm\frac{eB}{2m}$$

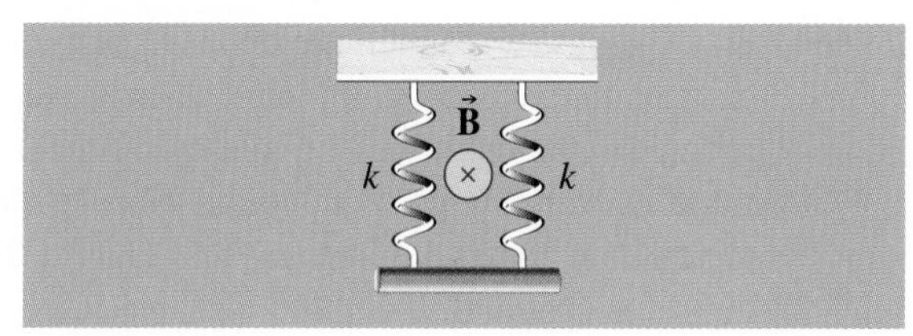


***Figure 8.55***

Problème 6.

**P6.** (I) Une tige métallique de masse 10 g et de longueur 8 cm est suspendue par deux ressorts (figure 8.55) dont l'allongement est de 4 cm. Lorsqu'un courant de 20 A circule dans la tige, elle s'élève de 1 cm. Déterminez le champ magnétique.

**P7.** (II) Un électron a une vitesse initiale de $3 \times 10^7\vec{\mathbf{i}}$ m/s à l'origine d'un système d'axe. (a) Quel champ magnétique le long de l'axe des $z$ lui donne un mouvement circulaire de rayon 2 cm ? (b) Quel temps faut-il pour que la vitesse de l'électron soit déviée de 30° ? (c) Quelles sont les coordonnées $x$ et $y$ de l'électron à l'instant trouvé à la question (b) ?

CHAPITRE 9

# Les sources de champ magnétique

## POINTS ESSENTIELS

1. Le champ magnétique produit par un long fil conducteur rectiligne parcouru par un courant s'enroule autour du fil ; son module est directement proportionnel à l'intensité du courant et inversement proportionnel à la distance au fil.
2. La **loi de Biot-Savart** donne le champ magnétique créé par un élément de courant infinitésimal.
3. Le **théorème d'Ampère** permet d'exprimer l'intégrale du champ magnétique sur un parcours fermé en fonction du courant net traversant la surface délimitée par ce parcours.

Un aimant quadripolaire, ayant deux pôles nord et deux pôles sud, sert à concentrer le faisceau d'un accélérateur de particules.

Au chapitre précédent, nous avons étudié les forces exercées par un champ magnétique sur des courants et des charges en mouvement. Nous allons maintenant étudier les champs magnétiques produits par des courants et des charges en mouvement et apprendre à les calculer pour certains éléments de courant de formes géométriques simples. En septembre 1820, les travaux d'Œrsted montrant qu'on pouvait produire un champ magnétique à partir d'un courant électrique étaient présentés aux membres de l'Académie des Sciences de Paris. Quelques semaines plus tard, Jean Biot et Félix Savart réussirent à obtenir une expression du champ magnétique produit par un élément de courant infinitésimal. La loi de Biot-Savart est analogue à l'expression du champ électrique déduite de la loi de Coulomb donnant la force entre deux charges ponctuelles. De son côté, André Marie Ampère put établir une relation entre l'intégrale du champ magnétique sur un parcours fermé et le courant net traversant la surface délimitée par le parcours. Le théorème d'Ampère est analogue au théorème de Gauss en électrostatique. On s'en sert pour déterminer le champ magnétique créé par une distribution de courant symétrique.

## 9.1 Le champ magnétique créé par un long fil conducteur rectiligne

Un courant circulant dans un long fil rectiligne de forme cylindrique produit un champ magnétique dont les lignes sont circulaires, ce qu'on peut vérifier en saupoudrant de limaille de fer une planchette normale au fil (figure 9.1*a*) ou à l'aide de l'aiguille d'une boussole (figure 9.1*b*). Cherchant à déterminer la variation du champ magnétique $B$ en fonction de la distance $R$ au fil, Biot et Savart utilisèrent une méthode consistant à mesurer la période des oscillations d'une aiguille aimantée. En octobre 1820, ils annoncèrent que le module du champ magnétique est inversement proportionnel à $R$, c'est-à-dire $B \propto 1/R$. Il leur était possible de maintenir le courant constant, mais ils ne disposaient toutefois d'aucun moyen de le *mesurer* avec précision. Par la suite, on put déterminer que le champ est directement proportionnel au courant $I$. En unités SI, ces résultats s'expriment sous la forme

**Champ magnétique créé par un long fil conducteur rectiligne**

(fil infini) $$B = \frac{\mu_0 I}{2\pi R} \qquad (9.1)$$

où $\mu_0$, appelée **constante de perméabilité du vide**, a par définition la valeur

$$\mu_0 = 4\pi \times 10^{-7}\ \text{T·m/A}$$

***Figure 9.1***

(*a*) La configuration de la limaille de fer autour d'un conducteur rectiligne parcouru par un courant. (*b*) La nature circulaire des lignes du champ magnétique peut également être mise en évidence à l'aide d'une boussole. (*c*) Une des lignes de champ magnétique associé à un courant sortant de la page (point) et entrant dans la page (croix).

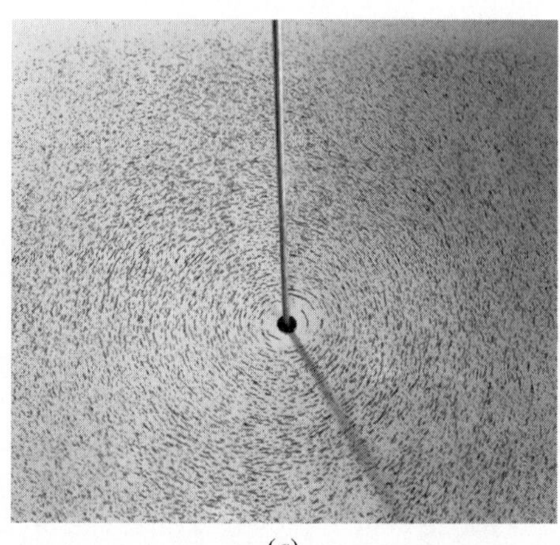

(*a*)

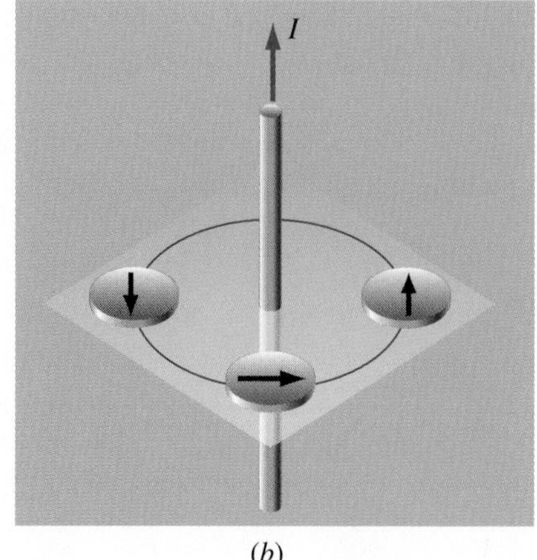


(*b*)

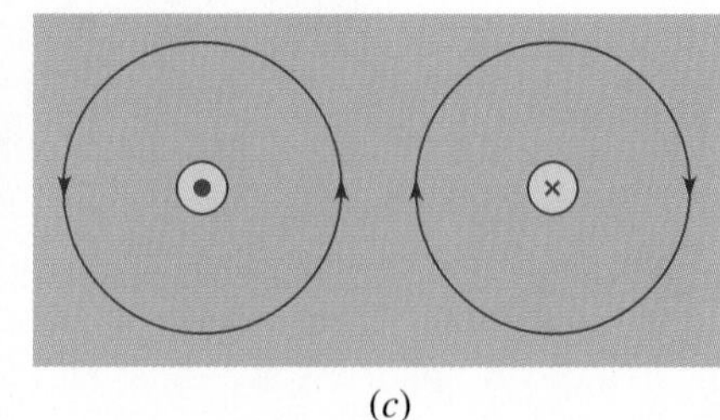

(*c*)

La figure 9.1*c* illustre la convention utilisée pour dessiner les courants sortant de la page ou entrant dans la page. On remarque que la direction du champ est donnée par une variante de la règle de la main droite : si l'on saisit le fil avec la main droite, le pouce étant dirigé dans le sens du courant, les autres doigts s'enroulent dans le sens du champ. En un point donné, le champ est toujours tangent aux lignes de champ. Lorsque les lignes sont des cercles, on peut aussi dire que le champ est toujours perpendiculaire au segment de droite qui va du fil au point considéré. La figure 9.2 représente la variation de la densité des lignes de champ en fonction de la distance au fil.

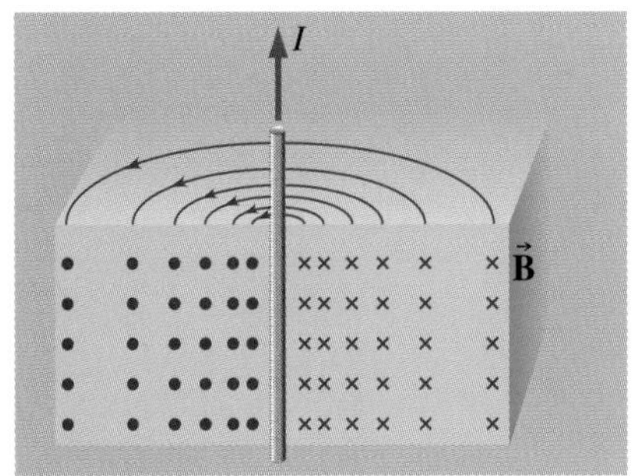


***Figure 9.2***

La densité des lignes de champ magnétique diminue avec la distance à partir du conducteur.

## Exemple 9.1

Soit deux longs fils rectilignes parallèles distants de 3 cm. Ils sont traversés par les courants $I_1 = 3$ A et $I_2 = 5$ A, de sens opposés (figure 9.3*a*). (a) Déterminer le champ magnétique total au point *P*. (b) En quel point, autre qu'à l'infini, le champ est-il nul ?

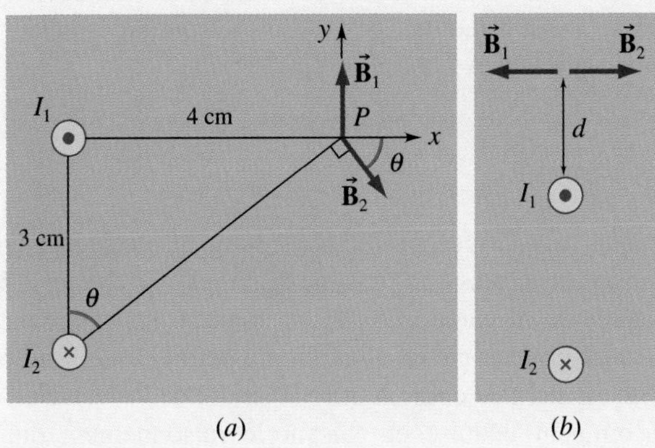


***Figure 9.3***

(*a*) Les vecteurs champ associés aux courants $I_1$ et $I_2$ sont tangents aux arcs circulaires centrés sur chaque conducteur. (*b*) Les champs s'annulent en un point situé sur la droite joignant les deux conducteurs. Ce point est plus proche du courant le plus faible.

### Solution :

(a) Ce problème est semblable à celui qui consiste à déterminer le champ électrique créé par deux charges ponctuelles, avec toutefois une différence importante : la direction du champ magnétique est toujours *perpendiculaire* à la ligne radiale issue du courant qui lui donne naissance : le champ est orienté selon la tangente à un arc dont le centre est confondu avec le fil. Pour déterminer le champ magnétique total,

$$\vec{\mathbf{B}} = \vec{\mathbf{B}}_1 + \vec{\mathbf{B}}_2$$

on détermine d'abord les modules $B_1$ et $B_2$ à partir de l'équation 9.1. On obtient

$$B_1 = \frac{(2 \times 10^{-7}\ \text{T·m/A})(3\ \text{A})}{4 \times 10^{-2}\ \text{m}} = 1{,}5 \times 10^{-5}\ \text{T}$$

De même, $B_2 = 2 \times 10^{-5}$ T. Nous choisissons ensuite un système de coordonnées, comme celui montré sur la figure, et nous déterminons les composantes. Comme $\tan\theta = 4\ \text{cm}/3\ \text{cm}$, l'angle $\theta = 53°$.

$$B_x = B_2 \cos\theta = 1{,}2 \times 10^{-5}\ \text{T}$$

$$B_y = B_1 - B_2 \sin\theta = -1 \times 10^{-6}\ \text{T}$$

Enfin,

$$\vec{\mathbf{B}} = (12\vec{\mathbf{i}} - \vec{\mathbf{j}}) \times 10^{-6}\ \text{T}$$

(b) Le point de champ nul, où $\vec{\mathbf{B}}_1 + \vec{\mathbf{B}}_2 = 0$, est forcément situé sur la droite joignant les fils. (Pourquoi ?) Dans la région entre les deux fils, les champs sont de même sens, de sorte que l'on peut éliminer cette zone. Dans la région située sous $I_2$, les champs sont de sens opposés, mais ces points sont plus proches du courant le plus intense. Dans la région située au-dessus de $I_1$, les champs peuvent s'annuler à une certaine distance *d* (figure 9.3*b*). La condition

$$\sum B_x = -B_1 + B_2 = 0$$

donne $I_1/d = I_2/(3\ \text{cm} + d)$, dont nous tirons $d = 4{,}5$ cm.

## 9.2 La force magnétique entre des fils conducteurs parallèles

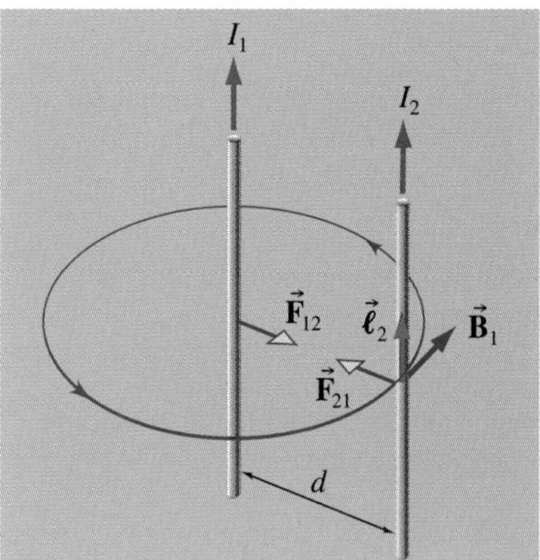


***Figure 9.4***

Les forces de même grandeur et de directions opposées exercées par deux fils conducteurs parallèles parcourus par des courants. La force est répulsive si les courants sont de sens opposés.

La démonstration, effectuée par Œrsted, de la force exercée par un courant électrique sur une aiguille aimantée ne prouve pas l'existence d'une interaction entre deux courants (un aimant attire deux tiges de fer, mais les tiges elles-mêmes ne s'attirent pas mutuellement). En octobre 1820, Ampère démontra que deux fils parcourus par des courants exercent bien une force l'un sur l'autre. Considérons deux longs fils rectilignes traversés par les courants $I_1$ et $I_2$ (figure 9.4). Ils sont parallèles et séparés par une distance $d$. D'après l'équation 8.3, la force exercée par le champ $B_1$ du fil 1 sur la longueur $\vec{\boldsymbol{\ell}}_2$ du fil 2 est $\vec{\mathbf{F}}_{21} = I_2\vec{\boldsymbol{\ell}}_2 \times \vec{\mathbf{B}}_1$, où $\vec{\boldsymbol{\ell}}_2$ est de même sens que $I_2$. Comme $\vec{\boldsymbol{\ell}}_2$ est perpendiculaire à $\vec{\mathbf{B}}_1$, on peut déterminer le module de la force à partir de l'équation 9.1 :

$$F_{21} = I_2\ell_2 B_1 = I_2\ell_2 \frac{\mu_0 I_1}{2\pi d}$$

On trouve une expression similaire pour $F_{12}$. En appliquant la règle de la main droite, on constate que des courants de même sens s'attirent mutuellement. Par contre, des courants de sens opposés se repoussent. Le *module de la force par unité de longueur* exercée sur chaque fil (par exemple $F_{21}/\ell_2$ sur le fil 2) est le même :

$$\frac{F}{\ell} = \frac{\mu_0 I_1 I_2}{2\pi d} \qquad (9.2)$$

**Définition de l'ampère**

L'équation 9.2 nous sert à définir l'ampère (A) : si deux longs fils parallèles parcourus par le même courant sont distants de 1 m et si chaque longueur unitaire (1 m) est soumise à une force de $2 \times 10^{-7}$ N, le courant circulant dans les fils est, par définition, égal à 1 A.

## 9.3 La loi de Biot-Savart

Ayant déterminé le champ magnétique créé par un long fil rectiligne, Biot et Savart essayèrent d'établir une expression plus générale pour le champ créé par une longueur infinitésimale de fil parcourue par un courant. Le mathématicien Simon Laplace leur fit remarquer que le résultat obtenu pour le long fil implique que le champ créé par un élément de courant doit dépendre de l'inverse du carré de la distance, ce qu'on peut déduire en faisant le raisonnement qui suit. L'expression du champ magnétique créé par un long fil rectiligne est de la forme

$$B = \frac{2k'I}{R} \qquad (9.3)$$

avec $k' = \mu_0/4\pi$. Cette forme est identique à celle du champ électrique créé par un fil infini chargé de densité linéique $\lambda$ positive (équation 2.13) :

$$E = \frac{2k\lambda}{R} \qquad (9.4)$$

L'aurore boréale est produite en général par l'interaction des électrons provenant du Soleil avec l'atmosphère. La lueur verte est due à l'oxygène et la lueur rose à l'azote (voir le Sujet connexe à la fin de ce chapitre).

On obtient ce résultat en intégrant les contributions des charges infinitésimales $dq = \lambda d\ell$, dont chacune apporte la contribution suivante au champ électrique (figure 9.5*a*) :

$$dE = k\frac{\lambda d\ell}{r^2} \qquad (9.5)$$

Biot et Savart essayèrent d'obtenir l'équation 9.3 en faisant une sommation des contributions des *éléments de courant*, $Id\ell$. Tenant compte de la remarque faite par Laplace, ils conclurent rapidement que la seule forme possible pour le champ créé par un tel élément est $dB = k'(Id\ell/r^2)f(\theta)$. Cette forme diffère de l'équation 9.5 à cause du facteur angulaire $f(\theta)$. Poursuivant leurs expériences, ils purent déterminer que $f(\theta) = \sin\theta$ et, en décembre 1820, annoncèrent le résultat suivant :

$$dB = \frac{\mu_0}{4\pi}\frac{I\,d\ell\,\sin\theta}{r^2} \tag{9.6}$$

**Loi de Biot-Savart**

L'équation 9.6 est connue sous le nom de **loi de Biot-Savart**. Contrairement à l'équation donnant le champ électrique créé par une charge élémentaire, cette expression fait intervenir le facteur angulaire $\sin\theta$, où $\theta$ est l'angle entre l'élément de courant et le segment de droite allant de l'élément de courant au point où l'on calcule le champ. L'orientation de l'élément de champ $dB$ est donnée par la même règle de la main droite que l'on utilise pour le fil infini : si l'on saisit la droite qui prolonge l'élément $d\ell$ avec la main droite, le pouce étant dirigé dans le sens du courant, les autres doigts s'enroulent dans le sens du champ (figure 9.5*b*).

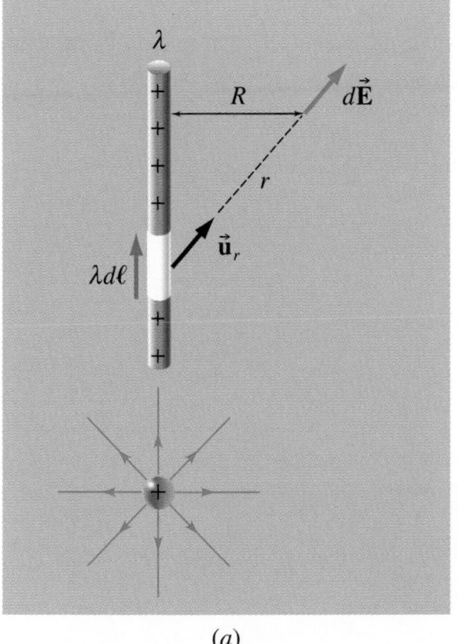


(*a*)

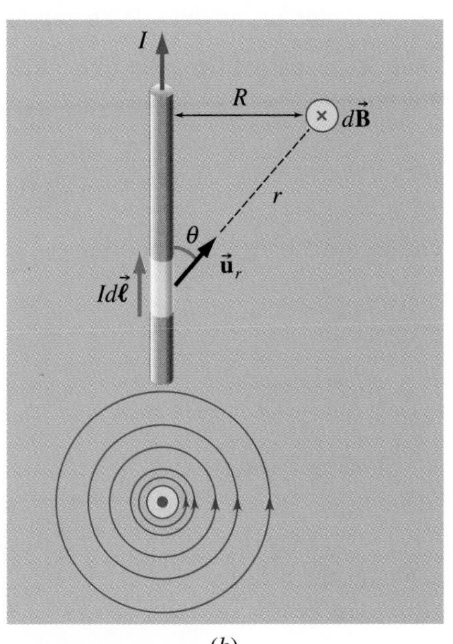


(*b*)

**Figure 9.5**

(*a*) Le champ électrique $d\vec{\mathbf{E}}$ créé par la charge élémentaire $dq$ est orienté radialement par rapport à $dq$. (*b*) Le champ magnétique $d\vec{\mathbf{B}}$ créé par l'élément de courant $Id\vec{\boldsymbol{\ell}}$ est perpendiculaire à la fois au segment de droite allant de l'élément au point où on calcule le champ et à $d\vec{\boldsymbol{\ell}}$. L'orientation du champ est donnée par la règle de la main droite.

En notation vectorielle, la loi de Biot-Savart donnant le champ magnétique créé par un élément de courant $Id\vec{\boldsymbol{\ell}}$ (figure 9.5*b*) s'écrit :

$$d\vec{\mathbf{B}} = \frac{\mu_0}{4\pi}\frac{Id\vec{\boldsymbol{\ell}} \times \vec{\mathbf{u}}_r}{r^2} \tag{9.7}$$

## Le champ magnétique d'un fil rectiligne

Nous allons maintenant voir comment utiliser la loi de Biot-Savart afin de calculer le champ créé par des courants circulant dans quelques conducteurs de formes géométriques simples. Nous allons commencer par le champ créé par

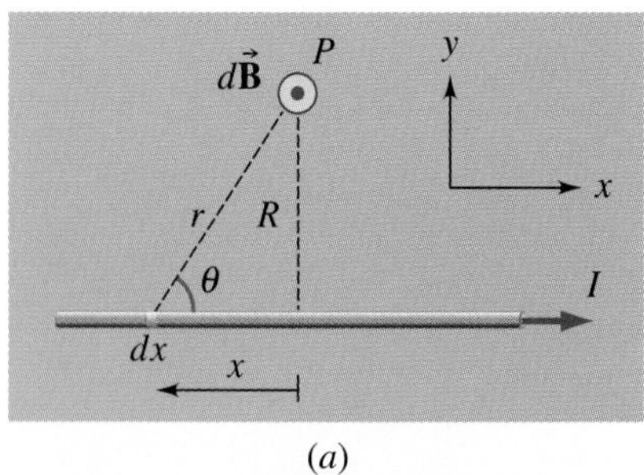


(*a*)

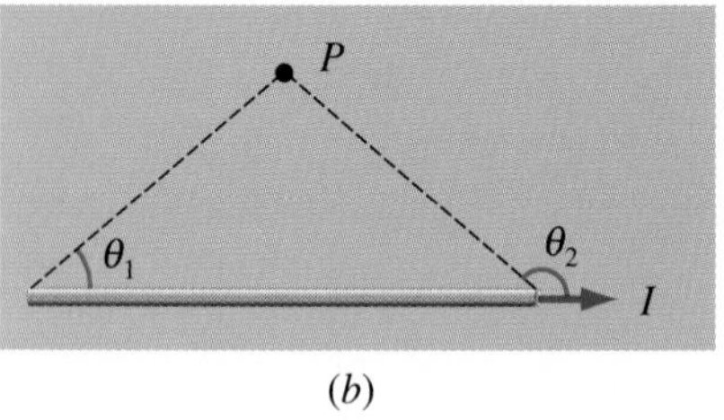


(*b*)

***Figure 9.6***

(*a*) On veut calculer le champ magnétique créé au point *P* par le courant circulant dans le fil. (*b*) Les bornes d'intégration sont $\theta_1$ et $\theta_2$ ; dans tous les cas, $\theta_1 \leq \theta_2$.

un courant circulant dans un fil rectiligne (figure 9.6*a*). Chaque élément de fil $dx$ produit au point $P$ un champ $d\vec{\mathbf{B}}$ qui sort de la page (règle de la main droite). Tous les $d\vec{\mathbf{B}}$ étant dans la même direction, on peut écrire

$$B = \int dB = \int \frac{\mu_0 \, I \, dx \sin\theta}{4\pi r^2}$$

On peut extraire les constantes $\mu_0$, $I$ et $4\pi$ de l'intégrale. Pour ramener tout en fonction de $\theta$ et de la constante $R$, on pose $r = R/\sin\theta$ et $x = -R \text{ cotan } \theta$, d'où $dx = R \text{ cosec}^2\, \theta \, d\theta = R \, d\theta/\sin^2\theta$. (On a mis un signe négatif dans la deuxième expression parce que $x$ est négatif lorsque $\theta$ est plus petit que 90°, ce qui correspond à une cotangente positive.) En fonction de $\theta$, les bornes d'intégration sont $\theta_1$ et $\theta_2$. On a donc

$$B = \frac{\mu_0 I}{4\pi}\int_{\theta_1}^{\theta_2} \frac{R\, d\theta}{\sin^2\theta}\sin\theta\left(\frac{\sin\theta}{R}\right)^2 = \frac{\mu_0 I}{4\pi R}\int_{\theta_1}^{\theta_2}\sin\theta\, d\theta = \frac{\mu_0 I}{4\pi R}[-\cos\theta]\Big|_{\theta_1}^{\theta_2}$$

d'où

$$B = \frac{\mu_0 I}{4\pi R}(\cos\theta_1 - \cos\theta_2) \qquad (9.8)$$

Les angles $\theta_1$ et $\theta_2$ correspondent à l'angle $\theta$ dans la loi de Biot-Savart. Ils sont compris entre 0° et 180°, et on aura toujours $\theta_1 \leq \theta_2$. Ainsi, $\cos\theta_1 \geq \cos\theta_2$, ce qui donne un module de champ magnétique $B$ positif, comme il se doit.

Dans le cas particulier d'un fil « infini », on a $\theta_1 = 0$ et $\theta_2 = \pi$ rad, et l'équation 9.8 donne

$$B = \frac{\mu_0 I}{4\pi R}[1 - (-1)] = \frac{\mu_0 I}{2\pi R}$$

On retrouve bien l'équation 9.1.

## Exemple 9.2

Un courant de 2 A circule dans le fil illustré à la figure 9.7. Calculer le champ magnétique aux points *a*, *b* et *c*.

### Solution :

On utilise l'équation 9.8. (a) On a $\theta_1 = 90°$, $\theta_2 = 135°$ et $R = 1$ m. Avec $I = 2$ A, on trouve $B = 1{,}41 \times 10^{-7}$ T. D'après la règle de la main droite, le champ est perpendiculaire au plan de la page et il sort de la page. (b) On a $\theta_1 = \arctan(1/2) = 26{,}6°$, $\theta_2 = 45°$ et $R = 1$ m, d'où $B = 3{,}74 \times 10^{-8}$ T. D'après la règle de la main droite, le champ est perpendiculaire au plan de la page et il entre dans la page. (c) On a $\theta_1 = \theta_2 = 0$, d'où $B = 0$.

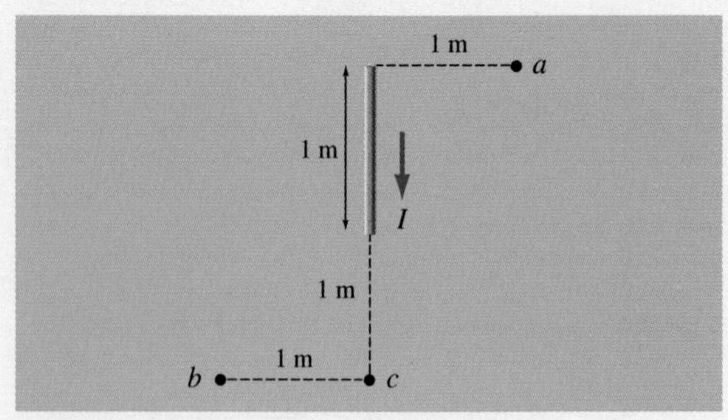


***Figure 9.7***

Exemple 9.2.

## Le champ magnétique d'une boucle de courant

La deuxième situation que nous allons étudier est celle d'un courant qui circule dans une boucle circulaire. Considérons une boucle dans le plan de la page parcourue par un courant dans le sens horaire (figure 9.8). On peut appliquer la règle de la main droite à chaque élément de fil qui constitue la boucle. On trouve ainsi que chaque élément de fil produit dans son voisinage un champ qui entre dans la page à l'intérieur de la boucle et qui sort de la page à l'extérieur de la boucle. Pour trouver le sens de $\vec{\mathbf{B}}$, on peut aussi utiliser cette variante de la règle de la main droite :

> Dans une boucle de courant, si on enroule les doigts de la main droite dans le sens du courant $I$, le pouce donne le sens de $\vec{\mathbf{B}}$ dans la région du plan de la boucle située *à l'intérieur* de la boucle.

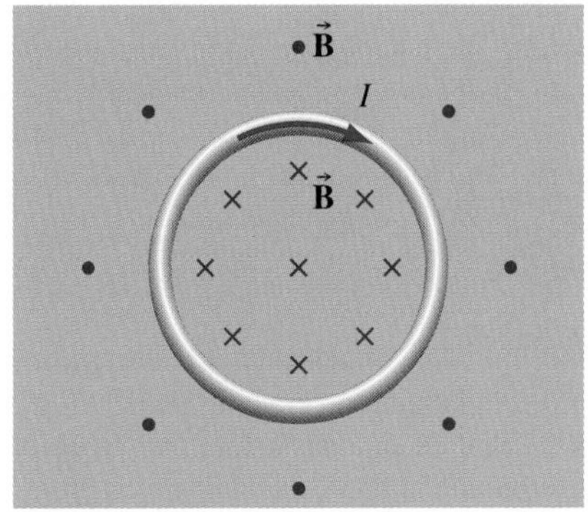


***Figure 9.8***

Le champ magnétique d'une boucle de courant.

Afin de calculer le module du champ magnétique en un point $P$ situé sur l'axe de la boucle, faisons pivoter la boucle pour que son plan soit perpendiculaire à la page (figure 9.9) : le haut de la boucle sort de la page et le bas de la boucle entre dans la page. Le champ magnétique dans le plan de la page est représenté à la figure 9.9*c*. La figure 9.10 montre comment on peut mettre en évidence ce champ à l'aide de la limaille de fer.

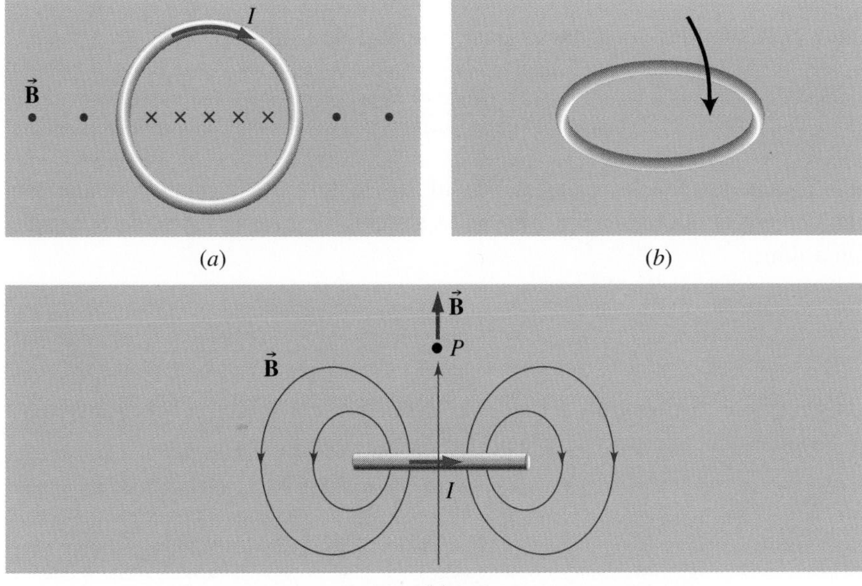


***Figure 9.9***

(*a*) Le champ magnétique d'une boucle de courant dont le plan coïncide avec le plan de la page. (*b*) On fait pivoter la boucle pour que son axe soit dans le plan de la page. (*c*) Le champ magnétique dans le plan de la page produit par la boucle de courant. Le champ magnétique au point $P$ est vers le haut.

***Figure 9.10***

La configuration de la limaille de fer associée à une boucle parcourue par un courant.

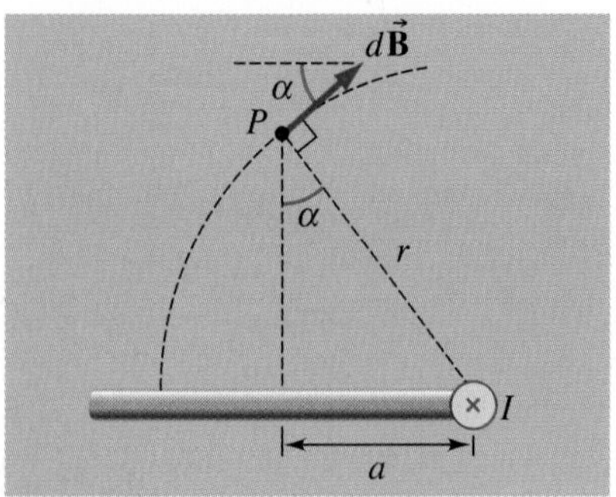


*Figure 9.11*

D'après la règle de la main droite, l'élément de courant entrant dans la page à droite de la boucle produit un champ magnétique $d\vec{\mathbf{B}}$ dans le plan de la page.

Considérons le champ magnétique $d\vec{\mathbf{B}}$ produit au point $P$ par le courant qui circule dans l'élément de fil $d\ell$ le plus à droite de la boucle (figure 9.11) : le courant à cet endroit entre dans la page. D'après la loi de Biot-Savart, on a

$$dB = \frac{\mu_0 I \, d\ell \sin 90°}{4\pi r^2}$$

où $r$ est la distance entre l'élément de fil et le point $P$. Puisque l'élément de fil $d\ell$ entre perpendiculairement dans la page, l'angle entre l'élément $d\ell$ et $r$ est bien 90°. Quant à l'orientation de $d\vec{\mathbf{B}}$, elle est donnée par la règle de la main droite : $d\vec{\mathbf{B}}$ étant tangent à un cercle centré sur l'élément de fil, il est perpendiculaire à $r$.

Pour calculer le champ total au point $P$, il faut intégrer les contributions de tous les éléments de courant qui forment la boucle : l'ensemble des vecteurs $d\vec{\mathbf{B}}$ forme un cône dont le sommet est au point $P$ et dont l'axe coïncide avec l'axe de la boucle. Le champ total s'annule donc bien dans le plan de l'anneau, et il ne reste qu'un champ net le long de l'axe, tel que prévu. Pour calculer ce champ, il faut intégrer la composante de $d\vec{\mathbf{B}}$ selon l'axe. En fonction de l'angle $\alpha$ défini à la figure 9.11, on trouve

$$B = \int dB \sin \alpha = \int \frac{\mu_0 I \, d\ell}{4\pi r^2} \sin \alpha$$

Ici, $r$ et $\alpha$ sont des constantes. Ainsi, tout sort de l'intégrale sauf $d\ell$ :

$$B = \frac{\mu_0 I \sin \alpha}{4\pi r^2} \int d\ell$$

L'intégrale de tous les éléments de fil $d\ell$ le long de la boucle donne tout simplement la circonférence $2\pi a$ de la boucle, où $a$ est le rayon de la boucle. On a donc

$$B = \frac{\mu_0 I a \sin \alpha}{2r^2}$$

On peut faire disparaître $r$ à l'aide de la relation $r = a/\sin \alpha$. On trouve ainsi la formule générale pour le champ sur l'axe d'une boucle :

$$B = \frac{\mu_0 I \sin^3 \alpha}{2a}$$

Il arrive souvent qu'on enroule le fil qui porte le courant pour former $N$ **spires** (une spire est un tour complet de fil). Si le fil est assez mince par rapport au rayon de la boucle et qu'on colle les spires les unes sur les autres, on peut considérer que les spires sont *superposées*, c'est-à-dire toutes au même endroit. Dans ce cas, le champ magnétique sur l'axe de la boucle est tout simplement multiplié par $N$, et on trouve

$$B = \frac{\mu_0 N I \sin^3 \alpha}{2a} \qquad (9.9)$$

## Exemple 9.3

(a) Un fil formant une spire circulaire de rayon 1 m est parcouru par un courant de 2 A (figure 9.12). Quelle est l'intensité du champ magnétique aux points $A$ et $B$ situés sur l'axe de la spire à 1 m de part et d'autre du centre de la spire ? (*b*) On utilise la même longueur de fil, mais on l'enroule pour former 4 spires circulaires superposées. Si le courant reste le même, quelle est l'intensité du champ magnétique en $A$ et en $B$ ?

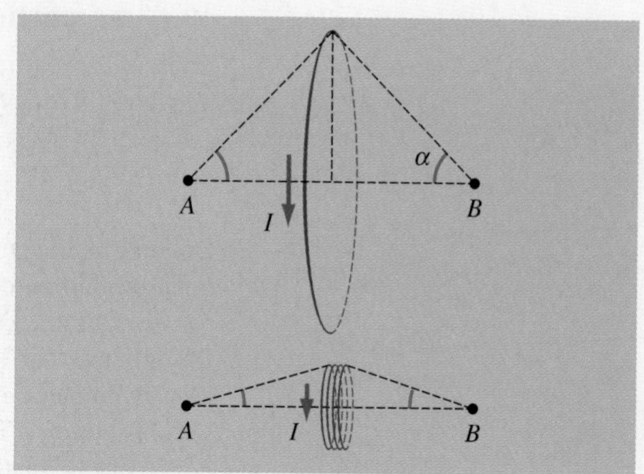


**Figure 9.12**

Exemple 9.3.

**Solution :**

(a) Par symétrie, le module du champ magnétique est le même en $A$ et en $B$. Dans l'équation 9.9, on a $N = 1$, $I = 2$ A, $a = 1$ m et $\alpha = 45°$, d'où $B = 4{,}44 \times 10^{-7}$ T. Par la règle de la main droite, le champ magnétique, *partout sur l'axe* (et donc en $A$ et en $B$) est orienté *vers la droite*. (b) Si on fait 4 spires avec le même fil, le rayon est divisé par 4. On a donc $N = 4$, $I = 2$ A, $a = 0{,}25$ m et $\alpha = \arctan(0{,}25/1) = 14°$. L'équation 9.9 donne alors $B = 2{,}85 \times 10^{-7}$ T, et il est encore orienté vers la droite en $A$ et en $B$.

En un point éloigné d'une boucle à une spire ($N = 1$), le long de son axe, on peut montrer que l'équation 9.9 devient (voir le problème 11) :

$$B_{\text{axe}} = \frac{2k'\mu}{z^3} \qquad (9.10)$$

où $k' = \mu_0/4\pi$ et $\mu = I(\pi a^2)$ est le moment dipolaire de la boucle (il ne faut surtout pas confondre la constante $\mu_0$ avec le moment dipolaire $\mu$). L'équation 9.10 est de la même forme que l'équation 2.2 donnant le champ en un point éloigné sur l'axe d'un dipôle électrique :

$$E = \frac{2kp}{z^3}$$

Cette ressemblance nous incite à considérer la boucle de courant comme un dipôle magnétique ; toutefois, comme on le voit à la figure 9.13, la configuration du champ magnétique à l'intérieur de la boucle est quelque peu différente de celle du champ électrique créé par un dipôle. En fait, les champs sont de sens opposés.

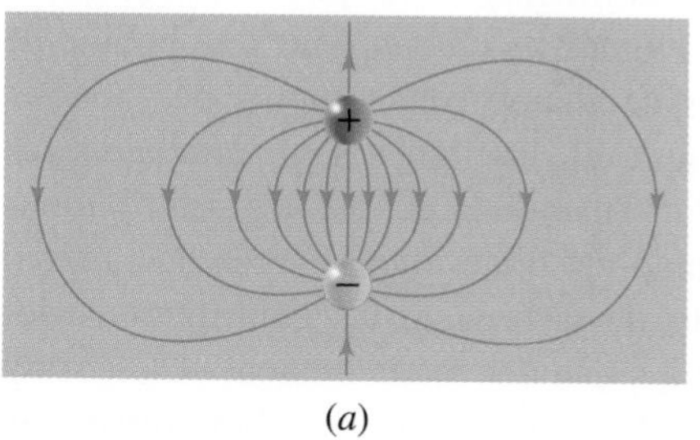


(*a*)

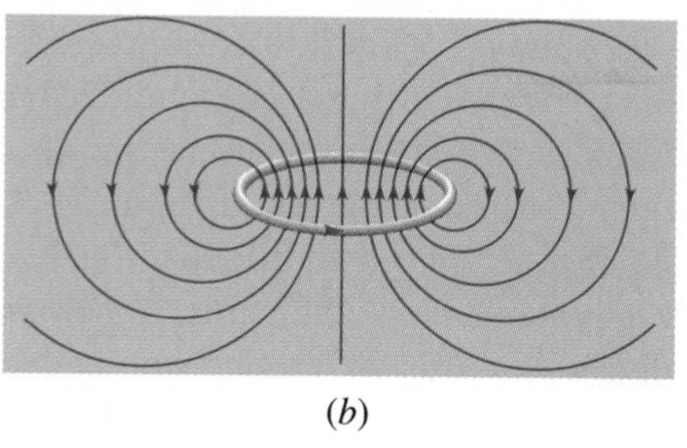

(*b*)

**Figure 9.13**

Les lignes de champ pour (*a*) un dipôle électrique et (*b*) un dipôle magnétique. Bien que les champs en des points éloignés semblent similaires, les champs au voisinage des dipôles sont de sens opposés.

## Le champ magnétique au centre d'une boucle ou d'une portion de boucle

Dans le cas particulier où le point $P$ est au centre de la boucle, $\alpha = 90°$ et l'équation 9.9 devient

$$B = \frac{\mu_0 NI}{2a} \tag{9.11}$$

On peut facilement généraliser l'équation 9.11 pour calculer le champ magnétique produit au centre de courbure d'un fil en forme d'arc de cercle parcouru par un courant. Le champ donné par l'équation 9.11 est la somme de tous les $d\vec{\mathbf{B}}$ produits par les éléments de fil de la boucle ; or, dans ce cas précis, tous les $d\vec{\mathbf{B}}$ pointent dans la même direction, le long de l'axe de la boucle. Ainsi, la contribution d'une fraction de la boucle est tout simplement égale au champ donné par l'équation 9.11 *multiplié par la fraction de la boucle par rapport à une boucle complète*. Par exemple, un arc en demi-cercle (avec $N = 1$ spire) produit un champ magnétique en son centre de courbure égal à $\frac{1}{2}(\mu_0 I/2a) = \mu_0 I/4a$.

### Exemple 9.4

Soit le circuit représenté à la figure 9.14, avec $I = 5$ A. Quelle est l'intensité du champ magnétique au point $P$ ? (Le fil ne forme qu'une seule spire.)

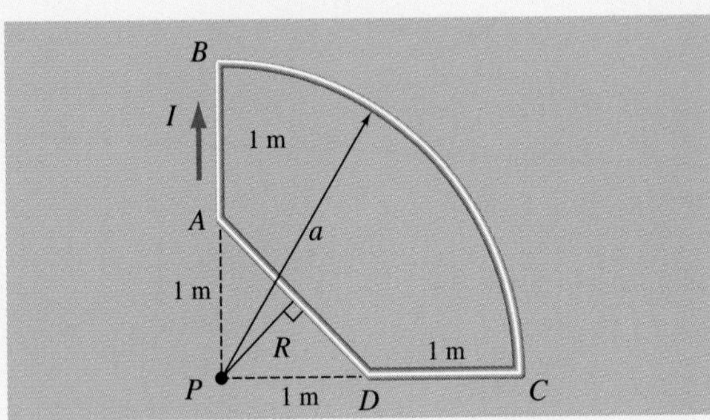


***Figure 9.14***

Un courant circule dans un circuit formé de trois segments rectilignes et d'un quart de cercle.

**Solution :**

Pour les segments rectilignes $AB$, $CD$ et $DA$, on utilise l'équation 9.8. Sur $AB$, $\theta_1 = \theta_2 = 180°$, donc $B_{AB} = 0$. Sur $CD$, $\theta_1 = \theta_2 = 0°$, donc $B_{CD} = 0$. Sur $DA$, $\theta_1 = 45°$, $\theta_2 = 135°$ et $R = 0{,}707$ m, et on trouve

$$B_{DA} = 1\ \mu\text{T}$$

*sortant de la page* (d'après la règle de la main droite). Le champ produit par le quart de cercle $BC$ équivaut à un quart du champ d'une boucle de rayon $a = 2$ m. Par l'équation 9.11 avec $N = 1$, on trouve

$$B_{BC} = \tfrac{1}{4}(\mu_0 I/2a) = 0{,}393\ \mu\text{T}$$

*entrant dans la page* (d'après la règle de la main droite). Le champ total *sort* de la page et son module est

$$B = (1 - 0{,}393)\mu\text{T} = 0{,}607\ \mu\text{T}$$

## Le champ magnétique sur l'axe d'un solénoïde

La figure 9.15 représente la répartition de la limaille de fer pour une bobine de sept spires. La figure 9.16 représente les lignes de champ pour une bobine de cinq spires. On remarque que les lignes de champ sont toujours des boucles fermées. Au voisinage immédiat de chaque fil, les lignes sont circulaires (ce qui n'est pas visible sur les figures). À l'intérieur de la bobine, les contributions de chaque spire s'additionnent et le champ est donc intense. Près de l'axe, il est pratiquement uniforme. À l'extérieur de la bobine, les contributions des divers éléments de courant ont tendance à s'annuler mutuellement et le champ est donc beaucoup plus faible. Le champ à l'extérieur de la bobine ressemble

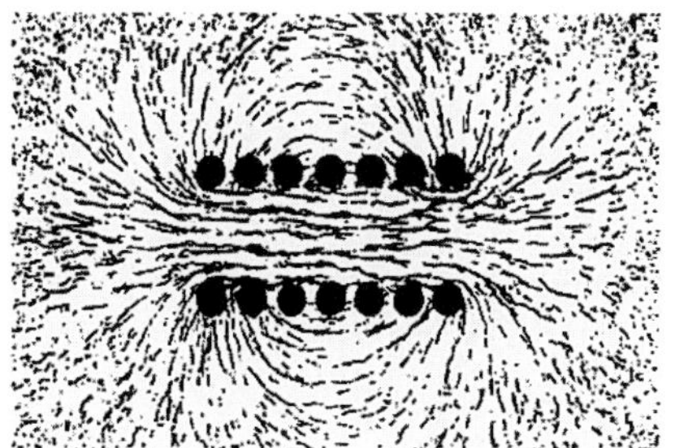

***Figure 9.15***

La configuration de la limaille de fer dans le cas de sept spires.

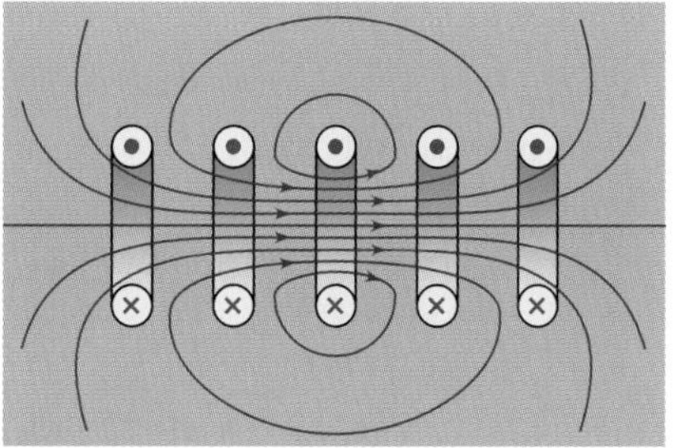

***Figure 9.16***

Les lignes de champ dans le cas de cinq spires.

à celui d'un barreau aimanté, l'une des extrémités de la bobine jouant le rôle de pôle nord et l'autre de pôle sud. Lorsque les spires sont très serrées et en très grand nombre, le dispositif obtenu est appelé **solénoïde**. Le champ à l'intérieur d'un long solénoïde est assez uniforme et intense, alors qu'il est pratiquement nul à l'extérieur (figure 9.17).

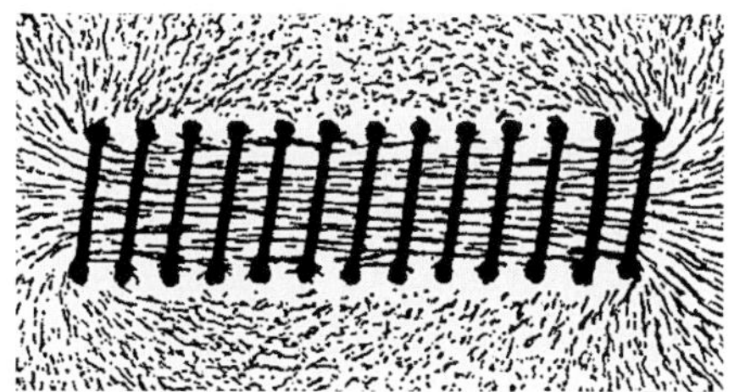

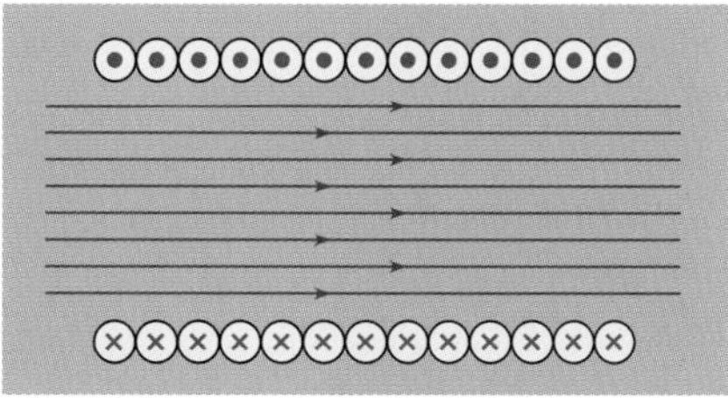

***Figure 9.17***

Le champ à l'intérieur d'un long solénoïde est uniforme. À l'extérieur, il est pratiquement nul.

Nous allons maintenant calculer le module du champ magnétique en un point $P$ sur l'axe d'un solénoïde : le solénoïde possède $N$ spires réparties sur sa longueur $L$ (figure 9.18). Pour les fins du calcul, nous allons considérer que le solénoïde est un cylindre de rayon $a$ constitué d'un nombre infini de spires d'épaisseur $dx$. Puisqu'il y a $N$ spires réparties sur une longueur $L$, l'élément d'épaisseur $dx$ contient un nombre infinitésimal de spires $dN$ tel que $N/L = dN/dx$, ce qui donne

$$dN = (N/L)dx = n\,dx$$

où $n = N/L$ correspond au *nombre de spires par unité de longueur.*

Par l'équation 9.9, le champ magnétique produit par les $dN$ spires au point $P$ vaut

$$dB = \frac{\mu_0 dNI \sin^3\alpha}{2a} = \frac{\mu_0 n\,dx \sin^3\alpha}{2a}$$

Tous les $d\vec{\mathbf{B}}$ sont orientés le long de l'axe. Ainsi,

$$B = \int dB = \frac{\mu_0 nI}{2a}\int \sin^3\alpha\,dx$$

Pour résoudre l'intégrale, nous allons exprimer $x$ en fonction de $\alpha$ et de la constante $a$ : $x = a/\tan\alpha = a \text{ cotan } \alpha$, d'où $dx = -a \text{ cosec}^2\alpha\,d\alpha = (-a/\sin^2\alpha)\,d\alpha$. En fonction de $\alpha$, les bornes d'intégration vont de $\alpha_1$ à $\alpha_2$ (figure 9.19), et on trouve

$$B = \tfrac{1}{2}\mu_0 nI \int_{\alpha_1}^{\alpha_2} -\sin\alpha\,d\alpha$$

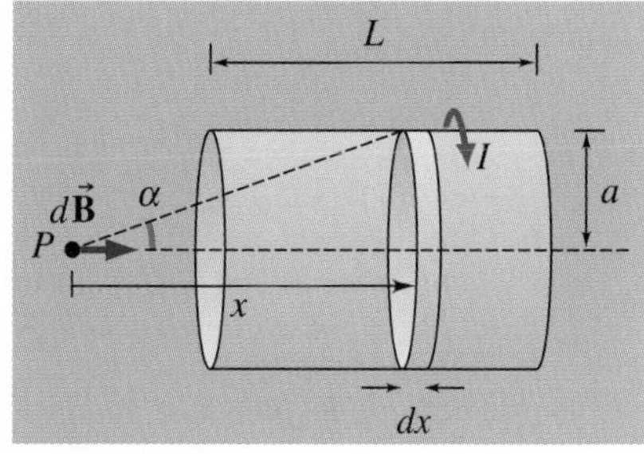


***Figure 9.18***

Calcul du champ magnétique sur l'axe d'un solénoïde.

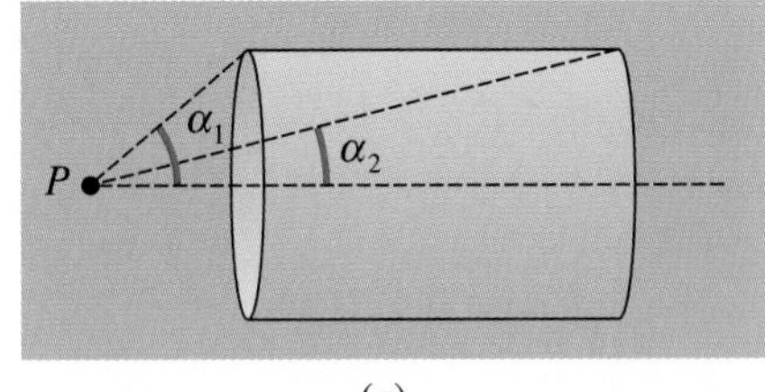

(a)

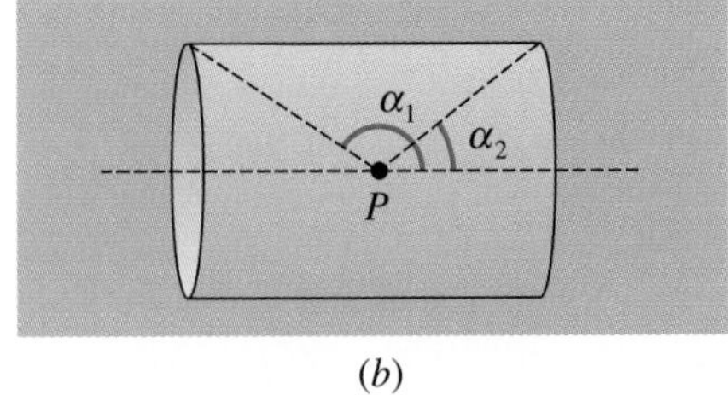

(b)

**Figure 9.19**

Les bornes d'intégration pour un point (*a*) à l'extérieur et (*b*) à l'intérieur d'un solénoïde. On a toujours $\alpha_1 \geq \alpha_2$.

d'où

$$B = \tfrac{1}{2}\mu_0 nI(\cos\alpha_2 - \cos\alpha_1) \qquad (9.12)$$

Les angles $\alpha_1$ et $\alpha_2$ sont définis de la même façon que l'angle $\alpha$ dans l'équation donnant le champ pour une boucle (équation 9.9). Ils sont compris entre 0° et 180°, et on aura toujours $\alpha_1 \geq \alpha_2$. Ainsi, $\cos\alpha_1 \leq \cos\alpha_2$, ce qui donne un module de champ magnétique $B$ positif, comme il se doit. La figure 9.20 représente $B$ en fonction de la position pour un solénoïde dont la longueur est égale à 10 fois son diamètre.

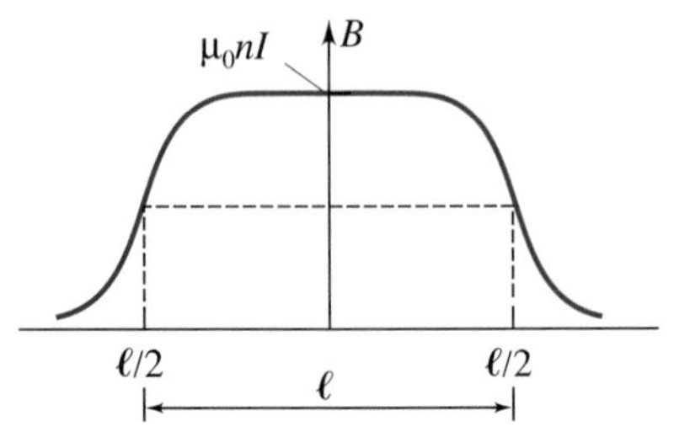


**Figure 9.20**

Graphe de $B$ le long de l'axe d'un solénoïde tel que $\ell = 10a$.

## Exemple 9.5

Montrer que le module du champ magnétique à l'extrémité d'un solénoïde très long est $\mu_0 nI/2$.

**Solution :**

Dans l'équation 9.12, on a $\alpha_1 = 90°$ et $\alpha_2 = 0$, d'où $B = \mu_0 nI/2$.

## Le champ magnétique à l'intérieur d'un long solénoïde

Si le point $P$ est *à l'intérieur d'un solénoïde très long* et qu'il est *assez loin des extrémités*, $\alpha_1 \approx 180°$ et $\alpha_2 \approx 0°$, et on trouve $B = \frac{1}{2}\mu_0 nI[1 - (-1)]$, d'où

**Champ magnétique à l'intérieur d'un long solénoïde**

$$B = \mu_0 nI \qquad (9.13)$$

On peut montrer (voir la section suivante) que cette expression est également valable pour tous les points à l'intérieur d'un long solénoïde, et pas seulement sur l'axe.

## Électroaimants et aimants permanents

Une boucle (ou un solénoïde) parcourue par un courant est un **électroaimant**, un dispositif qui tire son aimantation du courant électrique qui le traverse. En revanche, un **aimant permanent** (comme un morceau de magnétite ou une aiguille de boussole) produit un champ magnétique sans qu'il n'y ait de courant qui le traverse. Or, la similitude entre les lignes de champ magnétique d'un électroaimant (figure 9.16) et celles d'un aimant permanent (figure 8.2) est frappante.

Dès le XIX$^e$ siècle, plusieurs physiciens ont soupçonné que tous les aimants sont en quelque sorte des électroaimants : le champ magnétique d'un aimant permanent serait produit par des courants électriques microscopiques dans le matériau. Aujourd'hui, on sait que ces courants existent : ils sont dus entre autres au mouvement des électrons autour des noyaux atomiques. *Ainsi, à la base, tout champ magnétique est produit par des courants électriques, qu'ils soient macroscopiques ou microscopiques.* Dans un aimant permanent, les orbites des électrons sont orientées de manière particulière, ce qui produit un champ magnétique net. Dans un barreau non aimanté, les orbites des électrons sont orientées de manière aléatoire, et le champ magnétique net est nul. On reviendra de façon plus détaillée sur les propriétés magnétiques de la matière à la section 11.6.

Le fait que le champ magnétique d'un aimant soit produit par l'équivalent d'une boucle de courant explique pourquoi on ne peut jamais séparer un pôle nord magnétique d'un pôle sud magnétique (figure 8.3) : une boucle de courant a nécessairement un pôle nord d'un côté et un pôle sud de l'autre, et on ne peut pas construire une boucle qui n'aurait qu'un seul côté !

## 9.4 Le théorème d'Ampère

Ampère (figure 9.21) avait adressé plusieurs objections aux travaux de Biot et Savart. Par exemple, il estimait que leurs expériences n'étaient pas assez précises pour établir avec certitude la valeur du facteur sin $\theta$. L'obligation de faire intervenir des « éléments de courant » ne lui plaisait pas non plus, puisque les éléments de courant isolés n'existent pas en réalité ; ils font toujours partie d'un circuit complet. Il décida donc de poursuivre de son côté ses travaux expérimentaux et théoriques qui lui permirent d'établir une relation différente, appelée maintenant *théorème d'Ampère*, entre un courant et le champ magnétique qu'il produit.

**Figure 9.21**

André Marie Ampère (1775-1836).

Il est possible d'établir le théorème d'Ampère à partir de l'expression de $d\vec{\mathbf{B}}$ donnée par Biot-Savart, mais nous allons plutôt le démontrer en considérant le champ créé par un conducteur rectiligne infini. Nous savons que les lignes de champ sont des cercles concentriques. Si l'on écrit l'équation 9.1 sous la forme

$$B(2\pi R) = \mu_0 I$$

on peut l'interpréter de la manière suivante : $2\pi R$ est la longueur d'un parcours circulaire autour du conducteur, $B$ est la composante du champ magnétique *tangentiel* au parcours et $I$ est le courant traversant la surface limitée par le parcours. Ampère put généraliser ce résultat à des parcours et conducteurs de forme quelconque.

La figure 9.22 représente un courant sortant de la page et un parcours arbitraire fermé autour de ce courant. Pour un déplacement infinitésimal $d\vec{\boldsymbol{\ell}}$ sur le parcours, le produit de $d\ell$ et de la composante de $\vec{\mathbf{B}}$ sur $d\vec{\boldsymbol{\ell}}$ est $d\ell(B \cos \theta)$, qui correspond bien au produit scalaire $\vec{\mathbf{B}} \cdot d\vec{\boldsymbol{\ell}}$. Selon le **théorème d'Ampère**, la somme (l'intégrale) de ce produit le long d'un parcours *fermé* est donnée par

$$\oint \vec{\mathbf{B}} \cdot d\vec{\boldsymbol{\ell}} = \mu_0 I \qquad (9.14)$$

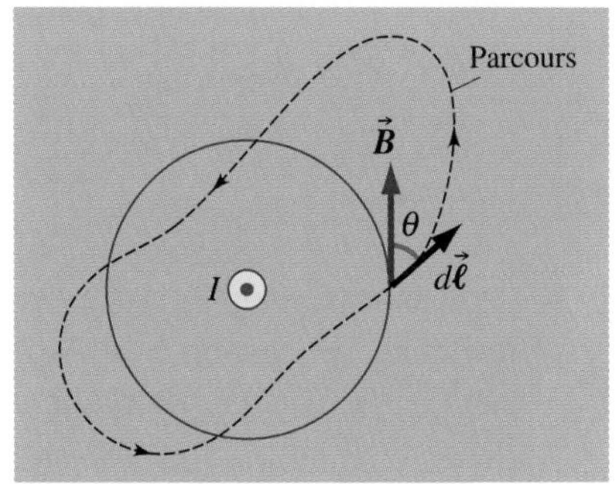


**Figure 9.22**

Un courant qui sort de la page. Selon le théorème d'Ampère, l'intégrale $\oint \vec{\mathbf{B}} \cdot d\vec{\boldsymbol{\ell}}$ sur un parcours fermé qui entoure le courant est égale à $\mu_0 I$.

$I$ étant le courant net traversant la surface délimitée par le parcours. Le sens (horaire ou antihoraire) choisi pour calculer l'intégrale est donné par la règle de la main droite : le pouce de la main droite étant placé dans le sens du courant, les quatre doigts enroulés autour du fil indiquent le sens positif du parcours. Le terme de gauche de l'équation 9.11 représente le calcul d'une intégrale de ligne ou curviligne. Cette version du théorème d'Ampère est incomplète (voir le chapitre 13) et n'est valable que pour des courants *continus* et pour des matériaux non magnétiques, comme le cuivre. Le courant ne doit pas nécessairement circuler dans un fil conducteur ; un faisceau de particules chargées constitue également un courant. Le champ $\vec{\mathbf{B}}$ qui intervient dans le théorème d'Ampère est créé par *tous* les courants du voisinage, et non pas seulement par le courant circulant à l'intérieur du parcours.

Pour pouvoir utiliser le théorème d'Ampère afin de calculer le champ magnétique, il faut que la géométrie de la distribution du courant ait une symétrie suffisante pour que le calcul de l'intégrale reste simple. Il nous faut donc connaître la configuration du champ afin de choisir le parcours d'intégration qui convient.

## Exemple 9.6

Un *conducteur rectiligne infini* de rayon $R$ est parcouru par un courant $I$. Déterminer le champ magnétique à une distance $r$ du centre du conducteur pour (a) $r > R$ et (b) $r < R$. On suppose que le courant est distribué uniformément sur la section transversale du conducteur.

### Solution :

(a) Étant donné la symétrie du problème, on sait que l'intensité du champ est la même pour tous les points situés à une distance $r$ du centre. On sait également que les lignes de champ sont circulaires. On choisit donc pour le parcours d'intégration un cercle de rayon $r$ dont le centre coïncide avec le centre du conducteur (figure 9.23*a*). En un point quelconque situé sur le parcours, $\vec{\mathbf{B}}$ est parallèle à $d\vec{\ell}$, ce qui signifie que $\vec{\mathbf{B}} \cdot d\vec{\ell} = B\, d\ell$. D'après l'équation 9.14,

$$\oint \vec{\mathbf{B}} \cdot d\vec{\ell} = B \oint d\ell = \mu_0 I \qquad \text{(i)}$$

On peut sortir l'intensité du champ $B$ de l'intégrale puisqu'elle est constante sur le parcours choisi. L'intégrale est alors simplement égale à $2\pi r$ et le courant à l'intérieur du parcours est égal à $I$. On obtient donc $B(2\pi r) = \mu_0 I$ et

$$B = \frac{\mu_0 I}{2\pi r} \qquad \text{(ii)}$$

Cette approche est plus simple que ce qu'exige la loi de Biot-Savart appliquée à une telle situation. En revanche, le théorème d'Ampère devient inapplicable si le fil n'est pas infini.

(b) Les conditions de symétrie étant les mêmes à l'intérieur du conducteur, l'équation (i) reste valable, à condition que le parcours circulaire fermé soit situé à l'intérieur du conducteur. Le courant circulant à l'intérieur du parcours de la figure 9.23*b* est égal à une fraction seulement du courant total $I$. Cette fraction est donnée par le rapport entre l'aire délimitée par le parcours et celle du conducteur, c'est-à-dire $(\pi r^2/\pi R^2)I$. L'équation (i) prend la forme

$$B(2\pi r) = \mu_0 \frac{r^2}{R^2} I$$
$$B = \frac{\mu_0 I r}{2\pi R^2} \qquad \text{(iii)}$$

On remarque que, pour $r = R$, (ii) et (iii) donnent le même résultat. L'intensité du champ magnétique est donc continue d'un côté à l'autre de la surface du conducteur. La figure 9.23*c* représente la valeur du champ magnétique en fonction de $r$.

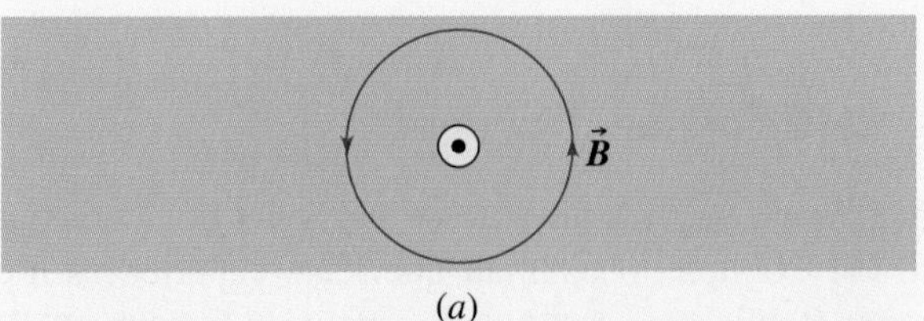


(*a*)

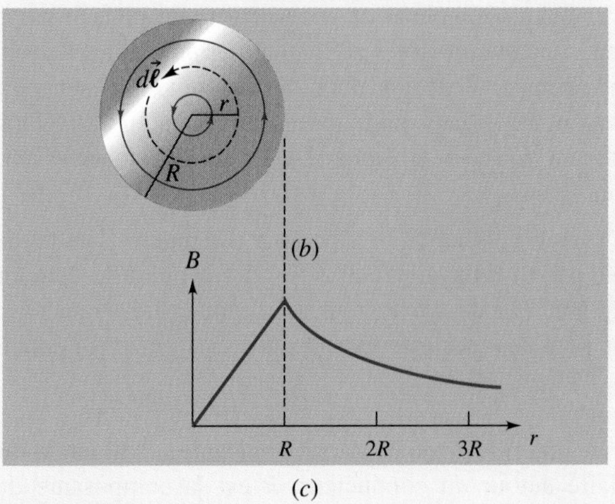


(*c*)

**Figure 9.23**

(*a*) Étant donné la symétrie, une boucle circulaire centrée sur le fil conducteur est un parcours d'intégration approprié. (*b*) Le parcours d'intégration est choisi à l'intérieur du conducteur, de sorte qu'une partie seulement du courant total traverse la boucle circulaire. (*c*) La variation du champ avec la distance à partir du centre du fil conducteur.

## Exemple 9.7

Un *solénoïde infini idéal* comporte $n$ spires par unité de longueur et il est parcouru par un courant $I$. Déterminer son champ magnétique.

### Solution :

Le champ à l'extérieur d'un solénoïde infini idéal est nul (figure 9.17). Tous les points situés sur l'axe d'un solénoïde infini sont équivalents ; on dit que le solénoïde a une symétrie de translation. La somme des contributions de toutes les spires au champ total à l'intérieur du solénoïde est dirigée selon l'axe et l'on peut donc s'attendre à ce que les lignes de champ soient parallèles à l'axe. Pour tirer parti de cette géométrie, on choisit le rectangle *abcd* de la figure 9.24 comme parcours d'intégration. L'intégrale curviligne se décompose en quatre parties :

$$\oint \vec{\mathbf{B}} \cdot d\vec{\boldsymbol{\ell}} = \int_a^b \vec{\mathbf{B}} \cdot d\vec{\boldsymbol{\ell}} + \int_b^c \vec{\mathbf{B}} \cdot d\vec{\boldsymbol{\ell}} + \int_c^d \vec{\mathbf{B}} \cdot d\vec{\boldsymbol{\ell}} + \int_d^a \vec{\mathbf{B}} \cdot d\vec{\boldsymbol{\ell}}$$

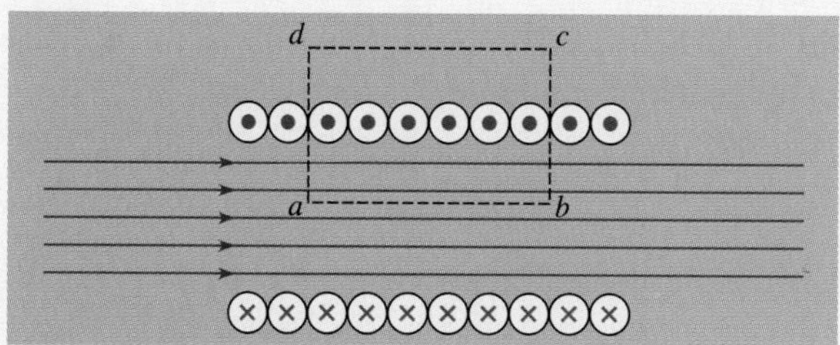


***Figure 9.24***

Le parcours d'intégration approprié pour un solénoïde infini est rectangulaire. Seule la section située à l'intérieur du solénoïde contribue à l'intégrale.

Sur le trajet *cd*, $\vec{\mathbf{B}} = 0$ et la troisième intégrale est donc nulle. $\vec{\mathbf{B}}$ est également nul pour les parties de *bc* et *da* situées à l'extérieur du solénoïde. À l'intérieur du solénoïde, $\vec{\mathbf{B}}$ est perpendiculaire à $d\vec{\boldsymbol{\ell}}$, de sorte que $\vec{\mathbf{B}} \cdot d\vec{\boldsymbol{\ell}} = 0$. Pour ces deux raisons, la deuxième et la quatrième intégrale disparaissent. Enfin, sur le trajet *ab*, $\vec{\mathbf{B}}$ est constant (à cause de la symétrie de translation) et parallèle à $d\vec{\boldsymbol{\ell}}$, de sorte que $\vec{\mathbf{B}} \cdot d\vec{\boldsymbol{\ell}} = B d\ell$. Si le trajet *ab* a une longueur $L$, le nombre de spires est $nL$ et le courant à l'intérieur est $nLI$. Le théorème d'Ampère devient maintenant

$$\oint \vec{\mathbf{B}} \cdot d\vec{\boldsymbol{\ell}} = B \int_a^b d\ell = \mu_0 nLI$$

d'où l'on tire

$$B = \mu_0 nI$$

On voit donc que, en choisissant le parcours approprié pour le théorème d'Ampère, on peut remplacer la longue intégration de la section précédente par un calcul d'une seule ligne !

Ce résultat est valable partout à l'intérieur du solénoïde (infini) parce qu'il ne dépend pas de l'emplacement du segment *ab* dans la figure 9.24. Le champ magnétique à l'intérieur du solénoïde infini est donc *uniforme* sur l'ensemble de sa section transversale. Ce résultat va *beaucoup plus loin* que ce que nous permet de déduire l'approche de Biot-Savart. Soulignons que le champ $B$ à l'intérieur du parcours comprend des contributions de boucles de courant qui *ne sont pas* forcément comprises dans le parcours. D'ailleurs, sans ces contributions extérieures, on n'aurait pas pu prétendre que $B = 0$ à l'extérieur ou que les lignes de champ à l'intérieur du solénoïde sont parallèles à l'axe.

## Exemple 9.8

Une *bobine toroïdale* (en forme de bouée) est faite de $N$ spires jointives parcourues par un courant $I$. On suppose qu'elle a une section transversale rectangulaire (figure 9.25). Déterminer le champ magnétique à l'intérieur du tore.

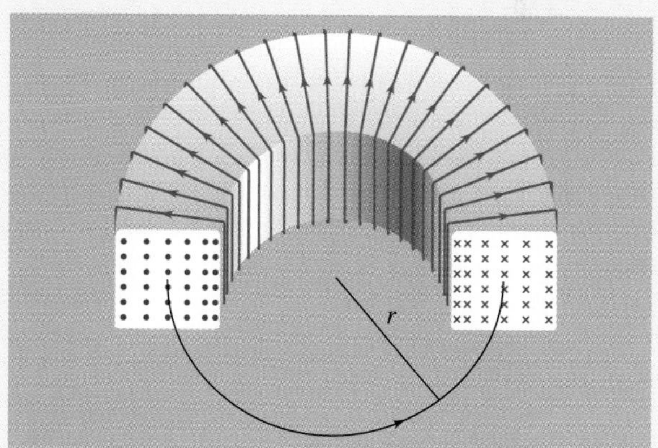


***Figure 9.25***

À l'intérieur d'une bobine toroïdale, le module du champ est constant le long d'un cercle donné de rayon $r$.

### Solution :

La bobine toroïdale est l'un des rares exemples dans lequel nous connaissons la forme précise des lignes de champ. Elles sont circulaires et nous allons donc choisir pour parcours d'intégration un cercle de rayon $r$. Si ce parcours est à l'extérieur du tore, le courant net à l'intérieur du parcours est nul. D'après le théorème d'Ampère, $\oint \vec{\mathbf{B}} \cdot d\vec{\boldsymbol{\ell}} = 0$. Ce résultat à lui seul ne nous permet pas de conclure que $\vec{\mathbf{B}} = 0$. Toutefois, la symétrie circulaire nous indique que $\vec{\mathbf{B}}$ doit être constant en grandeur en tout point du parcours circulaire et parallèle à $d\vec{\boldsymbol{\ell}}$. Par conséquent, $\oint \vec{\mathbf{B}} \cdot d\vec{\boldsymbol{\ell}} = B \oint d\vec{\boldsymbol{\ell}} = B(2\pi r)$. Puisque $r \neq 0$, nous concluons que $B = 0$ à l'extérieur.

À l'intérieur du tore, $\vec{\mathbf{B}}$ est parallèle à $d\vec{\boldsymbol{\ell}}$ et a la même intensité en tout point du parcours circulaire. Le courant à l'intérieur du parcours est $NI$ et le théorème d'Ampère prend alors la forme

$$\oint \vec{\mathbf{B}} \cdot d\vec{\boldsymbol{\ell}} = B \oint d\ell = \mu_0(NI)$$

Comme $\oint d\vec{\boldsymbol{\ell}} = 2\pi r$, on trouve

$$B = \frac{\mu_0 NI}{2\pi r} \qquad (9.15)$$

Le champ n'est *pas uniforme* : il varie en $1/r$. Les champs toroïdaux sont utilisés dans la recherche sur la fusion (*cf.* le Sujet connexe sur la fusion, chapitre 12, tome 3).

## Exemple 9.9 (facultatif)

(a) Quel est le *champ magnétique produit par une charge ponctuelle* $q$ positive se déplaçant à la vitesse $\vec{\mathbf{v}}$ ? (b) Quelle est la force entre deux charges positives égales se déplaçant parallèlement l'une à l'autre, à une distance $d$, avec la même vitesse ? (c) Montrer que les champs électrique et magnétique produits par une charge ponctuelle en mouvement sont liés par la relation $\vec{\mathbf{B}} = (\mu_0\varepsilon_0)\vec{\mathbf{v}} \times \vec{\mathbf{E}}$.

**Solution :**

La loi de Biot-Savart donne le champ magnétique produit par un élément de courant $I d\vec{\boldsymbol{\ell}}$. Puisque $I = dq/dt$, on peut réécrire

$$I d\vec{\boldsymbol{\ell}} = \frac{dq}{dt} d\vec{\boldsymbol{\ell}} = dq \frac{d\vec{\boldsymbol{\ell}}}{dt} = dq\, \vec{\mathbf{v}}$$

où $\vec{\mathbf{v}}$ est la vitesse de la charge $dq$. D'après l'équation 9.7, on en déduit que le champ créé par une charge ponctuelle $q$ se déplaçant à la vitesse $\vec{\mathbf{v}}$ est

$$\vec{\mathbf{B}} = \frac{\mu_0}{4\pi} \cdot \frac{q\vec{\mathbf{v}} \times \vec{\mathbf{u}}_r}{r^2} \qquad (9.16)$$

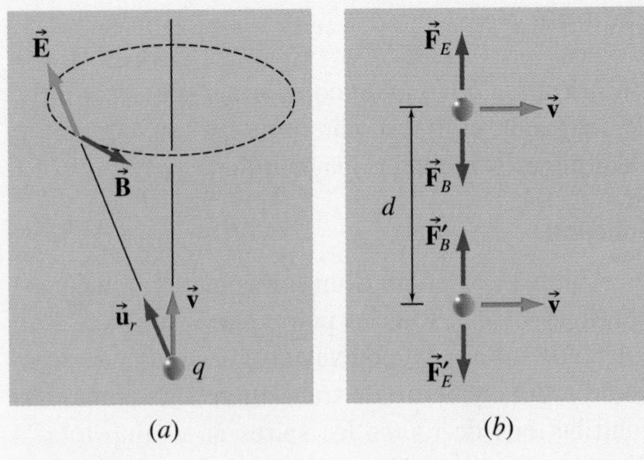


***Figure 9.26***

(*a*) Le champ magnétique produit par une charge $q$ se déplaçant à la vitesse $\vec{\mathbf{v}}$. (*b*) Deux charges en mouvement côte à côte avec la même vitesse. La force nette entre elles est inférieure à celle qui s'exerce lorsqu'elles sont au repos (en l'absence de forces magnétiques).

Les lignes du champ magnétique sont circulaires (figure 9.26*a*).

(b) À la figure 9.26*b*, le module de la force électrique de répulsion entre les charges est

$$F_E = \frac{kq^2}{d^2}$$

Le module de la force magnétique $\vec{\mathbf{F}}_B = q\vec{\mathbf{v}} \times \vec{\mathbf{B}}$ exercée par une des charges sur l'autre est

$$F_B = qv \frac{k'qv}{d^2}$$

$$= \frac{k'q^2v^2}{d^2}$$

Cette force est attractive. Puisque $k' = \mu_0/4\pi$ et $k = 1/4\pi\varepsilon_0$, on trouve $k' = k/c^2$, $c$ étant la vitesse de la lumière dans le vide (nous montrerons au chapitre 13 que $c = 1/\sqrt{\mu_0\varepsilon_0}$). La force résultante entre les charges est donc

$$F = \left(1 - \frac{v^2}{c^2}\right)\frac{kq^2}{d^2} \qquad (9.17)$$

La force résultante exercée sur chacune des particules se déplaçant avec la même vitesse est *inférieure* à la force exercée sur les particules lorsqu'elles sont au repos. La signification de ce résultat sera étudiée au chapitre 8 du tome 3.

(c) On remarque que $\vec{\mathbf{E}} = (kq/r^2)\vec{\mathbf{u}}_r$, avec $k = 1/4\pi\varepsilon_0$. Ainsi, $(\mu_0\varepsilon_0)\vec{\mathbf{v}} \times \vec{\mathbf{E}}$ correspond bien à l'équation 9.16.

▶ Au laboratoire Lawrence Livermore, un aimant inhabituel a été conçu pour confiner un plasma chaud (gaz ionisé) dans le cadre d'expériences visant à domestiquer l'énergie libérée par la fusion des noyaux.

# Aperçu historique

## Les électroaimants

En septembre 1820, François Arago découvrit qu'un barreau de fer devenait aimanté lorsqu'on le plaçait à l'intérieur d'un solénoïde parcouru par un courant. Ce fut le premier électroaimant. En 1825, William Sturgeon utilisa un barreau de fer en forme de fer à cheval, qu'il enduisit de vernis (agissant comme couche isolante) et autour duquel il enroula plusieurs spires de fil conducteur nu (figure 9.27). Mais les spires de conducteur étant éloignées les unes des autres, cet électroaimant ne pouvait soulever que quelques grammes.

À l'Université de Princeton, Joseph Henry perfectionna considérablement le modèle de Sturgeon. N'ayant pas de fil isolé à sa disposition, Henry utilisa des fils de soie pour recouvrir laborieusement des centaines de mètres de fil conducteur nu. Il fut récompensé de ses efforts, car l'isolation lui permit d'enrouler plusieurs spires autour d'un même noyau de fer (figure 9.28*a*). Son plus gros électroaimant était capable de soulever 750 livres. Henry apporta une aide importante à Morse aux États-Unis et à Wheatstone en Angleterre, qui étaient en train de mettre

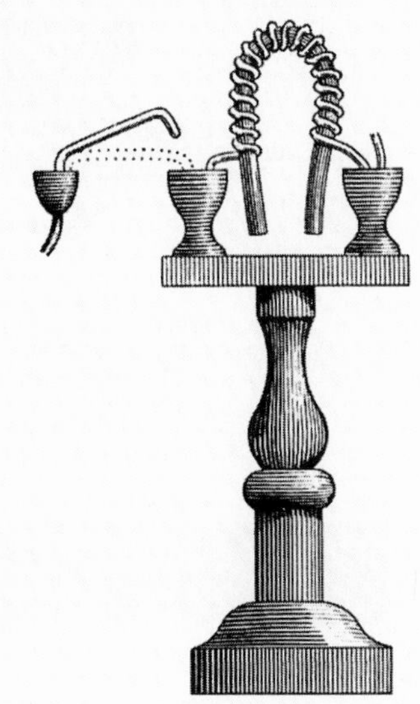

**Figure 9.27**

Le premier électroaimant confectionné par William Sturgeon en 1825.

sur pied des compagnies de télégraphe, et leur donna de nombreux conseils. La caractéristique essentielle du télégraphe électrique fut démontrée par Henry avec l'appareil illustré à la figure 9.28*b*.

Lorsqu'un courant provenant d'une source distante est appliqué à l'électroaimant, le barreau aimanté suspendu tourne et vient frapper la cloche. De nos jours, les électroaimants sont utilisés, par exemple, dans les têtes d'enregistrement des bandes magnétiques et pour produire des champs magnétiques pour la recherche.

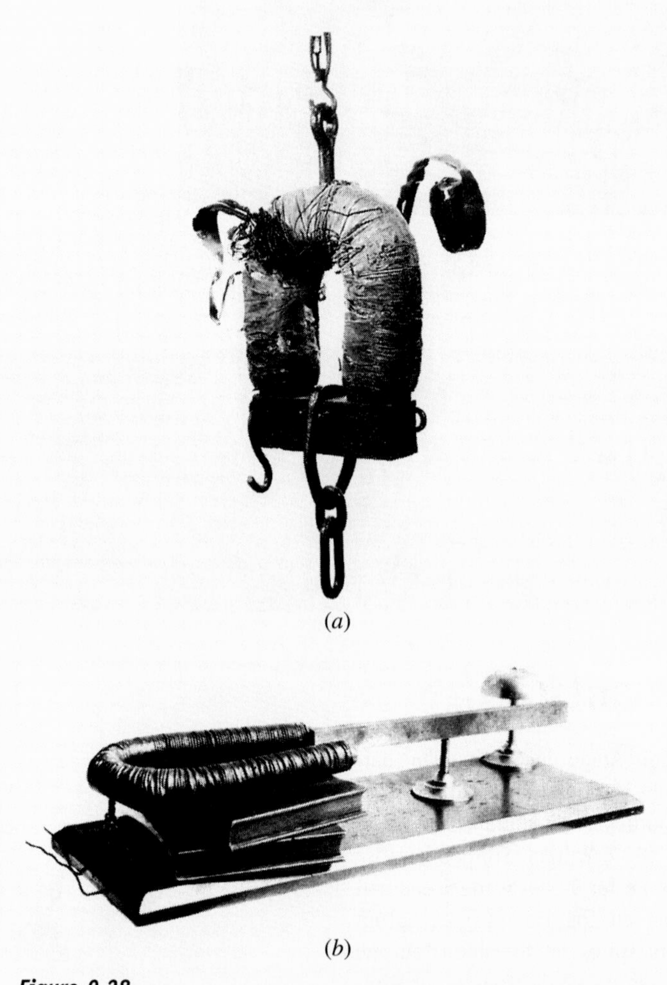

(*a*)

(*b*)

***Figure 9.28***

(*a*) Un électroaimant fabriqué par Joseph Henry.
(*b*) Le montage utilisé par Henry pour démontrer le principe du télégraphe électrique.

# Sujet connexe

## Le champ magnétique terrestre

L'utilisation des pierres de magnétite en guise de compas de marine remonte au IIe siècle. On croyait à cette époque que l'aiguille du compas s'orientait vers l'étoile polaire sous l'influence d'une source extraterrestre. Cependant, durant un de ses voyages, en 1492, Christophe Colomb s'aperçut que son compas ne pointait pas vers l'étoile polaire. Ses marins furent affolés à l'idée d'avoir atteint une région où les lois de la nature étaient différentes. Christophe Colomb les rassura en leur expliquant que l'aiguille s'oriente en réalité vers un point plus éloigné que l'étoile polaire, lequel, prétendait-il, s'était légèrement déplacé pendant la nuit! Sa haute réputation d'astronome suffit à les rassurer.

Il fallut attendre jusqu'en 1544 pour commencer à comprendre réellement le comportement de la boussole. Cette année-là, on découvrit que le pôle nord d'une aiguille initialement en équilibre sur un axe de rotation pointe vers le bas par rapport à l'horizontale dès que l'aiguille est aimantée. En 1600, William Gilbert utilisa une aiguille aimantée pour dresser une carte des régions environnant une sphère en magnétite. La ressemblance entre la configuration des déviations observées et les données relatives aux relevés de compas recueillis en diverses régions du globe l'incitèrent à suggérer, à juste titre, que la Terre est elle-même un aimant gigantesque.

Le champ magnétique à la surface de la Terre est essentiellement celui d'un dipôle magnétique (figure 9.29). L'intensité du champ à la surface varie de 0,3 G à 0,6 G. La direction et le sens du champ en un point donné de la surface sont déterminés par la déclinaison et l'inclinaison. La *déclinaison* est l'angle compris entre la composante horizontale du champ et le Nord géographique. L'*inclinaison* est l'angle que fait le champ avec le plan horizontal local. Les points où l'inclinaison est égale à $\pm 90°$ sont appelés pôles d'inclinaison. Plusieurs points vérifient cette condition.

On obtient la configuration la plus proche du champ observé en plaçant un dipôle de moment magnétique $8 \times 10^{22}$ A·m$^2$ à 400 km environ du centre de la Terre, l'axe du dipôle faisant un angle de 11,5° avec l'axe de rotation de la Terre. Les pôles magnétiques nord et sud sont situés sur l'axe de ce dipôle fictif. Le pôle magnétique situé dans l'hémisphère Nord se trouve à environ 78,5° N 100° O, au large de l'île Bathurst dans l'arctique canadien. Le lieu des points d'inclinaison nulle (où le champ est horizontal) est appelé équateur d'inclinaison.

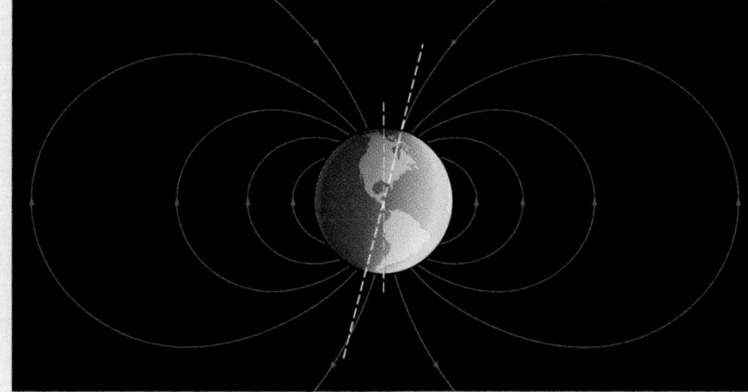

***Figure 9.29***

Le champ magnétique terrestre correspond essentiellement au champ d'un dipôle.

On observe toutefois des écarts importants par rapport au champ théorique d'un dipôle. En moyenne, l'intensité du champ non dipolaire est d'environ 5 % du champ total, bien qu'il existe des anomalies locales beaucoup plus grandes. Les gisements de minerais peuvent produire des variations de près de $10^{-4}$ G. La figure 9.30 représente le champ non dipolaire, obtenu à partir de la différence entre le champ réel et le champ théorique dipolaire. Les flèches représentent la composante horizontale et les courbes correspondent à des valeurs précises de la composante verticale en mG. Il va de soi que toute lecture effectuée au compas doit être corrigée à l'aide d'une telle carte. On peut représenter au mieux le champ total en combinant le dipôle principal et environ huit dipôles orientés radialement et de moments magnétiques divers.

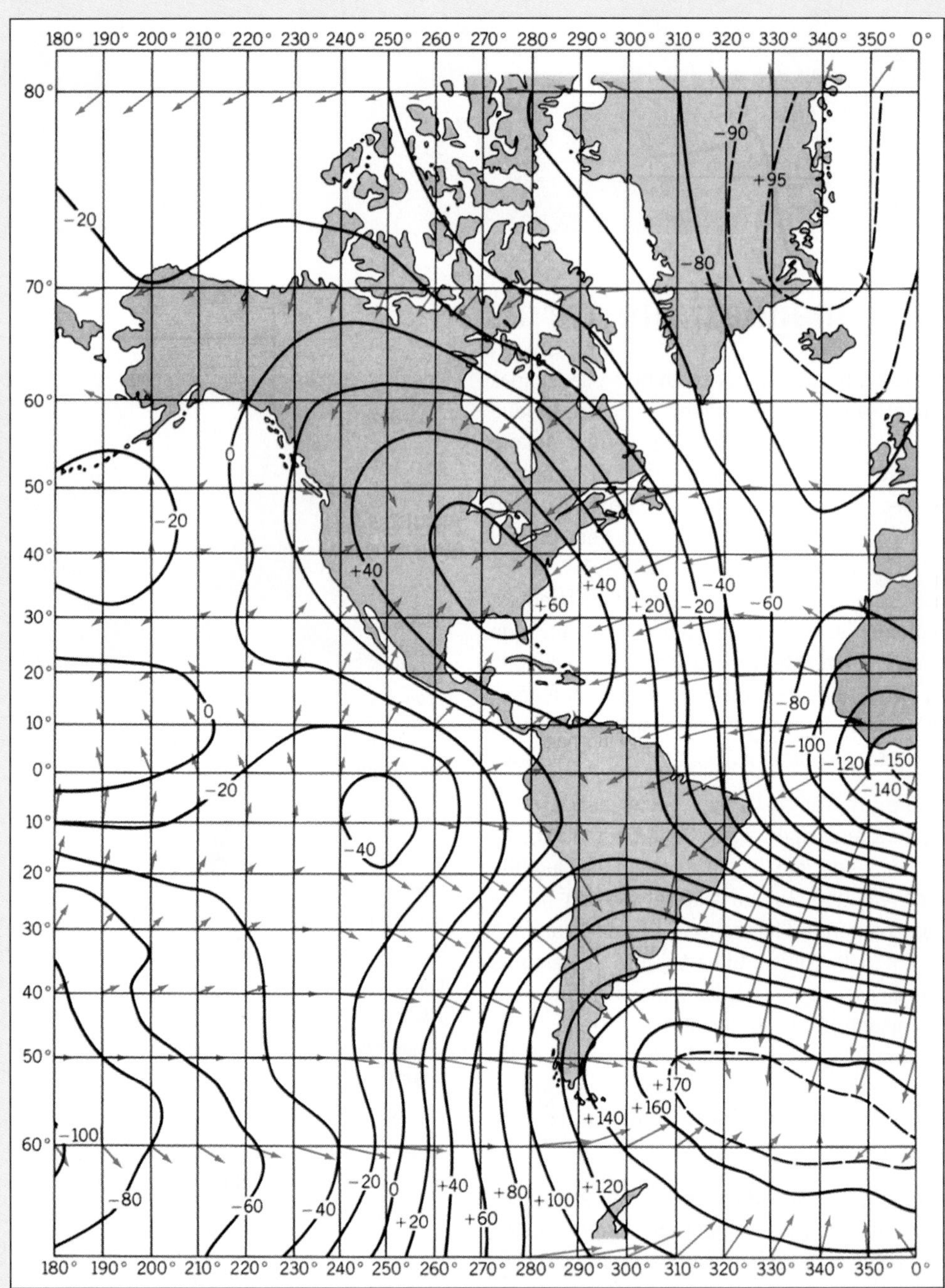


*Figure 9.30*

La contribution non dipolaire au champ terrestre. Les flèches représentent la composante horizontale et les courbes correspondent à des valeurs précises de la composante verticale.

## Variation du champ

Le champ magnétique terrestre n'est pas constant dans le temps. Les composantes de sa variation ont des échelles de temps allant de la minute à quelques millions d'années. Les variations à court terme correspondent à des perturbations provoquées par le « vent solaire » (voir plus bas). Au cours d'une journée, la composante horizontale du champ en un point donné peut varier comme le montre la figure 9.31. De telles variations sont causées par des courants dans l'ionosphère et dans la magnétosphère (voir plus bas). Les « orages magnétiques », qui durent quelques jours, sont provoqués par les taches solaires et entraînent des perturbations dans les radiocommunications.

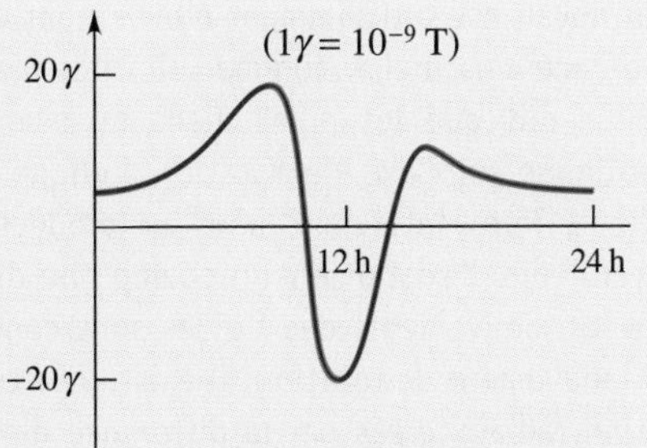


***Figure 9.31***

Le champ magnétique varie au cours de la journée.

En plus de changer de forme, les composantes du champ non dipolaire ont tendance à dériver vers l'ouest à raison d'environ 0,2° par an, bien que certaines composantes dérivent vers l'est. C'est pourquoi les cartes mondiales du champ doivent être dressées à quelques années d'intervalle. Les mesures effectuées par satellite permettent maintenant d'accélérer la compilation des données.

À partir de mesures effectuées à Londres entre 1580 et 1634, H. Gillibrand découvrit que la déclinaison à cet endroit avait varié progressivement. La figure 9.32 représente les données recueillies au cours des derniers siècles. Des mesures faites régulièrement entre 1835 et 1955 montrent que le moment dipolaire magnétique de la Terre a diminué, passant d'environ $8{,}5 \times 10^{22}$ A·m$^2$ à $8 \times 10^{22}$ A·m$^2$. Si le taux actuel de diminution (0,05 % par an) devait se maintenir, le champ du dipôle disparaîtrait dans à peu près 2000 ans. (Les mesures les plus récentes effectuées par satellite révèlent un taux accéléré de 0,09 %, ce qui voudrait dire que le champ dipolaire pourrait disparaître dans 1200 ans.)

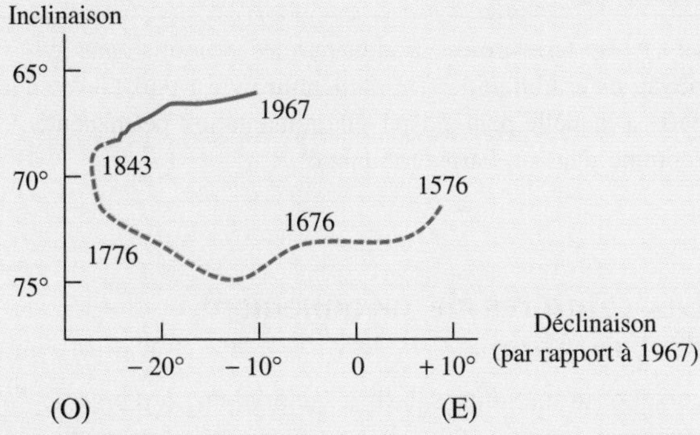


***Figure 9.32***

La variation de la déclinaison et de l'inclinaison à Londres sur plusieurs siècles.

## Archéomagnétisme

L'argile et les roches contiennent du fer sous forme de minéraux comme la magnétite. Lorsque ces matériaux sont chauffés puis refroidis en présence d'un champ extérieur, ils acquièrent une « aimantation rémanente thermique » qui peut nous renseigner sur l'histoire du champ terrestre. Les anciennes poteries ou les fours ont en effet conservé l'empreinte du champ. Si elles n'ont pas été déplacées, les briques réfractaires peuvent nous renseigner sur l'intensité et sur la direction du champ.

Les données archéologiques portant sur quelques milliers d'années montrent que le pôle nord magnétique s'écarte jusqu'à 20° du pôle géographique. Néanmoins, sa position moyenne sur un millier d'années paraît coïncider avec le pôle géographique.

## Paléomagnétisme

À l'échelle de plusieurs millions d'années, les coulées de lave volcanique, les roches sédimentaires et les roches ignées conservent également l'empreinte du champ. En plus de l'aimantation rémanente thermique citée plus haut, les roches sédimentaires peuvent acquérir une aimantation de la manière suivante. Les petits grains (10 μm) qui se déposent en présence du champ s'orientent parallèlement aux lignes de champ. Lorsqu'ils sont comprimés par la suite, ils conservent cette orientation. Les données recueillies dans le monde entier montrent que le sens du champ dipolaire principal s'est inversé plusieurs fois.

La figure 9.33 représente les inversions du champ au cours des derniers cinq millions d'années. Chaque *époque*,

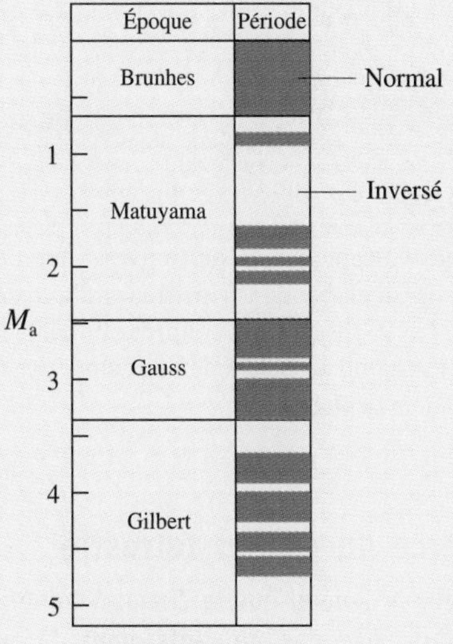


***Figure 9.33***

Les inversions du champ magnétique terrestre sur une période de plusieurs millions d'années.

qui dure à peu près 1 million d'années, est caractérisée par un sens relativement stable, interrompu par de brèves *périodes* d'inversion ($10^4$ à $10^5$ années). Le passage d'un sens au sens opposé dure environ 5000 ans. Au lieu de tourner de manière continue d'un sens à l'autre, le champ dipolaire principal s'annule progressivement (en laissant probablement un champ non dipolaire), puis augmente à nouveau dans le sens opposé. Les mesures remontant à 80 millions d'années ne révèlent aucune préférence pour l'un ou l'autre sens, bien qu'on observe une tendance nette du champ à s'aligner sur l'axe de rotation de la Terre.

Les relevés magnétiques des fonds marins viennent corroborer les renseignements apportés par les roches. On observe en effet au fond de la mer des bandes relativement droites aimantées selon des sens opposés. La configuration qui est représentée à la figure 9.34 est symétrique par rapport à une droite centrale. Lorsque des matériaux chauds provenant des profondeurs de la Terre arrivent à la surface, ils se refroidissent et acquièrent une aimantation rémanente thermique parallèle au champ existant. L'alternance des sens d'aimantation des bandes correspond aux inversions du champ terrestre (les dates concordent avec les dates déduites de l'examen des laves volcaniques). Cette configuration a d'ailleurs fourni une confirmation spectaculaire du fait que le fond de l'océan progresse à raison de 2,5 cm/an à peu près.

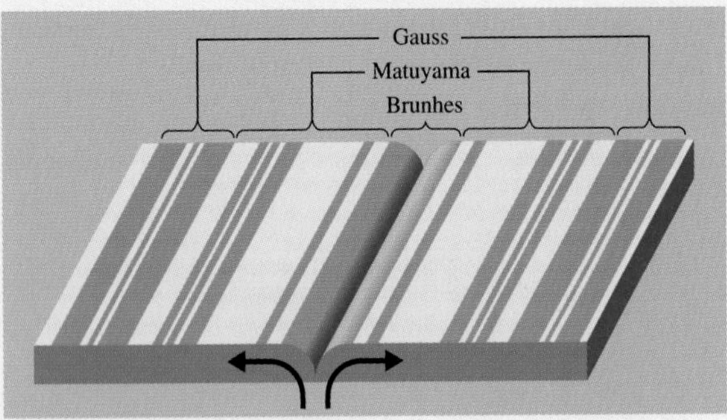


***Figure 9.34***

Les roches volcaniques qu'on trouve au fond de la mer sont disposées en bandes symétriques d'aimantation opposée. Cette observation confirme l'hypothèse selon laquelle le champ a changé de sens alors que le fond de l'océan se déplaçait.

## La source du champ terrestre

On admet en général que le champ magnétique terrestre est produit par des courants dans la partie liquide externe du noyau (figure 9.35). Cette région s'étend entre 1000 km et 3000 km du centre. La Terre ne peut pas être un aimant permanent ordinaire, puisque la température du noyau est suffisamment élevée pour détruire tout magnétisme « naturel », comme celui des pierres de magnétite. Le fait que les pôles aient fortement tendance à s'aligner sur l'axe de rotation indique que la rotation de la Terre intervient dans la production du champ. Par ailleurs, l'existence d'un champ non dipolaire montre que les mouvements des fluides sont complexes. En plus du mouvement de rotation, il existe des courants de convection radiaux créés par la différence de température entre le noyau interne chaud et le manteau plus froid situé au-dessus du liquide. On ne connaît pas avec précision le mécanisme par lequel ces courants sont créés. Le champ à l'intérieur du noyau liquide est intense (500 G) et de forme complexe. Le champ dipolaire prédominant observé à la surface n'en représente qu'une petite portion résultant de « fuites » à travers le manteau. Une faible instabilité, associée par exemple à la rotation ou à une interaction au niveau de l'interface entre noyau et manteau, peut déclencher une inversion du champ. Il a été également suggéré que les pluies de météorites et l'activité volcanique peuvent déclencher ces inversions.

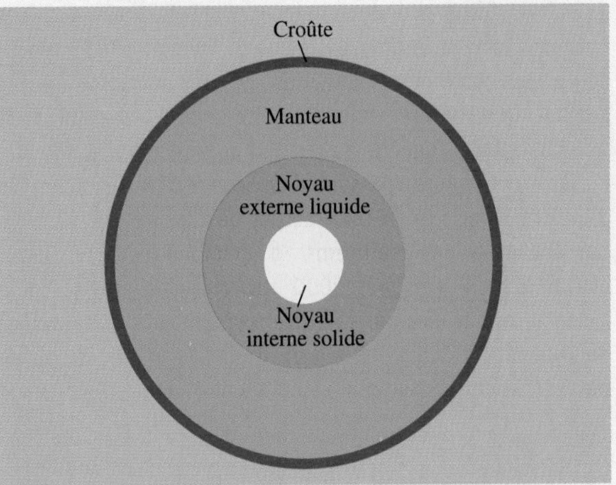


***Figure 9.35***

Le champ terrestre est produit par des courants dans le noyau externe liquide. La température y est plus élevée que celle à laquelle peut exister une aimantation permanente (comme dans un barreau aimanté).

## Les ceintures de rayonnement de Van Allen

Lorsque le premier satellite américain, *Explorer I*, fut lancé en janvier 1958, il permit de déceler un flux de particules anormalement élevé. Les données recueillies ultérieurement par d'autres satellites ont permis de découvrir deux ceintures de particules chargées autour de la Terre

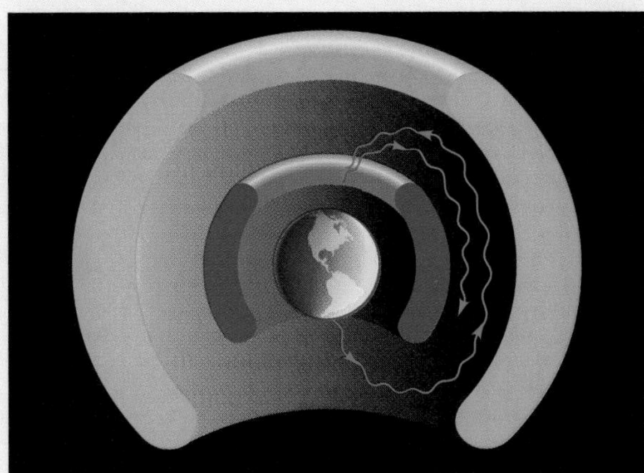

***Figure 9.36***

Les ceintures de rayonnement de Van Allen contiennent des particules chargées piégées dans le champ terrestre.

(figure 9.36). Ce sont les ceintures de Van Allen, qui portent le nom du physicien qui les a découvertes ; elles sont essentiellement composées d'électrons et de protons piégés dans le champ magnétique terrestre. Ces zones annulaires ne sont pas aussi bien définies que sur la figure ; en réalité, le plasma s'étend jusqu'à 40 000 km de la Terre. La ceinture intérieure est surtout constituée de protons dont le nombre reste constant, alors que la ceinture extérieure est formée d'un nombre variable d'électrons.

Comme nous l'avons vu à la section 8.5, une particule chargée en mouvement dans un champ non uniforme décrit une spirale qui se resserre progressivement jusqu'à ce que la direction du mouvement s'inverse. Les particules des ceintures de Van Allen mettent entre 0,25 s et 1 s environ à faire la navette entre leurs points de réflexion. Certaines des particules piégées s'échappent au voisinage des pôles et donnent lieu au phénomène des aurores boréales. La fuite de ces particules de haute énergie peut également expliquer les températures élevées observées dans la haute atmosphère. Quant à la source des particules, elle n'est pas bien connue. Les particules de la ceinture intérieure pourraient provenir de la désintégration des neutrons qui ont été produits dans la haute atmosphère par les rayons cosmiques. Celles de la ceinture extérieure pourraient se renouveler grâce au vent solaire (voir plus bas).

## La magnétosphère

Les observations faites par satellite nous ont permis de découvrir que le champ dipolaire terrestre comporte de nombreuses distorsions. Un flux de protons et d'électrons émis par le Soleil bombarde la Terre en permanence. Ce *vent solaire* est un plasma neutre et chaud ($T \approx 5 \times 10^5$ K) dont la densité est voisine de 5 particules/cm$^3$. L'interaction entre le vent solaire et le champ terrestre entraîne une compression du champ du côté de la planète qui est éclairé par le Soleil. Le mécanisme en cause est le suivant. Lorsque les particules pénètrent dans le champ terrestre, elles sont déviées d'un côté ou de l'autre (figure 9.37). Les champs magnétiques créés par les particules sont opposés au champ terrestre d'un côté de la trajectoire et sont de même sens de l'autre côté. L'effet net confine le champ terrestre dans la *magnétosphère*. La frontière entre le vent solaire et le champ est appelée *magnétopause*. À son extrémité, la magnétosphère s'étend jusqu'à plus de 2 millions de km du côté non éclairé. Soulignons que les lignes du champ sont parallèles et de sens opposés de chaque côté du plan de symétrie.

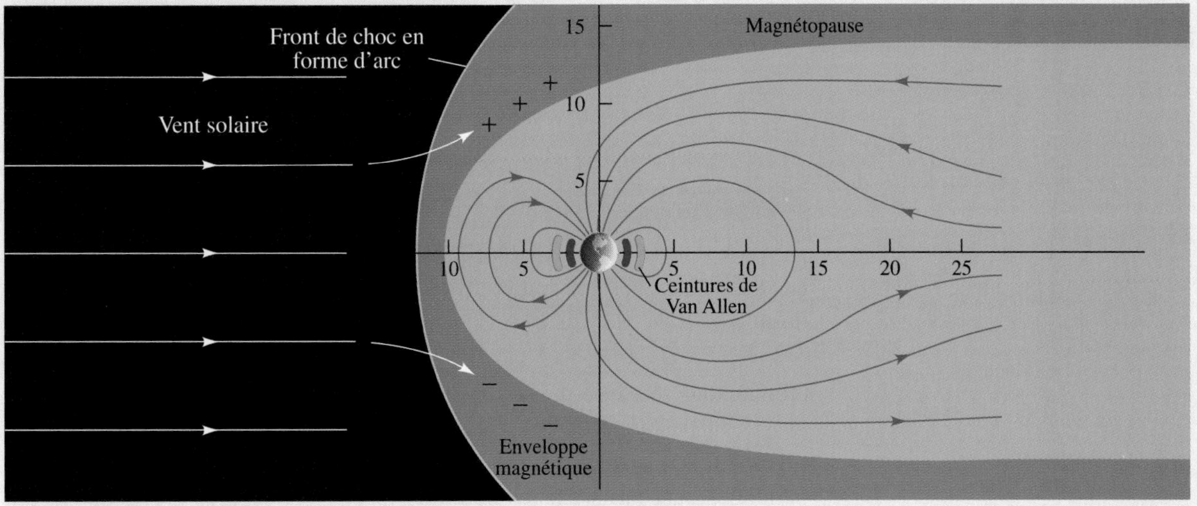


***Figure 9.37***

Le champ terrestre observé à grande échelle est très différent de celui d'un dipôle. La déformation est créée par le « vent solaire », qui est un flux de particules chargées émanant du Soleil.

La vitesse du vent (400 km/s) par rapport à la Terre est supérieure à celle des ondes sonores qui peuvent s'y propager. Le vent est donc supersonique et il forme un front de choc en forme d'arc de près de 10 km de large lorsqu'il rencontre le champ terrestre. Entre la magnétopause et ce front se trouve une *enveloppe magnétique* (dont l'épaisseur est d'environ quatre fois le rayon de la Terre) dans laquelle l'intensité du champ vaut à peu près $25 \times 10^{-9}$ T.

## Évolution et inversion du champ

Après avoir confirmé l'existence des inversions du champ magnétique terrestre, on suggéra qu'elles coïncidaient avec des périodes de bouleversements importants. Lorsque le champ dipolaire s'annule, les particules cosmiques ne sont plus déviées ni capturées par le champ. Elles peuvent alors frapper la Terre et provoquer des mutations radicales chez tous les organismes vivants. On dispose de preuves statistiques selon lesquelles l'extinction de certaines espèces coïncide avec des inversions du champ, mais cette question reste controversée. Les rayons cosmiques, par exemple, interagissent fortement avec l'atmosphère, ce qui signifie que tous les effets observés à la surface sont, au mieux, associés avec des particules secondaires produites par désintégration ou par des collisions. Il existe peut-être aussi une corrélation entre la température de la Terre et les variations d'intensité du champ au cours des 10 000 dernières années. Si ces corrélations s'étendent à des dizaines de millions d'années, il se peut qu'elles jouent un rôle dans les corrélations entre l'évolution de la vie et les inversions du champ.

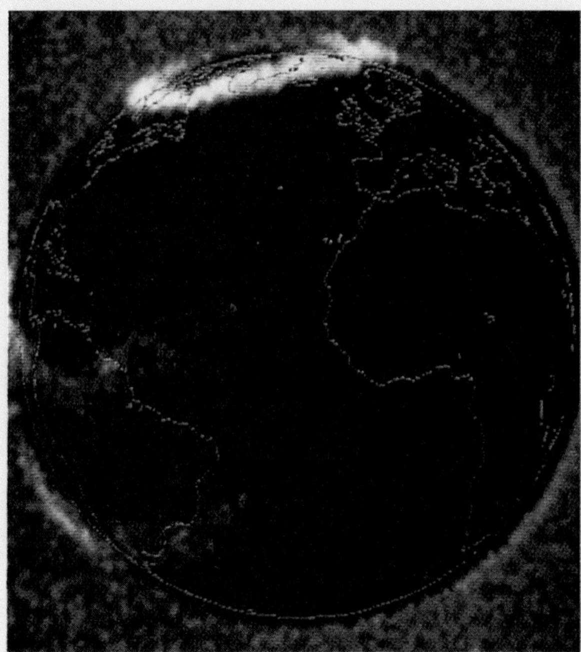

Image colorée d'une aurore boréale tirée de données obtenues par un satellite situé à une distance d'environ trois fois le rayon de la Terre du pôle Nord. Les longueurs d'onde mesurées sont les raies de 130,4 nm et 135,6 nm émises par l'oxygène. L'aurore observée résulte de l'interaction des électrons contenus dans le vent solaire avec les atomes de l'ionosphère. Le mouvement des électrons est déterminé de façon complexe par le champ magnétique terrestre (Source : S. I. Akasofu, *The Dynamic Aurora*, dans *Scientific American*, mai 1989).

## Résumé

Le champ magnétique à une distance $R$ d'un conducteur cylindrique rectiligne infini est

(conducteur rectiligne) $$B = \frac{\mu_0 I}{2\pi R}$$

Le module de la force magnétique par unité de longueur entre deux conducteurs parallèles parcourus par les courants $I_1$ et $I_2$ et séparés d'une distance $d$ est

$$\frac{F}{\ell} = \frac{\mu_0 I_1 I_2}{2\pi d}$$

La force est attractive si les courants vont dans le même sens.

Selon la loi de Biot-Savart, le champ magnétique $dB$ produit par un courant $I$ circulant dans un élément de fil $d\ell$ est donné par

$$dB = \frac{\mu_0}{4\pi}\frac{I\,d\ell\,\sin\theta}{r^2}$$

où $r$ est la distance entre l'élément de fil et le point où on calcule le champ et $\theta$ est l'angle entre la direction du courant et le segment allant de l'élément de fil au point où on calcule le champ.

Le champ magnétique sur l'axe d'un long solénoïde (infini) est

(solénoïde) $$B = \mu_0 n I$$

où $n = N/\ell$ est le nombre de spires par unité de longueur.

Selon le théorème d'Ampère, l'intégrale de la quantité $\vec{\mathbf{B}}\cdot d\vec{\boldsymbol{\ell}}$ sur un parcours fermé est fonction du courant traversant la surface délimitée par le parcours :

$$\oint \vec{\mathbf{B}}\cdot d\vec{\boldsymbol{\ell}} = \mu_0 I$$

Soulignons que $\vec{\mathbf{B}}$ comprend souvent des contributions provenant de courants *non* compris dans la boucle. On peut utiliser ce théorème pour déterminer $\vec{\mathbf{B}}$ si la géométrie de la distribution de courant permet de choisir un parcours sur lequel l'intégrale est facile à calculer.

## Termes importants

**aimant permanent**
**constante de perméabilité du vide**
**électroaimant**
**loi de Biot-Savart**
**solénoïde**
**spire**
**théorème d'Ampère**

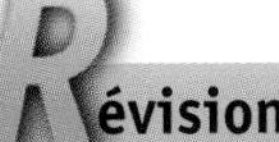

## Révision

**R1.** Les deux longs fils de la figure 9.38 portent des courants $I_1$ et $I_2$, avec $I_1 > I_2$. (a) Dessinez les flèches représentant le champ magnétique produit par chacun des fils au point $P$. (b) Identifiez la ou les régions dans le plan de la figure où le champ magnétique peut être nul. (c) Représentez la force magnétique subie par chacun des fils.

***Figure 9.38***

Deux longs fils parallèles sont parcourus par des courants de sens opposés.

**R2.** D'après la loi de Biot-Savart,

$$dB = \frac{\mu_0 I \, d\ell \sin \theta}{4\pi r^2}$$

Donnez la signification de chacun des termes de cette expression (à l'aide d'un dessin si nécessaire).

**R3.** D'après l'équation 9.8, le champ magnétique produit par un fil est donné par

$$B = \frac{\mu_0 I}{4\pi R}(\cos \theta_1 - \cos \theta_2)$$

(a) Donnez la signification de chacun des termes de cette expression (à l'aide d'un dessin si nécessaire). (b) Montrez (à l'aide d'un dessin si nécessaire) que cette expression permet de retrouver l'équation 9.1 pour un fil infini.

**R4.** D'après l'équation 9.9, le champ magnétique le long de l'axe d'une boucle de courant est donné par

$$B = \frac{\mu_0 N I \sin^3 \alpha}{2a}$$

Donnez la signification de chacun des termes de cette expression (à l'aide d'un dessin si nécessaire).

**R5.** D'après l'équation 9.12, le champ magnétique le long de l'axe d'un solénoïde est donné par

$$B = \tfrac{1}{2}\mu_0 n I(\cos \alpha_2 - \cos \alpha_1)$$

Donnez la signification de chacun des termes de cette expression (à l'aide d'un dessin si nécessaire).

**R6.** Écrivez l'expression du théorème d'Ampère et expliquez la signification de chacun de ses termes.

## Questions

**Q1.** Soit deux longs conducteurs rectilignes, perpendiculaires l'un à l'autre et parcourus par des courants. Décrivez les forces qu'ils exercent l'un sur l'autre.

**Q2.** On suspend un poids à un ressort pour éviter que les spires adjacentes du ressort ne se touchent. Qu'arrive-t-il lorsqu'on fait passer un courant dans le ressort ?

**Q3.** Un long fil conducteur rectiligne est parcouru par un courant selon l'axe des $y$ positifs. Quelle est la direction de la force exercée sur une charge $q$ positive située, à un instant donné, sur l'axe des $x$ positifs, et qui se déplace : (a) le long de l'axe des $x$ positifs dans la direction opposée au conducteur ; (b) parallèlement à l'axe des $y$ positifs ; (c) parallèlement à l'axe des $z$ négatifs ?

**Q4.** Dessinez les lignes du champ magnétique associé à deux longs fils conducteurs rectilignes parallèles dans un plan perpendiculaire aux conducteurs. Les courants circulent dans le même sens.

**Q5.** Dessinez les lignes du champ magnétique associé à deux longs fils conducteurs rectilignes parallèles dans un plan perpendiculaire aux conducteurs. Les courants circulent dans des sens opposés.

**Q6.** Un tube métallique est parcouru par un courant dans le sens de sa longueur. Que pouvez-vous dire du champ magnétique à l'intérieur de la cavité du tube, si la section transversale est (a) circulaire ; (b) carrée ?

**Q7.** Si l'on tient compte uniquement de la symétrie, quelles sont les configurations possibles pour les lignes du champ associé à un fil conducteur rectiligne infini ?

**Q8.** Si l'on tient compte uniquement de la symétrie, quelles sont les configurations possibles pour les lignes de champ à l'intérieur d'un solénoïde infini ?

**Q9.** Quelles sont les dimensions de la quantité $1/\sqrt{\mu_0 \varepsilon_0}$ ? Quelle est sa valeur numérique ?

**Q10.** Trois fils conducteurs sont parcourus par des courants dont les directions sont représentées à la figure 9.42. Écrivez le théorème d'Ampère pour une boucle entourant les trois fils. Indiquez le sens (horaire ou antihoraire) dans lequel l'intégration doit être effectuée.

**Q11.** On fabrique un solénoïde très long en bobinant un seul brin de fil conducteur. Est-il possible que le champ magnétique soit nul partout à l'extérieur du solénoïde ? (*Indice* : Les spires ne peuvent pas être parfaitement perpendiculaires à l'axe.)

# Exercices

## 9.1 et 9.2 Champ magnétique créé par un long fil conducteur rectiligne ; force entre 2 fils

**E1.** (II) Soit un long fil conducteur rectiligne et un cadre rectangulaire situés dans le même plan (figure 9.39). Les dimensions et les courants sont indiqués sur la figure. Déterminez la force magnétique nette agissant sur le cadre.

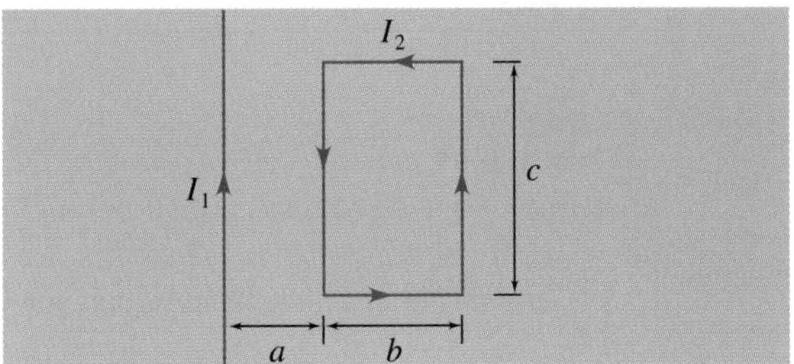


***Figure 9.39***

Exercice 1.

**E2.** (II) Soit deux longs fils conducteurs rectilignes parcourus par des courants dont les intensités et les directions sont représentées à la figure 9.40. (a) Quel est le champ magnétique résultant au point $P$ ? (b) En quel point le champ total est-il nul ? (c) Quelle est la force magnétique par unité de longueur entre les deux fils conducteurs ?

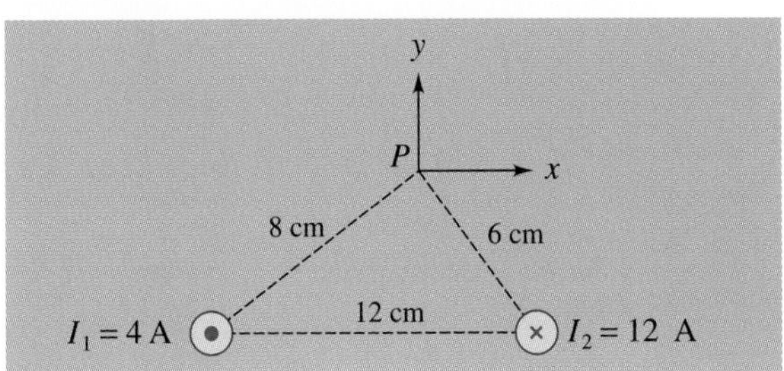


***Figure 9.40***

Exercice 2.

**E3.** (I) Soit deux longs fils conducteurs rectilignes parcourus par des courants dont les directions sont indiquées à la figure 9.41. (a) Déterminez le champ magnétique résultant au point $P$. (b) Quelle serait la force exercée sur 1 m d'un troisième fil conducteur parcouru par un courant de 3 A sortant de la page et placé en $P$ ?

**E4.** (I) Un long fil rectiligne vertical est parcouru par un courant de 20 A dirigé vers le haut. En quel point son champ annule-t-il le champ terrestre qui est horizontal, dirigé vers le nord et de module 0,5 G ?

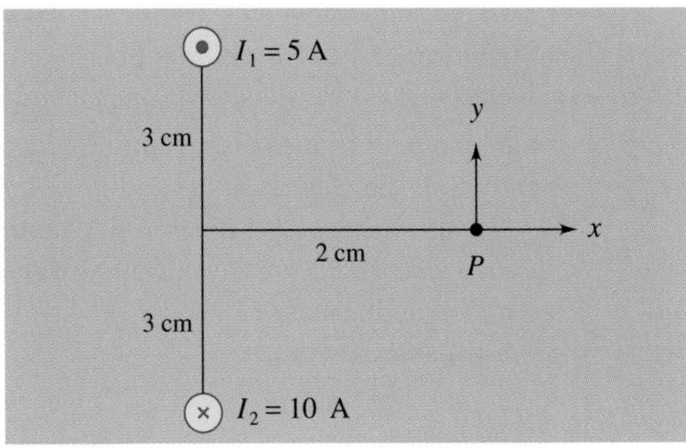


***Figure 9.41***

Exercice 3.

**E5.** (I) Un éclair équivaut à un courant de $5 \times 10^3$ A d'une durée de 1 ms. Évaluez son champ magnétique à une distance de 2 m perpendiculairement à l'éclair.

**E6.** (I) Trois longs fils conducteurs rectilignes passent par les sommets d'un triangle équilatéral dont les côtés ont pour longueur $L = 6$ cm. Ils sont parallèles et sont parcourus par les courants indiqués sur la figure 9.42. Quelle est la force par unité de longueur sur le fil conducteur du haut ?

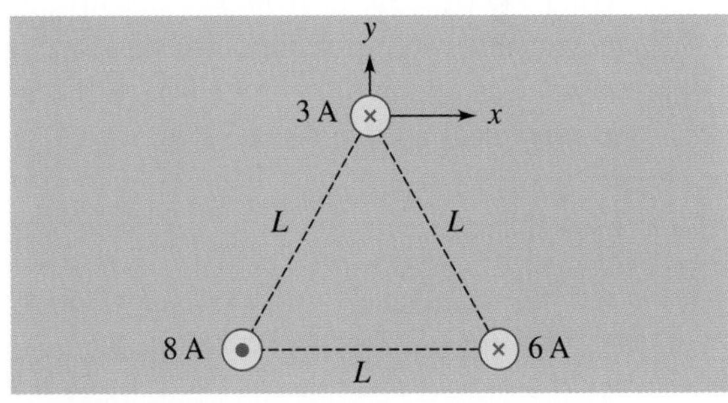


***Figure 9.42***

Question 10 et exercice 6.

**E7.** (I) Une ligne de courant continu située à 20 m au-dessus du sol transporte un courant de 600 A dirigé vers le nord. Si la composante horizontale du champ terrestre est égale à 0,5 G et dirigée plein nord, dans quelle direction s'oriente l'aiguille d'une boussole placée au sol juste en dessous de la ligne ?

**E8.** (I) Un long fil conducteur rectiligne transporte un courant de 15 A selon l'axe des $y$ positifs. Quelle est la force exercée sur un électron situé à un instant donné en $x = 6$ cm et se déplaçant à la vitesse de $10^6$ m/s dans les directions suivantes : (a) le long de l'axe des $x$ positifs dans la direction opposée au fil ; (b) parallèlement à l'axe des $y$ positifs ; (c) parallèlement à l'axe des $z$ positifs ?

**E9.** (II) Soit quatre longs fils conducteurs parallèles passant par les sommes d'un carré de 15 cm d'arête et parcourus par les courants indiqués à la figure 9.43. Déterminez : (a) le champ magnétique résultant au centre du carré ; (b) la force exercée sur un électron se déplaçant à la vitesse de $4 \times 10^6 \vec{\mathbf{i}}$ m/s lorsqu'il passe au centre.

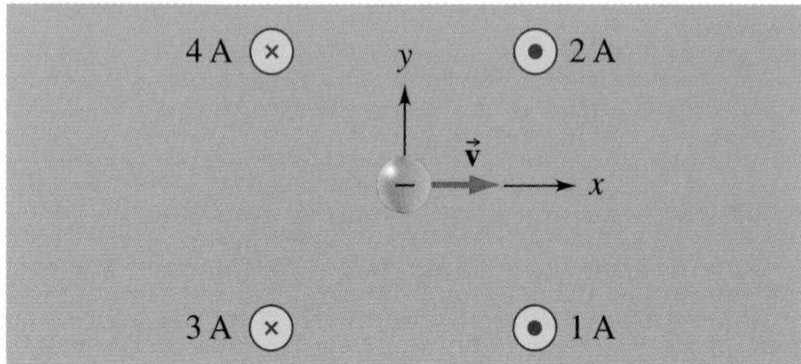


***Figure 9.43***

Exercice 9.

**E10.** (II) Deux longs fils conducteurs parallèles à l'axe des $z$ passent par les points $x = 0$, $y = \pm a$. (a) Déterminez le module du champ magnétique résultant au point $(x, 0)$ dans le plan $xy$, sachant que les fils conducteurs sont parcourus par des courants égaux et de sens opposés (figure 9.44). (b) En quel point $B$ est-il égal à 20 % de sa valeur en $x = 0$ ?

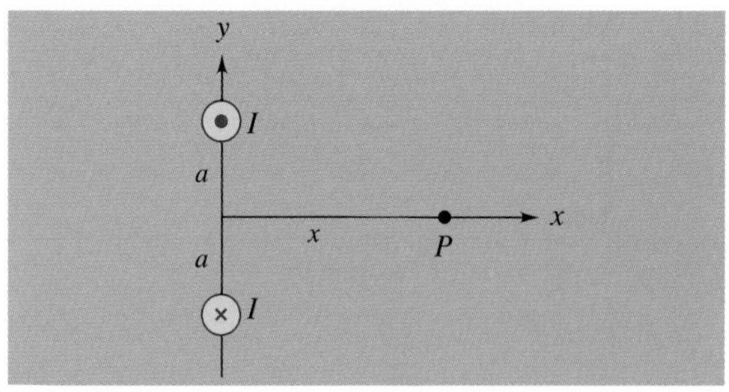


***Figure 9.44***

Exercice 10.

**E11.** (II) (a) Reprenez la question (a) de l'exercice 10 pour des courants de même sens. (b) En quel point $B$ est-il maximal ?

**E12.** (II) Deux fils conducteurs rectilignes infinis sont respectivement parallèles à l'axe des $x$ et à l'axe des $z$ (figure 9.45). L'un des fils est situé sur l'axe

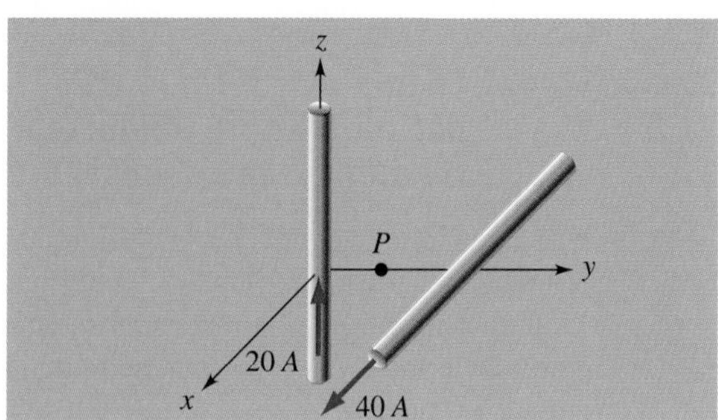


***Figure 9.45***

Exercice 12.

des $z$ et l'autre est situé en $y = 10$ cm. Déterminez le champ magnétique résultant au point $P$, sur l'axe des $y$, à mi-chemin entre les deux fils. Les intensités et sens des courants sont indiqués sur la figure.

## 9.3 Loi de Biot-Savart

**E13.** (I) On a recourbé un fil conducteur rectiligne infini parcouru par un courant pour lui donner la forme représentée à la figure 9.46. La partie courbe est un demi-cercle de rayon $a$. Quel est le champ magnétique au point $P$ ?

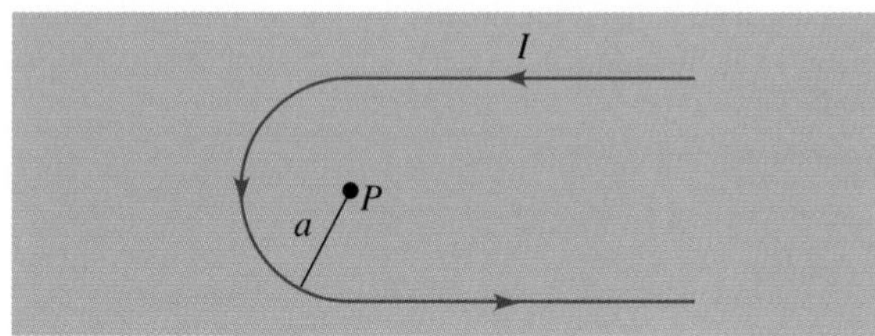


***Figure 9.46***

Exercice 13.

**E14.** (I) Une partie d'un fil conducteur long et flexible parcouru par un courant est en forme de boucle circulaire, alors que le reste du fil demeure rectiligne (figure 9.47). Quel est le champ magnétique au centre de la boucle ?

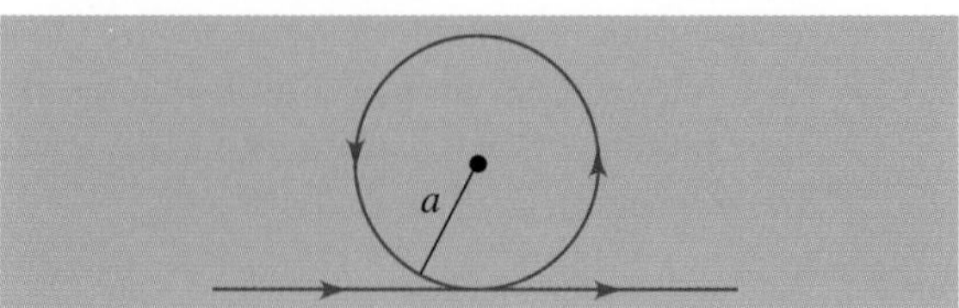


***Figure 9.47***

Exercice 14.

**E15.** (I) Soit une boucle de courant constituée de deux demi-cercles concentriques reliés par des sections radiales (figure 9.48). Quel est le champ magnétique au centre des demi-cercles ?

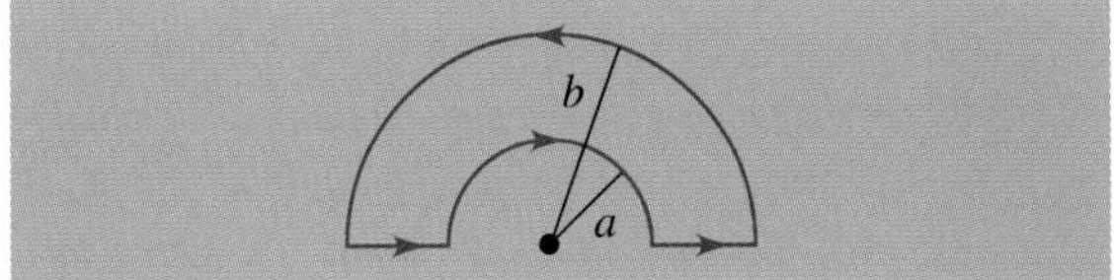


***Figure 9.48***

Exercice 15.

**E16.** (II) Un fil conducteur rectiligne de longueur $\ell$ est parcouru par un courant $I$ (figure 9.49). Montrez que le champ magnétique sur la médiatrice, à une distance $d$ du milieu du fil, est

$$B = \frac{\mu_0 I \ell}{2\pi d(\ell^2 + 4d^2)^{1/2}}$$

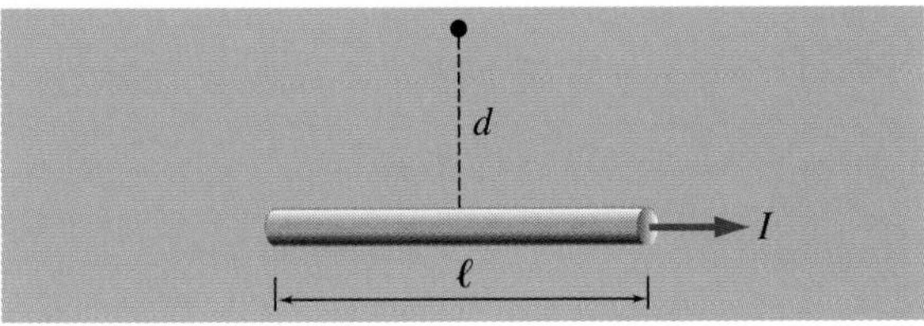


***Figure 9.49***

Exercice 16.

**E17.** (II) Un cadre carré de côté $\ell$ est parcouru par un courant $I$. Montrez que le champ magnétique au centre est

$$B = \frac{2\sqrt{2}\mu_0 I}{\pi \ell}$$

**E18.** (II) Considérons le champ magnétique créé par un petit segment de fil conducteur parcouru par un courant de 10 A selon l'axe des $z$. Le segment, de longueur 1 mm, est situé à l'origine (figure 9.50). Quel est le champ aux points $a$, $b$, $c$, $d$ et $e$, les sommets d'un cube de 2 cm d'arête ?

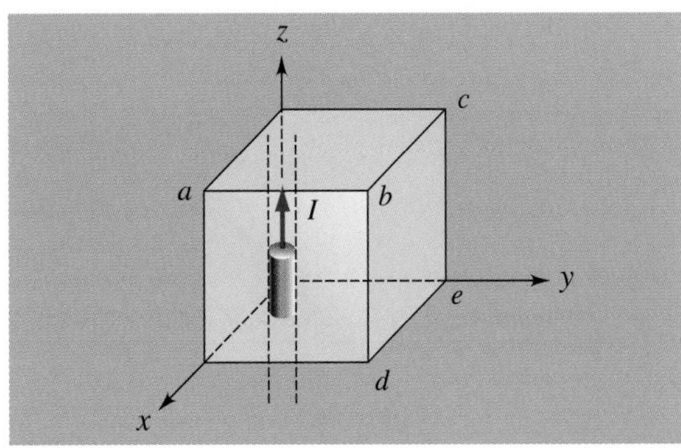


***Figure 9.50***

Exercice 18.

**E19.** (II) (a) Utilisez l'équation 9.9 pour tracer la courbe du champ magnétique en fonction de la distance au centre d'une boucle circulaire pour un point situé sur l'axe. On donne $\mu_0 I/2a = 1$ G. (b) En quel point, en fonction de $a$, l'intensité du champ est-elle égale à 50 % de sa valeur au centre ?

**E20.** (I) Un galvanomètre mobile est constitué d'une grande bobine circulaire comportant $N$ spires jointives de rayon $R$. Son plan est vertical et parallèle à la composante horizontale du champ magnétique terrestre $\vec{\mathbf{B}}_t$ (figure 9.51). Lorsque la bobine est parcourue par un courant, une petite aiguille aimantée située au centre dévie d'un angle $\theta$ par rapport à la direction du champ magnétique terrestre. Trouvez l'expression du courant en fonction de $\theta$.

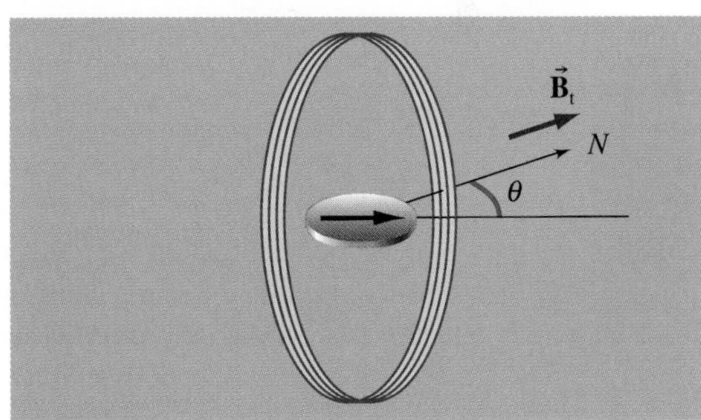


***Figure 9.51***

Exercice 20.

**E21.** (I) Quelle serait l'intensité du courant circulant dans une boucle circulaire de rayon 4 cm pour que le champ magnétique au centre ait la même grandeur que le champ terrestre, soit 0,8 G ?

**E22.** (II) Soit deux fils conducteurs rectilignes perpendiculaires reliant les extrémités d'une boucle demi-circulaire de rayon $a$ (figure 9.52). Si le courant est $I$, quel est le champ résultant au centre de la section circulaire ?

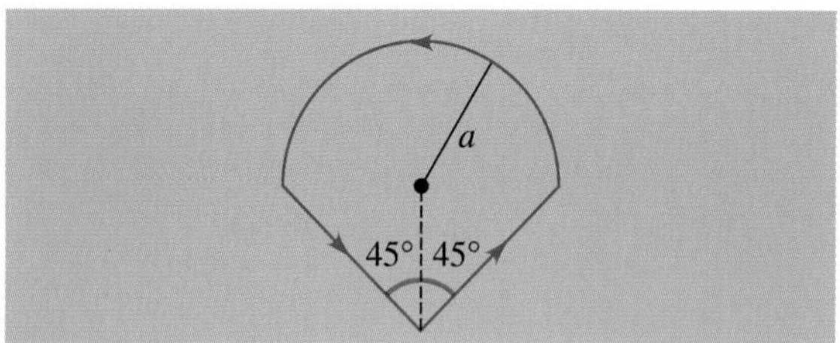


*Figure 9.52*

Exercice 22.

**E23.** (II) Les extrémités d'une boucle demi-circulaire parcourue par un courant $I$ sont reliées à trois fils conducteurs formant les côtés d'un carré (figure 9.53). Quel est le champ magnétique au centre de la section circulaire ?

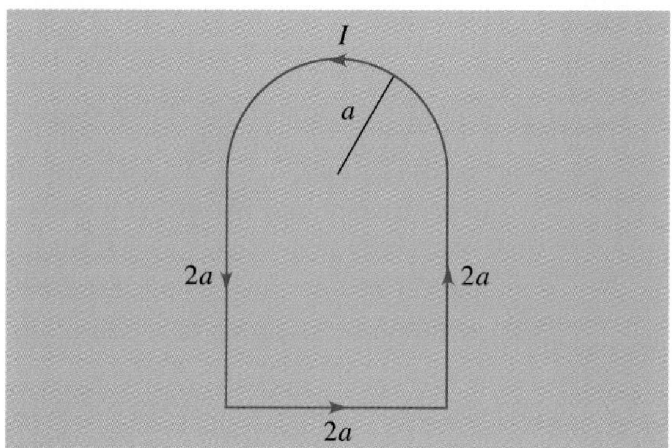


*Figure 9.53*

Exercice 23.

**E24.** (I) Deux boucles demi-circulaires de rayons $a$ et $b$ ont un centre commun et leurs extrémités sont reliées par des fils conducteurs rectilignes (figure 9.54). (a) Quel est le champ magnétique résultant au centre ? (b) Quel est le moment magnétique de la boucle ? On donne $a = 6$ cm, $b = 18$ cm et $I = 4{,}5$ A.

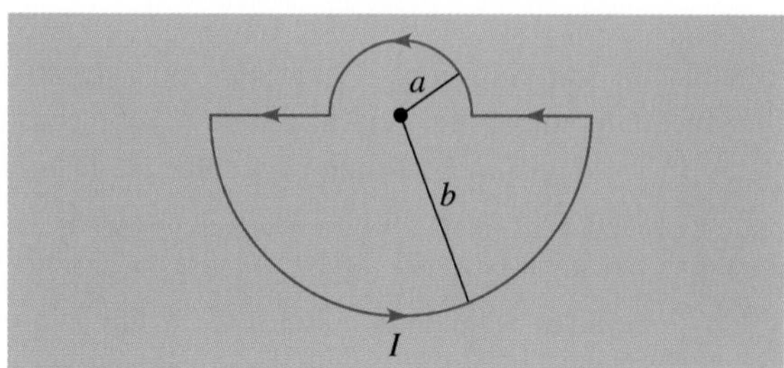


*Figure 9.54*

Exercice 24.

**E25.** (I) Combien faut-il de spires de fil de cuivre isolé pour constituer un solénoïde de longueur 25 cm et de rayon 2 cm si le courant est égal à 15 A et que le champ selon l'axe est de 0,02 T (on néglige les effets de bord).

**E26.** (I) On bobine une longueur de fil de cuivre de rayon 1 mm pour former une bobine à spires jointives de soixante spires, de rayon 10 cm. Les extrémités du fil, dont la résistivité est égale à $1{,}7 \times 10^{-8}$ $\Omega \cdot$m, sont reliées à une pile de 1,5 V. Quel est le champ magnétique au centre de la bobine ?

## 9.4 Théorème d'Ampère

**E27.** (I) Utilisez le théorème d'Ampère pour démontrer que les lignes du champ magnétique associé à un aimant ne peuvent s'arrêter brutalement comme à la figure 9.55.

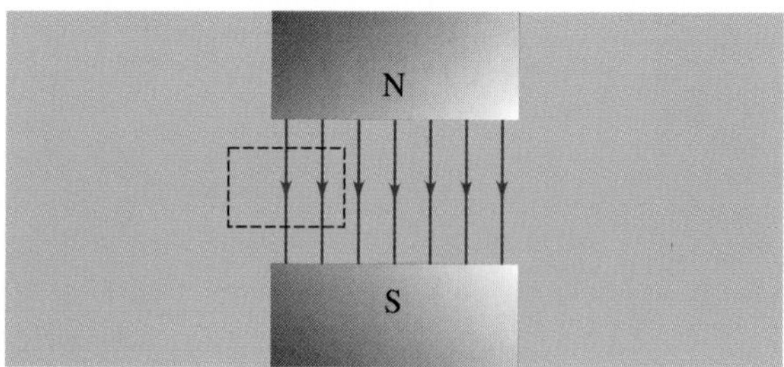


*Figure 9.55*

Exercice 27.

**E28.** (II) Un tube métallique a un rayon interne $a$ et un rayon externe $b$. Il est parcouru par un courant $I$ uniformément distribué sur sa section transversale. Déterminez le champ magnétique en tout point.

**E29.** (II) Une plaque métallique de très grandes dimensions et d'épaisseur $t$ (figure 9.56) transporte un courant de densité uniforme $\vec{\mathbf{J}}$. (a) Utilisez la symétrie du problème et la règle de la main droite pour déterminer la direction du champ magnétique au-dessus et en dessous de la plaque. (b) Déterminez le champ magnétique à une distance $a$ de la plaque.

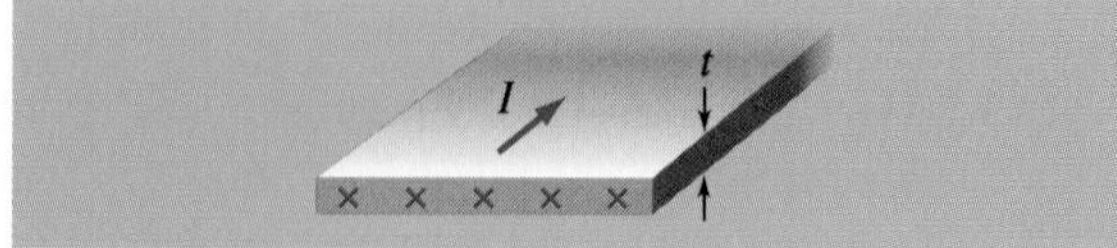


*Figure 9.56*

Exercice 29.

**E30.** (I) Un tore de 240 spires a une section transversale carrée (2 cm × 2 cm) et un rayon interne de 3,6 cm. Le courant vaut 6 A. Déterminez le champ magnétique à l'intérieur du tore, (a) à proximité du rayon interne ; (b) à proximité du rayon externe.

**E31.** (I) Un long fil rectiligne de rayon 2 mm transporte un courant de 12 A uniformément distribué sur sa section transversale. En quels points, à l'intérieur et à l'extérieur du fil, l'intensité du champ magnétique est-elle égale à 25 % de sa valeur à la surface du fil ?

**E32.** (II) Utilisez l'équation 9.1 donnant le champ créé par un fil infini pour démontrer que le théorème d'Ampère est valable pour la boucle représentée en pointillé à la figure 9.57. Les sections circulaires sont reliées par des lignes radiales.

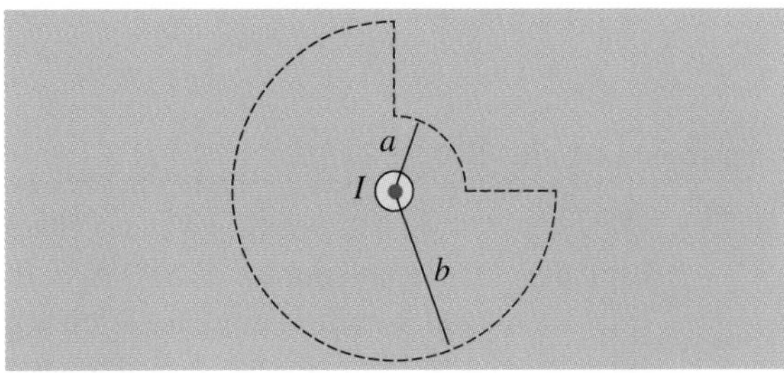


***Figure 9.57***

Exercice 32.

## Exercices supplémentaires

### 9.1 Champ magnétique créé par un long fil conducteur rectiligne

**E33.** (I) Deux fils conducteurs infinis sont parallèles à l'axe des $y$. Le premier est parcouru par un courant $I_1 = 6$ A dans la direction $+y$ et est situé à $x = 0$. Le second porte un courant $I_2$ et est situé à $x = 8$ cm. Pour quelle valeur de $I_2$ le champ magnétique résultant est-il nul en (a) $x = 6$ cm ; (b) $x = 10$ cm ?

**E34.** (II) Cinq longs fils conducteurs parallèles, parcourus par des courants, sont disposés à une distance égale les uns des autres, comme à la figure 9.58. Pour quelle valeur de $I_1$ et $I_2$ la force magnétique résultante est-elle nulle sur les trois autres fils ?

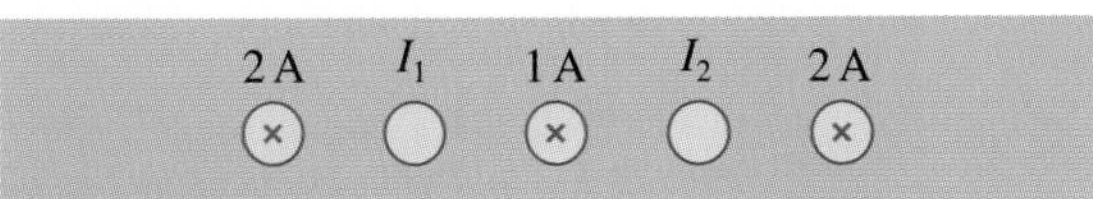


***Figure 9.58***

Exercices 34 et 35.

**E35.** (II) Cinq longs fils conducteurs parallèles, parcourus par des courants, sont disposés à une distance égale les uns des autres, comme à la figure 9.58. Pour quelle valeur de $I_2$ la force magnétique résultante est-elle nulle sur $I_1$ ?

**E36.** (I) Deux fils conducteurs infinis sont superposés aux axes $x$ et $y$ et transportent des courants de même valeur $I$ dans la direction positive de chacun de ces deux axes. Trouvez le champ magnétique résultant à $z = d$ sur l'axe des $z$.

**E37.** (I) Quatre longs fils conducteurs parallèles sont placés aux coins d'un carré d'arête $d$ = 5,0 cm, comme à la figure 9.59. Ils transportent le même courant, $I$ = 8,0 A, dans les directions spécifiées à la figure. Quelle est la force magnétique résultante par unité de longueur sur le fil placé au coin supérieur droit ?

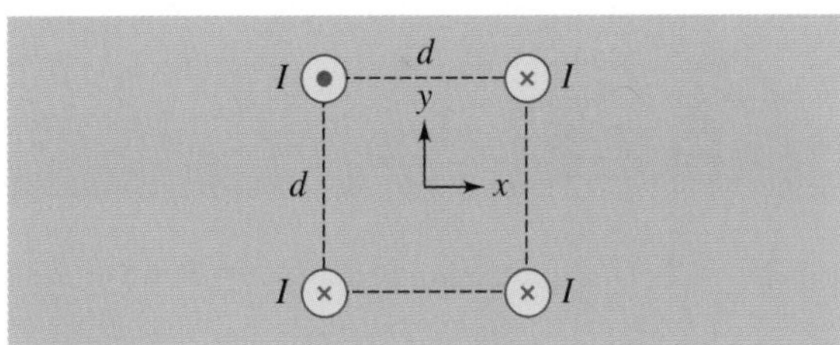


***Figure 9.59***

Exercice 37.

**E38.** (II) Trois longs fils conducteurs parallèles sont placés aux extrémités d'un triangle équilatéral de côté $L$ = 20 cm, comme à la figure 9.60. On prend $I_1 = I_3$ = 5,0 A et $I_2$ = 8,0 A. (a) Quel est le champ

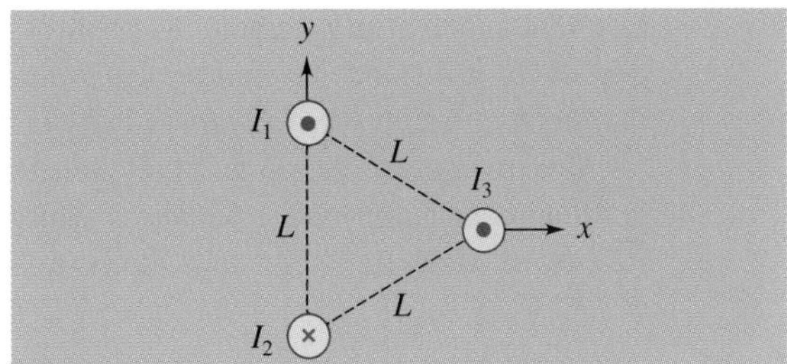


***Figure 9.60***

Exercice 38.

magnétique résultant associé aux courants $I_1$ et $I_2$ à la position du fil $I_3$ ? (b) Quelle est la force magnétique par unité de longueur sur le fil $I_3$ ?

## 9.3 Loi de Biot-Savart

**E39.** (I) Un solénoïde supraconducteur de 16 cm de long est parcouru par un courant de 800 A. S'il est constitué de 40 tours de fils, quel est le champ magnétique au centre ? On néglige les effets associés aux extrémités.

**E40.** (II) Utilisez l'équation 9.8 pour calculer le champ magnétique d'un fil de longueur $\ell = 0{,}15$ m à une distance perpendiculaire $\ell/2$ comme à la figure 9.61. Prenez $I = 20$ A.

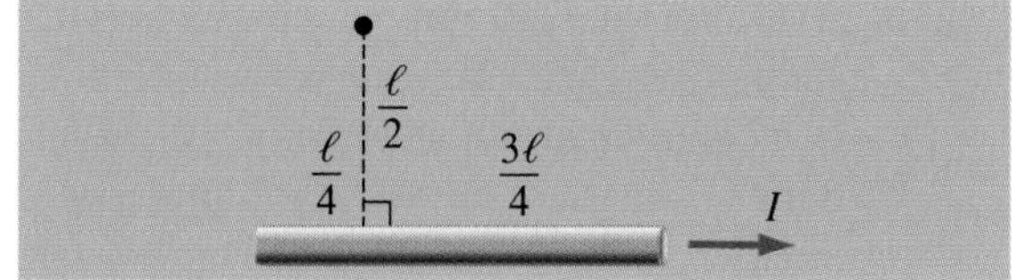


*Figure 9.61*

Exercice 40.

## 9.4 Théorème d'Ampère

**E41.** (II) Montrez que l'expression décrivant le champ magnétique d'une bobine toroïdale parcourue par un courant se ramène à celle d'un très long solénoïde si son rayon est beaucoup plus grand que le diamètre de son aire de section.

# Problèmes

**P1.** (I) Une particule de masse $m$ et de charge $q$ est en orbite circulaire normale à un champ externe $B$. Montrez que la charge crée un champ magnétique au centre de son orbite, donné par

$$\frac{\mu_0}{4\pi}\frac{q^2B}{mR}$$

**P2.** (II) Les bobines de Helmholtz sont deux grandes bobines circulaires comportant $N$ spires de rayon $R$. Les centres des bobines sont distants de $R$ (figure 9.62). (a) Déterminez le champ magnétique résultant sur la droite joignant les centres, en fonction de $x$, la distance au centre d'une des bobines. (b) Montrez qu'en $x = R/2$, $B = (4/5)^{3/2}\,\mu_0 NI/R$. (c) Montrez que le champ au point décrit en (b) est pratiquement uniforme. (*Indice* : Montrez que $dB/dx$ et $d^2B/dx^2$ sont tous deux nuls pour $x = R/2$.)

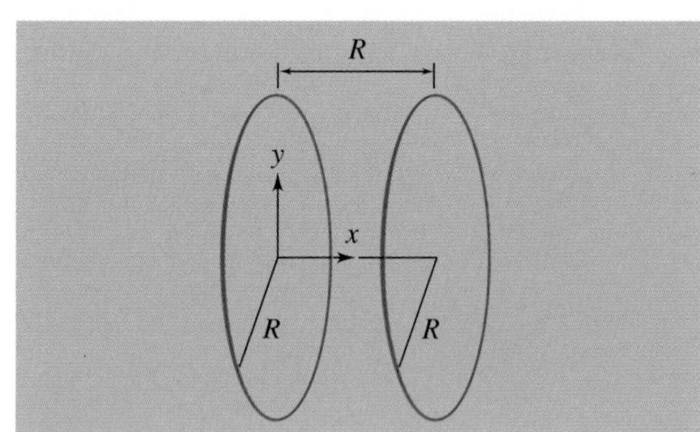


*Figure 9.62*

Problème 2.

**P3.** (I) Un disque non conducteur de rayon $R$ porte une densité surfacique de charge $\sigma$ positive et tourne autour de son axe central à raison de $\omega$ rad/s. (a) Quel est le courant $dI$ circulant dans un anneau élémentaire de largeur $dr$ ? (b) Quel est le champ magnétique au centre de cet anneau ? (c) Montrez que le champ magnétique total au centre du disque est

$$B = \tfrac{1}{2}\mu_0\sigma\omega R$$

**P4.** (II) (a) Soit un fil conducteur ayant la forme d'un carré d'arête $\ell$ et parcouru par un courant $I$ (figure 9.63). Montrez que le champ magnétique à une distance $y$ du centre du carré dans une direction normale à son plan est égal à

$$B = \frac{\mu_0 I \ell^2}{2\pi(y^2 + \ell^2/4)(y^2 + \ell^2/2)^{1/2}}$$

(b) Montrez que lorsque $y \gg \ell$, cette expression se réduit à celle du champ magnétique que produit un dipôle.

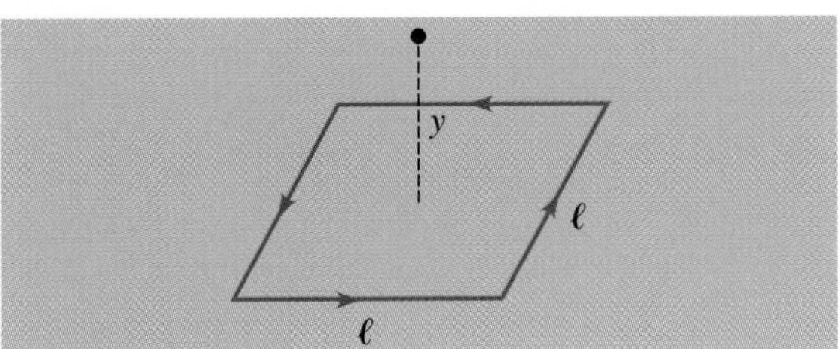


***Figure 9.63***

Problème 4.

**P5.** (I) Une plaquette métallique mince de longueur infinie et de largeur $\ell$ est parcourue par un courant $I$ (figure 9.64). (a) En divisant la plaquette en bandes infinitésimales et en utilisant le résultat donnant le champ créé par un fil infini, montrez que le champ magnétique au point $P$ est

$$B_P = \frac{\mu_0 I}{\pi \ell} \arctan\left(\frac{\ell}{2D}\right)$$

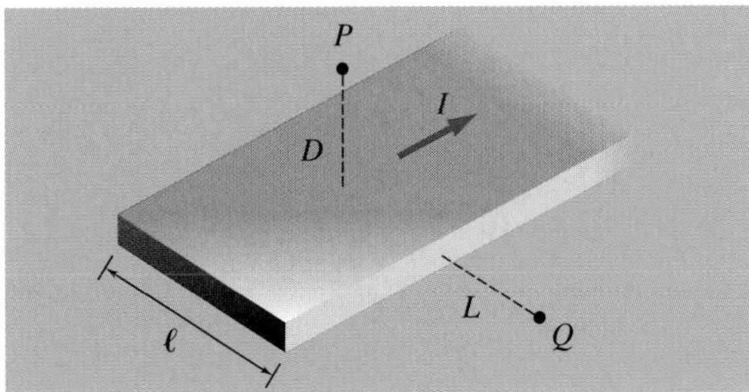


***Figure 9.64***

Problèmes 5 et 6.

**P6.** (II) Une plaquette métallique mince de longueur infinie et de largeur $\ell$ est parcourue par un courant $I$ (figure 9.64). Déterminez le champ au point $Q$ à la distance $L$ du bord de la plaquette. (*Indice* : Divisez la plaquette en bandes infinitésimales et utilisez le résultat donnant le champ créé par un fil infini.)

**P7.** (I) Un solénoïde de longueur 20 cm et de rayon 2 cm est parcouru par un courant $I$. Une de ses extrémités est à $x = 0$. (a) Déterminez le champ magnétique en fonction de $\mu_0 nI$ sur l'axe à intervalles de 1 cm entre $x = -5$ cm et $x = 5$ cm. (b) Reportez vos résultats sur un graphe et comparez la courbe obtenue avec la figure 9.20.

**P8.** (II) (a) Utilisez la loi de Biot-Savart pour un fil infini afin de démontrer que le champ magnétique en tout point à l'intérieur d'un tube parcouru par un courant est nul. (*Indice* : Montrez que les contributions dues aux éléments interceptés par la paire de lignes de la figure 9.65 s'annulent mutuellement.) (b) Utilisez le théorème d'Ampère pour obtenir le même résultat.

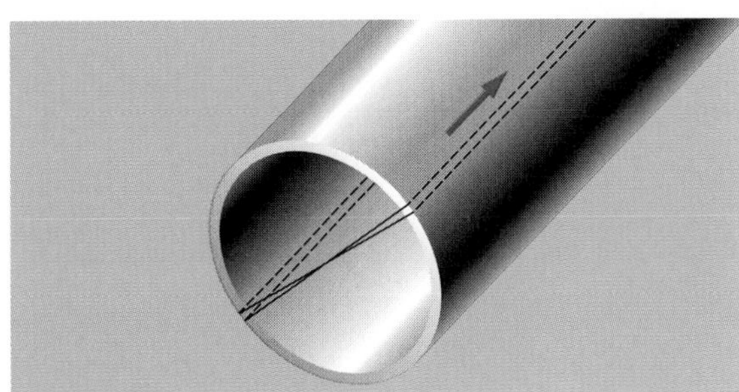

***Figure 9.65***

Problème 8.

**P9.** (II) Soit un long fil conducteur plein et rectiligne de rayon $R$ dans lequel a été pratiquée une cavité de rayon $r$ sur toute la longueur. Comme le montre la figure 9.66, les centres du conducteur et de la cavité sont distants de $a$. Le courant est uniformément distribué dans tout le reste du conducteur. (a) Montrez que le champ magnétique dans la cavité est uniforme. (b) Quelle est sa valeur? (*Indice* : Utilisez le principe de superposition. Ajoutez le champ créé par un fil conducteur plein de rayon $R$ avec celui d'un fil de rayon $r$ transportant un courant de sens opposé.)

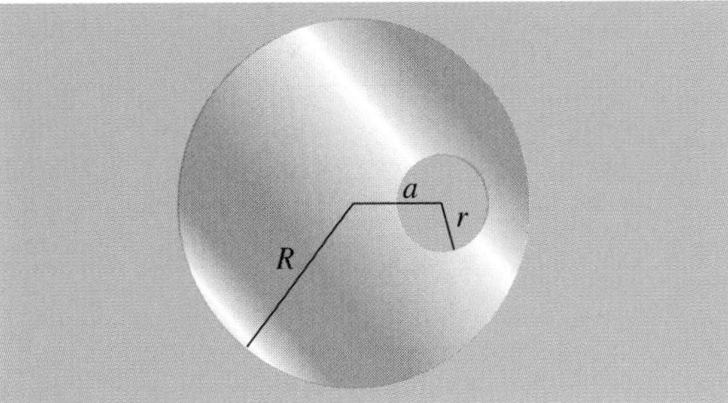


***Figure 9.66***

Problème 9.

**P10.** (II) Un courant $I$ est uniformément distribué dans une moitié d'un tube cylindrique de rayon $R$ (figure 9.67). Quel est le champ magnétique en un point situé sur l'axe du cylindre ? On suppose le cylindre infiniment long.

**P11.** (II) En un point éloigné ($z \gg a$) du centre d'une boucle à une spire parcourue par un courant, le long de l'axe de la boucle, montrez que l'équation 9.9 se réduit à

$$B = \frac{2k'\mu}{z^3}$$

où $k' = \mu_0/4\pi$ et $\mu = I(\pi a^2)$.

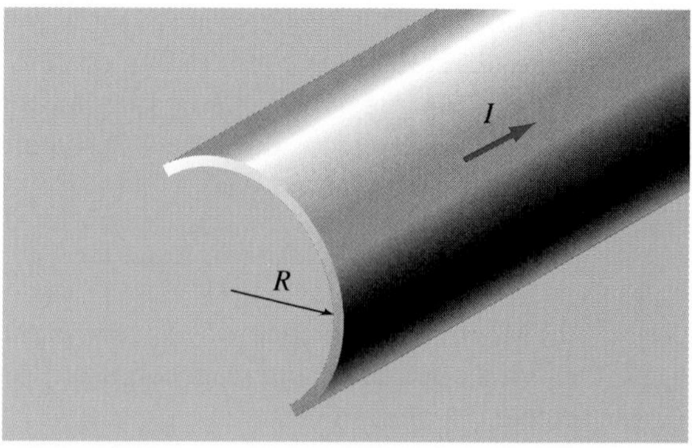


***Figure 9.67***

Problème 10.

CHAPITRE 10

# L'induction électromagnétique

C'est le phénomène d'induction électromagnétique dans les générateurs du barrage Hoover qui permet d'éclairer les rues de Las Vegas.

## POINTS ESSENTIELS

1. La **loi de Faraday** donne la relation entre la f.é.m. induite dans un circuit fermé et le taux de variation du flux magnétique traversant le circuit.
2. La **loi de Lenz** sert à déterminer le sens de la f.é.m. induite.
3. Une **f.é.m. induite** apparaît dans un conducteur en mouvement dans un champ magnétique.

Le lien existant entre l'électricité et le magnétisme fut mis en évidence en 1820 avec la découverte par Œrsted de l'effet magnétique produit par un courant électrique. On s'aperçut quelques semaines plus tard qu'un barreau de fer devenait aimanté lorsqu'on le plaçait à l'intérieur d'un solénoïde parcouru par un courant. À la suite de cette démonstration de l'effet magnétique produit par un courant électrique, de nombreux chercheurs essayèrent de démontrer l'existence de l'effet inverse : un courant électrique produit par un champ magnétique. Dès 1821, Michael Faraday écrivit dans ses notes qu'il devrait essayer de « convertir le magnétisme en électricité ».

En août 1830, lors de courtes vacances, le physicien américain Joseph Henry eut l'idée de placer une tige de métal entre les pôles d'un électroaimant et d'enrouler une bobine de fil isolé autour de la tige (figure 10.1). Ayant relié les bornes de la bobine à un galvanomètre, il observa une déviation momentanée de l'aiguille du galvanomètre au passage du courant dans l'électroaimant, alors qu'il n'y avait aucune connexion électrique entre la bobine et les fils de l'électroaimant. Il avait ainsi découvert la présence d'un courant induit (créé) dans la bobine lorsque le champ magnétique qui la traverse varie. Tout en sachant très bien qu'il avait réussi à « convertir le magnétisme en électricité », Henry ne put, à cause de ses fonctions d'enseignant, poursuivre ses travaux dans ce domaine et ses résultats ne furent donc pas publiés immédiatement. Un an plus tard, Michael Faraday (figure 10.2) fit indépendamment la même découverte en réalisant essentiellement la même expérience.

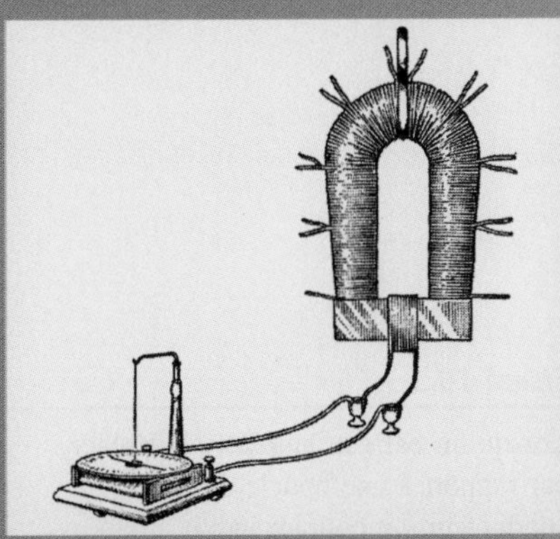

**Figure 10.1**

L'appareil avec lequel Joseph Henry réussit à « convertir le magnétisme en électricité ».

**Figure 10.2**

Michael Faraday (1791-1867).

L'expression **induction électromagnétique** désigne la production d'effets électriques à partir de champs magnétiques. Par exemple, un courant induit apparaît dans un conducteur en mouvement par rapport aux lignes du champ magnétique. Cet effet peut être déduit de ce que nous savons déjà à propos de la force magnétique sur des charges en mouvement. Par ailleurs, l'expérience de Henry a mis en évidence la production d'un champ électrique associé à un champ magnétique variable dans le temps. Le champ électrique induit peut produire un courant induit dans un conducteur. L'induction électromagnétique est à l'origine du fonctionnement des générateurs et des transformateurs, et, comme nous le verrons au chapitre 13, elle est à la base de la propagation des ondes électromagnétiques, comme la lumière, les signaux de radio et de télévision et les rayons X.

## 10.1 L'induction électromagnétique

Quelques expériences simples permettent de mettre en évidence les caractéristiques essentielles de l'induction électromagnétique.

### (i) Champ magnétique variable

La figure 10.3 illustre une façon simple de produire un courant électrique à l'aide d'un aimant et d'une boucle de fil conducteur. Lorsque l'aimant et la boucle sont immobiles, il ne se produit rien. Lorsqu'on approche le pôle nord de la boucle (figure 10.3*a*), un courant circule dans le sens antihoraire, vu de l'aimant. Lorsqu'on éloigne le pôle nord (figure 10.3*b*), un courant circule dans le sens horaire. Si l'on intervertit le pôle nord et le pôle sud (figure 10.3*c*), les courants s'inversent. Ces résultats ne sont pas modifiés si l'on déplace la boucle et que l'on garde l'aimant immobile. L'intensité et le sens du courant induit dépendent de la vitesse *relative* de la boucle et de l'aimant.

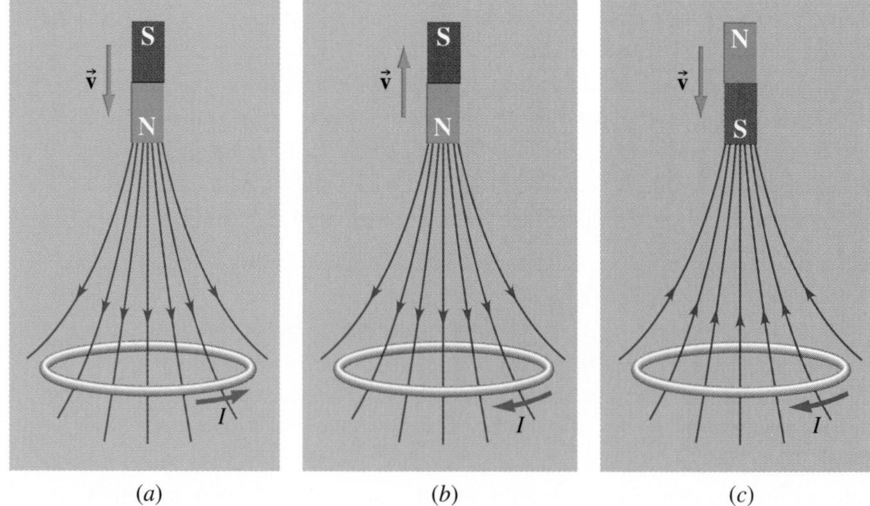


***Figure 10.3***

Lorsqu'un barreau aimanté se déplace par rapport à une boucle de fil conducteur, un courant induit circule dans la boucle.

Considérons maintenant les deux spires immobiles de la figure 10.4*a*. La spire « primaire » est reliée en série à une pile et à un interrupteur, alors que la spire « secondaire » est reliée à un ampèremètre. Lorsqu'on ferme l'interrupteur dans le circuit primaire, on observe une *brève* déviation de l'aiguille de l'ampèremètre dans le secondaire. Tant que le courant primaire reste constant, il ne se passe rien. Si on ouvre l'interrupteur, on observe à nouveau

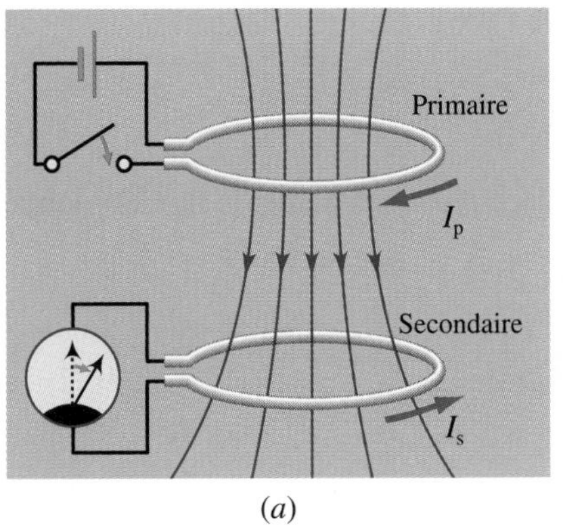

(*a*)

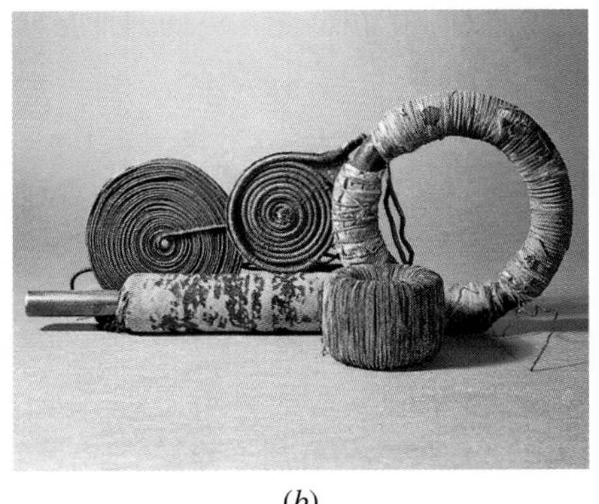
(*b*)

**Figure 10.4**

(*a*) Si le courant dans la spire primaire varie, un courant induit apparaît dans la spire secondaire. (*b*) Pour améliorer le couplage magnétique entre les circuits, Faraday bobina les enroulements primaire et secondaire sur un anneau circulaire en fer.

une déviation momentanée de l'aiguille, mais dans le sens opposé. C'est essentiellement cette expérience qu'ont réalisée Henry, et plus tard Faraday, en enroulant les bobines primaire et secondaire autour d'un anneau de fer (figure 10.4*b*).

### (ii) Aire variable

À la figure 10.5, une spire circulaire de fil conducteur flexible est placée de telle sorte que son plan soit perpendiculaire à un champ uniforme constant dans le temps. Si l'on tire subitement sur des points diamétralement opposés de la spire, l'aire délimitée par la boucle se trouve réduite et un courant induit circule dans la spire.

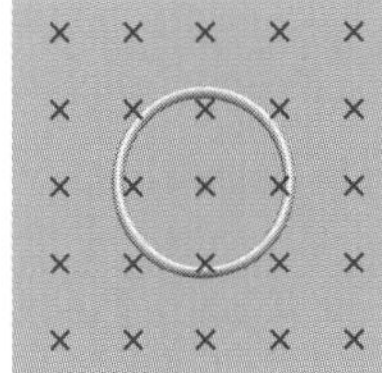

**Figure 10.5**

Le plan de la spire est perpendiculaire aux lignes du champ. On observe un courant induit lorsque l'aire de la spire varie.

### (iii) Orientation variable

Supposons maintenant que le champ magnétique et l'aire de la spire restent constants. Si l'on fait tourner le plan de la spire par rapport à la direction du champ (figure 10.6), un courant induit circule dans la spire tant que dure la rotation.

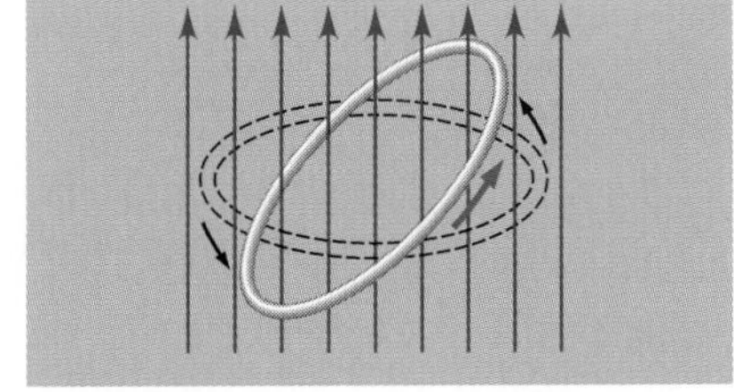

**Figure 10.6**

Un courant induit apparaît lorsqu'une spire tourne dans un champ extérieur.

## 10.2 Le flux magnétique

Pour expliquer ces résultats, nous allons introduire la notion de **flux magnétique**, $\Phi_B$, qui est défini de la même manière que le flux électrique $\Phi_E$ (*cf.* section 3.1). Dans le cas d'une surface plane d'aire $A$ plongée dans un champ magnétique $B$ uniforme (figure 10.7), le flux magnétique traversant la surface est défini par

$$(\vec{\mathbf{B}} \text{ uniforme}) \qquad \Phi_B = BA\cos\theta = \vec{\mathbf{B}}\cdot\vec{\mathbf{A}} \qquad (10.1)$$

où $\vec{\mathbf{A}}$ est orienté perpendiculairement au plan de la surface qu'il représente.

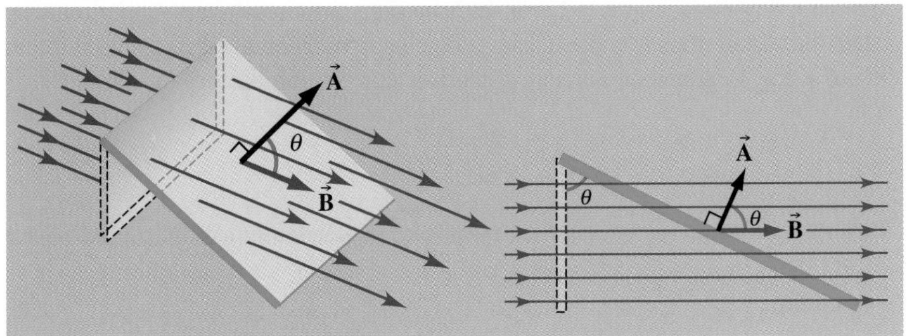


**Figure 10.7**

Le flux magnétique à travers une surface plane dans un champ uniforme dépend de la projection de l'aire perpendiculaire aux lignes de champ.

L'unité SI de flux magnétique est le **weber** (Wb). D'après l'équation 10.1, on constate que

$$1\ \mathrm{T} = 1\ \mathrm{Wb/m^2}$$

Si le champ n'est pas uniforme ou si la surface n'est pas plane, le flux est donné par

Flux magnétique

$$\Phi_B = \int \vec{\mathbf{B}} \cdot d\vec{\mathbf{A}} \qquad (10.2)$$

## Exemple 10.1

Un cadre carré dont chaque côté mesure 20 cm pivote autour de l'axe des *y*. Il est orienté comme le montre la figure 10.8*a*. Le champ extérieur est $\vec{\mathbf{B}} = 0{,}5\vec{\mathbf{i}}$ T. Quelle est la variation du flux si l'angle $\alpha$ passe de 20° à 50° ?

**Solution :**

Pour ce genre de problème, il est souvent utile de refaire le schéma sous une autre perspective comme, par exemple, la vue d'en haut représentée à la figure 10.8*b*. Le flux est

$$\Phi = BA \cos \theta$$

avec $\theta = 90 - \alpha$.

Lorsque $\alpha = 20°$, $\theta = 70°$ et $\Phi_1 = BA \cos \theta = (0{,}5\ \mathrm{T})(0{,}2\ \mathrm{m})^2 \cos 70° = 6{,}8 \times 10^{-3}$ Wb. Lorsque $\alpha = 50°$, $\theta = 40°$ et $\Phi_2 = BA \cos \theta = (0{,}5\ \mathrm{T})(0{,}2\ \mathrm{m})^2 \cos 40° = 1{,}53 \times 10^{-2}$ Wb. On a donc

$$\Delta\Phi = \Phi_2 - \Phi_1 = 8{,}5 \times 10^{-3}\ \mathrm{Wb}$$

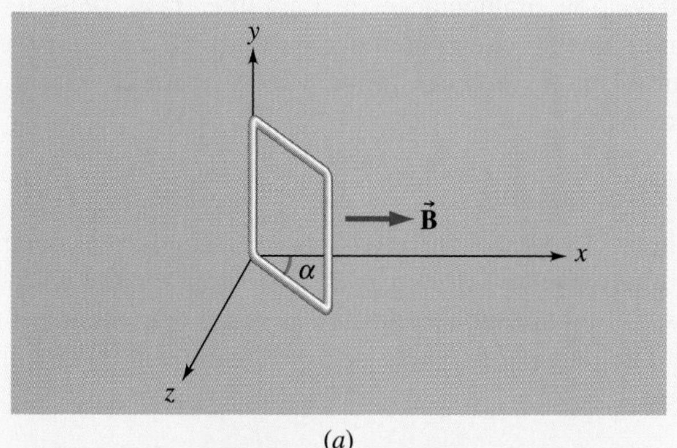

(*a*)

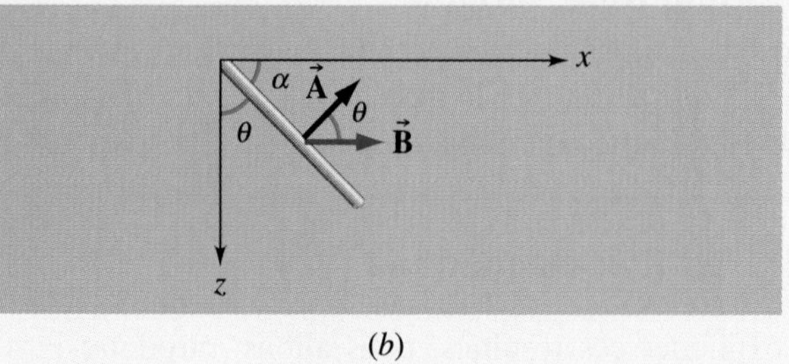

(*b*)

***Figure 10.8***

Le flux à travers le cadre change lorsque l'orientation du cadre change.

## 10.3 La loi de Faraday et la loi de Lenz

La production d'un courant électrique dans un circuit implique l'existence d'une f.é.m. Faraday énonça que la **f.é.m. induite** dans un circuit était proportionnelle au taux de variation du nombre de lignes du champ magnétique traversant le circuit. De nos jours, l'énoncé de Faraday s'exprime en fonction du flux magnétique :

$$\mathscr{E} \propto \frac{d\Phi_B}{dt} \qquad (10.3)$$

La f.é.m. induite dans un circuit fermé est proportionnelle à la dérivée par rapport au temps du flux magnétique traversant la surface délimitée par le circuit.

Notons que la f.é.m. induite n'est pas confinée en un point particulier ; elle est distribuée sur l'ensemble de la boucle. La dérivée de l'équation 10.1 donne

$$\frac{d\Phi_B}{dt} = \frac{dB}{dt} A \cos \theta + B \frac{dA}{dt} \cos \theta - BA \sin \theta \frac{d\theta}{dt}$$

Les trois termes représentent respectivement les contributions des dérivées de $B$, $A$ et $\theta$ à la dérivée du flux. Chaque terme correspond à l'une des expériences décrites à la section 10.1. Le premier terme est la contribution due à la variation du champ magnétique dans le temps, le deuxième terme, à la variation de l'aire du circuit et le troisième terme, à la variation de l'orientation du circuit. Dans une situation donnée, il peut y avoir des contributions de plus d'un terme.

Si le champ n'est pas uniforme ou si la surface n'est pas plane, le flux doit être calculé au moyen de l'équation 10.2, qui comporte une intégrale. Dans ce contexte, la loi de Faraday qui stipule que la f.é.m. induite s'obtient par la dérivée du flux peut sembler paradoxale : en effet, la dérivée de l'intégrale d'une fonction est égale à la fonction elle même ! Il n'y a toutefois pas d'erreur ici car la dérivée et l'intégrale ne font pas intervenir les mêmes variables. Le flux est une intégrale sur *l'espace* tandis que la dérivée est effectuée par rapport au *temps*. En général, lorsqu'on utilise l'équation 10.2, on a affaire à un champ qui n'est pas uniforme dans l'espace. Dans ce cas, on fait l'intégrale en premier, puis on effectue la dérivée du résultat en fonction du temps.

On remarquera que le signe négatif devant le troisième terme signifie qu'une *augmentation* de $\theta$, tel que défini à la figure 10.7, entraîne une *diminution* du flux (pour $\theta$ entre 0° et 90°).

## Loi de Lenz

Peu satisfait de la manière dont Faraday avait décrit le sens du courant induit dans des expériences faisant intervenir un mouvement relatif, le physicien russe H. F. Lenz proposa en 1834 une règle simple applicable dans ce genre de cas. À la figure 10.9*a*, au fur et à mesure que le pôle nord de l'aimant s'approche de la spire, la face de la spire la plus proche de l'aimant se comporte comme un pôle nord et repousse l'aimant. Lorsque le pôle nord s'éloigne (figure 10.9*b*), le courant induit circule dans le sens opposé et l'aimant est attiré. Lenz remarqua que, dans un cas comme dans l'autre, la force magnétique exercée par le courant induit s'oppose au mouvement relatif. Environ trente ans plus tard, J. C. Maxwell donna un énoncé plus général de la **loi de Lenz** :

L'effet de la f.é.m. induite est tel qu'il s'oppose à la variation de flux qui le produit.

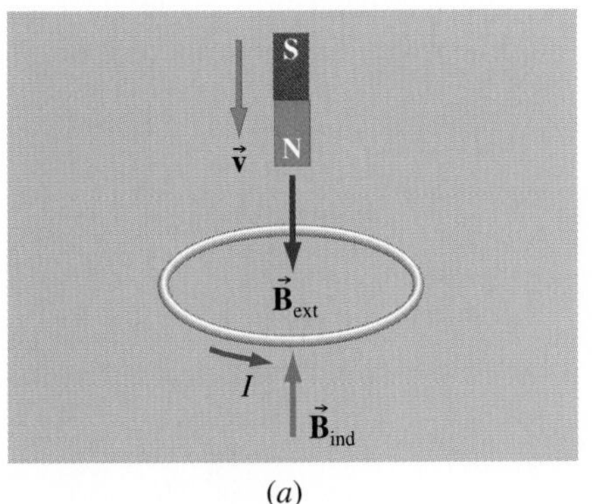


(*a*)

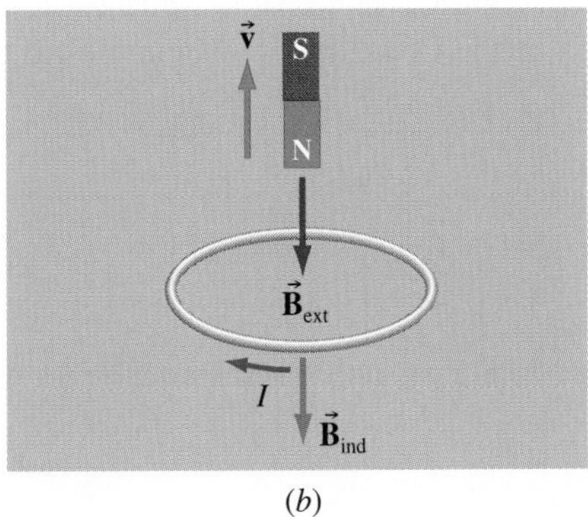


(*b*)

**Figure 10.9**

(*a*) Lorsque le flux à travers la spire augmente, le flux correspondant au champ magnétique induit s'oppose à cette augmentation. (*b*) Lorsque le flux à travers la spire diminue, le flux correspondant au champ magnétique induit essaie de maintenir le flux traversant la spire.

Pour bien comprendre comment appliquer la loi de Lenz afin de déterminer le sens du courant induit, réexaminons la figure 10.9. À la figure 10.9*a*, au fur et à mesure que l'aimant s'approche, le flux traversant la spire augmente. Cette variation du flux fait apparaître une f.é.m. induite qui fera circuler un courant induit, lequel produira son propre champ magnétique $\vec{\mathbf{B}}_{\text{ind}}$. Le flux créé par ce champ doit, d'après la loi de Lenz, s'opposer à la variation de flux créée par l'approche de l'aimant. Le sens de $\vec{\mathbf{B}}_{\text{ind}}$ est opposé à celui du champ extérieur $\vec{\mathbf{B}}_{\text{ext}}$, créé par l'aimant. À la figure 10.9*b*, le courant induit crée un champ induit dont le flux s'oppose à la diminution du flux de $\vec{\mathbf{B}}_{\text{ext}}$. Dans ce cas, le champ magnétique induit est orienté dans le *même* sens que le champ extérieur.

En 1851, von Helmholtz fit remarquer que la loi de Lenz n'était qu'une conséquence de la conservation de l'énergie. Considérons la figure 10.9*a*. Si le champ magnétique induit venait renforcer le champ extérieur, ce champ supplémentaire entraînerait une augmentation du courant induit. Le courant plus intense créerait alors un champ induit plus grand, qui à son tour produirait un courant induit plus intense, et ainsi de suite. Il est évident que cette escalade n'est pas possible sur le plan énergétique. Un agent extérieur doit fournir l'énergie nécessaire pour créer la f.é.m. induite.

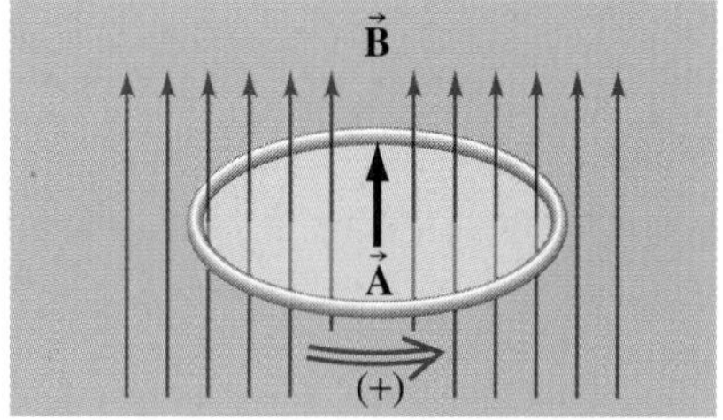


***Figure 10.10***

Le vecteur $\vec{\mathbf{A}}$ et le sens positif sont déterminés par la règle de la main droite, le pouce étant pointé dans la direction du champ extérieur.

Afin d'incorporer la loi de Lenz dans l'équation 10.3, nous avons besoin d'une *convention* pour fixer le signe de la f.é.m. induite. Si un champ magnétique $\vec{\mathbf{B}}$ est initialement présent, on utilise notre main droite avec le pouce orienté dans le sens de $\vec{\mathbf{B}}$. Le sens dans lequel nos doigts peuvent s'enrouler naturellement donne le sens du courant que produirait une *f.é.m. positive*, comme à la figure 10.10. Nous avons aussi besoin d'une convention pour fixer l'orientation du vecteur $\vec{\mathbf{A}}$ dans le calcul du flux. Nous choisissons le sens du vecteur $\vec{\mathbf{A}}$ de façon à ce que le flux initial traversant la surface soit positif. À la figure 10.10, où un champ magnétique $\vec{\mathbf{B}}$ est initialement présent, cela revient à choisir $\vec{\mathbf{A}}$ vers le haut plutôt que vers le bas. La figure 10.11 nous montre que le signe de la f.é.m. est toujours opposé au signe de la variation de flux $\Delta\Phi$. On peut incorporer cette caractéristique dans la loi de Faraday en y faisant figurer un signe négatif. La relation de proportionnalité 10.3 devient alors une équation comportant un facteur de proportionnalité approprié qui dépend du système d'unités utilisé. Dans le système SI, cette constante est égale à l'unité. L'énoncé moderne de la **loi de Faraday** donnant l'induction électromagnétique est donc

**Loi de Faraday**

$$\mathscr{E} = -\frac{d\Phi_B}{dt} \qquad (10.4)$$

Supposons que la spire soit remplacée par une bobine comportant *N* spires. Si le flux traversant chaque spire est le même, chacune des spires est le siège de la même f.é.m. induite. (Cela n'est rigoureusement vrai que pour un tore ou un

***Figure 10.11***

Le signe de la f.é.m. induite est toujours opposé à celui de la variation de flux.

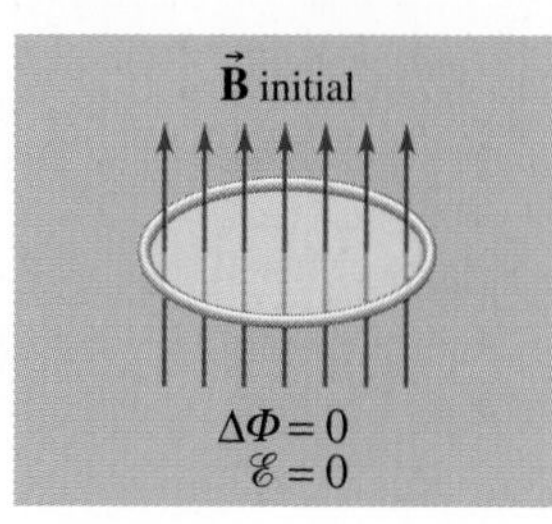


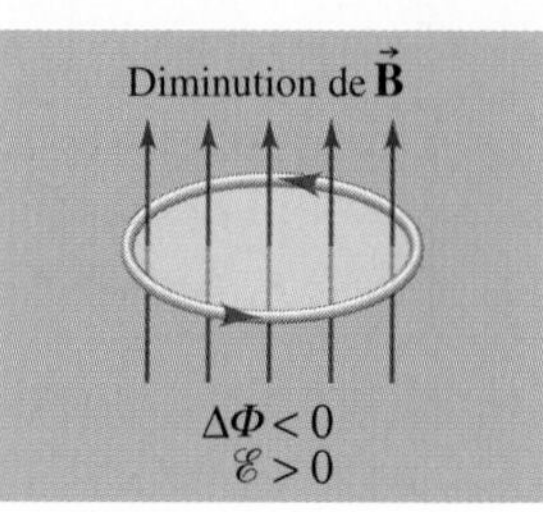


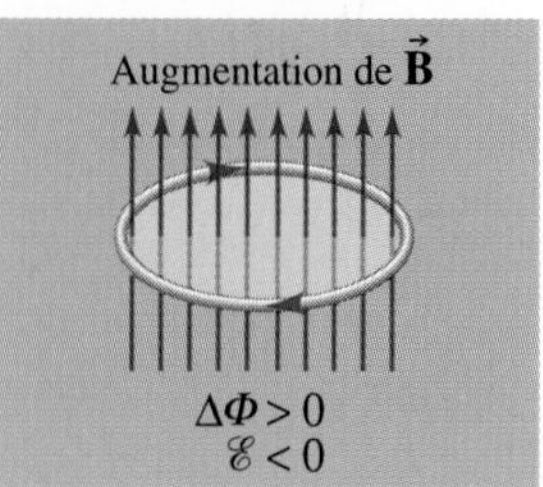

solénoïde infini à spires jointives.) Comme toutes ces f.é.m. sont de même sens, elles sont en série. La f.é.m. induite nette dans la bobine de $N$ spires est donc

$$\mathscr{E} = -N\frac{d\Phi_B}{dt} \tag{10.5}$$

où $\Phi_B$ est le flux traversant *chaque* spire.

L'apparition d'une f.é.m. induite dans une boucle permet de transformer de l'énergie mécanique en énergie électrique, puis en énergie thermique. Par exemple, dans le cas représenté à la figure 10.9, un apport d'énergie mécanique externe est nécessaire pour déplacer l'aimant contre la force d'attraction ou de répulsion de la spire. Par l'entremise de la f.é.m. induite, cette énergie engendre un courant dans la spire : la spire s'échauffe, et l'énergie se transforme finalement en chaleur.

## Exemple 10.2

Dans le cas décrit à l'exemple 10.1 (figure 10.8), quel est le sens du courant induit dans la partie du cadre qui est confondue avec l'axe des $y$ ?

**Solution :**

Le flux traversant le cadre augmente. Le flux dû au champ magnétique *induit* doit s'opposer à cette augmentation. Par conséquent, la composante du champ magnétique induit sur l'axe des $x$ est opposée au champ extérieur. D'après la règle de la main droite, le courant induit dans le cadre est dirigé vers *le bas* selon l'axe des $y$.

## Exemple 10.3

On rapproche d'une bobine le pôle nord d'un aimant (figure 10.12). (a) Dans quel sens est le courant induit dans le fil en bas de la bobine ? (b) Dans quel sens est la force magnétique nette qui s'exerce sur la bobine ?

***Figure 10.12***

On rapproche d'une bobine le pôle nord d'un aimant.

**Solution :**

(a) Le champ produit par l'aimant dans la bobine est vers la gauche, car les lignes de champ magnétique sortent du pôle nord de l'aimant. Le flux magnétique qui traverse la bobine est vers la gauche, et il augmente puisque l'aimant se rapproche. Par la loi de Lenz, la bobine produira un champ magnétique sur son axe vers la droite (qui s'oppose à l'augmentation du flux vers la gauche). Par la règle de la main droite avec le pouce vers la droite (*cf.* p. 237), on trouve un sens de courant dans la bobine qui correspond à un courant *vers la droite* dans le fil en bas de la bobine.

(b) Puisque la bobine produit un champ magnétique sur son axe vers la droite, on peut déterminer les pôles induits pour la bobine : nord à droite et sud à gauche. Les pôles nord de la bobine et de l'aimant se repoussent : la bobine subit donc une force *vers la gauche*.

## Exemple 10.4

Répondre aux mêmes questions qu'à l'exemple précédent, mais en considérant cette fois que l'on éloigne de la bobine le pôle nord de l'aimant (figure 10.13).

**Solution :**

(a) Le champ produit par l'aimant dans la bobine est vers la gauche, car les lignes de champ magnétique sortent du pôle nord de l'aimant. Le flux magnétique qui traverse la bobine est vers la gauche, et il diminue puisque l'aimant s'éloigne. Par la loi de Lenz, la

*Figure 10.13*

On éloigne d'une bobine le pôle nord d'un aimant.

bobine produira un champ magnétique sur son axe vers la gauche (qui s'oppose à la diminution du flux vers la gauche). Par la règle de la main droite avec le pouce vers la gauche, on trouve un sens de courant dans la bobine qui correspond à un courant *vers la gauche* dans le fil en bas de la bobine.

(b) Puisque la bobine produit un champ magnétique sur son axe vers la gauche, on peut déterminer les pôles induits pour la bobine : nord à gauche et sud à droite. Le pôle nord de l'aimant attire le pôle sud de la bobine, et la bobine subit donc une force *vers la droite*.

## Exemple 10.5

On laisse tomber un anneau conducteur sous l'effet de la gravité au-dessus du pôle sud d'un aimant (figure 10.14). (a) Dans quel sens est le courant induit au point $P$ de l'anneau ? (b) Dans quel sens est la force magnétique nette qui s'exerce sur l'anneau ?

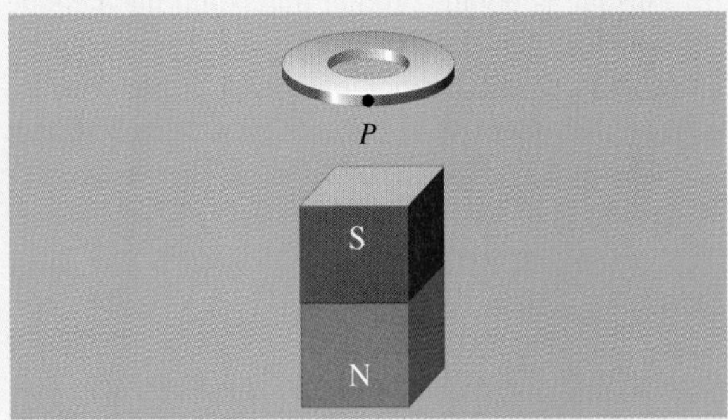


*Figure 10.14*

Un anneau conducteur tombe sous l'effet de la gravité au-dessus du pôle sud d'un aimant.

**Solution :**

(a) Le champ produit par l'aimant dans l'anneau est vers le bas, car les lignes de champ magnétique pénètrent dans le pôle sud de l'aimant. Le flux magnétique qui traverse l'anneau est vers le bas, et il augmente puisque l'anneau se rapproche de l'aimant en tombant. Par la loi de Lenz, l'anneau produira un champ magnétique sur son axe vers le haut (qui s'oppose à l'augmentation du flux vers le bas). Par la règle de la main droite avec le pouce vers le haut, on trouve un sens de courant dans l'anneau qui correspond à un courant *vers la droite* au point $P$.

(b) Puisque l'anneau produit un champ magnétique sur son axe vers le haut, on peut déterminer les pôles induits pour l'anneau : nord en haut et sud en bas. Le pôle sud de l'anneau repousse le pôle sud de l'aimant, et l'anneau subit donc une force magnétique vers le haut. L'anneau tombe donc moins vite que sous l'effet de la gravitation seule. On peut aussi dire qu'une partie du travail fait par la gravité sur l'anneau sert à faire circuler le courant induit. Ainsi, il est normal que l'anneau gagne moins d'énergie cinétique que dans le cas de la chute libre.

## Exemple 10.6

Un solénoïde infini comporte 10 spires/cm et a un rayon de 2 cm. Une bobine circulaire plane de rayon 4 cm et comportant 15 spires est placée autour du solénoïde, son plan étant perpendiculaire à l'axe du solénoïde (figure 10.15). Si le courant dans le solénoïde chute régulièrement de 3 A à 2 A en 0,05 s, quelle est la f.é.m. induite dans la bobine ?

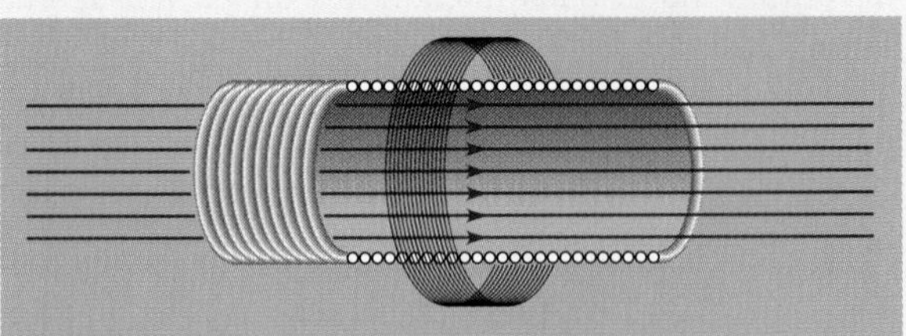

*Figure 10.15*

Une bobine entourant un long solénoïde parcouru par un courant variable. La bobine est le siège d'une f.é.m. induite bien que les lignes du champ magnétique soient confinées à l'intérieur du solénoïde.

**Solution :**

D'après l'équation 9.13, le champ à l'intérieur d'un long solénoïde est $B = \mu_0 nI$. Le flux traversant la bobine est

$$\Phi = BA = \mu_0 nIA$$

où $A$ est l'aire de la section transversale du solénoïde, et non de la bobine, puisque le champ est confiné dans le solénoïde. La f.é.m. induite est

$$\mathscr{E} = -N\frac{\Delta\Phi}{\Delta t}$$

$$= -N\mu_0 nA\frac{\Delta I}{\Delta t}$$

En utilisant les valeurs données, $n = 1000$ spires/m, $A = \pi(2 \times 10^{-2}\text{ m})^2$ et $\Delta I/\Delta t = -20$ A/s, on trouve $\mathscr{E} = +4{,}7 \times 10^{-4}$ V. Comme le flux diminue, le champ magnétique induit est orienté dans le même sens que celui du solénoïde. Cet exemple mérite d'être souligné, car le champ magnétique à l'extérieur du solénoïde est nul. Nous y reviendrons à la section 10.6.

## Exemple 10.7

Une tige métallique de longueur $\ell$ glisse avec une vitesse constante $v$ sur des rails conducteurs qui se terminent par une résistance $R$. Le champ magnétique est constant et uniforme, orienté perpendiculairement au plan des rails (figure 10.16). Déterminer: (a) le courant circulant dans la résistance; (b) la puissance dissipée dans la résistance; (c) la puissance mécanique nécessaire pour tirer la tige.

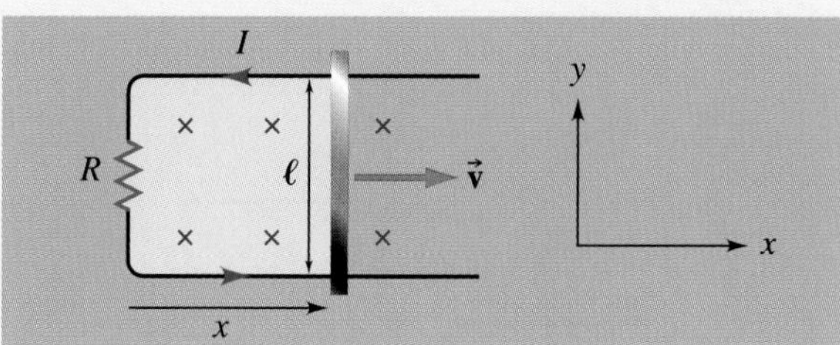


***Figure 10.16***

Lorsqu'une tige se déplace sur des rails conducteurs, on observe un courant induit dans la direction indiquée.

**Solution:**

(a) À l'instant qui nous intéresse, la tige est située à une distance $x$ de l'extrémité des rails. Le flux traversant la surface délimitée par la tige et les rails est $\Phi = BA = B\ell x$. La f.é.m. induite a pour valeur

$$|\mathscr{E}| = \frac{d\Phi}{dt} = B\ell v$$

puisque $v = v_x = dx/dt$. Le flux augmente parce que l'aire augmente. La f.é.m. induite s'oppose à l'accroissement du flux, ce qui signifie que le champ magnétique induit est opposé au champ externe. Le courant induit dans le circuit circule donc dans le sens antihoraire. Il a pour intensité

$$I = \frac{|\mathscr{E}|}{R} = \frac{B\ell v}{R} \tag{i}$$

(b) La puissance électrique dissipée dans la résistance est

$$P_{\text{élec}} = RI^2 = \frac{(B\ell v)^2}{R} \tag{ii}$$

(c) À cause du courant induit qui la traverse, la tige est soumise à une force $\vec{\mathbf{F}} = I\vec{\boldsymbol{\ell}} \times \vec{\mathbf{B}}$, qui est due au champ extérieur. La force $\vec{\mathbf{F}}$ est dirigée dans le sens opposé à celui de $\vec{\mathbf{v}}$. Par conséquent, pour que la vitesse reste constante, il doit y avoir un agent extérieur qui exerce une force de même grandeur et de direction opposée $F_{\text{ext}} = I\ell B$ vers la droite. La puissance mécanique fournie par l'agent extérieur est

$$P_{\text{méca}} = \vec{\mathbf{F}}_{\text{ext}} \cdot \vec{\mathbf{v}} = \frac{(B\ell v)^2}{R} \tag{iii}$$

En comparant les expressions (ii) et (iii), on constate que l'énergie mécanique fournie par l'agent extérieur est convertie en énergie électrique, puis en énergie thermique.

## Exemple 10.8

Un barreau métallique se déplace vers la gauche à la vitesse de 2 cm/s au-dessus d'un rail en forme de U (figure 10.17). À l'instant $t = 0$, le champ extérieur, d'intensité 0,2 T et sortant de la page, augmente à raison de 0,1 T/s. On donne $\ell = 5$ cm et $x = 5$ cm à $t = 0$. Trouver la f.é.m. induite à l'instant initial.

**Solution:**

Dans cet exemple, il y a variation à la fois de l'aire et du champ. Le flux est $\Phi = BA = B\ell x$ et $dx/dt = v_x$. Par conséquent,

$$\frac{d\Phi}{dt} = B\frac{dA}{dt} + \frac{dB}{dt}A$$

$$= B\ell\frac{dx}{dt} + \frac{dB}{dt}A$$

$$= B\ell v_x + \frac{dB}{dt}A$$

$$= (0{,}2\text{ T})(5 \times 10^{-2}\text{ m})(-2 \times 10^{-2}\text{ m/s}) + (0{,}1\text{ T/s})(25 \times 10^{-4}\text{ m}^2)$$

$$= +5 \times 10^{-5}\text{ V}$$

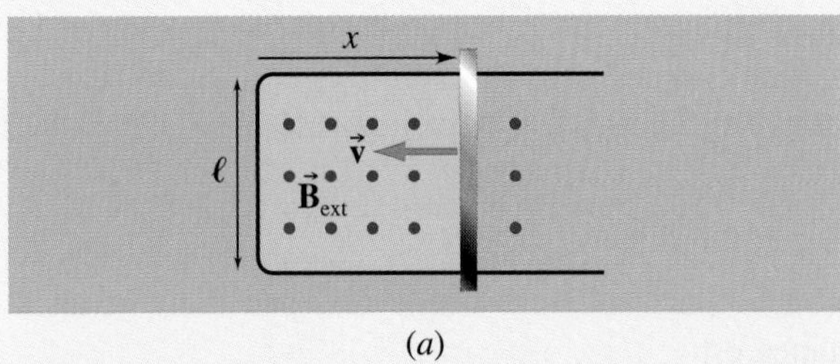


(a)

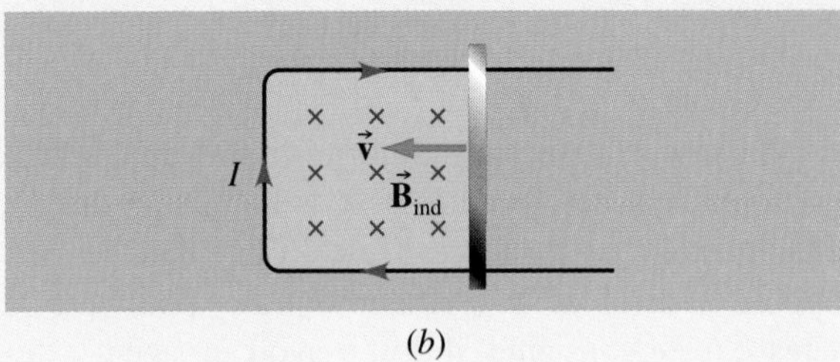


(b)

*Figure 10.17*

(*a*) Le courant induit est produit à la fois par le mouvement du barreau et par la variation du champ magnétique extérieur. (*b*) Comme le flux à travers le circuit fermé augmente, le champ magnétique induit est de sens opposé au champ extérieur.

On remarque que $v_x$ est négatif car la tige se déplace vers la gauche. Le taux net de variation de flux est positif et la f.é.m. induite doit s'opposer à cette augmentation. Le courant induit est donc de sens *horaire* et le champ magnétique induit *entre* dans la page, comme l'illustre la figure 10.17*b*.

## Exemple 10.9

Un cadre rectangulaire se déplace à vitesse constante perpendiculairement à un champ magnétique uniforme (figure 10.18). Tracer les graphes représentant la variation en fonction du temps du flux traversant le cadre et de la f.é.m. induite dans le cadre, entre l'instant où celui-ci pénètre dans le champ et l'instant où il en sort. Pour tracer les graphiques, on utilise la convention habituelle (*cf.* p. 270) qui permet de dire ici qu'un flux rentrant dans la page est positif et qu'une f.é.m. qui produit un courant induit dans le sens horaire est positive.

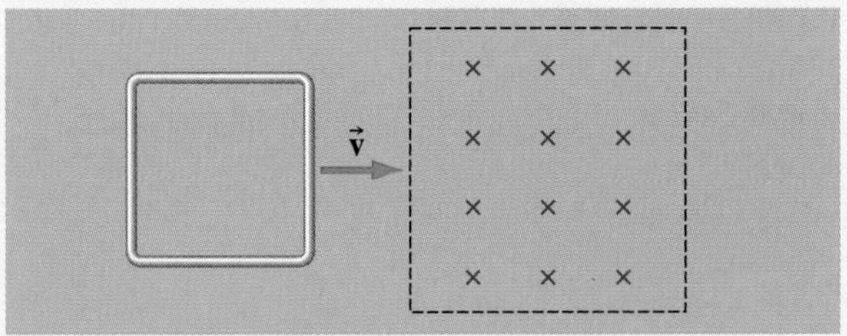


*Figure 10.18*

Un cadre rectangulaire se déplace à vitesse constante perpendiculairement à un champ uniforme.

**Solution :**

Comme on le voit à la figure 10.19, le flux est $\Phi = B\ell x = B\ell vt$. Le flux augmente linéairement avec le temps. La f.é.m. induite, $\mathscr{E} = -d\Phi/dt = -B\ell v$, est constante. Lorsque le cadre est complètement dans le champ, le flux est constant et la f.é.m. est nulle. À sa sortie du champ, le flux décroît linéairement avec le temps et le sens de la f.é.m. induite est opposé au sens initial.

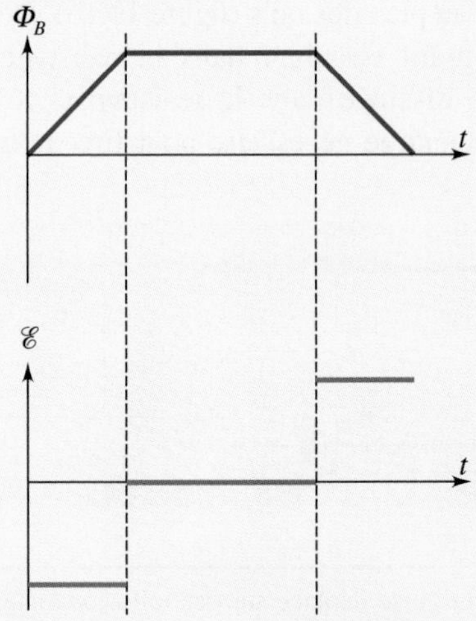


*Figure 10.19*

Comme le cadre se déplace à vitesse constante, le flux varie linéairement avec le temps et la f.é.m. induite prend des valeurs constantes. Si le cadre est tout entier dans le champ, le flux est constant et la f.é.m. est donc nulle.

## 10.4 Les générateurs

Le générateur est une application importante de l'induction électromagnétique. Il est constitué d'une bobine de $N$ spires tournant à la vitesse angulaire constante $\omega$ dans un champ magnétique extérieur uniforme. La figure 10.20 représente deux vues différentes d'une seule spire. Au fur et à mesure que la bobine tourne, l'angle $\theta$ change. C'est ce qui est à l'origine de la variation du flux à

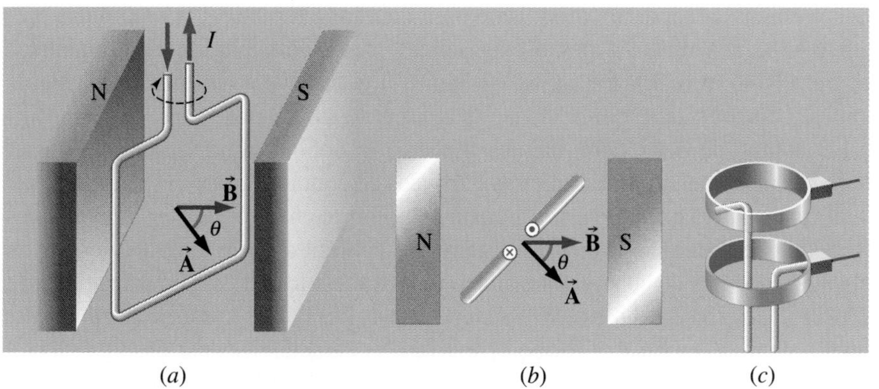


**Figure 10.20**

($a$) On observe une f.é.m. induite lorsqu'un cadre tourne dans un champ magnétique. ($b$) Le cadre tournant vu du haut. ($c$) Le courant produit alimente un circuit extérieur par l'intermédiaire de contacts à balais qui glissent sur deux bagues collectrices.

travers la bobine. Le flux est donc donné par $\Phi = BA \cos \theta(t)$. On exprime $\theta(t)$ à l'aide des équations de la cinématique de rotation vues au chapitre 11 du tome 1. Si l'on suppose $\theta = 0$ à $t = 0$, alors $\theta = \omega t$ et le flux peut s'écrire

$$\Phi = BA \cos(\omega t)$$

La f.é.m. induite est

$$\mathscr{E} = -N\frac{d\Phi}{dt} = NAB\omega \sin(\omega t)$$

ce qui peut s'écrire sous la forme

$$\mathscr{E} = \mathscr{E}_0 \sin(\omega t) \qquad (10.6)$$

Au cours de la rotation de la bobine, la f.é.m. varie de façon sinusoïdale : son signe change par *alternance*, et son amplitude, ou valeur maximale, est

$$\mathscr{E}_0 = NAB\omega \qquad (10.7)$$

comme on le voit à la figure 10.21. Soulignons que la valeur maximale de la f.é.m. correspond à l'instant où le flux traversant la bobine est nul. Le courant alternatif produit par la bobine alimente deux anneaux collecteurs (figure 10.20$c$). Si l'on branche un circuit aux bornes du générateur, on observe un courant alternatif (c.a.) qui change de sens périodiquement.

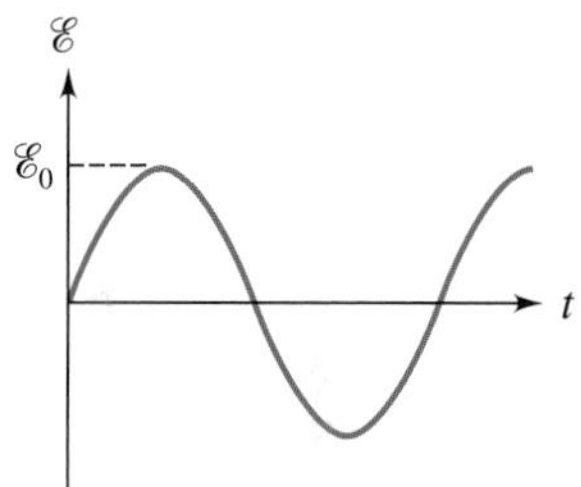


**Figure 10.21**

La f.é.m. alternative sinusoïdale produite par une bobine tournant dans un champ magnétique uniforme.

## Exemple 10.10

Un cadre carré comportant 25 spires a des côtés de 50 cm de long. Il tourne à 120 tr/min dans un champ de 400 G. À $t = 0$, le plan du cadre est normal aux lignes du champ. Déterminer : (a) la valeur maximale de la f.é.m. ; (b) la f.é.m. à $t = 1/24$ s.

### Solution :

Nous devons d'abord convertir la vitesse angulaire en rad/s et le champ en teslas. La vitesse de 120 tr/min correspond à $\omega = 4\pi$ rad/s et $B = 4 \times 10^{-2}$ T.

(a) D'après l'équation 10.7,

$$\mathscr{E}_0 = NAB\omega$$
$$= (25)(0{,}5\ \text{m})^2(4 \times 10^{-2}\ \text{T})(4\pi\ \text{rad/s}) = 3{,}14\ \text{V}$$

(b) Pour trouver la f.é.m. à un instant donné, nous pouvons utiliser l'équation 10.6, car $\theta = 0$ à $t = 0$ :

$$\mathscr{E} = \mathscr{E}_0 \sin(\omega t)$$
$$= (3{,}14\ \text{V}) \sin(4\pi/24) = 1{,}57\ \text{V}$$

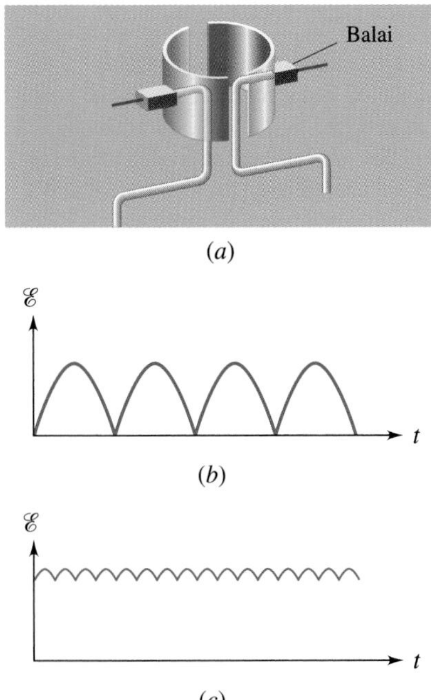


**Figure 10.22**

(*a*) Grâce au commutateur à bagues sectionnées, le signe de la f.é.m. prélevée par les contacts à balais ne change pas. (*b*) La f.é.m. fournie par une seule bobine avec un commutateur. (*c*) Si l'on utilise un grand nombre de bobines, les fluctuations du courant obtenu sont considérablement réduites.

Les premiers générateurs produisaient un courant alternatif (c.a.) qui ne se prêtait pas bien à divers types d'expériences ni à l'alimentation des moteurs à courant continu (c.c.). En 1834, William Sturgeon inventa un dispositif simple appelé **commutateur** qui empêche le courant de changer de sens. Ce dispositif est constitué de deux demi-bagues (fixées à la bobine) qui assurent le contact avec des balais métalliques reliés aux arrivées de courant (figure 10.22*a*). Lorsque le courant dans la bobine est nul et sur le point de changer de sens, chacun des balais passe d'une demi-bague à l'autre. Le courant dans le circuit extérieur ne change donc pas de sens, même si son intensité est loin d'être constante (figure 10.22*b*). En 1841, Charles Wheatstone mit à l'essai un système de plusieurs bobines enroulées sur une forme cylindrique et caractérisées par des plans ayant différentes orientations spatiales et un commutateur à plusieurs éléments. Dans ce système, très répandu de nos jours, l'induction apparaît dans chaque bobine, mais le contact n'est établi qu'avec celle pour laquelle la f.é.m. est maximale, à cause de son orientation. La rotation de l'ensemble amène la bobine suivante dans la bonne position, ce qui maintient la f.é.m. à une valeur élevée. Cette méthode permet de réduire considérablement les fluctuations du courant de sortie (figure 10.22*c*).

Le moteur c.c. et le générateur c.c. ont évolué séparément pour aboutir à des modèles similaires (une bobine comportant plusieurs spires tournant dans un champ magnétique). Mais le fait qu'un générateur peut fonctionner comme un moteur c.c. et vice versa échappa à la plupart des ingénieurs. À l'exposition de Vienne, en 1873, deux générateurs gigantesques étaient présentés côte à côte. L'un d'eux était immobile, alors que l'autre, entraîné par un moteur à vapeur, était en train de tourner. Un ouvrier raccorda par inadvertance la sortie du générateur en service aux bornes de l'autre générateur, qui se mit à tourner. On s'aperçut ainsi que les moteurs c.c. pouvaient être alimentés par des générateurs plutôt que par de grosses piles. Il est surprenant que ce fait ait été découvert par hasard, alors que les ingénieurs avaient par ailleurs mis au point des machines assez sophistiquées.

## La force contre-électromotrice (f.c.é.m.) des moteurs

Nous avons vu, au chapitre 8, que lorsqu'un courant circule dans une bobine pivotant dans un champ magnétique, la bobine est soumise à un moment de force et se met à tourner. C'est le principe même du moteur électrique. Lorsque la bobine tourne dans le champ magnétique, elle est le siège d'une f.é.m. induite, semblable à celle d'un générateur et qui s'oppose à la f.é.m. extérieure. La **force contre-électromotrice (f.c.é.m.)** est proportionnelle à la vitesse angulaire $\omega$ du moteur. Lorsqu'on met le moteur en marche, la bobine est au repos et il n'y a donc pas de force contre-électromotrice. Le courant de « démarrage » peut être assez intense parce qu'il n'est limité que par la résistance de la bobine. Au fur et à mesure que la vitesse de rotation augmente, l'augmentation de la f.c.é.m. réduit le courant, qui dépend de la f.é.m. nette. Si le moteur n'effectue aucun travail, la vitesse angulaire augmente jusqu'à ce que l'énergie fournie soit équilibrée par les pertes de frottement et les pertes par effet Joule. À ce stade, l'intensité du courant est assez faible.

Force contre-électromotrice

Lorsque le moteur effectue un travail mécanique, la vitesse angulaire diminue, ce qui réduit la force contre-électromotrice. Il en résulte une augmentation de l'intensité du courant. La puissance additionnelle fournie par la source extérieure de f.é.m. est convertie en puissance mécanique par le moteur. Si le travail à effectuer est trop important, la force contre-électromotrice est réduite encore davantage, ce qui augmente encore l'intensité du courant et risque de faire « griller » le moteur.

Dans une maison, on observe parfois une légère baisse d'intensité de l'éclairage lorsque le réfrigérateur se met en marche. Le courant de « démarrage » est suffisamment intense pour qu'il y ait une chute considérable de potentiel dans l'installation électrique de la maison. La différence de potentiel aux bornes des lampes d'éclairage est momentanément inférieure à la normale. Le réfrigérateur devrait être branché sur un circuit séparé, si possible.

Assemblage d'une turbine à la centrale La Grande-2.

## 10.5 Les origines de la f.é.m. induite

Nous avons parlé jusqu'à présent de la « f.é.m. induite » sans nous préoccuper du mécanisme par lequel elle est produite. Au chapitre 7, nous avions défini la f.é.m. comme étant le travail effectué par unité de charge par une source de f.é.m. Lorsque la charge parcourt un circuit fermé,

$$\mathscr{E} = \frac{W_{\text{né}}}{q} = \frac{1}{q}\oint \vec{\mathbf{F}} \cdot d\vec{\boldsymbol{\ell}} \tag{10.8}$$

où l'indice « né » signifie que le travail est effectué par une force non électrostatique. En présence d'un champ électrique et d'un champ magnétique, la force totale agissant sur une particule chargée est donnée par la force de Lorentz (équation 8.14) :

$$\vec{\mathbf{F}} = q(\vec{\mathbf{E}} + \vec{\mathbf{v}} \times \vec{\mathbf{B}}) \tag{10.9}$$

On peut donc écrire l'expression de la f.é.m. induite :

$$\mathscr{E} = \oint (\vec{\mathbf{E}} + \vec{\mathbf{v}} \times \vec{\mathbf{B}}) \cdot d\vec{\boldsymbol{\ell}} \tag{10.10}$$

L'équation 10.10 nous permet de définir les facteurs qui contribuent à la f.é.m. induite. Le premier terme, $\oint \vec{\mathbf{E}} \cdot d\vec{\boldsymbol{\ell}}$, fait intervenir un *champ électrique induit.* Nous allons voir que ce champ est associé à un champ magnétique variable dans le temps. Le second terme, $\oint (\vec{\mathbf{v}} \times \vec{\mathbf{B}}) \cdot d\vec{\boldsymbol{\ell}}$, fait intervenir un mouvement par rapport au champ magnétique : c'est ce que l'on appelle la *f.é.m. induite dans un conducteur en mouvement.* Nous voyons donc que la loi de Faraday décrit deux phénomènes assez distincts, qui peuvent être tous deux présents dans une situation donnée ; nous allons cependant les étudier séparément.

## 10.6 Les champs électriques induits

Lorsqu'il n'y a pas de mouvement relatif entre la source de champ magnétique et le circuit sur lequel on calcule la f.é.m., seul le premier terme figure dans l'équation 10.10. De plus, puisque le circuit n'est pas en mouvement, seule la variation explicite du champ magnétique en fonction du temps contribue à la variation de flux. Pour un champ magnétique *uniforme* perpendiculaire au plan du circuit, le flux est $\Phi = BA$ et $d\Phi/dt = A\ dB/dt$. La loi de Faraday, $\mathscr{E} = -d\Phi/dt$, devient

$$\mathscr{E} = \oint \vec{\mathbf{E}} \cdot d\vec{\boldsymbol{\ell}} = -A\frac{dB}{dt} \tag{10.11}$$

On peut donc interpréter l'équation 10.11 de la manière suivante :

Un circuit *quelconque*, dans le vide ou dans la matière, traversé par un champ magnétique variable, est le siège d'un *champ électrique* induit.

La figure 10.23 représente le champ électrique induit associé au champ magnétique variable dans le temps d'un solénoïde. Le champ électrique induit se

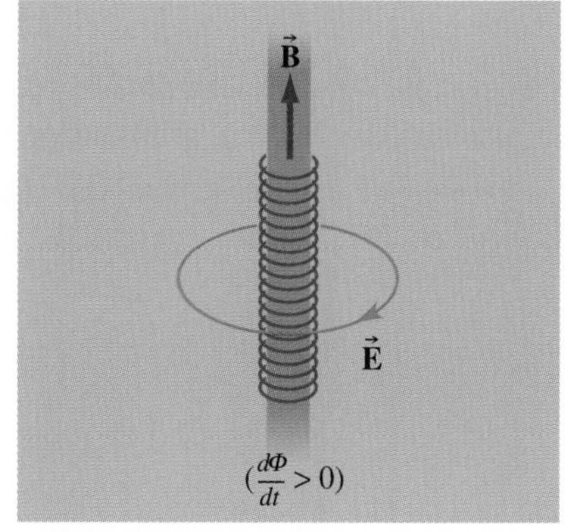


*Figure 10.23*

La variation du champ magnétique à l'intérieur du solénoïde crée un champ électrique induit dont les lignes sont des cercles fermés.

distingue de deux façons du champ électrique conservatif associé aux charges électriques que nous avons décrit au chapitre 2. Premièrement, les lignes du *champ électrique induit* sont des boucles fermées, alors que les lignes du *champ électrique conservatif* relient toujours des charges entre elles. Deuxièmement, le champ électrique induit est un champ non conservatif puisque son intégrale curviligne sur un parcours fermé n'est pas nulle.

## Exemple 10.11

Le courant dans un solénoïde idéal de rayon $R$ varie en fonction du temps. Déterminer le champ électrique induit en des points situés (a) à l'intérieur ; (b) à l'extérieur du solénoïde. Exprimer les résultats en fonction de $dB/dt$.

**Solution :**

Pour calculer l'intégrale de l'équation 10.11, nous choisissons un parcours d'intégration qui tient compte de la symétrie du problème. Le champ électrique induit sera le même en tout point d'une boucle circulaire concentrique par rapport au solénoïde. Une telle boucle est donc un parcours d'intégration approprié. Que la boucle soit située à l'intérieur ou à l'extérieur du solénoïde, nous avons $\vec{\mathbf{E}}\cdot d\vec{\boldsymbol{\ell}} = E\,d\ell$ puisque $\vec{\mathbf{E}}$ est parallèle à $d\vec{\boldsymbol{\ell}}$. Pour une boucle de rayon $r$, l'intégrale devient

$$\oint \vec{\mathbf{E}}\cdot d\vec{\boldsymbol{\ell}} = E\oint d\ell = E(2\pi r)$$

(a) Pour $r < R$, le flux traversant la boucle est $\Phi = BA = B(\pi r^2)$. D'après l'équation 10.11, on a donc

$$E(2\pi r) = -(\pi r^2)\frac{dB}{dt}$$

$$(r < R) \qquad E = -\frac{r}{2}\frac{dB}{dt} \qquad \text{(i)}$$

Le module du champ électrique induit augmente linéairement avec la distance à partir du centre.

(b) Pour $r > R$, le flux traversant la boucle est $\Phi = B(\pi R^2)$. Donc,

$$E(2\pi r) = -(\pi R^2)\frac{dB}{dt}$$

$$(r > R) \qquad E = -\frac{R^2}{2r}\frac{dB}{dt} \qquad \text{(ii)}$$

À l'extérieur du solénoïde, le module du champ électrique induit est inversement proportionnel à la distance à partir du centre. La figure 10.24 représente la variation du champ en fonction de $r$. Nous avons supposé $dB/dt$ négatif. Vous pouvez vérifier la direction de $E$ en utilisant la loi de Lenz.

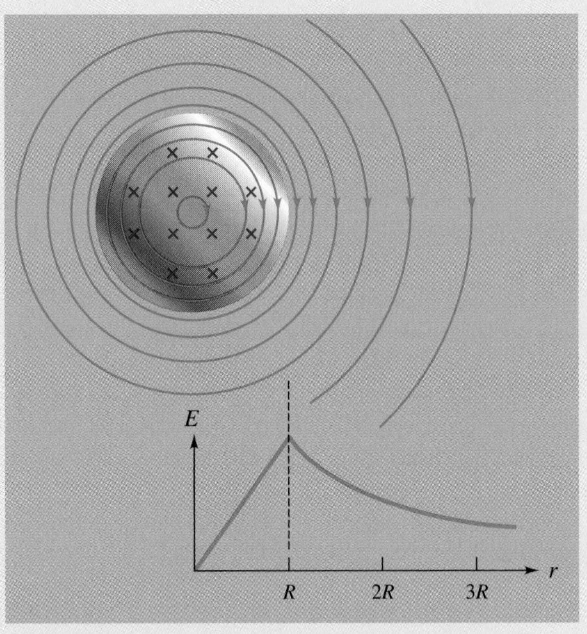


**Figure 10.24**

La variation du champ électrique induit en fonction de la distance à partir du centre d'un solénoïde.

La signification physique de l'équation 10.11 s'énonce parfois de la manière suivante : un champ électrique induit est créé par un champ magnétique variable. Considérons une boucle à l'extérieur d'un solénoïde, comme dans l'exemple précédent et dans l'exemple 10.6. Avec cette interprétation, il est difficile d'expliquer comment un champ électrique induit est créé dans l'espace où se trouve une boucle où $B = 0$ à tout instant ! On évite ce paradoxe en rappelant que *les champs sont créés par des charges électriques et non pas par d'autres champs*. Lorsque le courant varie dans un solénoïde, le mouvement accéléré des charges est responsable *à la fois* du champ magnétique variable et du champ électrique induit. C'est pourquoi nous disons qu'un champ électrique induit est « associé à » un champ magnétique variable. L'équation 10.11 exprime la relation mathématique entre ces champs.

## 10.7 La f.é.m. induite dans un conducteur en mouvement

Dans cette section, nous allons considérer le cas d'une tige métallique qui se déplace à une vitesse constante dans un champ magnétique uniforme $\vec{\mathbf{B}}$ perpendiculaire à sa longueur et à $\vec{\mathbf{v}}$ (figure 10.25). Les électrons dans la tige subissent une force magnétique vers le bas et s'accumulent dans le bas de la tige jusqu'à ce que le champ électrique $\vec{\mathbf{E}}_0$ créé par cette séparation de charges compense l'effet du champ magnétique. On a alors $F_E = F_B$, d'où $|q|E_0 = |q|vB$, ce qui implique $E_0 = vB$. Cette situation d'équilibre est atteinte en une fraction de seconde. Si la longueur de la tige égale $\ell$, une différence de potentiel $\Delta V = E_0\ell = B\ell v$ apparaîtra entre ses extrémités : la tige est devenue l'équivalent d'une pile de f.é.m.

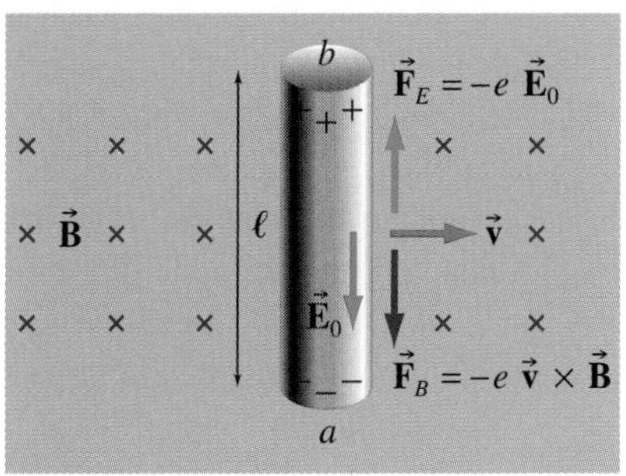


*Figure 10.25*

Une tige métallique se déplaçant perpendiculairement aux lignes du champ magnétique. Il y a séparation des charges et une différence de potentiel électrostatique s'établit.

$$\mathscr{E} = B\ell v \qquad (10.12)$$

dont la borne positive est en haut.

Si la tige se déplace à vitesse constante $\vec{\mathbf{v}}$ sur des rails conducteurs (figure 10.16), elle joue le rôle d'une source de f.é.m. Comme $\vec{\mathbf{v}}$ et $\vec{\mathbf{B}}$ sont perpendiculaires, la f.é.m. est $\mathscr{E} = B\ell v$, ce qui concorde avec le calcul de l'exemple 10.7 effectué à partir du taux de variation du flux.

### Exemple 10.12

Dans un *générateur homopolaire*, un disque conducteur de rayon $R$ tourne à la vitesse angulaire $\omega$. Son plan est perpendiculaire à un champ magnétique uniforme et constant $\vec{\mathbf{B}}$ (figure 10.26). Quelle est la f.é.m. produite entre le centre et la circonférence du disque ?

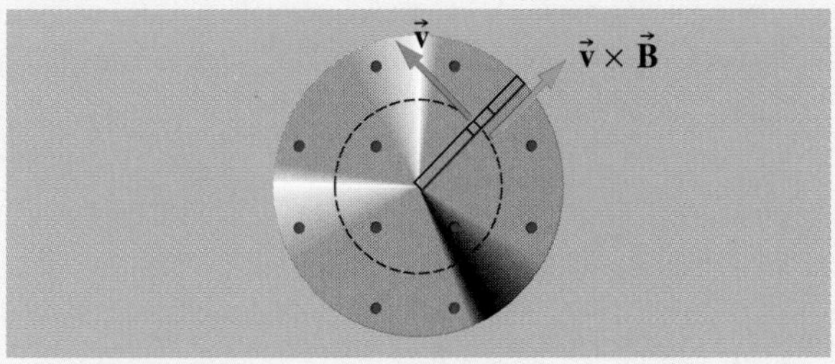


*Figure 10.26*

Dans un générateur homopolaire, un disque conducteur tourne perpendiculairement à un champ magnétique. Pour déterminer la f.é.m. induite par le mouvement, on divise le disque en tiges élémentaires.

**Solution :**

Le disque peut être assimilé à une série de tiges radiales. La valeur et la polarité des f.é.m. induites sont donc les mêmes que pour une seule tige, mais le courant produit par un disque est beaucoup plus intense. Considérons un petit segment de largeur $dr$ situé à une distance $r$ du centre. La vitesse du segment est $v = \omega r$. Les électrons à l'intérieur du segment sont soumis à la force magnétique $\vec{\mathbf{F}} = -e\vec{\mathbf{v}} \times \vec{\mathbf{B}}$, radiale et dirigée vers l'intérieur. Comme $\vec{\mathbf{v}}$ est perpendiculaire à $\vec{\mathbf{B}}$, on a $|\vec{\mathbf{v}} \times \vec{\mathbf{B}}| = vB$, d'où

$$(\vec{\mathbf{v}} \times \vec{\mathbf{B}})\cdot d\vec{\boldsymbol{\ell}} = vB\,dr = \omega Br\,dr \qquad \text{(i)}$$

D'après l'équation 10.10, la f.é.m. totale entre le centre et la circonférence est

$$\mathscr{E} = \int_0^R \omega Br\,dr = \tfrac{1}{2}\omega BR^2 \qquad \text{(ii)}$$

Étant donné les directions de $\vec{\mathbf{v}}$ et $\vec{\mathbf{B}}$, le centre est à un potentiel plus élevé que la circonférence. Si l'on établit des contacts sans friction à ces deux points, un courant continu constant va circuler dans une résistance externe.

Si nous avions commencé par calculer la f.é.m. d'un disque tournant en considérant le flux, nous nous serions trouvés dans une situation paradoxale. Puisque le flux total traversant le disque ne varie pas, ce résultat semble être en contradiction avec l'équation $\mathscr{E} = -d\Phi/dt$. Mais il n'en est pas ainsi. Pour appliquer la loi de Faraday, il est nécessaire de choisir un parcours fermé approprié qui *englobe le mouvement du disque*. Dans le cas présent, le parcours est un secteur triangulaire du cercle (figure 10.27). Un rayon ($OP$) reste fixe tandis que l'autre ($OQ$) tourne avec le disque à la vitesse $\omega$. L'aire du secteur est $dA = \frac{1}{2}(Rd\theta)R$ et le flux à travers le secteur est $d\Phi = B\,dA = \frac{1}{2}R^2B\;d\theta$. Le taux de variation du flux est $d\Phi/dt = \frac{1}{2}BR^2\;d\theta/dt = \frac{1}{2}\,\omega BR^2$, qui est l'expression trouvée plus haut. On détermine le sens de la f.é.m. à l'aide de la loi de Lenz.

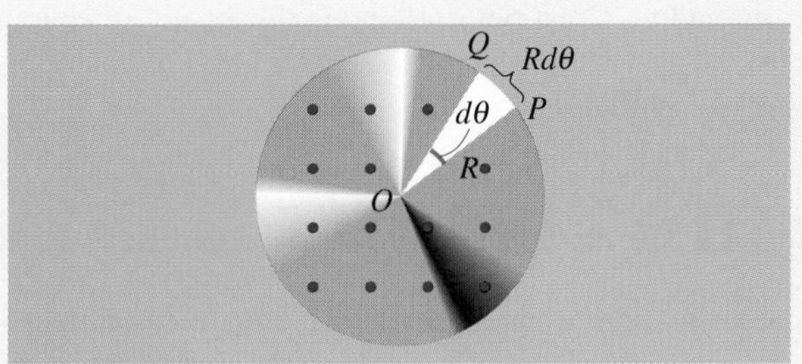


**Figure 10.27**

Même si le flux total à travers un disque tournant ne varie pas, on peut utiliser l'équation $\mathscr{E} = -d\Phi/dt$ à condition de choisir un parcours fermé englobant le mouvement du disque.

La tige en mouvement de l'exemple 10.7 agit comme une source de f.é.m. En général, une source de f.é.m. convertit une énergie de forme quelconque en énergie électrique et effectue un travail sur les charges. Comme les forces magnétiques ne font aucun travail, nous devons examiner de plus près l'origine de ce travail.

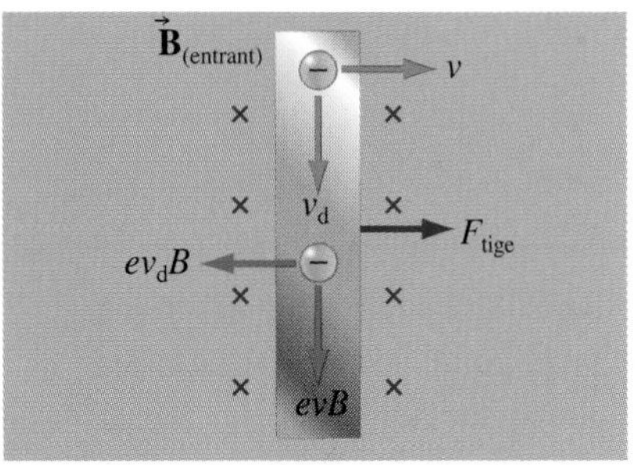


**Figure 10.28**

Une tige conductrice en mouvement dans une direction normale au champ magnétique. La vitesse de chaque électron a une composante dans la direction du mouvement de la tige et une vitesse de dérive parallèle à la tige. La force créée par la tige, $F_{\text{tige}}$, est une force électrique attribuable à l'effet Hall à travers la tige.

Par suite du mouvement de la tige, la vitesse d'un électron donné a une composante $v$ dans la direction du mouvement de la tige et une vitesse de dérive $v_{\text{d}}$ le long de la tige (figure 10.28). Les forces magnétiques associées à ces composantes sont $evB$ vers le bas et $ev_{\text{d}}B$ dans le sens opposé au mouvement de la tige. La puissance ($P = \vec{\mathbf{F}}\cdot\vec{\mathbf{v}}$) fournie par la force magnétique associée au mouvement de dérive est égale à $+(evB)v_{\text{d}}$ et la puissance associée au mouvement horizontal est égale à $-(ev_{\text{d}}B)v$. Comme il se doit, la puissance nette fournie par les forces magnétiques est nulle. Puisque les électrons sont obligés de rester à l'intérieur de la tige, ils sont également soumis à une force provenant des autres charges électriques. À l'équilibre, les deux forces horizontales sur chaque charge se compensent : $F_{\text{tige}} = ev_{\text{d}}B$. Cette équation s'applique aux charges à l'intérieur de la tige. Pour maintenir la tige en mouvement à vitesse constante, il faut qu'un agent *extérieur* exerce une force vers la droite pour équilibrer la force magnétique $I\ell B$ (qui est la somme des forces magnétiques sur tous les électrons). L'énergie requise est fournie par cet agent extérieur. En un certain sens, le champ magnétique agit comme un intermédiaire dans le transfert d'énergie de l'agent extérieur vers la tige.

La « force due à la tige », $F_{\text{tige}}$, provient de l'effet Hall. En se déplaçant dans la tige, les électrons sont soumis à une force magnétique vers la gauche. Comme des charges opposées apparaissent sur les parois de la tige, un champ électrique de Hall est créé entre les parois (de droite à gauche). C'est la force électrique due à ce champ de Hall qui donne $F_{\text{tige}}$.

## Le moteur linéaire

On peut construire un « moteur linéaire » simple en plaçant une tige conductrice sur de longs rails conducteurs reliés à une pile. La tige complète le circuit, et un courant circule dans la tige. Si on plonge le tout dans un champ magnétique, la force magnétique accélérera la tige (figure 10.29). On pourrait penser qu'un tel montage peut propulser la tige à des vitesses très grandes (si les rails sont assez longs). Toutefois, en pratique, on observe que la tige atteint une vitesse limite. En effet, le mouvement de la tige dans le champ magnétique produit une f.é.m. induite qui s'oppose à la pile, et qui finit par annuler complètement son effet.

Pour simplifier l'analyse de la situation, supposons que la tige a une résistance $R$ et que les rails ont une résistance négligeable. Ainsi, la résistance totale du circuit est constante et égale $R$. Au départ, lorsque la tige est immobile, la f.é.m. externe $\mathscr{E}$ produit un courant $I = \mathscr{E}/R$. La tige subit une force magnétique $F = I\ell B$, qui l'accélère vers la droite. Toutefois, au fur et à mesure qu'elle prend de la vitesse, il apparaîtra dans la tige une f.c.é.m. (force contre-électromotrice) $\mathscr{E}' = B\ell v$, qui vient *s'opposer* à la f.é.m. externe (on peut le vérifier par la loi de Lenz ou en analysant ce qui se passe sur un électron dans la tige).

Si la force magnétique est la seule qui agit sur la tige (s'il n'y a pas de frottement ni d'autre force externe), la tige accélérera jusqu'à atteindre une vitesse limite telle que $\mathscr{E}' = \mathscr{E}$. Les deux f.é.m. s'annulent alors, le courant et la force magnétique deviennent nuls et la tige continue à une vitesse constante. S'il y a d'autres forces qui agissent sur la tige, la vitesse limite est atteinte lorsque la somme des forces qui agit sur la tige donne 0. Par la deuxième loi de Newton, $\Sigma F_x = ma_x$, l'accélération est alors nulle et la tige continue à une vitesse constante.

## Exemple 10.13

Soit le moteur linéaire représenté à la figure 10.29, avec $\ell = 1$ m, $B = 0{,}5$ T, $\mathscr{E} = 10$ V et $R = 2\ \Omega$. (a) Calculer le courant qui circule dans le circuit ainsi que la force magnétique qui s'exerce sur la tige lorsque celle-ci est immobile. Calculer la vitesse limite atteinte par la tige : (b) si la force magnétique est la seule à agir sur la tige ; (c) si une force de frottement de 2 N vers la gauche agit sur la tige ; (d) s'il n'y a pas de frottement et qu'une force extérieure de 2 N vers la droite agit sur la tige.

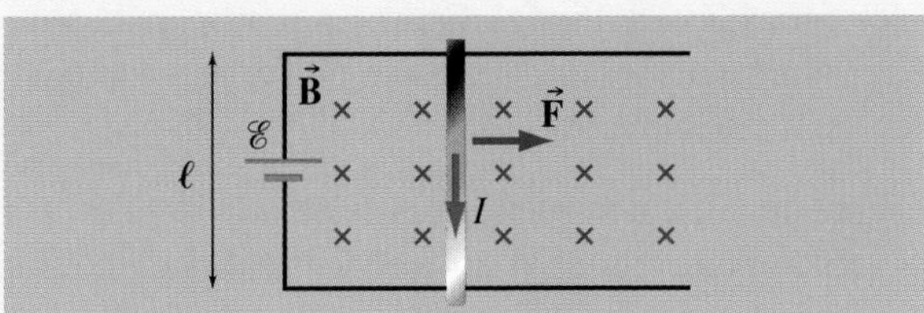


***Figure 10.29***

Un moteur linéaire composé d'une tige, d'une pile et de rails conducteurs.

### Solution :

(a) Si la tige est immobile, il n'y a pas d'induction magnétique. Le courant égale $I = \mathscr{E}/R = 5$ A et la force magnétique, $F = I\ell B = 2{,}5$ N. Le courant dans la tige est vers le bas et la force magnétique est vers la droite.

(b) Quand la force magnétique est la seule à agir sur la tige, la vitesse limite est atteinte lorsque $\mathscr{E}' = B\ell v = \mathscr{E}$, d'où $v = \mathscr{E}/\ell B = 20$ m/s.

(c) La vitesse limite est atteinte lorsque la force magnétique $F$ contrebalance le frottement. On a donc $F = 2$ N *vers la droite*. Par $F = I\ell B$, on trouve que le courant dans la tige égale $I = 4$ A *vers le bas*. (Pour produire une force magnétique vers la droite, le courant dans la tige doit être vers le bas.) Le courant est moins élevé que lorsque la f.é.m. externe agit seule, car la f.c.é.m. s'oppose à la f.é.m. externe. On peut donc écrire

$$\mathscr{E} - \mathscr{E}' = RI$$

d'où $\mathscr{E}' = \mathscr{E} - RI = 2$ V. Par $\mathscr{E}' = B\ell v$, on trouve $v = 4$ m/s.

(d) La vitesse limite est atteinte lorsque la force magnétique $F$ agit *vers la gauche* et contrebalance la force externe. On a donc $F = 2$ N *vers la gauche*. Par $F = I\ell B$, on trouve que le courant égale $I = 4$ A *vers le haut*. (Pour produire une force magnétique vers la gauche, le courant dans la tige doit être vers le haut.) Comme le courant produit dans la tige par la f.é.m. externe seule est vers le bas, on conclut que la *f.c.é.m. est plus grande que la f.é.m. externe en valeur absolue* (en plus d'être de sens opposé). On peut donc écrire

$$\mathscr{E}' - \mathscr{E} = RI$$

d'où $\mathscr{E}' = \mathscr{E} + RI = 18$ V. Par $\mathscr{E}' = B\ell v$, on trouve $v = 36$ m/s.

## 10.8 Les courants de Foucault

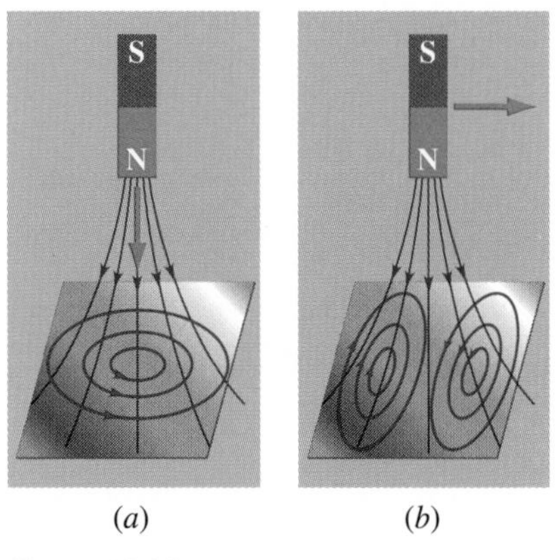


***Figure 10.30***

Lorsqu'un barreau aimanté se déplace par rapport à une plaque conductrice, des courants de Foucault sont induits dans la plaque.

La figure 10.30*a* représente un barreau aimanté qui s'approche d'une plaque conductrice. Puisque le flux à travers un parcours quelconque sur la plaque varie, des courants induits vont circuler dans le sens antihoraire (vu de l'aimant). Si l'aimant se déplace parallèlement à la plaque (figure 10.30*b*), la non-uniformité du champ signifie que les régions situées en avant de l'aimant subissent une augmentation de flux tandis que celles qui sont situées derrière subissent une diminution du flux. Devant l'aimant, les courants circulent dans le sens antihoraire et, derrière l'aimant, ils circulent dans le sens horaire. De tels courants induits dans un matériau sont appelés **courants de Foucault**.

À l'exemple 10.7, nous avons vu ce qui se passe lorsqu'une tige se déplace dans un champ magnétique. Si l'on remplace la tige par une plaque conductrice (figure 10.31), les courants induits sont répartis dans l'ensemble de la plaque. Si une partie seulement de la plaque est située dans le champ, les courants dans cette partie vont être soumis à une force opposée à la direction du mouvement. Cette force de ralentissement peut être utilisée pour amortir les oscillations d'un équilibre chimique ou du cadre d'un galvanomètre. Les courants de Foucault sont parfois utilisés dans les systèmes de freinage des trains. Une des voitures du train comporte un électroaimant placé près d'un rail. Lorsqu'on fait circuler le courant dans l'aimant, d'intenses courants de Foucault sont induits dans le rail. La force magnétique exercée sur ces courants par l'aimant est dirigée vers l'avant. D'après la troisième loi de Newton, la force de réaction sur le train est dirigée vers l'arrière. Les forces dues aux courants de Foucault induits sont également utilisées dans les compteurs de vitesse des automobiles.

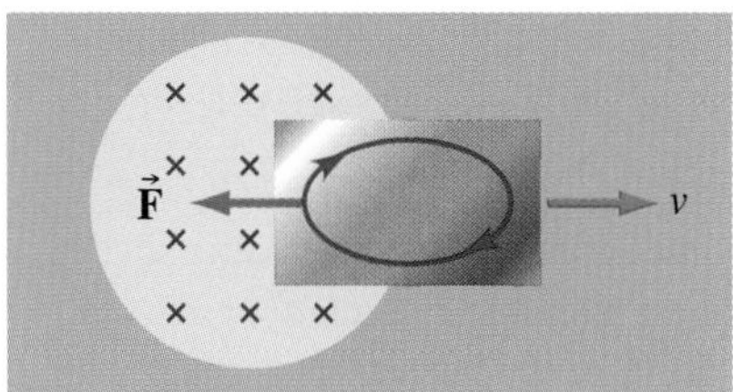


***Figure 10.31***

Une plaque conductrice que l'on tire dans un plan perpendiculaire aux lignes du champ. La force magnétique nette sur les courants de Foucault induits est opposée au sens du mouvement.

En circulant à l'intérieur d'un conducteur, les courants de Foucault produisent de l'énergie thermique. Cette méthode de production de chaleur est utilisée dans les fonderies et dans les procédés d'affinage pour les semi-conducteurs. Les courants de Foucault engendrés dans les casseroles en cuivre peuvent également être utilisés dans la « cuisson par induction ».

La figure 10.32*a* représente un aimant suspendu au-dessus du bord d'un disque conducteur qui tourne rapidement autour d'un axe vertical. Les courants de Foucault induits dans le disque produisent une force qui a tendance à entraîner l'aimant dans le sens du mouvement de la circonférence du disque. L'aimant est également soumis à une force de répulsion. On peut mettre en évidence la force de répulsion qui provient des courants de Foucault de la manière suivante. On enroule un solénoïde autour d'un barreau de fer (pour obtenir un

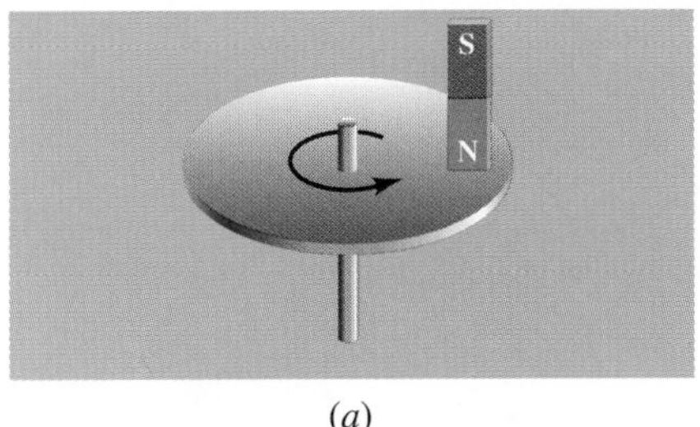


(*a*)

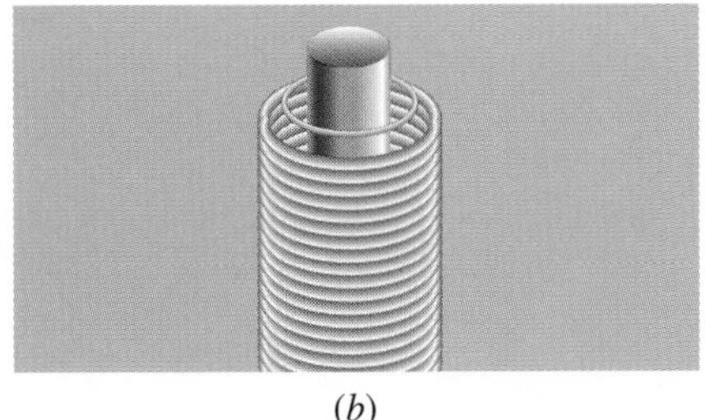

(*b*)

**Figure 10.32**

(*a*) Un aimant suspendu au-dessus d'un disque métallique tournant rapidement sur lui-même induit des courants de Foucault dans le disque. Les forces magnétiques sont telles que l'aimant a tendance à être entraîné par le disque et qu'il est également repoussé.
(*b*) Un barreau de fer est placé à l'intérieur d'un solénoïde (pour renforcer le champ magnétique produit par le solénoïde) et un anneau métallique est placé à l'extrémité. Si le courant circulant dans le solénoïde varie rapidement, l'anneau est éjecté.

champ plus intense) comme le montre la figure 10.32*b*. On place un anneau de cuivre à l'extrémité du solénoïde. Lorsqu'on fait passer un courant (à variation rapide), l'anneau est repoussé (conformément à la loi de Lenz, telle qu'il l'a conçue) et se trouve projeté vers le haut. Au lieu d'un anneau, on peut utiliser une plaque plane. La force de répulsion due aux courants de Foucault est utilisée dans la lévitation magnétique et la propulsion des trains (*cf.* chapitre 11, Sujet connexe).

Faraday au travail dans son laboratoire à l'Institut Royal.

# Aperçu historique

## La découverte de l'induction électromagnétique

Au XVIIIe siècle, on se servait des bouteilles de Leyde pour chauffer des fils conducteurs et pour provoquer des transformations chimiques dans les solutions ioniques. C'étaient autant d'applications illustrant la conversion de l'électricité en chaleur ou en énergie chimique. On savait bien sûr qu'un apport de chaleur pouvait déclencher une réaction chimique et qu'une réaction chimique pouvait produire de la chaleur. La pile de Volta et les autres piles avaient déjà prouvé que les transformations chimiques pouvaient produire de l'électricité. En 1822, Thomas Seebeck découvrit qu'on pouvait produire un courant électrique en appliquant de la chaleur à la jonction de deux métaux. De tels indices renforçaient de nombreux scientifiques dans leur conviction que toutes les « forces de la nature » étaient reliées entre elles. Rappelons que c'est cette idée qui avant encouragé Œrsted à chercher un lien entre l'électricité et le magnétisme. Peu de temps après, François Arago montra qu'un barreau de fer devenait aimanté lorsqu'on le plaçait à l'intérieur d'un solénoïde parcouru par un courant. Après avoir constaté que l'électricité (le courant) produisait un effet magnétique dans un barreau de fer, il était tout naturel de chercher à mettre en évidence l'effet inverse : un courant électrique qui serait produit par le magnétisme.

Mais la croyance métaphysique en une « unité des forces de la nature » n'était pas la seule motivation des chercheurs travaillant sur l'induction des courants. On savait qu'un objet chargé pouvait induire des charges dans un conducteur voisin et qu'un barreau aimanté pouvait induire une aimantation temporaire dans un clou en fer. Plusieurs scientifiques se demandaient si un courant électrique pouvait induire un courant dans un conducteur voisin. L'histoire de la découverte de l'induction électromagnétique est particulièrement intéressante parce que l'effet avait été observé sous différentes formes sans être reconnu. Et même lorsqu'il fut reconnu, la découverte ne fut pas rendue publique.

En 1821, Ampère montra qu'un solénoïde parcouru par un courant se comporte comme un barreau aimanté et que deux fils conducteurs traversés par des courants exercent des forces magnétiques l'un sur l'autre. Il en conclut que tous les effets magnétiques étaient dus à des courants électriques et il élabora une théorie du magnétisme à partir d'éléments de courant en interaction par l'intermédiaire de forces centrales. Mais la nature exacte des courants dans un aimant n'était pas connue avec certitude : peut-être s'agissait-il de courants « moléculaires » microscopiques ou de courants macroscopiques décrivant des trajectoires circulaires autour de l'axe de l'aimant.

Contrairement à Ampère, dont l'approche était sophistiquée sur le plan mathématique, Faraday se fia à son intuition pour élaborer des modèles physiques. Il avait été particulièrement frappé par la nature « circulaire » des lignes de forces autour d'un fil conducteur parcouru par un courant. En septembre 1821, il fit une brillante démonstration de cette caractéristique et inventa par la même occasion le moteur électrique (*cf.* Aperçu historique, chapitre 8). Peu impressionné par les forces centrales de la théorie d'Ampère ou par l'idée d'un magnétisme produit par des courants, Faraday réalisa quelques expériences subtiles dans le but de réfuter ces idées. Par exemple, il montra que les « pôles » d'un solénoïde parcouru par un courant n'étaient pas exactement au même endroit que dans un barreau aimanté. Ampère fut alors obligé d'abandonner la notion de courant macroscopique. Pour essayer de sauver sa théorie, il proposa une explication hâtive des expériences de Faraday en faisant intervenir les courants microscopiques. Mais les milieux scientifiques n'apprécièrent pas beaucoup la façon dont Ampère modifia si facilement sa théorie pour l'adapter aux nouveaux résultats expérimentaux.

En 1822, Ampère refit une expérience qui avait échoué afin d'éclaircir cette question sur la nature des courants. Il suspendit un anneau de cuivre à l'intérieur d'une bobine comportant un grand nombre de spires et plaça les pôles d'un aimant de part et d'autre d'un point de la circonférence (figure 10.33). Lorsqu'on faisait circuler le courant dans la bobine, l'anneau tournait d'un certain angle. Lorsqu'on arrêtait le courant, l'anneau revenait à sa position initiale*. Il

* Un courant induit macroscopique circule dans l'anneau lorsqu'on fait circuler le courant. L'anneau aurait dû immédiatement revenir à sa position d'équilibre lorsque le courant induit s'annulait, mais le moment de force de rappel du système de suspension n'était probablement pas suffisant. Le compte rendu de cette expérience ne dit pas avec précision ce qui a exactement été observé.

conclut que l'anneau de cuivre, non magnétique, avait acquis une «aimantation temporaire» à cause de courants induits microscopiques continus. Il ne chercha pas à déterminer le sens de ces courants.

## Le disque d'Arago

Une autre découverte très intéressante eut lieu en 1824. François Arago, un collègue d'Ampère, s'aperçut que les oscillations d'un barreau aimanté suspendu étaient amorties en présence d'une feuille conductrice. L'année suivante, il démontra qu'un aimant tournant rapidement sur lui-même pouvait faire entrer en rotation un disque de cuivre et qu'un disque tournant rapidement sur lui-même pouvait faire tourner une aiguille aimantée. Arago suspendit un électroaimant au-dessus d'un disque tournant et observa sa déviation. Pour Ampère, cela venait simplement confirmer sa théorie selon laquelle les courants étaient la source ultime du magnétisme.

Les travaux d'Arago furent poursuivis à Londres par J. Babbage et W. Herschel. Ils suspendirent un aimant au-dessus de disques tournant sur eux-mêmes, fabriqués de différents métaux (figure 10.34*a*), et ils s'aperçurent que la déviation de l'aimant dépendait du métal. Par exemple, elle était plus grande pour un disque en cuivre que pour un disque en plomb (la conductivité du cuivre est supérieure à celle du plomb). Aucune déviation n'était observée avec les disques non métalliques. Baggage et Herschel expliquèrent le phénomène en supposant que le disque avait acquis un magnétisme induit temporaire. Ils découpèrent ensuite des fentes radiales (figure 10.34*b*) et virent la déviation diminuer au fur et à mesure que le nombre des fentes augmentait. Ils expliquèrent ce phénomène par la réduction de l'aimantation due à l'insertion des intervalles d'air. L'énigme du disque d'Arago n'était pas résolue et l'intérêt qu'il suscitait s'estompa peu à peu.

La relation entre la déviation de l'aimant suspendu et la conductivité laissait supposer l'existence de courants induits dans les disques. Cette idée était renforcée par le fait que les fentes interrompaient la circulation de ces courants. De plus, le courant induit dans le solénoïde

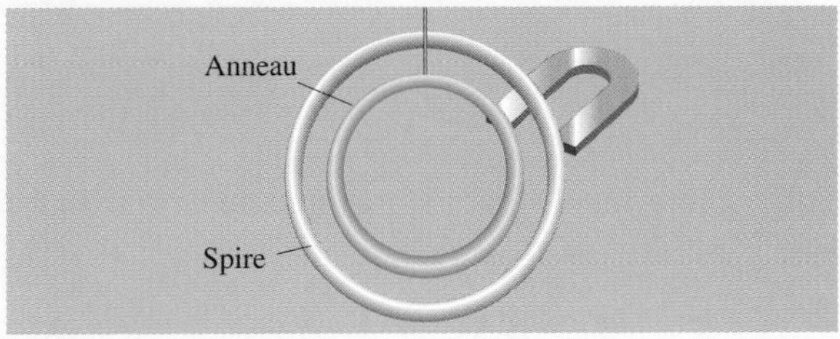


***Figure 10.33***

Un anneau de cuivre suspendu dans le plan d'une spire. Ampère observa que le passage d'un courant dans la spire faisait tourner l'anneau.

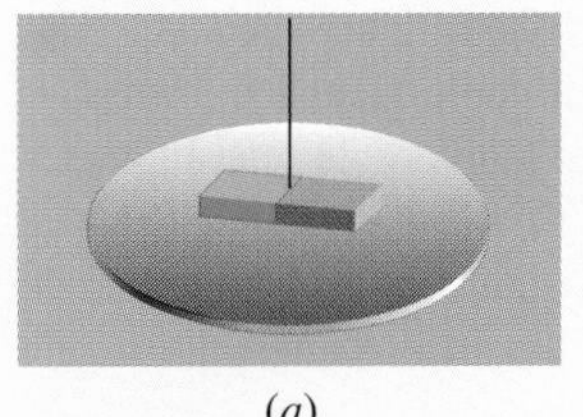

(*a*)

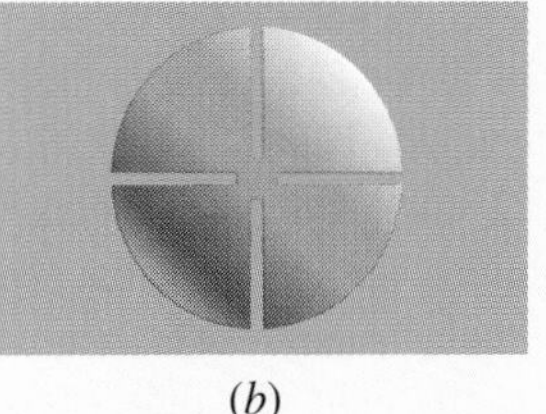

(*b*)

***Figure 10.34***

(*a*) Un aimant suspendu au-dessus d'un disque tournant rapidement sur lui-même subit un moment de force. La valeur du moment de force dépend de la conductivité du disque, mais ce lien n'a pas été établi à l'époque. (*b*) L'effet sur l'aimant disparaît lorsqu'on découpe des fentes radiales dans le disque (les fentes réduisent considérablement les circuits des courants induits).

suspendu d'Arago était suffisamment intense pour le faire tourner ! Dans un article où il mentionne sa propre expérience de 1822 et celles de Baggage et Herschel, Ampère parle explicitement de « petits courants électriques ». Autrement dit, il savait parfaitement qu'il s'agissait de courants induits.

Malgré toutes les preuves dont il disposait, Ampère ne fit pas la découverte de l'induction électromagnétique, et ce pour deux raisons. Premièrement, il lui était très difficile d'admettre l'existence de macrocourants parce que son explication des expériences de Faraday l'avait fixé sur un modèle de microcourants. Deuxièmement, il pensait comme tout le monde qu'un courant continu devait induire un courant *continu*. Aveuglé par l'idée préconçue qu'il avait de ce qu'il aurait dû trouver et par son désir de préserver sa théorie, il ne réussit pas à tirer parti de ce qu'il avait sous les yeux, bien qu'il n'y manquât rien. Son histoire est un exemple frappant du fait que ce qu'observe une personne dépend beaucoup de son point de vue ou de sa théorie.

Entre-temps, Faraday avait également cherché pendant plusieurs années à mettre en évidence les courants induits. Lorsqu'il entendit parler de l'expérience d'Ampère avec l'anneau de cuivre, il chercha à la reproduire. Mais à cause d'une erreur dans la traduction en anglais, il utilisa un disque de cuivre au lieu d'un anneau et son expérience échoua, le moment d'inertie du disque étant très supérieur à celui de l'anneau. En 1828, il suspendit un anneau à l'intérieur duquel il introduisit un barreau aimanté. Il essaya ensuite de détecter les courants induits avec d'autres aimants. (Qu'aurait-il observé s'il avait rapidement introduit l'aimant dans l'anneau ?) Chacune de ces expériences auraient pu mener à la découverte de l'induction électromagnétique, mais les montages expérimentaux n'étaient pas assez sensibles.

Il convient de mentionner ici l'expérience malchanceuse de J. D. Colladon. En 1825, il confectionna un puissant électroaimant; puis, afin de protéger le galvanomètre contre les effets directs de l'aimant, il le mit dans la pièce voisine. Sa prudence lui porta malchance : lorsqu'il alla vérifier la déviation de l'aiguille, l'effet transitoire avait, bien sûr, déjà cessé.

En août 1830, indépendamment des travaux effectués en Europe, Joseph Henry observa la « conversion du magnétisme en électricité », mais il semble qu'il ne prit pas le temps de poursuivre jusqu'au bout ni de publier immédiatement sa découverte. Il montra une extraordinaire insouciance vis-à-vis d'une découverte de première importance. Néanmoins, il fit une nouvelle observation qui avait échappé à Faraday. C'est ce que nous verrons au chapitre suivant.

Sans avoir eu connaissance de la découverte de Henry, Faraday se remit à étudier le problème en 1831 en faisant preuve d'une créativité et d'une assurance étonnantes. Non seulement réussit-il à résoudre l'énigme du disque d'Arago, mais il parvint aussi, avec le générateur homopolaire (figure 10.35), à produire un courant induit *continu*, le résultat que tout le monde cherchait à obtenir depuis une dizaine d'années. Avant même de connaître tous les détails des travaux de Faraday, Ampère se dépêcha de publier son expérience de 1822. D'autres tentèrent également de s'attribuer la paternité de la découverte, à l'exception d'Arago, dont le disque fut la démonstration la plus spectaculaire des courants induits. Une fois l'effervescence passée, Ampère reconnut qu'il ne s'était pas aperçu du rôle essentiel joué par le facteur temps dans les phénomènes d'induction magnétique.

Les trois expériences simples qui servent d'introduction à ce chapitre semblent directes et évidentes. Mais il ne faut pas oublier que cet exposé découle de tentatives qui s'échelonnèrent sur toute une décennie. Les esprits les plus brillants sur le plan théorique et expérimental ne purent pas ou ne voulurent pas en reconnaître le principe sous-jacent.

***Figure 10.35***

Le générateur homopolaire de Faraday avec lequel il réussit à produire un courant induit *continu*.

## Résumé

Dans un champ magnétique uniforme, le flux magnétique traversant une surface plane d'aire $\vec{\mathbf{A}}$ est donné par

$$\Phi_B = \vec{\mathbf{B}} \cdot \vec{\mathbf{A}}$$

Si la surface n'est pas plane ou si le champ n'est pas uniforme, le flux est donné par

$$\Phi_B = \int \vec{\mathbf{B}} \cdot d\vec{\mathbf{A}}$$

La loi de Faraday de l'induction électromagnétique est une relation entre la f.é.m. induite dans un circuit fermé et le taux de variation du flux traversant ce circuit :

$$\mathscr{E} = -\frac{d\Phi_B}{dt}$$

Le signe négatif tient compte du sens de $\mathscr{E}$, qui est donné par la loi de Lenz : l'effet de la f.é.m. induite est tel qu'il s'oppose à la variation de flux qui le produit.

Lorsqu'une tige conductrice de longueur $\ell$ se déplace dans un champ magnétique uniforme avec une vitesse $\vec{\mathbf{v}}$ perpendiculaire à $\vec{\mathbf{B}}$, il y apparaît une f.é.m. induite

$$\mathscr{E} = B\ell v$$

## Termes importants

**commutateur**
**courants de Foucault**
**f.é.m. induite**
**flux magnétique**
**force contre-électromotrice (f.c.é.m.)**
**induction électromagnétique**
**loi de Faraday**
**loi de Lenz**
**weber**

## Révision

**R1.** Décrivez les trois façons de produire une f.é.m. induite à partir d'un barreau aimanté et d'une boucle de fil flexible. Reliez chacune d'elles aux trois termes du développement mathématique de la loi de Faraday appliquée au cas d'un champ uniforme au travers d'une surface plane.

**R2.** Vrai ou faux ? Selon la loi de Lenz, le champ magnétique induit est toujours de sens contraire au champ magnétique extérieur.

**R3.** Expliquez comment on choisit le sens du vecteur $\vec{\mathbf{A}}$ dans le calcul du flux du champ magnétique.

**R4.** Décrivez la convention qui donne le signe de la f.é.m. induite dans la loi de Faraday.

**R5.** On produit une f.é.m. induite en déplaçant un barreau aimanté devant une bobine fixe. Dans quelle situation le barreau subit-il (a) une force qui l'attire vers la bobine ? (b) une force qui le repousse de la bobine ?

**R6.** Expliquez le principe de fonctionnement d'un générateur de courant alternatif.

**R7.** Dans un moteur linéaire sans frottement, expliquez pourquoi la tige en mouvement atteint une vitesse limite.

## Questions

**Q1.** Quelle est la différence entre un champ magnétique et un flux magnétique ?

**Q2.** Soit un fil conducteur long et rectiligne passant par le centre d'un anneau. Si le courant varie dans le fil, l'anneau est-il le siège d'une f.é.m. induite dans l'un ou l'autre des deux cas représentés à la figure 10.36 ? (a) À la figure 10.36*a*, le fil coïncide avec l'axe de l'anneau ; (b) à la figure 10.36*b*, le fil coïncide avec un diamètre.

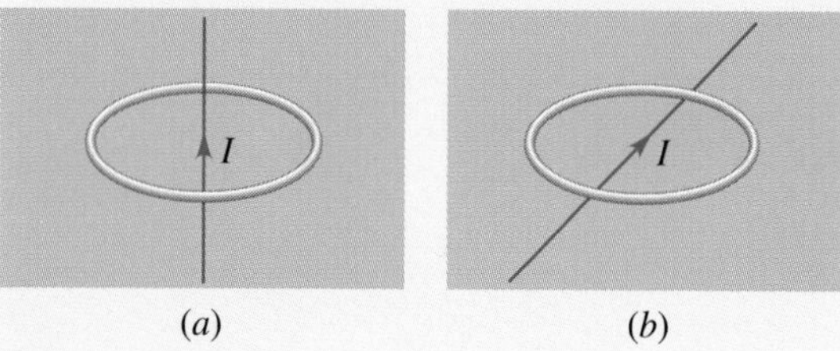


**Figure 10.36**

Question 2.

**Q3.** Soit un barreau aimanté placé sur l'axe d'un anneau circulaire à une distance donnée du centre (figure 10.37). L'anneau est-il le siège d'une f.é.m. induite s'il tourne autour de son axe central ?

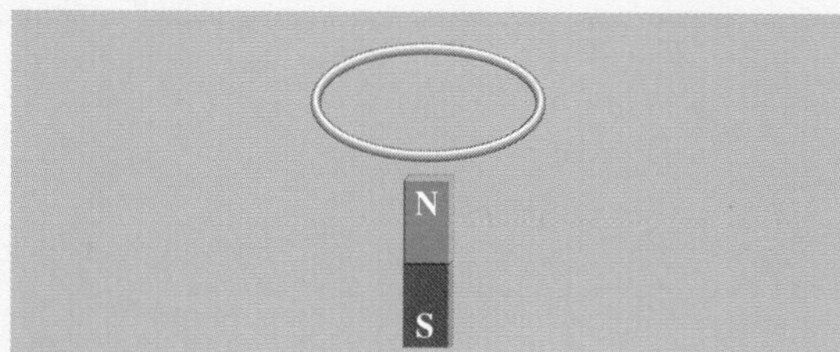


**Figure 10.37**

Questions 3 et 4.

**Q4.** On lâche un anneau métallique léger au-dessus d'un barreau aimanté vertical (figure 10.37). Décrivez qualitativement le mouvement de l'anneau.

**Q5.** Le courant $I_1$ circulant dans un long fil rectiligne varie dans le temps. Le courant $I_2$ induit dans le cadre voisin (figure 10.38) circule de $a$ vers $b$ dans la résistance. Si l'on branche un voltmètre entre $a$ et $b$, que va-t-il indiquer ?

**Q6.** Un aimant se déplace à vitesse constante sur l'axe d'une spire immobile (figure 10.39). Faites un graphe représentant qualitativement la variation en fonction du temps (a) du flux à travers la surface de l'anneau ; (b) de la f.é.m. induite sur l'anneau.

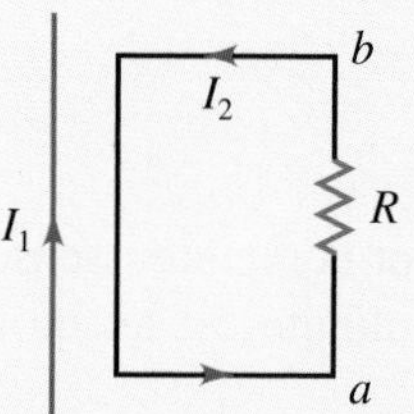


**Figure 10.38**

Question 5.

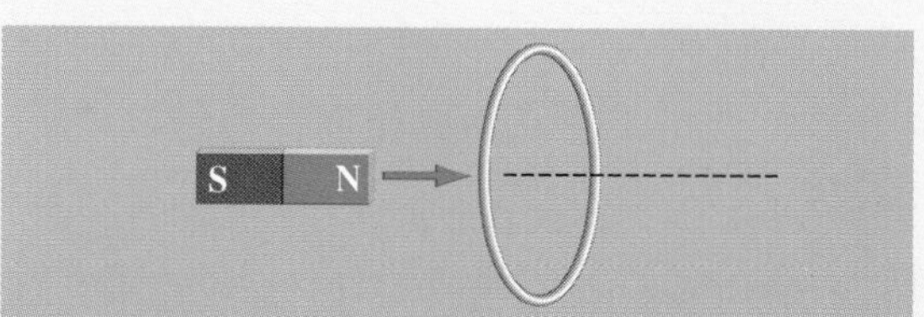


**Figure 10.39**

Question 6.

**Q7.** Une tige de longueur $d$ et un cadre rectangulaire de largeur $d$ sont lâchés ensemble et tombent dans un champ magnétique uniforme (figure 10.40). Y a-t-il une différence dans leurs mouvements ? (On suppose que le cadre n'est jamais totalement dans le champ.)

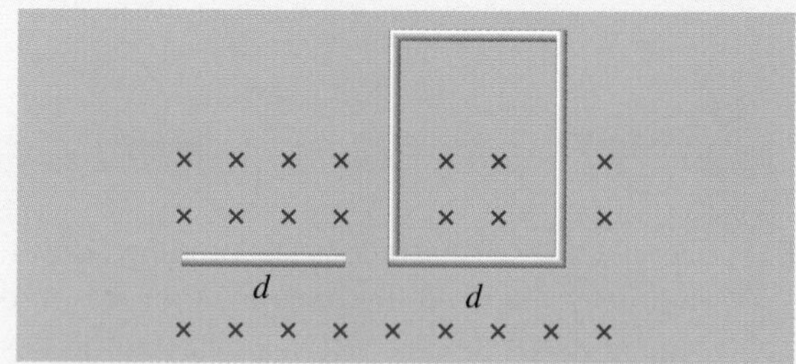


**Figure 10.40**

Question 7.

**Q8.** On enroule deux bobines sur des formes cylindriques (figure 10.41). Une des bobines est reliée en série à une pile, un interrupteur et une résistance variable. L'autre est reliée à un ampèremètre. Indiquez la direction du courant induit mesuré par l'ampèremètre (de $x$ vers $y$ ou de $y$ vers $x$) dans les conditions suivantes : (a) on ferme

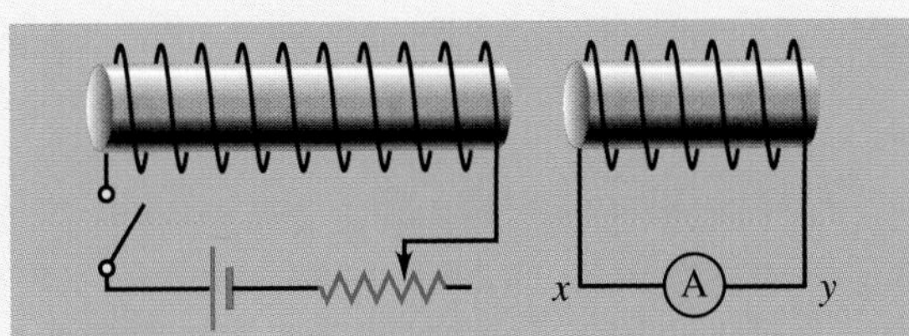


*Figure 10.41*

Question 8.

l'interrupteur ; (b) l'interrupteur étant fermé, on diminue la résistance ; (c) l'interrupteur étant fermé, on éloigne les bobines l'une de l'autre.

**Q9.** Un solénoïde sert d'antenne dans une radio de poche AM. Sur quel principe s'appuie la conception d'une telle antenne ?

**Q10.** On laisse tomber un barreau aimanté dans un long tuyau de cuivre vertical. Décrivez qualitativement son mouvement. On néglige la résistance de l'air.

**Q11.** En quoi la f.é.m. induite est-elle différente de la f.é.m. d'une pile ?

**Q12.** Soit un cadre plat et un long fil rectiligne situés dans le même plan (figure 10.42). Si le courant circulant dans le fil diminue soudainement, dans quel sens (horaire ou antihoraire) circule le courant induit dans le cadre ?

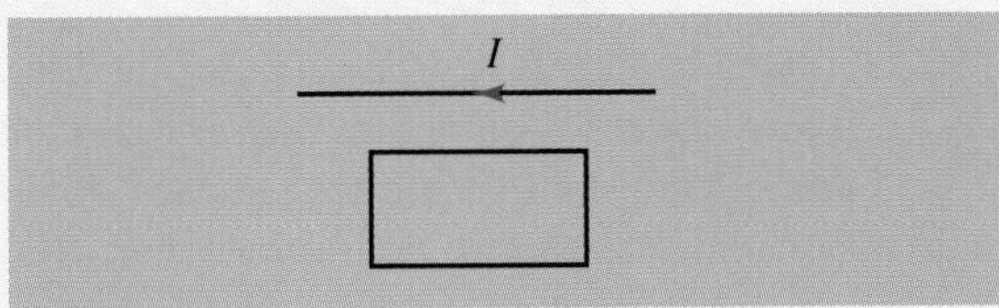


*Figure 10.42*

Question 12.

**Q13.** Une boîte métallique joue le rôle d'écran de protection contre les champs électriques extérieurs. Sert-elle aussi d'écran contre les champs magnétiques extérieurs ? Y aurait-il une différence entre des champs magnétiques statiques et des champs magnétiques variables dans le temps ?

**Q14.** Est-il vrai qu'un moteur électrique, tel que celui d'une perceuse électrique, agit comme un générateur lorsqu'il est en marche ? Si oui, quelle conséquence cela a-t-il ?

**Q15.** Un aimant suspendu oscille librement dans un plan horizontal. Les oscillations sont fortement amorties lorsqu'on place une plaque métallique sous l'aimant. Expliquez ce qui se produit.

**Q16.** Si l'on déplace rapidement une plaque d'aluminium dans la région située entre les pôles d'un électroaimant, elle est soumise à une force d'amortissement considérable. Mais si l'on découpe des fentes dans la plaque (figure 10.43), la force diminue considérablement. Pourquoi ?

*Figure 10.43*

Question 16.

**Q17.** Deux bobines sont situées l'une en face de l'autre avec leurs axes confondus. Est-il possible que l'une des bobines soit le siège d'une f.é.m. induite si le courant dans l'autre bobine est nul durant un instant ?

**Q18.** Dans un champ magnétique uniforme, on pivote de 180° une petite bobine plate. (a) Le nombre de lignes traversant la bobine varie-t-il ? (b) Le flux à travers la bobine varie-t-il ?

**Q19.** Une tige métallique se déplace sur des rails conducteurs perpendiculaires à un champ magnétique (figure 10.44). La tige est le siège d'une f.é.m. induite dans un conducteur en mouvement. Un voltmètre immobile va-t-il enregistrer une valeur s'il est connecté comme à la figure 10.44*a* ou comme à la figure 10.44*b* ?

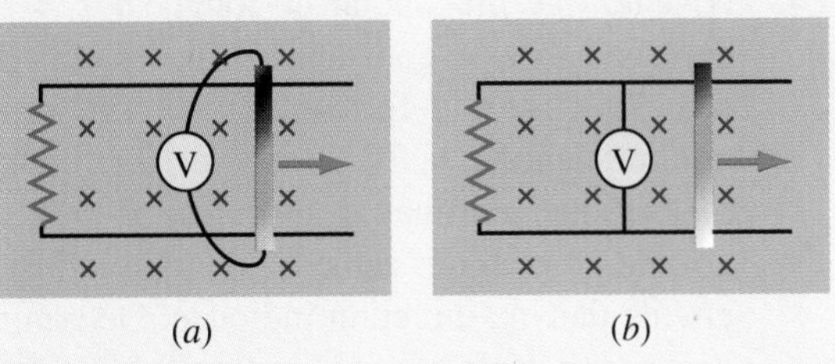


*Figure 10.44*

Question 19.

**Q20.** Un anneau métallique mince se trouve sous une spire reliée à une pile et un interrupteur (figure 10.45). Lorsqu'on ouvre l'interrupteur, l'anneau est-il attiré ou repoussé par la spire ?

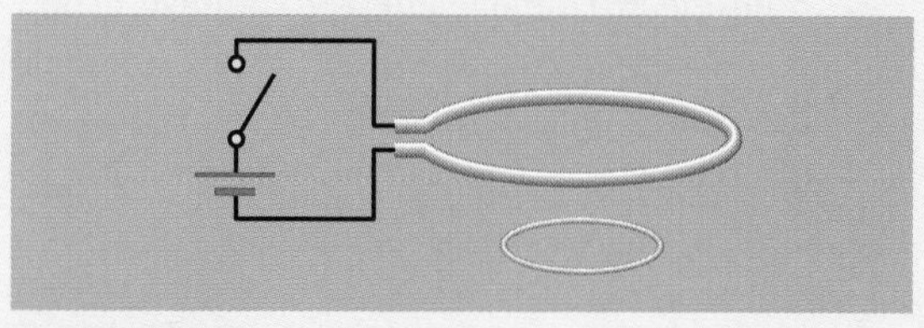

***Figure 10.45***

Question 20.

**Q21.** Dans une région donnée, le champ magnétique terrestre est vertical et dirigé vers le bas. Si un avion vole en direction nord, laquelle de ses ailes est positivement chargée à son extrémité ?

**Q22.** Deux spires sont posées côte à côte sur une table. Si un courant de sens horaire commence soudainement à circuler dans l'une, quel est le sens du courant induit dans l'autre ?

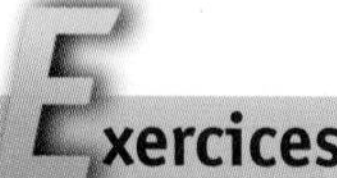

## Exercices

### 10.2 Flux magnétique

**E1.** (I) Le plan d'un cadre de dimension 12 cm × 7 cm est initialement perpendiculaire à un champ magnétique uniforme de 0,2 T. Déterminez la variation de flux à travers le cadre s'il tourne de 120° autour d'un axe perpendiculaire aux lignes de champ.

**E2.** (I) Le plan d'une spire circulaire de rayon 6 cm fait un angle de 30° avec un champ magnétique uniforme de 0,25 T. (a) Quel est le flux à travers la spire ? (b) Si l'on inverse le sens du champ, quelle est la variation de flux ?

### 10.3 Loi de Faraday, loi de Lenz

**E3.** (I) Un solénoïde comportant 10 spires/cm est parcouru par un courant de 4 A. À l'intérieur du solénoïde se trouve une boucle circulaire de 5 spires d'aire 8 cm$^2$, dont l'axe fait un angle de 37° avec l'axe du solénoïde. Déterminez la valeur de la f.é.m. induite moyenne si le courant augmente de 25 % en 0,1 s.

**E4.** (I) Une tige métallique de longueur $\ell = 5$ cm se déplace à vitesse constante $v$ sur des rails de résistance négligeable formant un circuit fermé avec une résistance $R = 0{,}2\ \Omega$ (figure 10.46). Un champ magnétique constant et uniforme $B = 0{,}25$ T est normal au plan des rails. Le courant induit $I = 2$ A circule dans la direction indiquée. Déterminez : (a) le module de la vitesse $v$ ; (b) la force extérieure nécessaire pour maintenir la tige en mouvement à la vitesse $v$.

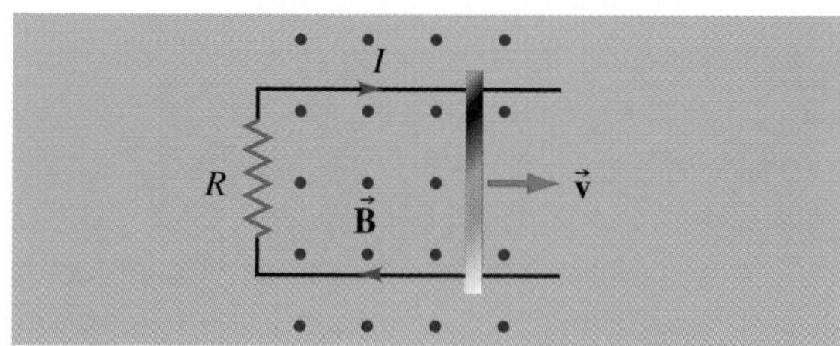


***Figure 10.46***

Exercice 4.

**E5.** (I) Une bobine de résistance 3 Ω comporte 25 spires d'aire égale à 8 cm$^2$. Son plan est perpendiculaire à un champ uniforme dans l'espace dont la variation dans le temps est donnée par $B(t) = 0{,}4t - 0{,}3t^2$, où $t$ est en secondes et $B$ en teslas. (a) Quel est le flux magnétique traversant la bobine en fonction du temps ? (b) Quelle est l'intensité du courant induit à l'instant $t = 1$ s ?

**E6.** (I) Le plan d'une bobine circulaire comportant 15 spires de rayon 2 cm fait un angle de 40° avec un champ magnétique uniforme de 0,2 T. Déterminez la valeur de la f.é.m. induite si le champ augmente linéairement avec le temps jusqu'à 0,5 T en 0,2 s.

**E7.** (I) Un solénoïde de longueur 30 cm comporte 240 spires de rayon 2 cm. Une bobine à spires jointives comportant 12 spires de rayon 3 cm est située au centre du solénoïde. Les axes de la bobine et du solénoïde sont confondus. Trouvez la f.é.m. induite dans la bobine si le courant dans le solénoïde varie selon $I(t) = 4{,}8 \sin(60\pi t)$, où $t$ est en secondes et $I$ en ampères.

**E8.** (I) L'antenne d'un poste de radio recevant une station AM qui émet sur 800 kHz est constituée d'une bobine de 120 spires de rayon 0,6 cm. La bobine est le siège d'une f.é.m. induite due au champ magnétique oscillant de l'onde radio. Si le champ est donné par $B(t) = 1{,}0 \times 10^{-5} \sin(2\pi ft)$, où $t$ est en secondes et $B$ en teslas, déterminez la f.é.m. induite dans la bobine. On suppose que le champ magnétique est orienté selon l'axe de la bobine.

**E9.** (I) Une boucle circulaire de diamètre 10 cm est placée sur une table horizontale. Un champ magnétique uniforme, de module 0,2 T, est dirigé verticalement vers le haut à $t = 0$. Il varie selon $B(t) = 0{,}2 - 12{,}5t$, où $t$ est en secondes et $B$ en teslas. (a) Quelle est la variation de flux magnétique à travers la boucle entre 0 et 20 ms ? (b) Quelle est la f.é.m. induite ? (c) Quel est le sens du courant induit (horaire/anti-horaire) lorsqu'on regarde vers le bas à partir d'un point situé au-dessus de la bobine ?

**E10.** (I) Un cadre rectangulaire de 25 cm × 40 cm se déplace à la vitesse constante de 20 m/s et son plan est normal à un champ magnétique uniforme de 0,18 T (figure 10.47). La résistance du cadre est égale à 1,2 Ω. En supposant que seul le côté droit du cadre ait pénétré le champ magnétique, trouvez (a) la f.é.m. induite ; (b) la force exercée sur le cadre par le champ ; (c) la puissance électrique dissipée ; (d) la puissance mécanique requise pour déplacer le cadre à vitesse constante.

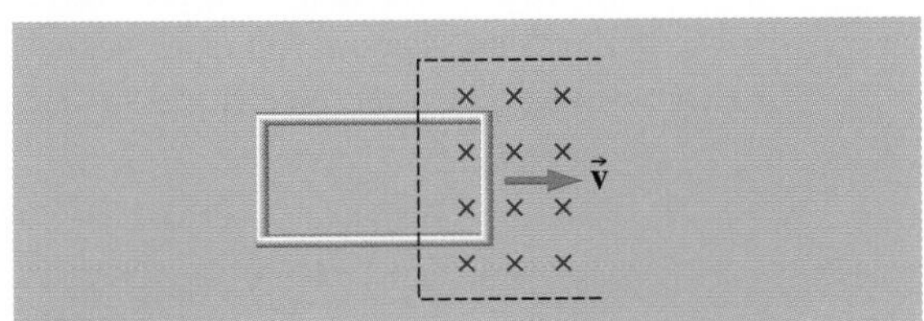


***Figure 10.47***

Exercice 10.

**E11.** (I) Une tige métallique glisse à la vitesse constante de 30 m/s sur des rails sans frottement distants de 24 cm (figure 10.48). Le champ magnétique est uniforme, de module 0,45 T, et il sort de la page. On suppose que la résistance de la tige est égale à 2,7 Ω et que les rails ont une résistance négligeable. Déterminez : (a) le courant circulant dans les rails ; (b) la force magnétique agissant sur la tige ; (c) la puissance mécanique nécessaire pour maintenir la tige en mouvement à vitesse constante ; (d) la puissance électrique dissipée.

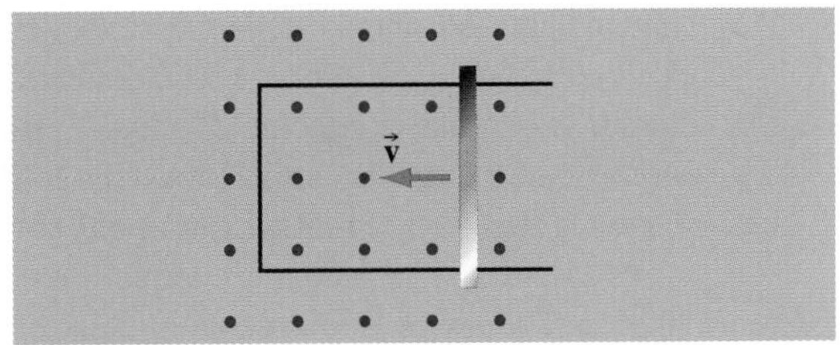


***Figure 10.48***

Exercice 11.

**E12.** (I) Une bobine circulaire plane comporte 80 spires de diamètre 20 cm et de résistance totale 40 Ω. Le plan de la bobine est perpendiculaire à un champ uniforme. Quel doit être le taux de variation du champ pour que la puissance thermique dissipée par la bobine soit égale à 2 W ? (La bobine constitue un circuit fermé.)

**E13.** (I) Une bobine de rayon 5 cm comporte 20 spires de fil de cuivre de 1 mm de diamètre. Le plan de la bobine est perpendiculaire à un champ qui varie au taux de 0,2 T/s. Quelle est la puissance perdue dans la bobine ? La résistivité du cuivre est égale à $1{,}7 \times 10^{-8}$ Ω·m. (La bobine constitue un circuit fermé.)

**E14.** (II) Un conducteur à l'horizontale forme un circuit constitué de deux ressorts (k = 2 N/m) et d'une tige de longueur $\ell = 30$ cm et de masse $m = 20$ g (figure 10.49). Un champ magnétique uniforme de 0,4 T est perpendiculaire au plan du circuit.

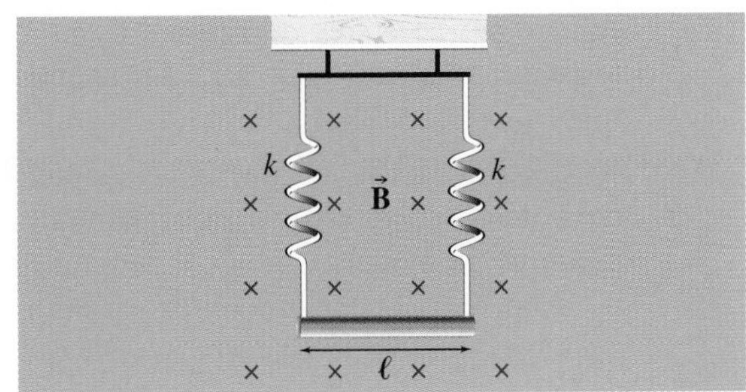


***Figure 10.49***

Exercice 14.

À $t = 0$, on lâche la tige, l'allongement des ressorts étant initialement $A = 10$ cm. (a) Écrivez l'expression de la f.é.m. induite, $\mathscr{E}(t)$. (b) Quelle est la valeur maximale de la f.é.m. et à quel instant est-elle atteinte pour la première fois ?

**E15.** (II) Un cadre rectangulaire de masse $m$, de largeur $\ell$ et de résistance $R$ tombe verticalement dans un champ horizontal uniforme $\vec{\mathbf{B}}$ (figure 10.50). (a) Montrez que le cadre atteint une vitesse limite $v_L = mgR/(B\ell)^2$. (b) Montrez que, pour cette valeur $v_L$ de la vitesse, le taux selon lequel l'énergie gravitationnelle est perdue est égal au taux de dissipation de l'énergie thermique.

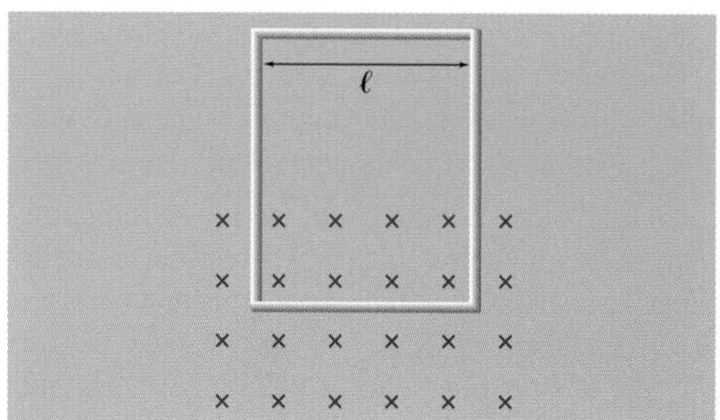


***Figure 10.50***

Exercice 15.

**E16.** (I) Une bobine comporte $N$ spires d'aire $A$ et de résistance totale $R$. Elle est reliée à un galvanomètre et son plan est normal à un champ magnétique uniforme $B$. On fait pivoter la bobine de 180° pendant un court intervalle de temps. Montrez que la charge qui circule dans le galvanomètre est $Q = 2\ NAB/R$.

**E17.** (II) Un champ magnétique donné par $B(t) = 0{,}2t - 0{,}5t^2$, où $t$ est en secondes et $B$ en teslas, est perpendiculaire au plan d'une bobine circulaire comportant 25 spires de rayon 1,8 cm et dont la résistance totale est égale à 1,5 Ω. Trouvez la puissance dissipée à 3 s.

**E18.** (I) On tresse un fil sur une boucle circulaire élastique dont le plan est perpendiculaire à un champ uniforme de module 0,32 T. À un moment donné, le rayon de la boucle circulaire est de 6 cm et il s'allonge à raison de 20 cm/s. Quelle est la valeur de la f.é.m. induite ?

## 10.4 Générateurs

**E19.** (I) Une bobine carrée de côté 8 cm comporte 180 spires et tourne dans un champ uniforme de module 0,08 T. Si la valeur maximale de la f.é.m. est égale à 12 V, quelle est la vitesse angulaire de la bobine ?

**E20.** (I) Pleine d'imagination, la propriétaire d'un magasin décide d'utiliser en guise de générateur la grande porte tournante de l'entrée (2 m × 3 m). Elle enroule 100 spires autour du périmètre de la porte. Un flux constant de clients la maintient en rotation à 0,25 tr/s. Si la composante horizontale du champ terrestre est égale à 0,6 G, quelle est la valeur maximale de la f.é.m. induite ?

**E21.** (I) Une bobine dont la section transversale a une aire de 40 cm² est constituée de 100 spires et a une résistance de 4,5 Ω. Elle tourne à raison de 120 tr/min avec son axe perpendiculaire à un champ de 0,04 T. Déterminez : (a) la f.é.m. maximale produite ; (b) le moment de force magnétique maximal auquel est soumise la bobine.

**E22.** (II) Une bobine carrée de 5 cm de côté comporte 25 spires et a une résistance de 2,5 Ω. Elle tourne à 120 tr/min autour d'un axe vertical dans un champ magnétique horizontal de 0,04 T. À $t = 0$, le plan de la bobine est perpendiculaire au champ. À $t = 0{,}1$ s, trouvez : (a) la f.é.m. induite ; (b) le module du moment de force nécessaire pour maintenir la bobine en rotation à vitesse angulaire constante ; (c) la puissance mécanique nécessaire pour maintenir la bobine en rotation ; (d) la puissance électrique dissipée.

## 10.6 Champs électriques induits

**E23.** (II) Un électron est situé à une distance $d$ de l'axe d'un solénoïde (figure 10.51). Le champ magnétique uniforme dans le solénoïde varie selon $B = Ct$, où $t$ est en secondes et $B$ en teslas. Trouvez l'expression de la force électrique sur l'électron.

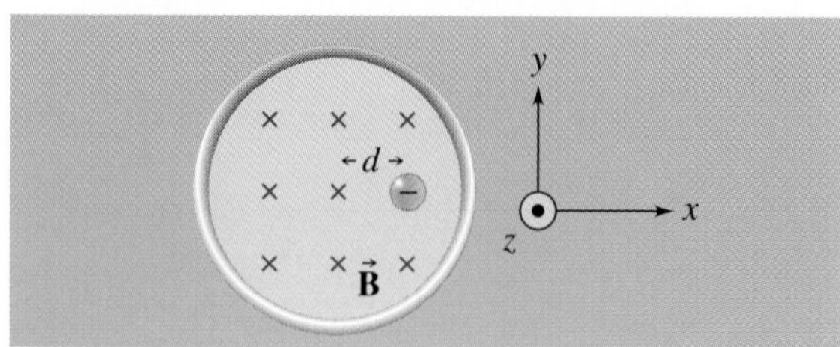


***Figure 10.51***

Exercice 23.

**E24.** (II) Utilisez la loi de Faraday (équation 10.11) pour montrer que les lignes du champ électrique entre les plaques d'un condensateur ne peuvent pas se terminer brusquement aux bords des plaques comme sur la figure 10.52.

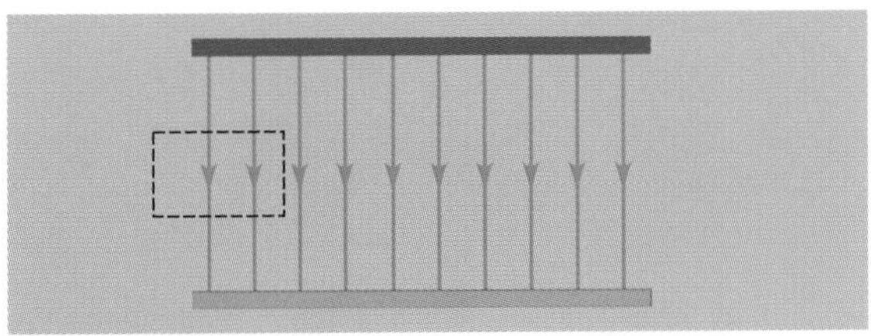

*Figure 10.52*

Exercice 24.

**E25.** (II) Le courant circulant dans un solénoïde varie selon $I(t) = 4 + 6t^2$, où $t$ est en secondes et $I$ en ampères. Le solénoïde comporte 800 spires/m et a un rayon de 2 cm. À $t = 2$ s, déterminez le module du champ électrique induit aux distances suivantes de l'axe central : (a) 0,5 cm ; (b) 4 cm.

**E26.** (II) Un long solénoïde comporte 20 spires/cm de rayon 2,4 cm. Le module du champ électrique induit à 2 cm de l'axe est égal à $5 \times 10^{-3}$ V/m. Quel est le taux de variation du courant dans le solénoïde ?

## 10.7 F.é.m. induite dans un conducteur en mouvement

**E27.** (I) Un avion qui a une envergure de 45 m vole à 300 m/s dans une région où la composante verticale du champ terrestre est égale à 0,6 G. (a) Quelle est la différence de potentiel entre les extrémités des ailes ? (b) Quelle valeur indiquerait un voltmètre se déplaçant avec l'avion et dont les bornes seraient reliées aux extrémités des ailes ?

**E28.** (II) L'hélice d'un avion a une longueur totale de 1,5 m. Elle tourne à 1800 tr/min sur un avion dont l'axe avant-arrière est perpendiculaire à la composante horizontale du champ terrestre, dont le module est égal à 0,6 G. Quelle est la f.é.m. induite entre le centre de l'hélice et l'extrémité d'une des pales ?

**E29.** (II) Une dynamo à disque de Faraday, qui est un exemple de générateur homopolaire, de rayon 20 cm produit 1,2 V dans un champ magnétique de 0,08 T perpendiculaire au plan du disque. Quelle est la vitesse de rotation en tr/min ?

# Exercices supplémentaires

## 10.3 Loi de Faraday, loi de Lenz

**E30.** (II) Un solénoïde dont la section a une aire $A$ est parcouru par un courant dont la valeur change dans le temps selon l'expression $B = B_0 \exp(-t/\tau)$, où $\tau$ est une constante. Quelle est la grandeur de la f.é.m. induite sur une bobine de $N$ tours enroulée autour de la partie centrale du solénoïde ? On néglige les effets associés aux extrémités du solénoïde et l'épaisseur des fils.

**E31.** (II) Une bobine circulaire plane de rayon 3,6 cm comporte 40 tours. À $t = 0$, un champ magnétique perpendiculaire au plan de la bobine a un module de 0,32 T, mais cette valeur diminue de façon linéaire. À cet instant initial, la f.é.m. induite dans la bobine est de 65 mV. Dans combien de temps le champ magnétique sera-t-il nul ?

**E32.** (I) Un très long solénoïde comporte 400 tr/m et est parcouru par un courant $I = 3t^2$, où $t$ est en secondes et $I$ en ampères. Une bobine carrée de 1,3 cm de côté est placée à l'intérieur du solénoïde de façon que son axe coïncide avec celui du solénoïde. À $t = 0{,}75$ s, la f.é.m. induite est de 22 μV. Combien de tours de fil comporte la bobine carrée ?

## 10.4 Générateurs

**E33.** (II) La bobine d'un générateur comporte 60 tours, possède une résistance de 0,3 Ω et une aire de 140 cm$^2$. Elle tourne par rapport à un axe perpendiculaire à un champ magnétique uniforme. Par le mécanisme décrit à la figure 10.16*c*, elle est branchée à une résistance externe $R = 2{,}7$ Ω. (a) Quelle vitesse angulaire de rotation est nécessaire pour que la valeur maximale de la puissance thermique dissipée dans $R$ atteigne 12 W ? (b) Quelle est la valeur maximale du module du moment de force nécessaire pour maintenir la rotation du cadre ?

## 10.7 F.é.m. induite dans un conducteur en mouvement

**E34.** (II) Les lignes du champ magnétique terrestre, qui a un module de 0,50 G, sont dirigées perpendiculairement au plan d'une lame de scie circulaire fonctionnant à 5400 tr/min. Le rayon de la lame est de 10 cm. Quelle est la différence de potentiel entre le centre et le pourtour extérieur de la lame ?

## Problèmes

**P1.** (II) Un long fil rectiligne est parcouru par un courant constant $I$. Une tige métallique de longueur $\ell$ se déplace à la vitesse $\vec{v}$ par rapport au fil (figure 10.53). Quelle est la différence de potentiel entre les extrémités de la tige ? (Remarque : Le champ n'est pas uniforme.)

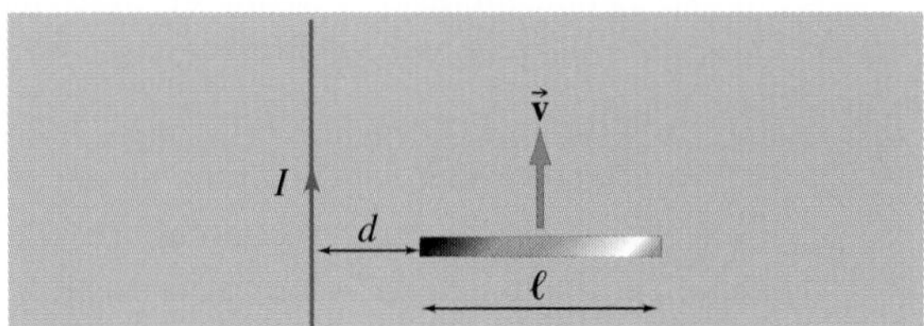


***Figure 10.53***

Problème 1.

**P2.** (I) Un long fil rectiligne est parcouru par un courant constant $I$ = 15 A. Une tige métallique de longueur $\ell$ = 40 cm se déplace à vitesse constante sur des rails de résistance négligeable qui forment un circuit fermé avec une résistance $R$ = 0,05 Ω (figure 10.54). Déterminez le courant induit dans la résistance, sachant que $a$ = 1 cm, $d$ = 5 cm et $v$ = 25 cm/s. (*Indice* : Considérez d'abord le flux à travers une bande infinitésimale de largeur $dx$ à une distance $x$ du fil.)

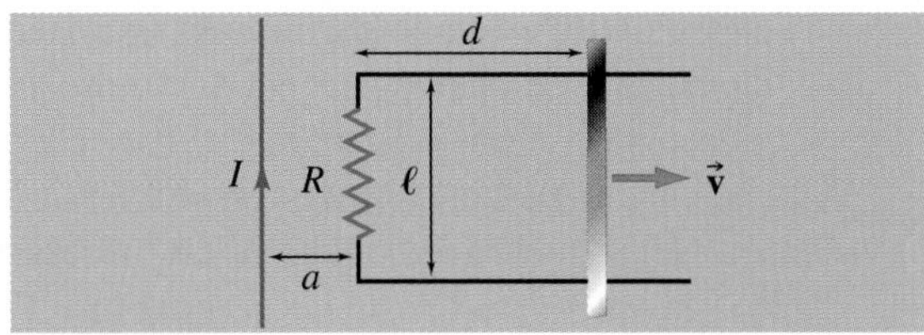


***Figure 10.54***

Problème 2.

**P3.** (II) Une tige métallique de masse $m$ et de longueur $\ell$ glisse sans frottement sur des rails de résistance négligeable qui forment un circuit fermé avec une résistance $R$ (figure 10.55). Le champ magnétique est uniforme et perpendiculaire au plan des rails. La vitesse initiale de la tige est $v_0$. Aucun agent extérieur n'exerce de force sur la tige. (a) Démontrez que

$$v(t) = v_0 e^{-t/\tau}$$

où $\tau = mR/(B\ell)^2$. (b) Montrez que la distance parcourue par la tige avant de s'arrêter est $v_0\tau$.

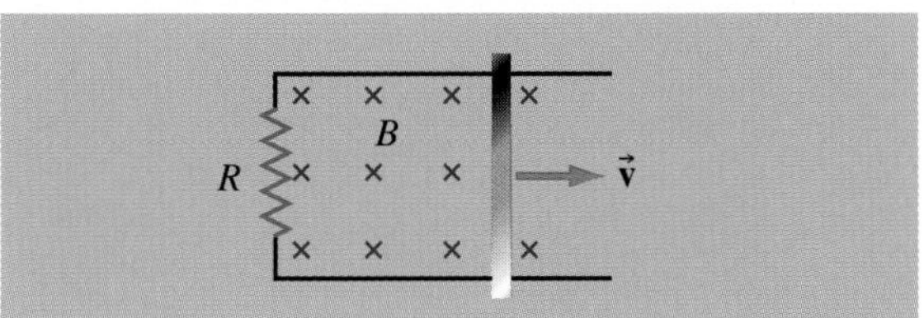


***Figure 10.55***

Problème 3.

(c) Montrez que l'énergie dissipée au total dans $R$ est égale à $\frac{1}{2}mv_0^2$.

**P4.** (I) Un circuit triangulaire se déplace à la vitesse constante $\vec{v}$. Son plan est perpendiculaire à un champ magnétique uniforme (figure 10.56). Trouvez l'expression, en fonction du temps, de la f.é.m. induite avant que le circuit ne soit complètement dans le champ.

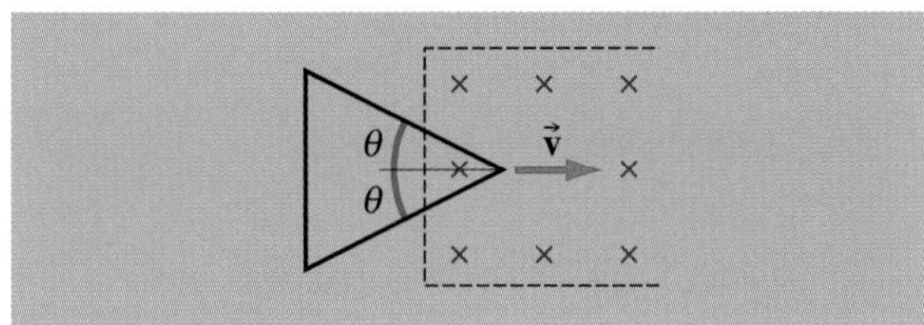


***Figure 10.56***

Problème 4.

**P5.** (II) Une bande conductrice élastique entoure un ballon sphérique. Le plan de l'anneau ainsi créé passe par le centre du ballon. Le champ magnétique uniforme, de module 0,4 T, est perpendiculaire au plan de la bande. On fait sortir l'air du ballon à raison de 100 cm³/s à un instant où le rayon du ballon est 6 cm. Quelle est la f.é.m. induite dans la bande ?

**P6.** (II) Une tige métallique de masse $m$, de longueur $\ell$ et de résistance $R$ glisse sans frottement le long d'une paire de rails de résistance négligeable et inclinés selon un angle $\theta$ par rapport à l'horizontale (figure 10.57). Le champ magnétique est uniforme, vertical et dirigé vers le haut. (a) Trouvez l'expression du courant induit dans la tige. On néglige la résistance des rails. (b) Montrez que la tige atteint une vitesse limite donnée par

$$v_L = \frac{mgR \sin \theta}{(B\ell \cos \theta)^2}$$

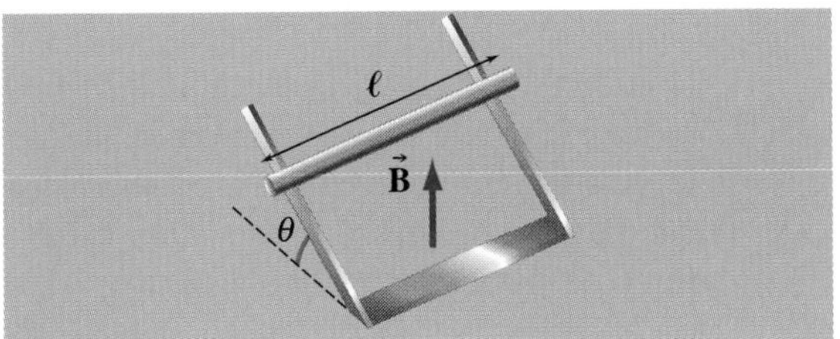


*Figure 10.57*

Problème 6.

**P7.** (II) Un cadre et un long fil rectiligne sont situés dans un même plan (figure 10.58). Le courant circulant dans le fil varie selon $I = I_0 \sin(\omega t)$. Trouvez la f.é.m. induite dans le cadre. (*Indice*: Considérez d'abord le flux à travers une bande infinitésimale de largeur $dx$ à une distance $x$ du fil.)

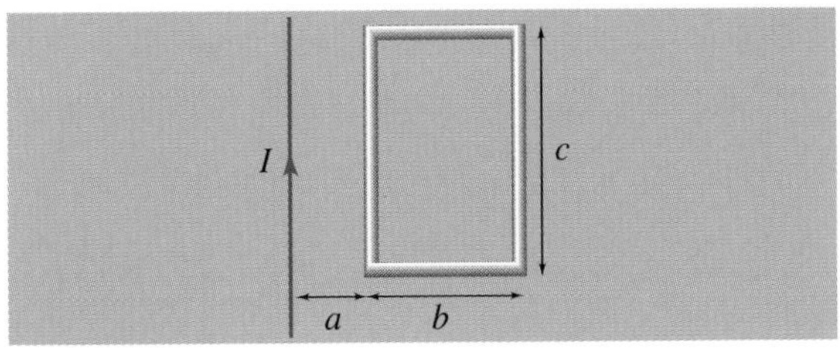


*Figure 10.58*

Problème 7.

**P8.** (I) Une tige de masse $m$ et de résistance $R$ glisse sur des rails sans frottement et sans résistance séparés par une distance $\ell$ et reliés par une source de f.é.m. $\mathscr{E}_0$ (figure 10.59). La tige est initialement au repos. (a) Montrez que la tige atteint une vitesse limite $v_L$. (b) Quel est le module de $v_L$ ?

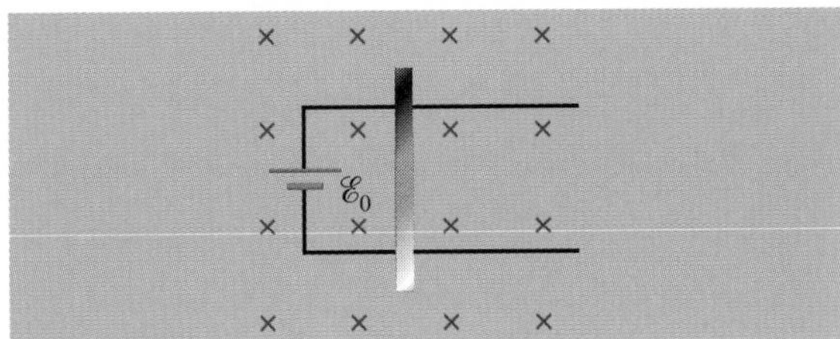


*Figure 10.59*

Problème 8.

**P9.** (II) La figure 10.60 représente un cadre carré de côté $L$ perpendiculaire au champ uniforme $B(t)$ d'un solénoïde. (a) Montrez qu'en tout point d'un côté, la composante du champ électrique induit

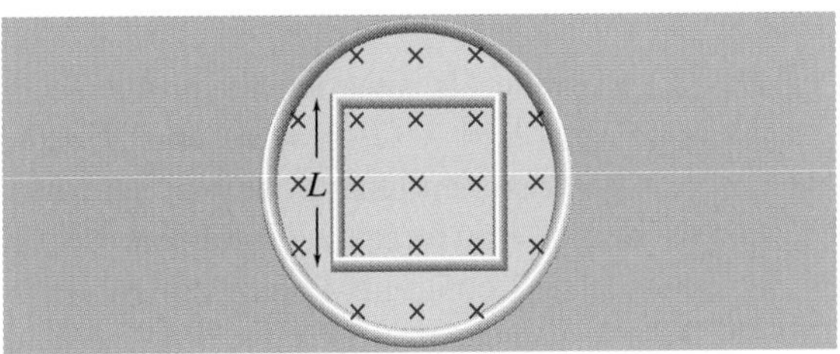


*Figure 10.60*

Problème 9.

parallèle à ce côté vaut $\frac{1}{4}L dB/dt$. (b) Calculez $\oint \vec{\mathbf{E}} \cdot d\vec{\boldsymbol{\ell}}$ sur le cadre.

**P10.** (II) Une bobine carrée de 4 cm de côté comporte 40 spires et a une résistance totale de 2,5 Ω. Son plan est perpendiculaire à un champ magnétique uniforme qui varie en fonction du temps selon $B = B_0 \exp(-t/\tau)$ avec $B_0 = 0{,}2$ T et $\tau = 50$ ms. (a) Quel est le courant induit dans la bobine ? (b) Montrez que la charge totale qui circule dans la bobine est égale à $NAB_0/R$.

**P11.** (II) Un *bêtatron* est une machine qui utilise un champ électrique induit pour accélérer des électrons décrivant une trajectoire circulaire dans une cavité torique (figure 10.61). Le champ magnétique n'est pas uniforme et il varie en fonction du temps. (a) Écrivez la deuxième loi de Newton, $\Sigma\vec{\mathbf{F}} = m\vec{\mathbf{a}}$, pour le mouvement circulaire d'un électron, sachant que $B_{orb}$ est le champ magnétique sur l'orbite de rayon $r$. Montrez que $mv = erB_{orb}$. (b) Si $B_{moy}$ est la valeur moyenne du champ sur la région située à l'intérieur de l'orbite, montrez que le module du champ électrique induit est donné par $|E| = (r/2)dB_{moy}/dt$. (c) Appliquez la deuxième loi de Newton sous la forme $\Sigma\vec{\mathbf{F}} = d(m\vec{\mathbf{v}})/dt$ à la force électrique sur l'électron pour démontrer que $B_{orb} = B_{moy}/2$. Si cette condition est vérifiée, l'électron reste sur une orbite fixe, même si sa vitesse augmente.

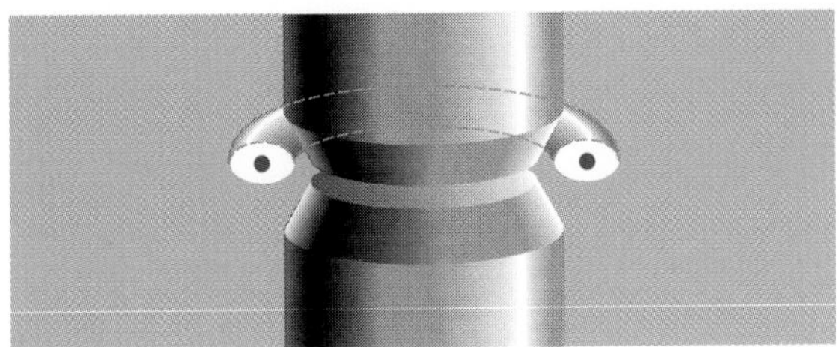

*Figure 10.61*

Problème 11.

## Problème supplémentaire

**P12.** (II) Reprenez la situation du problème 8, avec $m = 0{,}5$ kg, $R = 3\ \Omega$, $\ell = 30$ cm, $B = 2$ T et $\mathscr{E}_0 = 1{,}2$ V, mais en tenant compte cette fois-ci de la friction. Cette force de frottement de 0,1 N agit dans le sens contraire du mouvement de la tige. On lâche la tige à partir du repos. (a) Quelle est l'accélération de la tige à l'instant initial ? (b) Quelle est sa vitesse limite ? (c) Si on pousse sur la tige dans le sens de son mouvement avec une force de 5 N, que devient la vitesse limite ? (On suppose que la force de frottement reste constante).

# CHAPITRE 11

## L'inductance

La différence de potentiel oscillante induite dans la « bobine de Tesla » est suffisante pour rendre luminescent le gaz dans le tube, alors qu'il n'y a pas de contact.

### POINTS ESSENTIELS

1. L'**auto-induction** est l'apparition dans un circuit d'une f.é.m. induite liée aux variations de son propre champ magnétique.
2. Dans un circuit composé d'une résistance et d'une **bobine d'induction**, la croissance et la décroissance du courant sont décrites par des fonctions exponentielles.
3. L'énergie emmagasinée dans une bobine d'induction est proportionnelle au carré du courant qui y circule.
4. Des oscillations électriques non amorties se produisent dans un circuit *LC* ; dans un circuit *RLC*, elles sont amorties.

Nous avons vu, au chapitre précédent, que la variation du flux magnétique créé par une bobine fait apparaître une f.é.m. induite dans une bobine voisine. L'apparition d'une f.é.m. induite dans un circuit causée par la variation du champ magnétique produit par un circuit voisin porte le nom d'*induction mutuelle* ; la grandeur physique associée s'appelle l'*inductance mutuelle*.

Faraday pensait qu'un courant induit devait également apparaître dans un circuit lorsque le flux créé par son propre champ magnétique variait, mais il ne parvint pas à mettre cet effet en évidence. Joseph Henry (figure 11.1), qui avait négligé de faire valoir sa découverte de l'induction électromagnétique, reprit cependant ses travaux par la suite. Il s'aperçut que de vives étincelles apparaissaient sur les contacts de l'interrupteur lorsqu'on coupait le courant dans les enroulements d'un électroaimant. Nous allons voir que cette observation venait confirmer la théorie de Faraday. Le compte rendu rédigé par Henry n'attira pas l'attention de Faraday, mais on lui fit part d'une observation similaire faite par William Jenkin en 1834. L'apparition dans un circuit d'une f.é.m. induite liée aux variations de son propre champ magnétique est appelée *auto-induction*, la propriété correspondante étant l'*auto-inductance*. Un élément de circuit, comme une bobine, spécialement conçu pour avoir une auto-inductance, est appelée **bobine d'induction** ou *inducteur*. Dans les circuits, elle est représentée par le symbole suivant : ℓℓℓℓℓ. Dans ce chapitre, nous allons étudier le comportement des circuits contenant des bobines

**Figure 11.1**

Joseph Henry (1797-1878).

d'induction. Une des propriétés les plus importantes des circuits qui comportent à la fois une bobine d'induction et un condensateur est liée au fait qu'ils peuvent subir des oscillations électriques et donner lieu au phénomène de résonance. Ces propriétés sont importantes pour l'émission et la réception des ondes électromagnétiques, comme les signaux de radio et de télévision. L'inductance mutuelle joue un grand rôle dans le fonctionnement des transformateurs, que nous étudierons au chapitre suivant.

## 11.1 L'inductance

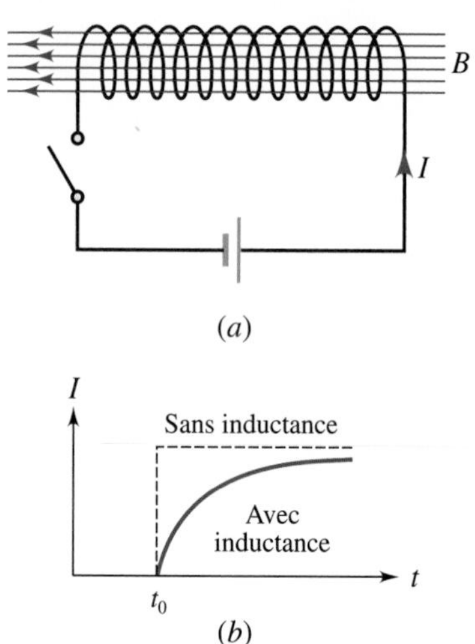


**Figure 11.2**

(*a*) Une bobine en série avec une pile. Lorsqu'on ferme l'interrupteur, la f.é.m. induite dans la bobine s'oppose à la variation de flux qui la traverse. (*b*) Le courant dans la bobine croît progressivement.

La figure 11.2*a* représente une bobine en série avec un interrupteur et une pile. Lorsqu'on ferme l'interrupteur à l'instant $t_0$, le courant qui augmente crée un champ magnétique variable. La variation du flux traversant la bobine fait apparaître une f.é.m. induite qui s'oppose à cette variation. Ce phénomène d'**auto-induction** apparaît dans n'importe quel circuit, la bobine ne faisant qu'accentuer l'effet. Dans ce cas, la *f.é.m. d'auto-induction* s'oppose à l'augmentation du courant. Le courant n'atteint donc pas sa valeur finale instantanément mais augmente progressivement (figure 11.2*b*). Lorsqu'on ouvre l'interrupteur, le flux décroît rapidement. Cette fois-ci, la f.é.m. d'auto-induction essaie de maintenir le flux : elle a la même polarité que la pile. Lorsqu'on coupe le courant dans les enroulements d'un électroaimant, la f.é.m. d'auto-induction peut être suffisante pour produire une étincelle entre les contacts de l'interrupteur (ce qui fut découvert par Henry).

Si une bobine comporte $N$ spires et que le flux $\Phi$ a la même valeur pour chaque spire, alors la f.é.m. induite est $\mathscr{E} = -N\, d\Phi/dt$. $N$ étant fixe, on peut écrire la f.é.m. sous la forme

$$\mathscr{E} = -\frac{d(N\Phi)}{dt} \qquad (11.1)$$

La grandeur $N\Phi$ est le *flux total* à travers la bobine. Dans le système SI, le flux total s'exprime en webers (Wb), puisqu'il s'agit d'un flux magnétique. L'auto-induction est associée à l'effet d'une bobine sur elle-même. À ce premier effet, s'ajoute l'induction mutuelle, terme utilisé pour décrire l'induction associée à la présence d'une autre bobine. Ces deux effets se superposent. Ainsi, à la figure 11.3, le flux total à travers la bobine 1 est la somme de deux termes :

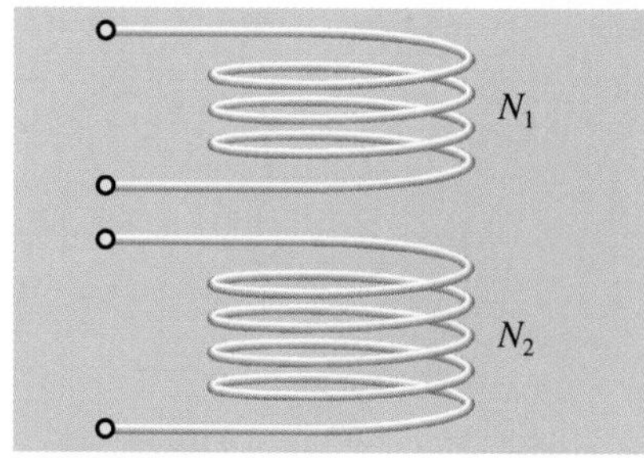


**Figure 11.3**

Deux bobines placées côte à côte. Chaque bobine a une auto-inductance et la paire a une inductance mutuelle.

$$N_1\Phi_1 = N_1(\Phi_{11} + \Phi_{12}) \qquad (11.2)$$

où $\Phi_{11}$ est le flux traversant la bobine 1 et créé par son propre courant $I_1$ et $\Phi_{12}$ est le flux traversant la bobine 1 et créé par $I_2$, le courant circulant dans la deuxième bobine. Le flux $\Phi_{11}$ est associé à l'auto-induction et le flux $\Phi_{12}$ à l'induction mutuelle. La f.é.m. nette dans la bobine 1 est $\mathscr{E}_1 = \mathscr{E}_{11} + \mathscr{E}_{12} = -d(N_1\Phi_1)/dt$. On peut réécrire cette expression à partir de l'équation 11.2 :

$$\mathscr{E}_1 = -N_1\frac{d}{dt}(\Phi_{11} + \Phi_{12})$$

L'expression correspondante pour $\mathscr{E}_2$ est

$$\mathscr{E}_2 = \frac{-N_2 d(\Phi_{21} + \Phi_{22})}{dt}$$

Au chapitre précédent, nous avons négligé le premier terme (auto-induction) et nous avons simplement exprimé le deuxième terme (induction mutuelle) sous la forme $\mathscr{E} = -N\, d\Phi/dt$. Il était alors entendu que $\mathscr{E}$ et $\Phi$ dans une bobine étaient dus au courant $I$ circulant dans une *autre* bobine.

## Auto-inductance

Il est commode d'exprimer la f.é.m. induite en fonction du courant qui circule dans un circuit plutôt que du flux magnétique qui le traverse. En l'absence de matériaux magnétiques, le champ magnétique produit par une bobine, et par conséquent le flux, sont directement proportionnels au courant circulant dans la bobine. Le premier terme de l'équation 11.2 peut donc s'écrire

$$N_1 \Phi_{11} = L_1 I_1 \qquad (11.3)$$

où $L_1$ est une constante de proportionnalité appelée **auto-inductance** de la bobine 1. L'unité SI d'auto-inductance est le **henry (H)** : on peut aisément montrer que 1 H = 1 Wb/A = 1 V·s/A. L'auto-inductance d'un circuit dépend de ses dimensions et de sa forme géométrique, comme nous le verrons plus loin. D'après l'équation 11.1, la f.é.m. d'auto-induction dans la bobine 1 due aux variations du courant $I_1$ s'écrit sous la forme

F.é.m. d'auto-induction

$$\mathscr{E}_{11} = -L_1 \frac{dI_1}{dt} \qquad (11.4)$$

La figure 11.4 montre que la polarité de la f.é.m. d'auto-induction dépend du *taux de variation* du courant, et non de son intensité ni de son sens.

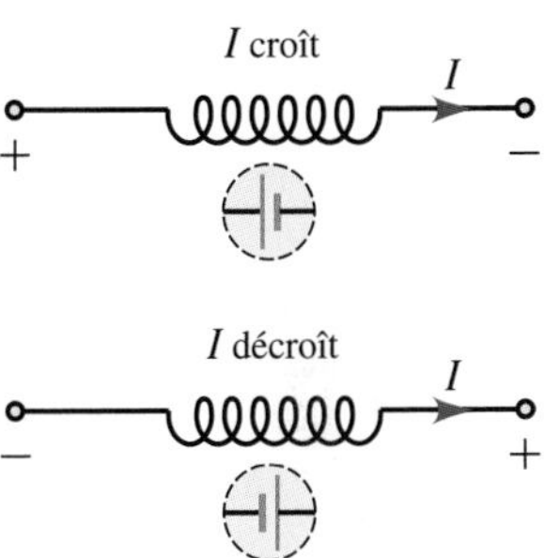


***Figure 11.4***

La polarité de la f.é.m. d'auto-induction est déterminée par le *taux de variation* du courant.

## Inductance mutuelle

Le flux produit par la bobine 2 est proportionnel à $I_2$. Le flux total produit par $I_2$ à travers la bobine 1 (le deuxième terme de l'équation 11.2) peut s'écrire

$$N_1 \Phi_{12} = M I_2 \qquad (11.5)$$

où la constante de proportionnalité $M$ est appelée **inductance mutuelle** des deux bobines. (À ce stade, nous devrions écrire $M_{12}$, mais l'on peut montrer que $M_{12} = M_{21} = M$.) L'unité SI d'inductance mutuelle est aussi le henry (H). L'inductance mutuelle de deux circuits dépend de leurs dimensions, de leurs formes géométriques et de leurs positions relatives. Intuitivement, on peut s'attendre à ce que l'inductance mutuelle soit supérieure lorsque les bobines sont proches l'une de l'autre et orientées de telle sorte que le flux traversant l'une des bobines et produit par l'autre soit maximal. La f.é.m. induite dans la bobine 1 par suite des variations de $I_2$ s'écrit sous la forme

$$\mathscr{E}_{12} = -M \frac{dI_2}{dt} \qquad (11.6)$$

La f.é.m. induite totale dans la bobine 1 produite par les variations de $I_1$ et de $I_2$ est $\mathscr{E}_1 = \mathscr{E}_{11} + \mathscr{E}_{12}$. Comme la plupart des exercices et des problèmes portent soit sur l'auto-induction soit sur l'induction mutuelle, mais pas sur les deux, on peut souvent omettre les indices.

## Exemple 11.1

Un *long solénoïde* de longueur $\ell$ et de section transversale $A$ comporte $N$ spires. Déterminer son auto-inductance. On suppose que le champ est uniforme dans tout le solénoïde.

**Solution :**

D'après l'équation 9.13, on sait que le champ à l'intérieur d'un long solénoïde est $B = \mu_0 nI$, où $n = N/\ell$ est le nombre de spires par unité de longueur. Le flux à travers chaque spire (en réalité, $\Phi_{11}$) est

$$\Phi = BA = \mu_0 nIA$$

D'après l'équation 11.3, l'auto-inductance est

$$L = \frac{N\Phi}{I} = \mu_0 n^2 A\ell$$

On constate donc que l'auto-inductance dépend des propriétés géométriques du circuit. (Notons que $A\ell$ est le volume du solénoïde.) On peut comparer ce résultat à la capacité d'un condensateur plan ($C = \varepsilon_0 A/d$), qui dépend de la géométrie du condensateur. Les deux expressions ne sont qu'approximativement vraies, puisque dans le cas du condensateur on néglige les effets de bords, alors que dans le cas du solénoïde on néglige le fait que le champ diminue au voisinage de chaque extrémité. L'auto-inductance d'un solénoïde réel est inférieure à la valeur calculée à partir de l'expression ci-dessus.

## Exemple 11.2

On utilise souvent un *câble coaxial* pour transmettre les signaux électriques, par exemple d'une antenne à un récepteur de télévision. Comme le montre la figure 11.5, un tel câble est constitué d'un fil intérieur de rayon $a$ parcouru par un courant $I$ vers le haut et d'un conducteur cylindrique extérieur de rayon $b$ parcouru par un courant de même intensité dirigé vers le bas. Trouver l'auto-inductance d'un câble coaxial de longueur $\ell$. On néglige le flux magnétique à l'intérieur du fil central.

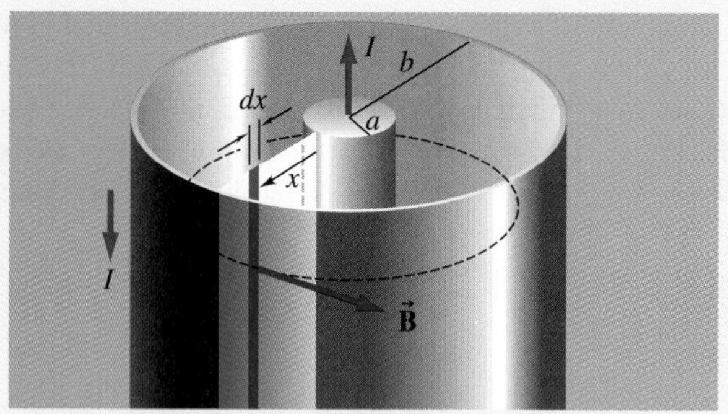


*Figure 11.5*

Pour déterminer le flux dans la région située entre le fil intérieur et le cylindre extérieur, on doit tenir compte du fait que le champ n'est pas uniforme.

**Solution :**

Nous utilisons à nouveau l'équation 11.3, $N\Phi = LI$, pour déterminer $L$. Il faut d'abord déterminer le flux à travers une section transversale de l'espace situé entre les conducteurs. Notre calcul est approximatif parce que nous ne considérons que le champ dans la région entre les conducteurs. (Il serait exact si l'on remplaçait le conducteur intérieur par un conducteur creux.) D'après l'équation 9.1, on sait que le champ produit par le fil intérieur à une distance $x$ ($> a$) de son centre est

$$B = \frac{\mu_0 I}{2\pi x}$$

Pour déterminer $L$, il est nécessaire d'évaluer le flux à travers un cadre rectangulaire orienté perpendiculairement aux lignes du champ entre le fil intérieur et le cylindre extérieur. Comme le champ n'est pas uniforme, on doit d'abord déterminer le flux à travers une bande infinitésimale de largeur $dx$ et d'aire $dA = \ell\, dx$. On a donc

$$d\Phi = B\, dA = \frac{\mu_0 I\ell}{2\pi}\frac{dx}{x}$$

Le flux total à travers le cadre est

$$\Phi = \frac{\mu_0 I\ell}{2\pi}\int_a^b \frac{dx}{x} = \frac{\mu_0 I\ell}{2\pi}\ln\frac{b}{a}$$

D'après l'équation 11.3, l'auto-inductance du câble coaxial est

$$L = \frac{\Phi}{I} = \frac{\mu_0\ell}{2\pi}\ln\frac{b}{a}$$

Il est normal que $L$ dépende du rapport $b/a$ : au fur et à mesure que $b$ augmente ou que $a$ diminue, le flux augmente. On peut comparer cette expression à la capacité du câble (*cf.* exemple 5.5).

## Exemple 11.3

Une petite bobine circulaire de section transversale égale à 4 cm² comporte 10 spires. On la place au centre d'un long solénoïde comportant 15 spires/cm et de section transversale 10 cm² (figure 11.6). L'axe de la bobine coïncide avec l'axe du solénoïde. Quelle est leur inductance mutuelle ?

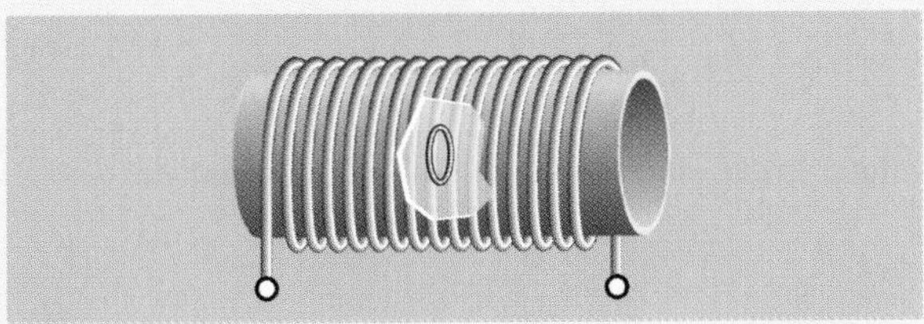

*Figure 11.6*

Une petite bobine placée à l'intérieur d'un solénoïde.

**Solution :**

Nous allons désigner la bobine comme étant le circuit 1 et le solénoïde comme étant le circuit 2. Le champ dans la région centrale du solénoïde étant uniforme, le flux traversant la bobine s'écrit

$$\Phi_{12} = B_2 A_1 = (\mu_0 n_2 I_2) A_1$$

où $n_2 = N_2/\ell = 1500$ spires/m. D'après l'équation 11.5, l'induction mutuelle s'écrit

$$\begin{aligned} M &= \frac{N_1 \Phi_{12}}{I_2} \\ &= \mu_0 n_2 N_1 A_1 \\ &= (4\pi \times 10^{-7}\ \text{T}\cdot\text{m/A})(1500\ \text{m}^{-1}) \\ &\qquad (10)(4 \times 10^{-4}\ \text{m}^2) \\ &= 7{,}54 \times 10^{-6}\ \text{H} \end{aligned}$$

Soulignons que, même si $M_{12} = M_{21}$, il aurait été beaucoup plus difficile de déterminer $\Phi_{21}$ parce que le champ produit par la bobine n'est pas vraiment uniforme. De plus, comme nous avions seulement besoin du flux dans la région centrale du solénoïde, cette expression de $M$ est plus précise que l'équation donnant l'auto-inductance d'un solénoïde. (Rappelons qu'il fallait dans ce cas négliger les effets d'extrémités.)

## 11.2 Les circuits *RL*

Nous avons souligné à la section 11.1 que l'auto-inductance dans un circuit empêche le courant de varier brutalement. Nous allons maintenant examiner comment le courant augmente ou diminue en fonction du temps dans un circuit comportant une bobine d'induction et une résistance en série. Nous supposons que la bobine d'induction est idéale et que sa résistance est négligeable. En fait, on considère que la résistance d'une bobine réelle fait partie de la résistance externe.

### Croissance du courant

La figure 11.7*a* représente une bobine d'induction en série avec une résistance, une pile de f.é.m. $\mathscr{E}$ et un interrupteur. À l'instant $t = 0$, on ferme l'interrupteur et le courant commence à circuler dans la direction indiquée. Le courant augmente, $dI/dt > 0$, et la polarité de la f.é.m. induite dans la bobine d'induction est donc opposée à celle de la pile. Autrement dit, $\mathscr{E}_L = -L\, dI/dt = V_a - V_b > 0$. D'après la loi des mailles de Kirchhoff, on a

$$\mathscr{E} - RI - L\frac{dI}{dt} = 0 \qquad (11.7)$$

Pour résoudre cette équation différentielle, on pose $y = (\mathscr{E}/R) - I$, ce qui signifie que $dy/dt = -dI/dt$. En remplaçant dans l'équation 11.7, on trouve $dy/dt = -(R/L)y$ ou

$$\frac{dy}{y} = -\frac{R}{L}\,dt$$

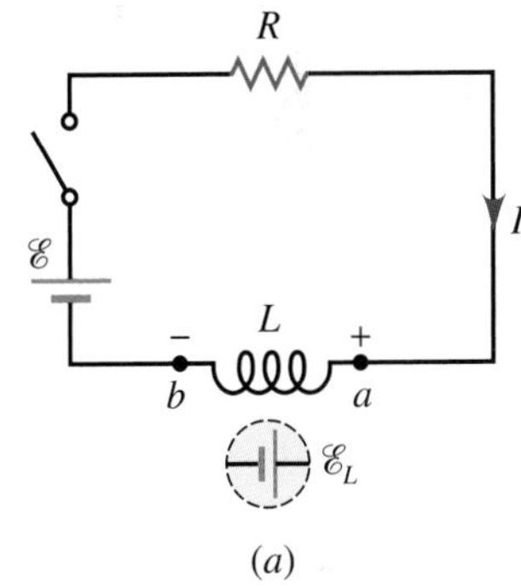


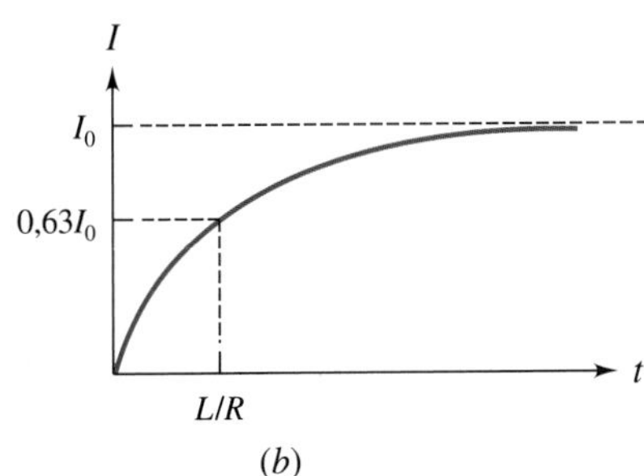


*Figure 11.7*

(*a*) Une résistance et une bobine d'induction en série avec une source idéale de f.é.m. (*b*) Lorsqu'on ferme l'interrupteur, le courant augmente graduellement.

En intégrant des deux côtés, on obtient

$$\ln y = -\frac{R}{L}t + \ln y_0$$

où, pour plus de commodité, on a écrit la constante d'intégration sous la forme $\ln y_0$, $y_0$ étant la valeur de $y$ à $t = 0$. L'antilogarithme de cette équation donne

$$y = y_0 e^{-Rt/L}$$

À $t = 0$, le courant $I = 0$ et $y = (\mathscr{E}/R) - I$ a donc une valeur $y_0 = \mathscr{E}/R$. En revenant aux variables initiales, on trouve

$$I = I_0(1 - e^{-t/\tau}) \tag{11.8}$$

où $I_0 = \mathscr{E}/R$ est la valeur finale de $I$ lorsque $t \to \infty$. La quantité

$$\tau = \frac{L}{R} \tag{11.9}$$

est appelée **constante de temps**. On vérifie aisément que l'unité de la constante de temps est la seconde : 1 H/Ω = 1 s. Pendant une constante de temps, le courant croît jusqu'à $(1 - e^{-1})I_0 = 0{,}63I_0$ (figure 11.7*b*). On pourra comparer l'équation 11.8 avec l'équation 7.12 donnant la charge d'un condensateur.

## Décroissance du courant

Examinons maintenant ce qui se produit lorsqu'on enlève brusquement la pile sans rompre la continuité du circuit. À la figure 11.8*a*, on suppose que l'interrupteur $S_1$ est fermé depuis un certain temps, de sorte que le courant a atteint sa valeur limite $\mathscr{E}/R$. À l'instant $t = 0$, on ferme l'interrupteur 2 et on ouvre l'interrupteur 1 très peu de temps après. Le courant circulant dans $R$ et $L$ commence à décroître, de sorte que $dI/dt < 0$. La f.é.m. induite dans la bobine d'induction essaie de maintenir le courant et sa polarité est donc la même que celle de la pile, c'est-à-dire $\mathscr{E}_L = -L\, dI/dt = V_a - V_b > 0$. En vertu de la loi des mailles appliquée dans le sens du courant,

$$-RI - L\frac{dI}{dt} = 0$$

En réarrangeant et en intégrant, on obtient

$$\int \frac{dI}{I} = -\frac{R}{L}\int dt$$

ce qui donne

$$\ln I = -\frac{R}{L}t + \ln I_0$$

À $t = 0$, $I = I_0 = \mathscr{E}/R$. L'antilogarithme de ce résultat nous donne

$$I = \frac{\mathscr{E}}{R}e^{-Rt/L}$$

ou

$$I = I_0 e^{-t/\tau} \tag{11.10}$$

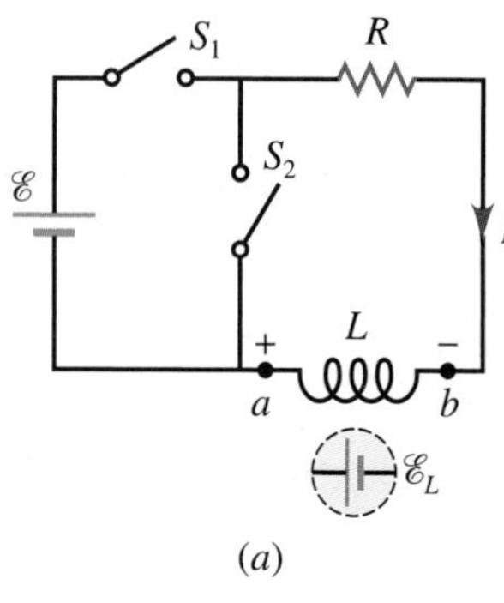


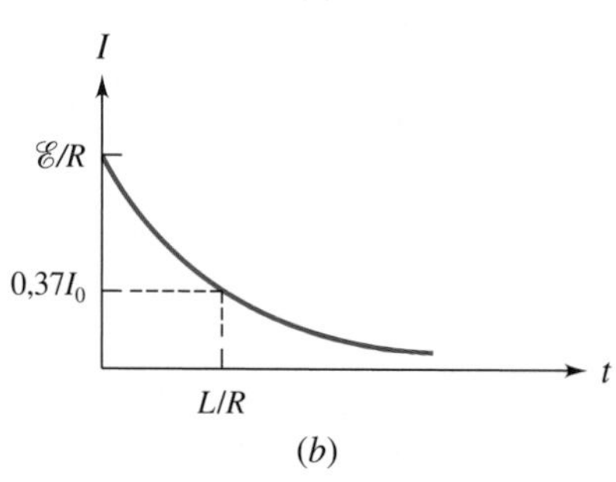


***Figure 11.8***

(*a*) Pour étudier la décroissance du courant dans un circuit *RL*, on ferme l'interrupteur $S_2$ juste avant d'ouvrir l'interrupteur $S_1$. (*b*) Le courant décroît exponentiellement.

La variation du courant est représentée à la figure 11.8*b*. Dans ce cas, la constante de temps $\tau = L/R$ correspond au temps au bout duquel le courant chute jusqu'à $1/e$ ou 37 % de sa valeur initiale $I_0 = \mathscr{E}/R$ (comparez l'équation 11.10 avec l'équation 7.8 donnant la décharge d'un condensateur).

## 11.3 L'énergie emmagasinée dans une bobine d'induction

La pile qui établit le courant dans une bobine d'induction doit accomplir un travail contre l'action de la f.é.m. induite. L'énergie fournie par la pile est emmagasinée dans la bobine d'induction. Pour obtenir une expression de l'énergie emmagasinée dans la bobine, considérons le circuit de la figure 11.7*a*. Dans l'équation 11.7 exprimant la loi des mailles de Kirchhoff, nous allons remplacer provisoirement le symbole $I$ du courant par $i$ pour les besoins de cette démonstration ; on a donc

$$\mathscr{E} = Ri + L\frac{di}{dt} \qquad (11.11)$$

En multipliant chacun des termes de l'équation 11.11 par $i$ et en les réarrangeant, on obtient

$$\mathscr{E}i = Ri^2 + Li\frac{di}{dt}$$

Le produit $\mathscr{E}i$ est la puissance fournie par la pile et $Ri^2$ est la puissance dissipée dans la résistance. Le dernier terme représente le taux auquel l'énergie est fournie à la bobine d'induction, c'est-à-dire :

$$\frac{dU_L}{dt} = Li\frac{di}{dt}$$

On trouve l'énergie totale emmagasinée lorsque le courant est passé de 0 à $I$ en intégrant :

$$U_L = \int_0^I Li\,di$$

ce qui donne

$$U_L = \tfrac{1}{2}LI^2 \qquad (11.12)$$

**Énergie emmagasinée dans une bobine d'induction**

Il est bon de comparer ce résultat avec l'expression donnant l'énergie emmagasinée dans un condensateur, $U_C = \tfrac{1}{2}Q^2/C$.

### Exemple 11.4

Une bobine d'induction de 50 mH est en série avec une résistance de 10 Ω et une pile de f.é.m. égale à 25 V, comme montré à la figure 11.7*a*. À $t = 0$, on ferme l'interrupteur. Trouver : (a) la constante de temps du circuit ; (b) le temps qu'il faut au courant pour atteindre 90 % de sa valeur finale ; (c) le taux auquel l'énergie est emmagasinée dans la bobine d'induction ; (d) la puissance dissipée dans la résistance. (e) Quel est le taux auquel la pile fournit l'énergie ? Quelle relation existe-t-il entre votre réponse et $P_R$ et $P_L$ des questions (c) et (d) ?

**Solution :**

(a) La constante de temps est $\tau = L/R = 5 \times 10^{-3}$ s.

(b) Nous avons besoin de trouver le temps que met $I$ pour atteindre $0{,}9I_0 = 0{,}9\mathscr{E}/R$. D'après l'équation 11.8,

$$0{,}9I_0 = I_0(1 - e^{-t/\tau})$$

On en déduit que $\exp(-t/\tau) = 0{,}1$, ce qui peut s'écrire $(-t/\tau) = \ln(0{,}1)$. Donc,

$$t = -\tau \ln(0{,}1) = 11{,}5 \times 10^{-3} \text{ s}$$

(c) Le taux auquel l'énergie est fournie à la bobine d'induction est

$$\frac{dU_L}{dt} = +LI\frac{dI}{dt}$$

D'après l'équation 11.8, $dI/dt = +\mathscr{E}/L\, e^{-Rt/L}$. Par conséquent,

$$P_L = \frac{dU_L}{dt} = \mathscr{E}Ie^{-t/\tau}$$

Remplaçons maintenant $I$ par sa valeur donnée par l'équation 11.8 ; on obtient

$$P_L = RI_0^2\,[e^{-t/\tau} - e^{-2t/\tau}]$$

(d) La puissance dissipée dans la résistance est

$$P_R = RI^2 = RI_0^2(1 - 2e^{-t/\tau} + e^{-2t/\tau})$$

(e) La puissance fournie par la pile est

$$P = \mathscr{E}I = RI_0^2(1 - e^{-t/\tau})$$

Cette puissance est égale à la somme $P_L + P_R$ des puissances fournies à la bobine et à la résistance.

## Densité d'énergie du champ magnétique

On peut considérer que l'énergie de la bobine d'induction est emmagasinée dans son champ magnétique. Examinons le cas particulier d'un solénoïde. D'après l'exemple 11.1, on sait que l'auto-inductance d'un solénoïde est $L = \mu_0 n^2 A\ell$. D'après l'équation 9.11, on sait que le champ (que l'on suppose uniforme) a pour module $B = \mu_0 nI$. L'équation 11.12 peut s'écrire sous la forme

$$U_L = \tfrac{1}{2}LI^2 = \frac{B^2}{2\mu_0}A\ell$$

Comme $A\ell$ est le volume du solénoïde, l'énergie par unité de volume, $u = U/\text{volume}$, est

Densité d'énergie d'un champ magnétique

$$u_B = \frac{B^2}{2\mu_0} \qquad (11.13)$$

C'est la *densité d'énergie d'un champ magnétique* dans le vide. Bien que l'équation 11.13 ait été établie pour un cas particulier, l'expression est valable pour un champ magnétique quelconque. On peut la comparer avec l'équation 5.10 donnant la densité d'énergie d'un champ électrique, $u_E = \tfrac{1}{2}\varepsilon_0 E^2$. Dans les deux cas, la densité d'énergie est proportionnelle au carré du module du champ.

### Exemple 11.5

Le champ électrique disruptif de l'air a pour module $3 \times 10^6$ V/m. Un champ magnétique très élevé a un module de 20 T. Comparer les densités d'énergie de ces champs.

**Solution :**

La densité d'énergie du champ électrique est

$$\begin{aligned} u_E &= \tfrac{1}{2}\varepsilon_0 E^2 \\ &= 1/2(8{,}85 \times 10^{-12}\ \text{C}^2/\text{N}\cdot\text{m}^2)(3 \times 10^6\ \text{V/m})^2 \\ &= 40\ \text{J/m}^3 \end{aligned}$$

La densité d'énergie du champ magnétique est

$$u_B = \frac{B^2}{2\mu_0} = \frac{(20\ \text{T})^2}{2 \times 4\pi \times 10^{-7}\ \text{N/A}^2} = 3{,}2 \times 10^8\ \text{J/m}^3$$

Il est donc évident que les champs magnétiques constituent un moyen efficace d'emmagasiner l'énergie sans risque de claquage dans l'air. Il est toutefois difficile de produire des champs aussi intenses dans des zones étendues.

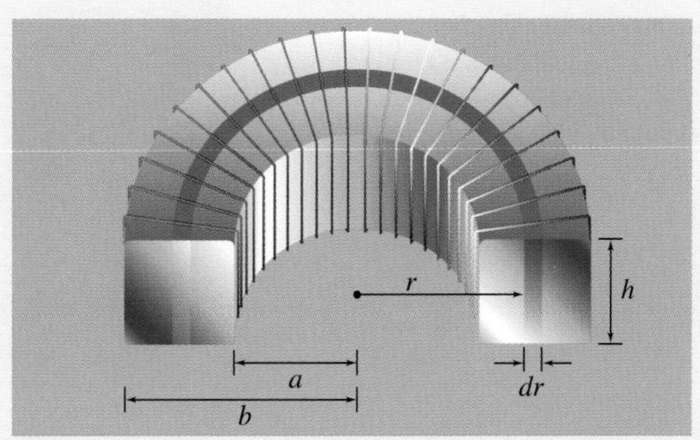


***Figure 11.9***

Puisque le champ à l'intérieur d'un tore n'est pas uniforme, on doit d'abord établir l'expression donnant l'énergie dans un volume cylindrique de rayon $r$ et d'épaisseur $dr$.

## Exemple 11.6

Utiliser l'expression donnant la densité d'énergie du champ magnétique pour calculer l'auto-inductance d'une bobine toroïdale de section transversale rectangulaire (figure 11.9).

**Solution :**

Le champ magnétique à l'intérieur d'une bobine toroïdale a été déterminé à l'exemple 9.8 à l'aide du théorème d'Ampère :

$$B = \frac{\mu_0 NI}{2\pi r}$$

La figure 11.9 représente un cylindre mince à l'intérieur d'une bobine toroïdale de hauteur $h$, de rayon $r$ et d'épaisseur $dr$. Le volume du cylindre est

$$dV = h(2\pi r\ dr)$$

D'après l'équation 11.13, $u_B = B^2/2\mu_0$, et l'énergie dans ce volume élémentaire est donc

$$dU = u_B\ dV = \frac{\mu_0 N^2 I^2 h}{4\pi} \frac{dr}{r}$$

L'énergie totale à l'intérieur du tore est

$$U = \int dU = \frac{\mu_0 N^2 I^2 h}{4\pi} \int_a^b \frac{dr}{r} = \frac{\mu_0 N^2 I^2 h}{4\pi} \ln\frac{b}{a}$$

En comparant cette expression avec $U_L = \frac{1}{2}LI^2$, on constate que l'auto-inductance de la bobine toroïdale est

$$L = \frac{\mu_0 N^2 h}{2\pi} \ln\frac{b}{a}$$

Au problème 6, vous devrez établir cette expression en calculant le flux traversant la bobine toroïdale.

## 11.4 Les oscillations dans un circuit *LC*

La propriété qu'ont les bobines d'induction et les condensateurs d'emmagasiner l'énergie donne lieu au phénomène important des oscillations électriques. La figure 11.10*a* représente un condensateur de charge initiale $Q_0$ relié à une bobine idéale de résistance nulle. Toute l'énergie du système est emmagasinée dans le champ électrique : $U_E = Q_0^2/2C$. À $t = 0$, on ferme l'interrupteur et le condensateur commence à se décharger (figure 11.10*b*). Pendant la montée du courant, il s'établit dans la bobine un champ magnétique où une partie de l'énergie se trouve donc emmagasinée, $U_B = \frac{1}{2}LI^2$. Lorsque le courant atteint sa valeur maximale $I_0$ (figure 11.10*c*), toute l'énergie est dans le champ magnétique : $U_B = \frac{1}{2}LI_0^2$. Le condensateur n'a maintenant plus d'énergie, ce qui signifie que $Q = 0$. Par conséquent, $I = 0$ lorsque $Q = Q_0$ et $Q = 0$ lorsque $I = I_0$. Le courant commence alors à charger le condensateur (figure 11.10*d*).

**Figure 11.10**

Les oscillations dans un circuit $LC$ sont analogues aux oscillations d'un bloc à l'extrémité d'un ressort. La figure décrit la moitié d'un cycle.

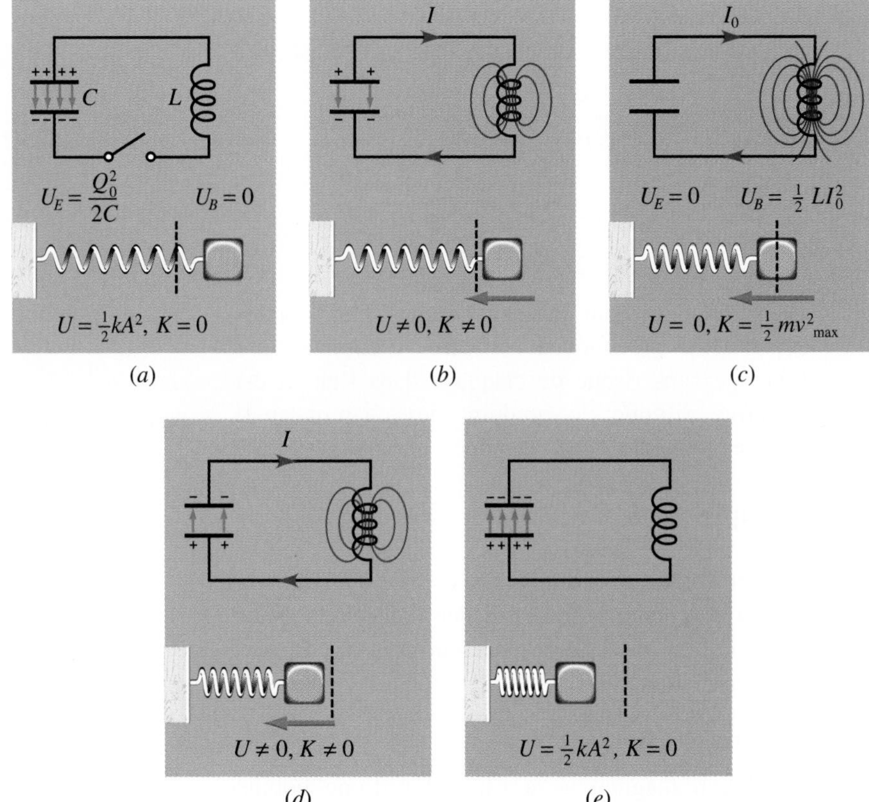


À la figure 11.10$e$, le condensateur est complètement chargé, mais de polarité opposée à celle de son état initial (figure 11.10$a$). Le processus que nous venons de décrire va ensuite se répéter jusqu'à ce que le système revienne à son état initial. L'énergie du système oscille donc entre le condensateur et la bobine d'induction. Comme le suggère le système bloc-ressort représenté sur la figure, le courant et la charge subissent en réalité des oscillations harmoniques simples. Nous poursuivrons cette analogie un peu plus loin.

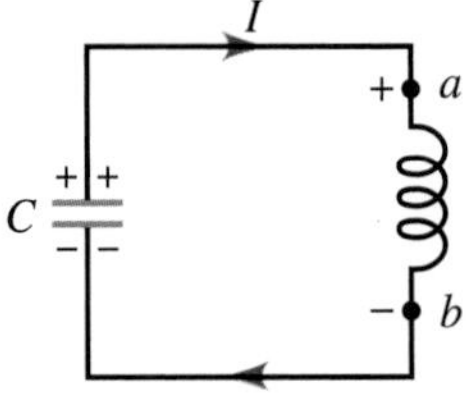


**Figure 11.11**

À l'instant représenté sur la figure, le courant augmente, de sorte que la polarité de la f.é.m. induite dans la bobine d'induction est celle qui est représentée.

Considérons la situation représentée à la figure 11.10$b$ et reproduite à la figure 11.11. Le courant augmente ($dI/dt > 0$), ce qui signifie que la f.é.m. induite dans la bobine d'induction a la polarité indiquée et que $V_b < V_a$. Selon la loi des mailles de Kirchhoff,

$$\frac{Q}{C} - L\frac{dI}{dt} = 0$$

Pour établir une relation entre le courant dans le fil et la charge sur le condensateur, on remarque que le courant fait diminuer la charge $Q$ du condensateur, de sorte que $I = -dQ/dt$. Cela nous permet de réécrire l'équation précédente sous la forme

$$\frac{d^2Q}{dt^2} + \frac{1}{LC}Q = 0$$

Cette équation est de la même forme que l'équation vue au chapitre 15 du tome 1, relative à l'oscillation harmonique simple : $d^2x/dt^2 + \omega^2 x = 0$. La charge oscille donc avec une **fréquence angulaire propre**

$$\omega_0 = \frac{1}{\sqrt{LC}} \tag{11.14}$$

Fréquence angulaire propre

et, en général, sa variation dans le temps est donnée par

$$Q = Q_0 \sin(\omega_0 t + \phi)$$

où $Q_0$ est la valeur maximale (amplitude) de $Q$ et $\phi$ est une constante de phase. Puisque $Q = Q_0$ à $t = 0$, on a $\sin \phi = 1$ et donc $\phi = \pi/2$. Comme $\sin(\theta + \pi/2) = \cos \theta$, la charge s'écrit

$$Q = Q_0 \cos(\omega_0 t) \tag{11.15}$$

Le courant, $I = -dQ/dt$, est donné par

$$I = I_0 \sin(\omega_0 t) \tag{11.16}$$

où $I_0 = \omega_0 Q_0$. Ces deux fonctions sont représentées à la figure 11.12. Pour bien comprendre pourquoi $I$ et $Q$ sont déphasés de 90°, examinons la loi des mailles, qui exige que les différences de potentiel aux bornes de $C$ et de $L$ soient égales à tout instant, c'est-à-dire que $Q/C = L\, dI/dt$. Par conséquent, si $Q = 0$, alors $dI/dt = 0$, ce qui signifie que $I$ doit être un maximum ou un minimum. Cela confirme l'analyse basée sur les échanges d'énergie entre $C$ et $L$.

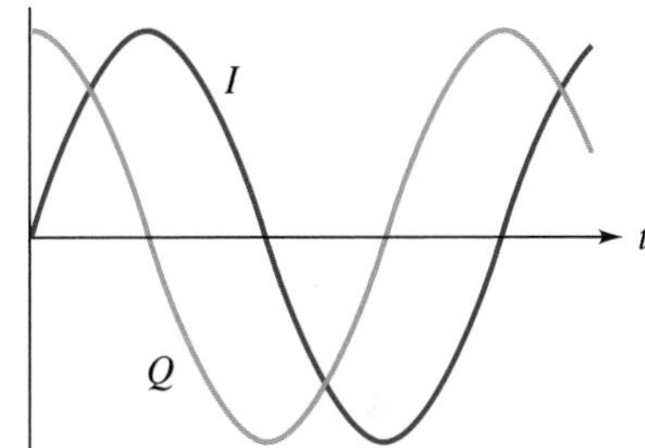


***Figure 11.12***

Le courant dans la bobine d'induction et la charge du condensateur varient tous deux de façon sinusoïdale. Ils sont déphasés d'un quart de cycle.

Poursuivons l'analogie entre les oscillations dans un circuit $LC$ et l'oscillation mécanique d'un bloc attaché à un ressort. Dans le cas du ressort, la position $x$ est déterminée par $\Sigma F_x = ma_x$, avec $F_{\text{res}_x} = -kx$ et $a_x = d^2x/dt^2$. On a donc $d^2x/dt^2 + (k/m)x = 0$ et la fréquence angulaire propre est $\omega_0 = \sqrt{k/m}$. Soulignons tout d'abord que $x$ correspond à $Q$ dans l'équation différentielle. Deuxièmement, l'équation $\Sigma F_x = m\, dv_x/dt$ a la même forme que $\mathscr{E} = -L\, dI/dt$. $L$ est donc analogue à $m$ : la masse mesure la *résistance* à la variation de vitesse et $L$ mesure la *résistance* à la variation du courant. Enfin, en comparant $\omega_0 = 1/\sqrt{LC}$ avec $\omega_0 = \sqrt{k/m}$, on constate que $1/C$ est analogue à $k$. La constante $k = F_{\text{res}}/|x|$ nous donne la force nécessaire pour produire un déplacement unitaire, alors que $1/C = \Delta V/Q$ nous donne la différence de potentiel nécessaire pour emmagasiner une charge unitaire. Le tableau 11.1 présente plusieurs autres analogies. Sur chaque graphique de la figure 11.10 est représentée la phase correspondante de l'oscillateur mécanique.

L'énergie emmagasinée dans le condensateur est $U_E = Q^2/2C$ et l'énergie emmagasinée dans la bobine est $U_B = \frac{1}{2}LI^2$. Dans l'analogie mécanique, l'énergie

▶ ***Tableau 11.1***

**Analogies entre les grandeurs mécaniques et électriques**

| **Mécanique :** | $x$ | $v$ | $m$ | $\frac{1}{2}mv^2$ | $k$ | $\frac{1}{2}kx^2$ | $F$ | $P = \vec{\mathbf{F}}\cdot\vec{\mathbf{v}}$ |
|---|---|---|---|---|---|---|---|---|
| **Électrique :** | $Q$ | $I$ | $L$ | $\frac{1}{2}LI^2$ | $\frac{1}{C}$ | $\frac{1}{2}\frac{Q^2}{C}$ | $\Delta V$ | $P = I\Delta V$ |

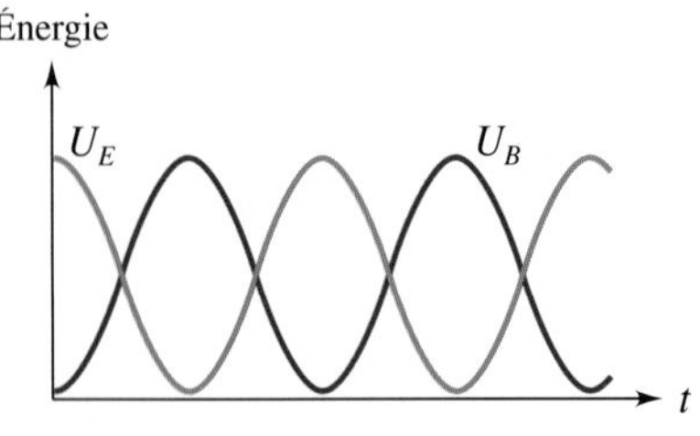


*Figure 11.13*

La variation d'énergie dans le condensateur et dans la bobine d'induction.

potentielle du ressort correspond à $U_E$ et l'énergie cinétique à $U_B$. D'après les équations 11.15 et 11.16, l'énergie totale est

$$U = U_E + U_B = \frac{Q_0^2}{2C}\cos^2(\omega_0 t) + \frac{LI_0^2}{2}\sin^2(\omega_0 t)$$

Les courbes de variations de $U_E$ et de $U_B$ sont représentées à la figure 11.13. Comme $I_0 = \omega_0 Q_0$ et $\omega_0 = 1/\sqrt{LC}$, il est facile de montrer que $U$ est une constante :

$$U = \frac{Q_0^2}{2C} = \tfrac{1}{2}LI_0^2$$

## Exemple 11.7

Dans un circuit $LC$ (figure 11.10), $L = 40$ mH, $C = 20$ µF, et la différence de potentiel maximale aux bornes du condensateur est égale à 80 V. Trouver : (a) la charge maximale sur $C$ ; (b) la fréquence angulaire propre de l'oscillation ; (c) l'intensité maximale du courant ; (d) l'énergie totale.

**Solution :**

(a) $Q_0 = C\Delta V_0 = (2 \times 10^{-5}\text{ F})(80\text{ V}) = 1{,}6 \times 10^{-3}$ C.

(b) La fréquence angulaire propre est

$$\omega_0 = \frac{1}{\sqrt{LC}}$$

$$= \frac{1}{\sqrt{(4 \times 10^{-2}\text{ H})(2 \times 10^{-5}\text{ F})}} = 1100\text{ rad/s}$$

(c) L'intensité maximale du courant est

$$I_0 = \omega_0 Q_0 = (1100\text{ rad/s})(1{,}6 \times 10^{-3}\text{ C})$$
$$= 1{,}76\text{ A}$$

(d) L'énergie totale est simplement l'énergie initiale du condensateur :

$$U = \frac{Q_0^2}{2C} = 0{,}064\text{ J}$$

La précédente analyse des oscillations dans un circuit $LC$ n'est pas réaliste, et ce pour deux raisons. Premièrement, toute bobine d'induction réelle a une résistance. Nous en tiendrons compte dans la section qui suit. Deuxièmement, même si la résistance était nulle, l'énergie totale du système *ne resterait pas* constante. Elle est dissipée par le système sous forme d'ondes électromagnétiques (que nous étudierons au chapitre 13). En réalité, les émetteurs de radio et de télévision fonctionnent à partir de ce rayonnement ! Néanmoins, notre analyse a montré que le système est un oscillateur harmonique simple et nous avons obtenu la fréquence propre des oscillations.

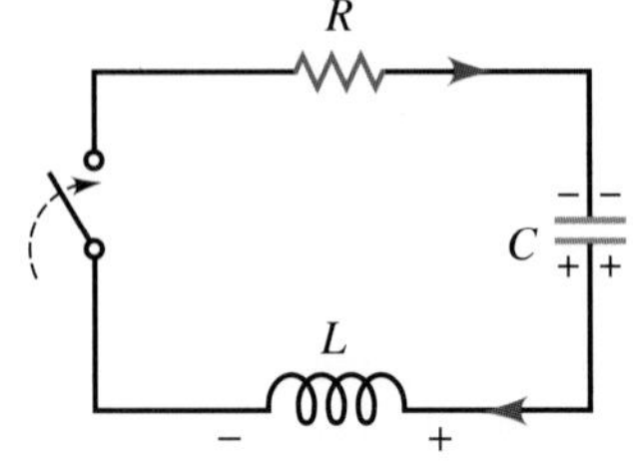


*Figure 11.14*

Un circuit $RLC$. À l'instant représenté, on suppose que le courant augmente.

## 11.5 Les oscillations amorties dans un circuit *RLC* série

Nous allons maintenant examiner l'effet d'une résistance sur les oscillations dans un circuit $LC$. La figure 11.14 représente une résistance, une bobine d'induction et un condensateur en série ; un tel arrangement est nommé circuit $RLC$ série. On suppose que le condensateur a une charge initiale $Q_0$ et que l'on ferme l'interrupteur à $t = 0$. À l'instant étudié, le courant augmente et la polarité de la f.é.m. induite dans la bobine est telle qu'indiquée sur la figure. La loi des mailles donne

$$\frac{Q}{C} - RI - L\frac{dI}{dt} = 0$$

Comme $I = -dQ/dt$, la loi des mailles peut s'écrire sous la forme

$$L\frac{d^2Q}{dt^2} + R\frac{dQ}{dt} + \frac{Q}{C} = 0 \qquad (11.17)$$

Cette équation est de la même forme que l'équation vue au chapitre 15 du tome 1 pour le mouvement harmonique amorti, c'est-à-dire :

$$m\frac{d^2x}{dt^2} + \gamma\frac{dx}{dt} + kx = 0 \qquad (11.18)$$

Soulignons que $R$ est analogue à la constante d'amortissement $\gamma$. Par analogie avec les expressions de la section 15.5 du tome 1, nous écrivons l'une des solutions possibles de l'équation 11.18 :

$$Q = Q_0 e^{-Rt/2L} \sin(\omega' t + \delta) \qquad (11.19)$$

La *fréquence angulaire des oscillations amorties* s'écrit

$$\omega' = \sqrt{\omega_0^2 - \left(\frac{R}{2L}\right)^2} \qquad (11.20)$$

où $\omega_0 = 1/\sqrt{LC}$ est la fréquence angulaire propre.

Le comportement du système dépend des valeurs relatives de $\omega_0$ et de $R/2L$. Si $R/2L < \omega_0$, ou, ce qui est équivalent, si $R < 2\omega_0 L$, le système est *sous-amorti* et la charge varie selon l'équation 11.19. L'amplitude des oscillations décroît de façon exponentielle (figure 11.15*a*). Si $R = 2\omega_0 L$, le système est en *amortissement critique*. Dans ce cas, il n'y a pas d'oscillation et la charge s'annule rapidement. Enfin, si $R > 2\omega_0 L$, le système est en *amortissement surcritique*. Les deux derniers cas sont illustrés à la figure 11.15*b*. Au chapitre suivant, nous étudierons la réponse d'un circuit *RLC* série à une f.é.m. externe sinusoïdale.

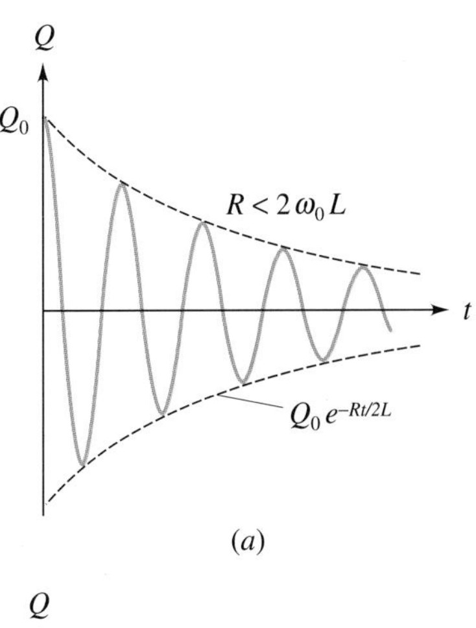


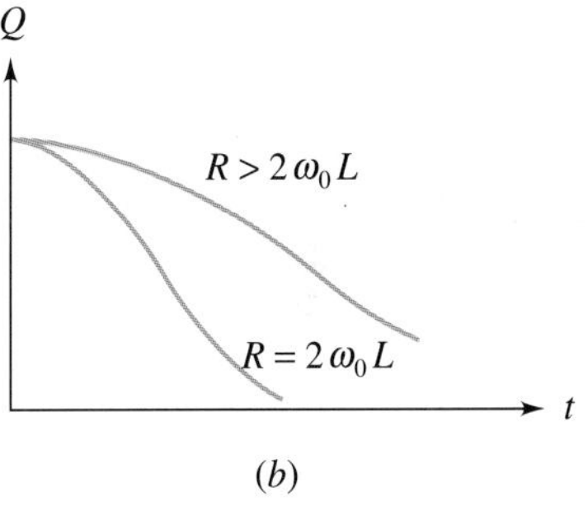


**Figure 11.15**

(*a*) Lorsque $R < 2\omega_0 L$, le système est sous-amorti et il oscille avec une amplitude qui décroît exponentiellement. (*b*) Lorsque $R = 2\omega_0 L$, le système est en amortissement critique ; lorsque $R > 2\omega_0 L$, le système est en amortissement surcritique.

## Exemple 11.8

Dans un circuit *RLC* série, $L = 20{,}0$ mH, $C = 50$ μF et $R = 6{,}0$ Ω. Trouver : (a) le temps nécessaire pour que l'amplitude tombe à la moitié de sa valeur initiale ; (b) la fréquence angulaire amortie ; (c) le nombre d'oscillations pendant 20 ms. (d) Pour quelle valeur de $R$ le système est-il en amortissement critique ?

### Solution :

(a) D'après l'équation 11.19, on sait que, lorsque l'amplitude diminue à la moitié de sa valeur initiale, $0{,}5 = \exp(-Rt/2L)$ ; la demi-vie des oscillations est donc

$$T_{1/2} = \frac{2L}{R} \ln 2 = 4{,}6 \times 10^{-3} \text{ s}$$

(b) La fréquence angulaire propre est $\omega_0 = 1/\sqrt{LC} = 10^3$ rad/s et la fréquence angulaire amortie est

$$\omega' = \sqrt{\omega_0^2 - \left(\frac{R}{2L}\right)^2}$$

$$= \sqrt{(10^3 \text{ rad/s})^2 - \left(\frac{6\ \Omega}{4 \times 10^{-2}\ \text{H}}\right)^2}$$

$$= 990 \text{ rad/s}$$

(c) La période des oscillations est $T' = 2\pi/\omega' = 6{,}4$ ms. Par conséquent, pendant 20 ms, le circuit effectue $20/6{,}4 = 3{,}1$ oscillations.

(d) Pour l'amortissement critique, $R = 2\omega_0 L = 20$ Ω.

## 11.6 Les propriétés magnétiques de la matière

Un clou en fer est fortement attiré par un barreau aimanté, alors que d'autres matériaux ne seraient que faiblement attirés, voire repoussés par lui. On peut utiliser la réaction du matériau au champ non uniforme d'un barreau aimanté pour classer les matériaux magnétiques en trois grandes catégories. Lorsqu'on place un échantillon *ferromagnétique* dans un champ non uniforme, il est attiré vers la région où le champ est le plus intense (figure 11.16*a*). Un matériau *paramagnétique* est lui aussi attiré vers la région de champ intense, quoique plus faiblement. Un matériau *diamagnétique* est faiblement repoussé par l'aimant et a tendance à se déplacer vers les régions où le champ est plus faible (figure 11.16*b*). Nous donnons ici plusieurs exemples de matériaux appartenant à chaque catégorie.

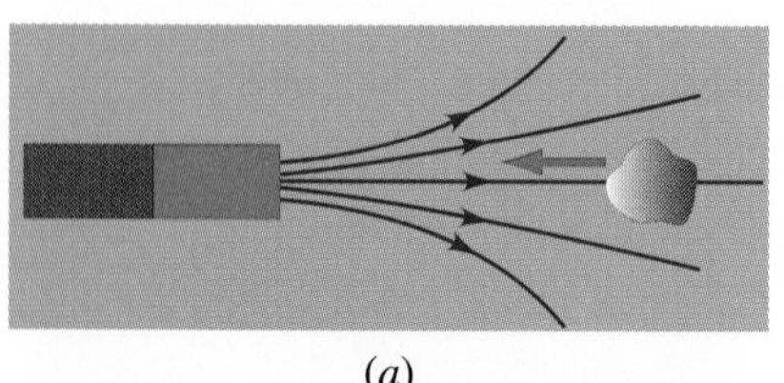

(*a*)

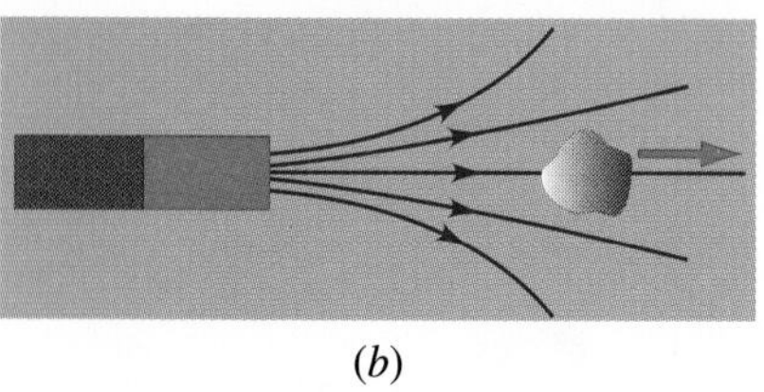

(*b*)

**Figure 11.16**

(*a*) Un matériau ferromagnétique ou paramagnétique est attiré vers un aimant. (*b*) Un matériau diamagnétique est repoussé par un aimant.

*Ferromagnétiques*: Fe, Ni, Co, Gd et Dy; les alliages de ces éléments et d'autres éléments, et les oxydes comme $CrO_2$, EuO et $Fe_3O_4$ (magnétite).

*Paramagnétiques*: Al, Cr, K, Mg, Mn et Na.

*Diamagnétiques*: Cu, Bi, C, Ag, Au, Pb et Zn.

Lorsqu'on place un matériau dans un champ magnétique externe $B_0$, le champ résultant à l'intérieur du matériau est différent de $B_0$. Le champ $B_M$ dû au matériau lui-même est directement proportionnel à $B_0$ :

$$B_M = \chi_m B_0 \tag{11.21}$$

où $\chi_m$ est la *susceptibilité magnétique*. Le champ total à l'intérieur du matériau est donc

$$\begin{aligned} B &= B_0 + B_M \\ &= (1 + \chi_m)B_0 \\ &= \kappa_m B_0 \end{aligned} \tag{11.22}$$

où $\kappa_m = 1 + \chi_m$, que l'on appelle *perméabilité relative*, joue un rôle similaire à celui de la constante diélectrique. $\chi_m$ et $\kappa_m$ sont tous deux des nombres sans dimension.

Dans un matériau paramagnétique, le champ augmente, ce qui signifie que la susceptiblité magnétique est positive. La valeur de $\chi_m$ est en général voisine de $10^{-5}$ et dépend de la température. À l'intérieur d'un matériau diamagnétique, le champ est plus faible, ce qui signifie que la susceptibilité est négative. La valeur de $\chi_m$ y est en général voisine de $-10^{-5}$ et ne dépend pas de la température. La susceptibilité d'un matériau ferromagnétique dépend de la température, de la valeur du champ extérieur $B_0$ et de l'histoire magnétique de l'échantillon considéré (nous verrons pourquoi plus tard). Pour ce matériau, la valeur de $\chi_m$ est en général comprise entre $10^3$ et $10^5$.

### Moments atomiques

Les propriétés magnétiques de la matière sont principalement associées aux mouvements des électrons. Les électrons en mouvement dans un atome établissent des courants atomiques qui ont des moments dipolaires magnétiques et produisent des champs magnétiques. Dans le modèle de Bohr semi-classique de l'atome d'hydrogène, un électron est en orbite autour d'un proton immobile. Au chapitre 8, nous avons montré que la relation entre le moment magnétique ($\mu$) associé au mouvement orbital et le *moment cinétique orbital* ($L$) était la suivante :

$$\mu = \frac{eL}{2m}$$

Il se trouve que cette relation est vraie, même en mécanique quantique. Il existe, en mécanique quantique, une règle (que nous étudierons au chapitre 10 du tome 3) selon laquelle le moment cinétique est *quantifié*, c'est-à-dire qu'il apparaît uniquement sous forme de multiples entiers d'une unité fondamentale : $L = n\hbar = 0, \hbar, 2\hbar, \ldots$, où $\hbar = h/2\pi$, $h$ étant la constante de Planck. En remplaçant $L = \hbar$ dans l'équation précédente, on trouve

$$\mu_B = \frac{e\hbar}{2m} \tag{11.23}$$

Cette quantité, que l'on appelle *magnéton de Bohr*, a pour valeur $9{,}27 \times 10^{-24}$ $\mathrm{A \cdot m^2}$. Dans la plupart des substances, les orientations des moments cinétiques diffèrent d'un atome à l'autre et la valeur moyenne du moment dipolaire sur l'ensemble des atomes est donc nulle. Mais il existe toutefois une autre source de magnétisme.

En mécanique quantique, on considère que chaque électron a un certain *moment cinétique intrinsèque*, appelé *spin*. Bien que l'image ne soit pas correcte, on peut imaginer l'électron tournant sur lui-même autour d'un axe interne et créant donc des courants internes. Le moment magnétique associé au spin est égal au magnéton de Bohr. Dans de nombreux atomes et ions, les moments cinétiques de spin sont couplés par paires de sens opposés et le moment dipolaire net est donc nul. Dans certains cas, un ou deux électrons ne sont pas couplés et l'atome acquiert alors un moment dipolaire permanent. Nous allons voir maintenant comment cette image peut nous aider à comprendre le comportement de divers matériaux magnétiques.

### Diamagnétisme

Dans un matériau diamagnétique, les atomes n'ont pas de moment dipolaire magnétique permanent. Lorsqu'on applique un champ extérieur, le moment orbital des électrons est modifié de telle sorte que la variation de moment dipolaire est dirigée dans le sens opposé au champ externe. Il en résulte que le champ net est inférieur au champ extérieur. Ce comportement peut s'expliquer par la loi de Lenz : le champ induit s'oppose à la variation de flux. En l'absence de mécanisme pour dissiper l'énergie, la variation des courants d'électrons persiste même après que le champ extérieur ait atteint une valeur constante. L'effet diamagnétique, qui est présent dans tous les matériaux, est très faible et il est souvent masqué par les effets paramagnétique ou ferromagnétique. Un matériau supraconducteur est un matériau diamagnétique parfait ; sa susceptibilité est $\chi = -1$. Autrement dit, le champ extérieur est totalement exclu du supraconducteur.

### Paramagnétisme

Dans un matériau paramagnétique, les atomes ou les ions ont des moments dipolaires magnétiques permanents mais les interactions entre ces dipôles sont faibles et leurs orientations sont aléatoires en l'absence de champ extérieur. Lorsqu'on applique un champ extérieur, les dipôles ont tendance à s'aligner suivant l'orientation du champ, mais l'agitation thermique s'oppose à ce processus d'alignement. Par conséquent, l'alignement n'est pas complet à moins que le champ extérieur ne soit très élevé et que la température soit très basse. L'alignement partiel des moments dipolaires vient renforcer le champ extérieur. (Notons que ce comportement est contraire à celui des dipôles électriques dans un diélectrique, où l'alignement des dipôles donne un champ électrique intérieur net plus faible.)

Les énergies associées au champ magnétique et à l'agitation thermique ont environ les valeurs suivantes. L'énergie requise pour faire tourner un dipôle

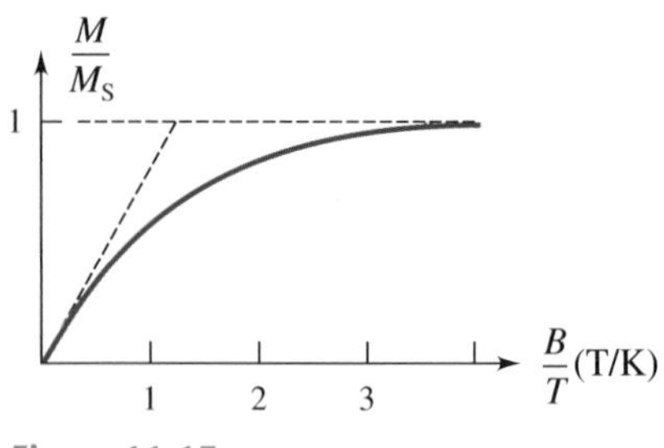


*Figure 11.17*

L'aimantation d'un échantillon paramagnétique en fonction de $B/T$, où $B$ est le champ magnétique et $T$ est la température absolue.

*Figure 11.18*

Les domaines dans un échantillon non aimanté ont une orientation aléatoire.

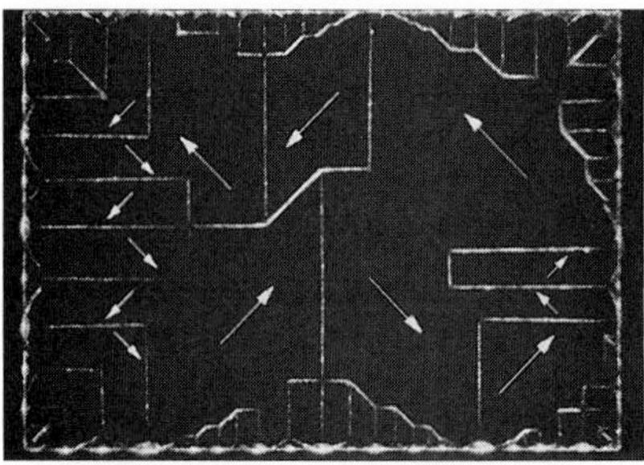

*Figure 11.19*

Les parois des domaines mises en évidence par la limaille de fer.

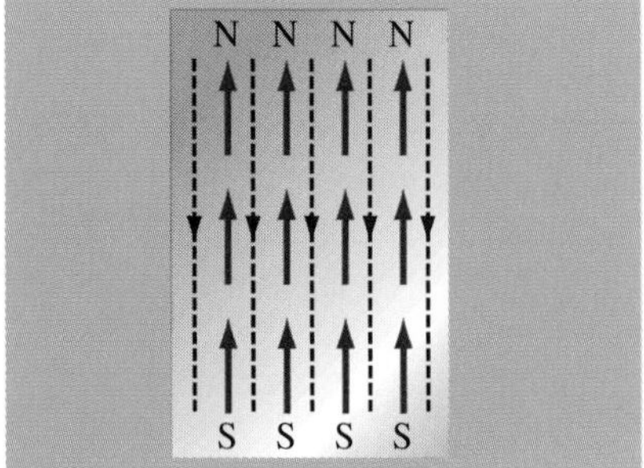


*Figure 11.20*

Si tous les domaines étaient alignés parfaitement, comme sur la figure, il y aurait un champ magnétique dirigé des pôles nord à une extrémité vers les pôles sud à l'autre. Cette orientation des domaines est telle que l'énergie magnétique « globale » est maximale. Ce n'est pas une configuration stable.

de 180° est égale à 2 $\mu B$. Dans un champ de 1 T et pour $\mu = \mu_B = 9{,}27 \times 10^{-24}$ A·m², $2\mu B \approx 1{,}9 \times 10^{-23}$ J. L'énergie moyenne associée à l'agitation thermique est voisine de $kT \approx 6 \times 10^{-21}$ J à 300 K. L'énergie thermique est donc 200 fois plus grande.

La figure 11.17 représente la variation de l'aimantation $M$, définie comme le moment magnétique par unité de volume, en fonction du rapport du champ extérieur $B$ sur la température absolue $T$. La *loi de Curie* donne une bonne description de la première partie linéaire de la courbe :

$$M = C\left(\frac{B}{T}\right) \tag{11.24}$$

où $C$ est une constante. Soulignons que, même pour un champ élevé de 1 T et une température de 300 K, la courbe réelle s'ajuste bien à l'approximation linéaire. Au fur et à mesure que le champ augmente ou que la température baisse, l'aimantation augmente jusqu'à atteindre sa valeur à saturation, $M_S$, qui correspond à l'alignement parfait de tous les dipôles sur le champ.

## Ferromagnétisme

Dans un matériau ferromagnétique, chaque atome a un moment magnétique provenant du spin d'un ou de deux électrons. Les moments des atomes voisins ont tendance à s'aligner parallèlement l'un à l'autre par une interaction que seule la mécanique quantique peut expliquer. Dans la pratique, les moments ne s'alignent parfaitement qu'à l'intérieur de petits *domaines* magnétiques de dimension linéaire voisine de 1 mm. Chaque domaine contient environ $10^{16}$ atomes. Bien que l'alignement soit parfait à l'intérieur de chaque domaine, les domaines ont des orientations aléatoires (figure 11.18). Ils sont séparés par des parois de quelques atomes d'épaisseur dans lesquelles la direction de l'aimantation varie progressivement d'une orientation à l'autre. Si l'on saupoudre des particules ferromagnétiques à la surface, on peut observer les parois des domaines au microscope (figure 11.19). La limaille a tendance à s'accumuler au niveau des parois, là où le champ est très peu uniforme.

On peut comprendre qualitativement la formation des domaines en considérant les énergies mises en jeu. Supposons que tous les moments dans un cristal soient alignés parfaitement (figure 11.20). Les extrémités des domaines vont alors être uniquement constituées de pôles nord ou sud. Le champ créé par ces pôles sera orienté du pôle nord vers le pôle sud. Les dipôles à l'intérieur du matériau vont se trouver alignés dans la direction opposée au champ, qui correspond à l'énergie la plus élevée. L'interaction spin-spin entre atomes diminue l'énergie des dipôles adjacents, mais, au fur et à mesure que les domaines grandissent, l'énergie magnétique « globale » dont nous venons de parler augmente. Les dimensions et l'orientation aléatoire des domaines correspondent à la situation où l'énergie totale du système est minimale.

Lorsqu'on applique un champ extérieur, les domaines réagissent de deux manières. Dans un champ faible, les domaines dont les moments sont alignés parallèlement au champ grandissent aux dépens des autres. Dans un champ plus élevé, les domaines subissent également une rotation qui les fait s'aligner sur le champ extérieur. Les deux effets sont représentés à la figure 11.21.

On peut détruire l'aimantation d'un aimant permanent en le laissant tomber ou en le frappant vivement, c'est-à-dire en perturbant l'alignement des domaines.

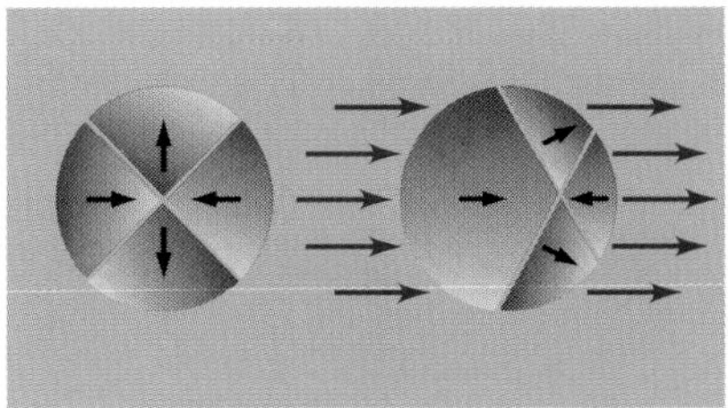

*Figure 11.21*

Lorsqu'on applique un champ magnétique extérieur, les domaines alignés parallèlement au champ deviennent plus étendus aux dépens des autres. Les domaines ont également tendance à s'aligner sur le champ.

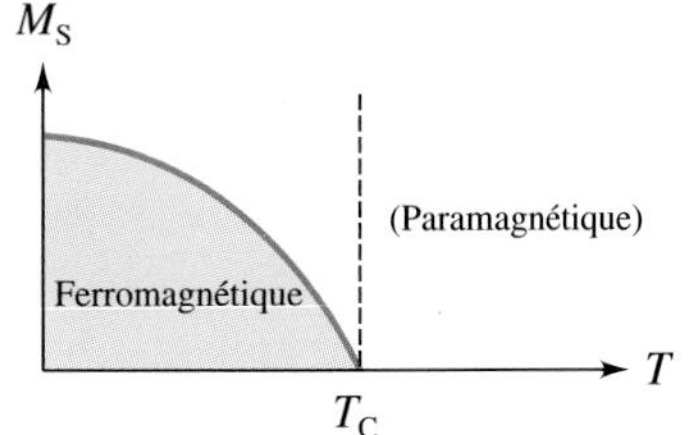


*Figure 11.22*

Au fur et à mesure que la température d'un matériau ferromagnétique s'élève, son aimantation de saturation diminue. Au-dessus du point de Curie, l'échantillon devient paramagnétique.

Si l'on augmente la température, l'aimantation de saturation diminue. Au-dessus de la *température de Curie* $T_C$, le matériau cesse d'être ferromagnétique et devient paramagnétique (figure 11.22). Nous donnons ici les températures de Curie de cinq éléments ferromagnétiques: Fe (1043 K), Co (1404 K), Ni (631 K), Gd (289 K), Dy (85 K).

## Hystérésis

Étudions maintenant ce qui se produit lorsqu'on place dans un champ extérieur un matériau ferromagnétique initialement non aimanté. À la figure 11.23, nous comparons le champ total $B$ au champ extérieur $B_0$. (Notez que l'échelle de $B$ est 1000 fois plus grande que celle de $B_0$). Au fur et à mesure que $B_0$ augmente à partir de zéro, $B$ augmente le long de la courbe *ab*. Après la première pente raide de la courbe, $B$ s'approche du champ de saturation $B_S$ (2,1 T pour le fer, 1,6 T pour le permalloy) relativement lentement. Lorsque $B_0$ décroît, le champ $B$ ne revient pas sur la courbe mais suit *bcd*. Lorsque $B_0$ s'annule à nouveau, il reste un champ rémanent $B_R$ au point *c* produit par l'aimantation de l'échantillon. C'est ce qui caractérise un aimant permanent. Une fois que la plupart des domaines ont tourné pour s'aligner sur le champ, ils ne reprennent pas leur orientation initiale. Leur réponse est «en retard» par rapport à la variation de $B_0$. Ce phénomène de «retard» est appelé *hystérésis*. (Rappelons que nous avions parlé au tome 1 d'*hystérésis élastique dans le cadre du frottement de roulement*.) Lorsque le sens de $B_0$ s'inverse, $B$ atteint la valeur zéro au point *d*. Le champ $B_C$, appelé champ coercitif, nous indique dans quelle mesure il est difficile de détruire l'aimantation d'un échantillon. Alors que $B_0$ devient de plus en plus négatif, les domaines commencent à s'aligner dans la direction opposée, jusqu'au point *e*. Si $B_0$ revient à zéro puis commence à augmenter dans la direction initiale, on obtient la partie *efb* de la courbe. L'aire de la boucle d'hystérésis *bdefb* est égale au travail nécessaire pour accomplir un cycle complet. Si le champ extérieur est créé par un courant alternatif, les inversions du champ entraînent une production d'énergie thermique.

Soulignons que la perméabilité relative, $\kappa_m = B/B_0$, n'est pas constante mais dépend à la fois de $B_0$ et de l'histoire préalable de l'échantillon. Au champ de saturation, $\kappa_m = 5000$ pour le fer, alors que $\kappa_m = 25\,000$ pour le permalloy.

Les matériaux pour lesquels $B_C$ est plus grand sont appelés matériaux magnétiques «durs» et leur boucle d'hystérésis ressemble à celle de la figure 11.24*a*. Ces matériaux sont utilisés pour la fabrication des aimants permanents dans les

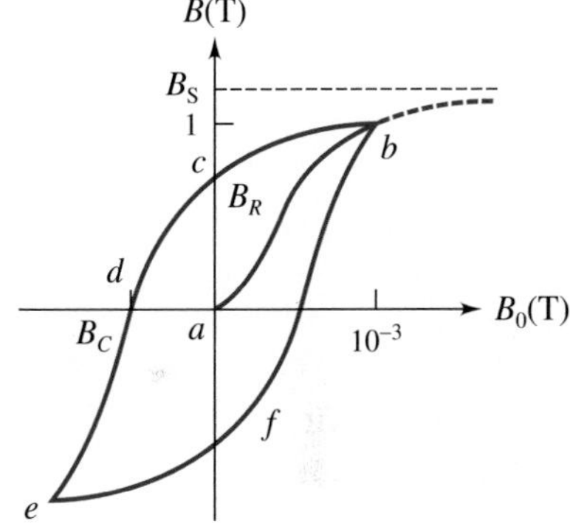


*Figure 11.23*

Une courbe d'hystérésis: le champ total $B$ est représenté en fonction du champ extérieur $B_0$. Notez la différence des échelles utilisées.

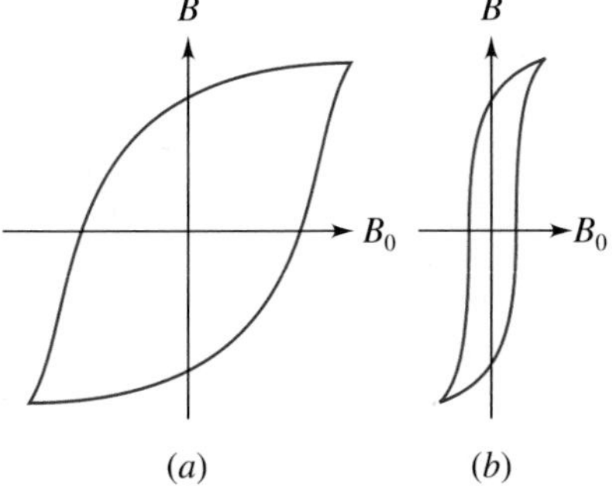


*Figure 11.24*

(*a*) Un matériau magnétique «dur» utilisé pour la fabrication des aimants permanents. (*b*) Un matériau magnétique «doux» utilisé pour la fabrication des électroaimants et pour l'enregistrement magnétique.

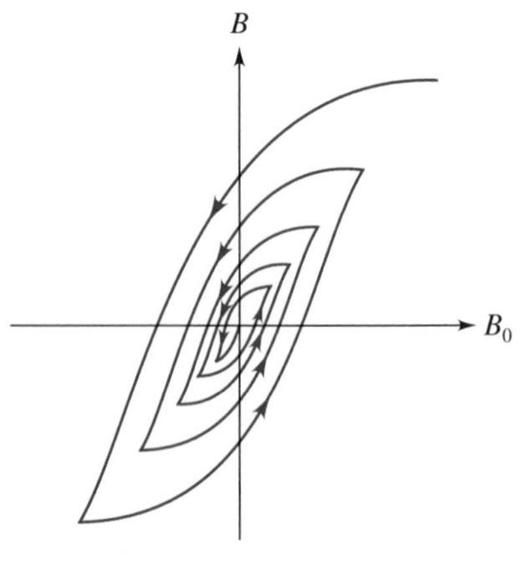


*Figure 11.25*

Pour démagnétiser un échantillon, on doit le soumettre à plusieurs cycles d'hystérésis successifs tout en diminuant le champ extérieur.

haut-parleurs et les appareils de mesure à cadre mobile comme le galvanomètre. Les matériaux pour lesquels $B_C$ est faible, comme le fer, sont des matériaux magnétiques « doux » dont la boucle d'hystérésis ressemble à celle de la figure 11.24*b*. Le fait que l'aire de leur boucle soit plus petite signifie que l'énergie dissipée sous forme de chaleur est réduite. Le fer est utilisé dans les transformateurs, les électroaimants, les rubans magnétiques et les disquettes d'ordinateurs.

Pour démagnétiser un objet, par exemple la tête d'enregistrement d'un magnétophone ou une montre, il faut le soumettre à plusieurs cycles d'hystérésis en faisant décroître progressivement le champ extérieur (figure 11.25). On produit un champ magnétique oscillant en faisant passer un courant alternatif dans une bobine. On place d'abord la bobine près de l'objet aimanté, puis on l'éloigne progressivement.

# La lévitation et la propulsion magnétiques

En mai 1990, le *train à grande vitesse* (TGV) atteignait la vitesse record de 515 km/h. Cependant, à cause des frottements entre les roues et les rails, les trains ne peuvent pas d'ordinaire dépasser 300 km/h sans perte de traction. L'aéroglisseur est une autre approche pour les transports à grande vitesse : c'est un véhicule soutenu par un coussin d'air et propulsé par un moteur d'avion. Mais il a l'inconvénient d'être bruyant et de poser des problèmes de pollution. Une autre solution consiste à employer les forces électromagnétiques pour soulever et propulser un train. Ces trains sont silencieux et peuvent atteindre des vitesses de 500 km/h grâce à la *lévitation magnétique*. Les systèmes de propulsion de ces trains utilisent soit des *moteurs à induction*, soit des *moteurs synchrones*.

## Moteurs à induction

Entre 1835 et 1885, les moteurs électriques fonctionnaient surtout en courant continu. Avant l'invention du moteur à induction par N. Tesla en 1888, il n'existait pas de moteur pouvant fonctionner de manière satisfaisante au courant alternatif. Pour comprendre le principe du moteur à induction, considérons d'abord une aiguille de boussole montée sur pivot. Si le pôle sud d'un barreau aimanté décrit un cercle (figure 11.26), le pôle nord de

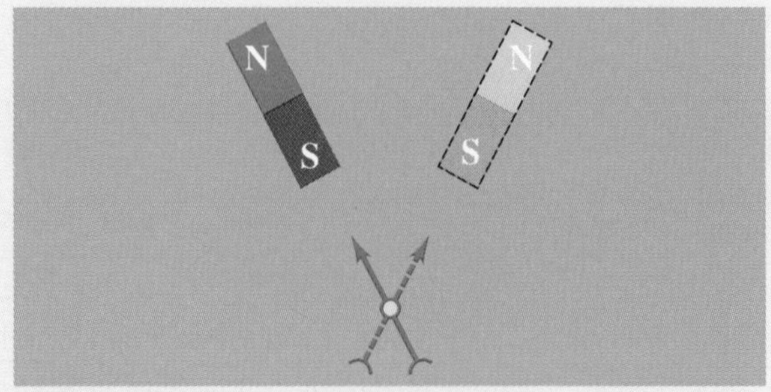


*Figure 11.26*

Une aiguille de boussole suit la rotation d'un aimant.

l'aiguille est attiré vers le barreau et se met à tourner. Tesla mit au point une méthode pour créer un champ magnétique rotatif sans faire intervenir de mouvements mécaniques en se servant de courants alternatifs sur deux ou plusieurs paires de pôles. la figure 11.27 représente un *stator,* qui est en général fait d'acier laminé et dont les pôles sont des protubérances sur lesquelles sont enroulées les bobines. On fait circuler dans les bobines *AA'* et *BB'* des courants alternatifs déphasés de 90° (figure 11.28*a*). Par exemple, lorsque le courant dans une des paires a sa valeur maximale, le courant dans l'autre paire est nul. Dans cet exemple, qui utilise un courant à deux phases et deux paires de pôles, le champ magnétique résultant tourne une fois par cycle de courant (figure 11.28*b*). Si la fréquence des courants est de 60 Hz, le champ magnétique effectue 60 révolutions par seconde.

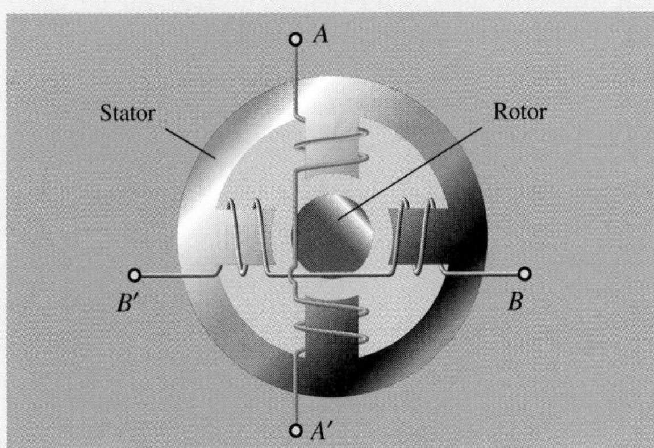


**Figure 11.27**

On produit un champ magnétique tournant en faisant circuler dans deux jeux de bobines (ou plus) des courants alternatifs qui ne sont pas en phase.

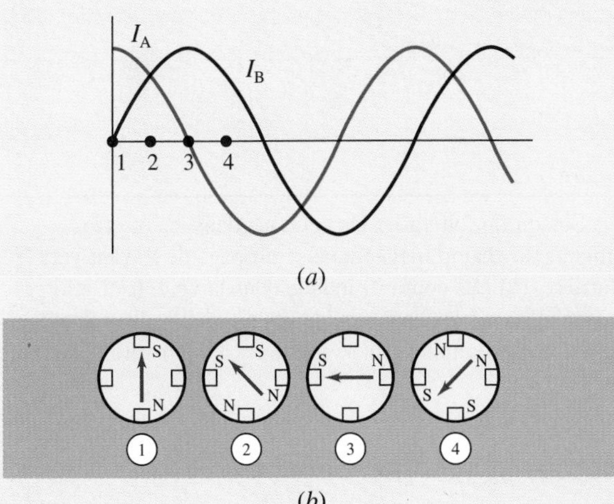


(*b*)

**Figure 11.28**

(*a*) Deux courants déphasés de 90°. (*b*) La direction du champ magnétique à quatre instants.

Le *rotor* central n'est pas relié électriquement au stator. Dans un certain type de rotor appelé « cage d'écureuil » (figure 11.29*a*), des barres de cuivre sont introduites dans des trous pratiqués dans un cylindre en fer laminé. Les barres sont reliées entre elles par des bagues d'extrémités. Supposons que le rotor soit initialement au repos et que l'on fasse circuler le courant biphasé dans le stator. Comme le rotor se déplace par rapport au champ magnétique (rotatif), des courants intenses sont induits dans les barres. On peut déterminer la direction des courants induits à partir de la force magnétique $\vec{\mathbf{F}} = q\vec{\mathbf{v}} \times \vec{\mathbf{B}}$, où $\vec{\mathbf{v}}$ est la vitesse d'une barre par rapport au champ.

La figure 11.29*b* indique le sens des courants induits dans le rotor et les forces qu'exercent sur eux le champ du stator. Les dimensions des points et des croix reflètent les intensités relatives des courants. Ces forces agissant sur les barres font tourner le rotor dans le sens de rotation du champ. La vitesse du rotor augmente jusqu'à ce qu'elle atteigne pratiquement la vitesse angulaire synchrone $\omega_s$ pour laquelle il n'y a plus de mouvement relatif entre le rotor et le champ. En conséquence, il ne peut y avoir à ce stade de courant induit ni de moment de force sur le rotor. Dans la pratique, afin de compenser les pertes dues au frottement, la vitesse angulaire reste légèrement inférieure à la valeur synchrone. Lorsque le

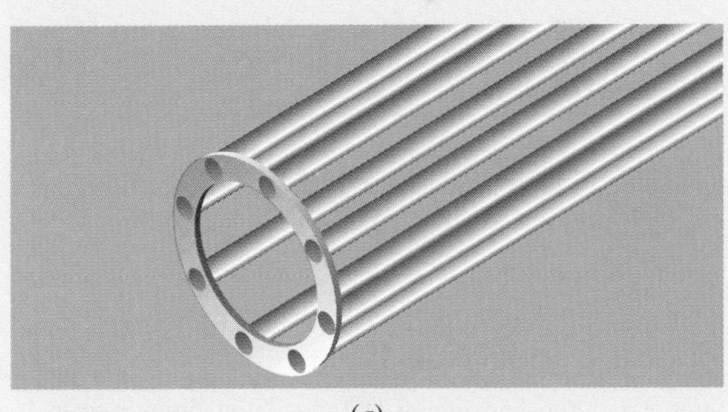

(*a*)

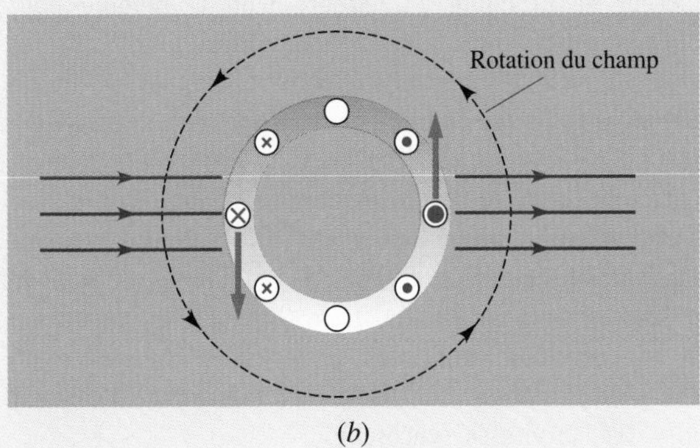


(*b*)

**Figure 11.29**

(*a*) Une cage d'écureuil. (*b*) Les courants induits sont soumis à des forces tel qu'indiqué.

rotor doit effectuer un travail, sa vitesse angulaire diminue. Les courants induits, et par conséquent le moment de force produit, augmentent.

Le moteur à induction fonctionne également si les barres de cuivre du rotor sont remplacées par un anneau cylindrique continu (figure 11.30*a*). Son rendement n'est que de 10 % environ du rendement d'un moteur à induction normal. La forme rotationnelle du moteur à induction peut être utilisée dans la propulsion d'un véhicule, mais il y a des pertes inévitables dues au frottement dans les engrenages et les roues. Le moteur à induction linéaire évite ces problèmes.

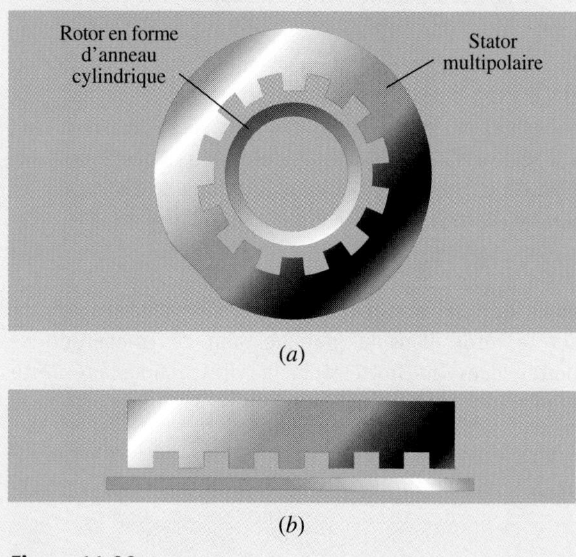


***Figure 11.30***

(*a*) On peut remplacer la cage d'écureuil par une bague continue. (*b*) Dans le moteur à induction linéaire, le stator et le rotor sont « ouverts » et déroulés à plat.

## Moteur à induction linéaire

Supposons que l'on coupe le long d'une ligne radiale le moteur de la figure 11.30*a* et qu'on le déroule pour obtenir la forme plate de la figure 11.30*b*. Le rotor est alors une bande conductrice plate posée sur un lit de béton ; c'est le rail de réaction. Le véhicule comporte une série d'aimants autour desquels circule un courant alternatif. En première approximation, le champ magnétique a une variation sinusoïdale dans l'espace (figure 11.31*a*). En fonction du temps, le champ magnétique se propage de l'avant vers l'arrière du train. Si $\lambda$ est la séparation entre des pôles identiques et $f$ est la fréquence du courant, la vitesse du champ par rapport au train est $v_s = \lambda f$, la vitesse synchrone.

Au passage du champ magnétique sur le rail de réaction, des courants de Foucault sont induits dans le rail (figure 11.31*b*). Les forces produites par le champ sur les courants induits sont de même sens que le mouvement du champ, c'est-à-dire vers l'arrière du train. D'après la troisième loi de Newton, les forces sur les aimants sont dirigées vers l'avant (figure 11.31*c*). Lorsque le train accélère, la vitesse relative entre le champ magnétique et le rail de réaction diminue, de sorte que la force propulsive diminue. La force propulsive serait nulle à la vitesse synchrone.

Bien que plusieurs modèles aient déjà fonctionné, l'adoption du moteur à induction linéaire pour les transports interurbains à grande vitesse pose des problèmes. L'intervalle d'air entre le train et le rail de réaction ne mesure que 3 cm environ et ne laisse donc pas beaucoup de marge pour les mouvements de tangage et de roulis du train. De plus, une puissance électrique voisine de 5 MW doit être prélevée par un contact glissant sur un câble qui court le long du rail. Cela poserait un sérieux problème à 400 km/h.

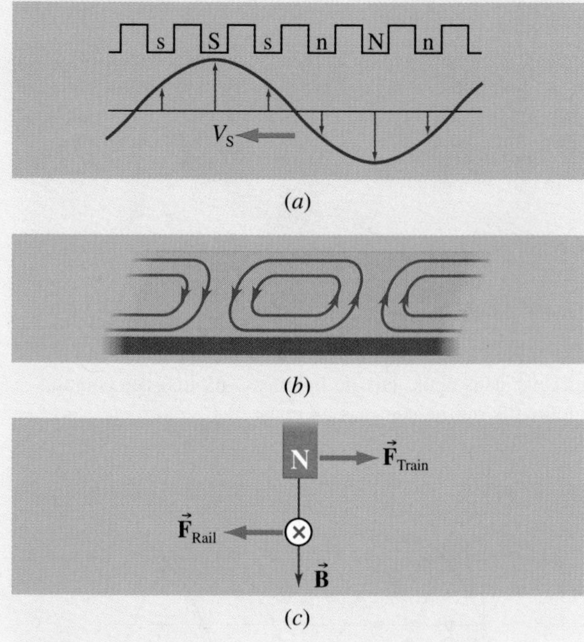


***Figure 11.31***

(*a*) Lorsqu'on fait varier les courants dans les électroaimants, le champ magnétique se propage de l'avant vers l'arrière. (*b*) Les courants induits dans la voie. (*c*) La force magnétique sur les courants induits est dirigée vers l'arrière. La force sur l'aimant (sur le train) est dirigée vers l'avant.

## Moteur synchrone linéaire

Dans le moteur synchrone linéaire, on alimente en courant continu de puissants électroaimants placés sur un train. Comme le montre la figure 11.32, trois câbles enfouis dans une voie en béton sont alimentés en courant

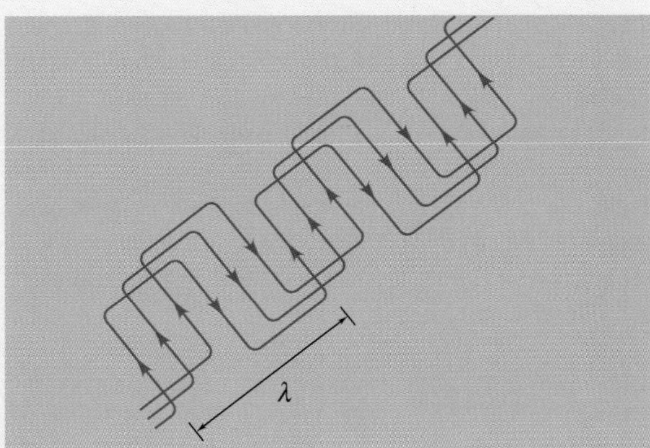


*Figure 11.32*

La configuration des fils enfouis dans une voie en béton utilisée dans le moteur synchrone linéaire.

alternatif de fréquence $f$. Le sens du courant sous chaque pôle est réglé (par un choix approprié de la constante de phase), de sorte que la force sur l'aimant soit toujours dirigée vers l'avant. L'espacement des pôles doit correspondre à la distance de répétition $\lambda$ des courants dans la voie. La figure 11.33 montre comment les courants varient dans les câbles au fur et à mesure que le train se déplace vers l'avant. La vitesse synchrone est $v_s = \lambda f$. Lorsqu'on utilise un moteur synchrone, il est nécessaire de faire correspondre la fréquence des courants à la vitesse du train. Comme c'est difficile à réaliser, on a recours à d'autres moyens, par exemple le moteur à induction linéaire, pour accroître la vitesse du train jusqu'à $v_s$. À un instant quelconque, seuls de courts segments de la voie, de 5 km de long environ, doivent être raccordés aux lignes de transmission (60 Hz). On peut ralentir le train en modifiant la phase des courants.

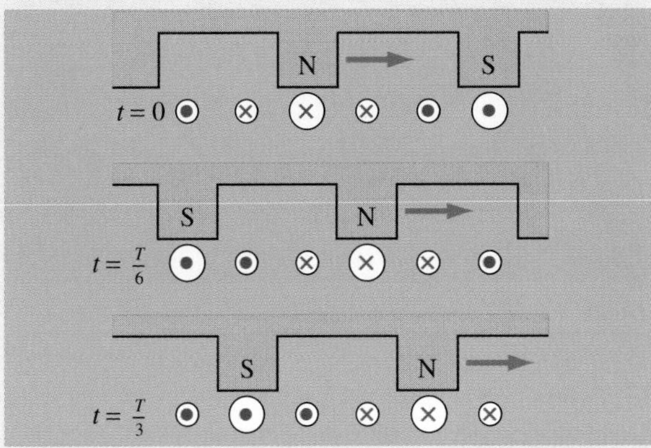


*Figure 11.33*

Le courant dans chaque fil est réglé de telle manière que la force sur chaque pôle soit dirigée vers l'avant.

Sur un train donné, il peut y avoir 50 aimants de section transversale 0,5 m × 1,5 m, espacés de 60 cm. Les courants circulant dans les bobines de champ, qui sont supraconductrices, peuvent atteindre $5 \times 10^5$ A. Pour une poussée de $4 \times 10^4$ N, un courant de 250 A seulement doit circuler dans la voie.

## Lévitation magnétique

Il existe deux manières d'utiliser les forces magnétiques pour soutenir le poids d'un train. On peut employer l'attraction entre les électroaimants du train et un rail en fer (figure 11.34). Cette approche est foncièrement instable, car la force d'attraction augmente lorsque l'aimant se rapproche du rail. Il est donc nécessaire de prévoir un système de contre-réaction électronique pour régler le courant dans les électroaimants. L'autre approche consiste à utiliser la répulsion entre un aimant et les courants de Foucault qu'il induit dans un conducteur. Dans la pratique, on utilise des électroaimants supraconducteurs.

Lorsqu'un aimant se déplace par rapport à une plaque conductrice (figure 11.35), les courants de Foucault induits dans la plaque créent des forces de portée et de traînée dans l'aimant. La force de traînée provient de la dissipation de chaleur liée aux courants de Foucault

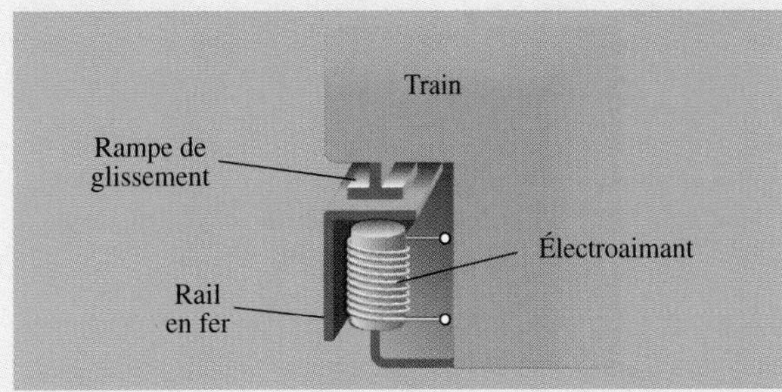


*Figure 11.34*

La lévitation d'un train peut être réalisée par l'attraction entre un électroaimant et un rail en fer.

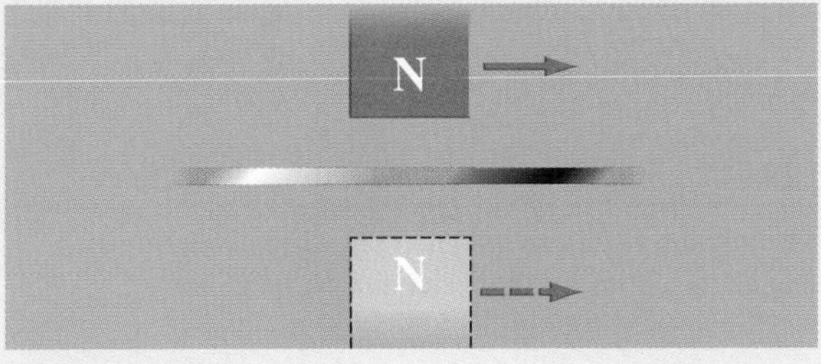


*Figure 11.35*

Lorsqu'un pôle se déplace au-dessus d'une voie en métal, il subit une force de répulsion (due aux courants de Foucault) comme s'il y avait un pôle « image ».

(*cf.* section 10.8). Plus importante est la présence de forces répulsives entre l'aimant et la plaque conductrice. On peut montrer que la plaque conductrice agit comme un « miroir ». Autrement dit, on peut calculer la force répulsive exercée par les courants de Foucault en imaginant un aimant « image » situé sous la plaque.

On peut observer les forces de portée et de traînée avec un long fil rectiligne parcouru par un courant, qui se déplace perpendiculairement à sa longueur. La variation de la composante du champ magnétique du fil perpendiculaire à la plaque est représentée à la figure 11.36*a*. La figure 11.36*b* représente la variation à un instant donné de la composante verticale du champ pendant le déplacement du fil. Le courant induit juste en dessous du fil produit une force de portée. La variation des forces de portée et de traînée avec la vitesse est identique pour un fil et pour un aimant. La figure 11.37 représente les forces pour un électroaimant supraconducteur utilisé dans le projet canadien MAGLEV. L'aimant, de section transversale 0,3 m × 1 m, est parcouru par un courant de $4 \times 10^5$ A. Alors que la force de portée augmente régulièrement avec la vitesse, la force de traînée atteint un maximum à une vitesse relativement faible puis décroît au fur et à mesure que la vitesse augmente. Cette caractéristique est bien sûr très utile. La traînée à grande vitesse est ainsi surtout aérodynamique. On peut réduire la traînée due aux courants de Foucault à faible vitesse en utilisant une plaque plus épaisse (3 cm environ) pour le premier kilomètre au départ d'une gare, puis en réduisant l'épaisseur à la valeur normale de 1 cm. De toute façon, des roues sont nécessaires pour supporter le train à faible vitesse. La figure 11.38 représente un train à lévitation magnétique fonctionnant actuellement au Japon.

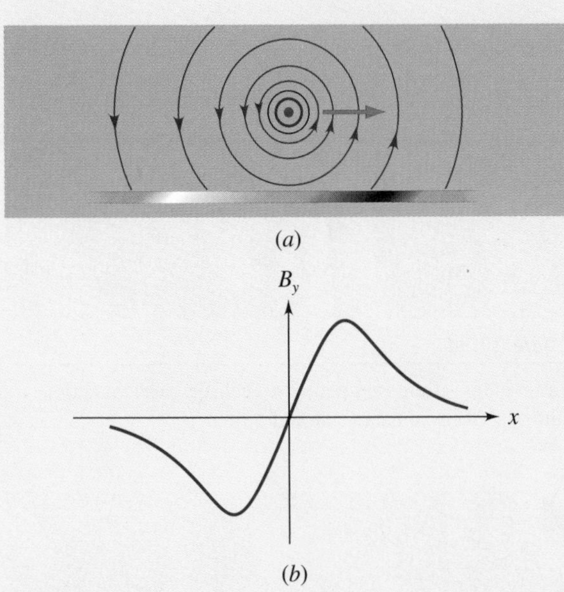


***Figure 11.36***

La variation de la composante verticale du champ magnétique d'un fil isolé parcouru par un courant.

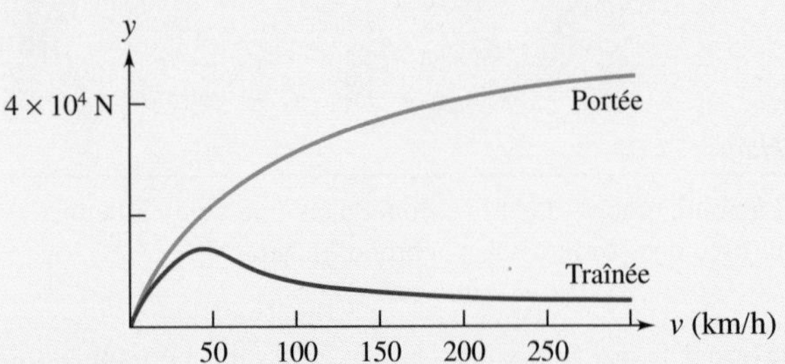


***Figure 11.37***

La variation des forces de portée et de traînée produites par un électroaimant supraconducteur dans le projet canadien MAGLEV.

***Figure 11.38***

Un train à lévitation magnétique au Japon.

## Résumé

Lorsque deux bobines parcourues par des courants sont proches l'une de l'autre, le flux magnétique traversant la bobine 1 a deux contributions :

$$\Phi_1 = \Phi_{11} + \Phi_{12}$$

où $\Phi_{11}$ est le flux traversant la bobine 1 dû à son propre courant $I_1$ et $\Phi_{12}$ est le flux traversant la bobine 1 dû au champ magnétique produit par le courant $I_2$ de la bobine 2. Lorsque le courant varie dans les bobines, la f.é.m. nette dans la bobine 1 est $\mathscr{E}_1 = \mathscr{E}_{11} + \mathscr{E}_{12} = -d(N_1\Phi_1)/dt$. La f.é.m. d'auto-induction dans la bobine 1 est donnée par

$$\mathscr{E}_{11} = -L_1\frac{dI_1}{dt}$$

où l'auto-inductance $L_1$ est déduite de

$$N_1\Phi_{11} = L_1I_1$$

La f.é.m. induite dans la bobine 1 due aux variations de $I_2$ est

$$\mathscr{E}_{12} = -M\frac{dI_2}{dt}$$

où l'inductance mutuelle $M$ est donnée par

$$N_1\Phi_{12} = MI_2$$

(Si un problème donné fait intervenir uniquement l'auto-inductance *ou* l'inductance mutuelle, on peut omettre les indices à condition de définir clairement la signification des termes.)

Dans un circuit comprenant une bobine d'induction et une résistance, la bobine empêche le courant de varier brusquement. Lorsqu'on ferme l'interrupteur pour laisser passer le courant, celui-ci augmente selon l'expression

$$I = I_0(1 - e^{-t/\tau})$$

où la constante de temps est

$$\tau = \frac{L}{R}$$

Si l'on retire la pile, le courant diminue selon l'expression

$$I = I_0e^{-t/\tau}$$

L'énergie emmagasinée dans une bobine d'induction est

$$U_L = \tfrac{1}{2}LI^2$$

Cette énergie est emmagasinée dans le champ magnétique. La densité d'énergie dans un champ magnétique est donnée par

$$u_B = \frac{B^2}{2\mu_0}$$

Dans un circuit $LC$, les oscillations de la charge du condensateur $C$ sont des oscillations harmoniques simples :

$$Q = Q_0 \sin(\omega_0 t + \phi)$$

où la fréquence angulaire propre est $\omega_0 = 1/\sqrt{LC}$. En présence d'une résistance, la fréquence angulaire prend une valeur plus petite et l'amplitude des oscillations diminue de façon exponentielle.

## Termes importants

**auto-inductance**
**auto-induction**
**bobine d'induction**
**constante de temps**
**fréquence angulaire propre**
**henry**
**inductance mutuelle**

## Révision

**R1.** Décrivez une situation où la f.é.m. d'auto-induction est (a) dans le même sens que le courant; (b) dans le sens contraire au courant.

**R2.** Vrai ou faux ? L'auto-inductance d'une bobine est directement proportionnelle à l'intensité du courant qui la traverse.

**R3.** Deux bobines sont face à face. Expliquez la différence entre leur auto-inductance et leur inductance mutuelle.

**R4.** Deux bobines sont face à face. La première est traversée par un courant qui varie dans le temps. Décrivez ce qui se produit, en spécifiant chaque fois si vous parlez de f.é.m. d'auto-inductance ou d'inductance mutuelle.

**R5.** Comparez le comportement d'un circuit *RL* et le comportement d'un circuit *RC* (chapitre 7).

**R6.** Vrai ou faux ? Dans un circuit *RL* relié à une pile, on atteint plus rapidement le courant maximal avec une grande résistance.

**R7.** Comparez les oscillations électriques dans un circuit *LC* aux oscillations d'une masse $m$ reliée à un ressort de constante $k$ en associant les grandeurs mécaniques aux grandeurs électriques.

**R8.** Expliquez pourquoi toute bobine d'induction réelle possède une résistance.

**R9.** Quel est l'effet de l'ajout d'une résistance sur les oscillations électriques dans un circuit *LC* ?

**R10.** À quelle grandeur mécanique associe-t-on la résistance dans un circuit *RLC* série ?

## Questions

**Q1.** Les résistances de précision sont souvent constituées de fils enroulés autour d'un noyau en céramique. Comment peut-on réduire au minimum l'auto-inductance ?

**Q2.** Deux bobines circulaires sont proches l'une de l'autre. Comment doit-on les orienter pour que leur inductance mutuelle soit (a) maximale; (b) minimale ?

**Q3.** Les relations $L = N\Phi/I$ et $L = -\mathscr{E}/(dI/dt)$ sont-elles aussi générales l'une que l'autre ? Sinon, laquelle est préférable pour définir $L$ ? Expliquez pourquoi vous avez éliminé l'autre possibilité.

**Q4.** Pour un solénoïde de longueur finie, l'auto-inductance par unité de longueur est-elle différente au centre et aux extrémités ? Si oui, en quel point est-elle la plus élevée ?

**Q5.** Soit un circuit ayant une inductance élevée. Imaginez un système permettant d'annuler le courant rapidement, mais de façon sûre.

**Q6.** Montrez que $1/\sqrt{LC}$ a pour dimension $T^{-1}$.

**Q7.** Une bobine d'induction peut-elle être le siège d'une f.é.m. induite, même si le courant qui la traverse est nul ?

**Q8.** Une bobine d'induction réelle a une résistance. La différence de potentiel aux bornes de la bobine peut-elle être (a) supérieure à la f.é.m. induite ; (b) inférieure à la f.é.m. induite ?

**Q9.** Quel est l'effet produit sur l'inductance d'un solénoïde lorsqu'on introduit un noyau en fer ? L'inductance a-t-elle une valeur unique ?

**Q10.** Une bobine entoure un long solénoïde. Le champ magnétique créé par le solénoïde est essentiellement nul au point où est située la bobine. La bobine et le solénoïde ont-ils une inductance mutuelle ?

**Q11.** Est-il possible d'avoir une inductance mutuelle sans auto-inductance ? Est-il possible d'avoir une auto-inductance sans inductance mutuelle ?

**Q12.** Dans un circuit *RL*, la valeur de la f.é.m. de la pile a-t-elle un effet sur le temps nécessaire pour atteindre une valeur donnée du courant ? Sinon, quel effet a-t-elle ?

**Q13.** Peut-on avoir une bobine d'induction sans résistance ? Peut-on avoir une résistance sans inductance ?

**Q14.** Soit une spire autour d'un tore. Quel est l'effet produit sur leur inductance mutuelle si l'on fait varier le rayon de la spire ?

**Q15.** Pourquoi $k$ est-il analogue à $1/C$ plutôt qu'à $C$ ?

## Exercices

### 11.1 Inductance

**E1.** (I) (a) Un solénoïde de longueur 15 cm comporte 120 spires de rayon 2 cm. Quelle est son auto-inductance si l'on néglige les effets de bords ? (b) Quel doit être le taux de variation du courant qui le traverse pour produire une f.é.m. d'auto-induction de 4 mV ?

**E2.** (I) La f.é.m. d'auto-induction dans un solénoïde de longueur 25 cm et de rayon 1,5 cm est égale à 1,6 mV lorsque le courant vaut 3 A et augmente à raison de 200 A/s. (a) Quel est le nombre de spires ? (b) Quel est le champ magnétique à l'intérieur du solénoïde à l'instant donné ? On néglige les effets de bords.

**E3.** (I) Un solénoïde comporte 500 spires et son auto-inductance est égale à 1,2 mH. (a) Quel est le flux à travers chaque spire lorsque le courant est égal à 2 A ? (b) Quelle est la f.é.m. induite lorsque le courant varie à raison de 35 A/s ?

**E4.** (I) Trouvez la f.é.m. induite dans une bobine d'induction $L$ lorsque le courant varie en fonction du temps selon : (a) $I = I_0 \exp(-t/\tau)$ ; (b) $I = at - bt^2$ ; (c) $I = I_0 \sin(\omega t)$.

**E5.** (I) Un solénoïde comporte 50 spires. Quand le courant vaut 2 A, chaque spire est traversée par un flux de 15 µWb. Quelle est la f.é.m. induite lorsque le courant varie à raison de 25 A/s ?

**E6.** (I) La f.é.m. d'auto-induction d'une bobine comportant 60 spires est égale à 7,2 mV lorsque le courant varie à raison de 16 A/s. Quel est le flux à travers chaque spire quand le courant est égal à 4,5 A ?

**E7.** (I) Lorsque le courant dans une bobine d'induction varie de 128 A/s, la f.é.m. d'auto-induction est de 12 V. Quelle est l'auto-inductance ?

**E8.** (I) Un câble coaxial est constitué d'un fil de rayon 0,3 mm entouré d'une gaine de rayon 4 mm. Quelle est l'auto-inductance de 18 m de câble ?

**E9.** (I) Une bobine circulaire plate comportant 5 spires de rayon 2,4 cm est placée autour d'un solénoïde de longueur 24 cm ayant 360 spires de rayon 1,7 cm. L'axe de la bobine fait un angle de 10° avec l'axe du solénoïde. Quelle est l'inductance mutuelle ?

**E10.** (I) Deux bobines ont une inductance mutuelle de 40 mH. Quelle est la valeur de la f.é.m. induite dans la bobine 2 lorsque le courant varie de 25 A/s dans la bobine 1 ?

**E11.** (I) Un solénoïde dont la section transversale a une aire de 8 cm$^2$ comporte 20 spires/cm. Une deuxième bobine de 40 spires est enroulée autour du solénoïde. (a) Quelle est l'inductance mutuelle ? (b) Si le courant dans le solénoïde varie selon $I = 3t - 2t^2$, où $t$ est en secondes et $I$ en ampères, quelle est la valeur de la f.é.m. induite dans la deuxième bobine à $t = 2$ s ?

**E12.** (I) Une bobine A comporte 5 spires d'aire 2,4 cm$^2$ et une bobine B comporte 6 spires d'aire 0,5 cm$^2$. Les deux bobines sont coplanaires. Lorsque le courant dans la bobine A vaut 2 A, il produit un champ pratiquement uniforme de 10 μT sur l'aire de la bobine B. Trouvez : (a) l'inductance mutuelle ; (b) la f.é.m. induite dans la bobine A lorsque le courant dans B varie à raison de 40 A/s.

**E13.** (II) Un tore de $N_1$ spires a une section transversale rectangulaire (figure 11.9). Le rayon interne est $a$ et le rayon externe est $b$, la hauteur étant $h$. Une bobine de $N_2$ spires est enroulée autour du tore. Trouvez : (a) le flux à travers la bobine ; (b) leur inductance mutuelle (voir l'exemple 9.8).

**E14.** (I) Une bobine de rayon 2 cm comporte 12 spires. Elle est placée à l'intérieur d'un solénoïde de rayon 2,5 cm qui comporte 20 spires/cm. L'axe de la bobine fait un angle de 60° avec l'axe du solénoïde. Trouvez leur inductance mutuelle. On néglige les effets de bords.

**E15.** (I) Soit deux solénoïdes ayant les caractéristiques suivantes : $L_1 = 20$ mH, $N_1 = 80$ spires ; $L_2 = 30$ mH, $N_2 = 120$ spires et $M = 7$ mH. À un instant donné, le courant dans la bobine 1 vaut 2,4 A et il augmente de 4 A/s, le courant dans la bobine 2 vaut 4,5 A et augmente de 1,8 A/s. Trouvez la valeur de : (a) $\Phi_{11}$ ; (b) $\Phi_{12}$ ; (c) $\Phi_{21}$ ; (d) $\mathscr{E}_{11}$ ; (e) $\mathscr{E}_{12}$ ; (f) $\mathscr{E}_{21}$.

## 11.2 Circuits *RL*

**E16.** (II) À $t = 0$, on relie une f.é.m. idéale $\mathscr{E}$ à une bobine d'induction de résistance nulle et d'auto-inductance $L$. (a) Quelle est la variation du courant en fonction du temps ? (b) Donnez le résultat de la question (a) à partir de l'équation 11.8 en utilisant le développement $e^x \approx 1 + x$, valable pour les petites valeurs de $x$.

**E17.** (I) Dans le circuit représenté à la figure 11.39, $S_2$ est ouvert et on ferme $S_1$ à $t = 0$. Trouvez : (a) l'intensité du courant après 50 ms ; (b) la f.é.m. dans la bobine d'induction après 50 ms ; (c) le temps nécessaire pour que le courant atteigne 80 % de sa valeur finale.

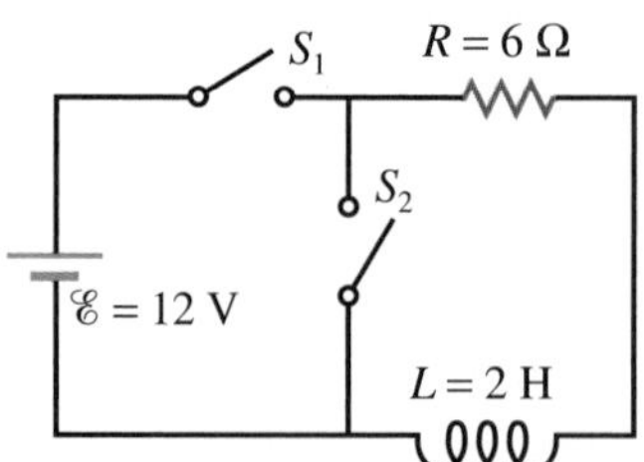


***Figure 11.39***

Exercices 17, 18, 19, 29 et 30.

**E18.** (I) À la figure 11.39, l'interrupteur $S_1$ est resté fermé pendant longtemps. À $t = 0$, on ferme $S_2$ et on ouvre $S_1$. (a) À quel instant la différence de potentiel aux bornes de la résistance chute-t-elle à 12,5 % de sa valeur initiale ? (b) Quelle est la f.é.m. induite dans la bobine d'induction à l'instant trouvé à la question (a) ?

**E19.** (I) À la figure 11.39, $S_2$ est ouvert et on ferme $S_1$ à $t = 0$. (a) Quel est le taux initial de variation du courant ? (b) À quel instant ce taux chute-t-il à 50 % de sa valeur initiale ? (c) Combien faudrait-il de temps au courant pour atteindre sa valeur finale si le taux initial de variation était maintenu ?

**E20.** (I) (a) Dans un circuit *RL*, le courant chute à 25 % de sa valeur initiale en 0,05 s. Si $L = 6$ mH, que vaut $R$ ? (b) Dans un circuit *RL*, le courant croît jusqu'à 40 % de sa valeur finale en 0,02 s. Si $R = 10\ \Omega$, que vaut $L$ ?

**E21.** (I) Une bobine a une résistance de 2 Ω et une auto-inductance de 40 mH. L'intensité du courant est égale à 6 A et elle varie de 25 A/s. Quelle est la différence de potentiel aux bornes de la bobine si le courant (a) croît ; (b) décroît ?

**E22.** (I) Dans un circuit *RL*, le courant croît jusqu'à 40 % de sa valeur finale en 40 ms. (a) Combien de temps lui faut-il pour atteindre 80 % de sa valeur finale ? (b) Si $R = 12\ \Omega$, que vaut $L$ ?

**E23.** (I) Dans un circuit *RL*, $L = 120$ mH et $R = 15\ \Omega$. On ferme l'interrupteur à $t = 0$. (a) Combien de temps faut-il au courant pour croître jusqu'à 50 % de sa valeur finale ? (b) Quel pourcentage du courant final est atteint après qu'il se soit écoulé un temps équivalent à cinq constantes de temps ?

**E24.** (II) Soit le circuit représenté à la figure 11.40. Trouvez les trois intensités du courant : (a) lorsque l'interrupteur est fermé pour la première fois ; (b) une fois que les courants ont atteint des valeurs stationnaires ; (c) lorsqu'on ouvre l'interrupteur pour la première fois (après qu'il soit resté fermé pendant longtemps). (d) Quelle est la différence de potentiel aux bornes de $R_2$ dans le cas (c) ?

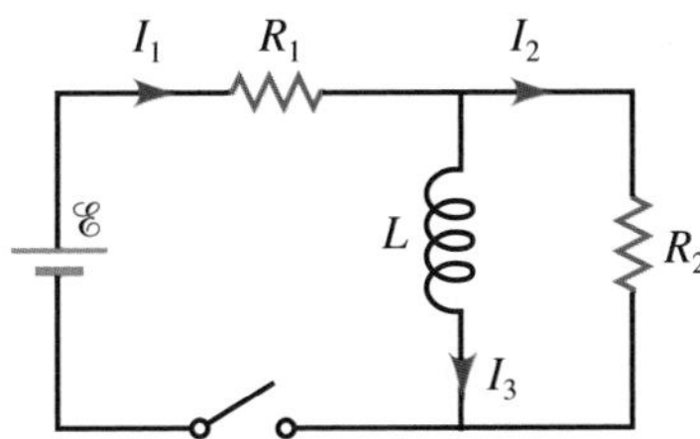


*Figure 11.40*

Exercice 24, Problème 10.

**E25.** (I) Un solénoïde de longueur 18 cm et de rayon 2 cm est constitué d'une seule couche de spires jointives en fil de cuivre de diamètre 1,0 mm et de résistivité $1{,}7 \times 10^{-8}$ Ω·m. Évaluez sa constante de temps si on le branche à une f.é.m. idéale.

## 11.3 Énergie

**E26.** (I) (a) Un solénoïde a une auto-inductance de 1,5 H. Quelle est l'énergie emmagasinée lorsque l'intensité du courant est égale à 20 A ? (b) Un long solénoïde de 120 spires produit un flux de $4 \times 10^{-5}$ Wb à travers un plan normal à l'axe lorsque $I = 1{,}5$ A. Quelle est l'énergie emmagasinée ? On néglige les effets de bords.

**E27.** (I) (a) Le module du champ magnétique terrestre est voisin de 1 G près de la surface. Quelle est la densité d'énergie magnétique ? (b) Un solénoïde de longueur 10 cm et de rayon 1 cm comporte 100 spires. Quelle est l'intensité du courant qui produirait la densité d'énergie trouvée à la question (a) ? On néglige les effets de bords.

**E28.** (I) Un câble coaxial est constitué d'un fil conducteur intérieur de rayon $a = 0{,}5$ mm et d'une gaine extérieure de rayon $b = 2$ mm. Si l'intensité du courant est égale à 2 A, quelle est l'énergie emmagasinée sur un mètre de câble ?

**E29.** (II) À la figure 11.39, $S_2$ est ouvert et on ferme $S_1$ à $t = 0$. Au bout d'une constante de temps, trouvez : (a) le taux de dissipation d'énergie dans la résistance ; (b) le taux auquel l'énergie est emmagasinée dans la bobine d'induction ; (c) la puissance fournie par la pile.

**E30.** (II) Dans le circuit de la figure 11.39, $S_2$ est ouvert et on ferme $S_1$ à $t = 0$. On donne $L = 25$ mH, $R = 60$ Ω et la f.é.m. de la pile égale à 40 V. À $t = 1$ ms, trouvez : (a) la f.é.m. d'auto-induction dans la bobine ; (b) la puissance dissipée dans la résistance ; (c) la puissance fournie à la bobine ; (d) la puissance fournie par la pile.

**E31.** (II) Une résistance $R = 5$ Ω est en série avec une bobine d'auto-inductance $L = 40$ mH et une f.é.m. idéale de 20 V. On ferme l'interrupteur à $t = 0$. À quel instant le taux de dissipation d'énergie dans $R$ est-il égal au taux auquel l'énergie est emmagasinée dans $L$ ? Exprimez également votre réponse en fonction d'un nombre de constantes de temps.

**E32.** (I) Une bobine d'induction emmagasine 1,2 J lorsqu'elle est traversée par un courant de 4 A. Quelle est l'auto-inductance ?

**E33.** (I) Un solénoïde de 300 spires a une longueur de 20 cm et un rayon de 1,8 cm. Pour quelle intensité du courant la densité d'énergie à l'intérieur du solénoïde est-elle égale à 8 mJ/m$^3$ ?

**E34.** (I) Une bobine torique est en série avec une résistance de 60 Ω et une f.é.m. idéale de 24 V. On ferme l'interrupteur à $t = 0$. Sachant que l'intensité du courant atteint 180 mA en 2 ms, trouvez : (a) l'auto-inductance du tore ; (b) l'énergie finale emmagasinée dans le tore.

**E35.** (I) Un solénoïde a une section transversale d'aire $A$ et une longueur $\ell$. (a) S'il est parcouru par un courant $I$, donnez l'expression de la densité d'énergie à l'intérieur du solénoïde. (b) Posez l'énergie totale du solénoïde égale à $\frac{1}{2}LI^2$ et dérivez l'auto-inductance. Comparez votre résultat avec celui de l'exemple 11.1.

**E36.** (I) L'intensité du courant dans une bobine d'induction $L = 160$ mH varie selon $I = 2{,}5 \sin(150\, t)$, où $t$ est en secondes et $I$ en ampères. Trouvez : (a) la f.é.m. induite $\mathscr{E}$ à 1,2 ms ; (b) la puissance instantanée fournie à la bobine d'induction à $t = 1{,}2$ ms.

## 11.4 et 11.5 Oscillations dans un circuit *LC* et oscillations amorties dans un circuit *RLC*

**E37.** (II) Un condensateur $C = 10\ \mu\text{F}$ a une charge initiale de $60\ \mu\text{C}$. Il est relié aux bornes d'une bobine $L = 8$ mH à $t = 0$. (a) Quelle est la fréquence des oscillations ? (b) Quelle est l'intensité maximale du courant circulant dans $L$ ? (c) Quel est le premier instant auquel l'énergie se répartit à parts égales entre $C$ et $L$ ?

**E38.** (I) Dans un circuit $LC$, le condensateur $C = 25$ nF met $10^{-4}$ s pour perdre sa charge initiale de $20\ \mu\text{C}$. (a) Quelle est la valeur de $L$ ? (b) Quelle est l'énergie maximale emmagasinée dans $L$ ?

**E39.** (I) Dans le circuit de syntonisation d'une radio AM, l'inductance est de 5 mH. Quel doit être l'intervalle de variation de la capacité pour que le circuit puisse capter toute la bande AM comprise entre 550 kHz et 1600 kHz ?

**E40.** (I) Dans un circuit $RLC$ série, $R = 20\ \Omega$, $L = 4$ mH et $C = 20\ \mu\text{F}$. (a) Quelle est la fréquence angulaire des oscillations amorties ? (b) Pour quelle valeur de la résistance le système est-il en amortissement critique ?

**E41.** (II) Dans un circuit $RLC$ série, $R^2 \ll 4L/C$. Montrez que l'énergie totale emmagasinée dans $C$ et $L$ est donnée par

$$U \approx \frac{Q_0^2}{2C} e^{-Rt/L}$$

**E42.** (I) Dans un circuit $RLC$ série, $L = 40$ mH et $C = 0{,}01\ \mu\text{F}$. (a) Quelle est la fréquence angulaire propre $\omega_0$ ? (b) Pour quelle valeur de la résistance la fréquence angulaire des oscillations amorties est-elle inférieure de 0,1 % à $\omega_0$ ?

# Problèmes

**P1.** (I) Trouvez l'auto-inductance équivalente de deux bobines d'induction reliées de la manière suivante : (a) en série ; (b) en parallèle. On néglige leur inductance mutuelle.

**P2.** (II) Deux solénoïdes d'auto-inductances $L_1$ et $L_2$ et d'inductance mutuelle $M$ sont reliés en série. Montrez que leur auto-inductance équivalente est $L_{\text{éq}} = L_1 + L_2 \pm 2M$. Pourquoi les deux signes sont-ils possibles ?

**P3.** (II) Les centres de deux longs fils parallèles de rayon $a$ sont séparés par une distance $d$. Ils sont parcourus par des courants de même intensité de sens opposés. Montrez que si l'on néglige le flux à l'intérieur des fils, l'auto-inductance par unité de longueur est $L = (\mu_0/\pi)\ln[(d - a)/a]$.

**P4.** (II) Soit un long fil rectiligne de rayon $a$. Quelle contribution le flux à l'intérieur du fil apporte-t-il à son auto-inductance par unité de longueur (voir l'exemple 9.6) ?

**P5.** (II) Un long fil rectiligne et un cadre rectangulaire sont situés dans le même plan (figure 11.41). Quelle est leur inductance mutuelle ?

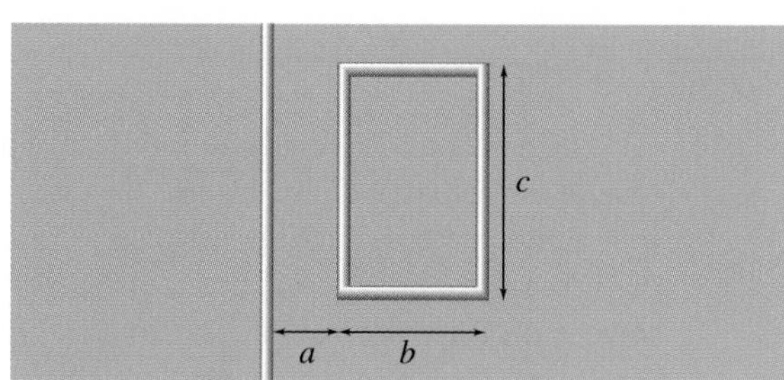


***Figure 11.41***

Problème 5.

**P6.** (II) Déterminez l'auto-inductance du tore de la figure 11.9 en calculant le flux qui le traverse (voir l'exemple 11.6).

**P7.** (II) (a) Montrez que dans le cas d'une oscillation sous-amortie d'un circuit $RLC$ série, la fraction de l'énergie perdue par cycle est

$$\frac{|\Delta U|}{U} \approx \frac{2\pi}{Q}$$

où $Q = \omega L/R$ est appelé facteur $Q$. (*Indice*: Utilisez l'équation 11.19 pour calculer l'énergie totale à deux instants séparés d'une période. Le sinus aura la même valeur. Utilisez ensuite $e^x \approx 1 + x$ pour les petites valeurs de $x$.) (b) Si la perte d'énergie par cycle est de 2 %, que vaut $Q$ ? (c) Pour la valeur de $Q$ trouvée à la question (b), on suppose que $R = 0{,}5\ \Omega$ et $L = 18$ mH. Que vaut $C$ ?

**P8.** (I) Dans un circuit $RL$, $L = 20$ mH et $R = 9\ \Omega$. On relie ces éléments en série avec une f.é.m. idéale de 60 V à $t = 0$. Trouvez le temps nécessaire pour que chacune des grandeurs suivantes atteigne 50 % de sa valeur maximale : (a) l'intensité du courant ; (b) le taux de dissipation d'énergie dans la résistance ; (c) l'énergie emmagasinée dans la bobine d'induction.

**P9.** (I) Un solénoïde est composé d'un fil de rayon $a$ bobiné en une seule couche sur un cylindre en papier de rayon $r$. Montrez que la constante de temps est

$$\tau = \frac{L}{R} = \frac{\mu_0 \pi a r}{4\rho}$$

où $\rho$ est la résistivité.

**P10.** (II) Dans le circuit de la figure 11.40, montrez qu'après la fermeture de l'interrupteur à $t = 0$, $I_3$ est donné par

$$I_3 = \frac{\mathscr{E}}{R_1}(1 - e^{-t/\tau}).$$

où $\tau = L(R_1 + R_2)/R_1R_2$.

**P11.** (II) Démontrez que dans un circuit $RL$ (figure 11.8*a*), toute l'énergie emmagasinée dans la bobine est dissipée sous forme d'énergie thermique dans la résistance.

**P12.** (II) Sachant que la charge du condensateur dans un circuit $RLC$ série varie selon $Q(t) = Q_0 e^{-Rt/2L} \cos(\omega' t)$, trouvez l'expression du courant en fonction du temps. Montrez que si $R/2L \ll \omega'$, l'intensité du courant peut s'écrire sous la forme

$$I(t) \approx A(t)\sin(\omega' t + \delta)$$

où $A(t) = -\omega' Q_0 e^{-Rt/2L}$ et $\tan\delta = R/(2L\omega')$.

**P13.** (II) Soit deux solénoïdes, le premier étant à l'intérieur de l'autre. Écrivez les expressions de $L_1$ et $L_2$ et deux expressions pour $M$. En supposant que la totalité du flux d'un solénoïde traverse l'autre, montrez que $M = \sqrt{L_1 L_2}$.

**P14.** (II) Montrez que le taux de dissipation thermique dans un circuit $RLC$ série sous-amorti (figure 11.14) est

$$P_{\text{moy}} = \frac{\omega_0^2 Q_0^2 R}{2} e^{-Rt/L}$$

CHAPITRE 12

# Les circuits alimentés en courant alternatif

Salle des alternateurs de la centrale hydroélectrique La Grande-2, au Québec.

## POINTS ESSENTIELS

1. Dans un circuit alimenté en courant alternatif, le recours aux **valeurs efficaces** de la tension et du courant permet d'utiliser les expressions décrivant la puissance électrique en courant continu.
2. L'**impédance** joue un rôle similaire dans un circuit alimenté en courant alternatif à celui de la résistance dans un circuit en courant continu.
3. La **représentation de Fresnel** permet de déterminer le déphasage entre le courant et la tension.
4. Un circuit comportant une résistance, un condensateur et une bobine est caractérisé par une **fréquence angulaire de résonance**.
5. Un **transformateur** permet de modifier la tension d'une source de courant alternatif.

Jusqu'à présent, nous n'avons parlé que des circuits alimentés en *courant continu* (c.c.), dans lesquels le courant circule toujours dans le même sens. Pourtant, de nombreuses sources de courant produisent du *courant alternatif* (c.a.), qui change de sens périodiquement. Le générateur c.a. étudié à la section 10.4 est utilisé notamment dans les centrales électriques, les dynamos de bicyclettes et les alternateurs d'automobiles. Tout instrument ou appareil électrique que l'on branche dans une prise murale est alimenté en courant alternatif par une source de f.é.m. L'émission et la réception des signaux de radio et de télévision font intervenir des courants qui varient sinusoïdalement dans le temps. Dans les systèmes audio, les signaux obtenus à la sortie des têtes de lecture, des rubans magnétiques et des microphones sont des signaux c.a., qui passent par un amplificateur avant d'arriver au haut-parleur.

Nous allons dans ce chapitre étudier la réponse des résistances, des bobines d'induction et des condensateurs à une f.é.m. alternative. Nous considérerons d'abord chacun de ces éléments de circuit séparément, puis nous étudierons leur association en série et en parallèle. Le circuit *RLC* série présente un intérêt particulier parce que le courant qui le traverse donne lieu au phénomène de résonance lorsqu'on fait varier la fréquence de la source c.a.

## 12.1 Considérations préliminaires

Après avoir étudié le générateur c.a. à la section 10.4, nous savons que la f.é.m. et le courant produits par ce type de générateur varient sinusoïdalement dans le temps. Nous allons dans ce chapitre utiliser les lettres minuscules pour désigner les valeurs *instantanées* du courant et de la différence de potentiel. Pour simplifier, nous allons utiliser dans ce qui suit le terme **tension** pour désigner une différence de potentiel. Sauf dans le cas d'associations en parallèle, nous supposerons que le courant instantané $i$ est toujours de la forme

Courant instantané

$$i = i_0 \sin(\omega t) \qquad (12.1)$$

où $\omega = 2\pi f$ est la fréquence angulaire en radians par seconde (rad/s) et $f$ la fréquence en hertz (Hz) de la source de f.é.m. alternative. L'amplitude $i_0$ est la valeur *maximale* du courant. On dit que deux grandeurs, telles le courant et la tension, sont *en phase* si elles prennent leurs valeurs maximales au même instant. Nous allons voir qu'en général la tension instantanée aux bornes d'un élément de circuit n'est pas en phase avec le courant qui le traverse ; les valeurs maximales sont atteintes à des instants différents. On peut donc écrire la tension instantanée aux bornes de la source sous la forme

$$\Delta v = \Delta v_0 \sin(\omega t + \phi) \qquad (12.2)$$

où $\Delta v_0$ est la tension maximale et $\phi$ est l'angle de phase entre le courant et la tension. (On suppose que la source n'a pas de résistance interne et donc que la tension aux bornes est égale à la f.é.m.) Nous allons tout d'abord déterminer $\phi$ pour une résistance, une bobine d'induction ou un condensateur, reliés séparément à une source c.a.

Le signe de la tension instantanée aux bornes d'une résistance ($\Delta v_R$), d'une bobine d'induction ($\Delta v_L$) ou d'un condensateur ($\Delta v_C$) dépend du sens du courant choisi par convention. La figure 12.1 représente un élément de circuit relié à une source c.a., dont le symbole électrique est : -⊙-. Le sens du courant instantané est indiqué sur la figure. Si $v_a$ et $v_b$ sont les potentiels aux points $a$ et $b$, alors n'importe laquelle des tensions $\Delta v_R$, $\Delta v_L$ et $\Delta v_C$ est égale à $v_a - v_b$ par définition. Lorsqu'une résistance, un condensateur ou une bobine d'induction est branchée à une source c.a., une relation précise s'établit entre les valeurs maximales de courant et de tension aux bornes de l'élément de circuit. Les sections qui suivent s'intéressent, entre autres, à établir cette relation.

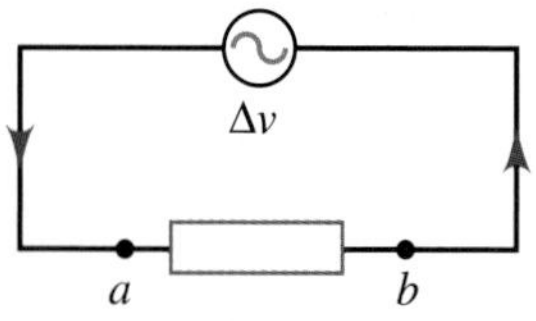

**Figure 12.1**

Un élément de circuit $R$, $L$ ou $C$, relié à une source c.a. qui fournit une tension instantanée $\Delta v$ entre ses bornes. Lorsque le courant circule dans le sens indiqué sur la figure, le potentiel en $a$ est supérieur au potentiel en $b$ : $\Delta v = v_a - v_b$ est positif.

## 12.2 La résistance dans un circuit c.a. ; valeurs efficaces

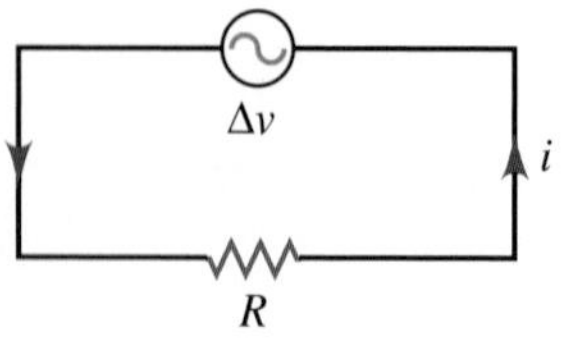

À la figure 12.2, une résistance est reliée à une source de f.é.m. idéale, dont la tension instantanée aux bornes est $\Delta v$. Selon la loi des mailles de Kirchhoff, $\Delta v - \Delta v_R = 0$, où $\Delta v_R = Ri$ est la tension aux bornes de la résistance. D'après l'équation 12.1, la tension instantanée aux bornes de la résistance est

$$\Delta v_R = Ri_0 \sin(\omega t) = \Delta v_{R0} \sin(\omega t) \qquad (12.3)$$

la valeur maximale étant

$$\Delta v_{R0} = Ri_0 \qquad (12.4)$$

**Figure 12.2**

Une résistance reliée à une source c.a.

En comparant les équations 12.1 et 12.3, on constate que le courant et la tension sont en phase ($\phi = 0$), comme le montre la figure 12.3.

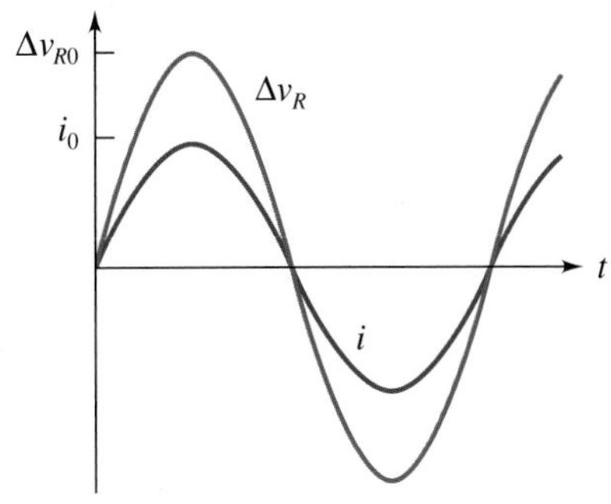


*Figure 12.3*

La valeur instantanée $i$ du courant et la tension instantanée $\Delta v_R$ sont en phase.

La puissance instantanée $p$ associée à la dissipation thermique dans la résistance est

$$p = Ri^2 = Ri_0^2 \sin^2(\omega t)$$

Pour déterminer la valeur moyenne de cette puissance, on ne peut pas utiliser la valeur moyenne de $i$ sur un cycle complet, puisqu'elle est évidemment nulle. Du point de vue physique, une perte d'énergie en dissipation thermique doit se produire dans la résistance, indépendamment du sens du courant, et la référence à $i^2$ confirme cette observation puisque ce dernier paramètre est toujours positif. La valeur moyenne de $i^2$ sur un cycle complet peut être obtenu grâce à l'identité trigonométrique $\sin^2\theta = \frac{1}{2}(1 - \cos 2\theta)$. La moyenne de $\cos 2\theta$ sur un cycle complet étant nulle, il reste $\sin^2\theta = \frac{1}{2}$*. On a donc

$$(i^2)_{\text{moy}} = \frac{i_0^2}{2}$$

La racine carrée de cette moyenne, ou valeur quadratique moyenne, est appelée **valeur efficace** de l'intensité du courant $I$ (figure 12.4) :

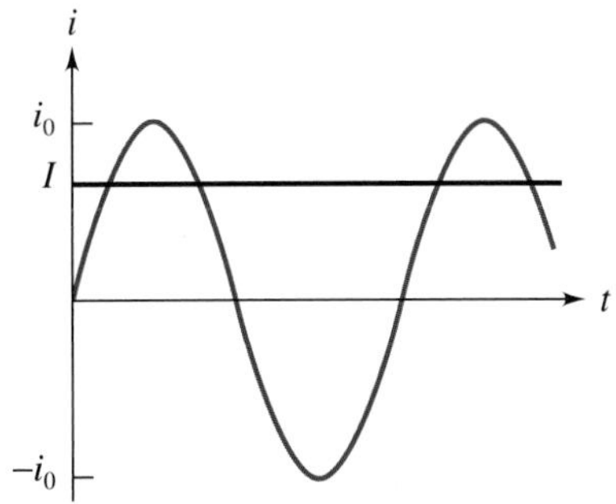


*Figure 12.4*

La valeur efficace $I$ du courant est liée à la valeur maximale $i_0$ du courant instantané par la relation $I = i_0/\sqrt{2} = 0{,}707 i_0$.

$$I = \sqrt{(i^2)_{\text{moy}}} = \frac{i_0}{\sqrt{2}} = 0{,}707 i_0 \qquad (12.5a)$$

Nous allons utiliser les lettres majuscules $I$, $\Delta V$ et $P$ pour désigner les valeurs efficaces du courant, de la tension et de la puissance. La relation entre la tension efficace et la tension maximale est la suivante :

$$\Delta V = \sqrt{(\Delta v^2)_{\text{moy}}} = \frac{\Delta v_0}{\sqrt{2}} = 0{,}707 \Delta v_0 \qquad (12.5b)$$

Cette relation est valable pour la source, la résistance ou un élément de circuit quelconque aux bornes duquel la tension varie de façon sinusoïdale. Les valeurs efficaces du courant et de la tension ne diffèrent de leurs valeurs instantanées que par le facteur $\sqrt{2}$ ; ainsi, l'équation 12.4 peut également s'écrire sous la forme

$$\Delta V_R = RI \qquad (12.6)$$

Cette équation est analogue à la loi d'Ohm (en courant continu) si $R$ est constante. La puissance moyenne, que l'on appelle aussi **puissance efficace**, est $P = p_{\text{moy}} = R(i^2)_{\text{moy}}$ ; d'après l'équation 12.5$a$, on a donc

$$\text{(puissance efficace)} \qquad P = RI^2 \qquad (12.7)$$

* En règle générale, la valeur moyenne d'une fonction $F(t)$ sur une période $T$ est donnée par $F_{\text{moy}} = (1/T)\int_0^T F(t)\, dt$. Dans le cas présent, $F(t) = i_0^2 \sin^2(\omega t) = i_0^2(1 - \cos 2\omega t)/2$.

Nous obtenons la même expression que celle de la puissance électrique en courant continu, à condition d'utiliser les valeurs efficaces du courant ou de la tension. L'intensité efficace $I$ du courant est équivalente au courant c.c. qui produirait le même taux de dissipation thermique moyen que le courant alternatif. L'équation 12.7 peut également s'écrire sous la forme $P = \Delta V_R^2/R = I\Delta V_R$.

## Exemple 12.1

Une ampoule électrique a une puissance efficace de 100 W lorsqu'on la branche sur une prise murale dont la tension efficace est de 120 V. Déterminer : (a) la résistance de l'ampoule ; (b) la tension maximale de la source ; (c) la valeur efficace de l'intensité du courant qui circule dans l'ampoule ; (d) les valeurs maximales du courant ; (e) les valeurs maximales de la puissance instantanée.

**Solution :**

(a) On nous donne $P = 100$ W et $\Delta V_R = 120$ V. La résistance est donnée par

$$R = \frac{\Delta V_R^2}{P} = 144\ \Omega$$

(b) D'après l'équation 12.5*b*, la tension maximale de la source est

$$\Delta v_0 = \sqrt{2}\ \Delta V = 170\ \text{V}$$

La tension réelle fluctue entre $-170$ V et $+170$ V.

(c) Puisque $P = I\Delta V_R$, on a

$$I = \frac{P}{\Delta V_R} = \frac{(100\ \text{W})}{(120\ \text{V})} = 0{,}833\ \text{A}$$

(d) L'intensité maximale du courant est $i_0 = \sqrt{2}I = 1{,}18$ A.

(e) La valeur maximale de la puissance instantanée est $p_0 = Ri_0^2 = (144\ \Omega)(1{,}18\ \text{A})^2 = 200$ W. Notons que $p_0 = 2P$ si $P$ est la puissance moyenne.

## 12.3 La bobine dans un circuit c.a.

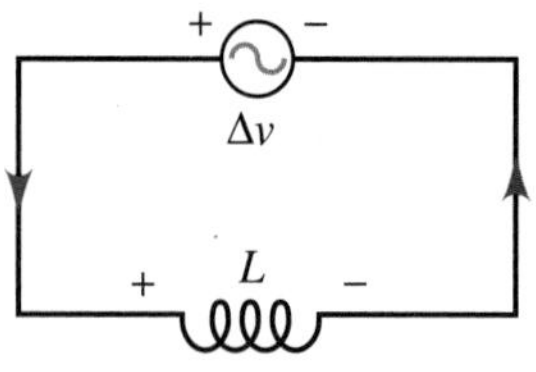

**Figure 12.5**

Une bobine d'induction reliée à une source c.a.

La figure 12.5 illustre une source c.a. tentant d'établir un courant dans le sens indiqué. La tension instantanée aux bornes de la bobine tentera de s'opposer à l'augmentation du courant ; sa polarité correspondra aux signes indiqués à ses bornes. D'après la loi des mailles, $\Delta v - \Delta v_L = 0$, où $\Delta v_L = L\ di/dt$ est la tension instantanée aux bornes de la bobine. L'expression $\Delta v_L = L\ di/dt$ ne contredit pas l'expression établie au chapitre précédent et qui porte un signe *moins* en vertu de la convention de signe de la loi de Faraday. L'expression utilisée ici est en accord avec la convention établie à la figure 12.1.

D'après l'équation 12.1, on obtient le taux de variation du courant

$$\frac{di}{dt} = i_0\omega\cos(\omega t)$$

donc

$$\Delta v_L = L\frac{di}{dt} = \Delta v_{L0}\cos(\omega t) \tag{12.8}$$

la valeur maximale étant

$$\Delta v_{L0} = i_0\omega L \tag{12.9}$$

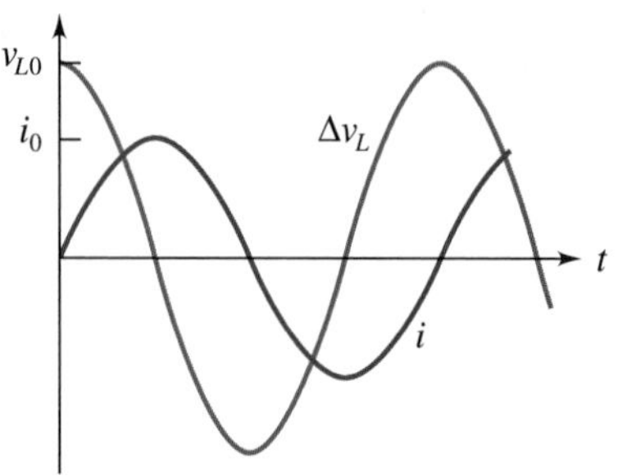


**Figure 12.6**

La tension instantanée $\Delta v_L$ aux bornes de la bobine est *en avance* de 90° sur le courant instantané $i$.

Puisque $\cos(\omega t) = \sin(\omega t + 90°)$, l'angle de la phase est $\phi = +90°$, ce qui signifie que $\Delta v_L$ est *en avance* sur $i$. La tension $\Delta v_L$ atteint sa valeur maximale un quart de cycle avant le courant (figure 12.6) parce que $\Delta v_L$ ne dépend pas du courant mais de son taux de variation $di/dt$. Par exemple, $\Delta v_L$ prend sa valeur maximale lorsque $i = 0$ parce que $di/dt$ est maximal à cet instant. On peut écrire l'équation 12.9 sous une forme analogue à la loi d'Ohm :

$$\Delta v_{L0} = Z_L i_0 \quad \text{ou} \quad \Delta V_L = Z_L I \tag{12.10}$$

où la quantité

$$Z_L = \omega L \tag{12.11}$$

est l'**impédance*** de la bobine. L'unité SI d'impédance est l'ohm. L'impédance d'un élément de circuit indique dans quelle mesure il s'oppose à la circulation du courant c.a. Comme le suggère l'équation 12.10, l'impédance joue dans un circuit c.a. un rôle similaire à celui de la résistance dans un circuit c.c. L'impédance d'un élément nous renseigne sur la tension c.a. qui doit lui être appliquée à une fréquence donnée pour faire circuler dans le circuit un courant c.a. égal à l'unité. On remarquera que l'équation 12.10 n'est pas valable pour le courant instantané $i$ et la tension instantanée $\Delta v_L$. En effet, le courant instantané et la tension instantanée ne sont pas en phase. L'équation 12.10 fait intervenir les valeurs *maximales* ou les valeurs *efficaces*.

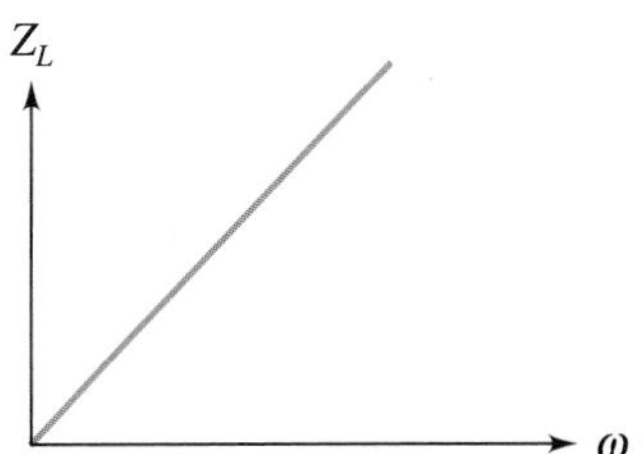


*Figure 12.7*

L'impédance d'une bobine est directement proportionnelle à la fréquence angulaire $\omega$.

Voyons maintenant pourquoi il est correct d'écrire $Z_L$ comme nous l'avons fait. À la section 11.4, nous avons vu qu'il existe une analogie entre l'inductance et l'inertie mécanique, qui est liée au fait que $L$ mesure l'opposition à une variation de courant. Par conséquent, il n'est pas surprenant que, dans un circuit c.a., $Z_L \propto L$. Comme le taux de variation du courant $di/dt$ est proportionnel à $\omega$, la tension aux bornes de la bobine, $\Delta v_L = L\, di/dt$, est elle aussi proportionnelle à $\omega$. Plus la fréquence angulaire est grande, plus la valeur de la f.é.m. induite s'opposant au courant est grande, et plus l'intensité du courant est faible dans le circuit. Il est donc correct d'écrire $Z_L \propto \omega$ (figure 12.7).

La puissance instantanée fournie à la bobine est

$$p_L = i\Delta v_L = i_0 \Delta v_{L0} \sin(\omega t) \cos(\omega t)$$

En utilisant l'identité $\sin 2\theta = 2 \sin \theta \cos \theta$, on voit que la puissance moyenne sur un cycle complet est nulle, puisque la moyenne de $\sin 2\theta$ est nulle (figure 12.8). L'énergie emmagasinée par la bobine pendant un quart de période est restituée à la source durant le quart de période suivant.

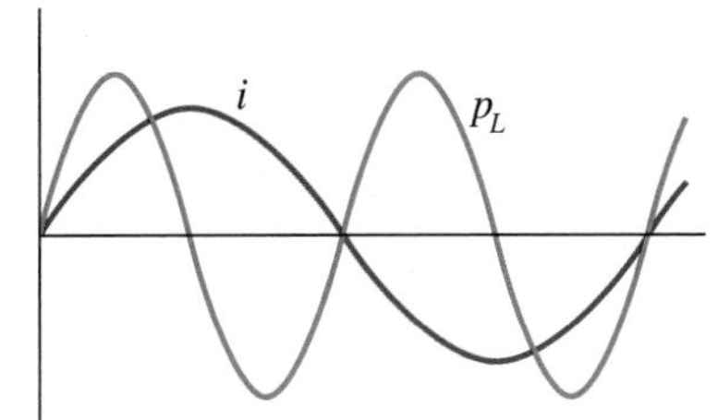


*Figure 12.8*

La puissance moyenne fournie à une bobine est nulle.

## 12.4 Le condensateur dans un circuit c.a.

La figure 12.9 représente un condensateur relié à une source de f.é.m. alternative. L'armature positive du condensateur porte une charge égale à $q$. Le courant circulant dans le circuit (attention, *pas* dans le condensateur !) charge les armatures, de sorte que $i = dq/dt$ ou $dq = i\, dt$. On a donc

$$\begin{aligned} q &= \int i\, dt = \int i_0 \sin(\omega t)\, dt \\ &= -\frac{i_0}{\omega} \cos(\omega t) + D \end{aligned} \tag{12.12}$$

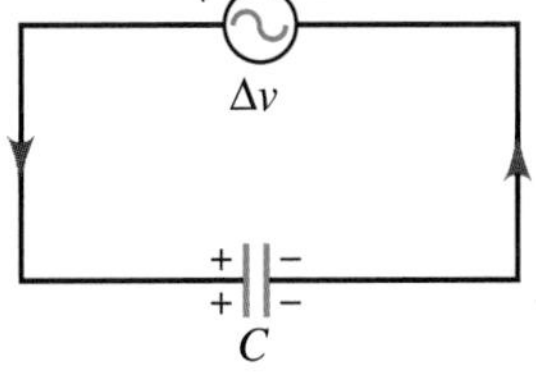


*Figure 12.9*

Un condensateur relié à une source c.a.

où $D$ est une constante. La constante dépend des conditions initiales et nous pouvons la choisir égale à zéro. Selon la loi des mailles, $\Delta v - \Delta v_C = 0$, où

* On utilise parfois le terme *réactance* pour désigner l'impédance d'un circuit qui ne contient que des bobines ou des condensateurs.

$\Delta v_C = q/C$ est la tension instantanée aux bornes du condensateur. En utilisant l'équation 12.12, on obtient

$$\Delta v_C = -\frac{i_0}{\omega C}\cos(\omega t) = -\Delta v_{C0}\cos(\omega t)$$

la valeur maximale étant

$$\Delta v_{C0} = i_0 \frac{1}{\omega C} \qquad (12.13)$$

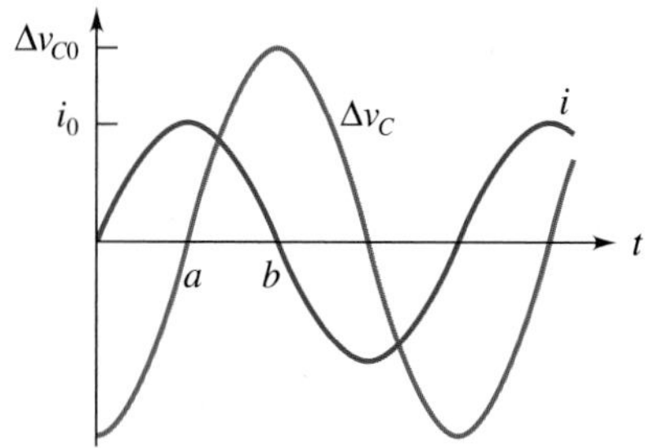


***Figure 12.10***

La tension instantanée $\Delta v_C$ aux bornes du condensateur est *en retard* de 90° sur le courant instantané $i$.

Comme $-\cos(\omega t) = \sin(\omega t - 90°)$, l'angle de phase $\phi$ est égal à −90°. Cela signifie que la tension aux bornes du condensateur $\Delta v_C$ est *en retard* de 90° sur le courant. Comme on le voit à la figure 12.10, $\Delta v_C$ atteint sa valeur maximale un quart de cycle après le courant. Pour bien comprendre à quoi correspond ce déphasage, partons de l'instant $a$ (figure 12.10) où $\Delta v = \Delta v_C = 0$, c'est-à-dire où $q = 0$. Au fur et à mesure que la tension $v$ aux bornes de la source augmente, la charge du condensateur augmente conformément à la condition $\Delta v = \Delta v_C$. Lorsque $\Delta v$ atteint sa valeur maximale à l'instant $b$, aucun mouvement de charge n'est requis, ce qui donne $i = 0$. Quand $\Delta v$ commence à décroître, la charge circule alors du condensateur vers la source, ce qui signifie que le sens du courant s'est inversé. (Notons également que $i = dq/dt = C\, d(\Delta v)/dt$. Donc, $i$ prend sa valeur maximale lorsque $\Delta v = 0$ parce que $d(\Delta v)/dt$ est maximal à cet instant.)

L'équation 12.13 peut s'écrire sous une forme analogue à la loi d'Ohm :

$$\Delta v_{C0} = Z_C i_0 \quad \text{ou} \quad \Delta V_C = Z_C I \qquad (12.14)$$

où

$$Z_C = \frac{1}{\omega C} \qquad (12.15)$$

est l'impédance du condensateur. Pour comprendre pourquoi nous avons écrit l'équation 12.15 sous cette forme, remarquons tout d'abord que $Z_C = \infty$ quand $\omega = 0$, ce qui est vraisemblable puisqu'un condensateur ne laisse pas passer le courant continu. (Un courant c.c. variable dans le temps circule dans le circuit durant la charge ou la décharge d'un condensateur.) Pour comprendre pourquoi $Z_C \propto 1/\omega$ (figure 12.11), notons que le temps nécessaire pour atteindre une tension maximale donnée est déterminé par la fréquence de la source. Au fur et à mesure que la fréquence augmente, la charge doit circuler plus rapidement pour aller vers le condensateur ou en revenir. Par conséquent, au fur et à mesure que la fréquence augmente, le courant augmente, ce qui implique que l'impédance diminue. (Notons également que $i = C\, d(\Delta v)/dt$ et que $d(\Delta v)/dt \propto \omega$, autrement dit que $i \propto \omega$.) Voyons maintenant pourquoi $Z_C \propto 1/C$. Pour une tension donnée, un condensateur de grande capacité emmagasine une charge plus élevée qu'un petit condensateur. Par conséquent, le courant à un instant quelconque est plus grand pour un condensateur de grande capacité. Il est donc logique d'écrire $Z_C \propto 1/C$.

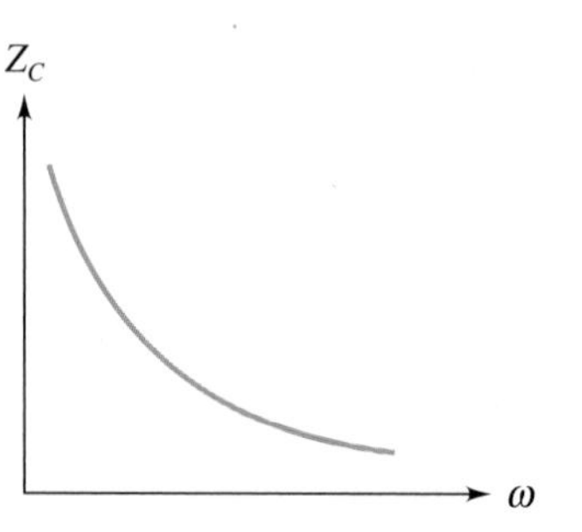


***Figure 12.11***

L'impédance d'un condensateur est inversement proportionnelle à la fréquence angulaire $\omega$.

La puissance instantanée fournie au condensateur s'écrit

$$p_C = i\Delta v_C = i_0 \Delta v_{C0} \sin(\omega t)\cos(\omega t)$$

Comme pour la bobine, la puissance moyenne est nulle. L'énergie emmagasinée par le condensateur durant chaque quart de cycle est restituée à la source pendant le quart de cycle suivant (figure 12.12).

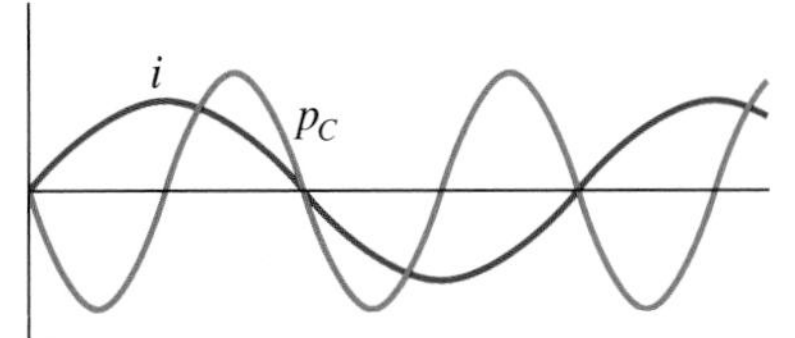


**Figure 12.12**

La puissance moyenne fournie à un condensateur est nulle.

## 12.5 La représentation de Fresnel

Il est facile de déterminer le déphasage entre le courant et la tension pour un seul condensateur ou une seule bobine. Mais lorsqu'un circuit comporte plusieurs de ces éléments associés, nous avons besoin de moyens analytiques plus puissants. Une de ces techniques est la **représentation de Fresnel** qui fait intervenir des **vecteurs tournants** (ou phaseurs). Chaque vecteur tournant sert à représenter une grandeur qui varie sinusoïdalement dans le temps. Par exemple, la fonction $i = i_0 \sin(\omega t)$ peut être représentée par un vecteur $\vec{\mathbf{i}}_0$ qui tourne dans le sens antihoraire avec la fréquence angulaire $\omega$. Comme le montre la figure 12.13*a*, ce vecteur a pour longueur la valeur maximale $i_0$ de la fonction. Pendant qu'il tourne, sa composante selon l'axe « vertical » représente la variation du courant instantané. La figure 12.13*b* montre comment obtenir la fonction $\Delta v = \Delta v_0 \sin(\omega t + \phi)$. La position du vecteur tournant $\Delta\vec{\mathbf{v}}_0$ à $t = 0$ est déterminée par l'angle de phase $\phi$. Soulignons que les vecteurs de Fresnel peuvent représenter des grandeurs, comme le courant ou la tension, qui ne sont pas elles-mêmes des grandeurs vectorielles.

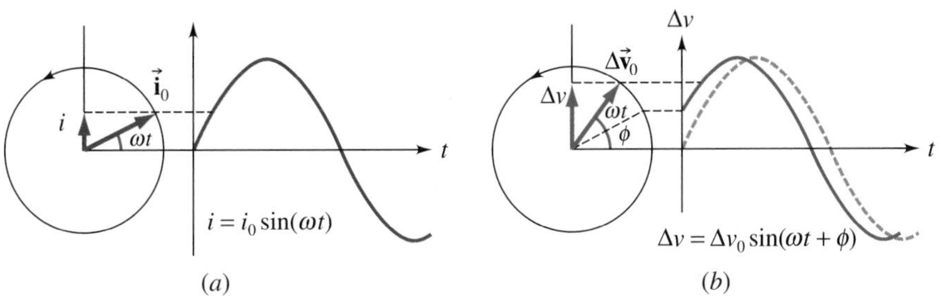


**Figure 12.13**

(*a*) Pendant la rotation du vecteur de Fresnel $\vec{\mathbf{i}}_0$ représentant le courant, sa composante verticale représente l'intensité du courant instantané *i*.
(*b*) Le vecteur de Fresnel $\Delta\vec{\mathbf{v}}_0$ représentant la tension est déphasé d'un angle $\phi$ par rapport au vecteur représentant le courant.

La figure 12.14 représente les déphasages trouvés dans les sections précédentes entre le courant et la tension. Dans les trois cas représentés, on a $i = i_0 \sin(\omega t)$ et $\Delta v = \Delta v_0 \sin(\omega t + \phi)$. Un déphasage *positif* signifie que la tension est *en avance* sur le courant. En résumé, $\phi = 0$ pour une résistance, $\phi = +\pi/2$ pour une bobine et $\phi = -\pi/2$ pour un condensateur. Nous verrons à la section suivante comment utiliser les vecteurs de Fresnel dans l'étude des circuits comportant plusieurs éléments.

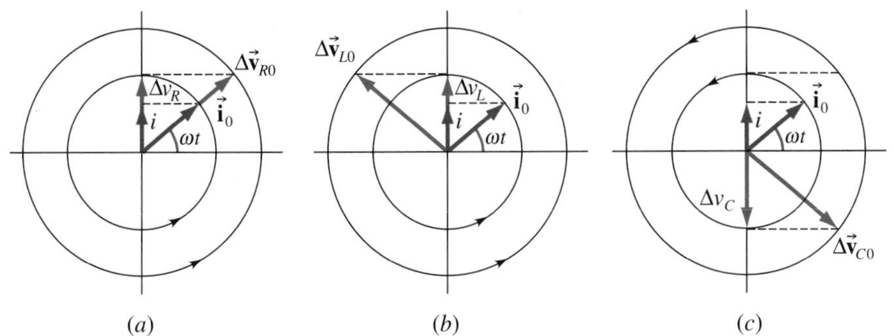


**Figure 12.14**

Les déphasages entre le courant instantané et la tension instantanée pour (*a*) une résistance ; (*b*) une bobine ; (*c*) un condensateur.

## 12.6 Les circuits *RLC*

### (i) Circuit *RLC* série

Nous allons maintenant considérer un circuit comprenant une résistance, une bobine et un condensateur en série avec une source c.a. (figure 12.15). Nous cherchons à déterminer le courant instantané et son déphasage avec la tension alternative appliquée $\Delta v$. Le courant instantané $i = i_0 \sin(\omega t)$ est le *même* en tout point du circuit. À l'instant représenté, on suppose que le courant est en train de croître. Selon la loi des mailles, les tensions instantanées sont telles que

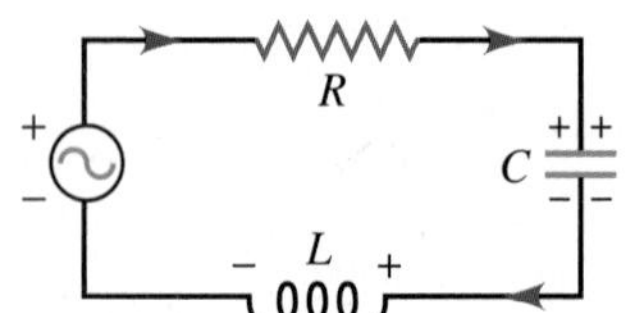


***Figure 12.15***

Un circuit *RLC* série.

$$\Delta v - \Delta v_R - \Delta v_L - \Delta v_C = 0$$

Chaque terme de la somme $\Delta v = \Delta v_R + \Delta v_L + \Delta v_C$ a une phase différente par rapport au courant. Pour trouver le déphasage entre $\Delta v$ et $i$, nous devons d'abord trouver la somme (vectorielle) des vecteurs de Fresnel représentant les tensions :

$$\Delta\vec{\mathbf{v}}_0 = \Delta\vec{\mathbf{v}}_{R0} + \Delta\vec{\mathbf{v}}_{L0} + \Delta\vec{\mathbf{v}}_{C0}$$

(On remarquera que les tensions maximales *ne vérifient pas* la relation $\Delta v_0 = \Delta v_{R0} + \Delta v_{L0} + \Delta v_{C0}$, puisque les tensions maximales ont des phases différentes par rapport au courant.)

La composante « verticale » de $\Delta\vec{\mathbf{v}}_0$ nous donne la valeur instantanée $\Delta v$. La figure 12.16*a* représente les vecteurs de Fresnel correspondant aux tensions pour chacun des éléments et le vecteur courant $\vec{\mathbf{i}}_0$ (on a supposé que $\Delta v_{L0}$ est supérieur à $\Delta v_{C0}$). À la figure 12.16*b*, $|\Delta\vec{\mathbf{v}}_{L0} + \Delta\vec{\mathbf{v}}_{C0}| = (\Delta v_{L0} - \Delta v_{C0})$. D'après le théorème de Pythagore, le module de la somme est donné par

$$\begin{aligned}\Delta v_0^2 &= \Delta v_{R0}^2 + (\Delta v_{L0} - \Delta v_{C0})^2 \\ &= [R^2 + (Z_L - Z_C)]^2\, i_0^2\end{aligned}$$

Cela peut s'écrire sous la forme de la loi d'Ohm :

$$\Delta v_0 = Zi_0 \quad \text{ou} \quad \Delta V = ZI \qquad (12.16)$$

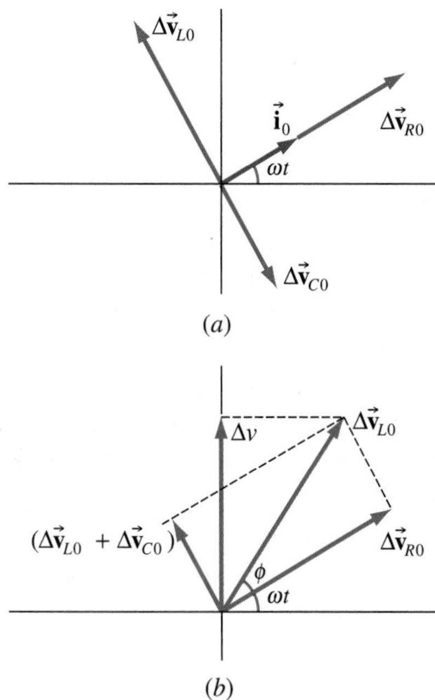


***Figure 12.16***

(*a*) Le vecteur de Fresnel représentant le courant et les vecteurs représentant la tension aux bornes de la résistance, du condensateur et de la bobine.
(*b*) Les vecteurs de Fresnel représentant la tension sont liés par la relation $\Delta\vec{\mathbf{v}}_0 = \Delta\vec{\mathbf{v}}_{R0} + \Delta\vec{\mathbf{v}}_{C0} + \Delta\vec{\mathbf{v}}_{L0}$. Nous avons supposé que $\Delta v_{L0} > \Delta v_{C0}$.

où $\Delta V$ est la tension efficace appliquée par la source. La quantité

$$Z = \sqrt{R^2 + (Z_L - Z_C)^2} \qquad (12.17)$$

est l'*impédance* du circuit série.

Puisque $\Delta\vec{\mathbf{v}}_{R0}$ est toujours parallèle à $\vec{\mathbf{i}}_0$, l'angle $\phi$ de la figure 12.16*b* est le déphasage entre $\Delta\vec{\mathbf{v}}_0$ et $\vec{\mathbf{i}}_0$. On voit d'après le schéma que $\tan\phi = (\Delta v_{L0} - \Delta v_{C0}) / \Delta v_{R0}$, ce qui revient à écrire

$$\tan\phi = \frac{Z_L - Z_C}{R} \qquad (12.18)$$

Un angle de phase positif signifie que la tension de la source $\Delta v$ est en avance de $\phi$ sur le courant $i$.

## Exemple 12.2

Une source de f.é.m. alternative de fréquence 50 Hz et de tension maximale 100 V est placée dans un circuit *RLC* série où $R = 9\ \Omega$, $L = 0{,}04$ H et $C = 100\ \mu$F. Déterminer : (a) l'impédance ; (b) l'angle de phase ; (c) la tension maximale aux bornes de chaque élément.

**Solution :**

(a) La fréquence angulaire est $\omega = 2\pi f = 100\pi$ rad/s. Les impédances $Z_L$ et $Z_C$ sont

$$Z_L = \omega L = 4\pi = 12{,}6\ \Omega$$

$$Z_C = \frac{1}{\omega C} = \frac{100}{\pi} = 31{,}8\ \Omega$$

D'après l'équation 12.17, l'impédance s'écrit

$$Z = \sqrt{R^2 + \left(\omega L - \frac{1}{\omega C}\right)^2}$$

$$= \sqrt{81\ \Omega + (19{,}2\ \Omega^2)^2} = 21{,}2\ \Omega$$

(b) D'après l'équation 12.18, l'angle de phase est donné par

$$\tan\phi = \frac{Z_L - Z_C}{R} = \frac{-19{,}2\ \Omega}{9\ \Omega} = -2{,}13$$

Donc, $\phi = -64{,}8°$, ce qui signifie que la tension de la source est en retard sur le courant.

(c) Le courant maximal dans le circuit

$$i_0 = \Delta v_0 / Z$$

$$= \frac{100\ \text{V}}{21{,}2\ \Omega} = 4{,}72\ \text{A}$$

est le même pour tous les éléments. La tension maximale aux bornes de chaque élément est donnée par

$$\Delta v_{R0} = R i_0 = 42{,}5\ \text{V}$$

$$\Delta v_{L0} = Z_L i_0 = 59{,}5\ \text{V}$$

$$\Delta v_{C0} = Z_C i_0 = 150\ \text{V}$$

On voit donc que $\Delta v_0 \neq \Delta v_{R0} + \Delta v_{L0} + \Delta v_{C0}$.

### (ii) Circuit *RLC* parallèle

Nous allons maintenant considérer un circuit comprenant une résistance, une bobine et un condensateur, tous montés en parallèle avec une source c.a. (figure 12.17). La loi des mailles nous indique que la tension instantanée sera la même aux bornes de tous les éléments du circuit. Dans ces conditions, il est préférable d'exprimer cette tension commune sans aucun déphasage. Ainsi, dans un circuit *RLC* parallèle, on fixera $\Delta v = \Delta v_0 \sin(\omega t)$. La loi des nœuds nous indique que le courant débité par la source se divisera entre les trois éléments pour se recombiner par la suite. C'est au niveau des expressions mathématiques des différents courants que nous tiendrons compte des déphasages par rapport à la tension. Dans ce qui suit, nous établirons l'expression de l'impédance du circuit parallèle et nous déterminerons le déphasage entre le courant débité par la source et la tension de cette dernière. Selon la loi des nœuds, les courants instantanés sont tels que

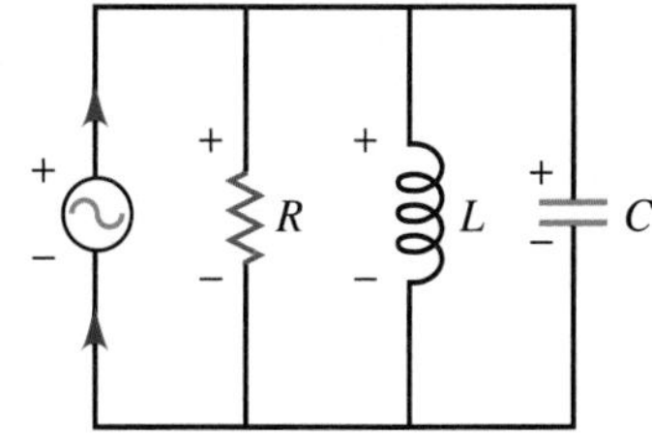


*Figure 12.17*

Un circuit *RLC* parallèle.

$$i = i_R + i_L + i_C$$

Pour réaliser cette somme de fonctions trigonométriques déphasées entre elles, nous allons à nouveau faire appel aux vecteurs de Fresnel, qui représentent ici les courants. La figure 12.18*a* illustre ces différents vecteurs. Puisque la tension commune est nécessairement en phase avec le courant traversant la résistance, on a représenté ces deux vecteurs *l'un sur l'autre*. On a déjà dit que la tension aux bornes d'une bobine est en avance de 90° sur le courant qui la traverse. Sur notre figure, cela se traduit par le fait que le vecteur représentant le courant dans la bobine est en retard de 90° sur celui qui représente la tension commune. De même, pour respecter le fait que la tension aux bornes du condensateur est en retard de 90° sur son courant, on a dessiné le vecteur représentant le courant dans le condensateur en avance de 90° sur celui représentant la tension commune. Notez qu'on a supposé ici que $i_{C0}$ est supérieur à $i_{L0}$. La composante verticale du vecteur obtenu en additionnant les trois vecteurs courant donne la

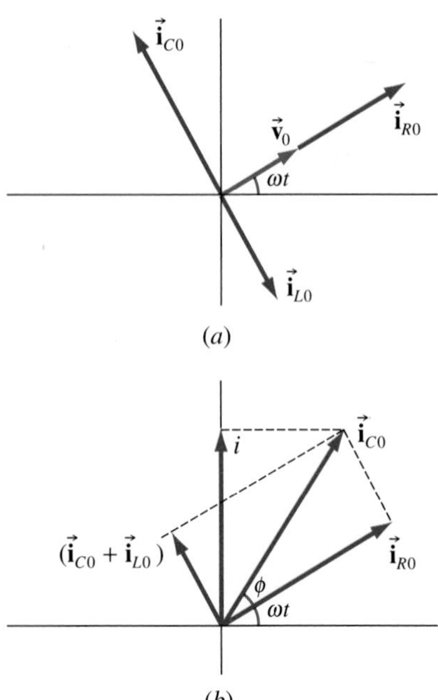


**Figure 12.18**

(*a*) Le vecteur de Fresnel représentant la tension et les vecteurs représentant le courant aux bornes de la résistance, du condensateur et de la bobine. (*b*) Les vecteurs de Fresnel représentant le courant sont liés par la relation $\Delta\vec{\mathbf{i}}_0 = \Delta\vec{\mathbf{i}}_{R0} + \Delta\vec{\mathbf{i}}_{C0} + \Delta\vec{\mathbf{i}}_{L0}$. Nous avons supposé que $i_{C0} > i_{L0}$.

valeur instantanée $i$ (figure 12.18*b*). D'après le théorème de Pythagore, le module de la somme est donné par

$$i_0^2 = i_{R0}^2 + (i_{C0} - i_{L0})^2$$

En utilisant les définitions des impédances de chacun des éléments ainsi que le fait que l'amplitude de la tension est de $\Delta v_0$ pour chacun des éléments, on peut réécrire l'expression précédente comme suit :

$$\frac{i_0}{\Delta v_0} = \sqrt{\frac{1}{R^2} + \left(\frac{1}{Z_C} - \frac{1}{Z_L}\right)^2}$$

Ce qui, en terme de l'impédance totale du circuit, correspond exactement à $1/Z$. Ainsi, dans un circuit *RLC* parallèle, on calcule l'impédance par :

$$\frac{1}{Z} = \sqrt{\frac{1}{R^2} + \left(\frac{1}{Z_C} - \frac{1}{Z_L}\right)^2} \qquad (12.19)$$

À l'aide de la figure 12.18*b*, il est possible de déterminer le déphasage $\phi$ entre le courant débité par la source $i$ et la tension $\Delta v$. On voit que $\tan \phi = (i_{C0} - i_{L0}) / i_{R0}$, ce qui revient à écrire

$$\tan \phi = \frac{\dfrac{1}{Z_C} - \dfrac{1}{Z_L}}{\dfrac{1}{R}} \qquad (12.20)$$

Un angle positif signifie ici que le courant débité par la source est en *avance* sur la tension.

## Exemple 12.3

Reprendre les éléments de circuit de l'exemple précédent, en imaginant cette fois qu'ils sont tous montés en parallèle. Déterminer (a) l'impédance ; (b) l'angle de phase, en précisant si le courant débité par la source est en avance ou en retard sur la tension ; (c) le courant maximal débité par la source ; (d) le courant maximal qui traverse chaque branche.

**Solution :**

(a) Les impédances de la bobine et du condensateur sont

$$Z_L = \omega L = 4\pi = 12{,}6\ \Omega$$

$$Z_C = \frac{1}{\omega C} = \frac{100}{\pi} = 31{,}8\ \Omega$$

D'après l'équation 12.19, l'impédance du circuit s'obtient par

$$\frac{1}{Z} = \sqrt{\frac{1}{R^2} + \left(\frac{1}{Z_C} - \frac{1}{Z_L}\right)^2}$$

d'où $Z = 8{,}26\ \Omega$.

(b) D'après l'équation 12.20, l'angle de phase s'obtient par :

$$\tan \phi = \frac{\dfrac{1}{Z_C} - \dfrac{1}{Z_L}}{\dfrac{1}{R}}$$

d'où, $\phi = -23{,}3°$.

Le signe négatif indique que le courant débité par la source est en retard sur la tension.

(c) Le courant maximal débité par la source est $i_0 = \Delta v_0/Z$ = 100 V/8,26 Ω = 12,1 A.

(d) Le courant maximal dans chaque branche s'obtient par les impédances selon

$$i_{R0} = \frac{\Delta v_0}{R} = \frac{100\ \text{V}}{9\ \Omega} = 11{,}1\ \text{A}$$

$$i_{L0} = \frac{\Delta v_0}{Z_L} = \frac{100\ \text{V}}{12{,}6\ \Omega} = 7{,}94\ \text{A}$$

$$i_{C0} = \frac{\Delta v_0}{Z_C} = \frac{100\ \text{V}}{31{,}8\ \Omega} = 3{,}14\ \text{A}$$

## 12.7 La résonance dans un circuit *RLC* série

Dans un circuit *RLC* série, pour une valeur donnée de la tension efficace $\Delta V$ fournie par la source, l'intensité efficace $I$ est donnée par l'équation 12.16:

$$I = \frac{\Delta V}{Z} = \frac{\Delta V}{\sqrt{R^2 + (Z_L - Z_C)^2}}$$

où l'impédance $Z$ est fonction de la fréquence. Quand on fait varier la fréquence de la source, l'impédance atteint une valeur minimale ($Z = R$) lorsque $Z_L = Z_C$, c'est-à-dire lorsque $\omega L = 1/\omega C$. Cette condition définit la **fréquence angulaire de résonance**

$$\omega_0 = \frac{1}{\sqrt{LC}} \tag{12.21}$$

Cette expression est identique à la fréquence angulaire propre des oscillations d'un circuit $LC$ sans résistance (*cf.* section 11.4). À la figure 12.19, on voit que, lorsque la fréquence angulaire $\omega$ de la source varie, l'intensité efficace $I$ du courant donne lieu à un phénomène de résonance. Pour $\omega = \omega_0$, $I$ atteint sa valeur maximale donnée par

$$I_{\text{max}} = \frac{\Delta V}{R} \tag{12.22}$$

La largeur de la courbe de résonance dépend de la valeur de la résistance, la courbe étant d'autant plus pointue que la résistance est faible. D'après l'équation 12.18, on voit que, pour $Z_L = Z_C$, $\tan \phi = 0$, ce qui signifie que $\phi = 0$: à la fréquence de résonance, le courant instantané et la tension instantanée sont en phase*. De plus, comme $Z_L = Z_C$, les tensions aux bornes de $L$ et de $C$ sont égales.

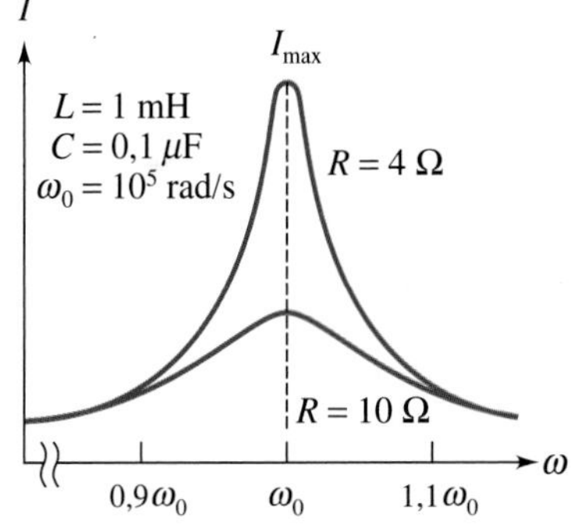


***Figure 12.19***

Lorsqu'on fait varier la fréquence angulaire $\omega$ de la source, on observe une résonance du courant pour la fréquence angulaire propre $\omega_0$. La courbe de résonance est d'autant plus large que la résistance est grande.

## 12.8 La puissance dans un circuit *RLC* série

La puissance instantanée fournie par la source de f.é.m. est

$$\begin{aligned} p = i\Delta v &= i_0 \Delta v_0 \sin(\omega t) \sin(\omega t + \phi) \\ &= i_0 \Delta v_0 [\sin^2(\omega t) \cos \phi + \sin(\omega t) \cos(\omega t) \sin \phi] \end{aligned}$$

* La résonance du courant correspond exactement à la fréquence propre et non à la fréquence amortie, comme c'était le cas pour la résonance d'amplitude discutée au chapitre 15 du tome 1. La raison en est que le courant est analogue à une vitesse et non à une amplitude (*cf.* tableau 11.1).

Seul le premier terme contribue à la puissance moyenne, puisque la moyenne de $\sin^2(\omega t)$ sur un cycle est égale à $\frac{1}{2}$, alors que la moyenne de $\sin(\omega t)\cos(\omega t) = \frac{1}{2}\sin(2\omega t)$ est égale à zéro. La puissance moyenne est donc

$$p_{\text{moy}} = \tfrac{1}{2} i_0 \Delta v_0 \cos\phi$$

D'après le diagramme de Fresnel de la figure 12.16*b*, on voit que $\Delta v_0 \cos\phi = \Delta v_{R0} = Ri_0$. Exprimée en fonction des valeurs efficaces, la *puissance moyenne* ou *efficace*, $P = p_{\text{eff}}$, fournie pàr la source est

**Puissance moyenne**

$$P = I\Delta V\cos\phi = RI^2 \tag{12.23}$$

Comme on pouvait s'y attendre, la puissance est dissipée uniquement dans la résistance. Notons que $\Delta V$ dans l'équation 12.23 est la valeur efficace de la tension de la *source* et non la tension aux bornes de la résistance.

La quantité $Q = \cos\phi$ est appelée **facteur de puissance**. Dans l'expression $p_{\text{moy}} = \frac{1}{2}\Delta v_0 i_0 \cos\phi$, on peut dire que seule la composante de $\Delta\vec{\mathbf{v}}_0$ sur $\vec{\mathbf{i}}_0$, c'est-à-dire $\Delta v_0 \cos\phi$, contribue à la perte moyenne de puissance. Si $Q = \cos\phi = 1$, la puissance efficace prend sa valeur maximale $P = \Delta VI$. Dans ce cas, la source « voit » le circuit comme étant purement résistif. Si $Q = \cos\phi = 0$, la source voit le circuit comme étant soit purement inductif, soit purement capacitif.

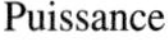


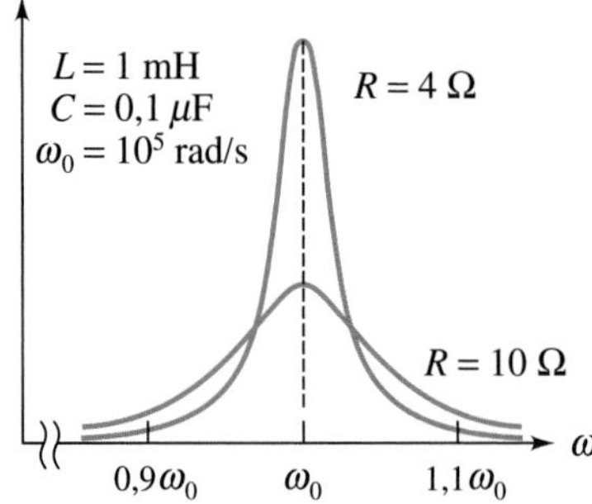


*Figure 12.20*

La puissance moyenne fournie par la source donne également lieu à une résonance.

La puissance efficace, $P = RI^2 = R(\Delta V/Z)^2$, fournie par la source est

$$P = \frac{R\Delta V^2}{R^2 + \left(\omega L - \dfrac{1}{\omega C}\right)^2} \tag{12.24}$$

Comme le montre la figure 12.20, on observe également une résonance de la puissance moyenne pour la fréquence angulaire propre $\omega_0 = 1/\sqrt{LC}$, où la puissance atteint sa valeur maximale $P_{\text{max}} = \Delta V^2/R$.

On utilise la résonance d'un circuit *RLC* série pour la détection des signaux de radio et de télévision. Lorsque la courbe de résonance est étroite, le récepteur de radio ou de télévision est sélectif, c'est-à-dire capable de rejeter des signaux dont la fréquence est proche de $\omega_0$, mais tout de même différente.

## Exemple 12.4

Dans un circuit *RLC* série, $R = 50\ \Omega$, $C = 80\ \mu\text{F}$ et $L = 30$ mH. La source de 60 Hz fournit une tension efficace de 120 V. Déterminer: (a) les valeurs efficaces du courant et de la tension pour chaque élément; (b) le facteur de puissance; (c) la puissance moyenne fournie par la source; (d) la fréquence de résonance; (e) les valeurs maximales du courant et de la tension pour chaque élément à la fréquence de résonance. (f) Quelle est la puissance moyenne fournie par la source à la fréquence de résonance?

**Solution:**

(a) L'intensité efficace du courant, $I = \Delta V/Z$, est la même pour tous les éléments. Nous devons d'abord déterminer l'impédance du circuit. Les impédances sont $Z_L = \omega L = (120\pi \text{ rad/s})(3 \times 10^{-2} \text{ H}) = 11{,}3\ \Omega$ et $Z_C = 1/\omega C = 1/(120\pi \text{ rad/s})(8 \times 10^{-5} \text{ F}) = 33{,}2\ \Omega$. L'impédance du circuit est

$$Z = \sqrt{R^2 + (Z_L - Z_C)^2} = 54{,}6\ \Omega$$

Donc, $I = \Delta V/Z = (120 \text{ V})/(54{,}6\ \Omega) = 2{,}2$ A.

Les tensions efficaces aux bornes de chaque élément sont

$$\Delta V_R = RI = 110\text{ V}$$
$$\Delta V_L = Z_L I = 24{,}9\text{ V}$$
$$\Delta V_C = Z_C I = 72{,}8\text{ V}$$

On remarque que $\Delta V \neq \Delta V_R + \Delta V_L + \Delta V_C$. Puisqu'un voltmètre c.a. mesure les valeurs efficaces, la somme des valeurs mesurées aux bornes des trois éléments n'est pas égale à la valeur mesurée aux bornes de la source.

(b) Pour déterminer le facteur de puissance cos $\phi$, nous devons d'abord trouver $\phi$. La relation

$$\tan\phi = \frac{Z_L - Z_C}{R} = \frac{11{,}3\ \Omega - 33{,}2\ \Omega}{50\ \Omega} = -0{,}438$$

donne $\phi = -23{,}6°$. Le facteur de puissance est égal à $\cos(-23{,}6°) = 0{,}916$.

(c) La puissance moyenne fournie par la source est

$$P = I\Delta V\cos\phi = RI^2 = 242\text{ W}$$

(d) La fréquence de résonance est

$$f_0 = \frac{\omega_0}{2\pi} = \frac{1}{2\pi\sqrt{LC}} = 103\text{ Hz}$$

(e) À la fréquence de résonance, $Z = R$ ; l'intensité maximale du courant est donc $i_0 = \Delta v_0/R = \sqrt{2}\ \Delta V/R = (170\text{ V})/(50\ \Omega) = 3{,}4\text{ A}$. À la fréquence de résonance, les impédances de $L$ et de $C$ sont égales :

$$Z_L = Z_C = \sqrt{\frac{L}{C}} = 19{,}4\ \Omega$$

Les tensions maximales sont

$$\Delta v_{R0} = Ri_0 = 170\text{ V}$$
$$\Delta v_{L0} = \Delta v_{C0} = \sqrt{\frac{L}{C}}\, i_0 = 65{,}8\text{ V}$$

(f) $P = RI^2_{\text{max}} = R(i_0^2/2) = (50\ \Omega)(3{,}4^2\ \text{A}^2/2) = 288\text{ W}$.

## 12.9 Le transformateur

Le **transformateur** est un dispositif qui permet d'augmenter ou de diminuer l'amplitude des tensions c.a. On l'utilise à divers stades de la distribution d'électricité. Pour réduire au minimum les pertes thermiques dans les lignes électriques, on transmet la puissance à haute tension (une valeur efficace de 500 kV, par exemple). Pour des raisons de sécurité et de simplicité de conception, la puissance est fournie à basse tension aux usagers commerciaux et aux particuliers (en général 120 V eff.). De nombreux circuits électroniques qui se branchent sur les prises électriques ordinaires ont besoin d'un transformateur. La « bobine d'allumage » d'une automobile est un transformateur. On se sert également des transformateurs pour isoler les appareils de surveillance électronique des malades et les protéger de toute interférence causée par d'autres circuits ou dispositifs.

La figure 12.21 représente un transformateur simple constitué de deux bobines enroulées sur un noyau en fer doux. La bobine *primaire* reliée à la source c.a. comporte $N_1$ spires, tandis que la bobine *secondaire* comporte $N_2$ spires. Le noyau de fer doux sert à augmenter le flux et à le canaliser : tout le champ magnétique créé par la bobine primaire traverse la bobine secondaire, et le flux magnétique $\Phi$ à travers *une spire* du primaire est égal au flux à travers *une spire* du secondaire. Les f.é.m. qui apparaissent au primaire et au secondaire sont

$$\mathscr{E}_1 = -N_1\frac{d\Phi}{dt} \qquad \mathscr{E}_2 = -N_2\frac{d\Phi}{dt}$$

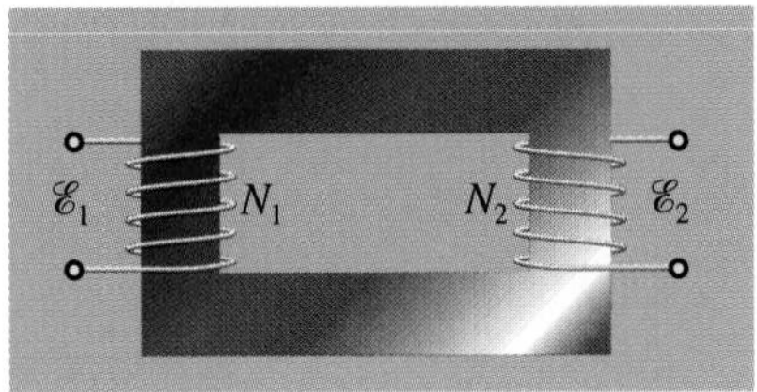


*Figure 12.21*

Un transformateur simple. Les enroulements primaire et secondaire sont bobinés sur un noyau laminé en fer doux.

où $\Phi$ est le flux à travers une spire. Le rapport des f.é.m. est égal à

$$\frac{\mathscr{E}_2}{\mathscr{E}_1} = \frac{N_2}{N_1} \qquad (12.25)$$

Le rapport des f.é.m. dans le primaire et dans le secondaire est égal au rapport de leur nombre de spires. Selon la valeur de ce rapport, que l'on nomme **rapport de transformation**, on obtient un transformateur élévateur de tension (**survolteur**) ou abaisseur de tension (**dévolteur**). Si la résistance des fils électriques du circuit primaire est négligeable, la tension $\Delta v_1$ aux bornes de la bobine primaire est égale à tout instant à la f.é.m. $\mathscr{E}_1$ de la source. De même, $\mathscr{E}_2 = \Delta v_2$.

Si on branche une résistance $R$ aux bornes du secondaire, un courant induit $i_2$ y circulera. Si le transformateur est idéal, il y aura transfert complet de puissance entre le primaire et le secondaire : $p_1 = p_2$, d'où $i_1\Delta v_1 = i_2\Delta v_2$ ou encore

$$i_1\mathscr{E}_1 = i_2\mathscr{E}_2 \qquad (12.26)$$

En combinant les équations 12.25 et 12.26, on trouve

$$\frac{i_2}{i_1} = \frac{N_1}{N_2} \qquad (12.27)$$

Ainsi, dans un transformateur idéal, les tensions aux bornes du transformateur sont *proportionnelles* au nombre de tours des enroulements (équation 12.25), tandis que les courants de part et d'autre du transformateur sont *inversement proportionnels* au nombre de tours des enroulements (équation 12.27). Il est important de remarquer qu'un transformateur ne peut pas fonctionner en courant continu, car il n'y a pas de variation de flux magnétique et donc pas d'induction électromagnétique entre la bobine primaire et la bobine secondaire.

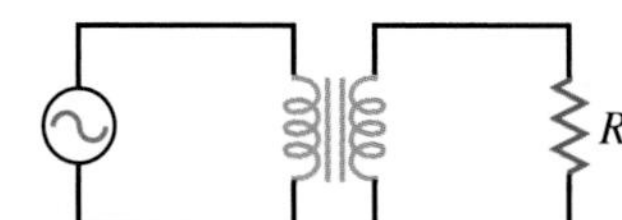


*Figure 12.22*

Représentation schématique d'un transformateur qui transmet la puissance d'une source c.a. à une résistance ($R$).

Examinons la situation plus en détail. En l'absence de résistance $R$ branchée au secondaire, il n'y a pas de transfert net d'énergie. Lorsqu'on branche une résistance de charge $R$ (figure 12.22), un courant induit $i_2$ circule dans le secondaire. D'après la loi de Lenz, $i_2$ a tendance à s'opposer aux variations de flux dans le noyau. À son tour, cet effet a tendance à diminuer la valeur de la f.é.m. dans le primaire. Mais, comme la f.é.m. du primaire doit être à tout instant égale à la f.é.m. de la source (que nous supposons inchangée), le courant dans le primaire augmente d'une quantité $i_1$ pour compenser la f.é.m. induite par $i_2$ ($i_1$ est déphasé de 180° par rapport à $i_2$). D'après l'équation 11.5, on sait que $N_1\Phi_{12} = Mi_2$ et $N_2\Phi_{21} = Mi_1$. Si l'on suppose qu'il n'y a pas de pertes de flux, $\Phi_{12} = \Phi_{21}$ et on retrouve l'équation 12.27.

Comme $i_1$ est très supérieur au courant d'excitation, $i_1$ correspond en réalité au courant total dans le primaire.

D'après le principe de conservation de l'énergie, l'énergie supplémentaire fournie par la source de f.é.m. apparaît dans la résistance reliée au secondaire.

Dans la pratique, le rendement du transfert de puissance peut atteindre 99 %. L'emploi d'un noyau de fer doux limite les pertes d'hystérésis (*cf.* section 11.6) et les fuites magnétiques. Pour réduire les pertes par effet Joule dues aux courants de Foucault dans le noyau, on utilise un noyau constitué de plaques de fer superposées entre lesquelles on intercale un matériau isolant comme de la gomme laque ou une couche d'oxyde. Ce *feuilletage* augmente considérablement la résistance sur le parcours des courants de Foucault induits. Comme les f.é.m. induites ne changent pas, la perte de puissance est ainsi nettement réduite.

### Adaptation d'impédances

Nous allons maintenant examiner une autre caractéristique utile des transformateurs. Les valeurs efficaces des tensions aux bornes du primaire et du secondaire sont $\Delta V_1 = Z_1 I_1$ et $\Delta V_2 = Z_2 I_2$. Si l'on exprime l'équation 12.26 en fonction de ces valeurs efficaces, on obtient

$$\frac{Z_2}{Z_1} = \left(\frac{N_2}{N_1}\right)^2 \qquad (12.28)$$

Le courant primaire est donc donné par

$$I_1 = \frac{\Delta V_1}{Z_1} = \frac{\Delta V_1}{(N_1/N_2)^2 Z_2}$$

Pour la source primaire, l'impédance équivalente est $Z_1 = (N_1/N_2)^2 Z_2$. Autrement dit, le transformateur « transforme » également l'impédance du secondaire. Cette caractéristique permet d'effectuer un transfert maximal de puissance à partir d'une source de f.é.m.

Le transformateur nous permet de présenter à la source une impédance optimale. Il transmet ensuite la puissance à la charge avec un rendement pratiquement idéal. On utilise les transformateurs pour adapter l'impédance de l'étage de sortie des amplificateurs audio à l'impédance des haut-parleurs. Il est nécessaire d'effectuer un type similaire d'adaptation pour transmettre une onde d'un milieu à un autre, d'un solide à un liquide par exemple. L'onde transmise a une amplitude maximale lorsque les « impédances acoustiques » des milieux sont adaptées.

### Exemple 12.5

Un haut-parleur de 8 Ω et de puissance moyenne 20 W est relié par l'intermédiaire d'un transformateur à un amplificateur dont l'impédance de sortie est égale à 1 kΩ. Déterminer : (a) la valeur que doit avoir le rapport du nombre de spires ; (b) le courant et la tension dans le secondaire ; (c) le courant et la tension dans le primaire.

**Solution :**

(a) D'après l'équation 12.28, nous avons besoin d'un transformateur abaisseur de tension, dont le rapport de transformation, ou rapport du nombre de spires, est

$$\frac{N_2}{N_1} = \sqrt{\frac{8}{1000}} \approx 0{,}09$$

(b) La puissance dans le secondaire est $P_2 = R_2 I_2^2$ et donc $I_2 = \sqrt{(20/8)} = 1{,}6$ A. La tension aux bornes du secondaire est $\Delta V_2 = R_2 I_2 = 12{,}8$ V.

(c) Sachant que le transformateur a un rendement de 100 %, on peut utiliser l'équation 12.26 pour déterminer les valeurs de la tension et du courant dans le primaire à partir des valeurs correspondantes dans le secondaire :

$$I_1 = \sqrt{\frac{N_2}{N_1}} I_2 \approx (0{,}09)(1{,}6 \text{ A}) = 0{,}14 \text{ A}$$

$$\Delta V_1 = \sqrt{\frac{N_1}{N_2}} \Delta V_2 \approx \left(\frac{1}{0{,}09}\right)(12{,}8 \text{ V}) = 140 \text{ V}$$

On remarque que $\Delta V_1 I_1 = 20$ W.

## Résumé

Dans un circuit c.a., le courant instantané et la tension instantanée aux bornes de la source sont donnés par

$$i = i_0 \sin(\omega t)\,; \quad \Delta v = v_0 \sin(\omega t + \phi)$$

où $i_0$ et $\Delta v_0$ sont les valeurs maximales et $\phi$ est l'angle de phase, entre la tension et le courant. Les valeurs efficaces du courant et de la tension sont données par

$$I = \frac{i_0}{\sqrt{2}}\,; \quad \Delta V = \frac{\Delta v_0}{\sqrt{2}}$$

Dans un circuit *RLC*, le courant et la f.é.m. sont reliés par une équation de même forme que la loi d'Ohm :

$$\Delta v_0 = Zi_0\,; \quad \Delta V = ZI$$

où $Z$ est l'impédance du circuit. Dans un circuit série, elle est donnée par :

$$Z = \sqrt{R^2 + (Z_L - Z_C)^2}$$

Dans un circuit parallèle, elle est donnée par

$$\frac{1}{Z} = \sqrt{\frac{1}{R^2} + \left(\frac{1}{Z_C} - \frac{1}{Z_L}\right)^2}$$

L'impédance inductive est $Z_L = \omega L$ et l'impédance capacitive est $Z_C = 1/\omega C$.

Dans un circuit série, l'angle de phase est donné par :

$$\tan \phi = \frac{Z_L - Z_C}{R}$$

Si $\phi$ est positif, la tension est en avance sur le courant.

Dans un circuit parallèle, l'angle de phase est donné par :

$$\tan \phi = \frac{\frac{1}{Z_C} - \frac{1}{Z_L}}{\frac{1}{R}}$$

Si $\phi$ est positif, le courant débité par la source est en avance sur la tension.

Lorsqu'on fait varier la fréquence d'excitation, on observe un phénomène de résonance du courant dans le circuit *RLC* série. L'intensité efficace $I$ du courant atteint une valeur maximale $I_{max} = \Delta V/R$ lorsque $Z_L = Z_C$, ce qui a lieu à la fréquence (angulaire) de résonance

$$\omega_0 = \frac{1}{\sqrt{LC}}$$

Cette valeur correspond à la fréquence angulaire propre des oscillations dans un circuit *LC*.

La puissance efficace, ou moyenne, fournie par la source de f.é.m. est

$$P = RI^2 = I\Delta V \cos \phi$$

La quantité $Q = \cos \phi$ est le facteur de puissance.

Un transformateur est composé d'un enroulement primaire et d'un enroulement secondaire bobinés sur un noyau commun en fer doux. Les tensions aux bornes du primaire et du secondaire dépendent du nombre de spires de chaque enroulement :

$$\frac{\mathscr{E}_2}{\mathscr{E}_1} = \frac{N_2}{N_1}$$

Le transformateur transmet la puissance avec un rendement quasiment idéal ; ainsi,

$$\frac{i_2}{i_1} = \frac{N_1}{N_2}$$

## Termes importants

**dévolteur**
**facteur de puissance**
**fréquence angulaire de résonance**
**impédance**
**puissance efficace**
**rapport de transformation**
**représentation de Fresnel**
**survolteur**
**tension**
**transformateur**
**valeur efficace**
**vecteur tournant**

## Révision

**R1.** Vrai ou faux ? La puissance efficace dissipée aux bornes d'une résistance est égale à la moitié de la puissance moyenne.

**R2.** Tracez sur un même graphique le courant et la tension aux bornes d'une bobine en fonction du temps.

**R3.** Tracez sur un même graphique le courant et la tension aux bornes d'un condensateur en fonction du temps.

**R4.** Vrai ou faux ? La tension est toujours en avance sur le courant dans une bobine.

**R5.** Vrai ou faux ? La tension est toujours en avance sur le courant dans un condensateur.

**R6.** Expliquez en termes de physique pourquoi la tension aux bornes d'une bobine est nulle au moment où le courant qui la traverse est maximal.

**R7.** Expliquez en termes de physique pourquoi le courant doit être nul au moment où la tension aux bornes d'un condensateur est maximal.

**R8.** Vrai ou faux ? La puissance moyenne fournie à un condensateur est nulle.

**R9.** Expliquez en termes de physique pourquoi l'impédance d'une bobine est proportionnelle (a) à son inductance $L$ ; (b) à la fréquence angulaire.

**R10.** Expliquez physiquement pourquoi l'impédance d'un condensateur est inversement proportionnelle (a) à sa capacité ; (b) à la fréquence angulaire.

**R11.** Tracez les vecteurs de Fresnel représentant les tensions dans un circuit *RLC* série et expliquez à partir de votre dessin l'origine de l'expression mathématique donnant le déphasage entre le courant et la tension.

**R12.** Tracez les vecteurs de Fresnel représentant les courants dans un circuit *RLC* parallèle et expliquez à partir de votre dessin l'origine de l'expression mathématique donnant le déphasage entre le courant et la tension.

**R13.** Expliquez pourquoi dans un circuit *RLC* parallèle ce sont les courants et non les tensions qu'on représente à l'aide des vecteurs de Fresnel.

**R14.** Vrai ou faux ? Dans un circuit *RLC* parallèle, le déphasage calculé est positif lorsque la tension est en avance sur le courant débité par la source.

**R15.** Vrai ou faux ? Lorsqu'un circuit *RLC* série est à la résonance, son impédance est maximale.

**R16.** Un transformateur peut-il fonctionner en courant continu ? Si non, pourquoi ?

## Questions

**Q1.** Pourquoi un condensateur se comporte-t-il comme un court-circuit à haute fréquence et comme un circuit ouvert à basse fréquence ?

**Q2.** Pourquoi une bobine d'induction est-elle parfois appelée « bobine d'arrêt » ? Qu'arrête-t-elle ?

**Q3.** Dans quels cas est-il préférable d'utiliser une source c.a. au lieu d'une source c.c. ? Quand la source c.c. est-elle préférable à la source c.a. ?

**Q4.** L'intensité moyenne du courant fourni à un circuit par une source c.a. est nulle mais la puissance moyenne fournie n'est pas nulle si le circuit contient une résistance. Expliquez pourquoi.

**Q5.** Une source c.a. peut-elle être reliée à un circuit sans toutefois lui fournir de l'énergie ? Si oui, dans quelles circonstances ?

**Q6.** Quatre fils non identifiés sortent d'un transformateur. Que devez-vous faire pour déterminer le rapport des nombres de spires ?

**Q7.** L'enroulement primaire d'un transformateur est conçu pour fonctionner à 120 V et 60 Hz. Il risque pourtant d'être endommagé si on le branche sur une tension continue de 50 V. Pourquoi ?

**Q8.** La puissance des générateurs c.a. est indiquée en voltampères (V·A) et non en watts (W). Pourquoi ?

**Q9.** Une ampoule conçue pour fonctionner sur une tension efficace de 120 V est reliée en série avec une bobine d'induction, un condensateur et une source c.a. efficace de 120 V. L'ampoule donne-t-elle son intensité lumineuse normale ?

**Q10.** Un facteur de puissance peut-il être négatif ? Si oui, quelle implication cela a-t-il quant à la puissance fournie par la source ?

**Q11.** Pourquoi la puissance fournie par une centrale électrique est-elle transmise sous une tension très élevée ?

**Q12.** Les compagnies d'électricité préfèrent en général que l'installation électrique du consommateur ait un facteur de puissance égal à un. Pourquoi ?

**Q13.** Vrai ou faux ? (a) Au-dessus de la fréquence de résonance, la tension est en avance sur le courant. (b) Un facteur de puissance négatif signifie que la tension est en avance sur le courant.

**Q14.** Si l'impédance d'un circuit décroît lorsque la fréquence augmente, l'angle de phase est-il positif ou négatif ?

**Q15.** Dans un circuit *RLC* série, la tension efficace aux bornes de *L* ou de *C* peut-elle être supérieure à la tension efficace de la source ?

**Q16.** Considérons le circuit de la figure 12.23. La fréquence de la source est constante. Quel est l'effet produit sur l'intensité lumineuse de l'ampoule lorsqu'on fait varier la capacité ?

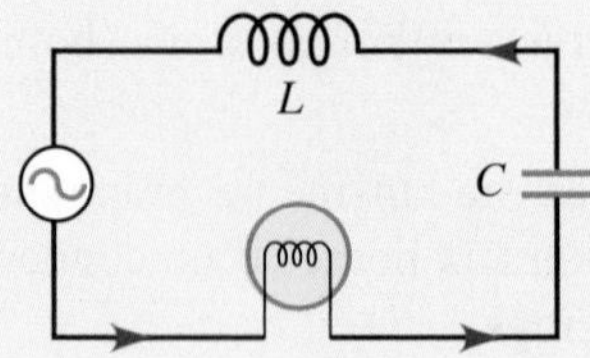


***Figure 12.23***

Question 16.

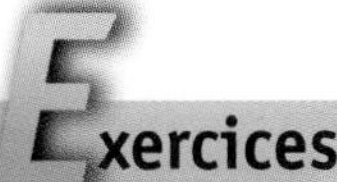

# Exercices

## 12.1 à 12.4 Résistances, bobines et condensateurs

**E1.** (I) Une bobine d'inductance $L = 40$ mH est reliée à une source caractérisée par une tension maximale de 120 V et une fréquence de 60 Hz. (a) Déterminer l'intensité maximale du courant. (b) Si la tension maximale ne change pas, à quelle fréquence l'intensité maximale du courant est-elle égale à 30 % de la valeur trouvée à la question (a) ?

**E2.** (I) Un condensateur de 50 μF est relié à une source de tension dont la valeur maximale est de 70 V et dont la fréquence est de 50 Hz. (a) Déterminez l'intensité maximale du courant. (b) Pour la même tension maximale, à quelle fréquence l'intensité maximale du courant serait-elle de 30 % supérieure à celle de la question (a) ?

**E3.** (I) Étant donné un condensateur de capacité $C = 0{,}1$ μF et une bobine d'inductance $L = 10$ mH, déterminez la fréquence à laquelle : (a) $Z_L = Z_C$ ; (b) $Z_L = 5Z_C$ ; (c) $Z_C = 5Z_L$.

**E4.** (I) L'impédance d'une bobine d'induction est de 37,7 Ω à 60 Hz. On branche la bobine sur une source de 50 Hz et de tension efficace 120 V. Quelle est l'intensité maximale du courant ?

**E5.** (I) Un condensateur de 50 μF est relié à une source de 60 Hz qui fournit une tension efficace de 24 V. Trouvez : (a) la charge maximale du condensateur ; (b) l'intensité maximale du courant dans les fils.

**E6.** (II) Une bobine d'inductance 72 mH est reliée, à l'instant $t = 0$, à une source de tension dont la valeur maximale est de 50 V et dont la fréquence est de 120 Hz. Déterminez : (a) l'intensité maximale du courant ; (b) l'intensité du courant lorsque la tension a son amplitude maximale (positive) ; (c) l'intensité du courant lorsque la tension est égale à la moitié de sa valeur maximale (positive) (il y a deux réponses possibles) ; (d) la puissance instantanée fournie à la bobine à $t = 1$ ms.

**E7.** (II) Un condensateur de capacité 108 μF est relié, à l'instant $t = 0$, à une source qui fonctionne à 80 Hz avec une tension maximale de 24 V. Trouvez : (a) l'intensité maximale du courant ; (b) l'intensité du courant lorsque la tension prend sa valeur maximale ; (c) l'intensité du courant lorsque la tension est égale à la moitié de sa valeur maximale (positive) (il y a deux réponses possibles) ; (d) la puissance instantanée fournie au condensateur à $t = 1$ ms.

**E8.** (I) Un condensateur de 6 μF a une impédance de 11 Ω. (a) Quelle serait l'impédance d'une bobine d'inductance 0,2 mH à la même fréquence ? (b) À quelle fréquence les impédances seraient-elles égales ?

**E9.** (I) Une bobine d'inductance idéale $L = 80$ mH est reliée à une source dont la tension maximale vaut 60 V à $t = 0$. (a) Si la fréquence est de 50 Hz, quelle est l'intensité du courant à $t = 2$ ms ? Quelle est la puissance instantanée fournie à la bobine à cet instant ? (b) À quelle fréquence l'intensité maximale du courant est-elle égale à 1,8 A ?

**E10.** (I) Une source dont la tension maximale vaut 72 V est reliée, à l'instant $t = 0$, à un condensateur de capacité $C = 80$ μF. (a) Si la fréquence est de 50 Hz, quelle est l'intensité du courant à $t = 2$ ms ? Quelle est la puissance instantanée fournie au condensateur à cet instant ? (b) À quelle fréquence l'intensité maximale du courant est-elle égale à 4A ?

## 12.6 et 12.7 Circuits *RLC*, résonance

**E11.** (I) Une résistance et un condensateur sont en série avec une source c.a. L'impédance est $Z = 10{,}8$ Ω à 390 Hz et $Z = 18{,}8$ Ω à 200 Hz. Trouvez $R$ et $C$.

**E12.** (I) Dans un circuit comprenant une résistance et une bobine en série, $Z = 28{,}3$ Ω à 100 Hz et $Z = 22{,}9$ Ω à 75 Hz. Trouvez $R$ et $L$.

**E13.** (I) Dans un circuit *RLC* série, la source a une tension efficace $\Delta V = 60$ V et une fréquence de $250/\pi$ Hz ; on donne $R = 50$ Ω et $C = 10$ μF. Si la tension maximale aux bornes de $R$ vaut 25 V, trouvez $L$ (il y a deux valeurs possibles).

**E14.** (I) Une bobine réelle, que l'on peut assimiler à une bobine et une résistance en série, est reliée en série avec un condensateur et une source c.a. La tension efficace aux bornes de la bobine est égale à 45 V et $\Delta V_C = 60$ V pour une fréquence de $200/\pi$ Hz. Si $C = 25$ μF et $R = 50$ Ω, trouvez $L$.

**E15.** (I) Dans un circuit *RLC* série, la tension efficace fournie par la source est $\Delta V = 120$ V et la fréquence est $f = 200/\pi$ Hz. Sachant que $L = 0{,}2$ H, $C = 20$ μF et $\Delta V_R = 50$ V, trouvez : (a) $I$ ; (b) $R$ ; (c) $\Delta V_L$ ; (d) $\Delta V_C$.

**E16.** (I) À la figure 12.15, un voltmètre relié aux bornes de $L$ et $C$ indique une tension efficace de 80 V. Si $L = 0{,}2$ H, $C = 50$ μF et que la tension fournie par la source vaut 120 V pour une fréquence égale à $200/\pi$ Hz, trouvez : (a) $Z_L$ ; (b) $Z_C$ ; (c) $I$ ; (d) $R$ ; (e) la puissance moyenne fournie par la source.

**E17.** (I) Une résistance de 100 Ω est reliée en série avec un condensateur de 25 μF et une bobine. La tension efficace aux bornes de la source est de 240 V et sa fréquence est de $800/\pi$ Hz. Sachant que $\Delta V_R = 80$ V, trouvez : (a) $Z$ ; (b) $L$ ; (c) $\phi$.

**E18.** (I) Dans un circuit *RLC* série, $Z_L = 20\ \Omega$ et $Z_C = 8\ \Omega$ pour une certaine fréquence. La fréquence de résonance est égale à 2000 Hz. Trouvez $L$ et $C$.

**E19.** (I) Une résistance ($R = 10\ \Omega$) et une bobine ($L = 40$ mH) sont reliées en série avec un condensateur. La tension efficace de la source vaut 120 V à 60 Hz. La tension efficace aux bornes de la résistance est égale à 30 V. (a) Que vaut $C$ ? (b) Quelle est la fréquence propre $f_0$ ?

**E20.** (I) Un circuit *RLC* série comporte les éléments suivants : $R = 25\ \Omega$, $L = 320$ mH et $C = 18$ μF. La tension maximale aux bornes de la source vaut 170 V et la fréquence vaut 60 Hz. Trouvez : (a) l'impédance ; (b) la valeur efficace de l'intensité du courant ; (c) l'angle de phase. (d) Si on monte les mêmes éléments en parallèle, que deviennent l'impédance, la valeur efficace de l'intensité du courant débité par la pile et l'angle de phase ?

**E21.** (II) Dans un circuit *RLC* série, on donne $R = 40\ \Omega$, $L = 20$ mH, $C = 60$ μF. Trouvez pour quelle fréquence la tension est en avance de 30° sur le courant.

**E22.** (II) Lorsqu'une source c.a. de tension maximale 48 V est reliée en série avec un circuit *RLC* série, l'intensité maximale du courant vaut 2 A. Le condensateur a une capacité $C = 10$ μF, la fréquence vaut 50 Hz et le courant est en avance de 45° sur la tension. Trouvez : (a) la résistance ; (b) l'inductance.

**E23.** (II) Une bobine ($L = 3$ mH), une résistance ($R = 8\ \Omega$) et un condensateur ($C = 10$ μF) sont reliés en série avec une source c.a. dont la tension efficace vaut 25 V. Trouvez : (a) la fréquence propre $f_0$ ; (b) les fréquences pour lesquelles la valeur efficace de l'intensité du courant est égale à 50 % de sa valeur à $f_0$.

**E24.** (II) Une bobine d'inductance 80 mH est reliée en série avec une résistance de 120 Ω et un condensateur. La fréquence de la source c.a. vaut 600 Hz. (a) Pour quelle(s) valeur(s) de $C$ aura-t-on une impédance de 200 Ω ? (b) Pour chacune des valeurs de $C$ que vous venez de trouver, calculez l'impédance qu'aurait le circuit si le condensateur était monté en parallèle avec les autres éléments du circuit.

## 12.8 Puissance dans un circuit *RLC* série

**E25.** (I) Un générateur c.a. fonctionnant à 90 Hz a une tension efficace de 100 V. Il est relié à un circuit série comportant les éléments $R = 20\ \Omega$, $C = 80$ μF et $L = 9$ mH. Trouvez : (a) le facteur de puissance ; (b) la puissance moyenne fournie par le générateur.

**E26.** (I) Dans un circuit *RLC* série, la source a une tension efficace de 120 V. L'impédance vaut 110 Ω et la résistance 40 Ω. Trouvez : (a) la puissance moyenne fournie par la source ; (b) le facteur de puissance.

**E27.** (I) Dans un circuit *RLC* série, la source a une tension maximale de 200 V et une fréquence de $50/\pi$. On donne $R = 15\ \Omega$, $C = 200$ μF et $L = 0{,}2$ H. Trouvez : (a) $Z_L$ et $Z_C$ ; (b) l'angle de phase ; (c) la puissance moyenne fournie par la source ; (d) le facteur de puissance.

**E28.** (I) Une source de tension efficace 120 V fait circuler un courant de 8 A dans un moteur. Si le moteur consomme une puissance moyenne de 800 W, quel est son facteur de puissance ?

**E29.** (I) Dans un circuit *RLC* série, la source de tension efficace 100 V fonctionne à 60 Hz. La résistance vaut 24 Ω et l'angle de phase +53°. Quelle est la puissance moyenne fournie par la source ?

**E30.** (II) Pour la fonction représentée à la figure 12.24, trouvez (a) la tension moyenne ; (b) la tension efficace.

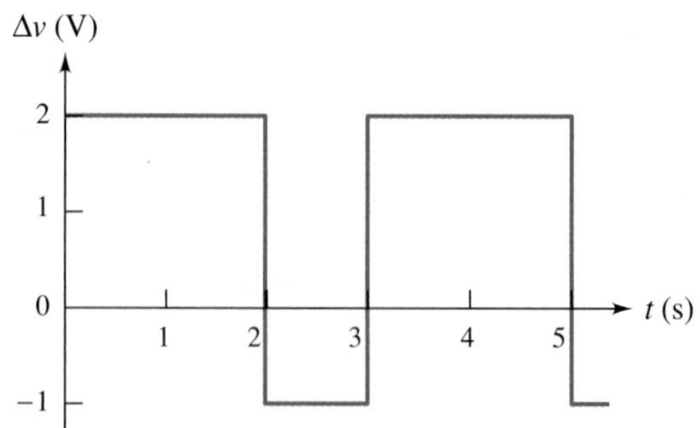


***Figure 12.24***

Exercice 30.

**E31.** (I) Montrez que la puissance moyenne fournie à un circuit *RLC* série peut s'écrire $P = (\Delta V \cos \phi)^2/R$, où $\Delta V$ est la tension efficace fournie par la source.

**E32.** (II) Un radiateur purement résistif de 1 kW (résistance pure) est alimenté par une source de 120 V à 60 Hz. (a) Quelle bobine reliée en série avec le radiateur permet de réduire de moitié la puissance fournie ? (b) Quel est alors l'angle de phase ?

**E33.** (II) Le courant instantané dans un circuit *RLC* série est donné par $i = 0{,}06 \sin(320t)$, où $t$ est en secondes et $i$ en ampères. Les trois éléments sont $R = 24\ \Omega$, $L = 18$ mH et $C = 70\ \mu$F. Écrivez l'expression de la tension instantanée aux bornes de la source.

## 12.9 Transformateur

**E34.** (II) Un transformateur idéal abaisseur de tension dans le rapport 5:1 fournit à un édifice une puissance moyenne de 40 kW sous une tension efficace de 240 V. Si la ligne de transmission électrique (reliée au primaire) a une résistance totale de 1,2 Ω, quelle est la valeur moyenne du taux de dissipation thermique dans la ligne ?

**E35.** (II) La figure 12.25 représente un dispositif simple de transmission de puissance. Un générateur c.a. fournit 15 A (valeur efficace) sous une tension efficace de 300 V. Un transformateur survolteur élève cette tension et la puissance est transmise par des lignes dont la résistance totale est égale à 20 Ω. Un transformateur abaisseur de tension alimente une résistance *R*. Quelle est la valeur moyenne du taux de dissipation thermique dans les lignes si la tension du générateur subit une élévation jusqu'à (a) 5 kV ; (b) 20 kV ?

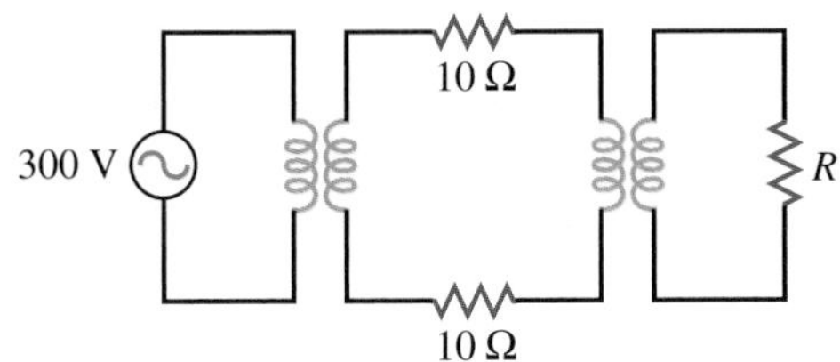


***Figure 12.25***

Exercice 35.

**E36.** (I) Dans un transformateur abaisseur de tension dans le rapport 5:1, la tension efficace aux bornes du primaire est égale à 120 V et le rendement vaut 90 %. Le courant efficace circulant dans le primaire a une intensité de 2 A et il est en retard de 12° sur la tension. (a) Quelle est la puissance à l'entrée ? (b) Quelle est la puissance à la sortie ? (c) Si le circuit secondaire a un facteur de puissance de 0,75, quelle est la valeur efficace de l'intensité du courant dans le secondaire ?

**E37.** (I) Dans un transformateur abaisseur de tension, la tension aux bornes du primaire est égale à 600 V et la tension aux bornes du secondaire à 120 V. Le secondaire comporte 80 spires. (a) Quel est le nombre de spires de l'enroulement primaire ? (b) Si la résistance de charge au secondaire est $R_L = 10\ \Omega$, quel est le courant dans le primaire ?

**E38.** (I) Un transformateur idéal comporte 400 spires dans l'enroulement primaire et 50 spires dans le secondaire. Lorsque la tension efficace aux bornes du primaire vaut 120 V, l'intensité efficace du courant vaut 2,4 A. Déterminez la valeur efficace de l'intensité du courant et la tension efficace au secondaire.

# Problèmes

**P1.** (I) Montrez que la puissance moyenne fournie à un circuit *RLC* série peut s'écrire

$$P = \frac{\omega^2 R \Delta V^2}{\omega^2 R^2 + (\omega^2 - \omega_0^2)^2 L^2}$$

**P2.** (II) L'équation 12.24 exprime la puissance moyenne fournie à un circuit *RLC* série. Pour quelle valeur de la fréquence angulaire cette puissance est-elle maximale ? (*Indice* : Trouvez $dP/d\omega$.)

**P3.** (I) Pour la fonction représentée à la figure 12.26, déterminez : (a) la tension moyenne ; (b) la tension efficace.

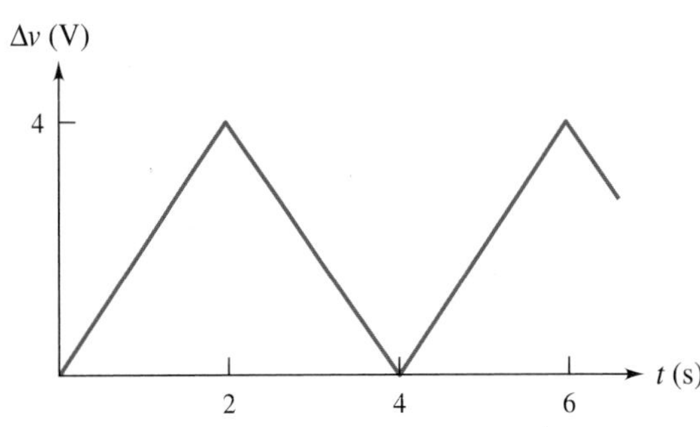


***Figure 12.26***

Problème 3.

**P4.** (I) Dans un circuit *RLC* parallèle, comme celui de la figure 12.27, une source c.a. de tension maximale 100 V est branchée à trois éléments dont les caractéristiques sont $R$ = 15 Ω, $C$ = 200 μF et $L$ = 0,3 mH. Si la fréquence angulaire de la source est de 60 Hz, trouvez (a) l'impédance du circuit; (b) la fréquence de résonance du circuit; (c) la puissance moyenne fournie au circuit.

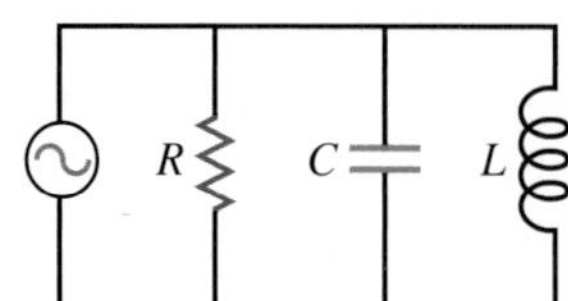


***Figure 12.27***

Problème 4.

**P5.** (I) Quelle est la tension efficace correspondant à la fonction en dents de scie représentée à la figure 12.28 ?

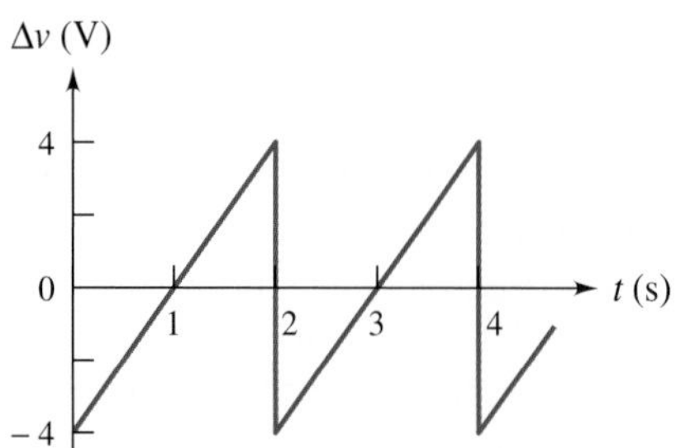


***Figure 12.28***

Problème 5.

**P6.** (I) L'impédance d'un circuit *RLC* série est minimale à la fréquence de résonance $f_0$. Une impédance donnée $Z$ est supérieure à sa valeur minimale lorsque la fréquence est égale à $f_B$, inférieure à $f_0$ ou $f_H$, supérieure à $f_0$ (figure 12.29). Montrez que $f_0$ est la moyenne géométrique des deux autres fréquences, c'est-à-dire que

$$f_0 = \sqrt{f_B f_H}$$

**P7.** (I) La figure 12.30 représente un circuit qui tient lieu de filtre rudimentaire. Si la tension d'entrée contient un intervalle de fréquences, la sortie est essentiellement composée des fréquences les plus élevées ou les plus basses. Montrez que

$$\frac{\Delta V_{\text{sortie}}}{\Delta V_{\text{entrée}}} = \frac{R}{(R^2 + \omega^2 L^2)^{1/2}}$$

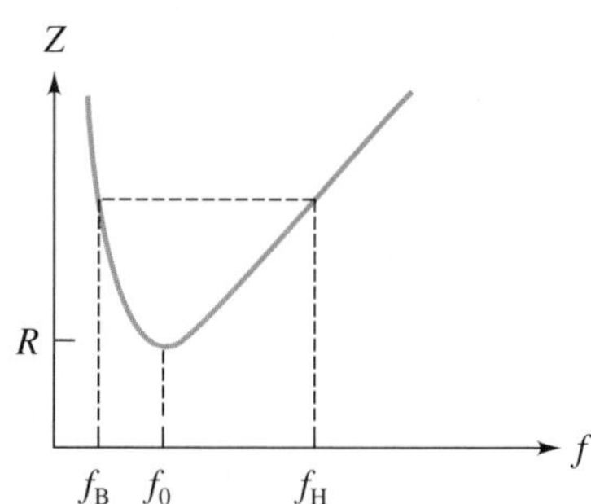


***Figure 12.29***

Problème 6.

On donne $R$ = 10 Ω, $L$ = 25 mH et $\Delta V_{\text{entrée}}$ = 100 V. Déterminez $\Delta V_{\text{sortie}}$ pour les valeurs suivantes des fréquences de la tension d'entrée : (a) 40 Hz ; (b) 400 Hz ; (c) 4000 Hz. S'agit-il d'un filtre passe-bas ou d'un filtre passe-haut ?

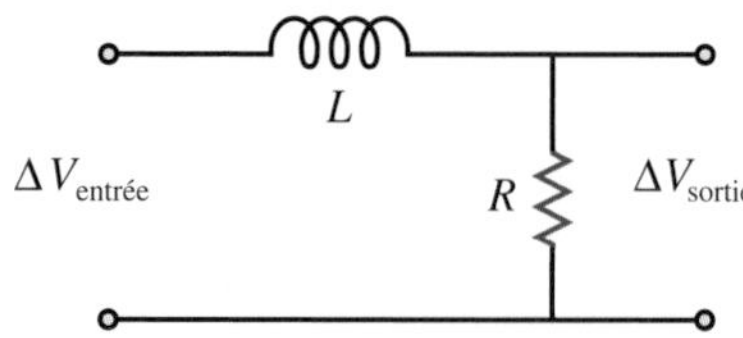


***Figure 12.30***

Problème 7.

**P8.** (I) Reprenez le problème 7 pour le circuit-filtre représenté à la figure 12.31. Montrez que

$$\frac{\Delta V_{\text{sortie}}}{\Delta V_{\text{entrée}}} = \frac{\omega L}{(R^2 + \omega^2 L^2)^{1/2}}$$

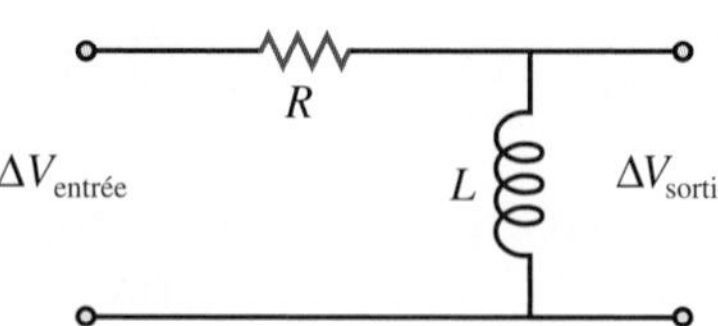


***Figure 12.31***

Problème 8.

**P9.** (I) Une source c.a. fournit à un circuit *RLC* série un courant d'intensité $i = 4 \sin(377t)$ et une tension $\Delta v = 160 \sin(377t + \phi)$, où $t$ est en secondes, $i$ en ampères et $\Delta v$ en volts. Sachant que $R$ = 12,5 Ω, $Z_C$ = 52 Ω et $\phi < 0$, trouvez $L$.

**P10.** (II) (a) Montrez que la charge maximale $Q_0$ du condensateur dans un circuit *RLC* série est $Q_0 = \Delta v_0/\omega Z$, où $\Delta v_0$ est la tension maximale de la source, $\omega$ la fréquence angulaire et $Z$ l'impédance. (b) Montrez que $Q_0$ prend sa valeur maximale lorsque la fréquence angulaire est égale à

$$\omega_{\text{max}} = \sqrt{\omega_0^2 - \frac{R^2}{2L^2}}$$

**P11.** (I) Dans le circuit *RLC* série de la figure 12.15, on donne $R = 8\ \Omega$, $L = 40$ mH, $C = 20\ \mu$F, la tension maximale de la source $\Delta v_0 = 100$ V et $f = 200/\pi$ Hz. Trouvez la tension maximale aux bornes de (a) $R$, $C$ et $L$ séparément ; (b) $R$ et $C$ combinés ; (c) $C$ et $L$ combinés.

**P12.** (I) La figure 12.32 représente un circuit-filtre simple. La tension c.a. d'entrée, $\Delta V_{\text{entrée}}$, est mesurée aux bornes de $R$ et $C$, alors que la tension de sortie, $\Delta V_{\text{sortie}}$, est mesurée aux bornes de $R$. Montrez que le rapport $\Delta V_{\text{sortie}}/\Delta V_{\text{sortie}}$ s'écrit

$$\frac{\Delta V_{\text{sortie}}}{\Delta V_{\text{entrée}}} = \frac{1}{\sqrt{1 + 1/\omega^2 R^2 C^2}}$$

Tracez ce rapport pour $\omega = 0$ ; 0,5 ; 1 ; 1,5 et 2 en unités de $1/RC$. S'agit-il d'un filtre passe-haut ou d'un filtre passe-bas ?

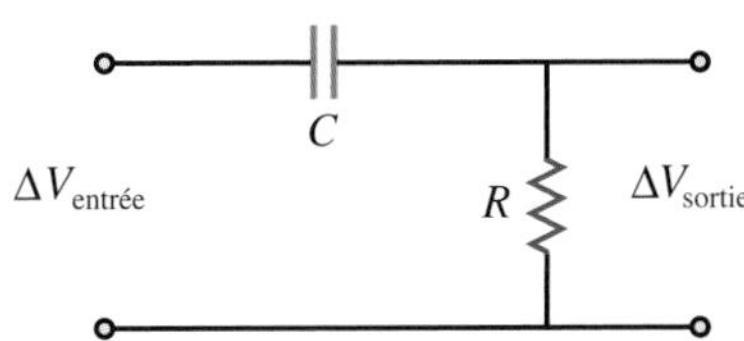


***Figure 12.32***

Problème 12.

**P13.** (I) Reprenez le problème 12 pour le circuit-filtre de la figure 12.33. Montrez que, dans ce cas,

$$\frac{\Delta V_{\text{sortie}}}{\Delta V_{\text{entrée}}} = \frac{1}{\sqrt{1 + \omega^2 R^2 C^2}}$$

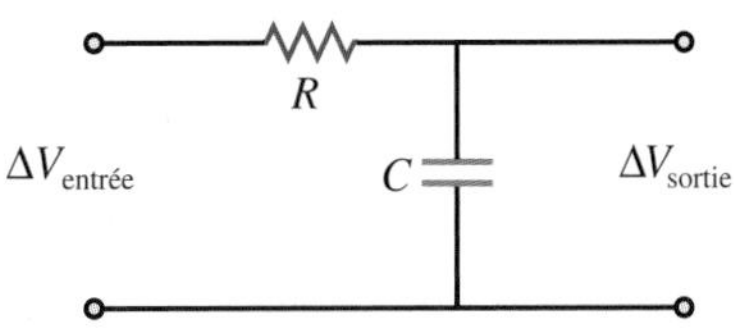


***Figure 12.33***

Problème 13.

## Problème supplémentaire

**P14.** (II) (a) À partir des données du problème 11, mais en supposant qu'il s'agit d'un circuit *RLC* parallèle, trouvez l'impédance du circuit. (b) Trouvez la valeur maximale du courant dans la résistance, la bobine et le condensateur.

CHAPITRE 13

# Les équations de Maxwell ; les ondes électromagnétiques

## POINTS ESSENTIELS

1. Maxwell a généralisé le théorème d'Ampère en y ajoutant un terme qui tient compte du **courant de déplacement**.
2. La lumière est une **onde électromagnétique**.
3. La loi de Faraday et le théorème d'Ampère-Maxwell permettent d'établir les **équations d'onde de Maxwell** pour les champs électrique et magnétique d'une onde électromagnétique.
4. Le **vecteur de Poynting** indique l'intensité d'une onde électromagnétique.
5. Les ondes électromagnétiques ont une quantité de mouvement et exercent une **pression de radiation** sur une surface.

Un campeur en train d'apprécier les ondes électromagnétiques visibles et infrarouges émises par un feu de camp.

Vers 1820, les travaux expérimentaux et théoriques avaient permis d'établir que la lumière est une onde transversale*. Mais la nature précise des ondes, la manière dont elles sont produites et dont elles interagissent avec la matière, demeuraient des problèmes non résolus. En 1845, Faraday mit en évidence l'effet mesurable produit par un champ magnétique sur un rayon lumineux qui traverse un morceau de verre. Cette observation lui fit supposer que la lumière fait intervenir des oscillations des champs électrique et magnétique ; malheureusement, ses connaissances en mathématiques n'étaient pas suffisantes pour lui permettre de poursuivre dans cette voie. C'est une expérience apparemment sans rapport qui vint apporter un indice supplémentaire du lien existant entre l'électromagnétisme et la lumière.

Au XIXe siècle, on utilisait deux systèmes d'unités en électromagnétisme : les unités électrostatiques, définies à partir de la loi de Coulomb donnant la force entre des charges, et les unités électromagnétiques, définies à partir d'une expression analogue donnant la force entre des pôles magnétiques. Le rapport entre les unités de charge dans ces deux systèmes est égal à $1/(\varepsilon_0\mu_0)^{1/2}$

* Nous verrons dans quelles circonstances au chapitre 6 du tome 3.

***Figure 13.1***

James Clerk Maxwell (1831-1879).

et il a les dimensions d'une vitesse. En 1856, W. Weber et R. Kohlrausch réussirent à déterminer expérimentalement que ce rapport a pour valeur 3,11 $\times$ $10^8$ m/s. Cette valeur était presque exactement égale à la vitesse de la lumière, 3,15 $\times$ $10^8$ m/s, mesurée par A. Fizeau en 1849.

Un jeune admirateur de Faraday nommé James Clerk Maxwell (figure 13.1), qui était convaincu que la proximité de ces deux nombres n'était pas une simple coïncidence, décida d'exploiter l'hypothèse audacieuse de Faraday. Il apporta au théorème d'Ampère (équation 9.14) une modification subtile et pourtant capitale qui lui permit, en 1865, de prédire l'existence d'ondes électromagnétiques se propageant à la vitesse de la lumière. La conclusion inévitable était que *la lumière elle-même est une onde électromagnétique*. La théorie de Maxwell permit de faire la synthèse entre les disciplines jusqu'alors distinctes de l'optique et de l'électromagnétisme. Ce fut, deux siècles plus tard, une découverte aussi importante que celle de Newton. La vérification expérimentale de cette théorie par H. Hertz en 1887 et son exploitation commerciale, entre autres, par M. G. Marconi, sont à l'origine de la radio, de la télévision et des communications par satellite.

## 13.1 Le courant de déplacement

À la section 9.4, nous avons vu que, conformément au théorème d'Ampère,

$$\oint \vec{\mathbf{B}} \cdot d\vec{\boldsymbol{\ell}} = \mu_0 I$$

l'intégrale curviligne de $\vec{\mathbf{B}} \cdot d\vec{\boldsymbol{\ell}}$ sur un contour fermé est égale à $\mu_0 I$, $I$ étant le courant traversant une surface délimitée par le contour. En 1861, Maxwell s'aperçut que cet énoncé comportait une incohérence puisque « la surface délimitée par le contour » n'est pas précisée de manière unique. Considérons un courant en train de charger un condensateur (figure 13.2). En tout point le long du fil, on peut déterminer le champ magnétique à l'aide du théorème d'Ampère. Maxwell imagina un contour fermé unique délimitant deux surfaces différentes. La surface plane (figure 13.2*a*), qui correspond à un choix évident, donne l'expression habituelle du champ créé par un fil rectiligne. La surface bombée (figure 13.2*b*) est délimitée par le même contour, mais elle englobe une armature du condensateur. Puisque cette surface n'est traversée par aucun courant électrique, le théorème d'Ampère nous dit que le champ est nul le long de la boucle, ce qui est faux. Pour éliminer cette incohérence, Maxwell proposa de faire intervenir un nouveau type de courant, appelé **courant de déplacement**, $I_D$, qui correspondrait à la partie non conductrice entre les armatures. Le théorème d'Ampère s'écrirait alors

$$\oint \vec{\mathbf{B}} \cdot d\vec{\boldsymbol{\ell}} = \mu_0 (I + I_D)$$

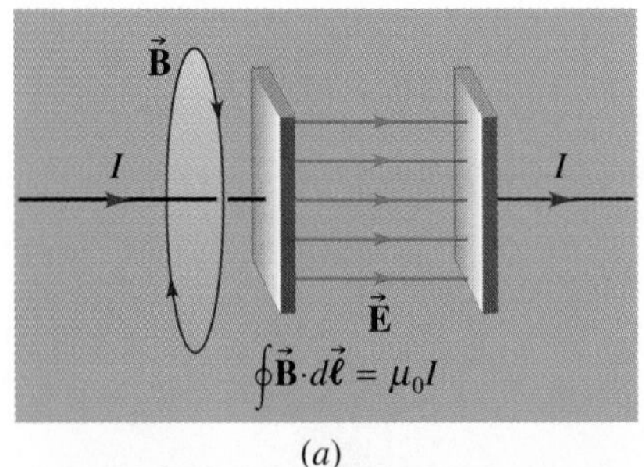


(*a*)

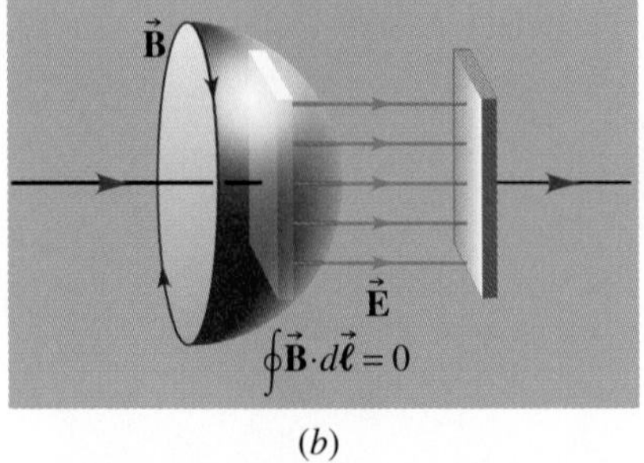


(*b*)

***Figure 13.2***

Lorsqu'on calcule l'intégrale curviligne $\oint \vec{\mathbf{B}} \cdot d\vec{\boldsymbol{\ell}}$ sur un contour fermé, la surface que traverse le courant peut englober ou non l'armature du condensateur. Le théorème d'Ampère ne donne pas de réponse cohérente pour ces deux possibilités.

Le nom *courant de déplacement* se rattache à la conception mécanique que Maxwell se faisait de l'éther, le milieu dans lequel les ondes électromagnétiques étaient censées se propager. Par analogie avec la polarisation d'un diélectrique, il imaginait que sous l'action d'un champ électrique les particules de l'éther subissaient un déplacement réel. Il abandonna par la suite cette hypothèse, mais le nom est resté.

Pour obtenir l'expression du courant de déplacement, Maxwell remarqua que le champ électrique entre les armatures augmente à cause de l'accumulation de charges. Pour un condensateur plan, $E = Q/(\varepsilon_0 A)$ ; on voit donc que le taux de variation des charges sur les armatures est $dQ/dt = \varepsilon_0 A \ dE/dt$. Dans ce cas, le flux électrique est simplement $\Phi_E = EA$ ; par conséquent,

$$\frac{dQ}{dt} = \varepsilon_0 \frac{d\Phi_E}{dt}$$

Soulignons que $dQ/dt$ est égal au courant de conduction $I$ dans le fil. Maxwell eut le génie de se rendre compte que le flux électrique variable doit également être associé à un champ magnétique. Comme la valeur du champ magnétique doit être la même, quelle que soit la surface choisie, l'intensité du courant de déplacement entre les armatures doit être la même que celle du courant de conduction dans le fil :

$$I_D = \varepsilon_0 \frac{d\Phi_E}{dt} \tag{13.1}$$

Avec la modification de Maxwell, le théorème d'Ampère généralisé s'écrit

Théorème d'Ampère-Maxwell

$$\oint \vec{\mathbf{B}} \cdot d\vec{\boldsymbol{\ell}} = \mu_0 \left( I + \varepsilon_0 \frac{d\Phi_E}{dt} \right) \tag{13.2}$$

Selon la surface choisie, le premier ou le deuxième terme du membre de droite donne la valeur correcte pour $\vec{\mathbf{B}}$ sur un contour fermé. Dans certains cas, par exemple si le condensateur laisse passer des charges entre ses armatures, le contour fermé peut englober à la fois un courant de conduction et un courant de déplacement, auquel cas les deux termes contribuent au champ. La modification apportée par Maxwell au théorème d'Ampère est un excellent exemple de découverte qui fut faite sur des bases purement théoriques et qui eut des répercussions extrêmement importantes dans la pratique.

## Exemple 13.1

(a) Utiliser le théorème d'Ampère-Maxwell pour déterminer le champ magnétique entre les armatures circulaires d'un condensateur plan chargé. Le rayon des armatures est $R$. On néglige les effets de bord. (b) Obtenir l'expression de $B$ pour un point à une distance $r$ de l'axe des plaques tel que $r > R$.

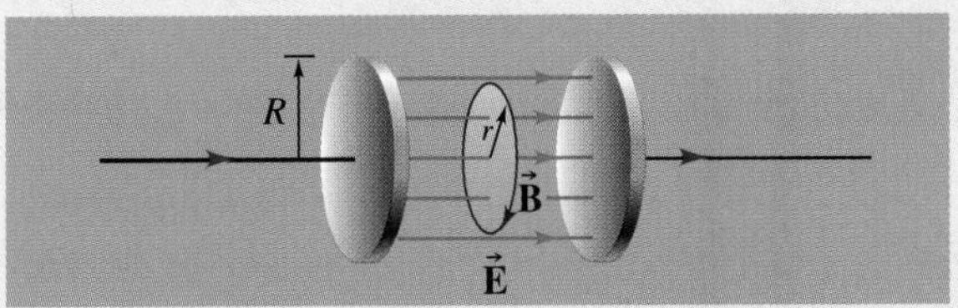


*Figure 13.3*

Pour calculer le champ $B$ correspondant à un champ électrique variable entre deux armatures circulaires de condensateur, on choisit un parcours circulaire.

### Solution :

(a) Puisqu'on suppose que le champ électrique est uniforme, on choisit une boucle circulaire de rayon $r$ normale aux lignes de champ $\vec{\mathbf{E}}$ (figure 13.3). Pour pouvoir tenir compte de la symétrie, on suppose que les fils sont longs et rectilignes et qu'ils sont raccordés au centre des armatures. D'après la symétrie circulaire du système, on peut déduire que $\vec{\mathbf{B}}$ a la même valeur en tout point de la boucle circulaire. De plus, $\vec{\mathbf{B}}$ est toujours parallèle à $d\vec{\boldsymbol{\ell}}$. Par conséquent,

$$\oint \vec{\mathbf{B}} \cdot d\vec{\boldsymbol{\ell}} = B \oint d\vec{\boldsymbol{\ell}} = B(2\pi r)$$

Le flux électrique traversant la boucle étant $\Phi_E = E(\pi r^2)$, l'équation 13.2 devient

$$B(2\pi r) = \mu_0\varepsilon_0(\pi r^2)\frac{dE}{dt}$$

$$(r < R) \qquad B = \tfrac{1}{2}\mu_0\varepsilon_0\left(\frac{dE}{dt}\right)r$$

Notons que $B \propto r$, tout comme à l'intérieur d'un fil parcouru par un courant (figure 9.23).

(b) Sur un contour circulaire, l'intégrale curviligne de $B$ est encore $B(2\pi r)$, mais le flux électrique est $\Phi_E = (\pi R^2 E)$. En utilisant ces expressions dans l'équation 13.2 (avec $I = 0$), on obtient

$$B = \mu_0\varepsilon_0\frac{R^2}{2r}\cdot\frac{dE}{dt}$$

Vérifier que pour $r = R$ cette expression concorde avec l'expression trouvée en (a).

## 13.2 Les équations de Maxwell

En tenant compte de la modification apportée par Maxwell, nous pouvons maintenant écrire toutes les équations fondamentales de l'électromagnétisme. Il y en a quatre :

Gauss $$\oint \vec{\mathbf{E}}\cdot d\vec{\mathbf{A}} = \frac{Q}{\varepsilon_0} \qquad (13.3)$$

Gauss $$\oint \vec{\mathbf{B}}\cdot d\vec{\mathbf{A}} = 0 \qquad (13.4)$$

Faraday $$\oint \vec{\mathbf{E}}\cdot d\vec{\boldsymbol{\ell}} = -\frac{d\Phi_B}{dt} \qquad (13.5)$$

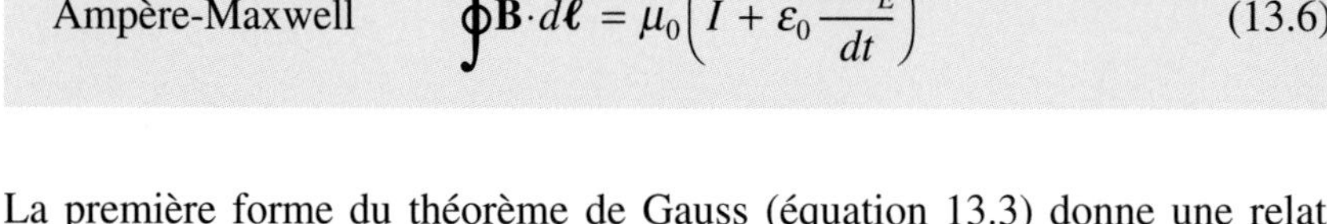

Ampère-Maxwell $$\oint \vec{\mathbf{B}}\cdot d\vec{\boldsymbol{\ell}} = \mu_0\left(I + \varepsilon_0\frac{d\Phi_E}{dt}\right) \qquad (13.6)$$

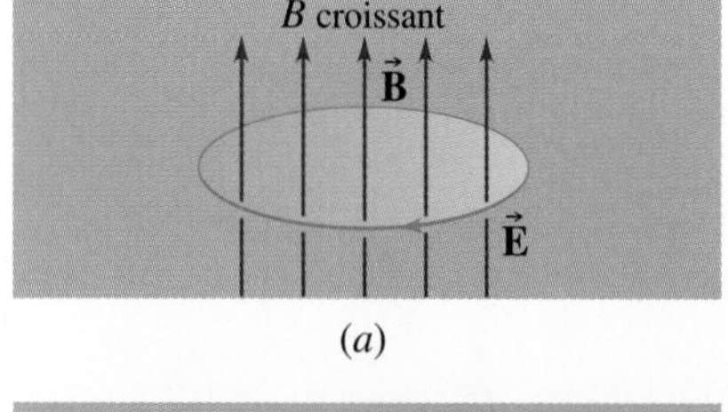


(*a*)

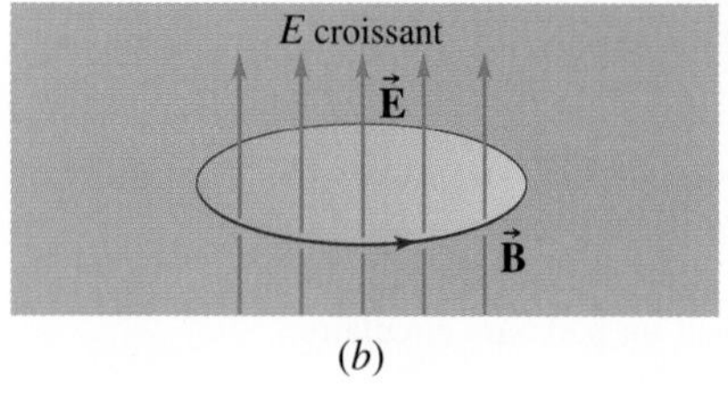


(*b*)

***Figure 13.4***

(*a*) La direction du champ électrique prédite par la loi de Faraday lorsque le flux magnétique augmente. (*b*) La direction du champ magnétique prédite par le théorème d'Ampère-Maxwell lorsque le flux électrique augmente.

La première forme du théorème de Gauss (équation 13.3) donne une relation entre le champ électrique et les charges électriques. Dans une situation d'électrostatique, où les charges électriques immobiles sont reliées entre elles par les lignes de champ électrique, elle est équivalente à la loi de Coulomb. Mais l'équation 13.3 est une forme plus générale qui s'applique également aux champs électriques induits dont les lignes sont des boucles fermées. La deuxième forme de la loi de Gauss (équation 13.4) indique que les lignes du champ magnétique sont toujours des courbes fermées, parce qu'il n'existe pas de monopôle magnétique. Selon la loi de Faraday (équation 13.5), un champ magnétique variable fait apparaître un champ électrique induit. Rappelons que, en plaçant le pouce de la main droite le long du champ magnétique, le sens dans lequel s'enroulent les doigts de la main indique le sens dans lequel on doit calculer l'intégrale. Le signe négatif dans l'équation 13.5 signifie que le champ électrique induit est de sens opposé à celui de l'intégrale, comme on le voit à la figure 13.4*a*. Selon le théorème d'Ampère-Maxwell (équation 13.6), un champ magnétique est produit par un courant de conduction $I$ et peut également être associé à un flux électrique variable. Dans ce cas, la règle de la main droite et le champ électrique déterminent le sens de l'intégration. Le signe positif dans l'équation 13.6 signifie que le champ magnétique est de même sens que celui de l'intégrale (figure 13.4*b*).

Ces quatre équations sont appelées **équations de Maxwell**. (Maxwell avait en réalité présenté vingt équations. En 1885, Olivier Heaviside réussit à réduire leur nombre à quatre en utilisant la notation vectorielle qu'il avait élaborée.) Avec l'équation donnant la force de Lorentz, $\vec{\mathbf{F}} = q(\vec{\mathbf{E}} + \vec{\mathbf{v}} \times \vec{\mathbf{B}})$, et le principe de conservation de la charge, ces quatre équations décrivent tous les phénomènes et les dispositifs électromagnétiques*.

## 13.3 Les ondes électromagnétiques

Nous verrons au chapitre 2 du tome 3 qu'une onde qui se propage sur l'axe des $x$ à la vitesse $v$ vérifie l'équation d'onde :

$$\frac{\partial^2 y}{\partial x^2} = \frac{1}{v^2}\frac{\partial^2 y}{\partial t^2}$$

où $y$ est la variable affectée par la déformation associée au passage de l'onde. Maxwell fut capable de démontrer que les champs électriques et magnétiques variables dans le temps satisfont également à l'équation d'onde. Cela lui permit de prédire l'existence des **ondes électromagnétiques**, qui est le résultat le plus important de sa théorie.

D'après la loi de Faraday, la variation d'un champ $\vec{\mathbf{B}}$ fait apparaître un champ $\vec{\mathbf{E}}$, et d'après le théorème d'Ampère-Maxwell, la variation d'un champ $\vec{\mathbf{E}}$ fait apparaître un champ $\vec{\mathbf{B}}$. Ce couplage de champs électrique et magnétique variables est à l'origine des ondes électromagnétiques. À partir des équations de Faraday et d'Ampère-Maxwell, il est possible d'établir, pour chaque type de champ, une équation générale décrivant sa variation dans l'espace et dans le temps. Toutefois, en supposant que le champ électrique n'existe que dans la direction $y$, $\vec{\mathbf{E}} = E_y\vec{\mathbf{j}}$, et que le champ magnétique n'a qu'une composante selon $z$, $\vec{\mathbf{B}} = B_z\vec{\mathbf{k}}$ ; en ajoutant aussi que nous sommes dans le vide et loin des sources de champ, on peut montrer (*cf.* section 13.8) que les champs satisfont aux **équations d'onde de Maxwell** :

$$\frac{\partial^2 E}{\partial x^2} = \mu_0\varepsilon_0\left(\frac{\partial^2 E}{\partial t^2}\right) \tag{13.7}$$

$$\frac{\partial^2 B}{\partial x^2} = \mu_0\varepsilon_0\left(\frac{\partial^2 B}{\partial t^2}\right) \tag{13.8}$$

En comparant ces équations avec les équations d'onde ordinaires, on constate que la vitesse de propagation de l'onde s'écrit

$$v = \frac{1}{\sqrt{\mu_0\varepsilon_0}} \tag{13.9}$$

Sachant que $\mu_0 = 4\pi \times 10^7$ H/m et $\varepsilon_0 = 8{,}85 \times 10^{-12}$ F/m, on trouve

$$v = 3{,}00 \times 10^8 \text{ m/s}$$

* Dans le cas où l'on doit tenir compte de la présence d'un matériau magnétique, il faut modifier l'équation 13.6.

ce qui correspond en effet à la valeur de la vitesse de la lumière dans le vide, $c$. Il est donc difficile de ne pas suggérer que la lumière elle-même est une onde électromagnétique. Maxwell a non seulement établi un fondement théorique pour le résultat remarquable de Weber et Kohlrausch, mais il a également réussi à faire la synthèse de l'optique et de l'électromagnétisme, qui étaient jusqu'alors des disciplines distinctes.

Les solutions les plus simples des équations 13.7 et 13.8 sont

$$E = E_0 \sin(kx - \omega t)$$

$$B = B_0 \sin(kx - \omega t)$$

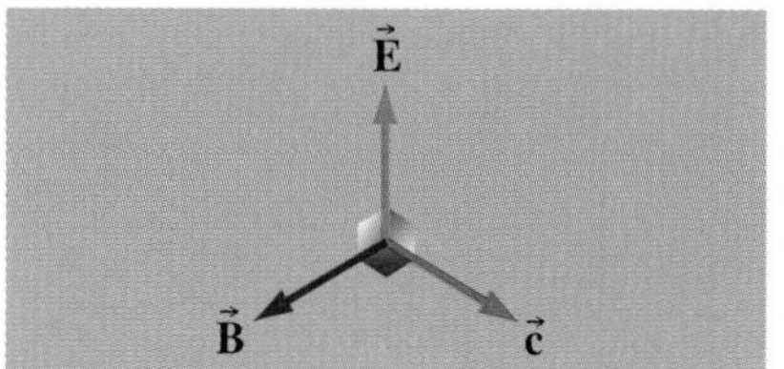


***Figure 13.5***

Dans une onde électromagnétique plane, le champ électrique et le champ magnétique sont perpendiculaires entre eux à la direction de propagation.

D'après ces équations, on voit qu'en tout point $\vec{\mathbf{E}}$ et $\vec{\mathbf{B}}$ sont *en phase* et que les conditions imposées plus haut à ces vecteurs les rendent perpendiculaires. Puisque ces champs varient dans la direction $x$, il convient aussi de définir un vecteur $\vec{\mathbf{c}}$, représentant la propagation de l'onde électromagnétique et perpendiculaire aux deux champs comme le montre la figure 13.5. Comme la direction de propagation reste fixe, on parle d'ondes électromagnétiques *planes*. Les amplitudes des champs sont liées par la relation (*cf.* section 13.8) :

$$E = cB \qquad (13.10)$$

Il existe deux représentations courantes d'une onde électromagnétique plane. La première (figure 13.6) consiste à représenter un vecteur dont la longueur varie de façon sinusoïdale. Pour une onde plane qui se propage dans la direction des $x$, la valeur de $\vec{\mathbf{E}}$ ou de $\vec{\mathbf{B}}$ est la même en tout point d'un plan $yz$ quelconque. Dans la seconde représentation (figure 13.7), la densité des lignes de champ correspond au module variable des champs. Si l'on place un fil rectiligne parallèlement au champ $\vec{\mathbf{E}}$, un courant oscillant apparaît dans le fil. Si l'on place une spire dans un plan normal à $\vec{\mathbf{B}}$, la variation du flux magnétique va induire un courant oscillant. C'est pourquoi l'on utilise des antennes rectilignes et circulaires pour la réception des ondes de radio et de télévision.

Au XIXe siècle, on envisageait les constantes $\mu_0$ et $\varepsilon_0$ comme étant liées aux propriétés de l'*éther*, le milieu dans lequel les ondes électromagnétiques étaient censées se propager. Mais les idées ont changé depuis. On sait que l'éther n'existe pas et que les ondes électromagnétiques n'ont pas besoin d'un milieu pour se propager. Toutefois, lorsqu'ils se propagent dans une substance, les champs interagissent avec les charges des atomes. L'intensité de l'interaction dépend de la permittivité $\varepsilon$ et de la perméabilité $\mu$ de la substance en question. Il en résulte une réduction de la vitesse de la lumière de $c$ à $1/\sqrt{\mu\varepsilon}$.

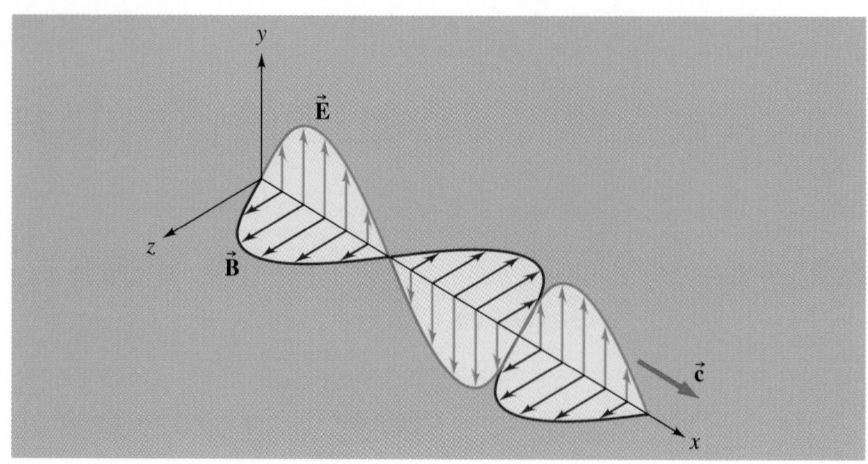


***Figure 13.6***

Une représentation d'ondes électromagnétiques se propageant le long de l'axe des $x$ positifs. Dans une onde plane, les champs électrique et magnétique ont chacun un module en tout point d'un plan $yz$ quelconque. Les variations des champs sont représentées par des fonctions sinusoïdales.

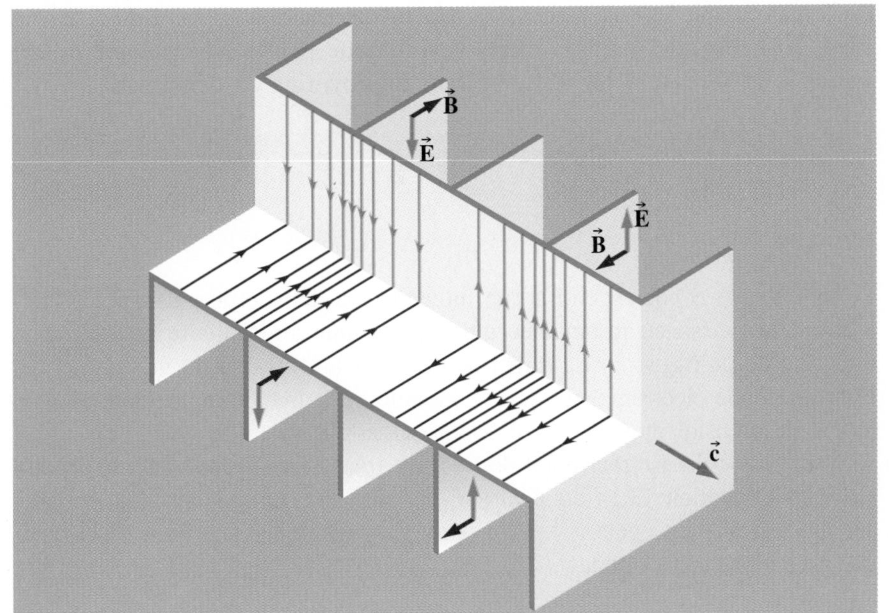


**Figure 13.7**

La représentation d'une onde électromagnétique plane dans laquelle la variation des champs est représentée par la densité variable des lignes de champ.

## 13.4 La propagation de l'énergie et le vecteur de Poynting

La lumière et la chaleur que nous procurent les rayons du Soleil nous montrent que les ondes électromagnétiques transportent de l'énergie. Nous allons déterminer l'expression donnant la densité d'énergie transportée par une onde électromagnétique. Les densités d'énergie des champs électrique et magnétique dans le vide sont données par l'équation 5.10 et l'équation 11.13:

$$u_E = \frac{1}{2}\varepsilon_0 E^2\,; \quad u_B = \frac{B^2}{2\mu_0} \tag{13.11}$$

Puisque $E = cB = B/\sqrt{\mu_0\varepsilon_0}$ pour une onde électromagnétique, les valeurs instantanées de ces densités d'énergie sont égales. La *densité d'énergie totale* $u = u_E + u_B$, est donc

**Densité d'énergie d'une onde électromagnétique**

$$u = \varepsilon_0 E^2 = \frac{B^2}{\mu_0} = \sqrt{\frac{\varepsilon_0}{\mu_0}}\,EB \tag{13.12}$$

Considérons deux surfaces planes, ayant chacune une aire $A$, qui sont séparées d'une distance $dx$ et normales à la direction de propagation de l'onde (figure 13.8). L'énergie totale dans le volume compris entre leurs plans est $dU = u(A\ dx)$. Le taux $S$ auquel cette énergie traverse une aire unitaire normale à la direction de propagation est

$$S = \frac{1}{A}\frac{dU}{dt} \tag{13.13}$$

Puisque l'énergie est transportée par les champs et que l'onde voyage à la vitesse $c$, elle se propage également à cette vitesse. Par conséquent, $dU/dt = uA\ dx/dt = uAc$ et donc $S = uc$. En utilisant la dernière expression dans l'équation 13.12 et $c = 1/\sqrt{\mu_0\varepsilon_0}$, on trouve

$$S = uc = \frac{EB}{\mu_0} \tag{13.14}$$

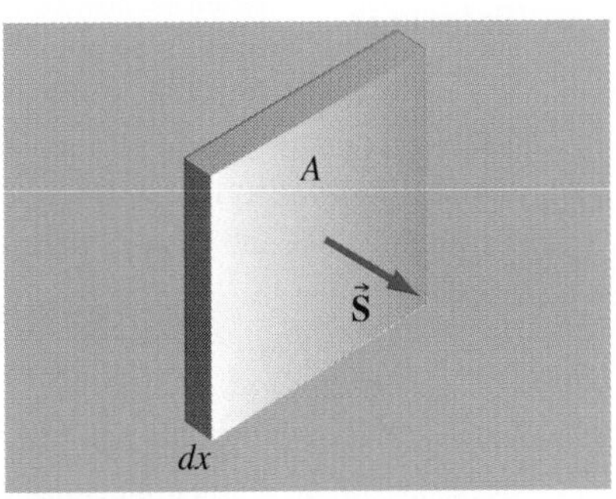


**Figure 13.8**

L'énergie contenue entre deux plans d'aire $A$ et distants de $dx$ est $dU = u(Adx)$, où $u$ est la densité d'énergie de l'onde électromagnétique.

On remarque que le flux d'énergie est perpendiculaire à la fois à $\vec{\mathbf{E}}$ et $\vec{\mathbf{B}}$. En 1884, J. H. Poynting utilisa l'analyse vectorielle pour rendre compte de cet aspect et de l'équation 13.14. Le **vecteur de Poynting** est défini par

$$\vec{\mathbf{S}} = \frac{\vec{\mathbf{E}} \times \vec{\mathbf{B}}}{\mu_0} \qquad (13.15)$$

Le module de $\vec{\mathbf{S}}$ correspond à une intensité, ou densité de puissance, c'est-à-dire à la puissance instantanée qui traverse une aire unitaire normale à la direction de propagation. La direction de $\vec{\mathbf{S}}$ est la direction du flux d'énergie. Pour une onde électromagnétique, le module de $\vec{\mathbf{S}}$ fluctue rapidement dans le temps. L'intensité moyenne de l'onde, qui est la valeur moyenne de $S$, est souvent plus utile. En tout point de l'espace (par exemple en $x = 0$), le produit $EB$ dans l'équation 13.14 est égal à $E_0B_0 \sin^2(\omega t)$. La moyenne de $\sin^2(\omega t)$ sur une période est égale à $\frac{1}{2}$. L'*intensité moyenne* pour une onde électromagnétique plane s'écrit donc

$$S_{\text{moy}} = u_{\text{moy}}c = \frac{E_0B_0}{2\mu_0} \qquad (13.16)$$

La grandeur $S_{\text{moy}}$, mesurée en watts par mètre carré, est la puissance moyenne incidente par aire unitaire normale à la direction de propagation. L'intensité moyenne d'une onde plane ne diminue pas pendant qu'elle se propage.

## Exemple 13.2

Une station de radio émet un signal de 10 kW à la fréquence de 100 MHz. On suppose, pour simplifier, qu'elle rayonne comme une source ponctuelle. Déterminer, à une distance de 1 km de l'antenne : (a) les amplitudes des champs électrique et magnétique ; (b) l'énergie incidente normale sur une plaque carrée de côté 10 cm captée en 5 min.

**Solution :**

(a) L'énergie des ondes émises par une source ponctuelle se propage sur des sphères de rayons croissants. L'aire d'une sphère de rayon $r$ étant $4\pi r^2$, l'intensité des ondes à la distance $r$ est

$$S_{\text{moy}} = \frac{\text{puissance moyenne}}{4\pi r^2} \qquad \text{(i)}$$

Puisque $E = cB$ et qu'à 1 km de la source on peut supposer que l'onde sphérique ressemble plutôt à une onde plane, on peut écrire $S_{\text{moy}}$ en fonction de $E_0$ :

$$S_{\text{moy}} = \frac{E_0^2}{2\mu_0 c} \qquad \text{(ii)}$$

En égalant les expressions (i) et (ii), on obtient

$$\frac{10^4\ \text{W}}{(4\pi)(10^6\ \text{m}^2)} = \frac{E_0^2}{2(4\pi \times 10^{-7}\ \text{H/m})(3 \times 10^8\ \text{m/s})}$$

et l'on trouve

$$E_0 = 0{,}77\ \text{V/m}$$

L'amplitude du champ magnétique est

$$B_0 = \frac{E_0}{c} = 2{,}58 \times 10^{-9}\ \text{T}$$

(b) D'après l'équation 13.13, l'énergie incidente dans la direction normale à une aire $A$ pendant un temps $\Delta t$ est

$$\begin{aligned} \Delta U &= S_{\text{moy}} A \Delta t \\ &= \frac{(10^4\ \text{W})}{(4\pi)(10^6\ \text{m}^2)}(0{,}01\ \text{m}^2)(300\ \text{s}) \\ &= 2{,}4 \times 10^{-3}\ \text{J} \end{aligned}$$

## Exemple 13.3

Une onde électromagnétique plane de fréquence 25 MHz se propage dans le vide sur l'axe des $z$ positifs. En un point donné dans l'espace et le temps, $\vec{\mathbf{E}} = -5\vec{\mathbf{i}}$ V/m. Quel est le champ $\vec{\mathbf{B}}$ en ce point ?

**Solution :**

Le module de $\vec{\mathbf{B}}$ est $B = E/c = 1{,}6 \times 10^{-8}$ T. Le vecteur $\vec{\mathbf{E}} \times \vec{\mathbf{B}}$ doit être dirigé selon l'axe des $z$ positifs. Puisque $(-\vec{\mathbf{i}}) \times (-\vec{\mathbf{j}}) = +\vec{\mathbf{k}}$, on voit que $\vec{\mathbf{B}}$ est dirigé selon l'axe des $y$ négatifs. On a donc $\vec{\mathbf{B}} = -1{,}6 \times 10^{-8}\ \vec{\mathbf{j}}$ T.

## Exemple 13.4

Lorsqu'on branche un fil sur une pile, un champ électrique règne dans l'espace entourant le circuit (figure 13.9). De plus, le courant dans le fil engendre un champ magnétique. Utilisez le vecteur de Poynting pour démontrer que le taux avec lequel l'énergie pénètre dans le fil est égal à la puissance perdue par effet joule.

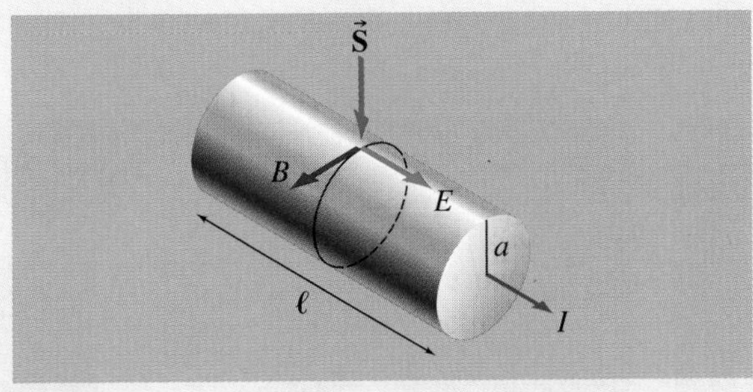


*Figure 13.9*

Les champs électrique et magnétique correspondant à un courant circulant dans un fil conducteur. Le vecteur de Poynting pour ces champs est dirigé vers le fil.

**Solution :**

Soit un long fil rectiligne de rayon $a$ et de résistance électrique $R$. On suppose qu'il est parcouru par un courant constant $I$. Pour calculer le vecteur de Poynting, nous avons besoin de déterminer le champ électrique et le champ magnétique à la surface du fil. Si la différence de potentiel aux bornes d'une longueur $\ell$ est $\Delta V = RI$, le champ électrique (constant) le long du fil, et donc à sa surface, s'écrit

$$E = \frac{\Delta V}{\ell} = \frac{RI}{\ell} \qquad \text{(i)}$$

D'après l'exemple 9.6, on sait que le champ magnétique à la surface du fil est

$$B = \frac{\mu_0 I}{2\pi a} \qquad \text{(ii)}$$

Puisque les champs électrique et magnétique à la surface du fil sont perpendiculaires (figure 13.9), il s'ensuit que $|\vec{\mathbf{E}} \times \vec{\mathbf{B}}| = EB$. Le module du vecteur de Poynting (équation 13.14) est

$$S = \frac{EB}{\mu_0} = \left(\frac{1}{\mu_0}\right)\left(\frac{RI}{\ell}\right)\left(\frac{\mu_0 I}{2\pi a}\right) = \frac{RI^2}{2\pi a \ell} \qquad \text{(iii)}$$

Mais $A = 2\pi a \ell$ étant l'aire de la surface latérale du fil, l'équation (iii) peut se mettre sous la forme

$$SA = RI^2$$

On voit que le taux avec lequel l'énergie électromagnétique est fournie au fil ($SA$) par les champs à la surface est égal au taux de dissipation ($RI^2$).

## 13.5 Quantité de mouvement et pression de radiation

Une onde électromagnétique transporte une certaine quantité de mouvement. Nous allons admettre, sans le démontrer, que la *quantité de mouvement* transportée par une onde électromagnétique est liée à l'énergie qu'elle transporte par la relation suivante :

**Quantité de mouvement transportée par une onde électromagnétique**

$$p = \frac{U}{c} \qquad (13.17)$$

Si l'onde est incidente dans la direction perpendiculaire à une surface et qu'elle est complètement absorbée, l'équation 13.17 nous indique quelle est la quantité de mouvement transmise à la surface. Si la surface est parfaitement réfléchissante, la variation de quantité de mouvement de l'onde est double. Par conséquent, la quantité de mouvement transmise à la surface est également double et $p = 2U/c$.

La force exercée par une onde électromagnétique sur une surface peut être reliée au vecteur de Poynting. Si l'on utilise l'équation 13.17 dans un énoncé de la deuxième loi de Newton faisant intervenir le module de la force et de la quantité de mouvement, $F = \Delta p/\Delta t$, on obtient $F = (1/c)(\Delta U/\Delta t)$. D'après l'équation 13.13, on a $\Delta U/\Delta t = SA$ ; donc $F = SA/c$. La **pression de radiation** (force/aire) est, pour une incidence normale,

$$\frac{F}{A} = \frac{S}{c} = u \qquad (13.18)$$

où l'on a utilisé $S = uc$ d'après l'équation 13.14. La pression de radiation est égale à la densité d'énergie ($\mathrm{N/m^2 = J/m^3}$). Pour une surface parfaitement réfléchissante, la variation de la quantité de mouvement correspond au double de la valeur prescrite par l'équation 13.17 ; ainsi, la densité d'énergie et la pression sur la surface sont doublées.

La force exercée par la lumière est illustrée à la figure 13.10, qui montre une minuscule particule suspendue par la pression de radiation de la lumière produite par un laser. C'est la pression de radiation des rayons solaires qui fait en sorte que les particules de la queue d'une comète sont déviées dans la direction opposée au Soleil (figure 13.11*a*). On peut imaginer qu'un véhicule spatial muni d'une voilure géante (figure 13.11*b*) pourrait être propulsé par la pression de radiation de la lumière solaire.

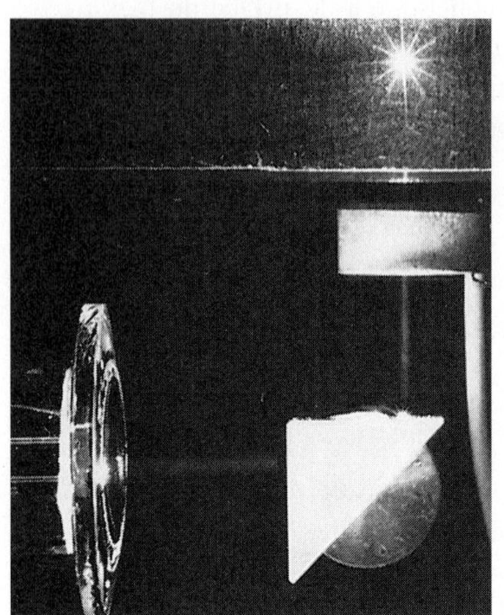

***Figure 13.10***

Une particule en suspension sous l'effet de la pression de radiation d'un rayon laser.

(*a*)

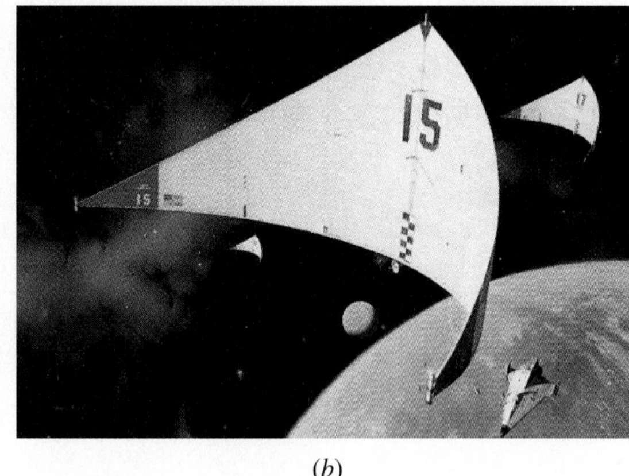


(*b*)

***Figure 13.11***

(*a*) Les particules de la queue d'une comète sont déviées par la pression de radiation de la lumière solaire. L'autre queue visible est constituée d'ions beaucoup plus petits. (*b*) Une « voilure solaire » peut utiliser la pression de radiation du Soleil pour propulser un véhicule spatial.

## Exemple 13.5

L'intensité du rayonnement solaire à la surface de la Terre est de 1 kW/m². Sur un toit se trouve un panneau solaire carré de 10 m de côté qui absorbe intégralement le rayonnement. Quelle est la force moyenne exercée sur le panneau ?

**Solution :**

D'après l'équation 13.18, la force moyenne est

$$F_{\text{moy}} = \frac{S_{\text{moy}}A}{c} = \frac{(1 \times 10^3\ \mathrm{W/m^2})(100\ \mathrm{m^2})}{3 \times 10^8\ \mathrm{m/s}}$$

$$= 0{,}33 \times 10^{-3}\ \mathrm{N}$$

Malgré sa valeur très faible, la pression de radiation fut détectée en 1899 par P. Lebedev en Russie et en 1901 par E. L. Nicholls et G. F. Hull aux États-Unis.

## 13.6 L'expérience de Hertz

Lorsque les travaux de Maxwell furent publiés en 1867, ils ne reçurent qu'un accueil prudent. La notion de courant de déplacement et l'existence des ondes électromagnétiques rendaient sceptiques de nombreux physiciens. Mais, en 1887, Heinrich Hertz (figure 13.12) réalisa une expérience qui démontra l'existence des ondes électromagnétiques de façon concluante. Maxwell avait démontré qu'un rayonnement électromagnétique est produit lorsqu'une charge *accélère* ou, ce qui est équivalent, lorsqu'un courant circulant dans un fil varie dans le temps. Une façon de produire des ondes électromagnétiques consiste à relier une source de courant alternatif à deux tiges (figure 13.13). Tandis que la polarité des tiges s'inverse alternativement dans le temps, les charges oscillent et produisent donc un rayonnement. Les champs à proximité de la source sont complexes mais, à des distances importantes par rapport à la longueur d'onde du rayonnement, les champs de *radiation* varient comme le montre la figure 13.13. Les lignes du champ électrique sont représentées par des courbes fermées, alors que les lignes du champ magnétique sont normales à la page. Soulignons que la direction de $\vec{\mathbf{B}}$ varie avec celle de $\vec{\mathbf{E}}$, de sorte que le vecteur de Poynting, $\vec{\mathbf{S}} = \vec{\mathbf{E}} \times \vec{\mathbf{B}}/\mu_0$, est toujours radial et dirigé vers l'extérieur, ce qui confirme bien que l'énergie est transportée au loin.

La figure 13.14 représente l'équipement dont se servit Hertz : un circuit *LC* dans lequel la bobine d'induction était le secondaire d'un transformateur et le condensateur était constitué de deux boules métalliques reliées à des armatures planes. Lorsqu'on coupait le courant dans le primaire, une grande différence de potentiel était induite au secondaire et provoquait l'ionisation de l'air entre les boules, le rendant provisoirement conducteur. Il en résultait quelques cycles d'oscillations *LC* amorties, qui faisaient osciller les charges dans l'espace rempli d'air et provoquaient l'émission d'un rayonnement. Hertz utilisa un écran métallique concave pour focaliser les ondes émises sur une spire de fil conducteur, terminée aussi par un espace d'air. Il pouvait régler les dimensions de la spire réceptrice et de l'espace d'air pour obtenir la résonance du système avec

***Figure 13.12***

Heinrich Hertz (1857-1894).

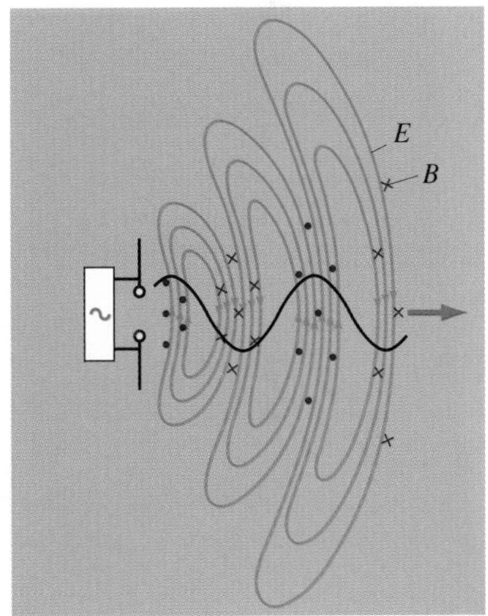


***Figure 13.13***

On peut produire des ondes électromagnétiques en reliant deux tiges à une source de courant alternatif. Les charges en accélération dans les tiges produisent le champ de radiation représenté sur la figure. Le champ électrique est représenté par des boucles fermées alors que le champ magnétique est normal à la page.

***Figure 13.14***

Une partie de l'équipement utilisé par Hertz.

la radiation émise. Le champ magnétique de la radiation induisait une f.é.m. suffisamment grande pour provoquer de petites étincelles dans l'espace à l'intérieur de la boucle réceptrice. Hertz réussit à prouver que la radiation émise avait toutes les propriétés caractéristiques des ondes, comme la réflexion, la réfraction et l'interférence. Il réussit en particulier à produire des ondes stationnaires à partir d'ondes réfléchies sur une surface métallique. La longueur d'onde ($\approx$ 33 cm) pouvait être déterminée à partir de la distance entre les nœuds ou les ventres et la fréquence était déterminée à partir du circuit $LC$. La relation $v = f\lambda$ lui permit de déduire que la vitesse des ondes était voisine de $3 \times 10^8$ m/s, ce qui correspond bien à la vitesse de la lumière.

## 13.7 Le spectre électromagnétique

Les ondes électromagnétiques couvrent une très large gamme de fréquences, depuis les ondes radio de très grande longueur d'onde, dont la fréquence est voisine de 100 Hz, jusqu'aux rayons $\gamma$ de très haute énergie qui proviennent de l'espace, dont les fréquences sont voisines de $10^{23}$ Hz. L'ensemble de la gamme de fréquences se nomme **spectre électromagnétique** (figure 13.15). En musique, un octave représente un changement de fréquence d'un facteur 2 ; par analogie, on peut dire que le spectre électromagnétique couvre près de 100 octaves (le spectre sonore audible couvre neuf octaves environ). Il n'y a pas de limite théorique à l'extrémité supérieure du spectre. À l'exception de la partie visible du spectre, les frontières entre les régions indiquées ci-dessous ne sont pas aussi nettes que le laisse entendre la figure 13.15. Les diverses régions sont plus ou moins définies par la manière dont les ondes sont produites ou détectées.

### La lumière visible

La partie visible du spectre électromagnétique couvre à peu près un octave, de 400 à 700 nm. Une plage de longueurs d'onde correspond approximativement à chaque couleur : 400 à 450 nm pour le violet, 450 à 520 nm pour le bleu, 520 à 560 nm pour le vert, 560 à 600 nm pour le jaune, 600 à 625 nm pour l'orange et 625 à 700 nm pour le rouge. La lumière est produite à des longueurs d'onde bien définies par les électrons qui subissent des transitions entre les niveaux d'énergie d'un atome. Les accélérations aléatoires des électrons dans les corps chauds produisent une lumière couvrant une gamme continue de longueurs d'onde. Notre sens de la vue et le processus de photosynthèse des végétaux ont évolué dans la gamme de longueurs d'onde du rayonnement solaire que notre atmosphère n'absorbe que très peu, c'est-à-dire entre 300 nm et 1100 nm.

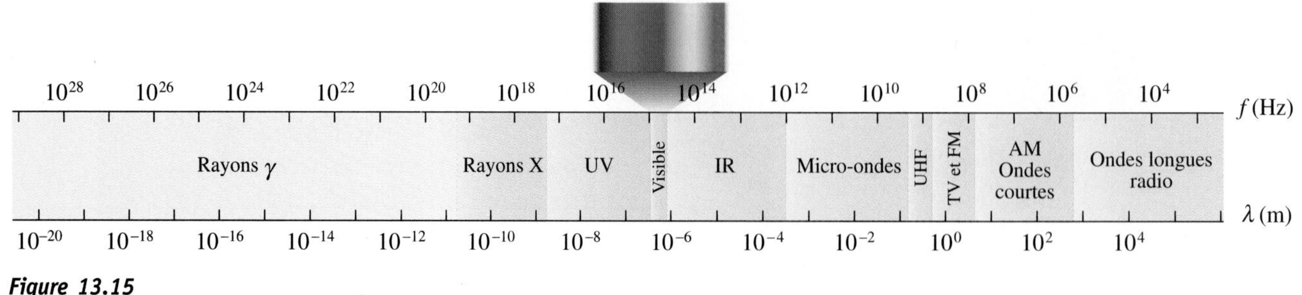


***Figure 13.15***

Le spectre électromagnétique. Les limites entre les diverses régions du spectre sont moins nettes que le diagramme ne le laisse supposer.

## Le rayonnement ultraviolet

En 1801, J. W. Ritter, qui étudiait le virage au noir du chlorure d'argent dans diverses régions du spectre, s'aperçut que l'effet était maximum au-delà du violet. La région de l'ultraviolet (UV) s'étend de 400 nm à 10 nm environ. Les rayons ultraviolets interviennent dans la production de vitamine D dans la peau et provoquent le bronzage. À doses fortes ou prolongées, le rayonnement ultraviolet tue les bactéries et peut provoquer le cancer chez l'être humain. Le verre absorbe les rayonnements ultraviolets et offre donc une certaine protection contre les rayons du Soleil. Si l'ozone de notre atmosphère n'absorbait pas les UV en-dessous de 300 nm, on observerait de nombreuses mutations cellulaires, notamment cancéreuses. C'est pourquoi l'appauvrissement de la couche d'ozone de notre atmosphère par les chlorofluorocarbones (CFC) est à l'heure actuelle un sujet de préoccupation internationale. Dans certains atomes, l'absorption des UV est suivie par l'émission d'une lumière visible de plus grande longueur d'onde. Ce phénomène, qui porte le nom de fluorescence, est à la base de la « lumière noire » que l'on utilise pour produire des effets de scène.

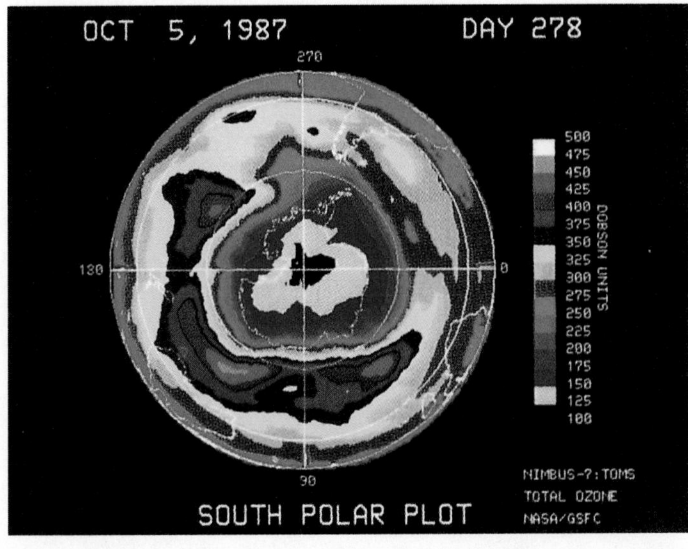


► Relevé de la concentration d'ozone au-dessus de l'Antarctique, obtenu en mesurant l'intensité du rayonnement UV réfléchi dans la bande d'absorption de l'ozone.

## Le rayonnement infrarouge

La région infrarouge (IR) débute à 700 nm et s'étend jusqu'à près de 1 mm. Elle fut découverte en 1800 par M. Herschel qui plaça un thermomètre juste à côté de l'extrémité rouge du spectre visible et observa une élévation de température. Le rayonnement IR est associé à un intervalle de fréquences proche de la rotation et de la vibration des molécules. L'absorption et la réémission de ce type de rayonnement par la matière est perçu comme de la chaleur. On utilise des pellicules sensibles aux IR dans les satellites pour effectuer des relevés géophysiques et pour la détection des gaz d'échappement chauds lors du lancement des fusées. Puisqu'il permet de détecter des variations minimes de température dans le corps humain, on utilise le rayonnement infrarouge pour la détection précoce des tumeurs, qui sont plus chaudes que les tissus environnants. Les serpents et les instruments « de vision nocturne » (*cf.* chapitre 17, tome 1) peuvent détecter les rayons infrarouges émis par les corps chauds des animaux.

## Les micro-ondes

Les micro-ondes correspondent aux longueurs d'onde de 1 mm à 15 cm environ. On peut produire des micro-ondes allant jusqu'à une fréquence de 30 GHz ($\lambda \simeq 1$ cm) en faisant osciller des électrons dans un dispositif appelé klystron. Dans les fours à micro-ondes que nous utilisons dans nos cuisines, le rayonnement a une fréquence voisine de 2450 MHz. Les communications interurbaines modernes, comme la transmission de données numériques, les conversations téléphoniques et les émissions de télévision, se font souvent par l'intermédiaire d'un réseau d'antennes haute fréquence sur l'ensemble d'un territoire. En focalisant des micro-ondes sur un tissu cancéreux, on arrive à en élever la température jusqu'à 46°C environ. Alors que les cellules normales sont capables de dissiper l'énergie thermique rapidement, les cellules cancéreuses ont une circulation relativement mauvaise et sont par conséquent détruites.

## Les signaux de radio et de télévision

Ces signaux couvrent la gamme de longueurs d'onde comprises entre 15 cm et 2000 m. On utilise, pour leur émission et leur réception, des dipôles comme les fameux dispositifs en « oreille de lapin ». Pour les ondes radio AM, on utilise en général une bobine de réception parce que la longueur d'onde est trop grande pour un dipôle électrique. Pour les signaux de télévision UHF, on se sert d'une bobine parce que les longueurs d'onde sont très petites. Les radiotélescopes (figure 13.16) servent à communiquer avec les satellites et à capter les ondes radio émises par divers objets célestes.

***Figure 13.16***

Un radiotélescope est utilisé pour les télécommunications et pour la radioastronomie. Contrairement au télescope optique, il n'a pas besoin d'un ciel dégagé.

## Les rayons X

Découverts en 1895 par W. C. Röntgen, les rayons X sont voisins des UV et s'étendent de 1 nm à 0,01 nm. Ils sont produits dans des machines par la décélération rapide des électrons qui bombardent une cible métallique massive. Ce type de rayonnement, qui correspond à une gamme de fréquences, est appelé *Bremsstrahlung* ou « rayonnement de freinage ». Les rayons X sont également produits par des transitions électroniques entre les divers niveaux d'énergie d'un atome. Puisque les dimensions des atomes et leur distance dans les cristaux correspondent à ce domaine, on utilise les rayons X pour étudier la structure atomique des cristaux ou des molécules comme l'ADN (*cf.* « La diffraction des rayons X », section 7.8, tome 3). Outre leur utilisation à des fins diagnostiques et thérapeutiques en médecine, on utilise des rayons X pour déceler les défauts microscopiques dans les machines. Avec l'apparition des satellites scientifiques, l'astronomie aux rayons X est devenue un outil important dans l'étude de l'univers.

### Les rayons γ

Les rayons gamma, qui produisent des effets similaires à ceux des rayons X, ont été identifiés pour la première fois par P. Villard en 1900 dans le rayonnement radioactif émis par certains matériaux. Alors que les rayons X sont produits par des électrons, les rayons gamma sont en général produits à l'intérieur du noyau d'un atome et sont extrêmement énergétiques à l'échelle atomique. Leurs longueurs d'onde sont égales ou inférieures à 0,01 nm, c'est-à-dire que leurs fréquences sont égales ou supérieures à $10^{20}$ Hz.

## 13.8 La formulation de l'équation d'onde

En manipulant mathématiquement la loi de Faraday et le théorème d'Ampère-Maxwell, on obtient directement une équation d'onde pour les champs électrique et magnétique, mais cette approche n'entre pas dans le cadre de cet ouvrage. Nous allons par contre supposer que $\vec{\mathbf{E}}$ et $\vec{\mathbf{B}}$ varient d'une certaine façon, conformément aux équations de Maxwell, puis démontrer que les ondes électromagnétiques sont une conséquence de la loi de Faraday et du théorème d'Ampère-Maxwell. Pour simplifier, nous allons nous situer dans le vide, où il n'y a ni charge ni courant de conduction. Les champs sont produits par des charges dans une région distante dont nous ne nous occupons pas.

La figure 13.17 représente deux fronts d'onde plans se propageant le long de l'axe des $x$ positifs. Le champ électrique est dirigé selon l'axe des $y$ et le champ magnétique selon l'axe des $z$. Chaque champ est uniforme sur un plan $yz$ quelconque et varie uniquement sur l'axe des $x$. Nous appliquons d'abord la loi de Faraday (équation 13.5) au petit cadre rectangulaire dans le plan $xy$. L'intégrale curviligne est composée de quatre parties. Pour les côtés supérieur et inférieur du cadre, $\vec{\mathbf{E}}\cdot d\vec{\boldsymbol{\ell}} = 0$ puisque $\vec{\mathbf{E}}$ est perpendiculaire à $d\vec{\boldsymbol{\ell}}$. La contribution des autres côtés est

$$\oint \vec{\mathbf{E}}\cdot d\vec{\boldsymbol{\ell}} = E_{y2}\Delta y - E_{y1}\Delta y$$

Rappelons que si le pouce est orienté selon le champ magnétique $B_z$, les doigts de la main droite déterminent le sens dans lequel on doit calculer l'intégrale. En principe, il faudrait intégrer sur l'aire du cadre pour déterminer le flux magnétique qui le traverse. Nous obtiendrons un résultat tout aussi satisfaisant pour nos besoins en prenant la valeur de $B_z$ au centre comme valeur « moyenne » sur toute l'aire. Cette approche est valable si la distance $\Delta x$ entre les fronts d'ondes est très inférieure à la longueur d'onde. Le flux magnétique qui traverse le cadre est $\Phi_B = B_z\Delta x\Delta y$ et son taux de variation s'écrit

$$\frac{d\Phi_B}{dt} = \frac{\partial B_z}{\partial t}\Delta x\Delta y$$

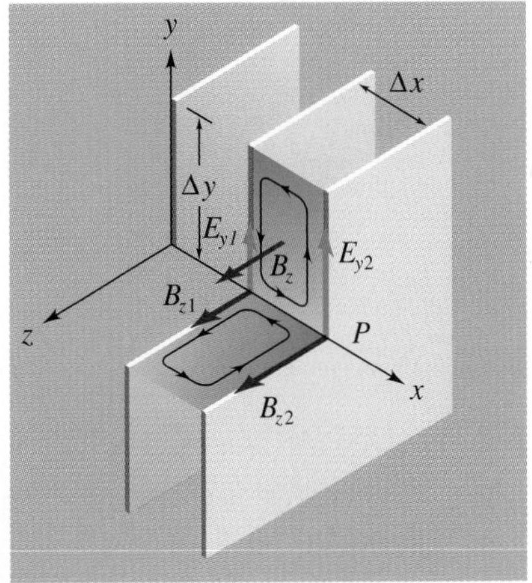


*Figure 13.17*

Deux fronts d'ondes plans avec les champs électrique et magnétique correspondants. On applique la loi de Faraday au rectangle ombré dans le plan $xy$ et le théorème d'Ampère-Maxwell à un rectangle analogue dans le plan $xz$.

On utilise les dérivées partielles parce qu'on s'intéresse à la variation explicite dans le temps en un point donné de l'espace. En divisant chaque membre de l'équation de Faraday (équation 13.5) par $\Delta x \Delta y$, on trouve

$$\frac{(E_{y2} - E_{y1})}{\Delta x} = -\frac{\partial B_z}{\partial t}$$

Quand $\Delta x \to 0$, cette équation prend la forme

(loi de Faraday) $$\frac{\partial E_y}{\partial x} = -\frac{\partial B_z}{\partial t} \qquad (13.19)$$

Pour un observateur situé en $P$, la composante $B_z$ décroît dans le temps, c'est-à-dire $\partial B_z/\partial t < 0$. D'après l'équation 13.19, il s'ensuit que $\partial E_y/\partial x > 0$, c'est-à-dire que $E_{y2} > E_{y1}$ (figure 13.17). Physiquement, cela correspond à l'énoncé de la loi de Lenz : le flux magnétique à travers le cadre décroît dans le temps, de sorte que la f.é.m. induite (donnée par l'intégrale curviligne) doit s'opposer à la variation.

On peut utiliser un argument analogue pour appliquer le théorème d'Ampère-Maxwell à un cadre dans le plan $xz$. On prend alors des valeurs distinctes pour $B_z$ dans l'intégrale $\oint \vec{\mathbf{B}} \cdot d\vec{\boldsymbol{\ell}}$, mais on utlise la valeur moyenne de $E_y$ pour le flux électrique. Ici encore, deux côtés du cadre seulement contribuent à l'intégrale curviligne. L'équation 13.6 donne

$$(-B_{z2} + B_{z1})\Delta z = \mu_0 \varepsilon_0 \frac{\partial E_y}{\partial t} \Delta x \Delta z$$

Le sens d'intégration est déterminé par $E_y$ et par la règle de la main droite. En divisant par $\Delta z \Delta x$ et en prenant la limite quand $\Delta x \to 0$, on trouve

(théorème d'Ampère) $$\frac{\partial B_z}{\partial x} = -\mu_0 \varepsilon_0 \frac{\partial E_y}{\partial t} \qquad (13.20)$$

En prenant les dérivées appropriées de l'équation 13.19 et de l'équation 13.20 (voir l'exemple 13.6 ci-dessous), il est facile d'obtenir les équations d'onde de Maxwell (équations 13.7 et 13.8).

Si l'on remplace les fonctions $E = E_0 \sin(kx - \omega t)$ et $B = B_0 \sin(kx - \omega t)$ dans l'équation 13.19, on trouve

$$kE_0 \cos(kx - \omega t) = \omega B_0 \cos(kx - \omega t)$$

Par conséquent, $E_0 = (\omega/k)B_0 = cB_0$. En tout point, $E$ et $B$ sont *en phase* et leurs modules sont liés par la relation $E = cB$.

## Exemple 13.6

Calculer la dérivée spatiale de l'équation 13.20 puis utiliser l'équation 13.7 pour obtenir l'équation 13.8 (supprimer les indices de $E$ et $B$).

**Solution :**

D'après l'équation 13.19, on a

$$\frac{\partial}{\partial x}\left(\frac{\partial E}{\partial x}\right) = -\frac{\partial}{\partial x}\left(\frac{\partial B}{\partial t}\right)$$

ce qui équivaut à

$$\frac{\partial^2 E}{\partial x^2} = -\left(\frac{\partial}{\partial t}\right)\left(\frac{\partial B}{\partial x}\right)$$

En remplaçant $\partial B/\partial x$ dans l'équation précédente par sa valeur donnée dans l'équation 13.20, on obtient l'équation 13.7.

## Résumé

Dans une région où le champ électrique est variable, le courant de déplacement est donné par

$$I_{\mathrm{D}} = \varepsilon_0 \frac{d\Phi_E}{dt}$$

où $\Phi_E$ est le flux électrique. Le théorème d'Ampère doit être modifié pour tenir compte du courant de déplacement.

En combinant le théorème d'Ampère-Maxwell et la loi de Faraday, on peut montrer que le champ électrique et le champ magnétique obéissent à l'équation d'onde de Maxwell, par exemple

$$\frac{\partial^2 E}{\partial x^2} = \mu_0 \varepsilon_0 \frac{\partial^2 E}{\partial t^2}$$

Dans une onde électromagnétique plane, les champs électrique et magnétique sont perpendiculaires entre eux et à la direction de propagation. Ces champs oscillent en phase et les ondes se propagent dans le vide à la vitesse

$$c = \frac{1}{\sqrt{\mu_0 \varepsilon_0}}$$

qui est égale à la vitesse de la lumière dans le vide. Les valeurs instantanées des champs sont liées par la relation

$$E = cB$$

On peut déterminer l'intensité d'une onde électromagnétique à partir du vecteur de Poynting

$$\vec{\mathbf{S}} = \frac{\vec{\mathbf{E}} \times \vec{\mathbf{B}}}{\mu_0}$$

qui montre que l'énergie se propage perpendiculairement à la fois à $\vec{\mathbf{E}}$ et $\vec{\mathbf{B}}$. L'intensité moyenne d'une onde électromagnétique plane est donnée par

$$S_{\mathrm{moy}} = \frac{E_0 B_0}{2\mu_0}$$

où $E_0$ et $B_0$ sont les amplitudes des champs.

La quantité de mouvement transportée par une onde électromagnétique est donnée par

$$p = \frac{U}{c}$$

où $U$ est l'énergie absorbée par une surface. Si les ondes sont intégralement réfléchies, la quantité de mouvement transférée est double.

La pression de radiation exercée par une onde électromagnétique incidente normale à une surface et complètement absorbée par elle est donnée par

$$\frac{F}{A} = \frac{S}{c} = u$$

où $u = \varepsilon_0 E^2 = B^2/\mu_0$ est la densité d'énergie de l'onde. Si les ondes sont parfaitement réfléchies, la tension est doublée.

## Termes importants

**courant de déplacement**
**équations d'onde de Maxwell**
**équations de Maxwell**
**pression de radiation**
**spectre électromagnétique**
**vecteur de Poynting**

## Révision

**R1.** Expliquez, en vous inspirant de ce qui se produit pendant la charge d'un condensateur, comment Maxwell a découvert que le théorème d'Ampère, dans sa formulation d'origine, comportait une incohérence.

**R2.** Expliquez la signification physique du théorème de Gauss formulé pour un champ magnétique.

**R3.** Reproduisez la combinaison mathématique des constantes fondamentales de l'électromagnétisme qui correspond à la vitesse de la lumière.

**R4.** Représentez graphiquement une onde électromagnétique se déplaçant le long de l'axe des $x$ positifs.

**R5.** Expliquez comment l'énergie transportée par les ondes électromagnétiques peut servir à propulser un *voilier* spatial.

**R6.** Décrivez comment Hertz produisit ses premières ondes électromagnétiques.

**R7.** Nommez les différentes composantes du spectre électromagnétique, en précisant la longueur d'onde correspondante et en donnant, pour chacune, un exemple d'application.

## Questions

**Q1.** Un plat vide devient chaud dans un four ordinaire, mais pas forcément dans un four à micro-ondes. Pourquoi ?

**Q2.** Comment peut-on utiliser une antenne circulaire pour localiser la source d'un émetteur radio clandestin ?

**Q3.** Un courant de conduction et un courant de déplacement peuvent-ils coexister dans la même région ? Si oui, donnez un exemple.

**Q4.** Pendant la charge d'un condensateur, y a-t-il un courant de déplacement dans les fils de raccordement ?

**Q5.** Une station de radio diffuse la voix d'une chanteuse. Décrivez, en termes simples, comment le son de sa voix arrive jusqu'à vos oreilles.

**Q6.** Même s'il manque une antenne à un récepteur de télévision ou à un poste de radio FM, ils peuvent « capter » plusieurs stations si l'on touche les bornes de l'antenne. Pourquoi ?

**Q7.** Quelle est la direction du vecteur de Poynting entre les armatures d'un condensateur en train d'être chargé ?

**Q8.** Certains phénomènes associés au rayonnement électromagnétique ne dépendent pas de sa fréquence. Citez-en deux.

**Q9.** Un four à micro-ondes contient du rayonnement de fréquence 2450 MHz. Quelle est sa longueur d'onde ?

**Q10.** Pourquoi la pression de radiation exercée par une onde électromagnétique donnée est-elle plus grande pour une surface réfléchissante que pour une surface absorbante ?

**Q11.** Les lignes de transport de l'énergie électrique c.a. émettent-elles des ondes électromagnétiques ?

**Q12.** (a) Pourquoi est-il déconseillé d'utiliser un récipient métallique dans un four à micro-ondes ? (b) Les fours à micro-ondes ont tendance à avoir des « zones neutres » où les aliments ne cuisent pas correctement. Quelle peut être l'origine de ce phénomène ?

**Q13.** Le champ magnétique d'une onde électromagnétique est donné par $B = (2 \times 10^{-6}) \cos[\pi(0{,}04x + 10^7 t)]$, où $x$ est en mètres, $t$ en secondes et $B$ en teslas. S'agit-il d'une onde dans le vide ?

**Q14.** Est-il possible de produire une onde électromagnétique stationnaire ? Comment ?

**Q15.** Un téléspectateur et un spectateur présent au stade regardent tous deux une balle de base-ball au moment de l'impact avec le bâton. Vont-ils voir et entendre le contact au même instant ? Sinon, à quoi sont dus les décalages ?

**Q16.** Une onde électromagnétique plane se propage horizontalement d'est en ouest. Si, en un point quelconque, $\vec{\mathbf{B}}$ est vertical et orienté vers le bas à un instant, quelle est la direction de $\vec{\mathbf{E}}$ ?

**Q17.** Peut-on utiliser un laser puissant pour propulser un véhicule spatial ? Si oui, comment ?

**Q18.** Dans quel sens l'expression $\varepsilon_0\, d\Phi_E/dt$ est-elle (a) analogue à un courant électrique ; (b) différente d'un courant électrique ?

**Q19.** Si l'on découvrait des monopôles magnétiques, quelles équations de Maxwell devrait-on modifier ?

# Exercices

## 13.1 Courant de déplacement

**E1.** (I) (a) Montrez que l'expression $1/\sqrt{\mu_0\varepsilon_0}$ s'exprime en mètres par seconde (m/s). (b) Montrez que l'expression $EB/\mu_0$ s'exprime en watts par mètre carré ($W/m^2$).

**E2.** (I) Montrez que les équations suivantes concordent en dimensions : (a) $E = cB$ ; (b) $I_D = \varepsilon_0 d\Phi_E/dt$ ; (c) pression $= S/c$.

**E3.** (I) Un condensateur plan a des armatures circulaires de rayon 2,5 cm distantes de 3 mm. Si la différence de potentiel entre les armatures varie à raison de $5 \times 10^4$ V/s, quel est le courant de déplacement ?

**E4.** (I) Un condensateur plan a des armatures circulaires de 2 cm de rayon distantes de 1,4 mm. À un instant donné, l'intensité du courant dans les fils de raccordement longs et rectilignes vaut 3 A. (a) Quel est le courant de déplacement entre les armatures ? (b) Quel est le taux de variation de la différence de potentiel entre les armatures ?

**E5.** (I) Montrez que le courant de déplacement dans un condensateur plan rempli d'air peut s'exprimer sous la forme $I_D = C\, d(\Delta V)/dt$, où $\Delta V$ est la différence de potentiel aux bornes du condensateur.

**E6.** (I) Un condensateur plan a des armatures circulaires de 2 cm de rayon distantes de 2,4 mm. La différence de potentiel entre les plaques augmente à raison de 8 kV/s. Quel est le courant de déplacement entre le centre d'une armature et un point séparé du centre par une distance égale à la moitié du rayon ? (On suppose que le champ électrique entre les armatures est uniforme.)

**E7.** (II) Les armatures circulaires d'un condensateur plan ont un rayon de 2 cm et sont distantes de 4 mm. Elles sont reliées à une source de courant alternatif de 60 Hz de tension maximale 120 V. Trouvez la valeur maximale du module du champ magnétique à mi-distance entre le centre et le bord des armatures.

**E8.** (II) (a) Montrez que le module du champ magnétique à une distance $r$ du centre d'un condensateur plan d'armatures circulaires de rayon $R$ est donné par

$$B = \frac{\mu_0 I_D}{2\pi r} \quad (r > R)$$

(b) Exprimez $B$ en fonction de $I_D$ pour $r < R$.

**E9.** (II) Un condensateur plan a des armatures circulaires de 2 cm de rayon distantes de 2,4 mm. Les fils de raccordement longs et rectilignes sont parcourus par un courant de 20 mA. Trouvez le module du champ magnétique aux distances radiales suivantes à partir du centre des armatures : (a) 0,5 cm ; (b) 5 cm.

## 13.3 Ondes électromagnétiques

**E10.** (I) Une onde électromagnétique plane se propage dans le vide selon l'axe des $z$ négatifs. En un point donné, le vecteur champ électrique est de $-21\vec{\mathbf{i}}$ V/m. Quel est le vecteur champ magnétique ?

**E11.** (I) Le champ magnétique d'une onde électromagnétique plane est donné par

$$\vec{\mathbf{B}} = 2{,}0 \times 10^{-7} \sin(5{,}0 \times 10^{2}\, x + 1{,}5 \times 10^{11}\, t)\vec{\mathbf{j}}$$

où $x$ est en mètres, $t$ en secondes et $B$ en teslas.

(a) Quelles sont la longueur d'onde et la fréquence de l'onde ? (b) Écrivez l'expression donnant le vecteur champ électrique.

**E12.** (I) Les composantes du champ électrique d'une onde électromagnétique plane sont données par $E_z = E_0 \sin(ky + \omega t)$, $E_x = E_y = 0$. Donnez l'expression de $\vec{\mathbf{B}}$.

## 13.4 Propagation de l'énergie et vecteur de Poynting

**E13.** (I) La densité d'énergie moyenne d'une onde électromagnétique sinusoïdale est égale à $10^{-7}$ J/m$^3$. Trouvez l'amplitude (a) du champ électrique ; (b) du champ magnétique.

**E14.** (I) Le champ électrique d'une onde plane est donné par

$$\vec{\mathbf{E}} = 50 \sin[\pi(0{,}8x - 2{,}4 \times 10^{8}\ \mathrm{t})]\vec{\mathbf{j}}$$

où $x$ est en mètres, $t$ en secondes et $E$ en volts par mètre (V/m).

Déterminez : (a) la densité d'énergie moyenne ; (b) l'amplitude et la direction du champ magnétique ; (c) l'intensité moyenne du vecteur de Poynting.

**E15.** (I) Calculée sur toutes les longueurs d'onde, l'intensité moyenne du rayonnement solaire à la surface de la Terre vaut 1 kW/m$^2$. (a) Quelle est la densité d'énergie moyenne associée à ce rayonnement à la surface de la Terre ? (b) Estimez la valeur de l'énergie solaire incidente parvenant en 1 h à la surface de la Terre ?

**E16.** (II) Une balise de détresse, que l'on peut assimiler à une source ponctuelle, émet une longueur d'onde unique de puissance moyenne égale à 25 W. Trouvez les amplitudes du champ électrique et du champ magnétique produits par la balise aux points suivants : (a) un avion de recherche situé à une distance de 25 km ; (b) un satellite géostationnaire à une altitude de 34 000 km.

**E17.** (I) À une distance de 6 m d'une source ponctuelle émettant à une longueur d'onde unique, l'amplitude du champ électrique vaut 10 V/m. Trouvez : (a) l'amplitude du champ magnétique ; (b) la puissance moyenne produite par la source.

## 13.5 Quantité de mouvement et pression de radiation

**E18.** (I) L'intensité d'un rayonnement solaire incident au niveau de la haute atmosphère est de 1,34 kW/m$^2$. Quelle est la force exercée par cette radiation sur un panneau solaire de satellite d'aire 100 m$^2$ ? On suppose que l'incidence est normale et que l'absorption est complète.

**E19.** (I) Déterminez la force exercée sur une plaque de 5 cm$^2$ par la radiation émise par les lasers suivants : (a) un laser hélium-néon de 1 mW ; (b) un laser de 1 kW au bioxyde de carbone. On suppose que le faisceau, de section transversale égale à 10 mm$^2$, est normal à la plaque et qu'il est complètement absorbé.

**E20.** (I) Une antenne radio d'une puissance de $10^4$ W émet sur 98 MHz. En supposant qu'elle rayonne comme une source ponctuelle, déterminez la pression de radiation à une distance de 20 km.

**E21.** (I) À une distance de 100 m d'une source ponctuelle, l'amplitude du champ magnétique associé au rayonnement correspond à 0,10 % du module du champ terrestre, c'est-à-dire à environ $10^{-7}$ T. Évaluez la puissance de l'émetteur.

**E22.** (I) Un laser de 1 kW sert de « fusée lumineuse » pour propulser un véhicule spatial de 100 kg. La section transversale du faisceau a une aire de 20 mm$^2$. Quelle est son accélération ? On suppose que la propulsion du laser est la seule force agissant sur le vaisseau.

**E23.** (I) Au seuil de détection, un récepteur FM peut capter un signal pour lequel $E_0 = 2\mu$ V/m. (a) Quelle est l'intensité de l'onde électromagnétique détectée ? (b) À quelle distance une source ponctuelle de 10 kW produirait-elle cette intensité ?

**E24.** (I) (a) À quelle distance d'une source ponctuelle de 100 W l'amplitude du champ magnétique est-elle égale à $10^{-8}$ T ? (b) Quelle est l'amplitude du champ électrique en ce point ?

**E25.** (I) L'intensité d'une onde électromagnétique plane vaut 5 W/m$^2$. Elle frappe une surface parfaitement réfléchissante. Déterminez : (a) la pression de radiation ; (b) la force exercée sur un panneau de 60 cm × 40 cm orienté perpendiculairement à la direction de propagation de l'onde.

**E26.** (I) On suppose qu'une ampoule de 60 W émet sur une seule longueur d'onde et se comporte comme une source ponctuelle. À une distance de 10 m, trouvez les amplitudes (a) du champ électrique ; (b) du champ magnétique.

**E27.** (I) L'intensité du rayonnement solaire à la surface de la Terre est de 1 kW/m$^2$. Quelle serait la puissance pénétrant dans l'œil par une pupille de 0,5 cm de diamètre ?

**E28.** (I) Un panneau solaire convertit la lumière solaire en énergie électrique avec un rendement de 18 %. L'intensité du rayonnement solaire à la surface de la Terre est de 1 kW/m$^2$. Quelle est l'aire nécessaire pour produire 10 kW de puissance électrique ?

**E29.** (I) Montrez que le module du vecteur de Poynting d'une onde électromagnétique plane dans le vide peut s'écrire sous la forme

$$S = \frac{c}{2}\left(\varepsilon_0 E^2 + \frac{B^2}{\mu_0}\right)$$

**E30.** (I) Une ampoule assimilée à une source ponctuelle a une puissance de rayonnement de 120 W. À une distance de 10 m, déterminez : (a) l'intensité moyenne ; (b) la densité d'énergie moyenne ; (c) la force moyenne sur une plaque parfaitement réfléchissante d'aire 1 cm$^2$ orientée perpendiculairement au rayonnement.

## Problèmes

**P1.** (I) On charge un condensateur plan dont les armatures circulaires ont pour rayon $a$ et sont distantes de $d$. Trouvez : (a) $B$ au bord du condensateur ; (b) le vecteur de Poynting au bord du condensateur. (c) Montrez que la puissance fournie au condensateur est $\varepsilon_0 \pi d a^2 E(dE/dt)$. (On néglige les effets de bord.)

**P2.** (I) Le champ magnétique d'un signal radio AM de 800 kHz a une amplitude de $4 \times 10^{-10}$ T. Si l'onde est détectée par une bobine plate de 20 spires de rayon 6 cm, quelle est la valeur maximale de la f.é.m. induite ? On suppose que le champ magnétique est dirigé selon l'axe de la bobine.

**P3.** (I) Un fil rectiligne de longueur 6 m et de rayon 0,5 mm a une résistance électrique de 0,8 Ω. La différence de potentiel entre ses bornes est égale à 24 V. (a) Quelle est la puissance thermique dissipée par effet joule ? (b) Quel est le module du vecteur de Poynting à la surface ? (c) Montrez que la puissance électromagnétique pénétrant dans le fil est égale à la valeur trouvée à la question (a).

**P4.** (I) Un rayon laser d'intensité $S$ et dont la section transversale a une aire $A$ est complètement absorbé par une particule de masse $m$ pendant une période $\Delta t$. Montrez que la variation du module de vitesse de la particule est $\Delta v = SA\ \Delta t/mc$.

**P5.** (I) Des ondes électromagnétiques planes d'intensité $S$ tombent normalement sur une surface plane. Une fraction $f$ seulement de l'énergie incidente est absorbée. Quelle est la pression de radiation ?

**P6.** (II) Une particule dans la queue d'une comète a un rayon $R$. Sa masse volumique est de 1,2 g/cm$^3$. Elle est soumise à la fois à l'attraction gravitationnelle du Soleil et à la force due à sa pression de radiation. Pour quelle valeur de $R$ ces deux forces ont-elles le même module ? On suppose qu'il y a absorption complète. La puissance du rayonnement solaire est de $3{,}8 \times 10^{26}$ W.

**P7.** (II) Une bobine cylindrique servant d'antenne AM comporte 250 spires de diamètre 1,5 cm. Trouvez la valeur maximale de la f.é.m. induite par une station de $10^4$ W (assimilée à une source ponctuelle) émettant sur 800 kHz à une distance de 2 km. L'axe de la bobine est parallèle à la direction du champ magnétique de l'onde.

**P8.** (II) Soit du rayonnement faisant un angle d'incidence $\theta$ par rapport à une surface plane (figure 13.18). Montrez que la pression de radiation est $u_{\text{moy}} \cos^2\theta$. On suppose que la radiation est intégralement absorbée.

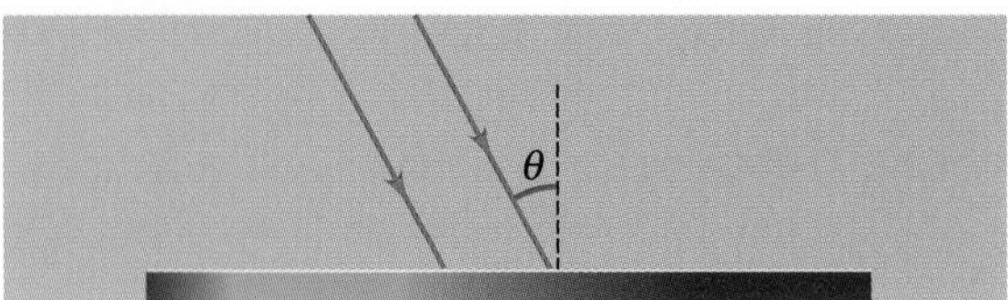


*Figure 13.18*

Problème 8.

**P9.** (II) Un condensateur défectueux (parce qu'il laisse passer le courant) dont les armatures circulaires ont un rayon $R = 2$ cm a une capacité de 5 μF et une résistance équivalente de $4 \times 10^5$ Ω. À $t = 0$, la différence de potentiel entre les armatures est égale à zéro mais elle augmente avec un taux constant de 2000 V/s. (a) Déterminez le courant de déplacement $I_D$. (b) À quel instant $I_D$ est-il égal au courant de conduction ?

**P10.** (II) Un *radiomètre* est composé de deux disques de rayon 1,2 cm reliés par une tige légère de longueur 10 cm suspendue en son milieu par un fil mince (figure 13.19). Un des disques est parfaitement absorbant alors que l'autre est parfaitement réfléchissant. La torsion du fil est responsable d'un moment de force de rappel dont la grandeur est fixée par une version circulaire de la loi de Hooke $\tau_{torsion} = \kappa\theta$, où $\kappa = 1{,}0 \times 10^{-10}$ N·m/degré. Quel est l'angle de déviation à l'équilibre lorsque la radiation solaire incidente, dont l'intensité moyenne est de 1,0 kW/m$^2$, est normale aux disques ?

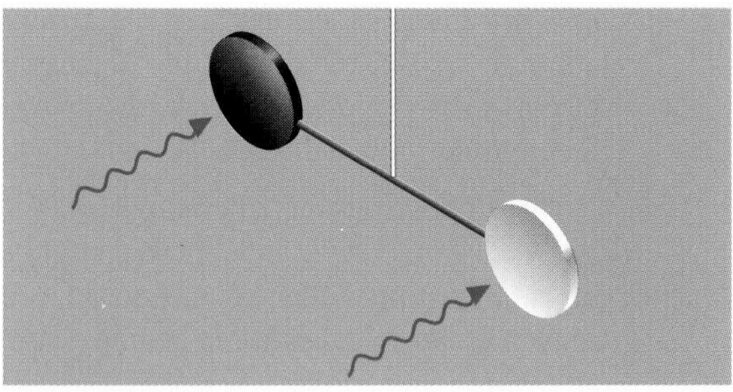

*Figure 13.19*

Problème 10.

**P11.** (II) Une onde électromagnétique plane d'intensité 220 W/m$^2$ est incidente dans la direction normale à une plaque plane de rayon 30 cm. Si la plaque absorbe 60 % et réfléchit 40 % de la radiation incidente, quelle est la quantité de mouvement transmise à la plaque en 5 min ?

**P12.** (I) Il a été suggéré qu'on pourrait utiliser le rayonnement solaire pour propulser un véhicule spatial. Supposons qu'une voilure solaire parfaitement réfléchissante d'aire $10^3$ m$^2$ soit orientée normalement au rayonnement solaire d'intensité 1 kW/m$^2$. (a) Déterminez la force exercée sur la voilure. (b) Si le véhicule a une masse de $10^3$ kg, combien de temps lui faut-il pour atteindre 1 m/s à partir du repos ? (On néglige l'attraction gravitationnelle du Soleil et des planètes.)

# ANNEXE A

## *Unités SI*

Les *unités de base* du Système international sont les suivantes*.

Le **mètre (m)** : Le mètre est la distance parcourue dans le vide par la lumière pendant un intervalle de temps égal à 1/299 792 458 s. (1983)

Le **kilogramme (kg)** : Égal à la masse du kilogramme étalon international. (1889)

La **seconde (s)** : La seconde est la durée de 9 192 631 770 périodes de la radiation correspondant à la transition entre les deux niveaux hyperfins de l'état fondamental de l'atome de césium 133. (1967)

L'**ampère (A)** : L'ampère est l'intensité d'un courant constant qui, passant dans deux conducteurs parallèles, rectilignes, de longueur infinie, de section circulaire négligeable, et placés à un mètre l'un de l'autre dans le vide, produit entre ces conducteurs une force égale à $2 \times 10^{-7}$ N par mètre de longueur. (1948)

Le **kelvin (K)** : Unité de température thermodynamique, le kelvin est la fraction 1/273,16 de la température thermodynamique du point triple de l'eau. (1957)

Le **candela (cd)** : Le candela est l'intensité lumineuse, dans une direction donnée, d'une source qui émet un rayonnement monochromatique de fréquence $540 \times 10^{12}$ Hz et dont l'intensité énergétique dans cette direction est 1/683 W par stéradian. (1979)

La **mole (mol)** : La mole est la quantité de matière qui contient un nombre d'entités élémentaires identiques entre elles (atomes, molécules, ions, électrons, particules) égal au nombre d'atomes de carbone dans 0,012 kg de carbone 12. (1971)

### Unités SI dérivées portant des noms particuliers

| Grandeur | Unité dérivée | Nom |
|---|---|---|
| Activité | 1 désintégration/s | becquerel (Bq) |
| Capacité | C/V | farad (F) |
| Charge | A·s | coulomb (C) |
| Potentiel électrique, f.é.m. | J/C | volt (V) |
| Énergie, travail | N·m | joule (J) |
| Force | $kg \cdot m/s^2$ | newton (N) |
| Fréquence | 1/s | hertz (Hz) |
| Inductance | V·s/A | henry (H) |
| Densité de flux magnétique | $Wb/m^2$ | tesla (T) |
| Flux magnétique | V·s | weber (Wb) |
| Puissance | J/s | watt (W) |
| Pression | $N/m^2$ | pascal (Pa) |
| Résistance | V/A | ohm (Ω) |

* Nous indiquons entre parenthèses l'année où la définition est devenue officielle.

# ANNEXE B

## Rappels de mathématiques

### ALGÈBRE

#### Exposants

$$x^m x^n = x^{m+n} \qquad x^{1/n} = \sqrt[n]{x}$$

$$\frac{x^m}{x^n} = x^{m-n} \qquad (x^m)^n = x^{mn}$$

#### Équation du second degré

Les racines de l'équation du second degré

$$ax^2 + bx + c = 0$$

sont données par

$$x = \frac{-b \pm \sqrt{b^2 - 4ac}}{2a}$$

Si $b^2 < 4ac$, les racines ne sont pas réelles.

#### Équation d'une droite

L'équation d'une droite est de la forme

$$y = mx + b$$

où $b$ est l'*ordonnée à l'origine* et $m$ est la *pente*, telle que

$$m = \frac{y_2 - y_1}{x_2 - x_1} = \frac{\Delta y}{\Delta x}$$

#### Logarithmes

Si

$$x = a^y$$

alors

$$y = \log_a x$$

La quantité $y$ est le logarithme en *base* $a$ de $x$. Si $a = 10$, le logarithme est dit *décimal* ou à base 10 et s'écrit $\log_{10} x$ ou simplement $\log x$. Si $a = e = 2{,}718\,28\ldots$, le logarithme est dit *naturel* ou népérien et s'écrit $\log_e x$ ou $\ln x$ (noter que $\ln e = 1$).

$$\log(AB) = \log A + \log B \qquad \log(A/B) = \log A - \log B$$

$$\log(A^n) = n \log A$$

### GÉOMÉTRIE

Triangle : Aire = $\frac{1}{2}$ base × hauteur, $A = \frac{1}{2} bh$

Cercle : Circonférence : $C = 2\pi r$
Aire : $A = \pi r^2$

Sphère : Aire de la surface : $A = 4\pi r^2$
Volume : $V = \frac{4}{3} \pi r^3$

Un cercle de rayon $r$ ayant son centre à l'origine a pour équation

(cercle) $$x^2 + y^2 = r^2$$

L'ellipse de la figure A a pour équation

(ellipse) $$\frac{x^2}{a^2} + \frac{y^2}{b^2} = 1$$

où $2a$ est la longueur du *grand* axe et $2b$, la longueur du *petit* axe.

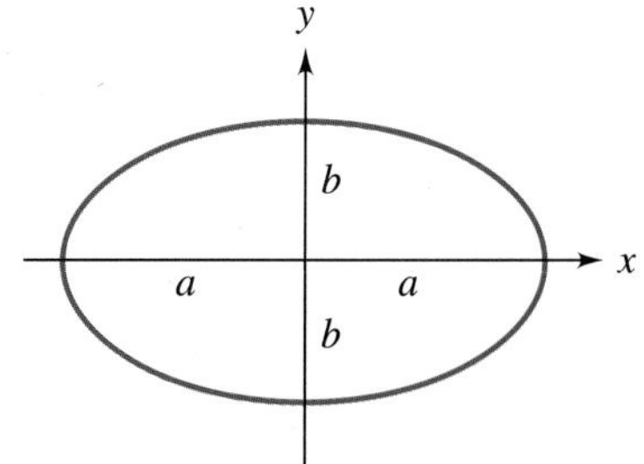


**Figure A**

**TRIGONOMÉTRIE**

Dans le triangle rectangle de la figure B, les fonctions trigonométriques fondamentales sont définies par :

$$\sin\,\theta = \frac{\text{côté opposé}}{\text{hypoténuse}} = \frac{a}{c}; \qquad \text{cosec}\,\theta = \frac{1}{\sin\,\theta}$$

$$\cos\,\theta = \frac{\text{côté adjacent}}{\text{hypoténuse}} = \frac{b}{c}; \qquad \sec\,\theta = \frac{1}{\cos\,\theta}$$

$$\tan\,\theta = \frac{\text{côté opposé}}{\text{côté adjacent}} = \frac{a}{b}; \qquad \text{cotan}\,\theta = \frac{1}{\tan\,\theta}$$

Selon le théorème de Pythagore, $c^2 = a^2 + b^2$, donc $\cos^2\theta + \sin^2\theta = 1$.

À partir du triangle quelconque de la figure C, on peut énoncer les deux relations suivantes :

(loi des cosinus) $$C^2 = A^2 + B^2 - 2\,AB\cos\gamma$$

(loi des sinus) $$\frac{\sin\alpha}{A} = \frac{\sin\beta}{B} = \frac{\sin\gamma}{C}$$

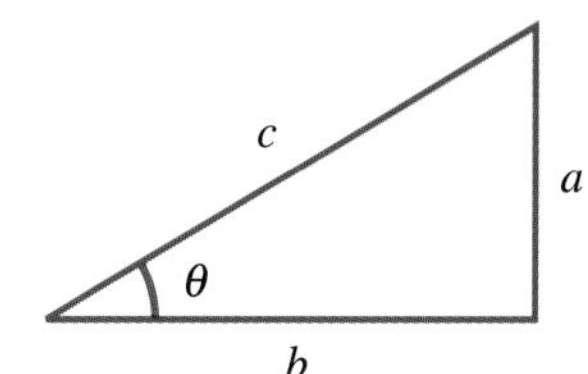


**Figure B**

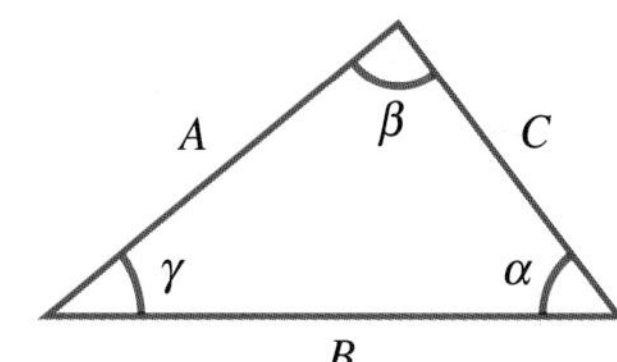


**Figure C**

**Quelques identités trigonométriques**

$$\sin^2\theta + \cos^2\theta = 1 \qquad \sec^2\theta = 1 + \tan^2\theta$$

$$\sin 2\theta = 2\sin\theta\cos\theta \qquad \cos 2\theta = \cos^2\theta - \sin^2\theta = 2\cos^2\theta - 1 = 1 - 2\sin^2\theta$$

$$\tan 2\theta = \frac{2\tan\theta}{1 - \tan^2\theta}; \qquad \tan\,\theta = \pm\sqrt{\frac{1 - \cos 2\theta}{1 + \cos 2\theta}}$$

$$\sin(A \pm B) = \sin A\cos B \pm \cos A\sin B$$

$$\cos(A \pm B) = \cos A\cos B \mp \sin A\sin B$$

$$\sin A \pm \sin B = 2\sin\frac{(A \pm B)}{2}\cos\frac{(A \mp B)}{2}$$

$$\cos A + \cos B = 2\cos\frac{(A + B)}{2}\cos\frac{(A - B)}{2}$$

$$\cos A - \cos B = 2\sin\frac{(A + B)}{2}\sin\frac{(B - A)}{2}$$

$$\sin A\cos B = \frac{1}{2}[\sin(A - B) + \sin(A + B)]$$

$$\sin A\sin B = \frac{1}{2}[\cos(A - B) - \cos(A + B)]$$

$$\cos A\cos B = \frac{1}{2}[\cos(A - B) + \cos(A + B)]$$

## DÉVELOPPEMENTS EN SÉRIE

$$(a+b)^n = a^n + \frac{n}{1!}a^{n-1}b + \frac{n(n-1)}{2!}a^{n-2}b^2 + \cdots$$

$$(1+x)^n = 1 + nx + \frac{n(n-1)}{2!}x^2 + \cdots$$

$$e^x = 1 + x + \frac{x^2}{2!} + \frac{x^3}{3!} + \cdots$$

$$\ln(1 \pm x) = \pm x - \frac{x^2}{2} \pm \frac{x^3}{3} - \cdots \qquad \text{pour } |x| < 1$$

$$\sin x = x - \frac{x^3}{3!} + \frac{x^5}{5!} - \cdots$$

$$\cos x = 1 - \frac{x^2}{2!} + \frac{x^4}{4!} - \cdots$$

$$\tan x = x + \frac{x^3}{3} + \frac{2x^5}{15} + \cdots \qquad \text{pour } |x| < \pi/2$$

($x$ en radians, pour sin, cos et tan)

# ANNEXE C

## Rappels de calcul différentiel et intégral

### CALCUL DIFFÉRENTIEL

Dérivée d'un produit :

$$\frac{d(uv)}{dx} = u\frac{dv}{dx} + v\frac{du}{dx}$$

Dérivée d'un quotient :

$$\frac{d}{dx}\left(\frac{u}{v}\right) = \frac{v\dfrac{du}{dx} - u\dfrac{dv}{dx}}{v^2}$$

Règle de dérivation des fonctions composées :

Étant donné une fonction $f(u)$ où $u$ est elle-même une fonction de $x$, on a

$$\frac{df}{dx} = \frac{df}{du}\cdot\frac{du}{dx}$$

Par exemple,

$$\frac{d(\sin u)}{dx} = \cos u \cdot \frac{du}{dx}$$

#### Dérivées de quelques fonctions*

$\frac{d}{dx}(ax^n) = nax^{n-1}$ ; $\frac{d}{dx}(e^{ax}) = ae^{ax}$

$\frac{d}{dx}(\sin ax) = a\cos ax$ ; $\frac{d}{dx}(\cos ax) = -a\sin ax$

$\frac{d}{dx}(\tan ax) = a\sec^2 ax$ ; $\frac{d}{dx}(\text{cotan}\, ax) = -a\,\text{cosec}^2\, ax$

$\frac{d}{dx}(\sec x) = \tan x \sec x$ ; $\frac{d}{dx}(\text{cosec}\, x) = -\text{cotan}\, x\, \text{cosec}\, x$

$\frac{d}{dx}(\ln ax) = \frac{1}{x}$

* Pour les fonctions trigonométriques, $x$ est en radians.

## CALCUL DES INTÉGRALES

Intégration par parties:

$$\int u\left(\frac{dv}{dx}\right)dx = uv - \int v\left(\frac{du}{dx}\right)dx$$

### Quelques intégrales

(Une constante arbitraire peut être ajoutée à chaque intégrale*)

$$\int x^n\,dx = \frac{x^{n+1}}{(n+1)} \quad (n \neq -1)$$

$$\int \frac{dx}{x} = \ln x$$

$$\int \frac{dx}{a+bx} = \frac{1}{b}\ln(a+bx)$$

$$\int \frac{dx}{(a+bx)^2} = -\frac{1}{b(a+bx)}$$

$$\int \frac{dx}{a^2+x^2} = \frac{1}{a}\tan^{-1}\left(\frac{x}{a}\right)$$

$$\int \frac{dx}{x^2-a^2} = \frac{1}{2a}\ln\left(\frac{x-a}{x+a}\right) \quad (x^2 > a^2)$$

$$\int \frac{dx}{a^2-x^2} = \frac{1}{2a}\ln\left(\frac{a+x}{a-x}\right) \quad (x^2 < a^2)$$

$$\int \frac{x\,dx}{a^2 \pm x^2} = \pm\frac{1}{2}\ln(a^2 \pm x^2)$$

$$\int \frac{dx}{\sqrt{a^2-x^2}} = \sin^{-1}\left(\frac{x}{a}\right)$$

$$= -\cos^{-1}\left(\frac{x}{a}\right) \quad (x^2 < a^2)$$

$$\int \frac{dx}{\sqrt{x^2 \pm a^2}} = \ln[x + \sqrt{x^2 \pm a^2}]$$

$$\int \frac{x\,dx}{\sqrt{a^2-x^2}} = -\sqrt{a^2-x^2}$$

$$\int \frac{x\,dx}{\sqrt{x^2 \pm a^2}} = \sqrt{x^2 \pm a^2}$$

$$\int \frac{dx}{(x^2+a^2)^{3/2}} = \frac{x}{a^2(x^2+a^2)^{1/2}}$$

$$\int \frac{x\,dx}{(x^2+a^2)^{3/2}} = -\frac{1}{(x^2+a^2)^{1/2}}$$

$$\int x\sqrt{x^2 \pm a^2}\,dx = \frac{1}{3}(x^2 \pm a^2)^{3/2}$$

$$\int e^{ax}\,dx = \frac{1}{a}e^{ax}$$

$$\int xe^{ax}\,dx = (ax-1)\frac{e^{ax}}{a^2}$$

$$\int x^2e^{-ax}\,dx = -\frac{1}{a^3}(a^2x^2+2ax+2)e^{-ax}$$

$$\int \ln(ax)\,dx = x\ln(ax) - x$$

$$\int \sin(ax)\,dx = -\frac{1}{a}\cos(ax)$$

$$\int \cos(ax)\,dx = \frac{1}{a}\sin(ax)$$

$$\int \tan(ax)\,dx = \frac{1}{a}\ln[\sec(ax)]$$

$$\int \mathrm{cotan}(ax)\,dx = \frac{1}{a}\ln[\sin(ax)]$$

$$\int \sec(ax)\,dx = \frac{1}{a}\ln[\sec(ax) + \tan(ax)]$$

$$\int \mathrm{cosec}(ax)\,dx = \frac{1}{a}\ln[\mathrm{cosec}(ax) + \mathrm{cotan}(ax)]$$

$$\int \sin^2(ax)\,dx = \frac{x}{2} - \frac{\sin(2ax)}{4a}$$

$$\int \cos^2 ax\,dx = \frac{x}{2} + \frac{\sin(2ax)}{4a}$$

$$\int \frac{1}{\sin^2(ax)}\,dx = -\frac{1}{a}\mathrm{cotan}(ax)$$

$$\int \frac{1}{\cos^2(ax)}\,dx = \frac{1}{a}\tan(ax)$$

$$\int \tan^2(ax)\,dx = \frac{1}{a}\tan(ax) - x$$

$$\int \mathrm{cotan}^2(ax)\,dx = -\frac{1}{a}\mathrm{cotan}(ax) - x$$

---

* Pour les fonctions trigonométriques, $x$ est en radians.

# ANNEXE D

## Tableau périodique des éléments

| Groupe I | Groupe II | Éléments de transition | | | | | | | | | | Groupe III | Groupe IV | Groupe V | Groupe VI | Groupe VII | Groupe 0 |
|---|---|---|---|---|---|---|---|---|---|---|---|---|---|---|---|---|---|
| **H** 1<br>1,01<br>$1s^{1}$ | | | | | | | | | | | | | | | | | **He** 2<br>4,00<br>$1s^{2}$ |
| **Li** 3<br>6,94<br>$2s^{1}$ | **Be** 4<br>9,01<br>$2s^{1}$ | | | | | | | | | | | **B** 5<br>10,81<br>$2p^{1}$ | **C** 6<br>12,01<br>$2p^{2}$ | **N** 7<br>14,01<br>$2p^{3}$ | **O** 8<br>16,00<br>$2p^{4}$ | **F** 9<br>19,00<br>$2p^{5}$ | **Ne** 10<br>20,18<br>$2p^{6}$ |
| **Na** 11<br>22,99<br>$3s^{1}$ | **Mg** 12<br>24,31<br>$3s^{2}$ | | | | | | | | | | | **Al** 13<br>26,98<br>$3p^{1}$ | **Si** 14<br>28,09<br>$3p^{2}$ | **P** 15<br>30,97<br>$3p^{3}$ | **S** 16<br>32,06<br>$3p^{4}$ | **Cl** 17<br>35,45<br>$3p^{5}$ | **Ar** 18<br>39,95<br>$3p^{6}$ |
| **K** 19<br>39,10<br>$4s^{1}$ | **Ca** 20<br>40,08<br>$4s^{2}$ | **Sc** 21<br>44,96<br>$3d^{1}4s^{2}$ | **Ti** 22<br>47,90<br>$3d^{2}4s^{2}$ | **V** 23<br>50,94<br>$3d^{3}4s^{2}$ | **Cr** 24<br>52,00<br>$3d^{5}4s^{1}$ | **Mn** 25<br>54,938<br>$3d^{5}4s^{2}$ | **Fe** 26<br>55,85<br>$3d^{6}4s^{2}$ | **Co** 27<br>58,93<br>$3d^{7}4s^{2}$ | **Ni** 28<br>58,71<br>$3d^{8}4s^{2}$ | **Cu** 29<br>63,55<br>$3d^{10}4s^{2}$ | **Zn** 30<br>65,38<br>$3d^{10}4s^{2}$ | **Ga** 31<br>69,72<br>$4p^{1}$ | **Ge** 32<br>72,59<br>$4p^{2}$ | **As** 33<br>74,92<br>$4p^{3}$ | **Se** 34<br>78,96<br>$4p^{4}$ | **Br** 35<br>79,90<br>$4p^{5}$ | **Kr** 36<br>83,80<br>$4p^{6}$ |
| **Rb** 37<br>85,47<br>$5s^{1}$ | **Sr** 38<br>87,62<br>$5s^{2}$ | **Y** 39<br>88,91<br>$4d^{1}5s^{2}$ | **Zr** 40<br>91,22<br>$4d^{2}5s^{2}$ | **Nb** 41<br>92,91<br>$4d^{4}5s^{1}$ | **Mo** 42<br>95,94<br>$4d^{5}5s^{1}$ | **Tc** 43<br>98,9<br>$4d^{5}5s^{2}$ | **Ru** 44<br>101,07<br>$4d^{7}5s^{1}$ | **Rh** 45<br>102,91<br>$4d^{8}5s^{1}$ | **Pd** 46<br>106,4<br>$4d^{10}$ | **Ag** 47<br>107,87<br>$4d^{10}5s^{1}$ | **Cd** 48<br>112,41<br>$4d^{10}5s^{2}$ | **In** 49<br>114,82<br>$5p^{1}$ | **Sn** 50<br>118,69<br>$5p^{2}$ | **Sb** 51<br>121,75<br>$5p^{3}$ | **Te** 52<br>127,60<br>$5p^{4}$ | **I** 53<br>126,90<br>$5p^{5}$ | **Xe** 54<br>131,30<br>$5p^{6}$ |
| **Cs** 55<br>132,91<br>$6s^{1}$ | **Ba** 56<br>137,33<br>$6s^{2}$ | 57-71† | **Hf** 72<br>178,49<br>$5d^{2}6s^{2}$ | **Ta** 73<br>180,95<br>$5d^{3}6s^{2}$ | **W** 74<br>183,85<br>$5d^{4}6s^{2}$ | **Re** 75<br>186,21<br>$5d^{5}6s^{2}$ | **Os** 76<br>190,2<br>$5d^{6}6s^{2}$ | **Ir** 77<br>192,22<br>$5d^{7}6s^{2}$ | **Pt** 78<br>195,09<br>$5d^{9}6s^{1}$ | **Au** 79<br>196,97<br>$5d^{10}6s^{1}$ | **Hg** 80<br>200,59<br>$5d^{10}6s^{2}$ | **Tl** 81<br>204,37<br>$6p^{1}$ | **Pb** 82<br>207,2<br>$6p^{2}$ | **Bi** 83<br>208,98<br>$6p^{3}$ | **Po** 84<br>(209)<br>$6p^{4}$ | **At** 85<br>(210)<br>$6p^{5}$ | **Rn** 86<br>(222)<br>$6p^{6}$ |
| **Fr** 87<br>(223)<br>$7s^{1}$ | **Ra** 88<br>226,03<br>$7s^{2}$ | 89-103‡ | **Rf** 104<br>(261)<br>$6d^{2}7s^{2}$ | **Ha** 105<br>(260)<br>$6d^{3}7s^{2}$ | 106<br>(263) | 107<br>(262) | 108<br>(265) | 109<br>(266) | | | | | | | | | |

| Symbole | **C** 6 | Numéro atomique |
|---|---|---|
| Masse atomique* | 12,01 | |
| | $2p^{2}$ | Configuration électronique |

| | | | | | | | | | | | | | | | |
|---|---|---|---|---|---|---|---|---|---|---|---|---|---|---|---|
| † Lanthanides | **La** 57<br>139,91<br>$5d^{1}6s^{2}$ | **Ce** 58<br>140,12<br>$4f^{2}6s^{2}$ | **Pr** 59<br>140,91<br>$4f^{3}6s^{2}$ | **Nd** 60<br>144,24<br>$4f^{4}6s^{2}$ | **Pm** 61<br>(145)<br>$4f^{5}6s^{2}$ | **Sm** 62<br>150,4<br>$4f^{6}6s^{2}$ | **Eu** 63<br>151,96<br>$4f^{7}6s^{2}$ | **Gd** 64<br>157,25<br>$5d^{1}4f^{7}6s^{2}$ | **Tb** 65<br>158,93<br>$4f^{9}6s^{2}$ | **Dy** 66<br>162,50<br>$4f^{10}6s^{2}$ | **Ho** 67<br>164,93<br>$4f^{11}6s^{2}$ | **Er** 68<br>167,26<br>$4f^{12}6s^{2}$ | **Tm** 69<br>168,93<br>$4f^{13}6s^{2}$ | **Yb** 70<br>173,04<br>$4f^{14}6s^{2}$ | **Lu** 71<br>174,97<br>$5d^{1}4f^{14}6s^{2}$ |
| ‡ Actinides | **Ac** 89<br>(227)<br>$6d^{1}7s^{2}$ | **Th** 90<br>232,04<br>$6d^{2}7s^{2}$ | **Pa** 91<br>231,04<br>$5f^{2}6d^{1}7s^{2}$ | **U** 92<br>238,03<br>$5f^{3}6d^{1}7s^{2}$ | **Np** 93<br>237,05<br>$5f^{4}6d^{1}7s^{2}$ | **Pu** 94<br>(244)<br>$5f^{6}7s^{2}$ | **Am** 95<br>(243)<br>$5f^{7}7s^{2}$ | **Cm** 96<br>(247)<br>$5f^{7}6d^{1}7s^{2}$ | **Bk** 97<br>(247)<br>$5f^{8}6d^{1}7s^{2}$ | **Cf** 98<br>(251)<br>$5f^{10}7s^{2}$ | **Es** 99<br>(253)<br>$5f^{11}7s^{2}$ | **Fm** 100<br>(257)<br>$5f^{12}7s^{2}$ | **Md** 101<br>(258)<br>$5f^{13}7s^{2}$ | **No** 102<br>(259)<br>$5f^{14}7s^{2}$ | **Lw** 103<br>(260)<br>$6d^{1}7s^{2}$ |

* Valeur moyenne déterminée en fonction de l'abondance isotopique relative sur terre. L'annexe E indique le pourcentage d'abondance de certains isotopes. Pour les éléments instables, la masse de l'isotope le plus stable est indiquée entre parenthèses.

A N N E X E E

## Table des isotopes les plus abondants*

Chaque masse atomique est celle de l'atome neutre et comprend les $Z$ électrons.

La liste complète des isotopes, qu'ils soient d'origine naturelle ou qu'ils aient été produits artificiellement en laboratoire, compte plusieurs centaines d'éléments. Nous donnons ici la liste de ceux qui sont les plus abondants dans la nature. Lorsque plus de trois isotopes ont été répertoriés pour un même numéro atomique, nous indiquons les trois plus abondants (sauf exceptions). Lorsque aucun isotope stable n'existe pour un atome donné, nous décrivons un ou plusieurs des isotopes radioactifs ; dans certains cas, l'abondance ne peut être précisée. La dernière colonne de la table indique la demi-vie des isotopes radioactifs. Entre parenthèses, nous mentionnons le ou les modes de désintégration s'ils sont connus : $\alpha$ = désintégration alpha ; $\beta$ = désintégration bêta ; C.E. = capture d'un électron orbital. Les chiffres entre parenthèses indiquent l'incertitude sur les derniers chiffres de la donnée expérimentale.

| Numéro atomique ($Z$) | Élément | Symbole | Nombre de masse ($A$) | Masse atomique (u) | Abondance (%) | Demi-vie (mode de désintégration) |
|---|---|---|---|---|---|---|
| 0 | (neutron) | n | 1 | 1,008 665 | – | 10,3 min ($\beta^-$) |
| 1 | hydrogène | H | 1 | 1,007 825 035(12) | 99,985(1) | |
| 1 | deutérium | D | 2 | 2,014 101 779(24) | 0,015(1) | |
| 1 | tritium | T | 3 | 3,016 049 27(4) | – | 12,32 a ($\beta^-$) |
| 2 | hélium | He | 3 | 3,016 029 31(4) | 0,000 137(3) | |
| 2 | | | 4 | 4,002 603 24(5) | 99,999 863(3) | |
| 3 | lithium | Li | 6 | 6,015 121 4(7) | 7,5(2) | |
| 3 | | | 7 | 7,016 003 0(9) | 92,5(2) | |
| 4 | béryllium | Be | 7 | 7,016 929 | | 53,28 jours (C.E.) |
| 4 | | | 9 | 9,012 182 2(4) | 100 | |
| 5 | bore | B | 10 | 10,012 936 9(3) | 19,9(2) | |
| 5 | | | 11 | 11,009 305 4(4) | 80,1(2) | |
| 6 | carbone | C | 12 | 12 (par définition) | 98,90(3) | |
| 6 | | | 13 | 13,003 354 826(17) | 1,10(3) | |
| 6 | | | 14 | 14,003 241 982(27) | – | 5715 a ($\beta^-$) |
| 7 | azote | N | 13 | 13,005 738 6 | | 9,97 min ($\beta^+$) |
| 7 | | | 14 | 14,003 074 002(26) | 99,634(9) | |
| 7 | | | 15 | 15,000 108 97(4) | 0,366(9) | |
| 8 | oxygène | O | 16 | 15,994 914 63(5) | 99,762(15) | |
| 8 | | | 17 | 16,999 131 2(4) | 0,038(3) | |
| 8 | | | 18 | 17,999 160 3(9) | 0,200(12) | |
| 9 | fluor | F | 19 | 18,998 403 22(15) | 100 | |

* Données tirées de David R. Lide (dir.), *CRC Handbook of Chemistry and Physics*, Boca Raton, CRC Press, 1994.

| Numéro atomique (Z) | Élément | Symbole | Nombre de masse (A) | Masse atomique (u) | Abondance (%) | Demi-vie (mode de désintégration) |
|---|---|---|---|---|---|---|
| 10 | néon | Ne | 20 | 19,992 435 6(22) | 90,48(3) | |
| 10 | | | 22 | 21,991 383 1(18) | 9,25(3) | |
| 11 | sodium | Na | 22 | 21,994 437 | | 2,605 a ($\beta^+$, C.E.) |
| 11 | | | 23 | 22,989 767 7(10) | 100 | |
| 12 | magnésium | Mg | 24 | 23,985 042 3(3) | 78,99(3) | |
| 13 | aluminium | Al | 27 | 26,981 538 6(8) | 100 | |
| 14 | silicium | Si | 28 | 27,976 927 1(7) | 92,23(1) | |
| 14 | | | 29 | 28,976 494 9(7) | 4,67(1) | |
| 14 | | | 30 | 29,973 770 7(7) | 3,10(1) | |
| 15 | phosphore | P | 30 | 29,978 314 | | 2,50 min ($\beta^+$) |
| 15 | | | 31 | 30,973 762 0(6) | 100 | |
| 16 | soufre | S | 32 | 31,972 070 70(25) | 95,02(9) | |
| 16 | | | 33 | 32,971 458 54(23) | 0,75(4) | |
| 16 | | | 34 | 33,967 866 65(22) | 4,21(8) | |
| 17 | chlore | Cl | 35 | 34,968 852 721(69) | 75,77(7) | |
| 17 | | | 37 | 36,965 902 62(11) | 24,23(7) | |
| 18 | argon | Ar | 36 | 35,967 545 52(29) | 0,337(3) | |
| 18 | | | 38 | 37,962 732 5(9) | 0,063(1) | |
| 18 | | | 40 | 39,962 383 7(14) | 99,600(3) | |
| 19 | potassium | K | 39 | 38,963 707 4(12) | 93,258 1(44) | |
| 19 | | | 40 | 39,963 999 2(12) | 0,011 7(1) | $1,26 \times 10^9$ a ($\beta^-$) |
| 19 | | | 41 | 40,961 825 4(12) | 6,730 2(44) | |
| 20 | calcium | Ca | 40 | 39,962 590 6(13) | 96,941(18) | |
| 20 | | | 42 | 41,958 617 6(13) | 0,647(9) | |
| 20 | | | 44 | 43,955 480 6(14) | 2,086(12) | |
| 21 | scandium | Sc | 45 | 44,955 910 0(14) | 100 | |
| 22 | titane | Ti | 46 | 45,952 629 4(14) | 8,0(1) | |
| 22 | | | 47 | 46,951 764 0(11) | 7,3(1) | |
| 22 | | | 48 | 47,947 947 3(11) | 73,8(1) | |
| 23 | vanadium | V | 50 | 49,947 160 9(17) | 0,250(2) | $>1,4 \times 10^{17}$ a (C.E.) |
| 23 | | | 51 | 50,943 961 7(17) | 99,750(2) | |
| 24 | chrome | Cr | 50 | 49,946 046 4(17) | 4,345(13) | |
| 24 | | | 52 | 51,940 509 8(17) | 83,789(18) | |
| 24 | | | 53 | 52,940 651 3(17) | 9,501(17) | |
| 25 | manganèse | Mn | 55 | 54,938 047 1(16) | 100 | |
| 26 | fer | Fe | 54 | 53,939 612 7(15) | 5,8(1) | |
| 26 | | | 56 | 55,934 939 3(16) | 91,72(30) | |
| 26 | | | 57 | 56,935 395 8(16) | 2,1(1) | |
| 27 | cobalt | Co | 59 | 58,933 197 6(16) | 100 | |
| 28 | nickel | Ni | 58 | 57,935 346 2(16) | 68,077(9) | |
| 28 | | | 60 | 59,930 788 4(16) | 26,223(8) | |
| 28 | | | 62 | 61,928 346 1(16) | 3,634(2) | |

| Numéro atomique (Z) | Élément | Symbole | Nombre de masse (A) | Masse atomique (u) | Abondance (%) | Demi-vie (mode de désintégration) |
|---|---|---|---|---|---|---|
| 28 | | | 64 | 63,927 969 | 0,926(1) | |
| 29 | cuivre | Cu | 63 | 62,929 598 9(16) | 69,17(3) | |
| 29 | | | 64 | 63,929 768 | | 12,701 h ($\beta^-$, $\beta^+$, C.E.) |
| 29 | | | 65 | 64,927 792 9(20) | 30,83(3) | |
| 30 | zinc | Zn | 64 | 63,929 144 8(19) | 48,6(3) | |
| 30 | | | 66 | 65,926 034 7(17) | 27,9(2) | |
| 30 | | | 68 | 67,924 845 9(18) | 18,8(4) | |
| 31 | gallium | Ga | 69 | 68,925 580(3) | 60,108(9) | |
| 31 | | | 71 | 70,924 700 5(25) | 39,892(9) | |
| 32 | germanium | Ge | 70 | 69,924 249 7(16) | 21,23(4) | |
| 32 | | | 72 | 71,922 078 9(16) | 27,66(3) | |
| 32 | | | 74 | 73,921 177 4(15) | 35,94(2) | |
| 33 | arsenic | As | 75 | 74,921 594 2(17) | 100 | |
| 34 | sélénium | Se | 76 | 75,919 212 0(16) | 9,36(11) | |
| 34 | | | 78 | 77,917 307 6(16) | 23,78(9) | |
| 34 | | | 80 | 79,916 519 6(19) | 49,61(10) | |
| 35 | brome | Br | 79 | 78,918 336 1(26) | 50,69(7) | |
| 35 | | | 81 | 80,916 289(6) | 49,31(7) | |
| 36 | krypton | Kr | 82 | 81,913 482(6) | 11,6(1) | |
| 36 | | | 84 | 83,911 507(4) | 57,0(3) | |
| 36 | | | 86 | 85,910 616(5) | 17,3(2) | |
| 36 | | | 89 | 88,917 64 | | 3,15 min ($\beta^-$) |
| 37 | rubidium | Rb | 85 | 84,911 794(3) | 72,165(20) | |
| 37 | | | 87 | 86,909 187(3) | 27,835(20) | $4,88 \times 10^{10}$ a ($\beta^-$) |
| 38 | strontium | Sr | 86 | 85,909 267 2(28) | 9,86(1) | |
| 38 | | | 87 | 86,908 884 1(28) | 7,00(1) | |
| 38 | | | 88 | 87,905 618 8(28) | 82,58(1) | |
| 39 | yttrium | Y | 89 | 88,905 849(3) | 100 | |
| 40 | zirconium | Zr | 90 | 89,904 702 6(26) | 51,45(3) | |
| 40 | | | 92 | 91,905 038 6(26) | 17,15(2) | |
| 40 | | | 94 | 93,906 314 8(28) | 17,38(4) | |
| 41 | niobium | Nb | 93 | 92,906 377 2(27) | 100 | |
| 42 | molybdène | Mo | 95 | 94,905 841 1(22) | 15,92(5) | |
| 42 | | | 96 | 95,904 678 5(22) | 16,68(5) | |
| 42 | | | 98 | 97,905 407 3(22) | 24,13(7) | |
| 43 | technétium | Tc | 98 | 97,907 215(4) | – | $4,2 \times 10^{6}$ a ($\beta^-$) |
| 44 | ruthénium | Ru | 101 | 100,905 581 9(24) | 17,0(1) | |
| 44 | | | 102 | 101,904 348 5(25) | 31,6(2) | |
| 44 | | | 104 | 103,905 424(6) | 18,7(2) | |
| 45 | rhodium | Rh | 103 | 102,905 500(4) | 100 | |
| 46 | palladium | Pd | 105 | 104,905 079(6) | 22,33(8) | |

| Numéro atomique (*Z*) | Élément | Symbole | Nombre de masse (*A*) | Masse atomique (u) | Abondance (%) | Demi-vie (mode de désintégration) |
|---|---|---|---|---|---|---|
| 46 | | | 106 | 105,903 478(6) | 27,33(3) | |
| 46 | | | 108 | 107,903 895(4) | 26,46(9) | |
| 47 | argent | Ag | 107 | 106,905 092(6) | 51,839(7) | |
| 47 | | | 109 | 108,904 757(4) | 48,161(7) | |
| 48 | cadmium | Cd | 111 | 110,904 182(3) | 12,80(8) | |
| 48 | | | 112 | 111,902 758(3) | 24,13(14) | |
| 48 | | | 114 | 113,903 357(3) | 28,73(28) | |
| 49 | indium | In | 113 | 112,904 061(4) | 4,3(2) | |
| 49 | | | 115 | 114,903 880(4) | 95,7(2) | $4,4 \times 10^{14}$ a ($\beta^-$) |
| 50 | étain | Sn | 116 | 115,901 747(3) | 14,53(1) | |
| 50 | | | 118 | 117,901 609(3) | 24,23(11) | |
| 50 | | | 120 | 119,902 199 1(29) | 32,59(10) | |
| 51 | antimoine | Sb | 121 | 120,903 821 2(29) | 57,36(8) | |
| 51 | | | 123 | 122,904 216 0(24) | 42,64(8) | |
| 52 | tellure | Te | 126 | 125,903 314(3) | 18,95(1) | |
| 52 | | | 128 | 127,904 463(4) | 31,69(1) | |
| 52 | | | 130 | 129,906 229(5) | 33,80(1) | $2,5 \times 10^{21}$ a |
| 53 | iode | I | 127 | 126,904 473(5) | 100 | |
| 54 | xénon | Xe | 129 | 128,904 780 1(21) | 26,4(6) | |
| 54 | | | 131 | 130,905 072(5) | 21,2(4) | |
| 54 | | | 132 | 131,904 144(5) | 26,9(5) | |
| 55 | césium | Cs | 133 | 132,905 429(7) | 100 | |
| 56 | barium | Ba | 136 | 135,904 553(7) | 7,854(36) | |
| 56 | | | 137 | 136,905 812(6) | 11,23(4) | |
| 56 | | | 138 | 137,905 232(6) | 71,70(7) | |
| 56 | | | 144 | 143,922 94 | | 11,4 s ($\beta^-$) |
| 57 | lanthane | La | 138 | 137,907 105(6) | 0,090 2(2) | $1,06 \times 10^{11}$ a |
| 57 | | | 139 | 138,906 347(5) | 99,909 8(2) | |
| 58 | cérium | Ce | 138 | 137,905 985(12) | 0,25(1) | |
| 58 | | | 140 | 139,905 433(4) | 88,48(10) | |
| 58 | | | 142 | 141,909 241(4) | 11,08(10) | |
| 59 | praséodyme | Pr | 141 | 140,907 647(4) | 100 | |
| 60 | néodyme | Nd | 142 | 141,907 719(4) | 27,13(12) | |
| 60 | | | 144 | 143,910 083(4) | 23,80(12) | $2,1 \times 10^{15}$ a |
| 60 | | | 146 | 145,913 113(4) | 17,19(9) | |
| 61 | prométhium | Pm | 145 | 144,912 743(4) | – | 17,7 a (C.E.) |
| 62 | samarium | Sm | 147 | 146,914 895(4) | 15,0(2) | $1,06 \times 10^{11}$ a ($\alpha$) |
| 62 | | | 152 | 151,919 729(4) | 26,7(2) | |
| 62 | | | 154 | 153,922 206(4) | 22,7(2) | |
| 63 | europium | Eu | 151 | 150,919 847(8) | 47,8(15) | |
| 63 | | | 153 | 152,921 225(4) | 52,2(15) | |

| Numéro atomique (Z) | Élément | Symbole | Nombre de masse (*A*) | Masse atomique (u) | Abondance (%) | Demi-vie (mode de désintégration) |
|---|---|---|---|---|---|---|
| 64 | gadolinium | Gd | 156 | 155,922 118(4) | 20,47(4) | |
| 64 | | | 158 | 157,924 019(4) | 28,84(12) | |
| 64 | | | 160 | 159,927 049(4) | 21,86(4) | |
| 65 | terbium | Tb | 159 | 158,925 342(4) | 100 | |
| 66 | dysprosium | Dy | 162 | 161,926 795(4) | 25,5(2) | |
| 66 | | | 163 | 162,928 728(4) | 24,9(2) | |
| 66 | | | 164 | 163,929 171(4) | 28,2(2) | |
| 67 | holmium | Ho | 165 | 164,930 319(4) | 100 | |
| 68 | erbium | Er | 166 | 165,930 290(4) | 33,6(2) | |
| 68 | | | 167 | 166,932 046(4) | 22,95(15) | |
| 68 | | | 168 | 167,932 368(4) | 26,8(2) | |
| 69 | thulium | Tm | 169 | 168,934 212(4) | 100 | |
| 70 | ytterbium | Yb | 172 | 171,936 378(3) | 21,9(3) | |
| 70 | | | 173 | 172,938 208(3) | 16,12(21) | |
| 70 | | | 174 | 173,938 859(3) | 31,8(4) | |
| 71 | lutécium | Lu | 175 | 174,940 770(3) | 97,41(2) | |
| 71 | | | 176 | 175,942 679(3) | 2,59(2) | $3,8 \times 10^{10}$ a ($\beta^-$) |
| 72 | hafnium | Hf | 177 | 176,943 217(3) | 18,606(4) | |
| 72 | | | 178 | 177,943 696(3) | 27,297(4) | |
| 72 | | | 180 | 179,946 545 7(30) | 35,100(7) | |
| 73 | tantale | Ta | 180 | 179,947 462(4) | 0,012(2) | $> 1,2 \times 10^{15}$ a |
| 73 | | | 181 | 180,947 992(3) | 99,988(2) | |
| 74 | tungstène | W | 182 | 181,948 202(3) | 26,3(2) | |
| 74 | | | 184 | 183,950 928(3) | 30,67(15) | |
| 74 | | | 186 | 185,954 357(4) | 28,6(2) | |
| 75 | rhénium | Re | 185 | 184,952 951(3) | 37,40(2) | |
| 75 | | | 187 | 186,955 744(3) | 62,60(2) | $4,2 \times 10^{10}$ a ($\beta^-$) |
| 76 | osmium | Os | 189 | 188,958 137(4) | 16,1(8) | |
| 76 | | | 190 | 189,958 436(4) | 26,4(12) | |
| 76 | | | 192 | 191,961 467(4) | 41,0(8) | |
| 77 | iridium | Ir | 191 | 190,960 584(4) | 37,3(5) | |
| 77 | | | 193 | 192,962 917(4) | 62,7(5) | |
| 78 | platine | Pt | 194 | 193,962 655(4) | 32,9(6) | |
| 78 | | | 195 | 194,964 766(4) | 33,8(6) | |
| 78 | | | 196 | 195,964 926(4) | 25,3(6) | |
| 79 | or | Au | 197 | 196,966 543(4) | 100 | |
| 80 | mercure | Hg | 199 | 198,968 254(4) | 16,87(10) | |
| 80 | | | 200 | 199,968 300(4) | 23,10(16) | |
| 80 | | | 202 | 201,970 617(4) | 29,86(20) | |
| 81 | thallium | Tl | 203 | 202,972 320(5) | 29,524(14) | |
| 81 | | | 205 | 204,974 401(5) | 70,476(14) | |

| Numéro atomique (Z) | Élément | Symbole | Nombre de masse (A) | Masse atomique (u) | Abondance (%) | Demi-vie (mode de désintégration) |
|---|---|---|---|---|---|---|
| 82 | plomb | Pb | 206 | 205,974 440(4) | 24,1(1) | |
| 82 | | | 207 | 206,975 872(4) | 22,1(1) | |
| 82 | | | 208 | 207,976 627(4) | 52,4(1) | |
| 83 | bismuth | Bi | 209 | 208,980 374(5) | 100 | |
| 84 | polonium | Po | 209 | 208,982 404(5) | – | 102 a ($\alpha$) |
| 84 | | | 210 | 209,982 857 | | 138,38 jours ($\alpha$) |
| 85 | astate | At | 210 | 209,987 126(12) | – | 8,1 h ($\alpha$, C.E.) |
| 86 | radon | Rn | 222 | 222,017 570(3) | – | 3,8235 jours ($\alpha$) |
| 87 | francium | Fr | 223 | 223,019 733(4) | – | 21,8 min ($\beta^-$) |
| 88 | radium | Ra | 226 | 226,025 402(3) | – | 1599 a ($\alpha$) |
| 89 | actinium | Ac | 227 | 227,027 750(3) | – | 21,77 a ($\beta^-$, $\alpha$) |
| 90 | thorium | Th | 232 | 232,038 054(2) | 100 | $1,4 \times 10^{10}$ a ($\alpha$) |
| 91 | protactinium | Pa | 231 | 231,035 880(3) | – | $3,25 \times 10^4$ a ($\alpha$) |
| 92 | uranium | U | 234 | 234,040 946 8(24) | 0,005 5(5) | $2,45 \times 10^5$ a ($\alpha$) |
| 92 | | | 235 | 235,043 924 2(24) | 0,720 0(12) | $7,04 \times 10^8$ a ($\alpha$) |
| 92 | | | 236 | 236,045 561 | | $2,34 \times 10^7$ a ($\alpha$) |
| 92 | | | 238 | 238,050 784 7(23) | 99,274 5(60) | $4,46 \times 10^9$ a ($\alpha$) |
| 93 | neptunium | Np | 237 | 237,048 167 8(23) | – | $2,14 \times 10^6$ a ($\alpha$) |
| 94 | plutonium | Pu | 239 | 239,052 157(2) | – | $2,411 \times 10^4$ a ($\alpha$) |
| 94 | | | 244 | 244,064 199(5) | – | $8,2 \times 10^7$ a ($\alpha$) |
| 95 | américium | Am | 243 | 243,061 375 | – | $7,37 \times 10^3$ a ($\alpha$) |
| 96 | curium | Cm | 245 | 245,065 483 | – | $8,5 \times 10^3$ a ($\alpha$) |
| 97 | berkélium | Bk | 247 | 247,070 300 | – | $1,4 \times 10^3$ a ($\alpha$) |
| 98 | californium | Cf | 249 | 249,074 844 | – | 351 a ($\alpha$) |
| 99 | einsteinium | Es | 254 | 254,088 019 | – | 276 jours ($\alpha$) |
| 100 | fermium | Fm | 253 | 253,085 173 | – | 3,0 jours ($\alpha$, C.E.) |
| 101 | mendélévium | Md | 255 | 255,091 081 | – | 27 min ($\alpha$, C.E.) |
| 102 | nobélium | No | 255 | 255,093 260 | – | 3,1 min ($\alpha$, C.E.) |
| 103 | lawrencium | Lw | 257 | 257,099 480 | – | 0,65 s ($\alpha$, C.E.) |
| 104 | rutherfordium | Rf | 261 | 261,108 690 | – | 1,1 min ($\alpha$) |
| 105 | hahnium | Ha | 262 | 262,113 760 | – | 34 s ($\alpha$) |

# Réponses aux exercices et problèmes de numéros impairs

## Chapitre 1

### Exercices

E1. (a) $-191\vec{\mathbf{i}}$ N ; (b) $188\vec{\mathbf{i}}$ N

E3. (a) $208\vec{\mathbf{j}}$ N ; (b) $(80{,}0\vec{\mathbf{i}} - 277\vec{\mathbf{j}})$N

E5. (a) 0,75 m ; (b) 1,5 m

E7. $1{,}52 \times 10^{-14}$ m

E9. $4{,}21 \times 10^{-8}$ N ; (b) $2{,}90 \times 10^{-9}$ N

E11. $q_1 = q_2 = -0{,}338$ μC

E13. $F_{\text{élec}}/F_{\text{grav}} = 2{,}85 \times 10^{-18}$

E15. ±133 nC, ±267 nC

E17. 20,5 N

E19. $5{,}76 \times 10^5$ N

### Problèmes

P1. $q_2 = 1{,}89$ μC, $q_3 = -5{,}28$ μC

P3. (a) $-2kQqa/(a^2 + x^2)^{3/2}\vec{\mathbf{j}}$ ; (b) $x = 0$

P5. $q = Q/2$

P7. (a) $2{,}08 \times 10^{13}$ ; (b) $7{,}56 \times 10^{-12}$

P9. (a) $v = \sqrt{ke^2/mr}$ ; (b) $r_1 = 5{,}30 \times 10^{-11}$ m, $r_2 = 2{,}12 \times 10^{-10}$ m, $r_3 = 4{,}77 \times 10^{-10}$ m

## Chapitre 2

### Exercices

E1. (a) $-5{,}57 \times 10^{-11}\vec{\mathbf{j}}$ N/C ; (b) $1{,}02 \times 10^{-7}\vec{\mathbf{j}}$ N/C

E3. (a) $2{,}50 \times 10^3\vec{\mathbf{i}}$ N/C ; (b) $-1{,}60 \times 10^{-5}\vec{\mathbf{i}}$ N

E5. (a) $-7{,}64 \times 10^{10}\ Q/L^2\vec{\mathbf{j}}$ ; (b) $(-6{,}44\vec{\mathbf{i}} - 118\vec{\mathbf{j}}) \times 10^9\ Q/L^2$

E7. $3{,}06 \times 10^6\vec{\mathbf{j}}$ N/C

E9. (a) $(-8{,}05\vec{\mathbf{i}} + 4{,}03\vec{\mathbf{j}}) \times 10^3$ N/C ; (b) $(1{,}92\vec{\mathbf{i}} - 2{,}88\vec{\mathbf{j}}) \times 10^3$ N/C

E11. (a) $(-1{,}08\vec{\mathbf{i}} + 0{,}624\vec{\mathbf{j}}) \times 10^7$ N/C ; (b) $(32{,}4\vec{\mathbf{i}} - 18{,}7\vec{\mathbf{j}})$ N ; (c) Aucun effet

E15. Pour $x < 0$ : $E_x = kq[1/(6-x)^2 - 1/x^2]$
Pour $0 < x < 6$ : $E_x = kq[1/(6-x)^2 + 1/x^2]$
Pour $x > 6$ : $E_x = kq[1/x^2 - 1/(x-6)^2]$

E17. $(4{,}66\vec{\mathbf{i}} + 2{,}88\vec{\mathbf{j}}) \times 10^{-3}$ N

E19. (a) $(2kq/x^2)[1 - (1 + a^2/x^2)^{-3/2}]\vec{\mathbf{i}}$ ; (b) $2a^2kq(a^2 - 3y^2)/[y^2(y^2 - a^2)^2]\vec{\mathbf{j}}$

E27. (a) 1,71 ns ; (b) 2,57 cm ; (c) $4{,}12 \times 10^{-16}$ J

E29. (a) 13,9 cm ; (b) 0,348 μs

E31. (a) $1{,}78 \times 10^{-12}$ s ; (b) $8{,}33 \times 10^{-7}$ m

E33. $3{,}75 \times 10^6$ m/s

E35. Régions I et III : $(\sigma/2\varepsilon_0)\vec{\mathbf{i}}$, région II : $(5\sigma/2\varepsilon_0)\vec{\mathbf{i}}$, région IV : $(-\sigma/2\varepsilon_0)\vec{\mathbf{i}}$

E37. (a) 2,26 N ; (b) À 12,6 cm de la charge, dans la direction de la plaque

E39. $2{,}02 \times 10^4$ N/C

E41. $(-3{,}00\vec{\mathbf{i}} + 3{,}00\vec{\mathbf{j}}) \times 10^6$ N/C

E43. (a) $8 \times 10^{-11}$ C·m ; (b) $8 \times 10^{-6}$ J

E45. (a) $3{,}20 \times 10^5$ N/C ; (b) $5{,}62 \times 10^{16}$ m/s$^2$

E47. $(6kQ/L^2)\vec{\mathbf{j}}$

E49. $-7{,}2$ nC

E51. (a) 9,88 N/C ; (b) 3,17 μs

E53. (a) $2{,}10 \times 10^{-5}$ C ; (b) $-1{,}65 \times 10^4\vec{\mathbf{i}}$ N/C

E55. (a) 2246 N/C ; (b) 2250 N/C ; (c) $(E_p - E_d)/E_p = 0{,}18\,\%$

### Problèmes

P3. $-(Cp/x^2)\vec{\mathbf{i}}$

P7. (b) $kQ/y^2$ ; (c) $2kQ/yL$

P13. (a) $[2kQx/(a^2 + x^2)^{3/2}]\vec{\mathbf{i}}$ ; (b) $2kQ/x^2$ ; (c) $x = \pm a/\sqrt{2}$

P17. 25,7°

P19. $(2k\lambda/a)\vec{\mathbf{i}}$

P21. $-[2k\lambda R^2/(z^2 + R^2)^{3/2}]\vec{\mathbf{j}} + [\pi k\lambda Rz/(z^2 + R^2)^{3/2}]\vec{\mathbf{k}}$

P23. (a) $2kA(1 - 2y/\sqrt{4y^2 + L^2})\vec{\mathbf{j}}$ ; (b) $2kA[L/\sqrt{4y^2 + L^2} - \ln(L + \sqrt{4y^2 + L^2})/2y]\vec{\mathbf{i}}$

## Chapitre 3

### Exercices

E1. 10,2 N·m$^2$/C

E3. $\pi R^2 E$

E5. $-2{,}26 \times 10^5$ N·m$^2$/C

E7. (a) $6{,}78 \times 10^6$ N·m$^2$/C ; (b) $1{,}13 \times 10^6$ N·m$^2$/C ; (c) Non pour (a), oui pour (b)

E9. (a) 11,3 N/C ; (b) 7,23 N/C

E13. (a) Zéro ; (b) $|\sigma|/\varepsilon_0$

E15. (a) $\sigma/\varepsilon_0$ ; (b) Zéro

E17. $\sigma_2 = -a\sigma_1/b$

E19. $\lambda_2 = -\lambda_1$

E21. (a) $\vec{\mathbf{E}} = (kQ/r^2)\vec{\mathbf{u}}_r$ ; (b) 0

E23. $\sigma_a/\sigma_b = -b^2/a^2$

E25. 245 N/C

E27. $-7{,}70 \times 10^{-8}$ C/m$^2$

E29. (a) $-38{,}6$ N·m$^2$/C ; (b) 122 N·m$^2$/C

E31. (a) 1,06 μC/m$^3$ ; (b) $1{,}00 \times 10^3$ N/C

**Problèmes**

P1. (a) $\vec{\mathbf{E}} = (\rho r/3\varepsilon_0)\vec{\mathbf{u}}_r$ ; (b) $\vec{\mathbf{E}} = (\rho R^3/3\varepsilon_0 r^2)\vec{\mathbf{u}}_r$

P3. (a) $-4\pi\sigma R_1^2$ ; (b) $-4\pi\sigma(R_2^2 - R_1^2)$ ; (c) $\vec{\mathbf{E}} = (-\sigma R_2^2/\varepsilon_0 r^2)\vec{\mathbf{u}}_r$

P5. (a) $\vec{\mathbf{E}} = (\rho r/2\varepsilon_0)\vec{\mathbf{u}}_r$ ; (b) $\vec{\mathbf{E}} = (\rho R^2/2\varepsilon_0 r)\vec{\mathbf{u}}_r$

P9. (a) $\vec{\mathbf{E}} = (kQ/r^2)\vec{\mathbf{u}}_r$ ; (b) $\vec{\mathbf{E}} = (kQ/r^2)\vec{\mathbf{u}}_r$

P11. (a) $\vec{\mathbf{E}} = [\rho(r^2 - a^2)/2\varepsilon_0 r]\vec{\mathbf{u}}_r$ ; (b) $\vec{\mathbf{E}} = [\rho(R^2 - a^2)/2\varepsilon_0 r]\vec{\mathbf{u}}_r$

P13. $\rho t/2\varepsilon_0$

## Chapitre 4

**Exercices**

E1. (a) $1{,}88 \times 10^{28}$ eV ; (b) 1,59 a

E3. 60,0 V

E5. 6,00 V

E7. (a) $3{,}10 \times 10^{-7}$ V ; (b) $3{,}57 \times 10^{-4}$ V ; (c) $2{,}56 \times 10^3$ V

E9. (a) $2{,}05 \times 10^6$ m/s ; (b) $4{,}80 \times 10^4$ m/s

E11. $2{,}00 \times 10^{-5}$ J

E13. $|\Delta V| = 150$ V

E15. (a) 216 V ; (b) 52,0 kV

E17. 1,69 J

E19. (a) $-9{,}58$ V ; (b) $-7{,}22$ V

E21. (a) $2{,}30 \times 10^{-13}$ J ; (b) $v = 1{,}02 \times 10^7$ m/s

E23. (a) $4{,}11 \times 10^5$ V ; (b) $-0{,}823$ J ; (c) $-2{,}68$ J

E25. (a) $-30{,}0$ kV ; (b) $v = 20{,}0$ m/s

E27. $r = 3{,}00$ m ; $Q = 2{,}00 \times 10^{-7}$ C

E29. 0,683 J

E31. (a) 0,566 MV ; (b) 1,13 J

E33. (a) $4{,}94 \times 10^5$ V ; (b) $-6{,}17 \times 10^5$ V ; (c) $-1{,}98$ J

E35. (a) 1,20 MV ; (b) 3,30 J

E37. (a) $2kq[1/x - 1/(x^2 + a^2)^{1/2}]$ ; (b) $-[2kqa^2/y(y^2 - a^2)]$

E39. (a) 5,26 cm ; (b) 5,88 cm

E41. (a) $5{,}60 \times 10^{-12}$ J ; (b) $5{,}60 \times 10^{-12}$ J

E43. (a) $kQ/(a^2 + y^2)^{1/2}$ ; (b) $\vec{\mathbf{E}} = [kQy/(a^2 + y^2)^{3/2}]\vec{\mathbf{j}}$

E45. (a) $8{,}84 \times 10^{-6}$ C/m$^2$ ; (b) $6{,}94 \times 10^{10}$ ; (c) $1{,}00 \times 10^6$ V/m

E47. (a) $2kQ/(a^2 + x^2)^{1/2}$ ; (b) $\vec{\mathbf{E}} = [2kQx/(a^2 + x^2)^{3/2}]\vec{\mathbf{i}}$

E49. (a) $2kQa/(x^2 - a^2)$ ; (b) $\vec{\mathbf{E}} = [4kQax/(x^2 - a^2)]\vec{\mathbf{i}}$

E51. $\vec{\mathbf{E}} = (2k\lambda/r)\vec{\mathbf{u}}_r$

E53. $\vec{\mathbf{E}} = (3y^2z - 6x^2y)\vec{\mathbf{i}} + (6xyz - 2x^3 - 5z^3)\vec{\mathbf{j}} + (3xy^2 - 15yz^2)\vec{\mathbf{k}}$

E55. 11,7 mJ

E57. $Q_1 = 2{,}00$ nC ; $Q_2 = 5{,}00$ nC

E59. 62,2 V

E61. 69,9 nJ

E63. 10,3 nC

E65. $Q_1 = 9{,}00$ nC ; $Q_2 = 21{,}0$ nC

**Problèmes**

P1. $K_\alpha = 5{,}51 \times 10^{-12}$ J, $K_{\text{Th}} = 9{,}40 \times 10^{-14}$ J

P3. (a) $-4{,}90 \times 10^{-18}$ J ; (b) $-1{,}44 \times 10^{-18}$ J

P5. (a) $k[(Q_1/R_1) + (Q_2/R_2)]$ ; (b) $k(Q_1 + Q_2)/R_2$ ; (c) $kQ_1(1/R_1 - 1/R_2)$ ; (d) $Q_1 = 0$

P7. (b) $3{,}97 \times 10^6$ V/m

P9. $k\lambda \ln[L + (y^2 + L^2)^{1/2}/y]$

P15. (a) $5{,}41 \times 10^{-21}$ J ; (b) $-5{,}41 \times 10^{-21}$ J ; (c) $-10{,}8 \times 10^{-21}$ J ; (d) $10{,}8 \times 10^{-21}$ J

P17. (a) $kAx \ln[(2x + L)/(2x - L)] - kAL$ ; (b) Zéro

P19. (a) $\pi kB[a\sqrt{a^2 + y^2} - y^2 \ln(a + \sqrt{a^2 + y^2}) + (y^2/2) \ln(y^2)$ ; (b) $(\pi kC/3)(2a^2\sqrt{a^2 + y^2} - 4y^2\sqrt{a^2 + y^2} + 4y^2\sqrt{y^2})$

## Chapitre 5

**Exercices**

E1. (a) 50,0 pF ; (b) 600 pC

E3. (a) 54,2 cm$^2$ ; (b) 167 V ; (c) $8{,}33 \times 10^5$ V/m

E5. (a) $-8{,}85 \times 10^{-10}$ C/m$^2$ ; (b) 91,7 mF

E9. 8,00 nF

E11. $Q_1 = 32{,}0$ μC ; $Q_2 = 48{,}0$ μC ; $\Delta V_1 = \Delta V_2 = 8{,}00$ V

E13. (a) 4,58 pF ; (b) $1{,}43 \times 10^8$

E15. 6,00 μF

E17. (a) Deux en parallèle avec deux en série ; (b) Quatre en série

E19. $Q_1 = 16{,}0$ μC ; $Q_1 = 32{,}0$ μC ; $\Delta V_1 = \Delta V_2 = 8{,}00$ V

E21. (a) $Q_1 = 32{,}2$ μC ; $Q_2 = 53{,}8$ μC ; $\Delta V_1 = \Delta V_2 = 10{,}8$ V ; (b) $Q_1' = 5{,}25$ μC ; $Q_2' = 8{,}75$ μC ; $\Delta V' = 1{,}75$ V

E23. 0,222 pF

E25. (a) 14,2 pF ; (b) 4,08 nJ ; (c) $9{,}60 \times 10^3$ V/m ; (d) 408 μJ/m$^3$

E27. 0,192 J/m$^3$

E29. $U_1 = 204$ μJ, $U_2 = 81{,}6$ μJ, $U_1' = 66{,}7$ μJ, $U_2' = 167$ μJ

E31. (a) 529 μJ ; (b) 6,61 μJ

E33. (a) $\varepsilon_0 A/(d - \ell)$ ; (b) Aucun changement

E35. (a) Double ; (b) Aucun changement ; (c) Double

E37. $8{,}96 \times 10^5$ J/m$^3$

E39. 6,38 V

E41. $C_0(\kappa_1 + \kappa_2)/2$

E43. (a) 1,72 V ; (b) 4,66 pF

E45. (a) 0,942 cm$^2$ ; (b) 15,0 kV

E47. (a) 3,78 cm ; (b) 234 nC/m$^2$

E49. 7,08 mm

E51. 12,5 μF

E53. 7,20 kW

**Problèmes**

P3. $\frac{1}{2}\varepsilon_0 A\ell\Delta V^2/(d - \ell)^2$

P5. 18,3 pF

P7. $Q^2/2\varepsilon_0 A$, attractive

P9. $kC\Delta V^2/2$

## Chapitre 6

**Exercices**

E1. (a) $1{,}19 \times 10^{16}$ s$^{-1}$ ; (b) $2{,}42 \times 10^3$ A/m$^2$

E3. (a) $1{,}07 \times 10^{-5}$ m/s ; (b) $1{,}49 \times 10^{-3}$ V/m

E5. (a) $2{,}83 \times 10^6$ A/m$^2$ ; (b) $4{,}81 \times 10^{-2}$ V/m

E7. 1,06 mA

E9. $6{,}79 \times 10^6$ A/m$^2$ ; (b) $4{,}24 \times 10^{-4}$ m/s ; (c) 0,190 V/m

E11. $6{,}85 \times 10^{-5}$ A

E13. $\rho\ell/\pi(b^2 - a^2)$

E15. 148°C

E17. 1,65

E19. 0,779

E21. $2{,}83 \times 10^{-8}$ Ω·m, Al

E23. 5,04 Ω

E25. (a) 45,6°C ; (b) −5,60°C

E27. 12,0 V

E29. (a) $2{,}88 \times 10^5$ C ; (b) 38,4 h

E31. 5,23 W, 13,2 W

E33. $2{,}30 \times 10^{19}$

E35. 720 kW

E37. (a) 500 W ; (b) 1,25 W

E39. 14,5 V

E41. 288 Ω ; 144 Ω

E43. (a) $10t - 4$ ; (b) $3{,}00 \times 10^4$ A/m$^2$

E45. 0,600 Ω

E47. $2{,}83 \times 10^{-8}$ Ω·m

E49. 124°C

**Problèmes**

P1. (a) 41,9 m ; (b) 7,00 A

P3. (b) 37,4 μΩ

P5. $\sigma\omega a^2/2$

P7. 67,5 mg

P9. (a) $P_{Cu} = 0{,}766$ W, $P_{acier} = 18{,}1$ W ; (b) $E_{Cu} = 0{,}0102$ V/m, $E_{acier} = 0{,}240$ V/m

## Chapitre 7

**Exercices**

E1. 11,2 V, 0,706 Ω

E3. 12,0 V, 0,600 Ω

E5. (a) 0,525 Ω ; (b) 0,213 Ω, 1,30 Ω

E7. 0,179 Ω

E9. (a) 7,81 Ω ; (b) 0,568 V

E11. 2,00 Ω, 3,00 Ω, 4,00 Ω, 5,00 Ω, 6,00 Ω, 7,00 Ω, 9,00 Ω, 1,20 Ω, 1,33 Ω, 1,71 Ω, 0,920 Ω, 5,20 Ω, 4,33 Ω, 3,71 Ω, 2,22 Ω, 1,55 Ω

E13. 1,00 Ω, 2,00 Ω, 3,00 Ω et 4,00 Ω ou 1,00 Ω, 2,00 Ω, 4,00 Ω et 5,00 Ω ou 1,00 Ω, 2,00 Ω, 4,00 Ω et 4,00 Ω ou 1,00 Ω, 2,00 Ω, 2,00 Ω et 5,00 Ω

E15. (a) 8,94 V ; (b) 13,4 V

E17. $I_{lampe} = 0{,}500$ A ; $I_{radio} = 0{,}0833$ A ; $I_{gri.\text{-}pain} = 8{,}33$ A ; $I_{radiateur} = 12{,}5$ A

E19. (a) 0,500 A ; (b) $P_{R1} = 0{,}500$ W ; $P_{R2} = 1{,}00$ W ; (c) $P_{\varepsilon 1} = 4{,}50$ W ; $P_{\varepsilon 2} = -3{,}00$ W

E21. $I_7 = 0$ ; $I_3 = 3{,}33$ A ; $I_4 = 2{,}50$ A

E23. $r/2$

E25. (a) $I_1 = 3{,}00$ A, $\Delta V_1 = 6{,}00$ V, $I_2 = -1{,}00$ A, $\Delta V_2 = 5{,}00$ V, $I_3 = -4{,}00$ A ; $\Delta V_3 = 20{,}0$ V ; (b) −20,0 V

E27. $I_1 = 2{,}00$ A, $\Delta V_1 = 8{,}00$ V, $I_2 = 1{,}00$ A, $\Delta V_2 = 3{,}00$ V, $I_3 = 3{,}00$ A, $\Delta V_3 = 9{,}00$ V

E29. 18,0 V ; 1,00 Ω

E31. 3,00 Ω

E33. (a) 8,66 V ; (b) $P_1 = 13{,}5$ W, $P_2 = 3{,}00$ W

E35. $1{,}44 \times 10^5$ Ω

E37. 86,8 μF

E39. (a) 0,368 mC, 0,368 mA ; (b) 1,69 mJ ; (c) 9,20 mW ; (d) −9,20 mW

E41. (a) 1,50 s ; (b) 0,997 %

E43. $I_{3\Omega} = 0$ ; $I_{5\Omega} = I_{1\Omega} = 1{,}67$ Ω ; (b) 21,7 μC

E45. $R_1 = 950$ Ω ; $R_2 = 9{,}00$ kΩ ; $R_3 = 40{,}0$ kΩ

E47. (a) $R_{série} = 200$ kΩ ; (b) $R_{shunt} = 2{,}00$ mΩ

E49. (a) 9,90 A ; 99,0 V ; (b) 9,90 A ; 100 V

E51. 12,4 V

E53. 2,00 Ω ; 6,00 W

E55. (a) 5,00 V ; (b) 10,0 V

E57. $I_1$ = 84,7 mA ; $I_2$ = 65,8 mA ; $I_3$ = 151 mA

E59. 1,60 V ; 0,200 Ω

E61. (a) 0,694 W ; (b) 4,17 W ; (c) −7,08 V

E63. (a) 900 μC ; (b) 58,2 ms

**Problèmes**

P1. $R_1$ = 8,16 mΩ ; $R_2$ = 32,6 mΩ ; $R_3$ = 359 mΩ

P3. $5R/6$

P7. 0,409 A

P9. (a) 8,00 V ; (b) 8,00 V ; (c) 26,7 μs

P11. $I_{1\Omega}$ = 5,00 A ; $I_{4\Omega}$ = 2,00 A ; $I_{2\Omega}$ = 1,50 A

P13. (a) $I_1 = \xi/R_1$, $I_2 = 0$ ; (b) $\xi/(R_1 + R_2)$

P17. (a) Série ; (b) Parallèle

## Chapitre 8

**Exercices**

E1. (a) $9{,}60 \times 10^{-18}$ N vers l'est ;
(b) $9{,}60 \times 10^{-18}$ N vers le haut

E3. $5{,}18 \times 10^{-18}$ N à 45° au nord de l'est

E5. Dans le plan *xy*, à 60° de l'axe des *x*

E7. $-0{,}160\vec{\mathbf{i}} - 0{,}320\vec{\mathbf{j}} - 0{,}640\vec{\mathbf{k}}$ N

E9. $(-3{,}13\vec{\mathbf{i}} - 1{,}04\vec{\mathbf{j}}) \times 10^6$ m/s

E11. $-0{,}400\vec{\mathbf{j}}$ T

E13. $\vec{\mathbf{F}}_1 = IdB_1\vec{\mathbf{j}}$, $\vec{\mathbf{F}}_2 = -IdB_1\vec{\mathbf{i}}$, $\vec{\mathbf{F}}_3 = IdB_1(\vec{\mathbf{i}} - \vec{\mathbf{j}})$

E15. $\vec{\mathbf{F}}_1 = IdB_3\vec{\mathbf{k}}$ ; $\vec{\mathbf{F}}_2 = 0$ ; $\vec{\mathbf{F}}_3 = -IdB_3\vec{\mathbf{k}}$

E17. 0,0638 N/m directement vers le sud à 30° sous l'horizontale

E19. (a) $1{,}85 \times 10^{-2}\vec{\mathbf{j}}$ T ;
(b) $(1{,}85 \times 10^{-2}\vec{\mathbf{j}} + 3{,}20 \times 10^{-2}\vec{\mathbf{k}})$T

E21. (a) $\vec{\mathbf{F}}_1 = -\vec{\mathbf{F}}_3 = 8{,}00\vec{\mathbf{k}}$ N, $\vec{\mathbf{F}}_2 = -\vec{\mathbf{F}}_4 = -40{,}0\vec{\mathbf{j}}$ N ;
(b) $\vec{\boldsymbol{\mu}} = 8{,}00\vec{\mathbf{i}} - 13{,}9\vec{\mathbf{j}}$ A·m² ; (c) $\vec{\boldsymbol{\tau}} = 6{,}93\vec{\mathbf{k}}$ N·m

E23. $1{,}88 \times 10^{-4}$ N·m

E25. (a) $4{,}52\vec{\mathbf{i}} + 3{,}38\vec{\mathbf{j}} - 2{,}26\vec{\mathbf{k}}) \times 10^{-3}$ N·m ;
(b) $-1{,}69 \times 10^{-3}$ J

E27. 3,13°

E29. (a) 2,13 cm ; (b) $1{,}65 \times 10^{16}$ m/s² ; (c) 7,15 ns

E31. (a) $1{,}53 \times 10^7$ m/s (b) $8{,}20 \times 10^{-8}$ s ;
(c) $1{,}95 \times 10^{-13}$ J

E33. (a) $r_p = r_d$ ; (b) $r_p = 0{,}5r_d$ ; (c) $r_p = 0{,}707r_d$

E35. (a) $B_\alpha = 2B_p$ ; (b) $B_\alpha = \frac{1}{2}B_p$ ; (c) $B_\alpha = B_p$

E37. (a) $1{,}57 \times 10^4$ m ; (b) vers l'est

E39. 4,04 cm

E41. 7,80 cm

E43. $7{,}22 \times 10^{-4}\vec{\mathbf{k}}$ T

E45. (a) $8{,}62 \times 10^7$ rad/s ; (b) $3{,}49 \times 10^{-12}$ J

E47. $1{,}80 \times 10^{11}$ C/kg

E49. (a) 1,88 m/s ; (b) $3{,}13 \times 10^{27}$ m³

E51. $7{,}14 \times 10^{28}$/m³

E53. (a) 25° ou 155° ; (b) $\vec{\mathbf{B}} = (-0{,}589\vec{\mathbf{i}} \pm 0{,}275\vec{\mathbf{j}})$ T

E55. $\vec{\mathbf{F}}_1 = 1{,}20\vec{\mathbf{i}}$ N ; $\vec{\mathbf{F}}_2 = 1{,}20\vec{\mathbf{j}}$ N ;
$\vec{\mathbf{F}}_3 = -(1{,}20\vec{\mathbf{i}} - 1{,}20\vec{\mathbf{j}})$ N ; $\vec{\mathbf{F}}_4 = 1{,}20\vec{\mathbf{j}}$ N

E57. (a) 2,71 mN vers l'est ; (b) 2,88 mN directement vers le nord, à 20° au-dessus de l'horizontale

E59. $-1{,}18\vec{\mathbf{j}}$ N·m

E61. $1{,}02 \times 10^9$ A

E63. $9{,}07 \times 10^{-4}$ T

E65. 0,380 m

E67. (a) 0,123 m ; (b) 0,137 m

E69. $1{,}63 \times 10^{-16}$ N

**Problèmes**

P1. (b) $2\pi(I/\mu B)^{1/2}$

P3. 1 spire

P7. (a) $8{,}53 \times 10^{-3}$ T ; (b) 0,350 ns ;
(c) $\vec{\mathbf{r}} = (1{,}00\vec{\mathbf{i}} + 0{,}268\vec{\mathbf{j}})$ cm

## Chapitre 9

**Exercices**

E1. $\mu_0 I_1 I_2 c/2\pi[1/a - 1/(a+b)]$ vers la droite

E3. (a) $(6{,}92\vec{\mathbf{i}} - 1{,}54\vec{\mathbf{j}}) \times 10^{-5}$ T ;
(b) $(4{,}62\vec{\mathbf{i}} + 20{,}8\vec{\mathbf{j}}) \times 10^{-5}$ N

E5. $5{,}00 \times 10^{-4}$ T

E7. 6,84° vers l'ouest par rapport au nord

E9. (a) $-1{,}33 \times 10^{-5}\vec{\mathbf{j}}$ T ; (b) $8{,}51 \times 10^{-18}\vec{\mathbf{k}}$ N

E11. (a) $\mu_0 Ix/\pi(a^2 + x^2)\vec{\mathbf{j}}$ ; (b) $x = \pm a$

E13. $5{,}14 \times 10^{-7}$ $I/a$, sortant de la page

E15. $(\mu_0 I/4)$ $(1/a - 1/b)$, entrant dans la page

E19. (b) $0{,}766a$

E21. 5,09 A

E23. $(\mu_0 I/a)(1/4 + 1/\pi\sqrt{5} + 1/4\pi\sqrt{5})$ sortant de la page

E25. 265

E29. (a) Parallèle à la plaque et perpendiculaire au courant, vers la droite au-dessus et vers la gauche en dessous ; (b) $\mu_0 Jt/2$

E31. $r$ = 0,500 mm ; $r$ = 8,00 mm

E33. (a) 2,00 A selon $+y$ ; (b) 1,20 A selon $-y$

E35. 0,667 A entrant dans la page

E37. $(1{,}28\vec{\mathbf{i}} - 3{,}84\vec{\mathbf{j}}) \times 10^{-4}$ N/m

E39. 0,251 T

**Problèmes**

P3. (a) $dI = \sigma\omega r\ dr$ ; (b) $dB = \mu_0\sigma\omega\ dr/2$

P9. (b) $\mu_0 Ia/2\pi R^2$

## Chapitre 10

### Exercices

E1. −2,52 mWb

E3. $|\mathscr{E}| = 40{,}1\ \mu V$

E5. (a) $(3{,}20t - 2{,}40t^2) \times 10^{-4}$ Wb ; (b) 1,33 mA

E7. $-13{,}7\ \cos(60\pi t)$ mV

E9. (a) −1,96 mWb ; (b) 98,1 mV ; (c) Antihoraire

E11. (a) 1,20 A ; (b) 0,130 N ; (c) 3,89 W ; (d) 3,89 W

E13. 7,26 mW

E17. 3,36 mW

E19. 130 rad/s

E21. (a) 0,201 V ; (b) $7{,}15 \times 10^{-4}$ N·m

E23. $-(eCd/2)\vec{\mathbf{j}}$

E25. (a) $6{,}03 \times 10^{-5}$ V/m ; (b) $1{,}21 \times 10^{-4}$ V/m

E27. (a) 0,810 V ; (b) Zéro

E29. $7{,}16 \times 10^3$ tr/min

E31. 0,802 s

E33. (a) 151 rad/s ; (b) $8{,}86 \times 10^{-2}$ N·m

### Problèmes

P1. $|\mathscr{E}| = (\mu_0 I v/2\pi)\ \ln[(\ell + d)/d]$

P5. $|\mathscr{E}| = 333\ \mu V$

P7. $-(\mu_0 \omega I_0 c/2\pi)\ \ln[(a + b)/a]\ \cos(\omega t)$

P9. (b) $-L^2(dB/dt)$

## Chapitre 11

### Exercices

E1. (a) 152 μH ; (b) 26,4 A/s

E3. (a) 4,80 μWb ; (b) 42,0 mV

E5. $|\mathscr{E}| = 9{,}38$ mV

E7. 93,8 mH

E9. 8,43 μH

E11. (a) 80,4 μH ; (b) 40,2 mV

E13. (a) $\mu_0 h N_1 I_1/2\pi\ \ln(b/a)$ ;
(b) $\mu_0 h N_1 N_2/2\pi\ \ln(b/a)$

E15. (a) 0,601 mWb ; (b) 0,394 mWb ; (c) 0,140 mWb ; (d) −80,0 mV ; (e) −12,6 mV ; (f) −28,0 mV

E17. (a) 0,279 A ; (b) −10,3 V ; (c) 536 ms

E19. (a) 6,00 A/s ; (b) 0,231 s ; (c) 0,333 s

E21. (a) 13,0 V ; (b) 11,0 V

E23. (a) 5,55 ms ; (b) 99,3 %

E25. 0,581 ms

E27. (a) 3,98 mJ/m$^3$ ; (b) 79,6 mA

E29. (a) 9,59 W ; (b) 5,58 W ; (c) 15,2 W

E31. 5,55 ms

E33. 75,2 mA

E35. (a) $\mu_0 n^2 I^2/2$ ; (b) $\mu_0 n^2 A\ell$

E37. (a) 563 Hz ; (b) 0,212 A ; (c) 0,222 ms

E39. 1,98 pF à 16,7 pF

### Problèmes

P1. (a) $L_1 + L_2$ ; (b) $(1/L_1 + 1/L_2)^{-1}$

P5. $(\mu_0 c/2\pi)\ \ln[(b + a)/a]$

P7. (b) 3,14 ; (c) 0,730 μF

## Chapitre 12

### Exercices

E1. (a) 7,96 A ; (b) 200 Hz

E3. (a) 5,03 kHz ; (b) 11,2 kHz ; (c) 2,25 kHz

E5. (a) 1,70 mC ; (b) 0,640 A

E7. (a) 1,30 A ; (b) Zéro ; (c) ±1,13 A ; (d) −13,2 W

E9. (a) 1,40 A, 68,2 W ; (b) 66,3 Hz

E11. 5,67 Ω, 44,4 μF

E13. 75,6 mH, 724 mH

E15. (a) ±2,42 A ; (b) 20,6 Ω ; (c) 194 V ; (d) 303 V

E17. (a) 300 Ω ; (b) 0,192 H ; (c) 70,5°

E19. (a) 49,2 μF ; (b) 113 Hz

E21. 264 Hz

E23. (a) 919 Hz ; (b) 620 Hz ; $1{,}36 \times 10^3$ Hz

E25. (a) 0,762 ; (b) 291 W

E27. $X_L = 20{,}0\ \Omega$, $X_C = 50{,}0\ \Omega$ ; (b) −63,4° ;
(c) 267 W ; (d) 0,448

E29. 151 W

E33. $2{,}74\ \sin(320t - 1{,}02)$ V

E35. (a) 16,2 W ; (b) 1,01 W

E37. (a) 400 ; (b) 2,40 A

### Problèmes

P3. (a) 2,00 V ; (b) 2,31 V

P5. 2,31 V

P7. (a) 84,7 V ; (b) 15,7 V ; (c) 1,59 V. Un filtre passe-bas

P9. 37,1 mH

P11. (a) $\Delta v_{R0} = 7{,}32$ V, $\Delta v_{C0} = 114$ V, $\Delta v_{L0} = 14{,}6$ V ;
(c) 115 V ; (d) −99,4 V

## Chapitre 13

### Exercices

E3. $2{,}90 \times 10^{-7}$ A

E7. $6{,}29 \times 10^{-13}$ T

E9. (a) $5{,}00 \times 10^{-8}$ T ; (b) $8{,}00 \times 10^{-8}$ T

E11. (a) 1,26 cm, 23,9 GHz ;
(b) $E_z = 60{,}0\ \sin(500x + 1{,}50 \times 10^{11} t)$ V/m

E13. (a) 150 V/m ; (b) 0,501 μT

E15. (a) $3{,}33 \times 10^{-6}$ J/m$^3$ ; (b) $4{,}63 \times 10^{20}$ J

E17. (a) $3{,}33 \times 10^{-8}$ T ; (b) 60,0 W

E19. (a) $3{,}33 \times 10^{-17}$ N ; (b) $3{,}33 \times 10^{-11}$ N

E21. 150 kW

E23. (a) $2{,}66 \times 10^{-9}$ W/m$^2$ ; (b) 547 km

E25. (a) $3{,}33 \times 10^{-8}$ N/m$^2$ ; (b) $8{,}00 \times 10^{-9}$ N

E27. 19,6 mW

**Problèmes**

P1. (a) $1/2\ \mu_0 \varepsilon_0 a(dE/dt)$ ; (b) $1/2\ \varepsilon_0 a E(dE/dt)$

P3. (a) 720 W ; (b) $3{,}82 \times 10^4$ W/m$^2$

P5. $(S/c)(2 - f)$

P7. $2{,}87 \times 10^{-4}$ V

P9. (a) 0,0100 A ; (b) 2,00 s

P11. $8{,}73 \times 10^{-5}$ kg·m/s

# Sources des photographies

### Chapitre 1

*Page 1* : Michael Holford. *Page 2* : Corbis-Bettmann. *Page 5* : Deutsches Museum. *Page 8* : AIP Emilio Segrè Visual Archives, E. Scott Barr Collection. *Page 9* : New York Public Library Picture Collection.

### Chapitre 2

*Page 19* : Ralph Wetmore/Tony Stone Images. *Page 24* : (en haut) Kip Peticolas/Fundamental Photographs ; (en bas) Dr. Harold Wage, Princeton University. *Page 25* : Dr. Harold Wage, Princeton University. *Page 41* : AIP Emilio Segrè Visual Archives.

### Chapitre 3

*Page 53* : (en haut) Dale E. Boyer, 1988/Courtesy NASA/Photo Researchers, Inc. ; (en bas) ARCHIV/Photo Researchers, Inc.

### Chapitre 4

*Page 73* : Jon Brenneis, Berkeley, California. *Page 81* : (en haut et en bas) Ira Wyman. *Page 89* : Chrysler Corporation. *Page 90* : Bethlehem Steel Corporation. *Page 92* : Dr. Erwin Müler, Pennsylvania State University.

### Chapitre 5

*Page 105* : Dan McCoy/Rainbow. *Page 106* : Science Museum, Londres. *Page 107* : Dr. Harold Wage, Princeton University. *Page 117* : Chathan Cooke, MIT High Voltage Research Laboratory.

### Chapitre 6

*Page 129* : Central Scientific Company. *Page 130* : Corbis-Bettmann. *Page 131* : (en haut, à gauche) AIP Emilio Segrè Visual Archives, Lande Collection ; (en haut, à droite) Burndy Library, Cambridge, MA ; (à droite) Pile de Volta offerte par Allessandro Volta à Michael Faraday en 1814, The Royal Institution, London/Bridgeman Art Library, London/New-York. *Page 133* : Tiré de *Electricity and Magnetism*, par Oleg D. Jefimenko, Electret Scientific, 1989. *Page 138* : AIP Emilio Segrè Visual Archives, E. Scott Barr Collection. *Page 143* : West Benjamin, *Benjamin Franklin Drawing Electricity from the Sky*, Philadelphia Museum of Art : Don de M. et Mme Wharton Sinkler. *Page 144* : National Severe Storms Laboratory. *Page 145* : Ralph Wetmore/Tony Stone Images.

### Chapitre 7

*Page 155* : Lynn Johnson/Black Star. *Page 164* : AIP Emilio Segrè Visual Archives, W. F. Meggers Collection. *Page 179* : Michael Holford.

### Chapitre 8

*Page 197* : CERN. *Page 198* : Peint par C. W. Eckersberg/Danmarks Tekniske Museum, Helsingør, Danmark. *Page 199* : Richard Megna/Fundamental Photograhs. *Page 208* : Culver Pictures. *Page 209* : Lawrence Berkeley Laboratory/Science Photo Library/ Photo Researchers, Inc. *Page 212* : (à gauche) Finley-Holiday Film Corp. *Page 214* : (à gauche) Jon Brenneis, Berkeley, California ; (à droite) Ernest Orlando Lawrence Berkeley National Laboratory. *Page 216* : (à gauche) David Parker/Science Photo Library/Photo Researchers, Inc. ; (à droite) Fermi National Accelerator Laboratory/Science Photo Library/Photo Researchers, Inc. ; (en bas) AIP Emilio Segrè Visual Archives, Bachrach. *Page 219* : (en haut) University of Cambridge, Cavendish Laboratory, Madingley Road – Cambridge, England ; (en bas) : Science Museum, Londres.

### Chapitre 9

*Page 231* : Stanford Linear Accelerator Center/Science Photo Library/Photo Researchers, Inc. *Page 232* : PSSC Physics, 2nd edition, ©1965 Education Development Center, Inc. and D. C. Health & Company. Education *Page 234* : Stuart Westmorland/Tony Stone Images. *Page 237* : Richard Megna/Fundamental Photographs. *Page 241* : Tiré de *Electricity and Magnetism*, par Oleg D. Jefimenko, Electret Scientific, 1989. *Page 243* : AIP Emilio Segrè Visual Archives. *Page 247* : (en haut) Lawrence Livermore National Laboratory/U.S. Departement of Energy ; (en bas) New York Public Library Picture Collection. *Page 248* : Smithsonian Institution. *Page 250* : d'après « Magnetic Fields in the Cosmos » par E. N. Parker, *Scientific American*, août 1983.

*Page 265* : (en haut) David Hanson/Tony Stone Images ; (au milieu) New York Public Library Picture Collection ; (en bas) Portrait de Michael Faraday (1791-1867) 1830 (peinture à l'huile) par Henry William Pickersgill (1752-1875)/The Royal Institution, London/Bridgeman Art Library, London/New York. *Page 267* : Michael Holford. *Page 277* : Hydro-Québec. *Page 283* : Michael Faraday (1791-1867) dans son laboratoire, 1852 (peinture à l'eau sur papier) par Harriet Jane Moore/The Royal Institution, London/Bridgeman Art Library, London/ New York. *Page 286* : Michael Holford.

*Page 297* : (en haut) Michael S. Weinberg ; (en bas) Portrait de Joseph Henry (1797-1878) 1877 (peinture à l'huile) par Thomas LeClear (1818-1882)/The National Portrait Gallery, Smithsonian Institution. *Page 312* : R. W. Dublois. *Page 318* : G. Davis/Sygma.

*Page 327* : Hydro-Québec.

*Page 351* : ©1988 Blaine Harrington/The Stock Market/ First Light Associated Photographers. *Page 352* : AIP Emilio Segrè Visual Archives. *Page 360* : (à gauche) photo de Ben Rose, ©Miriam Rose/Center for Creative Photography ; (en bas à gauche) Palomar/Caltech ; (en bas à droite) Robert McCall. *Page 361* : (en haut) AIP Emilio Segrè Visual Archives ; (en bas) Deutsches Museum, Munich. *Page 363* : NASA. *Page 364* : Doug Johnson/Science Photo Library/Photo Researchers, Inc.

# Index

## D



## E



## F



## G

## H



## I



## J



## K



## L



## M



## N



## O



## P

## Q



## R



## S



## T



## U



## V



## W

## FACTEURS DE CONVERSION

### Longueur

1 po = 2,54 cm (exactement)
1 m = 39,37 po = 3,281 pi
1 mille (mi) = 5280 pi = 1,609 km
1 km = 0,6215 mille
1 fermi (fm) = $1 \times 10^{-15}$ m
1 ångström (Å) = $1 \times 10^{-10}$ m
1 mille marin = 6076 pi = 1,151 mille
1 unité astronomique (UA) = $1,4960 \times 10^{11}$ m
1 année-lumière = $9,4607 \times 10^{15}$ m

### Aire

1 $m^2$ = $10^4$ $cm^2$ = 10,76 $pi^2$
1 $pi^2$ = 0,0929 $m^2$
1 $po^2$ = 6,452 $cm^2$
1 $mille^2$ = 640 acres
1 hecatre (ha) = $10^4$ $m^2$ = 2,471 acres
1 acre (ac) = 43 560 $pi^2$

### Volume

1 $m^3$ = $10^6$ $cm^3$ = $6,102 \times 10^4$ $po^3$
1 $pi^3$ = 1728 $po^3$ = $2,832 \times 10^{-2}$ $m^3$
1 L = $10^3$ $cm^3$ = 0,0353 $pi^3$
= 1,0576 pinte (É-U.)
1 $pi^3$ = 28,32 L = 7,481 gallons É.-U. = $2,832 \times 10^{-2}$ $m^3$
1 gallon (gal) É.-U. = 3,786 L = 231 $po^3$
1 gallon (gal) impérial = 1,201 gallon É.-U. = 277,42 $po^3$

### Masse

1 unité de masse atomique (u) = $1,6605 \times 10^{-27}$ kg
1 tonne (t) = $10^3$ kg
1 slug = 14,59 kg
1 tonne É.-U. = 907,2 kg

### Temps

1 jour = 24 h = $1,44 \times 10^3$ min = $8,64 \times 10^4$ s
1 a = 365,24 jours = $3,156 \times 10^7$ s

### Force

1 N = $10^5$ dynes = 0,2248 lb
1 lb = 4,448 N
Le poids de 1 kg correspond à 2,205 lb.

### Énergie

1 J = $10^7$ ergs = 0,7376 pi·lb
1 eV = $1,602 \times 10^{-19}$ J
1 cal = 4,186 J ; 1 Cal = 4186 J (1 Cal = 1 kcal)
1 kW·h = $3,600 \times 10^6$ J = 3412 Btu
1 Btu = 252,0 cal = 1055 J
1 u est équivalent à 931,5 MeV

### Puissance

1 hp = 550 pi·lb/s = 745,7 W
1 cheval-vapeur métrique (ch) = 736 W
1 W = 1 J/s = 0,7376 pi·lb/s
1 Btu/h = 0,2931 W

### Pression

1 Pa = 1 N/$m^2$ = $1,450 \times 10^{-4}$ lb/$po^2$
1 atm = 760 mm Hg = $1,013 \times 10^5$ N/$m^2$ = 14,70 lb/$po^2$
1 bar = $10^5$ Pa = 0,9870 atm
1 torr = 1 mm Hg = 133,3 Pa

## L'ALPHABET GREC

| | | | | | | | | |
|---|---|---|---|---|---|---|---|---|
| Alpha | A | $\alpha$ | Iota | I | $\iota$ | Rhô | P | $\rho$ |
| Bêta | B | $\beta$ | Kappa | K | $\kappa$ | Sigma | $\Sigma$ | $\sigma$ |
| Gamma | $\Gamma$ | $\gamma$ | Lambda | $\Lambda$ | $\lambda$ | Tau | T | $\tau$ |
| Delta | $\Delta$ | $\delta$ | Mu | M | $\mu$ | Upsilon | Y | $\upsilon$ |
| Epsilon | E | $\varepsilon$ | Nu | N | $\nu$ | Phi | $\Phi$ | $\phi$ |
| Zêta | Z | $\zeta$ | Xi | $\Xi$ | $\xi$ | Khi | X | $\chi$ |
| Êta | H | $\eta$ | Omicron | O | $o$ | Psi | $\Psi$ | $\psi$ |
| Thêta | $\Theta$ | $\theta$ | Pi | $\Pi$ | $\pi$ | Oméga | $\Omega$ | $\omega$ |

## FORMULES MATHÉMATIQUES*

### Géométrie

| | | |
|---|---|---|
| Triangle de base $b$ et de hauteur $h$ | Aire $= \frac{1}{2}bh$ | |
| Cercle de rayon $r$ | Circonférence $= 2\pi r$ | Aire $= \pi r^2$ |
| Sphère de rayon $r$ | Aire de la surface $= 4\pi r^2$ | Volume $= \frac{4}{3}\pi r^3$ |
| Cylindre de rayon $r$ et de hauteur $h$ | Aire de la surface courbe $= 2\pi rh$ | Volume $= \pi r^2 h$ |

### Algèbre

Si $ax^2 + bx + c = 0$, alors $\quad x = \dfrac{-b \pm \sqrt{b^2 - 4ac}}{2a}$

Si $x = a^y$, alors $y = \log_a x$ ; $\quad \log(AB) = \log A + \log B$

### Trigonométrie

$\sin(90° - \theta) = \cos\theta$; $\quad \cos(90° - \theta) = \sin\theta$

$\sin(-\theta) = -\sin\theta$; $\quad \cos(-\theta) = \cos\theta$

$\sin^2\theta + \cos^2\theta = 1$ ; $\quad \sin 2\theta = 2\sin\theta\cos\theta$

$\sin(A \pm B) = \sin A \cos B \pm \cos A \sin B$

$\cos(A \pm B) = \cos A \cos B \mp \sin A \sin B$

$\sin A \pm \sin B = 2\sin\left(\dfrac{A \pm B}{2}\right)\cos\left(\dfrac{A \mp B}{2}\right)$

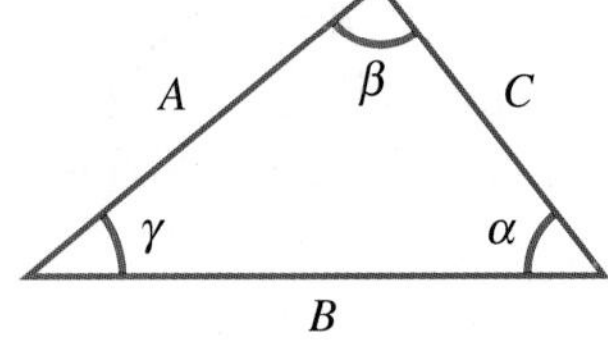


Loi des cosinus $\quad C^2 = A^2 + B^2 - 2AB\cos\gamma$

Loi des sinus $\quad \dfrac{\sin\alpha}{A} = \dfrac{\sin\beta}{B} = \dfrac{\sin\gamma}{C}$

### Approximations du développement en série (pour $x \ll 1$)

$(1 + x)^n \approx 1 + nx \qquad \sin x \approx x - \dfrac{x^3}{3!}$

$e^x \approx 1 + x \qquad \cos x \approx 1 - \dfrac{x^2}{2!}$ $\quad$ ($x$ en radians)

$\ln(1 \pm x) \approx \pm x \qquad \tan x \approx x - \dfrac{x^3}{3}$

* Une liste plus complète est donnée à l'annexe B.